ACCESO GRATIS a la Lectura en la Nube

Para visualizar el libro electrónico en la nube de lectura envíe junto a su nombre y apellidos una fotografía del código de barras situado en la contraportada del libro y otra del ticket de compra a la dirección:

ebooktirant@tirant.com

En un máximo de 72 horas laborales le enviaremos el código de acceso con sus instrucciones.

La visualización del libro en **NUBE DE LECTURA** excluye los usos bibliotecarios y públicos que puedan poner el archivo electrónico a disposición de una comunidad de lectores. Se permite tan solo un uso individual y privado

DOCTRINA PENAL ACTUALIZADA

TERCERA EDICIÓN

DOCTRINA PENAL ACTUALIZADA

TERCERA EDICIÓN

Ampliada y revisada
(Adaptada a las Leyes Orgánicas 9/2022, de 28 de
julio, 10/2022, de 6 de septiembre, 11/2022, de 13 de
septiembre, 13/2022, de 20 de diciembre, y 14/2022, de
22 de diciembre, por las que se modifica el Código Penal)

JERÓNIMO GARCÍA SAN MARTÍN
Magistrado
Doctor en Derecho

tirant lo blanch
Valencia, 2023

© Jerónimo García San Martín

© TIRANT LO BLANCH
EDITA: TIRANT LO BLANCH
C/ Artes Gráficas, 14 - 46010 - Valencia
TELFS.: 96/361 00 48 - 50
FAX: 96/369 41 51
Email:tlb@tirant.com
www.tirant.com
Librería virtual: www.tirant.es
DEPÓSITO LEGAL: V-746-2023
ISBN: 978-84-1169-086-7
MAQUETA: Disset Ediciones

Si tiene alguna queja o sugerencia, envíenos un mail a: *atencioncliente@tirant.com*. En caso de no
ser atendida su sugerencia, por favor, lea en *www.tirant.net/index.php/empresa/politicas-de-empresa*
nuestro procedimiento de quejas.

Responsabilidad Social Corporativa: http://www.tirant.net/Docs/RSCTirant.pdf

A nuestro Mateíto: mi ángel alado, mi dulce
sueño, el elegido reencuentro. La última parada

Índice

PARTE PRIMERA
DERECHO PENAL
(PARTE GENERAL)

PARTE SEGUNDA
DERECHO PENAL
(PARTE ESPECIAL)

PARTE TERCERA
CUESTIONES PROCESALES

PROLOGO A LA TERCERA EDICIÓN

Antonio del Moral García

Magistrado del Tribunal Supremo

Ex -Fiscal

Según el art. 22.8 del Código Penal es *reincidente* quien ha sido ya condenado por delito comprendido en el mismo título y de la misma naturaleza.

La *multirreincidencia* llega cuando se trata de tres delitos con igual naturaleza y ubicación sistemática (art. 66.5ª)

Con estas líneas alcanzo la honrosa condición de *multirreinciden-te*. Es mi tercer prólogo a este mismo título.

No me conformo. Aspiro a la cualidad de *reo habitual* del art. 94 CP a la que creo, que, por un nimio requisito cronológico, no he llegado a acceder. ¡Ojalá llegue la ocasión! Será la señal tanto de que el autor sigue confiando en mí, como, sobre todo, de que sigue facilitándonos a todos cuantos tenemos en las leyes penales nuestra principal herramienta de trabajo, un instrumento de una utilidad difícil de medir: una doctrina jurisprudencial penal con dos características que se han convertido en moneda preciada y no fácil de conseguir: sintetizada y actualizada.

El esfuerzo de síntesis que hace el autor se traduce en un regalo de tiempo al aplicador del derecho penal. Las sentencias de casación en muchas ocasiones -estoy legitimado para decirlo pues me declaro culpable de esa falta- son demasiado largas. A veces lo exige el asunto tratado; otras, la necesidad o conveniencia de ir insistiendo en las mismas ideas; otras (ahí sitúo algunas ponencias mías) por falta de capacidad para prescindir de lo superfluo o inconsciente e ingenuo afán por dotar de mayor autoridad a la tesis con reproducción de pasajes de precedentes. Jerónimo García San Martín, precisamente porque se maneja muy bien con la jurisprudencia (estuvo varios años destinado en el Gabinete Técnico de la Sala Segunda del Tribunal Supremo: sala de máquinas de la jurisprudencia penal), y porque domina el derecho penal y conoce la forma en que se aplica, se ha convertido en un excelente sintetizador de la doctrina jurisprudencial. La *jibariza* -expúlsese cualquier atisbo peyorativo de la imagen- fantásticamente y de forma muy fiel. Sabe extraer de muchas páginas de literatura forense, a veces apelmazada o inevitablemente reiterativa, la esencia, lo novedoso, lo que aporta. Una breve consulta a este libro nos permite captar una idea, una tendencia, una solución jurisprudencial, que solo tras varias horas llegaríamos a descubrir con una base de datos. Sin traicionar la idea a base de descontextualizar una frase, selecciona magistralmente los párrafos que encierran la doctrina, dejando a un lado lo que no es más que insistencia en temas o ideas archisabidas y muchas veces repetidas. Con ello no se sustituye la tarea de estudio más completo o más a fondo una sentencia o grupo de sentencias cuando se hace necesario. Pero sí permite conocer de forma rápida si un problema penal concreto ha merecido una respuesta específica en la jurisprudencia vigente. ¡Que no nos prive de esa ayuda! Yo no fallaré si, tozudamente y no escarmentado, me vuelve a pedir el prólogo. Pero, con prólogo mío o de alguien con mayor merecimiento, que no falten las sucesivas ediciones.

Y es que la otra gran característica -doctrina *actualizada*-, se ha convertido en un bien escaso en materia penal. Un HERÁCLITO que fuese un penalista español de este Siglo, redefiniría su famosa imagen: nunca un hombre cruza el mismo río. El río, cada segundo que pasa es otro. No sin algo de hipérbole, hoy podría decir que cuando cogemos el Código Penal es muy probable que no sea el mismo que usamos la última vez. Primero, por esa convulsa obsesión de los poderes públicos de poner sus manos en el Código Penal. Un texto que debiera ser una *Constitución en negativo,* como proclama enfáticamente su exposición de motivos, corre a velocidad de crucero hacia el medio centenar de reformas -varias de mucho calado- cuando todavía no ha alcanzado los treinta años. ¿Qué diríamos de una Constitución con una media de casi dos modificaciones por año?

Si combinamos esa legislación cambiante con la necesaria labor de concreción por parte de la jurisprudencia de toda legislación novedosa, labor que se va haciendo día a día, y no repentinamente, vemos lo difícil que puede ser *estar al día* en lo que atañe al ordenamiento penal. Este libro lo facilita.

Escribo estas líneas en la víspera de la festividad de los Reyes Magos. Estos días por varías vías ha llegado a mi teléfono un *meme* en el que alguien pedía a sus majestades *"un código penal que le durase todo el año"*. ¡Qué candor! Mi consejo: que le pida esta nueva edición del libro de Jerónimo García San Martín, con la jurisprudencia penal actualizada a enero de 2023. Y que tenga la cautela de anotar en sus respectivos lugares las eventuales reformas -no dejan de hacerse anuncios- de los próximos meses.

La labor de actualización que se realiza tiene la doble vertiente que ha de acompañar a toda actualización. No solo se añaden los nuevos pronunciamientos, sino que se podan los que han quedado ya viejos, o han caducado o han sido sustituidos por otros. Es de agradecer. En muchas ocasiones se concibe la actualización como una tarea de allegar novedades y acumularlas como por aluvión a las viejas tesis que siguen ahí, salvo que hayan perdido vigencia. Eso supone perder en las dos virtudes que sí son predicables de este libro: se es menos sintético y se está menos actualizado.

Madrid, 5 de enero de 2023.

INTRODUCCIÓN

En un escenario intensamente connotado por una aún reciente y sustancial reforma del Código Penal, operada por la Ley Orgánica 1/2015, de 30 de marzo, que supuso, entre otras, la tipificación de nuevas conductas, la supresión de las faltas y su parcial reconducción a la categoría de delitos leves, el desarrollo y consolidación del régimen de responsabilidad penal de los entes colectivos, la nueva previsión penológica al concurso medial de delitos, la definitiva fijación del criterio cronológico, con carácter exclusivo y excluyente, para la solución de la acumulación jurídicas de penas, una profunda afectación del sistema de medidas alternativas al cumplimiento de las penas privativas de libertad con la meritoria vocación de unificación de las diferentes modalidades de la suspensión de la ejecución, la supresión del instituto de la sustitución ordinaria de la pena, y la confusión o absorción de la libertad condicional por la suspensión de la ejecución del resto de la pena ..., así como por la flamante reforma de la Ley de Enjuiciamiento Criminal por la Ley 41/2015, de 5 de octubre, que, entre otros muchos aspectos como la exigida consolidación de la segunda instancia, ha supuesto la muy plausible extensión del recurso de casación por infracción de ley contra las sentencias dictadas en apelación por las Audiencias Provinciales y la Sala de lo Penal de la Audiencia Nacional, lo que, previa constatación del requerido interés casacional, se traduce en la deseable tarea unificadora, o función nomofiláctica en palabras de la Sala 2ª, respecto a los delitos menos graves, que conforman una vasta proporción de los previstos en el Código Penal, y cuya extensión típica venía siendo, de sólito, víctima de la heterogeneidad o dispersión interpretativa entre las diferentes Audiencias Provinciales o incluso entre sus propias Secciones, surge esta obra intitulada "Doctrina Penal Actualizada".

"Doctrinal Penal Actualizada", constituye el resultado de una intensa actividad investigadora, de análisis exhaustivo e individualizado de todas y cada una de las Sentencias dictadas por la Sala 2ª del Tribunal Supremo, por el Tribunal Constitucional y por el Tribunal Europeo de Derechos Humanos en los últimos años, que no pretende, en modo alguno, solapar los naturales espacios reservados al código penal comentado o al tratado de derecho penal. Por el contrario, su vocación es eminentemente práctica, haciendo abstracción expresa y bienintencionada de cualquier aporte de la doctrina científica y de posicionamientos de este autor, para realzar así sus dos notas definitorias: actualización y vigencia de la doctrina jurisprudencial.

Por ello, su contenido queda acotado por el exclusivo tratamiento de aquellas previsiones normativas y tipos penales cuya extensión se ha visto recientemente afectada por pronunciamientos del Tribunal Supremo, Tribunal Constitucional y/o Tribunal Europeo de Derechos Humanos, omitiendo así la alusión a aquellas normas que o bien aún no han sido sometidas a la consideración de nuestro más alto Tribunal (huelga advertir que por razones estrictamente cronológicas nos encontramos ante los prolegómenos de tal elevada función nomofiláctica atribuida y asumida por la Sala 2ª del Tribunal Supremo respecto a los delitos menos graves), o bien porque descansan sobre una doctrina jurisprudencial ya reiterada y consolidada.

Las referencias jurisprudenciales pretenden ser sintéticas, resumiendo de un modo cuasi telegráfico el núcleo doctrinal; se ha proyectado resaltar los más actuales posicionamientos jurisprudenciales, cohonestando, asimismo, la norma con la práctica totalidad de los Acuerdos no jurisdiccionales del pleno de la Sala 2ª del Tribunal Supremo que encuentran, a la fecha, plena y efectiva vigencia.

"Doctrina Penal Actualizada" vocaciona ser un recurso útil para el jurista especialista en el orden penal, así como para el opositor que pretende el acceso a la carrera judicial por la categoría de Magistrado en el orden penal, para que con celeridad y eficiencia pueda identificar y localizar los giros y posicionamientos jurisprudenciales más recientes sentados en torno a las previsiones normativas y tipos penales, así como en torno a los principios y derechos fundamentales de carácter eminentemente procesal, las medidas cautelares, las diligencias y medios de prueba, y otras cuestiones procesales que hemos considerado de especial relevancia incluir en la parte tercera de esta obra, tales como el régimen del hallazgo casual, la prueba penal ilícita y su efecto sobre la refleja, o la cadena de custodia, entre otras.

PARTE PRIMERA
DERECHO PENAL

(PARTE GENERAL)

I. DE LAS GARANTÍAS PENALES Y DE LA APLICACIÓN DE LA LEY PENAL
(ARTS. 1 A 9)

Art. 2.

1. No será castigado ningún delito con pena que no se halle prevista por ley anterior a su perpetración. Carecerán, igualmente, de efecto retroactivo las leyes que establezcan medidas de seguridad.

2. No obstante, tendrán efecto retroactivo aquellas leyes penales que favorezcan al reo, aunque al entrar en vigor hubiera recaído sentencia firme y el sujeto estuviese cumpliendo condena. En caso de duda sobre la determinación de la Ley más favorable, será oído el reo. Los hechos cometidos bajo la vigencia de una Ley temporal serán juzgados, sin embargo, conforme a ella, salvo que se disponga expresamente lo contrario.

STS 477/2021: La jurisprudencia de esta Sala ha declarado que el principio de irretroactividad de la ley penal desfavorable, conlleva la garantía de que el ciudadano no puede ser sancionado por delitos sobrevenidos, o por acciones que en el momento de actuar o no eran delitos o eran sancionadas de forma más leve, o -lo que es lo mismo- por elementos periféricos a la infracción en cuyo estatuto jurídico se conviertan, en virtud de una modificación legal, como más desfavorables.

STS 320/2018: Es cierto que posibilidad de aplicar una ley intermedia -la que entró en vigor después de la ejecución del hecho y fue derogada antes de celebrarse el juicio- ha sido admitida desde antiguo por la jurisprudencia, cuando sea más benigna. Más recientemente las SSTS 692/2008 de 11 agosto, 953/2013 del 16 diciembre, han precisado que la mayoría de la doctrina científica considera que la ley penal intermedia más beneficiosa debe ser aplicada porque el espíritu humanitario y el texto del artículo 2.2 del CP no lo impiden. Además, se perjudicaría al reo por razones ajenas a él, pues sería por la tardanza de la Administración de Justicia la que empeoraría su situación. Interpretar el contenido del precepto esta sentencia... afirma que,

el artículo 2.2 del Código Penal permite la retroactividad de la
ley penal más favorable, con tal amplitud y generosidad que,
aunque al entrar en vigor la nueva ley hubiera recaído sentencia
firme, sería factible la retroacción favorable a la aplicación de
la Ley penal intermedia cuando sea más beneficiosa para el reo
al no registrarse jurisprudencia reciente de signo contrario.

STS 328/2018: La nueva redacción de la perseguibilidad de
los delitos leves de lesiones, si bien no han variado en la descripción de la conducta típica, están sometidos ahora a una
condición de perseguibilidad como es la denuncia del agravado.
La interpretación de esta Sala, a partir de esta condición y de
la Disposición Transitoria 4ª, y es la siguiente: "La tramitación
de los procesos por falta iniciados antes de la entrada en vigor
de esta ley por hechos que resultan por ella despenalizados o
sometidos al régimen de denuncia previa y que lleva aparejada
una posible responsabilidad civil, continuaran hasta su normal
terminación, salvo que el legitimado para ello manifestare expresamente no querer ejercitar las acciones civiles, en cuyo caso
procederá al archivo de lo actuado". Por ello, la causa abierta
por falta solo seguiría por delito leve en lo atinente a la responsabilidad civil al no concurrir la precisa condición de perseguibilidad de la denuncia previa.

STS 606/2018: No hay duda sobre la aplicabilidad retroactiva
y consiguiente revisión de la condena ante una nueva ley penal
más favorable (disposición transitoria Segunda de la Ley Orgánica 10/1995 del nuevo Código Penal). El principio general
-aplicación de la Ley vigente en el momento de los hechos- cede cuando la norma posterior resulte beneficiosa (disposición
transitoria 1ª y art. 2.2 CP). Pero, en principio, una vez decidida
esa cuestión sin impugnación de parte alguna no puede estar re-
planteándose indefinidamente, sine die o sin limitación. En verdad la fase de ejecución de un proceso penal se caracteriza por
su dinamismo. Es una secuencia viva en la que pueden surgir
incidencias que determinan variaciones: llegan beneficios penitenciarios que obligan a reelaborar la liquidación de condena;
se altera la fecha de licenciamiento -acortándose o distanción-
dose- por un indulto, o por un quebrantamiento de condena...
se enlazan las penas en el ámbito penitenciario; recaen nuevas

condenas y se abre el incidente de acumulación del art. 988 LECrim; se concede una suspensión de condena que luego hay que revocar; se amplían o reducen los plazos para el abono de la multa... La ejecución no es una foto estable fijada en el momento en que la sentencia adquiere firmeza; se parece más a una película con un guión que será más o menos complicado según los avatares del caso concreto. A veces es muy lineal y previsible; otras (como ejemplifica el historial penitenciario de este recurrente), estará salpicado de incidencias. Ahora bien, esa señalada realidad no puede traducirse en un principio a tenor del cual en la ejecución todo (incluida cualquier resolución) sería susceptible de variación. También en esa etapa procesal (ejecución) recaen resoluciones firmes y no modificables pues alcanzan fuerza de cosa juzgada. Si renegásemos de esa regla, diríamos un "adiós" o, al menos, un "hasta luego" a la seguridad jurídica. En la fase de ejecución recaen resoluciones que a estos efectos tienen distinta naturaleza. Unas, por definición, son revisables ante la aparición de circunstancias fácticas nuevas. Nuevos hechos obligan a modificar anteriores resoluciones: se ha perdido la aptitud para redimir penas por el trabajo; se ha quebrantado la pena de prisión que se cumplía; se violan las reglas que acompañaban la suspensión de condena; contrae el penado una grave enfermedad en el penado; llega una nueva condena que obliga a plantear si es acumulable a las que ya están refundidas. Esos hechos nuevos permiten modificar las resoluciones previas, pero no porque estas sean por definición alterables lo que no es cierto; sino porque han sobrevenido circunstancias (que no nuevos argumentos jurídicos o una renovada reflexión jurídica que se considera más atinada). Por eso, concedida la suspensión de condena y alcanzada su firmeza (con desestimación del recurso del Ministerio Fiscal, v.gr.), no puede revocarse por el hecho de que se repare después en que existía una condena anterior que la impedía. No es revisable esa decisión porque es intangible; aunque haya recaído en ejecución. Podrá modificarse por razones previstas legalmente - incumplimiento de las reglas de conducta establecidas o comisión de otro delito durante el tiempo de suspensión-. Del mismo modo denegada una acumulación de condenas, no podrá replantearse una y otra vez cuando se agotaron los recursos procedentes o, sencillamente, no se utilizaron. Si llega otra condena lo antes decidido será intangible: tan solo cabrá considerar si esa nueva condena altera los términos en que se hizo la acumulación, lo que es posible. Pero no cabrá alterar la anterior decisión si para nada incide en ella la condena que se conoce después. O, declarada la prescripción de una pena, no podrá luego esgrimirse una equivocación de tipo jurídico (se computó erróneamente el tiempo de suspensión cuando no debía hacerse según proclama una jurisprudencia posterior) para revocar una decisión que alcanzó firmeza. Todo esto es predicable de la decisión sobre la no revisión de una condena en virtud de una norma más favorable; decisión que además no es ejecutiva, sino declarativa, aunque surjan en fase de ejecución. El principio de intangibilidad de las resoluciones judiciales es reversible: juega tanto para las decisiones contrarias al reo como para las que le son favorables. Cosa diferente es que en el primer caso y por exigencias de justicia, que se agigantan cuando se trata de revisar pronunciamientos de condena, se articulen paliativos siempre excepcionales (art. 954 LECrim) que brindan salidas para situaciones que ni la justicia ni la sociedad toleran.

Art. 6.

1. Las medidas de seguridad se fundamentan en la peligrosidad criminal del sujeto al que se impongan, exteriorizada en la comisión de un hecho previsto como delito.

2. Las medidas de seguridad no pueden resultar ni más gravosas ni de mayor duración que la pena abstractamente aplicable al hecho cometido, ni exceder el límite de lo necesario para prevenir la peligrosidad del autor.

STS 378/2019: Conviene recordar que los artículos 101 a 103 del Código Penal establecen que "el internamiento no podrá exceder del tiempo que habría durado la pena privativa de libertad, si hubiera sido declarado responsable el sujeto, y a tal efecto el Juez o Tribunal fijará en la sentencia ese límite máximo" y el artículo 105 de la norma penal establece que "en los casos previstos en los artículos 101 a 104 cuando imponga la medida privativa de libertad o durante la ejecución de la misma, el Juez o Tribunal podrá imponer razonadamente una o varias medidas que se enumeran a continuación". Parece deducirse de estos preceptos, aunque el Código Penal no lo diga expresamente, que debe ser en sentencia cuando se fije la medida de internamiento y que, una vez acordado, pueden imponerse las medidas no privativas de libertad, en la misma sentencia o en momento posterior durante la ejecución. Sin embargo y dado que los preceptos citados no establecen un mandato imperativo, si el Tribunal no dispone de elementos de juicio suficientes para determinar qué medida de seguridad es procedente puede deferir la cuestión a la fase de ejecución, mediante el correspondiente trámite contradictorio, con intervención de las partes y recabando los informes que se estimen procedentes. Lo que en todo caso debe determinarse en la sentencia, y en este caso así se ha hecho, es establecer el límite máximo de cumplimiento.

STS 33/2018: La pena que figura como límite de la medida de seguridad que cabe imponer en caso de exención de responsabilidad criminal, conforme a lo dispuesto en el artículo 101.1 del Código Penal es la que tenga la duración que correspondería de haber sido declarado responsable el autor. Y que esa pena debe ser fijada a estos efectos de establecer el límite de la medida. Pero tal fijación ha de hacerse en abstracto, es decir sin tomar en consideración las circunstancias modificativas. No obstante, cuando se trata de un tipo de ejecución imperfecta, la pena que corresponde es la que vendría determinada por ese dato.

STS 705/2017: Esta referencia a la "pena abstractamente aplicable al hecho cometido", como literalmente se dice en ese art. 6.2, ha de referirse, a la prevista en el correspondiente artículo definidor del delito teniendo en cuenta lo dispuesto en los arts. 61 a 64 a propósito del grado de ejecución (consumación y tentativa) y de participación (autoría y complicidad), y sin consideración a las circunstancias agravantes o atenuantes de carácter genérico (arts. 21, 22 y 23).

Art. 7.

A los efectos de determinar la ley penal aplicable en el tiempo, los delitos se consideran cometidos en el momento en que el sujeto ejecuta la acción u omite el acto que estaba obligado a realizar.

> **STS 358/2020 (Pleno):** Debe constar, y la sentencia se limita a señalar que no se descarta, que con posterioridad a la entrada en vigor de la norma se realizó alguna de las conductas objeto de incriminación. La sentencia impugnada no dice que fueran posteriores a la entrada en vigor, se limita a decir que no se descarta, y tampoco del relato fáctico resulta la precisa causalidad. (Tol 8061889)
>
> **STS 882/2021:** Los delitos permanentes tienen, como es lógico, una continuidad en el tiempo, por lo que no es extraño que el espacio temporal que abarca la totalidad de la acción se desarrolle en el ámbito de vigencia de diferentes legislaciones, cronológicamente sucesivas, por lo que es necesario optar por una u otra en función del momento consumativo. Como se ha dicho, la consumación termina en el momento en que el sujeto activo decide poner fin a la situación antijurídica. Por ello, el tramo de conductas realizado a partir de su vigencia atrae hacia sí las consecuencias punitivas derivadas de la aplicación de sus previsiones, sin que sea posible descomponer la figura delictiva en dos tramos diferenciados, a cada uno de los cuales le sería aplicable los diversos Códigos vigentes durante todo el espacio temporal que ha durado la situación de permanencia delictiva. Como señala el Ministerio Fiscal el principio de legalidad implica que el delito tiene que estar previsto en una ley anterior a la comisión del hecho, pero no obliga a que esté previsto en el mismo artículo de la ley penal. El número del artículo no forma parte de la tipicidad del delito.

Art. 8.

Los hechos susceptibles de ser calificados con arreglo a dos o más preceptos de este Código, y no comprendidos en los artículos 73 a 77, se castigarán observando las siguientes reglas:

1.ª El precepto especial se aplicará con preferencia al general.

2.ª El precepto subsidiario se aplicará sólo en defecto del principal, ya se declare expresamente dicha subsidiariedad, ya sea ésta tácitamente deducible.

3.ª El precepto penal más amplio o complejo absorberá a los que castiguen las infracciones consumidas en aquél.

4.ª En defecto de los criterios anteriores, el precepto penal más grave excluirá los que castiguen el hecho con pena menor.

STS 39/2020: La doctrina penal apunta que el concurso de normas, o concurso aparente de leyes penales, hace referencia a situaciones en las que la conducta de un sujeto integra los requisitos típicos de varias figuras delictivas, de las que finalmente se aplica solo una, que es suficiente para captar el desvalor de la conducta. Esta característica permite su distinción de los casos de concurso de delitos, donde es preciso estimar cada uno de los delitos concurrentes para captar plenamente la realidad grupal del íntegro contenido del hecho probado. La regla fundamental para conocer si estamos ante un concurso de delitos o de normas ha de ser necesariamente una valoración jurídica por la cual, si la sanción por uno de los delitos fuera suficiente para abarcar la total significación antijurídica del comportamiento punible, nos hallaríamos ante un concurso de normas; y en el caso contrario, ante un concurso de delitos. Por esta razón, se apunta que la doctrina denomina al concurso de leyes concurso aparente o inauténtico, mientras que se refiere al concurso ideal y real de delitos como concurso auténtico. El hecho delictivo es subsumible a priori en más de un tipo penal, pero basta con uno solo de ellos para valorar la total gravedad de lo acontecido, por lo que, en el caso de aplicar más de uno de los preceptos en principio concurrentes, se estaría vulnerando el principio non bis in idem. Pero no podemos acometer esta apariencia de concurrencia de tipos cuando los hechos probados no permiten esa "apariencia", sino que la realidad del factum es que no hay unidad de acción, ni cabe absorber uno de ellos el resto de las conductas producidas, porque ello provocaría un denominado " ahorro de la respuesta penal" a la realidad típica y punible de la totalidad de los hechos cometidos por el autor.

STS 257/2020: La relación de consunción prevista en el art. 8.3 CP exige en sintonía con la idea central de todo concurso aparente de normas, que el desvalor de uno de los tipos aparezca incluido en el desvalor tenido en cuenta en el otro. Dicho en otras palabras, que la desaprobación de una conducta descrita por la ley y expresada en la pena que la misma ley señala para esa conducta (lex consumens) abarque el desvalor de otro comportamiento descrito y penado en otro precepto penal (lex consumpta). Esta relación de consunción, más que en ningún otro supuesto concursal, impone que el examen entre los tipos penales que convergen en la subsunción se verifique, no en abstracto, desde una perspectiva formal, sino atendiendo a las acciones concretas desarrolladas por el acusado, puesto que las soluciones de consunción no admiten un tratamiento generalizado. Mediante este principio encuentran solución, tanto los casos en que al tiempo que se realiza un tipo penal se realiza simultáneamente otro delito -hecho acompañante- y aquellos otros en los que se comete un segundo delito con el fin de asegurar o aprovecharse de los efectos de un delito -hecho posterior impune o acto copenado-.

II. DE LOS DELITOS
(ARTS. 10 A 18)

Art. 10.

Son delitos las acciones y omisiones dolosas o imprudentes penadas por la ley.

STS 566/2017: Para apreciar el dolo tienen que concurrir en la conducta del autor un elemento intelectivo o cognoscitivo y otro volitivo. Concurre el elemento intelectivo cuando el acusado sabe lo que está haciendo y tiene conocimiento en el momento de la acción de los datos fácticos objetivos que integran la acción típica. Es decir sabe que está matando a otra persona. Concurre el elemento volitivo cuando el acusado no sólo conoce los elementos objetivos que integran la conducta punible, sino que también quiere realizarla en los términos que describe el tipo penal. El querer realizar la conducta prohibida lleva implícito el conocer la conducta que se pretende realizar. En cuanto a las modalidades del dolo, se vienen distinguiendo fundamentalmente dos: el dolo directo de primer grado (con una submodalidad de dolo directo de segundo grado) y el dolo eventual. En el dolo directo el autor quiere realizar intencionadamente el resultado homicida; y en el dolo eventual el sujeto activo se representa el resultado como probable y aunque no quiere directamente producirlo, prosigue realizando la conducta prohibida aceptando o asumiendo así la eventual muerte de la víctima. Dicho lo anterior, es importante reseñar ahora que, según reiterada jurisprudencia de esta Sala, actuar con dolo significa conocer y querer los elementos objetivos que se describen en el tipo penal; sin embargo, ello no excluye un concepto normativo del dolo basado en el conocimiento de que la conducta que se realiza pone en concreto peligro el bien jurídico protegido, de manera que en su modalidad eventual el dolo radica en el conocimiento del peligro concreto que la conducta desarrollada supone para el bien jurídico, pese a lo cual el autor lleva a cabo su ejecución, asumiendo o aceptando así el probable resultado que pretende evitar la norma penal. En otras palabras, se estima que obra con dolo quien, conociendo que genera un peligro concreto y jurídicamente desaprobado, no obstante actúa y continúa realizando la conducta que somete a la víctima a riesgos sumamente relevantes que el agente no tiene seguridad alguna de poderlos controlar o neutralizar, sin que sea preciso que persiga directamente la causación del resultado homicida, ya que es suficiente con que conozca que hay un elevado índice de probabilidad de que su comportamiento lo produzca. Entran aquí en la valoración de la conducta individual parámetros de razonabilidad de tipo general que no puede haber omitido considerar el agente, sin que sea admisible por irrazonable, vana e infundada la esperanza de que el resultado no se materialice, hipótesis que se muestra sin peso frente al más lógico resultado de actualización de los riesgos que el agente ha generado.

STS 17/2022: La jurisprudencia ha deslindado los conceptos de dolo y móvil del delito. El primero se colma cuando el autor sabe lo que hace y quiere hacerlo, con independencia de cuales sean las motivaciones que le determinaron a actuar como lo hizo. Los móviles o la intencionalidad de su actuación no conforman aquél. El dolo no debe confundirse con el móvil, pues en tanto que el primero es único e inmediato, el segundo es plural y mediato, de modo que mientras no se incorpore el móvil o ánimo especial al tipo de injusto, no tendrá ningún efecto destipificador, sin perjuicio de los efectos que produzca a través de las circunstancias modificativas que pudieran operar. Ello hace preciso distinguir el dolo del móvil del delito, exigiendo el tipo penal el primero de ellos, cualesquiera que sean las motivaciones que en su fuero interno pudieran llevar al autor a actuar del modo en que lo hizo. En consecuencia, los móviles que guían la conducta del autor son irrelevantes en la construcción dogmática del tipo subjetivo. Carece de relevancia si el autor realiza la acción con intención de hacer un favor, de complacencia, por afinidad personal o para cualquier causa, o por un fin altruista, o de odio, venganza o envidia e incluso por motivos socialmente valiosos como la solidaridad, la amistad o el amor.

STS 240/2016: En el dolo eventual el arranque de la acción que genera la puesta en peligro real e inminente, es intencional; por el contrario, en la imprudencia es la irreflexión la que crea la situación, en ella el agente confía que, pese a la posibilidad del evento dañoso (del resultado) su acción no lo acarreará por más que tal confianza debe serle reprochada por infundada y porque sería excluida por el hombre medio prudente. Para dirimir si nos encontramos ante una u otra hipótesis ha de acudirse a un criterio riguroso a la hora de ponderar el grado de probabilidad del resultado objetivamente cognoscible ex ante. De modo que no puede afirmarse que un resultado es altamente probable para el ciudadano medio situado en el lugar o la situación del autor cuando la probabilidad de que se produzca no sea realmente elevada, ya que es precisamente ese pronóstico probabilístico el que nos lleva a concluir que sí concurre el elemento volitivo del dolo, aunque sea bajo la modalidad atenuada o aligerada de la aceptación, de la asunción o de la conformidad con el resultado.

STS 110/2018: En definitiva para la teoría del consentimiento habrá dolo eventual cuando el autor consienta y apruebe el resultado advertido como posible, y culpa consciente cuando el autor confía en que el resultado no se va a producir. La teoría de la representación se basa en el grado de probabilidad de que se produzca el resultado cuya posibilidad se ha representado el autor. En el dolo eventual esta posibilidad se representa como próxima, y en la culpa consciente como remota. Otra teoría, aplica el dolo eventual entendiendo que o relevante será que la acción en sí misma sea capaz de realizar un resultado prohibido por la Ley, mientras en la culpa consciente el grado de determinación del resultado en función de la conducta desplegada no alcanza dicha intensidad. En SSTS 706/2008 de 11.11, 181/2009 de 23.2, 85/2010 de 18.2, se insiste en que para la teoría del consentimiento o de la aceptación en el dolo eventual el sujeto aunque no persigue la realización del hecho típico como un fin, ni lo acepta como de necesario advenimiento junto a la consecución del objetivo propuesto, si "consiente", "acepta", "asume" o "se conforma" -según la terminología de los distintos autores- con su eventual producción; mientras que en la culpa consciente el sujeto la rechaza, no se conforma con ello o confía en su no realización. La fórmula para discernir uno u otro supuesto sería no un juicio de lo que hubiese hecho el sujeto de conocer anticipadamente la certeza del resultado, sino el que atiende a la actuación concreta observada por el sujeto, una vez se ha representado lo eventualmente acaecible: si actuó a toda costa independientemente de la ocurrencia del evento típico hay dolo, pero sí actuó tratando de eludir su ocurrencia habría imprudencia consciente. Para la teoría de la probabilidad, el dolo eventual no requiere ningún elemento volitivo sino sólo el intelectivo o cognoscitivo de la representación del resultado típico como acaecimiento eventual, de modo que si el sujeto actúa considerando ese resultado, no solo como posible sino además como probable, es decir con determinado grado elevado de posibilidad, lo hará con dolo eventual, y si sólo lo considera meramente posible pero improbable, actuará con culpa consciente o con representación, entendiendo como probabilidad algo más que la mera posibilidad aunque menos que probabilidad predominante.

STS 805/2017: La falta del deber de cuidado no ha de encontrarse únicamente en la infracción de las normas administrativas dictadas para la vía meramente gubernativa, sino en la conculcación del módulo de imprudencia que se tipifica en el Código Penal. Las normas administrativas establecen sanciones en tal orden, pero cuando el resultado se ha producido y la dejación de la diligencia debida es patente, entra en juego el derecho penal. La noción de imprudencia, grave o menos grave, no es un concepto administrativo, sino penal, que se interpreta como la infracción de las normas que obligan a tomar la diligencia debida no observando el deber de cuidado, por encima de cualquier infracción reglamentaria, concepto este último que hoy ya no se proclama ya en el Código Penal. Cuando, como es el caso, se trata del curso de un proceso causal irregular, de naturaleza múltiple, este fenómeno puede ser de dos clases: a) aquellos supuestos en que concurre un suceso extraño que rompe la cadena causal, por la intervención de un tercero o de la propia víctima; b) aquellos otros que obedecen a diversas causas que confluyen todas ellas a la producción de un mismo resultado, y que no se hubiera producido sino por la adición de vectores contributivos a generar tal resultado. La doctrina de esta Sala ha señalado que cuando se producen cursos causales complejos, esto es, cuando contribuyen a un resultado típico la conducta del acusado y además otra u otras causas atribuibles a persona distinta o a un suceso fortuito, suele estimarse que, si esta última concausa existía con anterioridad a la conducta de aquél, no interfiere la posibilidad de la imputación objetiva; y si es posterior, puede impedir tal imputación cuando esta causa sobrevenida sea algo totalmente anómalo, imprevisible y extraño al comportamiento del inculpado, pero no en aquellos supuestos en que el suceso posterior se encuentra dentro de la misma esfera del riesgo creado o aumentado por el propio acusado con su comportamiento. El delito imprudente exige la concurrencia de los siguientes requisitos: 1º) La infracción de un deber de cuidado interno (deber subjetivo de cuidado o deber de previsión); 2º) Vulneración de un deber de cuidado externo (deber objetivo de cuidado); 3º) Generación de un resultado; 4º) Relación de causalidad. A lo anterior debe sumarse: 1) En los comportamientos activos: a) el nexo causal entre la acción imprudente y el resultado (vínculo naturalístico u ontológico); b) la imputación objetiva del resultado (vínculo normativo): que el riesgo no permitido generado por la conducta imprudente sea el que materialice el resultado. 2) En los comportamientos omisivos: dilucidar si el resultado producido se hubiera ocasionado de todos modos si no se presta el comportamiento debido. Pero no que no se puede saber o conocer si el resultado se hubiera producido, o no, de haberse prestado la atención debida. Conforme a la teoría de la imputación objetiva, se exige para determinar la relación de causalidad: 1) La causalidad natural: en los delitos de resultado éste ha de ser atribuible a la acción del autor; 2) La causalidad normativa: además hay que comprobar que se cumplen los siguientes requisitos sin los cuales se elimina la tipicidad de la conducta: 1º) Que la acción del autor ha creado un peligro jurídicamente desaprobado para la producción del resultado, lo que se entiende que no concurre en los siguientes supuestos: a) Cuando se trata de riesgos permitidos; b) Cuando se pretende una disminución del riesgo: es decir, se opera para evitar un resultado más perjudicial; c) Si se obra confiado en que otros se mantendrán dentro de los límites del riesgo permitido (principio de confianza); d) Si existen condiciones previas a las realmente causales puestas por quien no es garante de la evitación del resultado (prohibición de regreso). 2º) Que el resultado producido por la acción es la concreción del peligro jurídicamente desaprobado creado por la acción, manteniéndose criterios complementarios nacidos de la presencia de riesgos concurrentes para la producción del resultado, de forma que en estos casos hay que indagar cuál es la causa que realmente produce el resultado. Como hemos dicho, la LO 1/2015, contempla la imprudencia grave y menos grave, quedando la imprudencia leve reservada para el ámbito (civil) de la responsabilidad extracontractual. La imprudencia menos grave puede ser definida como la constitución de un riesgo de inferior naturaleza, a la grave, asimilable en este caso, la menos grave, como la infracción del deber medio de previsión ante la actividad que despliega el agente en el actuar correspondiente a la conducta que es objeto de atención y que es la causalmente determinante, única o plural, con el resultado producido, de tal manera que puede afirmarse que la creación del riesgo le es imputable al agente, bien por su conducta profesional o por su actuación u omisión en una actividad permitida social y jurídicamente que pueda causar un resultado dañoso. Así, mientras la imprudencia grave es la dejación más intolerable de las conductas fácticas que debe controlar el autor, originando un riesgo físico que produce el resultado dañoso, en la imprudencia menos grave, el acento se debe poner en tal consecuencia pero operada por el despliegue de la omisión de la diligencia que debe exigirse a una persona en la infracción del deber de cuidado en su actuar (u omitir).

Art. 11.

Los delitos que consistan en la producción de un resultado sólo se entenderán cometidos por omisión cuando la no evitación del mismo, al infringir un especial deber jurídico del autor, equivalga, según el sentido del texto de la ley, a su causación. A tal efecto se equiparará la omisión a la acción:

a) Cuando exista una específica obligación legal o contractual de actuar.

b) Cuando el omitente haya creado una ocasión de riesgo para el bien jurídicamente protegido mediante una acción u omisión precedente.

STS 682/2017: Debemos partir de que dentro de los delitos de omisión se distingue entre los llamados de omisión propia pura y los de omisión impropia, también denominados de comisión por omisión, para cuya diferenciación suele los primeros vincularse a los delitos formales o de simple actividad y los segundos a los delitos materiales o del resultado externo. Así la doctrina más autorizada diferencia en la omisión propia que el sujeto se limita a no intervenir ante un peligro ya existente, para combatirlo, dejando que siga su curso y sin responder del resultado, en tanto en la comisión por omisión, ésta crea, desencadena e incrementa el peligro de cuyo resultado responde el sujeto. Por ello la dificultad de distinguir la cooperación en los delitos, de la omisión del delito del artículo 450 CP, ha de resolverse a favor de la primera cuando el agente está involucrado en la misma acción delictual, u ostenta una posición de garante que le obliga a impedir que se produzca el resultado. En efecto, la posición de garante se define genéricamente por la relación existente entre un sujeto y un bien jurídico, determinante de que aquél se hace responsable de la indemnidad del bien jurídico. De aquella relación surge para el sujeto, por ello un deber jurídico específico de evitación del resultado. De tal modo que la no evitación por el garante sería equiparable a su realización mediante una conducta activa. La mayor parte de la doctrina fundamenta la posición de garante en la teoría formal del deber jurídico. La existencia de una posición de garante se deduce de determinadas fuentes formales como la Ley, el contrato y el actuar precedente peligroso (injerencia). Por ello es incuestionable desde el punto de vista jurídico que cuando el sujeto de la infracción no evita pudiendo hacerlo, que otra persona cometa un delito, existe participación por omisión si el omitente estaba en posición de garante. Tales conductas, con independencia de los típicos delitos de omisión, pueden ser valoradas como válidas en orden a la comisión de determinados de resultado, doctrinalmente conocidos como delitos de comisión por omisión o delitos de omisión impropia, cuando el orden social atribuye al sujeto la obligación de evitar el resultado típico como garante de un determinado bien jurídico. Pues bien la jurisprudencia ha admitido la participación omisiva en un delito de resultado, y conforme al actual art. 11 CP, se ha admitido respecto a aquellas personas que teniendo un deber normativo, un deber jurídico, de actuar y con posibilidad de hacerlo, nada hacen para impedir un delito que se va a cometer o para impedir o limitar sus consecuencias. Por ello, la participación omisiva parte de unos presupuestos: a) el presupuesto objetivo que debe ser causal del resultado típico (cooperador) o al menos favorecedor de la ejecución (cómplice); b) un presupuesto subjetivo consistente en la voluntad de cooperar causalmente con la omisión del resultado o bien de facilitar la ejecución; y c) un presupuesto normativo, consistente en la infracción del deber jurídico de impedir la comisión del delito o posición de garante.

STS 266/2022: Según parte de la doctrina la cuestión no podría resolverse afirmando que siempre que se infrinja un deber específico de actuar, la equivalencia será apreciable, a pesar de que ese podría ser el sentido literal del texto. Y no solo en su inciso segundo, sino también en el primero, cuando exige que la no evitación del resultado equivalga a su causación "al infringir un especial deber jurídico del autor". Esa doctrina sostiene, sin embargo, que el segundo inciso debe interpretarse como una precisión del primero, y que la exigencia de equivalencia entre la acción y la omisión subsiste como exigencia independiente. Si se entiende que la equivalencia es un elemento distinto a la existencia del deber, se derivará, más bien, de la posibilidad de actuar, determinada en relación con la posición de dominio sobre la fuente de peligro (capacidad de ordenar una conducta o de impedirla), y de la posibilidad de que la acción impuesta por el deber sea capaz de evitar el resultado, en una causalidad hipotética. Solo de esa forma podría decirse que, en el caso del homicidio, "matar" es equivalente a "dejar morir". Pues en ambos casos, no solo el sujeto es consciente del peligro, sino que acepta el resultado y obra en consecuencia.

STS 482/2017: Según jurisprudencia reiterada de esta Sala para que proceda aplicar la cláusula omisiva del artículo 11 CP, que en este caso se pretende en relación al delito de homicidio imprudente del artículo 142, se requieren los siguientes requisitos: a) Que se haya producido un resultado, de lesión o de riesgo, propio de un tipo penal descrito en términos activos por la ley; b) Que se haya omitido una acción que se encuentre en relación de causalidad hipotética con la evitación de dicho resultado, lo que se expresa en el artículo 11 CP exigiendo que la no evitación del resultado "equivalga" a su causación; c) Que el omitente esté calificado para ser autor del tipo activo que se trate, requisito que adquiere toda su importancia en los tipos delictivos especiales; d) Que el omitente hubiese estado en condiciones de realizar voluntariamente la acción que habría evitado o dificultado el resultado; e) Que la omisión suponga la infracción de un deber jurídico de actuar, bien como consecuencia de una específica obligación legal o contractual, bien porque el omitente haya creado una ocasión de riesgo para el bien jurídicamente protegido mediante una acción u omisión precedente, lo que incluye los casos en los que el deber consiste en el control sobre una fuente de peligro que le obligue a aquél a actuar para evitar el resultado típico. La posición de garante se define genéricamente por la relación existente entre un sujeto y un bien jurídico, en virtud de la cual aquél se hace responsable de la indemnidad de éste. De tal relación surge para el sujeto, por ello, un deber jurídico específico de impedir el resultado que la dañe, de ahí que su no evitación por el garante sería equiparable a su realización mediante una conducta activa. La comisión por omisión puede ser imputada tanto en el grado de la equivalencia con la autoría -con la autoría material y con la cooperación necesaria- como en el grado de la equivalencia con la complicidad. Comisión por omisión en grado de autoría existirá cuando pueda formularse un juicio de certeza, o de probabilidad rayana en la misma, sobre la eficacia que habría tenido la acción omitida para la evitación del resultado. Comisión por omisión en grado de complicidad existirá, por su parte, cuando el mismo juicio asegure que la acción omitida habría dificultado de forma sensible la producción del resultado, lo que equivaldría a decir que la omisión ha facilitado la producción del resultado en una medida que se puede estimar apreciable. En el aspecto subjetivo, la comisión por omisión dolosa requiere que el autor conozca la situación de peligro que le obliga a actuar y la obligación que le incumbe. Sin embargo, cuando de imprudencia se trata, se apreciará culpa respecto a la omisión cuando el omitente, por no emplear el cuidado debido, no tuvo conocimiento de la situación de hecho que generó su deber de actuar o de su capacidad para realizar la acción impuesta como necesaria para evitar el resultado. O cuando el obligado a realizar la acción no consiguió impedir el resultado por la forma descuidada o inadecuada en la que intentó el deber de garantía.

STS 464/2018: El dolo de la omisión se debe apreciar cuando el omitente, a pesar de tener conocimiento de la situación de hecho que genera el deber de actuar y de su capacidad de realizar la acción, no actúa. En el caso de los delitos de comisión por omisión o delitos impropios de omisión, el conocimiento del omitente se debe referir, también, a las circunstancias que fundamentan la obligación de impedir la producción del resultado.

Art. 13.

1. Son delitos graves las infracciones que la Ley castiga con pena grave.

2. Son delitos menos graves las infracciones que la Ley castiga con pena menos grave.

3. Son delitos leves las infracciones que la ley castiga con pena leve.

4. Cuando la pena, por su extensión, pueda incluirse a la vez entre las mencionadas en los dos primeros números de este artículo, el delito se considerará, en todo caso, como grave. Cuando la pena, por su extensión, pueda considerarse como leve y como menos grave, el delito se considerará, en todo caso, como leve.

STS 392/2017 (Pleno): Cuando el art. 13 del Código Penal asocia la gravedad de la infracción penal con la escala de gravedad de la pena que esté prevista para el delito (art. 33 del mismo texto punitivo), la referencia que el legislador establece para evaluar la gravedad del delito, no es la pena que resulte finalmente impuesta por los hechos que se enjuician y sancionan, sino la pena con la que la infracción penal es castigada por la ley, esto es, la inicialmente prevista, en consideración abstracta. Dicho de otro modo, la particular naturaleza de la acción u omisión sancionada en el Código Penal y su capacidad de atentar contra el bien jurídico, es lo que determina la gravedad de la infracción y, con ello, el conjunto de instrumentos que el Estado puede y debe desplegar para el adecuado reproche y la ajustada corrección de cualquier conducta que le haga referencia. Resulta así que los condicionantes normativos anteriormente referidos, cuando conducen a una degradación de la pena prevista para un tipo penal, no modifican la naturaleza de la infracción, por más que la sanción atenuada venga a ubicarse en distinta e inferior escala de las contempladas en el artículo 33 del Código Penal. Por ello, considerar al artículo 171.6 del Código Penal como una regla específica de atenuación que permite rebajar el umbral inferior de la pena prevista para el delito de amenazas leves en el ámbito de la violencia de género (art. 171.4), determina que el delito de referencia no venga a adquirir la consideración de delito leve por la mera aplicación de la atenuación. Dado que no se condiciona la aplicación del artículo 171.6 del Código Penal, a la satisfacción de nuevas especificaciones o de nuevos elementos que vengan a añadirse a los ya exigidos en el tipo penal recogido en el artículo 171.4, podría concluirse que el precepto no constituye, propiamente dicho, un subtipo atenuado, sino una regla específica de atenuación que, en cuanto tal, está radicalmente desarmada para impulsar el cambio de naturaleza que el recurrente aduce. La norma recogida en el artículo 13.4 del Código Penal, no es sino una regla especial para la determinación de la naturaleza de la infracción penal, en aquellos exclusivos supuestos en los que la pena, por su extensión, no puede categorizarse conforme con las reglas expresadas en el artículo 33 del Código Penal. Únicamente cuando la extensión de la pena fijada por el legislador se sitúa a caballo entre dos categorías que vienen definidas precisamente por su duración, el desvanecimiento de las referencias legales para la graduación, justifica la regla complementaria que analizamos. Para el resto de supuestos, entre los que se incluyen aquellos delitos en los que la penalidad es compuesta, bien por fijarse de forma conjunta varias penas con distinta consideración de leves o menos graves, bien en los casos en los que la diversidad afecta a penas cuya imposición está prevista de manera alternativa, la no concurrencia de los presupuestos contemplados en la regla especial del artículo 13.4 del Código Penal, conduce a la aplicación de unas reglas generales que resultan perfectamente claras al respecto: cuando la infracción penal esté castigada por la Ley con una pena menos grave (individual, conjunta o alternativamente impuesta), la naturaleza menos grave viene también aparejada al delito, y éste solo tiene la consideración de leve, cuando la pena con la que esté castigado sea leve. (Tol 6155987)

STS 152/2022: El delito sólo tiene la consideración de leve si todas las penas en abstracto con las que está castigado son leves, aunque lo sean solo en uno de sus tramos. Extender la regla especial del art 13.4 CP a supuestos distintos contradice los principios inspiradores de la clasificación, rompiendo la conexión entre la naturaleza del delito y la gravedad con que el legislador sanciona la conducta típica. Además, distorsionaría el reparto de competencias (Disposición Adicional 7ª LECrim). Una interpretación que sostenga que nos encontramos en esos supuestos ante un delito leve haría que los hechos hubieran de ser enjuiciados por un Juez de Instrucción que podría imponer la pena alternativa menos grave de trabajos en beneficio de la comunidad, contrariando el criterio de gravedad de la pena que apuntan los artículos 14.1, 14.3 y 14 bis LECrim. O, de adverso, se vería forzado a declinar su competencia siempre que, después de abordar el enjuiciamiento y en las conclusiones, alguna de las acusaciones renunciara a interesar la pena de multa y reclamara la imposición de la pena de trabajos en beneficio de la comunidad, de naturaleza menos grave. Menos aún puede a voluntad del acusado hacerse abstracción de una de las penas fijadas por la ley con el argumento de que no va a aceptar su imposición. Lo relevante son las penas asignadas al delito, no la posibilidad o no de su concreta imposición. Es aceptado pacíficamente, que el delito menos grave no desciende a la consideración de delito leve por las eventuales degradaciones penológicas del caso concreto, ni cabe aplicarle el plazo prescriptivo de infracciones veniales, por mucho que pudiera ser castigado con una pena leve, según la clasificación de penas establecida en el art. 33 CP. Un asesinato nunca podrá convertirse en un delito leve, o en un delito menos grave aunque por el grado de perfección, forma de participación y concurrencia de eximente incompleta y/o atenuantes, le corresponda en concreto una pena menos grave.

Art. 14.

1. El error invencible sobre un hecho constitutivo de la infracción penal excluye la responsabilidad criminal. Si el error, atendidas las circunstancias del hecho y las personales del autor, fuera vencible, la infracción será castigada, en su caso, como imprudente.

2. El error sobre un hecho que cualifique la infracción o sobre una circunstancia agravante, impedirá su apreciación.

3. El error invencible sobre la ilicitud del hecho constitutivo de la infracción penal excluye la responsabilidad criminal. Si el error fuera vencible, se aplicará la pena inferior en uno o dos grados.

STS 750/2022: Como repetidamente ha señalado este Tribunal, la existencia de un error relevante, tanto cuando el mismo recaiga sobre aspectos constitutivos de la infracción, como cuando tenga por objeto la ilicitud penal del hecho, es un aspecto que, naturalmente, no puede ser presumido en beneficio del acusado. Conforme a una reiterada doctrina de esta Sala, no basta con alegar la existencia del error. El error ha de quedar suficientemente acreditado, empleándose para ello criterios que se refieren básicamente a la posibilidad del autor de informarse sobre el derecho. Cuando esta información se presenta como de fácil acceso, no se trata ya en rigor de que el error sea vencible o invencible sino de cuestionar su propia existencia. Ello no supone un desplazamiento de la carga de la prueba sobre el imputado. Éste, en la medida que ya forma parte de la sociedad, deberá acreditar su auto exclusión, que desconoce de forma errónea e invencible aquello que es de común conocimiento por todos. Además, la apreciación del error de prohibición no puede basarse solamente en las declaraciones del propio sujeto, sino que precisa de otros elementos que les sirvan de apoyo y permitan sostener desde un punto de vista objetivo, la existencia del error.

STS 722/2020: La conciencia de antijuridicidad como elemento del delito no requiere el conocimiento concreto de la norma penal que castiga el comportamiento de que se trate, ni tampoco el conocimiento de que genéricamente el hecho está castigado como delito. Para incurrir en responsabilidad penal no hace falta conocer ni siquiera que hay un Código Penal que castiga determinadas conductas. Basta con saber, a nivel profano, que las normas que regulan la convivencia social (el Derecho) prohíben ese comportamiento que él realiza). El contenido de este elemento del delito, la conciencia de la antijuridicidad, o de su reverso, el error de prohibición, se refiere al simple conocimiento genérico de que lo que se hace o se omite está prohibido por las leyes, sin mayores concreciones, sin que se requiera conocer las consecuencias jurídicas que de su incumplimiento pudieran derivarse. Basta conocer la ilicitud del propio obrar: "Creencia errónea de estar obrando lícitamente", decía el anterior art. 6 bis a); "error sobre la ilicitud del hecho", dice ahora el vigente art. 14.3. No basta con confiar que la conducta no es delictiva; o estar seguros de que no podía ser considerada típica; el error invencible exculpante exige la convicción firme (o, podríamos admitir, certeza razonable) de que la conducta no es ilícita, es decir, contraria al ordenamiento jurídico. El dolo presupone una conciencia de lo injusto; no conciencia de que se trata de un injusto penal.

STS 782/2016: Constituye uno de los avances fundamentales del derecho penal contemporáneo, el reconocimiento de la consciencia de la antijuricidad como elemento de la culpabilidad, necesario pues para que una determinada conducta pueda considerarse merecedora de reproche penal. Si falta tal consciencia de antijuricidad, bien directamente por la creencia de que el hecho está legalmente permitido (error directo de prohibición), bien indirectamente por estimarse que concurría una causa de justificación (error indirecto de prohibición), la doctrina penal entiende que no debe ser considerado el sujeto culpable del hecho si el error es invencible, o que puede ser merecedor de una atenuación de la pena, si el error es vencible. La apreciación del error en cualquiera de sus formas, vencible o invencible, vendrá determinada en atención a las circunstancias objetivas del hecho y subjetivas del autor. Debe atenderse, en consecuencia, a las condiciones psicológicas y de cultura del agente, las posibilidades de recibir instrucción y asesoramiento o de acudir a medios que le permitan conocer la trascendencia jurídica de su obra; también la naturaleza del hecho delictivo, sus características y las posibilidades que de él se desprenden para ser conocido el mismo por el sujeto activo.

Art. 16.

1. Hay tentativa cuando el sujeto da principio a la ejecución del delito directamente por hechos exteriores, practicando todos o parte de los actos que objetivamente deberían producir el resultado, y sin embargo éste no se produce por causas independientes de la voluntad del autor.

2. Quedará exento de responsabilidad penal por el delito intentado quien evite voluntariamente la consumación del delito, bien desistiendo de la ejecución ya iniciada, bien impidiendo la producción del resultado, sin perjuicio de la responsabilidad en que pudiera haber incurrido por los actos ejecutados, si éstos fueren ya constitutivos de otro delito.

3. Cuando en un hecho intervengan varios sujetos, quedarán exentos de responsabilidad penal aquél o aquéllos que desistan de la ejecución ya iniciada, e impidan o intenten impedir, seria, firme y decididamente, la consumación, sin perjuicio de la responsabilidad en que pudieran haber incurrido por los actos ejecutados, si éstos fueren ya constitutivos de otro delito.

> **STS 112/2015:** Se propone abandonar el criterio de la tentativa acabada e inacabada para reducir la pena en uno o dos grados; no siempre la tentativa inacabada justificará la rebaja de la pena en dos grados, pues puede suceder que sea inacabada pero el grado de ejecución sea avanzado y el peligro ocasionado (inherente al intento) sea especialmente relevante, en cuyo caso debe reducirse la pena en un solo grado.
>
> **Acuerdo no jurisdiccional del pleno de la Sala 2ª del TS de 25 de abril de 2012:** El artículo 16 del Código Penal no excluye la

punición de la tentativa inidónea cuando los medios utilizados, valorados objetivamente ex ante, son abstracta y racionalmente aptos para ocasionar el resultado típico (tentativa inidónea relativa).

STS 101/2018: Se dejan fuera de la reacción punitiva: 1°) los supuestos de tentativas irreales o imaginarias (cuando la acción es, en todo caso y por esencia, incapaz de producir el fin ilusoriamente buscado por su autor); 2°) los denominados "delitos putativos" (cuando el sujeto realiza una acción no tipificada penalmente, creyendo que sí lo está), error inverso de prohibición que en ningún caso puede ser sancionado penalmente por imperativo del principio de legalidad; 3°) y los supuestos de delitos imposibles "strictu sensu" por inexistencia absoluta del objeto, que carecen de adecuación típica (falta de tipo); es decir, los casos que la doctrina jurisprudencial denominaba inidoneidad absoluta.

STS 44/2019: La compatibilidad de dolo eventual y tentativa está asentada en la jurisprudencia.

STS 234/2012: El inicio de la ejecución es lo que distingue la tentativa inacabada de los actos preparatorios impunes. Para entender iniciada la ejecución, la jurisprudencia ha venido exigiendo los siguientes requisitos: a) Que haya univocidad (que tales actos exteriores sean reveladores, de modo claro, de la voluntad de delinquir); b) Que exista una proximidad espacio temporal entre el plan del autor y lo que habría de suponer la consumación del delito; y c) Que esa actuación unívoca y próxima en el tiempo y en el espacio sea tal que en su progresión natural conduzca ya a la consumación, es decir, que si esa acción continúa (no se interrumpe), el delito va a ser consumado.

STS 218/2019: El desistimiento voluntario ha sido definido como la interrupción de que el autor realiza por obra de su espontánea y propia voluntad del proceso dinámico del delito, evitando así su culminación o perfección, presentándose como una causa de exclusión de la tipicidad de la tentativa, cuya impunidad se ha pretendido justificar en la desaparición de la situación de peligro y en el cese de la intranquilidad social. Ahora bien, el desistimiento sólo excluye la pena cuando es voluntario y esta voluntariedad solo debe ser apreciada cuando no es producto de la imposibilidad de continuar con la acción delictiva cuya ejecución se ha comenzado. En este punto coincide tanto la doctrina como la jurisprudencia en forma unánime. La razón es clara. El fundamento de la exclusión de la pena en el desistimiento es el "voluntario retorno del autor al orden jurídico", es decir el reconocimiento de la norma. Cuando el abandono de la ejecución es consecuencia de las dificultades que encuentra el autor para la consumación, es evidente que no estamos en presencia de un desistimiento voluntario, sino de la imposibilidad de continuación de la acción delictiva. Estos casos, por lo tanto, están excluidos del ámbito de aplicación del art. 16.2 CP.

STS 77/2017: Los requisitos del desistimiento voluntario de la acción son: a) Voluntario, no bastando la mera causalidad desplegada accidentalmente por la naturaleza que impide la producción del resultado; b) Positivo, pues la mera omisión del agente no es suficiente, una vez puestos los resortes físicos necesarios para la producción natural del resultado; c) Eficaz, es decir, ha de conseguirse la evitación, en mayor o menor medida, del resultado propuesto; y d) Completo, pues el agente tiene que desplegar todos los resortes necesarios para evitar la producción del resultado, sin esconder o camuflar ningún contorno de aquellos en los que ha consistido su acción, incluso si le comprometiera en cuanto a su identificación o a los pormenores de su acción. La característica sustancial del desistimiento consiste en la reversión del derecho que el agente despliega como consecuencia de su actuación, muestra del interés de neutralizar lo que antes había puesto en marcha para perpetrar la infracción criminal.

Acuerdo no jurisdiccional del pleno de la Sala 2ª del TS de 15 de febrero de 2002: No hay inconveniente en extender los efectos del desistimiento voluntario de la acción, no solo a los supuestos en los que es el propio autor el que directamente impide la consumación del delito, sino a aquellos otros en los que aquel desencadena o provoca la actuación de terceros que son los que finalmente lo consiguen.

Art. 17.

1. La conspiración existe cuando dos o más personas se conciertan para la ejecución de un delito y resuelven ejecutarlo.

2. La proposición existe cuando el que ha resuelto cometer un delito invita a otra u otras personas a participar en él.

3. La conspiración y la proposición para delinquir sólo se castigarán en los casos especialmente previstos en la ley.

> **STS 714/2018:** Respecto a la conspiración esta Sala tiene declarado que es una conducta delictiva de pura intención, que existe cuando dos o más personas se conciertan para la ejecución de un delito y resuelven ejecutarlo. Pertenece a la categoría de las resoluciones manifestadas y ya se trate de "iter criminis" anterior a la ejecución, entre la mera ideación impune y las formas ejecutivas imperfectas, o bien se considere como una especie de coautoría anticipada, la conspiración caracterizada por la conjunción del concierto y la firme resolución es incompatible con la iniciación ejecutiva material del delito, que supondría ya la presencia de coautores o partícipes de un delito intentado o consumado.

> **STS 217/2022:** En efecto, el Código Penal de 1995 volvió a orillar la regulación del desistimiento en las formas preparatorias punibles del delito, siguiendo en este punto una tradición del legislador penal español solo rota por la reforma de 1850 del Código Penal de 1848 en la que se introdujo una específica fórmula en el artículo 4 -" exime de toda pena el desistimiento de la conspiración o proposición para cometer un delito dando parte o revelando a la autoridad pública el plan y circunstancias antes de haberse comenzado el procedimiento"- que desapareció con el Código Penal de 1870. Si bien dicha ausencia de regulación no ha impedido que esta misma Sala extendiera analógicamente las fórmulas de desistimiento previstas para la tentativa en el artículo 16 CP, evitando de este modo lo que sería una paradoja axiológica difícilmente asumible: que quien ha dado inicio a la ejecución pueda verse exento de pena cuando decide voluntariamente no proseguir en la acción ejecutiva o, mediante actos teleológicamente orientados, impide

la producción del resultado una vez ejecutada la acción idónea para causarlo y, sin embargo, no pueda beneficiarse de dicha posibilidad quien habiendo decidido junto a otros la comisión del delito y realizado actos significativos para su futura ejecución desiste, sin embargo, de llevarla a cabo e intenta impedir que se produzca la consumación de la mano de los otros partícipes. Las razones político-criminales que fundan el no merecimiento de pena por el delito de cuya ejecución se desiste parece que prestan la misma justificación a cuando se desiste de no ejecutar el delito, objeto de la previa conspiración. Ahora bien, la oportunidad de extender la fórmula del desistimiento de la tentativa a las formas preparatorias punibles no significa que los supuestos sean idénticos y que no deba, por tanto, hacerse un esfuerzo de categorización que permita "trasplantar" las soluciones de la fase ejecutiva a la fase preparatoria. No debe olvidarse que la conspiración se consuma desde que se produce el acuerdo firme de voluntades entre dos o más personas en las que se dan las condiciones necesarias para ser las autoras de un delito concreto que han proyectado. Concierto que es lo que introduce, precisamente, el peligro concreto para el bien jurídico y justifica la punición de la forma preparatoria. El hecho de que la conspiración pueda ser considerada un delito dependiente no significa que la situación de peligro creada por la decisión de delinquir no se independice de cada uno de los sujetos concertados. Y que, por tanto, como regla general, si estos no hacen nada positivo para impedirlo, el peligro introducido pueda desembocar en la producción del delito. De ahí que no resulte correcto hablar de desistimiento de la conspiración, pues esta forma de manifestación del delito está consumada. En puridad, es el conspirador quien desiste contrarrestando el peligro ya introducido de que pueda llegarse a la fase de ejecución. Y es aquí donde radica la clave de la cuestión normativa suscitada. ¿Basta para identificar desistimiento penalmente significativo que un conspirador abandone el plan ideado? ¿Qué decida, como propone el recurrente, en su fuero interno, no dar inicio a la ejecución? ¿O, como se sostenía por algún sector doctrinal, consintiendo la conspiración " en tan solo pensar en cometer el delito lo lógico es que baste para desistir el pensamiento contrario, el pensamiento de no cometerlo"? La respuesta común a cada una de las anteriores cuestiones debe ser negativa. Si por la vía de la integración analógica debemos acudir a la regulación del desistimiento en la tentativa, resulta evidente que la regla que resultaría aplicable, la del artículo 16.3 CP, exige mucho más que la mera decisión de no ejecutar. Precisamente, porque la intervención de varios sujetos -nota constitutiva de la conspiración- cualifica la fuente de peligro de que el delito proyectado se pueda finalmente ejecutar. Fórmula que en su traslación analógica a la conspiración pasa porque el co-conspirador intente seria, firme y decididamente neutralizar, al menos, su aportación conspirativa que puede dar lugar o favorecer la ulterior ejecución y, además, convencer a los otros conspiradores de la necesidad de abandonar el plan criminal urdido. No olvidemos que la conspiración implica una decisión sobre la efectividad de lo proyectado, una voluntad concertada de ejecutarla por parte de los conspiradores. Estas actuaciones de neutralización, equivalentes a verdaderos actus contrarius, pueden ser más o menos significativas o intensas en función del grado alcanzado de planeamiento de la ejecución y de la mayor o menor proximidad a dicha fase de ejecución. Pero, en todo caso, no puede limitarse a la decisión interna de no proseguir en el iter trazado.

STS 825/2016: Esta Sala ha fijado como requisitos para estimar la concurrencia de la proposición para delinquir, los siguientes: a) Existencia de una previsión legal expresa del delito objeto de la propuesta; b) Que ésta se dirija a una persona que hasta ese momento no hubiera decidido por sí misma ejecutar el delito; c) Que la propuesta se refiera a la realización de una acción criminal posible y esté dotada de una seriedad que la haga creíble. Además, no es necesaria la aceptación de aquella por el destinatario.

III. DE LAS CIRCUNSTANCIAS MODIFICATIVAS DE LA RESPONSABILIDAD CRIMINAL
(ARTS. 20 A 23)

STS 759/2022: Naturalmente, el proceso penal no parte de una suerte de presunción interina de inimputabilidad de los acusados (ni de la existencia presunta de ninguna otra clase de circunstancia eximente o atenuante que pudiera concurrir en su conducta), de tal modo que correspondería a las acusaciones acreditar, con respecto a todas y cada una de ellas, la inexistencia o falta de concurso de los diferentes elementos que las integran. Del mismo modo, la falta de acreditamiento pleno de cualquier extremo fáctico vinculado con aquéllas, no puede, sin más aditamentos, presumirse en beneficio de la aplicación de cualquiera de las posibles circunstancias modificativas de la responsabilidad criminal. En este contexto deben inscribirse nuestras consideraciones relativas a que, "en definitiva, para las eximentes o atenuantes no rige ni la presunción de inocencia ni el principio in dubio pro reo. La deficiencia de datos para valorar si hubo o no la eximente o atenuante pretendida no determina su apreciación. Los hechos constitutivos de una eximente o atenuante han de quedar tan acreditados como el hecho principal". Cuando no se trata de dar por probado, sino de considerar "no probado" algún hecho el nivel exigible de motivación se rebaja. Las dudas llevan a no dar por probada la aseveración, lo que conecta bien con el régimen probatorio de las circunstancias atenuantes y eximentes. En esos campos no juega la presunción de inocencia que se proyecta sobre los hechos constitutivos de la infracción; no sobre los que excluyen o aminoran esa responsabilidad. Para dar por no probada una eximente basta con no tener razones para considerarla acreditada". Importa señalar, no obstante, que, rectamente entendida, la anterior doctrina no equivale a exigir, para que cualesquiera circunstancias eximentes o atenuantes pudieran reputarse aplicadas, una prueba irrefutable (en el sentido de enteramente excluyente de cualquier otra alternativa) del soporte fáctico que las conforma. En el enjuiciamiento penal, forzoso es reconocerlo, hemos de movernos siempre en el plano de la probabilidad, tanto por lo que respecta a los hechos que pudieran resultar desfavorables al acusado como con relación a aquellos que le beneficien, de tal modo que para que un suceso pueda reputarse probado habremos de acudir a criterios vinculados con la idea de probabilidad razonable o prevalente. Un hecho, tanto si favorece como si perjudica al acusado, se considerará probado cuando, a partir del rendimiento ofrecido por los medios probatorios desarrollados en el juicio (obtenidos de forma lícita y desarrollados de manera regular) se evidencie como altamente probable, excluyendo cualquier otra alternativa, igual o parecidamente válida, desde el punto de vista epistemológico.

Art. 20.

Están exentos de responsabilidad criminal:

1.º El que al tiempo de cometer la infracción penal, a causa de cualquier anomalía o alteración psíquica, no pueda comprender la ilicitud del hecho o actuar conforme a esa comprensión.

El trastorno mental transitorio no eximirá de pena cuando hubiese sido provocado por el sujeto con el propósito de cometer el delito o hubiera previsto o debido prever su comisión.

2.º El que al tiempo de cometer la infracción penal se halle en estado de intoxicación plena por el consumo de bebidas alcohólicas, drogas tóxicas, estupefacientes, sustancias psicotrópicas u otras que produzcan efectos análogos, siempre que no haya sido buscado con el propósito de cometerla o no se hubiese previsto o debido prever su comisión, o se halle bajo la influencia de un síndrome de abstinencia, a causa de su dependencia de tales sustancias, que le impida comprender la ilicitud del hecho o actuar conforme a esa comprensión.

3.º El que, por sufrir alteraciones en la percepción desde el nacimiento o desde la infancia, tenga alterada gravemente la conciencia de la realidad.

4.º El que obre en defensa de la persona o derechos propios o ajenos, siempre que concurran los requisitos siguientes:

Primero. Agresión ilegítima. En caso de defensa de los bienes se reputará agresión ilegítima el ataque a los mismos que constituya delito y los ponga en grave peligro de deterioro o pérdida inminentes. En caso de defensa de la morada o sus dependencias, se reputará agresión ilegítima la entrada indebida en aquélla o éstas.

Segundo. Necesidad racional del medio empleado para impedirla o repelerla.

Tercero. Falta de provocación suficiente por parte del defensor.

5.º El que, en estado de necesidad, para evitar un mal propio o ajeno lesione un bien jurídico de otra persona o infrinja un deber, siempre que concurran los siguientes requisitos:

Primero. Que el mal causado no sea mayor que el que se trate de evitar.

Segundo. Que la situación de necesidad no haya sido provocada intencionadamente por el sujeto.

Tercero. Que el necesitado no tenga, por su oficio o cargo, obligación de sacrificarse.

6.º El que obre impulsado por miedo insuperable.

7.º El que obre en cumplimiento de un deber o en el ejercicio legítimo de un derecho, oficio o cargo.

En los supuestos de los tres primeros números se aplicarán, en su caso, las medidas de seguridad previstas en este Código.

STS 293/2018: La jurisprudencia de esta Sala tiene establecido que el trastorno mental transitorio, que afecta de modo notorio a la imputabilidad, supone una perturbación de intensidad psíquica idéntica a la enajenación, si bien diferenciada por su temporal incidencia. Viene estimándose que dicho trastorno, con fuerza para fundamentar la eximente, supone, generalmente sobre una base constitucional morbosa o patológica, sin perjuicio de que en persona sin tara alguna sea posible la aparición de indicada perturbación fugaz, una reacción vivencial anormal, tan enérgica y avasalladora para la mente del sujeto, que le priva de toda capacidad de raciocinio, eliminando y anulando su potencia decisoria y sus libres determinaciones volitivas, siempre ante el choque psíquico originado por un agente exterior, cualquiera que sea su naturaleza. Fulminación de conciencia tan intensa y profunda que impide al agente conocer el alcance antijurídico de su conducta, despojándole del libre arbitrio que debe presidir cualquier proceder humano responsable. En el entendimiento de que la eximente completa requiere la abolición de las facultades volitivas e intelectivas del sujeto, prevalece la eximente incompleta cuando el grado de afección psíquica no alcanza tan altas cotas.

STS 440/2018: En relación a la deficiencia o alteración mental de esquizofrenia paranoide, la doctrina jurisprudencial viene declarando que en las esquizofrenias, siguiendo, no el criterio biológico puro (que se conforma con la existencia de la enfermedad mental), sino el biológico-psicológico (que completa el examen de la inimputabilidad penal con el dato de la incidencia de tal enfermedad en el sujeto concreto y en el momento determinado de producción del delito) que es el adoptado por el TS, pueden dar lugar a las siguientes situaciones: A) Si el hecho se ha producido balo los efectos del brote esquizofrénico, habrá de aplicarse la eximente completa del artículo 20.1° del Código Penal. B) Si no se obró bajo dicho brote, pero las concretas circunstancias del hecho nos revelan un comportamiento anómalo del sujeto que puede atribuirse a dicha enfermedad, habrá de aplicarse la eximente incompleta del núm. 1° del artículo 21. C) Si no hubo brote y tampoco ese comportamiento anómalo en el supuesto concreto, nos encontraremos ante una atenuante analógica del núm. 6ª (hoy 7ª) del mismo artículo 21, como consecuencia del residuo patológico, llamado defecto esquizofrénico, que conserva quien tal enfermedad padece.

STS 151/2019: Es doctrina reiterada de esta Sala que la "pedofilia" o búsqueda del placer sexual con los niños es considerada por la psiquiatría como un trastorno o perversión sexual, estimándose, en líneas generales, que los sujetos afectados por estos trastornos son libres de actuar al tener una capacidad de querer, de entender y obrar plenas. Por ello, se ha estimado ordinariamente que una pedofilia moderada, es decir una orientación sexual congruente con los abusos de menores realizados, no impide ni limita la capacidad de actuar del acusado conforme a su conocimiento de la ilicitud de su acción y solo ocasionalmente ha estimado esta Sala una disminución de imputabilidad en sujetos afectos a la pedofilia en supuestos graves en que se constataba dicha afectación asociada a otros trastornos psíquicos relevantes, por ejemplo, toxicomanía, el alcoholismo o neurosis depresiva; es decir, la pedofilia no afecta a la capacidad de voluntad y entendimiento con trascendencia en la imputabilidad del sujeto activo si no aparece asociada a otra anomalía o trastorno psíquicos.

STS 142/2018: La jurisprudencia ha considerado que la drogadicción produce efectos exculpatorios cuando se anula totalmente la capacidad de culpabilidad, lo que puede acontecer bien cuando el drogodependiente actúa bajo la influencia directa del alucinógeno que anula de manera absoluta el psiquismo del agente, bien cuando el drogodependiente actúa bajo la influencia de la droga dentro del ámbito del síndrome de abstinencia, en el que el entendimiento y el querer desaparecen a impulsos de una conducta incontrolada, peligrosa y desproporcionada, nacida del trauma físico y psíquico que en el organismo humano produce la brusca interrupción del consumo o la brusca interrupción del tratamiento deshabituador a que se encontrare sometido.

STS 132/2019: Señala nuestra doctrina jurisprudencial que el estado de necesidad, como circunstancia eximente, eximente incompleta o incluso como atenuante analógica, requiere la concurrencia de una situación límite en la que el equilibrio, la ponderación y la ecuanimidad de los Jueces han de marcar la frontera entre lo permitido y lo prohibido. De un lado, para ponderar racionalmente situaciones en las que el sujeto tiene que actuar a impulso de móviles inexorables legítimos, y de otro, para evitar, que se expandan impunidades inadmisibles, con quiebra de la seguridad jurídica. Para la apreciación de esta circunstancia se precisa: a) Existencia de un grave de un mal propio o ajeno, que no es preciso haya comenzado a producirse, bastando con que el sujeto de la acción pueda apreciar la existencia de una situación de peligro y riesgo intenso para un bien jurídicamente protegido y que requiera realizar una acción determinada para atajarlo; b) Necesidad de lesionar un bien jurídico de otro o de infringir un deber con el fin de soslayar aquella situación de peligro; c) Que el mal o daño causado no sea mayor que el que se pretende evitar, debiéndose ponderar en cada caso concreto los intereses en conflicto para poder calibrar la mayor, menor o igual entidad de los dos males, juicio de valor que "a posteriori" corresponderá formular a los Tribunales de Justicia; d) Que el sujeto que obre en ese estado de necesidad no haya provocado intencionadamente tal situación y; e) Que ese mismo sujeto, en razón de su cargo u oficio, no esté obligado a admitir o asumir los efectos del mal pendiente o actual. A partir de estas exigencias difícilmente puede apreciarse esta circunstancia en el delito de tráfico de drogas, teniendo en cuenta los gravísimos perjuicios que al conjunto de la sociedad se irrogan a la sociedad.

Esta Sala ha reiterado que la aplicación del miedo insuperable como circunstancia modificativa de la responsabilidad criminal, en sus distintas variantes y dependiendo de su intensidad y de su capacidad de afectación al sujeto que lo sufre, precisa los siguientes presupuestos: a) la presencia de un temor que coloque al sujeto en una situación de temor invencible determinante de la anulación de la voluntad del sujeto; b) que dicho miedo esté inspirado en un hecho efectivo, real y acreditado; c) que el miedo sea insuperable, esto es, invencible, en el sentido de que no sea controlable o dominable por el común de las personas con pautas generales de los nombres, huyendo de concepciones externas de los casos de hombres valerosos o temerarios y de personas miedosas o pusilánimes; y d) que el miedo ha de ser el único móvil de la acción. El fundamento de esta circunstancia lo encontramos en la inexigibilidad de otra conducta, ya que quien actúa en ese estado, subjetivo, de temor mantiene sus condiciones de imputabilidad, pues el miedo no requiere una perturbación angustiosa sino un temor a que ocurra algo no deseado. El sujeto que actúa típicamente se halla sometido a una situación derivada de una amenaza de un mal tenido como insuperable. De esta exigencia resultan las características que debe reunir la situación, esto es, ha de tratarse de una amenaza real, seria e inminente, y que su valoración ha de realizarse desde la perspectiva del hombre medio, el común de los hombres, que se utiliza de baremo para comprobar la capacidad de superación de ese miedo.

STS 664/2018: La jurisprudencia de esta Sala ha condicionado la operatividad de la circunstancia prevista en el n° 7 del artículo 20 CP a que la actuación del sujeto se encuentre en la órbita de la debida expresión, uso y alcance del derecho concernido, y ante la necesidad de evitar un mal grave para el mismo que no pudiera excluirse por otros medios. Y así ha afirmado, que la eximente de cumplimiento de un deber y ejercicio legítimo de un derecho, oficio o cargo constituye una cláusula de cierre del total sistema jurídico que impide que la aplicación de preceptos normativos que establecen deberes, derechos o funciones sociales pueda verse confrontada con la incidencia en figuras típicas penales. Es totalmente lógico que, cuando se actúe en cumplimientos de esos deberes, derechos o funciones, los que los ejerciten no se encuentren implicados en una situación definida como antijurídica y punible. Naturalmente, como en tantas posibles antinomias entre derechos, deberes y obligaciones jurídicos sucede, para salvar la oposición deben tenerse en cuenta exigencias que garanticen que el ejercicio de derechos, deberes y funciones socialmente útiles no devenga en una forma de justificar cualquier conducta que, en principio, aparezca jurídicamente amparada y tutelada.

STS 174/2018: En el caso, el recurrente fue absuelto de los delitos por los que venía acusado al apreciarse una eximente completa por anomalía o alteración psíquica, por lo que no es procedente la condena en costas. Hay que considerar ciertamente infringidos los preceptos de los arts. 123 CP y 240 LECrim, que subordinan la imposición de las costas a la previa condena penal.

Art. 21.

Son circunstancias atenuantes:

1.ª Las causas expresadas en el capítulo anterior, cuando no concurrieren todos los requisitos necesarios para eximir de responsabilidad en sus respectivos casos.

2.ª La de actuar el culpable a causa de su grave adicción a las sustancias mencionadas en el número 2º del artículo anterior.

3.ª La de obrar por causas o estímulos tan poderosos que hayan producido arrebato, obcecación u otro estado pasional de entidad semejante.

4.ª La de haber procedido el culpable, antes de conocer que el procedimiento judicial se dirige contra él, a confesar la infracción a las autoridades.

5.ª La de haber procedido el culpable a reparar el daño ocasionado a la víctima, o disminuir sus efectos, en cualquier momento del procedimiento y con anterioridad a la celebración del acto del juicio oral.

6.ª La dilación extraordinaria e indebida en la tramitación del procedimiento, siempre que no sea atribuible al propio inculpado y que no guarde proporción con la complejidad de la causa.

7.ª Cualquier otra circunstancia de análoga significación que las anteriores.

STS 795/2015: El Tribunal no puede dejar de aplicar una atenuante solicitada expresamente por el Ministerio Fiscal.

STS 191/2019: Es doctrina reiterada de esta Sala que el consumo de sustancias estupefacientes, aunque sea habitual, no permite por sí solo la aplicación de una atenuante. No se puede, pues, acceder a la modificación de la responsabilidad criminal por el simple hábito de consumo de drogas, ni basta con ser drogadicto en una u otra escala, de uno u otro orden, para que proceda la aplicación de circunstancias atenuantes, porque la excusión total o parcial o la simple atenuación de la responsabilidad de los toxicómanos ha de resolverse en función de la imputabilidad, o sea, de la evidencia de la repercusión de la droga en las facultades intelectivas y volitivas del sujeto. Para poder apreciar la circunstancia de drogadicción, sea como una mera atenuante, sea como una eximente incompleta, es imprescindible que conste probada la concreta e individualizada situación psicofísica del sujeto en el momento comisivo, tanto en lo concerniente a la duración de la adicción a las drogas tóxicas o sustancias estupefacientes como a la singularizada alteración de las facultades intelectivas y volitivas cuando ejecutó la acción punible; sin que la simple y genérica expresión de que el acusado era adicto a las drogas, sin mayores especificaciones y matices, permita aplicar una circunstancia atenuante de la responsabilidad criminal en ninguna de sus variadas manifestaciones.

STS 86/2016: El fundamento de la atenuante del art. 21.3ª se encuentra en la disminución de la imputabilidad que se produce por la ofuscación de la mente por una alteración emocional fugaz (arrebato) o por la más persistente de incitación personal (obcecación), pero siempre produciéndose por una causa o estímulo poderoso. Se exige que su origen sea un determinante poderoso de carácter exógeno o exterior y de entidad suficiente para desencadenar un estado anímico de perturbación y oscurecimiento de las facultades psíquicas con disminución de las cognoscitivas o volitivas del agente, de modo que sin alcanzar la cualidad propia del trastorno mental transitorio completo o incompleto, exceda del leve aturdimiento que suele acompañar a ciertas infracciones.

STS 44/2018: Tales estímulos, a los efectos del art. 21.3ª CP, no han de ser reprochados por las normas socio-culturales que rigen la convivencia social y deben proceder del precedente comportamiento de la víctima, con una relación de causalidad entre los estímulos y el arrebato u obcecación y una conexión temporal, sino inmediatos si próximos, entre la presencia de los estímulos y el surgimiento de la emoción o pasión. Es preciso también que en el entorno social correspondiente no sean tales estímulos repudiados por la norma socio-cultural imperante, lo que significa que la actuación del agente se ha de producir dentro de un cierto sentido ético ya que su conducta y sus estímulos, no pueden ser amparada por el Derecho cuando se apoyan en una actitud antisocial reprobada por la conciencia social imperante, que en esta relación de causa o afecto entre el estímulo desencadenante y la conducta ha de darse una conexión temporal y que cualquier reacción colérica que las que, con frecuencia, acompañan a ciertas acciones delictivas, no basta para la estimación de la atenuante.

STS 345/2019: El fundamento de la atenuación en la confesión del reo radica, una vez superada la anterior concepción de la atenuación basada en motivaciones pietistas o de arrepentimiento, en razones de política criminal, pues la confesión ahorra esfuerzos de investigación y facilita la instrucción de la causa criminal. Confesar supone poner en conocimiento de la autoridad judicial o de la policía, los hechos acaecidos, y requiere que la misma sea sustancialmente veraz, no falsa o tendenciosa o equívoca, sin que deba exigirse una coincidencia total con el hecho probado. Esa confesión, además, supone un reconocimiento de la vigencia de la norma y un aquietamiento a las previsiones de penalidad previstas en el ordenamiento para la conducta. Los requisitos integrantes de la atenuante de confesión son los siguientes: 1º) Tendrá que haber un acto de confesión de la infracción. 2º) El sujeto activo de la confesión habrá de ser el culpable. 3º) La confesión habrá de ser veraz en lo sustancial. 4º) La confesión ha de mantenerse a lo largo de las diferentes manifestaciones realizadas en el proceso, también en lo sustancial. 5º) La confesión habrá de hacerse ante la autoridad, agente de la autoridad o funcionario cualificado para recibirla. 6º) Tiene que concurrir el requisito cronológico, consistente en que la confesión tendrá que haberse hecho antes de conocer el confesante que el procedimiento se dirigía contra él, habiendo de entenderse que la iniciación de diligencias policiales ya integra procedimiento judicial, a los efectos de la atenuante.

STS 220/2018: Si lo que pretende el confesante no es posibilitar la actuación instructora sino la defensa ante un hecho delictivo, no se cumple con esa finalidad que fundamenta la atenuación. Ahora bien, eso no implica que, puesta sobre la mesa la veracidad de los hechos, no pueda el confesante poner también de relieve aquellos elementos de donde deducir cualquier género de comportamiento atenuatorio de su responsabilidad penal. De ahí que la atenuante no resulte incompatible con el mantenimiento de versiones defensivas en aspectos que no sean sustanciales, que puedan resultar no acreditados, siempre que no quede desvirtuada su propia finalidad.

STS 629/2018: Para considerar una atenuación como muy cualificada, ésta debe alcanzar una intensidad superior a la normal de la respectiva circunstancia. Cuando se trata de la confesión, su utilidad para la investigación ha de alcanzar un especial nivel para justificar su apreciación en ese grado.

STS 402/2017: La ausencia del requisito cronológico no es obstáculo para que la confesión pueda operar como circunstancia atenuante, de la mano de las circunstancias de atenuación analógica contempladas en el artículo 21.7ª del Código Penal. Pero debe recordarse que la asunción de responsabilidad cuando el sujeto activo ha sido descubierto, está carente de la significación esencial de la confesión, pues por más que la confesión ya no necesite estar alentada por el arrepentimiento, no quiere decir que no deba ir dotada del elemento de la voluntariedad. Una confesión en cuya génesis solo se encuentra la resignación ante lo que se percibe ya como irremediable, no puede dar vida a una atenuación, por no existir fundamento para un menor reproche penal, salvo en aquellos supuestos en los que suponga -en el ámbito propio del proceso- una facilitación importante de la acción de la Justicia y, por tanto, una contribución útil y relevante para la restauración del orden jurídico alterado por la acción delictiva; supuestos en los que la confesión -denominada tardía- sí puede operar como atenuante analógica del artículo 21.7ª de nuestro CP. Esta exigencia de que la confesión se materialice como un acto de colaboración con los fines de la justicia, representando una cooperación eficaz, seria y relevante, no solo supone que sea veraz, sino que aporte a la investigación datos particularmente significativos para esclarecer la realidad y circunstancias de los hechos investigados, o de la intervención de otros individuos que hayan podido favorecer o intervenir en su realización. Exigencia que deriva de que la fundamentación de la atenuación se encuentra en razones de política criminal, concretamente el favorecimiento del descubrimiento del delito y sus autores, por lo que desaparece su sostén cuando se desvanece su utilidad o ésta se muestra mínima, dado que en esos supuestos no podrá apreciarse una identidad de situación

-como atenuante por analogía- con la hipótesis de confesión del artículo 21.4ª del Código Penal que, por ser previa al inicio del procedimiento penal, libera al menos de la necesidad del descubrimiento del delito.

STS 170/2019: La interpretación jurisprudencial de la atenuante de reparación prevista en el art. 21.5ª del CP, ha asociado su fundamento material a la existencia de un *actus contrarius* mediante el cual el acusado reconoce la infracción de la norma cometida, con la consiguiente compensación de la reprochabilidad del autor. Su razón de ser, pues, está íntimamente ligada a la existencia de un acto reparador que, en buena medida, compense el desvalor de la conducta infractora. Y ese fundamento no es ajeno a la preocupación legislativa, convertida en pauta de política criminal, por facilitar la protección de la víctima, logrando así, con el resarcimiento del daño causado, la consecución de uno de los fines del proceso. Por su fundamento político criminal se configura como una atenuante " *ex post facto* ", que no hace derivar la disminución de responsabilidad de una inexistente disminución de la culpabilidad por el hecho, sino de la legítima y razonable pretensión del legislador de dar protección a la víctima y favorecer para ello la reparación privada posterior a la realización del delito. Y hemos acogido un sentido amplio de la reparación, que va más allá de la significación que se otorga a esta expresión en el art. 110 del CP, pues el art. 110 se refiere exclusivamente a la responsabilidad civil, diferenciable de la responsabilidad penal, a la que afecta la atenuante. Cualquier forma de reparación del delito o de disminución de sus efectos, sea por la vía de la restitución, de la indemnización de los perjuicios, de la reparación moral o incluso reparación simbólica, puede integrar las previsiones de la atenuante.

STS 572/2021: Este Tribunal descarta la apreciación de la atenuante de reparación del daño por configurarse los delitos contra la salud pública como delitos de peligro abstracto, no existiendo una víctima directa del tráfico de estupefacientes, recordando en este sentido la jurisprudencia de la Sala se indicaba que la doctrina jurisprudencial ha considerado inapreciable esta atenuante en los delitos de simple actividad como es el tráfico de drogas, ya que no puede decirse que se hayan reparado los efectos del delito cuando se trata de ilícitos penales de mero peligro sin necesidad de resultado o efectos especiales como elementos integrantes del tipo penal. Por lo que respecta a la aplicación del artículo 21.5ª del Código Penal, dicho precepto requiere que el culpable haya procedido a reparar el daño ocasionado a la víctima, o a disminuir sus efectos, y en este tipo de delitos, como hemos apuntado, aunque exista un interés colectivo, el Estado no tiene condición de víctima, estamos ante ilícitos penales de mero peligro sin necesidad de resultado, y por tanto sin víctima concreta, por lo que resulta irrelevante dicha donación a los efectos de la apreciación de la atenuante de reparación del daño, en el supuesto, ni siquiera por analogía, todo ello sin perjuicio de tenerlo en cuenta a los efectos del art. 66 del CP, y que una conducta similar pueda ser considerada como analógica a otro tipo de circunstancia modificativa de la responsabilidad criminal.

STS 631/2020: El elemento nuclear se da aquí: se ha indemnizado a la víctima. O, por lo menos, el acusado ha realizado las actuaciones que le incumbían para que la víctima fuese indemnizada antes del juicio en cuantía que, pudiendo ser mayor, era la estimada como adecuada por la acusación pública. Se ha depositado antes del juicio oral la cantidad reclamada como indemnización. Y consta plasmada con anterioridad al plenario la voluntad de que ese dinero fuese destinado a la víctima con independencia de cualquier circunstancia y de forma inmediata. En todo caso, las eventuales dudas, salvo que fuesen fruto de una deliberada y estratégica ambigüedad buscada de propósito, habrían de resolverse en favor del reo.

STS 74/2016: Para la especial cualificación de la atenuante de reparación del daño del art. 21.5ª (atenuante como muy cualificada) se requiere que el esfuerzo realizado por el culpable sea particularmente notable, en atención a sus circunstancias personales (posición económica, obligaciones familiares y sociales, especiales circunstancias coyunturales, …) y al contexto global en el que la acción se lleve a cabo; la mayor intensidad de la cualificación ha de derivarse, ya sea del acto mismo de la reparación (p.ej.: su elevado importe), ya de las circunstancias que han condicionado la respuesta reparadora del autor frente a su víctima. Se ha sentado el principio por el que la reparación completa del perjuicio sufrido no conlleva necesariamente la apreciación de la atenuante como muy cualificada.

STS 15/2015: Estima la atenuante de reparación del daño como muy cualificada, ante el desembolso por el acusado, desempleado, de la suma de 31.000 euros, que en la actual situación de crisis económica, no puede sostenerse sin más que no sea una cifra elevada para una persona de estrato medio.

STS 302/2010: Ha de valorarse la complejidad del asunto, el comportamiento de las partes (recursos abusivos, suspensiones injustificadas, …) y del órgano jurisdiccional (que la dilación obedezca a la inactividad dolosa, negligente o fortuita del órgano jurisdiccional, sin que tenga relevancia alguna la sobrecarga de trabajo); no está obligado a denunciarla el acusado, al tener un interés en la prescripción y en aras a su derecho de defensa.

STS 400/2016: El tiempo de paralización de un procedimiento como consecuencia de una declaración de sobreseimiento parcial y provisional, no puede luego invocarse a efectos de integrar el fundamento material de la atenuante de dilaciones indebidas. No existe en nuestro sistema el derecho a ser descubierto y sancionado con prontitud.

STS 633/2016: Las dilaciones indebidas, en ningún caso, pueden abarcar el tiempo comprendido entre la realización de los hechos y la incoación del procedimiento judicial, pues dicho lapso corre a favor del acusado mediante la prescripción; consideración igualmente extensiva a las fases en las que la causa se encuentra provisionalmente sobreseída.

STS 188/2020: Problemas procesales y conceptuales que si bien no permiten descartar con carácter absoluto la atenuante de dilaciones indebidas ex post iudicio, aconsejan que la misma se acoja de modo muy excepcional, en supuestos extremos, cuya valoración exige en todo caso ponderar las circunstancias del caso. Esta Sala ha admitido excepcionalmente la concurrencia de la atenuante por demoras en la publicación de la sentencia y también en algún supuesto en que la inactividad se ha producido en la sustanciación del recurso. Siempre en el caso de paralizaciones muy llamativas. Más de dos años de tardanza en dar curso al escrito que anunció el recurso desborda los contornos del retraso que puede entenderse justificado en eventuales deficiencias estructurales de la Administración de Justicia, y goza de significación por si solo para sustentar la atenuación que se reclama.

STS 318/2016: La apreciación como muy cualificada de la atenuante de dilaciones indebidas, procederá siempre que la dilación supere objetivamente el concepto de extraordinaria, es decir, manifiestamente desmesurada por paralización del proceso durante años; también cuando, siendo extraordinaria, pero sin llegar a esa desmesura intolerable, la dilación venga acompañada de un plus de perjuicio para el acusado, superior al propio que irroga la intranquilidad o la incertidumbre de la espera.

STS 147/2018: En las sentencias de casación se suele aplicar la atenuante como muy cualificada en las causas que se tramitan en un periodo que supera como cifra aproximada los ocho años de demora entre la imputación del acusado y la vista oral del juicio. Así, por ejemplo, se apreció la atenuante como muy cualificada en las sentencias 291/2003, de 3 de marzo (ocho años de duración del proceso); 655/2003, de 8 de mayo (9 años de tramitación); 506/2002, de 21 de marzo (9 años); 39/2007, de 15 de enero (10 años); 896/2008, de 12 de diciembre (15 años de duración); 132/2008, de 12 de febrero (16 años); 440/2012, de 25 de mayo (diez años); 805/2012, de 9 octubre (10 años); 37/2013, de 30 de enero (ocho años); y 360/2014, de 21 de abril (12 años).

STS 401/2022: La construcción analógica de atenuantes que posibilita el artículo 21. 7° CP tiene como objetivo garantizar en todo caso la correspondencia entre la pena y los concretos indicadores de gravedad del injusto, de culpabilidad o de merecimiento del autor, atendidos los fines político-criminales concurrentes. Objetivo de especial relevancia constitucional, por nutrirse de los principios de proporcionalidad y humanidad que se decantan de los artículos 9 y 25 CE, que explica, precisamente, que esta Sala haya interpretado con amplitud los presupuestos de identificación extensiva de la atenuación. Como hemos reiterado, la clave no reside tanto en la concurrencia de condiciones normativas de aplicación próximas o equiparables a las circunstancias típicas, sino en la apreciación de datos

objetivos que adquieran un significado relativamente equivalente al que sustenta aquellas para aminorar el reproche penal.
La fórmula analógica de atenuación debe nutrirse del fin de
protección al que responde la atenuante típica a la luz, además,
de las concretas condiciones de merecimiento de la persona
acusada. Esa necesaria conexión con los fines de protección de
las respectivas atenuantes típicas, con el «sentido intrínseco», y
no tanto con los aspectos más formales o puramente descriptivos, permite identificar dos claros riesgos derivados del uso de
la herramienta analógica contemplada en el artículo 21. 7º CP.
Uno, la sobreutilización extensiva y, otro, la sobreutilización
oclusiva. El primero, la sobreutilización extensiva, se refiere a la
creación de fórmulas de atenuación carentes de toda conexión
teleológica con las atenuantes típicas. Los jueces no disponemos
de un ilimitado «motor de búsqueda» de atenuantes. Cuando
no es posible trazar la análoga significación con las categorías
normativas típicas de referencia debe presumirse que la opción
racional del legislador ha sido, precisamente, no incluir otras
atenuaciones. Por exigencias estructurales derivadas de nuestro
modelo constitucional, basado en la idea de la división del poder y del sometimiento de los jueces al imperio de la ley, no pueden generarse atenuaciones no previstas y desconectadas del
sentido y los fines a las que responden las atenuantes típicas.
Supondría un nítido acto de creación normativa desconectado
de la herramienta analógica de la que se dispone y, desde luego,
de la propia legitimidad que la Constitución atribuye a los jueces como agentes del poder. El segundo riesgo, la sobreutilización oclusiva, surge cuando se achica o se reduce el campo aplicativo de la circunstancia atenuante típica, de cuya necesaria
conexión de significado se nutre la atenuante analógica. Un mal
cálculo del espacio de extensión analógica puede ocluir la aplicación de la atenuante propia, privando a la persona acusada
de los efectos atenuatorios cualificados previstos en la norma
-el caso más claro lo encontramos con relación a las atenuantes
cualificadas del artículo 21.1º-. Efecto que, además, entrañaría
una grave contradicción con el sentido y la función humaniza-
dora que el mecanismo analógico cumple en el modelo penal.
Dicho riesgo obliga, por tanto, a una exigente labor de deslinde

de los respectivos presupuestos fácticos y condicionantes normativos de apreciación. En puridad, no puede existir, sin riesgo de vaciar el sentido político-constitucional de la atenuación analógica al que antes nos hemos referido, una suerte de «concurso de normas» entre el correspondiente ordinal de atenuantes típicas del artículo 21 CP y la fórmula del artículo 21. 7º CP. Como se recuerda por esta Sala, en específica referencia a la atenuante por analogía con las circunstancias agrupadas bajo el artículo 21. 1º CP, esta solo resulta aplicable en condiciones residuales, cuando no se cuente con " los elementos necesarios para identificar la eximente incompleta". Labor de deslinde que presenta especiales dificultades, precisamente, con relación al juicio de imputabilidad. Este no suele conformarse en términos dicotómicos entre imputabilidad plena e inimputabilidad. En un buen número de supuestos deberá acudirse a una escala gradual como consecuencia de los múltiples factores personales y situacionales que pueden incidir en la capacidad de quien comete el delito para comprender la ilicitud de la conducta realizada y adecuar su comportamiento a dicha comprensión. De tal modo, acreditado un determinado nivel de afectación de los presupuestos volitivos y cognitivos del juicio de culpabilidad, deberá precisarse con detalle el concreto escalón en el que se sitúa el déficit apreciado para, a continuación, fijar, en términos normativos, el efecto atenuatorio correspondiente.

Art. 22.[1]

Son circunstancias agravantes:

1.ª Ejecutar el hecho con alevosía.

Hay alevosía cuando el culpable comete cualquiera de los delitos contra las personas empleando en la ejecución medios, modos o formas que tiendan directa o especialmente a asegurarla, sin el riesgo

---

[1] Se modifica la circunstancia 4ª por la LO 8/2021, de 4 de junio, y por la LO 6/2022, de 12 de julio.

que para su persona pudiera proceder de la defensa por parte del ofendido.

2.ª Ejecutar el hecho mediante disfraz, con abuso de superioridad o aprovechando las circunstancias de lugar, tiempo o auxilio de otras personas que debiliten la defensa del ofendido o faciliten la impunidad del delincuente.

3.ª Ejecutar el hecho mediante precio, recompensa o promesa.

4.ª Cometer el delito por motivos racistas, antisemitas, antigitanos u otra clase de discriminación referente a la ideología, religión o creencias de la víctima, la etnia, raza o nación a la que pertenezca, su sexo, edad, orientación o identidad sexual o de género, razones de género, de aporofobia o de exclusión social, la enfermedad que padezca o su discapacidad, con independencia de que tales condiciones o circunstancias concurran efectivamente en la persona sobre la que recaiga la conducta.

5.ª Aumentar deliberada e inhumanamente el sufrimiento de la víctima, causando a ésta padecimientos innecesarios para la ejecución del delito.

6.ª Obrar con abuso de confianza.

7.ª Prevalerse del carácter público que tenga el culpable.

8.ª Ser reincidente.

Hay reincidencia cuando, al delinquir, el culpable haya sido condenado ejecutoriamente por un delito comprendido en el mismo título de este Código, siempre que sea de la misma naturaleza.

A los efectos de este número no se computarán los antecedentes penales cancelados o que debieran serlo, ni los que correspondan a delitos leves.

Las condenas firmes de jueces o tribunales impuestas en otros Estados de la Unión Europea producirán los efectos de reincidencia salvo que el antecedente penal haya sido cancelado o pudiera serlo con arreglo al Derecho español.

STS 20/2016: Tradicionalmente se han venido distinguiendo tres tipos de alevosía: 1) alevosía proditoria o traicionera, como trampa, celada, emboscada o traición; 2) alevosía sorpresiva, súbita o inopinada, repentina, fulgurante; y 3) alevosía por desvalimiento, caracterizada por la especial situación de la víctima, muy disminuida en sus posibilidades de defensa; es procurada y aprovechada para ejecutar el delito de manera más fácil como a salvo de cualquier defensa de la víctima.

STS 86/2016: La Sala viene admitiendo la alevosía sobrevenida, que tiene lugar cuando, aun habiendo mediado un enfrentamiento previo sin circunstancias iniciales alevosas, se produce un cambio cualitativo en la situación, de modo que esa última fase de la agresión, con sus propias características no podía ser esperada por la víctima en modo alguno, en función de las concretas circunstancias del hecho, especialmente cuando concurre una alteración sustancial en la potencia agresiva, respecto al instrumento utilizado, el lugar anatómico de la agresión y la fuerza empleada.

STS 12/2015: El Tribunal Supremo viene admitiendo la alevosía convivencial, basada en la relación de confianza proveniente de la convivencia, generadora para la víctima de su total despreocupación respecto de un eventual ataque que pudiera tener su origen en acciones del acusado.

STS 161/2017: Hemos denominado como alevosía doméstica a una modalidad especial de alevosía convivencial, basada en la relación de confianza proveniente de la convivencia, generadora para la víctima de su total despreocupación respecto de un eventual ataque que pudiera tener su origen en acciones del acusado; se trata, por tanto, de una alevosía doméstica, derivada de la relajación de los recursos defensivos como consecuencia de la imprevisibilidad de un ataque protagonizado por la persona con la que la víctima convive día a día.

STS 299/2018: En cuanto a la existencia de heridas de "resistencia mínima de la víctima", lo que denotaría que la víctima pudo defenderse, lo que impediría la aplicación de la alevosía, es reiterada la jurisprudencia de esta Sala que tiene declarado que por lo que se refiere a la defensa pasiva de la víctima, entendiendo por ello lo que hace la víctima para como consecuencia del natural instinto de conservación, tratar de autoprotegerse, lo que en el presente caso estaría constituido por levantar los brazos para intentar evitar los golpes, en tales casos, decimos, es posible la aplicación de la alevosía porque tal acción defensiva no supone ningún obstáculo para que la acción del agresor se lleve a cabo sin riesgo para él. La alevosía no es incompatible con la existencia de "heridas de defensa" en la víctima, como cubrirse con manos y brazos para eludir los golpes, y es que en tal escenario no existen posibilidades de defensa para la víctima, ni por tanto riesgo para los agresores.

STS 618/2020: Las heridas causadas para repeler la agresión no son sustanciales para apreciar, o no, la alevosía, sino los componente fácticos de toda índole concurrentes en el suceso, pero sobre todo, lo inesperado del ataque y la eficacia letal de los medios empleados.

Acuerdo no jurisdiccional del pleno de la Sala 2ª del TS de 26 de mayo de 2000: Compatibilidad entre la agravante de alevosía y la eximente completa de enajenación mental del art. 20.1º.

STS 759/2022: Es claro, sin embargo que, incluso bajo ciertas limitaciones en las ordinarias aptitudes para autodeterminarse, resulta perfectamente factible escoger como medios de ataque aquellos que se orienten a asegurar la ejecución del mismo, evitando la defensa que pudiera proceder del ofendido.

STS 112/2015: Las agravantes de alevosía y de disfraz son compatibles.

STS 939/2022: Salvo algún supuesto singular, la jurisprudencia de esta Sala se decanta por la incompatibilidad de la agravante de alevosía con las diversas manifestaciones de agravación del art. 22.2ª, como son ejecutar el hecho, aprovechando las circunstancias de lugar, tiempo o auxilio de otras personas que debiliten la defensa del ofendido o faciliten la impunidad del delincuente.

STS 203/2018: Respecto a la agravante de disfraz la jurisprudencia de esta Sala recuerda que son tres los requisitos para la estimación de esta agravante: 1) objetivo, consistente en la utilización de un medio apto para cubrir o desfigurar el rostro o la apariencia habitual de una persona, aunque no sea de plena eficacia desfiguradora, sea parcialmente imperfecta o demasiado rudimentario, por lo que para apreciarlo será preciso que sea descrito en los hechos probados de la sentencia; 2) subjetivo o propósito de buscar una mayor facilidad en la ejecución del delito o de evitar su propia identificación para alcanzar la impunidad por su comisión y así eludir sus responsabilidades; y 3) cronológico, porque ha de usarse al tiempo de la comisión del hecho delictivo, y carece de aptitud a efectos agravatorios cuando se utilizara antes o después de tal momento. Es necesario un ejercicio de ponderación respecto a la idoneidad en abstracto del medio desfigurante utilizado para lograr el fin pretendido. Así ha señalado esta Sala que procederá la apreciación de la agravante «cuando en abstracto, el medio empleado sea objetivamente válido para impedir la identificación». Es decir, el presupuesto de hecho para la aplicación de la agravación no requiere que efectivamente las personas presentes en el hecho puedan, no obstante la utilización de un dispositivo dirigido a impedir la identificación, reconocer el autor del hecho delictivo, sino que, como se ha dicho, basta que el dispositivo sea hábil, en abstracto, para impedir la identificación, aunque en el supuesto concreto no se alcance ese interés.

STS 141/2016: El disfraz ha de usarse al tiempo de la comisión del hecho delictivo, careciendo de virtualidad agravatoria si se emplea con posterioridad. Se extiende a los partícipes, aunque no hagan uso del disfraz, que hayan conocido, cuando es un medio para la ejecución del delito comúnmente planeado.

STS 323/2021 (Pleno): De entrada, conviene hacer una precisión inicial. Y es que, con carácter general, la aplicación de la agravante de disfraz, una vez impuesto el uso obligatorio de mascarillas sanitarias para prevenir la difusión y el contagio del COVID-19, exigiría algo más que la simple constatación objetiva de que el autor del hecho se ocultaba el rostro con una mascarilla sanitaria. De lo contrario, estaríamos alentando la idea de que el acatamiento del deber ciudadano de no contribuir al contagio de terceros impondría, siempre y en todo caso, la agravación del hecho ejecutado. Cobra, por tanto, pleno sentido la exigencia histórica de nuestra jurisprudencia que requiere una dimensión subjetiva en la aplicación de la agravante, vinculada al propósito preordenado de hacer imposible o dificultar la identificación del autor. Por consiguiente, la invocación por la defensa del carácter obligatorio del empleo de mascarilla, de suerte que la entrada en un establecimiento público sin hacer uso de ella expusiera a una sanción al recurrente, es tan legítima desde el punto de vista estratégico como rechazable para argumentar la incorrecta aplicación de la agravante de disfraz. En el presente caso, además, se da la circunstancia de que la dificultad de identificación de Estanislao se obtuvo mediante el uso combinado de una mascarilla sanitaria -de uso no obligatorio en aquellas fechas- y un gorro, que provocaron el efecto de ocultar el rostro del recurrente. Así se proclama en el juicio histórico, que ofrece de esta forma los presupuestos fácticos sobre los que se apoya la correcta aplicación de la agravante prevista en el art. 22.2 del CP. (Tol 8409879)

STS 219/2019: La circunstancia agravante de abuso de superioridad, según reiterada jurisprudencia de esta Sala exige para su apreciación los siguientes requisitos: 1º) Que se produzca una situación de superioridad, es decir, un importante desequilibrio de fuerzas a favor de la parte agresora frente al agredido, derivada de cualquier circunstancia, bien referida a los medios utilizados para agredir (superioridad medial o instrumental), bien al hecho de que concurra una pluralidad de atacantes, siendo precisamente este último supuesto el más característico y el de mayor frecuencia en su aplicación (superioridad personal); 2º) Que esa superioridad ha de ser tal, que produzca una disminución notable en las posibilidades de defensa del ofendido, sin que llegue a eliminarlas, pues si esto ocurriera nos encontraríamos en presencia de la alevosía, que constituye así la frontera superior de la agravante que estamos examinando. Por eso, la jurisprudencia mencionada viene considerando a esta agravante como una "alevosía menor" o de "segundo grado"; 3º) A tales dos elementos objetivos hemos de añadir otro de naturaleza subjetiva, consistente en que haya abuso de esa superioridad, esto es, que el agresor o agresores conozcan esa situación de desequilibrio de fuerzas y se aprovechen de ella para una más fácil realización del delito; 4º) Que esa superioridad de la que se abusa no sea inherente al delito, bien por constituir uno de sus elementos típicos, bien porque el delito necesariamente tuviera que realizarse así.

STS 444/2016: La reciente doctrina de esta Sala admite, de forma excepcional y con matices, la compatibilidad entre el robo con violencia y la agravante de abuso de superioridad; la superioridad no puede venir dada por el uso del arma, dado que ya se ha valorado específicamente al aplicar la modalidad agravada de robo con uso de armas o instrumentos peligrosos, pero sí puede proceder del elevado número de agresores, unido al uso de una violencia sobreabundante, siempre actuando con un criterio de singularidad para evitar una doble incriminación. Si bien, cuando la violencia sea penada separadamente (como delito de lesiones), la agravante solo procede imponerla en el delito de lesiones y no en el delito de robo.

STS 301/2015: Se estima la concurrencia de la agravante de abuso de superioridad en un supuesto en el que dos personas agreden a un tercero, portando además uno de ellos una navaja, de la que se hizo uso.

STS 829/2017: En relación a la agravante del art. 22.2 CP es preciso señalar antes de nada que no es necesario que confluyan los tres elementos descritos en tal precepto (tiempo, lugar y auxilio de terceros): basta uno; en el bien entendido de que concurriendo dos no habrá necesariamente una doble agravación. En principio y en abstracto las circunstancias de lugar (antiguo *despoblado,* aunque la equivalencia no es exacta), tiempo (anterior *nocturnidad,* pudiendo también aquí consignarse idéntica apostilla) o auxilio de personas son compatibles con la alevosía si su concurrencia se proyecta más que sobre el debilitamiento de la defensa de la víctima (aspecto en el que se solapan con el fundamento de la alevosía), en la facilitación de la impunidad). Ahora bien, cuando se trata de un elemento que incide básica y esencialmente en la anulación de la capacidad defensiva de la víctima, y solo secundaria y accesoriamente en un incremento de la probabilidad de impunidad, ha de entenderse que queda absorbido por la alevosía.

STS 253/2018: En cuanto a la compatibilidad de la agravante de precio con la inducción la jurisprudencia no ha mantenido un criterio totalmente uniforme. Así mientras algunas sentencias han afirmado la naturaleza bilateral de la agravación, razonando que el artículo 65 CP constituye una base normativa determinante de que la agravante de precio afecta tanto al que ejecuta el hecho delictivo movido por la merced recibida o prometida, como al que entregó el precio o lo prometió, al establecerse en el mencionado precepto que las agravantes y atenuantes se extiende a todos los partícipes en quienes concurren, cuando consistiesen en una causa personal y a los partícipes que hubiesen tenido conocimiento de ellas en el momento de su cooperación para el delito, cuando el agravante con la atenuante consistan en la ejecución material del hecho o en los medios empleados para realizarlo. Y, por otra parte, es indudable que es apreciable un plus de reprochabilidad en la inducción delictiva que se basa y apoya en contraprestaciones económicas entregadas o prometidas al inducido, compagina la actuación del inductor con la agravante de precio "pues la inducción permite vislumbrar situaciones en donde quien realiza el encargo de dar muerte a otra persona, lo haga o no, ofreciendo precio, siendo el mayor desvalor de esta última acción la que le confiere un mayor rango de antijuricidad". En otras, sin embargo, la jurisprudencia ha entendido que pudiera apreciarse una vulneración del principio "non bis ídem" si se aplica la agravante de inductor cuando la inducción o instigación aparece únicamente fundada en el ofrecimiento del precio". Aunque será preciso examinar las características del caso, si la única razón de que el inducido acepte la propuesta del inductor es el precio, la agravante podrá ser cuestionada. Sin embargo, no existirá inconveniente si la inducción encuentra otras bases y el precio es un elemento añadido, no imprescindible, que demuestra una mayor antijuricidad en la conducta. Sin perjuicio de que el Tribunal entienda que, en general, no existe inconveniente en apreciar una mayor antijuricidad en los casos de inducción en los que se utiliza el precio para mover la voluntad del inducido, bien entendido como hemos dicho que, aunque es necesario que el precio influya de forma relevante en la decisión del autor. No es preciso que materialmente se realice la entrega con anterioridad al hecho, pues la agravante contempla las distintas opciones expresadas con los términos precio, recompensa o promesa, lo que incluye actos de remuneración o retribución posteriores a los hechos, pero debe existir un pacto previo a los mismos en ese sentido, de manera que el precio, la recompensa o la promesa incidan decisivamente en la ejecución de la conducta, aunque no es imprescindible que constituyan la única razón.

STS 314/2015: No todo delito en el que la víctima sea una persona caracterizada por pertenecer a otra raza, etnia o nación o participar de otra religión o ideología o condición sexual, motiva la aplicación de la agravante, siendo necesario que aquella motivación sea la determinante para cometer el delito.

STS 155/2022: La agravación por razón de discriminación referente a la ideología supone, desde una interpretación literal la agravación requiere que la acción se desarrolle en detrimento de derecho de igualdad proclamada en el artículo 14 de la Constitución. La prohibición de discriminación supone la defensa del derecho a la igualdad. Tiene que producirse una situación de discriminación, un tratamiento desigual, basado en una ideología.

STS 99/2019: Esta Sala Segunda del Tribunal Supremo ya ha tenido ocasión de pronunciarse sobre la aplicación de la agravante genérica nueva del artículo 22.4 del Código Penal. Se estimó entonces que con la introducción de la agravante relativa a cometer el delito por una discriminación basada en razones de género, se amplía esta protección con carácter general, de modo que la agravación de la pena no solamente es procedente en los casos expresamente contemplados en las descripciones típicas de la parte especial, en los que las razones de la agravación ya viene contemplada en el tipo, sino en todos aquellos otros casos en los que la discriminación por esas razones, basadas en la intención de dominación del hombre sobre la mujer, que dentro de las relaciones de pareja es considerada por el autor como un ser inferior, vulnerando, por lo tanto, su derecho a la igualdad, aparezcan como motivos o móviles de la conducta. Debiendo ahora matizarse en el sentido de la doctrina expuesta en la sentencia del Pleno de este Tribunal en la ya citada nº 677/2018 que relativiza esa referencia subjetiva al subjetivo propósito del autor. Por ello bastará para estimarse aplicable la agravante genérica que el hecho probado de cuenta de la relación típica prevista en los tipos penales antes citados de tal suerte que el delito se entienda como manifestación objetiva de la discriminación característica de la misma. Y, en lo subjetivo, bastará la consciencia de tal relación unida a la voluntad de cometer el delito de que se trate diversos de aquéllos.

STS 420/2018: La nueva agravante presenta puntos de contacto con otras dos preexistentes. La que hace referencia a los casos en los que el delito de cometa por motivo de discriminación referente al sexo, y la agravante de parentesco. Ninguna de las dos exige la presencia de una intención, actitud o situación de dominación del hombre sobre la mujer. Y, en ambos casos, el sujeto pasivo del delito puede ser un hombre. La agravante por razones de género se caracteriza, precisamente, por la concurrencia de ese elemento, y, además, porque el hecho debe ser cometido en el ámbito de las relaciones de pareja, lo que le atribuye una evidente especificidad. Sin embargo, podría plantearse si todos los posibles supuestos en que sería de aplicación la agravante por razones de género quedarían también cubiertos por la agravación por razón de sexo o de parentesco. Respecto del parentesco, se exige el carácter estable de la relación, lo que no es preceptivo en la agravante por razones de género. Estos son, pues, supuestos en los que no sería aplicable el parentesco, pero si la agravación por razones de género. En cuanto al sexo, es generalmente admitido que hace referencia a las características biológicas y fisiológicas que diferencian los hombres de las mujeres, mientras que el género se refiere a aspectos culturales relacionados con los papeles, comportamientos, actividades y atributos construidos socialmente que una sociedad concreta considera propios de mujeres o de hombres (Convenio de Estambul, art. 3.c). Es claro que la agravación por discriminación por razón del sexo de la víctima puede ser apreciada fuera del ámbito de las relaciones de pareja. Y, aun cuando en ocasiones pudieran ser coincidentes las bases de ambas agravaciones, será posible distinguir la base de una y otra.

STS 23/2022: La agravante de discriminación por motivos de género, por imperativo del principio inherencia que proscribe la doble incriminación, no puede concurrir en aquellas figuras penales que incluyen en su tipificación factores de género, como las contempladas en los artículos 148.4, 153.1, 171.4, 172.2 CP. Y, en todo caso, su aplicación requiere que los elementos fácticos de los que se desprenda la concurrencia de las circunstancias que permiten la aplicación de la agravación, aparezcan nítidamente en los hechos probados y, para ello, han de estar debidamente acreditados por prueba válida, suficiente y racional y expresamente valorada en la sentencia.

STS 293/2018: El art. 139 CP se refiere al ensañamiento como agravante específica del asesinato con la expresión "aumentando deliberada e inhumanamente el dolor del ofendido", y, por su parte, el art. 22.5ª, sin utilizar el término, considera circunstancia agravante genérica "aumentar deliberada e inhumanamente el sufrimiento de la víctima, causando a ésta padecimientos innecesarios para la ejecución del delito". En ambos casos se hace referencia a una forma de actuar en la que el autor, en el curso de la ejecución del hecho, además de perseguir el resultado propio del delito, en el asesinato la muerte de la víctima causa, de forma deliberada otros males que exceden a los necesariamente unidos a la acción típica, por lo tanto innecesarios objetivamente para alcanzar el resultado buscando la provocación de un sufrimiento añadido a la víctima, "la maldad brutal sin finalidad", en clásica definición de la doctrina penalista, males innecesarios causados por el simple placer de hacer daño, lo que supone una mayor gravedad del injusto típico. Se requiere, pues, dos elementos: uno objetivo, constituido por la causación de males objetivamente innecesarios para alcanzar el resultado típico, que aumentan el dolor o sufrimiento de la víctima. Y otro subjetivo, consistente en que el autor debe ejecutar, de modo consciente y deliberado, unos actos que ya no están dirigidos de modo directo a la consumación del delito, sino al aumento del sufrimiento de la víctima. Y esto último puede inferirse racionalmente de los propios elementos objetivos que han concurrido en el caso, en cuanto el sujeto no suele exteriorizar su ánimo de incrementar deliberada e innecesariamente el sufrimiento y dolor de su víctima. Elemento subjetivo, considerado como "un interno propósito de satisfacer instintos de perversidad, provocando, con una conciencia y voluntad decidida, males innecesarios y más dolor al sujeto pasivo", de modo que no se apreciará la agravante si no se da "la complacencia en la agresión" -por brutal o salvaje que haya sido la agresión- en la forma realizada con la finalidad de aumentar deliberadamente el dolor del ofendido", y cuyo elemento "no puede ser confundido sistemáticamente con el placer morboso que se pueda experimentar con el sufrimiento ajeno". Es cierto que también a veces esta Sala habla de la necesidad de un ánimo frío, reflexivo y sereno en el autor, como una proposición concreta de ese doble elemento subjetivo (deliberación e inhumanidad). No obstante la más moderna jurisprudencia no exige esa frialdad de ánimo, pues el desvalor de la acción y del resultado que constituye el fundamento de este elemento del delito de asesinato, cuando va acompañado del otro requisito subjetivo, no puede quedar subordinado al temperamento o modo de ser específico del autor del delito, que es el que determina un comportamiento más o menos frío o reflexivo o más o menos apasionado o acalorado. La mayor antijuricidad del hecho y la mayor reprochabilidad del autor, que habrían de derivar en ese aumento deliberado e inhumano del dolor del ofendido, nada tienen que ver con esa frialdad de ánimo o ese acaloramiento que la realización del hecho puede producir en el autor del delito. Hay quien controla más y quien controla menos sus sentimientos. Y hay quien los mantiene disimulados en su interior. Y de esto no puede hacerse depender la existencia o no de ensañamiento: entendiendo, en definitiva, el término "*deliberadamente*" como el conocimiento reflexivo de lo que se está haciendo, y la expresión "inhumanamente" como comportamiento con el impropio de un ser humano.

STS 274/2022: La agravante de prevalerse del carácter público que tenga el culpable supone que el culpable ponga ese carácter público al servicio de sus propósitos criminales, de modo que como tiene dicho gráficamente la jurisprudencia, en lugar de servir al cargo, el funcionario se sirve de él para delinquir. Se ha dicho que el plus de reproche que supone esta agravante y que justifica el plus de punibilidad se encuentra en las ventajas que el ejercicio de la función pública otorga para poder realizar el hecho delictivo, de suerte que de alguna manera, se instrumentaliza el cargo para mejor ejecutar el delito. Pero, con independencia de esa perspectiva subjetiva como fundamento de la política criminal que lleva a establecer esa agravante, no puede olvidarse que del referido aprovechamiento deriva un indudable daño también para la función pública al instrumentalizarla para fines ajenos a los que la legitiman.

STS 971/2010: La misma naturaleza de los delitos, a efectos de la agravante de reincidencia, se da cuando concurre una doble identidad: la del bien jurídico protegido, y la del modo concreto en que se haya producido el ataque que lo pone en peligro o lesiona.

STS 640/2020: Esta Sala, efectivamente tiene establecido que para apreciar la reincidencia se requiere que consten en el factum la fecha de la firmeza de la sentencia condenatoria, el delito por el que se dictó la condena, la pena o penas impuestas, y la fecha en la que el penado las dejó efectivamente extinguidas. Este último dato no será necesario en aquellos casos en los que el plazo de cancelación no haya podido transcurrir entre la fecha de la sentencia condenatoria y la fecha de ejecución del hecho por el que se realiza el enjuiciamiento actual. Si no constan en los autos los datos necesarios se impone practicar un cómputo del plazo de rehabilitación favorable al reo, pues bien pudo extinguirse la condena impuesta por circunstancias tales como abono de prisión preventiva, redención, indulto o expediente de refundición. Ya dijo la STC. 80/92 de 26 de mayo que la resolución estimatoria de la agravante de reincidencia sin que consten en la causa los requisitos para obtener la rehabilitación y cancelación, lesiona el derecho fundamental a obtener la tutela judicial efectiva. A falta de constancia de la fecha de extinción, que constituye el día inicial para el cómputo del plazo de rehabilitación (artículo 136 CP), este plazo deberá determinarse desde la firmeza de la propia sentencia.

Acuerdo no jurisdiccional del pleno de la Sala 2ª del TS de 6 de octubre de 2000: Podrá apreciarse la agravante de reincidencia entre los delitos de robo con violencia o intimidación y delitos de robo con fuerza, por considerarse de la misma naturaleza, siempre que concurran el resto de presupuestos.

Dictamen 1/2016 del Fiscal de Sala Coordinador de Seguridad Vial: Entre los delitos contra la seguridad vial de los artículos 379 a 381 por una parte, y los del artículo 384 por otra, no concurre la agravante de reincidencia.

Art. 23.

Es circunstancia que puede atenuar o agravar la responsabilidad, según la naturaleza, los motivos y los efectos del delito, ser o haber sido el agraviado cónyuge o persona que esté o haya estado ligada de forma estable por análoga relación de afectividad, o ser ascendiente, descendiente o hermano por naturaleza o adopción del ofensor o de su cónyuge o conviviente.

> **STS 565/2018:** Esta Sala Casacional del Tribunal Supremo ya ha declarado en reiterada doctrina que el afecto no forma parte de los elementos o circunstancias exigidas para la aplicación de esta agravante. El texto legal ni siquiera exige la presencia actual de la relación, sino que se expresa como "ser o haber sido". La circunstancia mixta de parentesco está fundada en la existencia de una relación de matrimonio a la que se asimila una relación de análoga afectividad dentro de los grados descritos en el artículo. En su versión de circunstancia agravante, la justificación del incremento de pena se encuentra en el plus de culpabilidad que supone la ejecución del hecho delictivo contra las personas unidas por esa relación de parentesco o afectividad que el agresor desprecia, integrándose la circunstancia por un elemento objetivo constituido por el parentesco dentro de los límites y grado previsto, y el subjetivo que se concreta en el conocimiento que ha de tener el agresor de los lazos que le unen con la víctima, bastando sólo ese dato y no exigiéndose una concurrencia de cariño o afecto porque como tal exigencia vendría a hacer de imposible aplicación de la agravante pues si hay afecto, no va a haber agresión, salvo los supuestos de homicidio *pietatis causa* en los que el parentesco podría operar pero como circunstancia de atenuación. Con respecto a la compatibilidad entre la agravante de género con la agravante de parentesco, partimos en primer lugar de su distinto fundamento. En efecto, la primera tiene un matiz netamente subjetivo, basado en consecuencia en la intención -manifestada por actos de violencia-, de llevar a cabo actos de dominación sobre la mujer, mientras que la agravante de parentesco tiene un marcado componente objetivo basado en la convivencia, incluso desconectado de un vínculo afectivo. En consecuencia, no se exige éste, pero sí un

requisito de convivencia, trabado en la relación de pareja. Hemos declarado también que existe ese requisito en supuestos de reanudación de la convivencia cuando ha habido una ruptura y la víctima vuelve al hogar mediatizada por actos del agresor para que regrese al mismo, continuando con las agresiones que en muchos casos acaban con la vida de la víctima. Es por ello que son compatibles, la referida circunstancia agravante de parentesco, fundada en vínculos familiares y de afectividad, presentes o pasados en el caso de cónyuges o parejas de hecho, con la agravación basada en el hecho de haberse cometido el delito con una determinada motivación, relacionada con la condición de la víctima como mujer por razones de su género.

STS 147/2022: El Juzgado de lo Penal evoca una vieja jurisprudencia, ya superada, que excluía la agravación cuando no persistía un vínculo afectivo o estaba muy deteriorado. Desde el momento en que en 2003 se asimiló a la relación matrimonial vigente, la condición de ex cónyuge es inviable esa exégesis restrictiva. Por lo demás, su apreciación no queda confiada al arbitrio del juzgador. Si concurren sus elementos es de obligada aplicación.

STS 752/2021: Relación de afectividad, por tanto, de una intensidad y persistencia en el tiempo de la suficiente entidad para su operatividad como agravante, aunque los hechos se hayan producido tras el cese de la misma ("ser o haber sido", dice el art. 23 del Código Penal).

STS 79/2016: Una relación de noviazgo ya finalizada, que se prolongó durante unos meses sin convivencia en ningún momento, no determina la aplicación de la circunstancia mixta de parentesco en su condición de agravante, aun cuando los jóvenes hayan llegado a mantener relaciones sexuales durante la misma, y ello sin perjuicio del efecto que pueda producir en el ámbito de los comportamientos descritos en el art. 153 CP y concordantes. El art. 23 no ha incluido expresamente la ausencia de convivencia. El legislador ha prescindido de la exigencia de estabilidad en la relación análoga a la matrimonial en el art. 153 y en sus concordantes, pero la mantiene en el art. 23.

STS 81/2021: En todo caso hay que reiterar que el art. 23 CP exige algo más que los arts. 153 y concomitantes, (i) en cuanto introduce como nota la estabilidad que parece comportar cierto componente de compromiso de futuro, una vocación de permanencia; y (ii) no se preocupa de precisar que la falta de convivencia no excluye la agravación, como sí se cuidan de indicar los preceptos modificados en 2004 con la ley de protección integral contra la violencia de género. Es más reducido el círculo de sujetos comprendidos en el art. 23. Nos movemos en este caso en un territorio de penumbra, aunque la neblina desaparece si suprimimos la referencia a la convivencia parcial, conforme a las consideraciones procesales antes efectuadas. Pero aún con esa adición, no acabaría de perfilarse la base fáctica precisa para la aplicación del art. 23 CP. Una relación sentimental iniciada nueve meses atrás, en la que cada uno de los miembros de la pareja mantiene su domicilio, por más que de forma episódica puedan pasar juntos fines de semana o algún periodo vacacional, no puede decirse, sin más datos, que pueda asimilarse a la relación conyugal a los efectos del art. 23 CP.

STS 195/2020: La apreciación de la posición de garante por infracción de deberes parentales absorbe la agravante de parentesco, porque la condena ya integra el presupuesto de la agravación. En consecuencia, se debe excluir la aplicación de esta agravante en el delito cometido por omisión, por estimar que ha sido precisamente esa relación de parentesco la que ha determinado la condena de los padres por revestirles de la "posición de garante" respecto de su hijo. Son precisamente estos mismos deberes derivados de la relación parental los que, como infracción de un especial deber jurídico del autor conforme a lo expresamente prevenido por el art. 11° del CP 95, determinan la posición de garante y justifican la condena de la madre de la menor como autora por omisión. Derivar de la misma infracción de los deberes parentales una circunstancia de agravación adicional implica una doble valoración, en perjuicio del reo, de una misma infracción, por lo que vulneraría el principio non bis in idem.

STS 526/2016: Es doctrina de la Sala que la agravante de parentesco, si bien con respecto a cónyuges, ascendientes y descendientes, tal agravación parte del dato fáctico de la relación parental en la que juegan deberes de respeto, lealtad, fidelidad y cuidado, en las demás relaciones parentales es además necesaria la acreditación de una relación de afectividad que dé contenido a esta circunstancia de agravación. En estos casos, como hermanos u otros parientes, es donde debe efectuarse una aplicación más cautelosa de esta agravante, evitando un planteamiento automático, de suerte que la vigencia de esta agravante será la consecuencia de la relevancia que la misma ha tenido en relación al delito cometido (considera no aplicable la agravación en un supuesto entre hermanos, atendida la inexistencia de afectividad y convivencia que fundamenta esta agravación).

IV. DISPOSICIONES GENERALES
(ARTS. 24 A 26)

Art. 26.

A los efectos de este Código se considera documento todo soporte material que exprese o incorpore datos, hechos o narraciones con eficacia probatoria o cualquier otro tipo de relevancia jurídica.

STS 438/2018: En la STS nº 426/2016, de 19 de mayo, se precisó que la definición contenida en el artículo 26 del Código Penal no puede ceñirse solo al papel porque las nuevas técnicas han multiplicado las ofertas de soportes físicos capaces de corporeizar y dotar de perpetuación al pensamiento y a la declaración de voluntad como grabaciones de vídeo, o cinematográfica, cinta magnetofónica, los disquetes informáticos. Añadiendo que el artículo 230 LOPJ ratifica esta tendencia al establecer que "los documentos emitidos por los medios técnicos, electrónicos, informáticos y telemáticos, cualquiera que sea su soporte, gozaran de la validez y eficacia de un documento original", añadiendo "siempre que quede garantizada su autenticidad, integridad y el cumplimiento de los requisitos exigidos por las leyes procesales".

STS 575/2021: El pendrive, en cuanto dispositivo electrónico de almacenamiento de datos, encaja holgadamente en el concepto de documento que diseña el artículo 26 CP.

STS 227/2019: Esta Sala ha dicho que a los efectos del Código Penal, conforme su propio art. 26, se considera documento todo soporte material que exprese o incorpore datos, hechos o narraciones con eficacia probatoria o cualquier otro tipo de relevancia jurídica. Y en cuanto los precintos descritos (alambre y plomo con el Escudo Nacional, identificación de su procedencia SVA-Servicio de Vigilancia Aduanera y número de control identificativo, en este caso de dos dígitos), en cuanto proceden de la Administración Pública y su colocación por funcionarios públicos obedece a una específica y relevante función jurídica, en el ámbito propio de sus funciones, gozan de la naturaleza de documento oficial. El documento cuestionado (autorización provisional de circulación de vehículo) es una falsificación de documento oficial. En el mismo aparece -en la parte superior izquierda- el membrete del Ministerio del Interior, Dirección General de Tráfico, y en la superior derecha el logotipo del Consejo General de Colegio de Gestores Administrativos de España, viniendo a su vez suscrito por un Gestor Administrativo del Colegio Gestores Administrativos.

V. DE LAS PERSONAS CRIMINALMENTE RESPONSABLES DE LOS DELITOS
(ARTS. 27 A 31 QUINQUIES)

Art. 27.

Son responsables criminalmente de los delitos los autores y los cómplices.

STS 3/2016: La teoría que sirve a determinar la relación de causalidad entre acción y resultado y la consiguiente imputabilidad de éste a su autor es la teoría de la imputación objetiva (para delitos de resultado), que exige, por una parte, como presupuesto necesario, la constatación de una relación natural entre acción y resultado y, por otra, que se den dos presupuestos sin cuya concurrencia no se puede imputar el resultado al autor: a) Que la acción del autor haya creado un peligro jurídicamente desaprobado; y b) Que el resultado producido por esa acción sea la realización del mismo peligro jurídicamente desaprobado.

STS 265/2021: No impide afirmar como generalizado el criterio de que, cuando se trata de delitos de resultado, el mismo es imputable al comportamiento del autor si este crea un riesgo, jurídicamente desaprobado, y de cuyo riesgo el resultado es su realización concreta. A ello ha de unirse, según algunas posiciones doctrinales, por más que no pacíficas, la exigencia de que ese resultado se encuentre dentro del alcance del tipo. Es decir que no cabrá hacer aquella imputación si el tipo no se destina a la evitación del resultado de que se trate. Esta última referencia adquiere especial relevancia precisamente, y en lo que ahora nos interesa, cuando el supuesto examinado puede encuadrarse en las hipótesis, entre otras, que pudieran calificarse de autopuesta en peligro. Es decir, cuando la víctima no es ajena con su comportamiento a la producción del resultado. Surge entonces la necesidad, en determinados casos, de decidir si la víctima pierde la protección del Derecho Penal, bajo criterios de autorresponsabilidad, o si, por el contrario, debe mantenerse la atribución de responsabilidad al autor que creó el riesgo. Desde luego resulta insatisfactorio recurrir a la invocación del consentimiento de la víctima para dirimir esa cuestión. Resulta evidente que en el caso que juzgamos, el consentimiento por parte de la víctima en afrontar la acción arriesgada que desembocó en el resultado lesivo, no puede en modo alguno estimarse válido, ya que el hecho declarado probado proclama que la víctima actuó forzada. Es más, partiendo del hecho declarado probado hemos de convenir que tampoco es correcto hablar de una voluntaria autopuesta en peligro por parte de la víctima, ni de una heteropuesta en peligro consentida, porque el riesgo encuentra su origen precisamente en la conducta del acusado, sin que la víctima fuera libre de elegir la forma de eludir el peligro creado por el acusado, ni aún cuando aquél afectase a un bien jurídico diverso del amenazado por la acción de salvamento emprendido por la víctima. Analizados los hechos, tal como nos vienen declarados, debemos concluir que no son atribuibles a la autonomía autorresponsable de la víctima. Por ello, esa acción de la víctima, no afecta a la valoración jurídico penal que merece el comportamiento descrito como realizado por el acusado. Por lo dicho, no puede excluirse la tipicidad penal, del delito de lesiones, de la conducta descrita como realizada por el acusado recurrente, y también ha de concluirse que el comportamiento de la víctima no elimina tampoco la imputación al comportamiento del citado recurrente del resultado lesivo padecido por aquélla. Y ello pese a que, como dijimos, el riesgo creado por el recurrente amenazaba un bien jurídico diverso del de la integridad física de su víctima. Porque lo relevante es la inminencia de la agresión a la libertad sexual, unida a que la víctima estaba, en expresión de los hechos probados, acorralada por el acusado, que le impedía escapar por la puerta de la vivienda, llegando a temer por su vida, y que fue en ese marco, en el que la víctima adoptó la decisión de saltar por el balcón del segundo piso para dejarse caer en la terraza del primero, acción ésta que, por otro lado, estaba lejos de mostrarse como altamente peligrosa, de suerte que no puede calificarse de desproporcionada a la situación de peligro soportada, ni siquiera cabe tampoco calificar de imprudencia grave dicha actuación de la víctima. Muy al contrario, nos encontramos ante un supuesto de exclusión de imputación del resultado a la víctima. Y no tanto porque esta, en cuanto titular del bien jurídico lesionado, no es la persona a la que el Derecho Penal responsabiliza de tal lesión, sino porque su comportamiento no excluye la imputación del resultado al acusado. A esta conclusión habría de llegarse de mantenerse que a la víctima no le será imputable el resultado cuando no puede considerarse que lo consiente con voluntad válida, por libre y consciente. Pero también asumiendo las tesis de su irresponsabilidad cuando concurran los supuestos en los que se excluye aquélla respecto al autor de un hecho punible. Así cuando se encuentra en alguna de las situaciones de exclusión de imputabilidad, o, como en este caso, en alguna situación en la que, como autor, estaría justificada su conducta por estado de necesidad. Y también cabe proclamar la responsabilidad del autor, aquí acusado, yendo más allá de la mera tesis de irresponsabilidad de la víctima. Lo determinante sería la existencia de ámbitos de responsabilidad diferenciados, con determinación normativa previa a la imputación. Desde luego resulta obvio, en lo que ahora interesa, la desaprobación por el Derecho de la creación de situaciones de emergencia, incidiendo en ámbitos de organización ajenos, respecto de cuyas situaciones la acción de salvamento o elusión, no solo por un tercero, sino por la misma víctima del riesgo, está justificada, desde luego en los casos en que esa acción es además proporcionada. En alguna sentencia dictada en supuestos bien similares hemos dicho que, en tal situación el resultado era imputable al autor del riesgo desencadenante de la maniobra defensiva.

STS 438/2018: Es cierto que la jurisprudencia admite que conforme al principio de confianza no se imputarán objetivamente los resultados producidos por quien ha obrado confiando en que otros se mantendrán dentro de los límites del peligro permitido. Pero el principio no puede operar cuando el sujeto tenga datos o elementos a su disposición que pongan de relieve que se han sobrepasado tales límites.

Art. 28.

Son autores quienes realizan el hecho por sí solos, conjuntamente o por medio de otro del que se sirven como instrumento.

También serán considerados autores:

a) Los que inducen directamente a otro u otros a ejecutarlo.

b) Los que cooperan a su ejecución con un acto sin el cual no se habría efectuado.

STS 723/2014: La coautoría exige, por una parte, una decisión conjunta (elemento subjetivo de la coautoría; acuerdo tácito o expreso, previo, simultáneo o incluso sobrevenido) y, por otra, un dominio funcional del hecho con aportación al mismo de una acción en fase ejecutiva (elemento objetivo de la coautoría). **STS 351/2020 (Pleno):** Se discute doctrinalmente si es posible la participación en un delito imprudente. Para algunos la idea en sí misma es contradictoria. La coparticipación exige una intencionalidad compartida, acuerdo de voluntades, lo que no es cohonestable con la ausencia de intención que caracteriza el delito culposo. Ahora bien, no por eso las conductas negligentes de sujetos diferentes que confluyen en la producción del mismo resultado quedarán impunes: cada uno responderá por su propia acción que opera como concausa del resultado único. Otros, en cambio, no consideran incompatible coparticipación e imprudencia: si hay acuerdo en la acción imprudente realizada por varios habrá coparticipación en una imprudencia; si se induce de forma eficaz a la realización de una actividad negligente que da lugar a un resultado típico, habrá un inductor y un autor del delito imprudente. Sea cual sea el punto de partida doctrinal la conducta que describe el hecho probado desplegada por este recurrente es sin duda punible. Sus palabras en tono conminativo -¡arranca!, ¡arranca!- suponen o la inducción a la comisión de una acción imprudente que se convertirá en delictiva por la producción de un resultado típico; o, por sí misma, una imprudencia grave consistente en alentar a la conductora a iniciar la marcha pese al serio peligro que representaba el movimiento del vehículo para el sujeto asido a la ventanilla. La condena no se apoya en las previas acciones ilícitas (sustracción, golpes a la víctima), sino en su imprudente jalear a la conductora para emprender la marcha; o, si lo vemos desde la otra perspectiva dogmática, en su inducción a otra persona para activar una conducta imprudente de alto riesgo lo que lo convierte en coautor (inductor) del delito culposo (hay acuerdo en la conducta imprudente). ¿Inducción dolosa a un delito imprudente o imprudencia autónoma que opera como concausa del resultado? Sea cual sea la opción, la penalidad vendrá determinada por el art. 142 CP. Lo que no es dable de forma alguna es intentar encajar los hechos en una -esta sí- anómala complicidad en un delito imprudente. La doctrina mayoritaria expone al respecto que en los delitos puros de resultado no se admita más forma de autoría que la autoría directa o inmediata, conclusión a la que llega, por lo demás, la doctrina alemana mayoritaria con sustento en la regulación positiva de las formas penalmente punibles de intervención delictiva. En efecto, la exigencia expresa de dolo tanto en el hecho del autor como en la conducta del partícipe constituyen un importante obstáculo para la aplicación de estas normas en caso de intervención plural en la comisión de los delitos imprudentes; circunstancia que, sin embargo, no impediría castigar como autor a quien contribuye en forma relevante a la causación imprudente del resultado. Y, del mismo modo, un importante sector doctrinal se inclina por afirmar que el deber de cuidado -como todo deber- es de carácter personal. Así, sólo se puede infringir el deber propio; si en un mismo hecho varios sujetos incurren en tal inobservancia, cada uno responde de su particular infracción, de manera que no procede la coautoría, que presupone concierto previo, ni la complicidad, que requiere colaboración para alcanzar el resultado prohibido. Se debe admitir, así, la posibilidad de coparticipación en un hecho culposo, señalando que no puede haber convergencia de voluntades en la ejecución del hecho; sólo podría haber pluralidad de autores, en cuanto todos actuaron con descuido o negligencia, rayaron en la imprudencia. Otros autores tratan de la coautoría imprudente que se daría en estos casos de actuación conjunta que da lugar a un hecho imprudente, como aquí ocurre, de la figura de la autoría accesoria imprudente, que en rigor no es un supuesto de codelincuencia, pues falta el acuerdo para la realización conjunta del hecho. Según este sector doctrinal lo característico de la autoría accesoria es que supone dos o más hechos realizados por distintos sujetos, que dan lugar a diversos cursos causales (y también diversas relaciones de riesgo imputables objetivamente) independientes, pero cumulativos en relación a un mismo resultado. (Tol 8013173)

STS 124/2016: Es reiteradamente aceptada por el Tribunal Supremo la *teoría de las desviaciones previsibles*, por la cual el previo concierto para llevar a cabo un delito de robo con violencia (supuesto más común), que no excluya a priori todo riesgo para la vida o integridad corporal de las personas, responsabiliza a todos los partícipes directos del robo con cuya ocasión se causa la muerte o lesiones a la víctima o a otra persona, aunque tal acción concreta haya sido emprendida por uno solo de los ejecutores del delito de robo, y ello con el argumento de que todo partícipe en el acto de robo, en la medida que prevé la posible y razonable oposición del sujeto pasivo que va a tratar de defender su patrimonio y la reacción violenta de los asaltantes, para neutralizar aquella defensa, está asumiendo al menos vía dolo eventual, las consecuencias lesivas o mortales derivadas de la acción de uno de los asaltantes para neutralizar aquella defensa. No entran dentro de las desviaciones previsibles los saltos cualitativos distintos y más graves de los que pudieran estimarse como previsibles por parte de uno de los intervinientes.

STS 78/2018: Tiene reiterado esta Sala que en las agresiones conjuntas no es preciso que se concrete en la sentencia la acción individual que realizó cada uno de los coautores, pues cada uno de los hechos ejecutados es un hecho de todos que a todos pertenece, generándose entre los autores un vínculo de solidaridad que conlleva la imputación recíproca de las distintas contribuciones parciales. En las acciones de apuñalamiento no es preciso para ser considerado coautor propinar la puñalada que produce la muerte, sino que es suficiente con acorralar a la víctima cuando un tercero la apuñala. No obstante lo anterior, también es importante precisar que no todo integrante de un grupo numeroso de esa índole o de una masa de personas que acuda a realizar una acción de represalia o de venganza contra otro grupo hostil debe ser condenado como coautor de los homicidios que resulten de un ataque de esa naturaleza. Aquí habría que matizar o distinguir aquéllos que, formando parte del grupo y del ataque planificado, porten y blandan armas o instrumentos homicidas, signo inequívoco de la magnitud de la agresión que están dispuestos a practicar, y aquéllos que no conste que fueran armados ni que tuvieran una conducta protagonista en la acción agresora en grupo o en "masa". De modo que no siempre el hecho de formar parte del grupo o acompañarle en su marcha conlleva la condena como coautores por los homicidios o lesiones graves que el grupo perpetre. Los sujetos

que no porten instrumentos homicidas y que no conste probado que hayan tenido una contribución o colaboración esencial
con una acción homicida concreta no podrían ser condenados
como coautores de los tipos penales contra la vida, sino a lo
sumo como meros cómplices.

STS 23/2015: Se diferencia la coautoría de la cooperación necesaria o de la participación, en el carácter o no subordinado
del partícipe a la acción del autor. No es necesario que el coautor realice todos y cada uno de los actos integradores del tipo
penal, sino que cada uno de ellos realice aportaciones causales
decisivas. Existe cooperación necesaria cuando se colabora con
el ejecutor directo aportando una conducta sin la cual el delito
no se habría cometido (*teoría de la condición sine qua non*),
cuando se colabora aportando algo que no es fácil obtener de
otro modo (*teoría de los bienes escasos*) o cuando el que colabora puede impedir la comisión del delito retirando su concurso (*teoría del dominio del hecho*).

STS 415/2016: La cooperación necesaria supone la contribución al hecho criminal con actos sin los cuales éste no hubiera
podido realizarse, diferenciándose de la autoría material y directa en que el cooperador no ejecuta el hecho típico, desa-
rrollando únicamente una actividad adyacente colateral y distinta pero íntimamente relacionada con la del autor material,
de tal manera que esa actividad resulta imprescindible para
la consumación de los comunes propósitos criminales asumi-
dos por unos y otros en el contexto del concierto previo. Las
tres teorías de la cooperación necesaria resultan todas ellas
complementarias.

STS 438/2018: En el caso se han mantenido los mismos hechos
variando solamente la calificación jurídica de la participación
del recurrente, sin que ello haya supuesto valorarla más gravemente atribuyéndole consecuencias más gravosas, dada la equiparación total existente, y no solo a efectos penológicos, entre
la autoría o coautoría y la cooperación necesaria, que tiene su
origen en la misma literalidad del Código Penal cuando dice
que "también serán considerados autores: b) los que cooperen
a su ejecución (a la del hecho) con un acto sin el cual no se
habría efectuado".

STS 68/2018: Como se ha dicho el autor mediato tiene también el dominio del hecho, aunque a través del dominio de la voluntad de otro, llamado instrumento, que es el que realiza el tipo en forma inmediata. Esta autoría se dará en los siguientes supuestos: a) cuando el "instrumento", esto es el que obra directamente, lo hace sin dolo; b) cuando el "instrumento" obre con error de tipo o con error de prohibición, en cuyo caso aquél, al no conocer la prohibición no domina su voluntad, sino tan solo su acción, lo que es aprovechado por el autor mediato; c) cuando obre coaccionado, debiendo apreciarse aquí la intensidad de la coacción para estimar si hay autoría mediata o inducción. En la doctrina la diferencia entre inducción y autoría mediata suele residenciarse en la acción del inducido, en tanto que se actúa con dolo se trata de inducción, y si no lo hace con dolo, ante la autoría mediata, que se explica mediante la teoría del dominio funcional del hecho. En definitiva si el supuesto instrumento es consciente de lo objetivo del hecho y participa de lo subjetivo (actuar doloso) ya no será eso, sino un "autor inducido".

STS 34/2015: El inductor es el que injerta en la persona del inducido la decisión de delinquir.

STS 358/2016: El inductor es quien determina al autor a la comisión del hecho delictivo, creando en él la idea de realizarlo. La inducción debe ser directa y terminante, referida a una persona y a una acción determinada. La inducción es la creación del dolo en el autor principal mediante un influjo psíquico, idóneo, bastante y causal, directamente encaminado a la realización de una acción delictiva determinada.

STS 253/2018: Debe ser una inducción eficaz y adecuada respecto a un determinado y concreto delito, que el inducido realiza efectivamente. La inducción supone una influencia o impacto psicológico de carácter directo que mueve la voluntad delictiva del autor material, de tal forma que, sin esa actuación o sugestión anímica, no se habría desencadenado la acción delictiva por el autor material de los hechos. Para que se produzca esa situación es necesario que la conexión anímica y la actuación sobre la voluntad ajena sea directa, intensa y eficaz por cuanto si una persona está decidida, sin la influencia de otra, nadie puede ser acusado de inductor, aunque tras aquella resolución haya mediado un consejo, deliberación en común e incluso aprobación de la misma.

STS 290/2021: No se debe descartar la posibilidad de que el inductor no se limite a hacer que nazca la resolución criminal en el inducido, sino que colabore activamente con actos propios en la realización del hecho, en cuyo caso nos encontraríamos ante una participación dual que reunirá elementos de inducción y de cooperación necesaria, inclinándose la STS 1813/2002 a que los actos de participación que superan la mera inducción y que implican una aportación en la fase inmediata a la ejecución absorben la inducción anterior, al considerarse de mayor gravedad la conducta cooperadora a la acción que la inductora, no sólo en un sentido valorativo de las conductas, sino también en el temporal por cuanto la cooperación, como participación, aparece más cercana a la ejecución y con más claro dominio sobre él hecho del ejecutor.

Art. 29.

Son cómplices los que, no hallándose comprendidos en el artículo anterior, cooperan a la ejecución del hecho con actos anteriores o simultáneos.

STS 666/2016: El cómplice es un auxiliar del autor que carece del dominio del hecho, pero que contribuye a la producción del fenómeno delictivo a través del empleo anterior o simultáneo de medios físicos o psíquicos conducentes a la realización del proyecto, participando del común propósito mediante su colaboración voluntaria, concretada en actos (u omisiones) de carácter secundario. Realiza una aportación favorecedora no necesaria para el desarrollo del *iter criminis*, pero que eleva el riesgo de producción del resultado. Se trata de una participación no esencial, accidental y no condicionante, de carácter secundario o inferior. La complicidad no requiere el concierto previo, pues puede producirse a través de una adhesión simultánea, pero se exige: a) La consciencia de la ilicitud del acto proyectado; b) La voluntad de participar contribuyendo a la consecución del acto conocidamente ilícito; y c) La aportación de un esfuerzo propio, de carácter secundario o auxiliar. El dolo del cómplice, por otro lado, debe ir dirigido a favorecer un hecho concreto y determinado, conociendo y asumiendo su probable resultado, pero no requiere que el hecho se encuentre precisado en todos sus pormenores. Se distingue de la coautoría en la carencia del dominio funcional del hecho, y de la cooperación necesaria en el carácter secundario de la intervención, sin la cual la acción delictiva podría igualmente haberse realizado, por no ser su aportación decisiva. Por lo tanto, la causalidad del acto del cómplice se refiere al favorecimiento eficaz del hecho típico, cooperando al resultado del delito. Por ello, los actos posteriores están excluidos del ámbito de la complicidad con la excepción de aquellos casos en los que el favorecimiento posterior se hubiese acordado previamente a la comisión del hecho principal con el autor o autores, en cuyo caso se trataría de complicidad y no de encubrimiento.

STS 163/2020: Los actos posteriores que han sido concertados o convenidos previamente o al tiempo de la ejecución del delito, aunque materialmente se produzcan ex post, son reprochables ex ante, pues la responsabilidad se traslada en el aspecto subjetivo de la codelincuencia al momento del concierto participativo en que se produce el pactum scaeleris y en el que se planea el reparto de papeles de los partícipes. Esta participación propia de naturaleza subsequens excluiría por sí toda posibilidad de estimar la conducta del recurrente como simple acto de encubrimiento, ya que todo encubrimiento exige como condición primera que el supuesto encubridor no conozca la existencia del delito hasta después de su ejecución y que tampoco haya participado como autor o como cómplice en el delito encubierto.

STS 535/2016: La jurisprudencia de esta Sala es unánime en la admisión de la complicidad por omisión, advirtiendo la necesidad de prevenir interpretaciones extensivas que erosionen la vigencia del principio de legalidad. La participación omisiva en los delitos de resultado, encuadrable en la complicidad exige como presupuestos: a) Favorecimiento de la ejecución;

b) Voluntad de facilitar la ejecución; y c) Infracción del deber jurídico de impedir la comisión del delito o posición de garante.

Art. 31.

El que actúe como administrador de hecho o de derecho de una persona jurídica, o en nombre o representación legal o voluntaria de otro, responderá personalmente, aunque no concurran en él las condiciones, cualidades o relaciones que la correspondiente figura de delito requiera para poder ser sujeto activo del mismo, si tales circunstancias se dan en la entidad o persona en cuyo nombre o representación obre.

STS 582/2018: Esta Sala tiene declarado que el art. 31 CP establece las condiciones de la responsabilidad de los órganos o representantes de las personas físicas o jurídicas en los delitos especiales propios, pero no cumple función alguna en el resto de delitos en los que el sujeto no cualificado puede ser autor por sí mismo: la aplicación de este precepto requiere que el tipo penal subsumible a los hechos prevea en su redacción típica la concurrencia de unos elementos especiales de autoría. Ahora bien, como destaca la doctrina en estos delitos en todo caso la autoría requiere la verificación de la conducta penalmente típica y lo que es más importante, verificar la imputación objetiva y subjetiva. Los criterios de atribución de responsabilidad individual sirven para delimitar el ámbito de atribución personal de una conducta que es objetiva y subjetivamente imputable, y no pueden en modo alguno sustituir estos criterios de imputación. En definitiva, si se pretende exigir responsabilidad penal al director o administrador de la persona jurídica de que se trate, no basta con que el mismo ostente un cargo, sino que además habrá de desarrollar una acción u omisión contributiva a la realización del tipo por el que se le haya condenado o, dicho de otro modo, deberá realizar algún acto de ejecución material que contribuya al resultado típico. No se trata de una presunción de autoría que prescinde del art. 28 sino un complemento del mismo para aquellos supuestos en los que el tipo delictivo exige ciertos y especiales elementos de la autoría que concurran en la persona representada (persona física o jurídica) pero no en la del representante (persona física que actúa como representante de hecho o de derecho). Asimismo, por administrador "se entiende en cada sociedad, los que administran en virtud de un título jurídicamente válido que la sociedad anónima los nombrados por la Junta General (art. 123 LSA) o, en general, los que pertenezcan al órgano de administración de la Sociedad inscrita en el Registro Mercantil. Los "de hecho" serán todos los demás que hayan ejercido tales funciones en nombre de la sociedad, siempre que esto se acredite, o los que ofrezcan alguna irregularidad en su situación jurídica, por nombramiento de concepto extra penales, se entenderá por "administrador de hecho" a toda persona que por sí sola o conjuntamente con otras, adopta e impone las decisiones de la gestión de una sociedad y concretamente las expresadas en los tipos penales, quien de hecho manda o quien gobierna desde la sombra. La condición del sujeto activo debe, por ello, vincularse a la disponibilidad de los poderes o facultades que permiten la ofensa del bien jurídico protegido, la condición de sujeto activo lo define el dominio sobre la vulnerabilidad jurídico penalmente relevante del bien jurídico.

STS 23/2020: El art. 31 CP no puede ser entendido como un mecanismo que relaje la exigencias probatorias: es necesario probar no solo que se es administrador de hecho, sino también la participación concreta en la conducta delictiva. Y es necesario probarla de forma concluyente. Obviamente la probanza de que se es administrador de hecho puede ser un indicio poderosísimo e incluso suficiente en algunos casos (v.gr., es el único administrador y el único que tiene dominio sobre la gestión social). Pero no siempre será así. Cuando hay pluralidad de administradores y especialmente cuando surgen dudas como en este caso respecto de la real capacidad de uno de ellos de gestión de las cuentas y por tanto de todo el flujo monetario, puede no ser suficientemente concluyente la deducción de que tuvo que participar en los desvíos y actuaciones distractivas.

STS 407/2018: El artículo 31 CP resuelve problemas de participación en delitos especiales y considera, a través del instituto de la actuación en nombre de otro y de las cláusulas de transferencia, que cuando el delito se comete por persona física o jurídica se considera autor quien actúa en representación legal o voluntaria de la persona física o como administrador de hecho o de derecho o en nombre y representación de la persona jurídica. Ese representante y ese administrador son autores porque se les imputa legalmente el delito de la persona a la que representan. En virtud de la representación o administración se convierten en *intranei* dejando de ser *extranei*. Los sujetos del artículo 31 CP no son cooperadores necesarios o inductores, es decir, partícipes, del artículo 305 CP, sino que son realmente autores porque se les transfiere la actuación de la persona representada como propia. Aunque lógicamente no basta ser administrador para recibir la transferencia de esa responsabilidad, pero no es necesario ser formalmente administrador para poder recibirla. Lo exigido es, que quien sea administrador de hecho o de derecho ostente el dominio funcional del hecho por poseer capacidad de dirección y control sobre las operaciones de defraudación.

STS 50/2018: Ha de tenerse en cuenta que el artículo 31 no regula la responsabilidad de los administradores por los delitos que se cometan en la empresa, sino que solamente pretende que no exista una laguna de punibilidad en los casos en los que, en el delito especial propio, la calificación de la autoría recaiga en una persona jurídica, de modo que la condición de autor solamente podría predicarse de la misma.

Art. 31 bis.

1. En los supuestos previstos en este Código, las personas jurídicas serán penalmente responsables:

a) De los delitos cometidos en nombre o por cuenta de las mismas, y en su beneficio directo o indirecto, por sus representantes legales o por aquellos que actuando individualmente o como integrantes de un órgano de la persona jurídica, están autorizados para tomar decisiones en nombre de la persona jurídica u ostentan facultades de organización y control dentro de la misma.

b) De los delitos cometidos, en el ejercicio de actividades sociales y por cuenta y en beneficio directo o indirecto de las mismas, por quienes, estando sometidos a la autoridad de las personas físicas mencionadas en el párrafo anterior, han podido realizar los hechos por haberse incumplido gravemente por aquéllos los deberes de supervisión, vigilancia y control de su actividad atendidas las concretas circunstancias del caso.

2. Si el delito fuere cometido por las personas indicadas en la letra a) del apartado anterior, la persona jurídica quedará exenta de responsabilidad si se cumplen las siguientes condiciones:

1.ª el órgano de administración ha adoptado y ejecutado con eficacia, antes de la comisión del delito, modelos de organización y gestión que incluyen las medidas de vigilancia y control idóneas para prevenir delitos de la misma naturaleza o para reducir de forma significativa el riesgo de su comisión;

2.ª la supervisión del funcionamiento y del cumplimiento del modelo de prevención implantado ha sido confiada a un órgano de la persona jurídica con poderes autónomos de iniciativa y de control o que tenga encomendada legalmente la función de supervisar la eficacia de los controles internos de la persona jurídica;

3.ª los autores individuales han cometido el delito eludiendo fraudulentamente los modelos de organización y de prevención y

4.ª no se ha producido una omisión o un ejercicio insuficiente de sus funciones de supervisión, vigilancia y control por parte del órgano al que se refiere la condición 2.ª

En los casos en los que las anteriores circunstancias solamente puedan ser objeto de acreditación parcial, esta circunstancia será valorada a los efectos de atenuación de la pena.

3. En las personas jurídicas de pequeñas dimensiones, las funciones de supervisión a que se refiere la condición 2.ª del apartado 2 podrán ser asumidas directamente por el órgano de administración. A estos efectos, son personas jurídicas de pequeñas dimensiones aquéllas que,

según la legislación aplicable, estén autorizadas a presentar cuenta de pérdidas y ganancias abreviada.

4. Si el delito fuera cometido por las personas indicadas en la letra b) del apartado 1, la persona jurídica quedará exenta de responsabilidad si, antes de la comisión del delito, ha adoptado y ejecutado eficazmente un modelo de organización y gestión que resulte adecuado para prevenir delitos de la naturaleza del que fue cometido o para reducir de forma significativa el riesgo de su comisión.

En este caso resultará igualmente aplicable la atenuación prevista en el párrafo segundo del apartado 2 de este artículo.

5. Los modelos de organización y gestión a que se refieren la condición 1.ª del apartado 2 y el apartado anterior deberán cumplir los siguientes requisitos:

1.º Identificarán las actividades en cuyo ámbito puedan ser cometidos los delitos que deben ser prevenidos.

2.º Establecerán los protocolos o procedimientos que concreten el proceso de formación de la voluntad de la persona jurídica, de adopción de decisiones y de ejecución de las mismas con relación a aquéllos.

3.º Dispondrán de modelos de gestión de los recursos financieros adecuados para impedir la comisión de los delitos que deben ser prevenidos.

4.º Impondrán la obligación de informar de posibles riesgos e incumplimientos al organismo encargado de vigilar el funcionamiento y observancia del modelo de prevención.

5.º Establecerán un sistema disciplinario que sancione adecuadamente el incumplimiento de las medidas que establezca el modelo.

6.º Realizarán una verificación periódica del modelo y de su eventual modificación cuando se pongan de manifiesto infracciones relevantes de sus disposiciones, o cuando se produzcan cambios en la organización, en la estructura de control o en la actividad desarrollada que los hagan necesarios.

STS 747/2022: ¿Es aceptable una doble penalidad -persona física y persona jurídica- cuando la persona física responsable penal es el único titular de la sociedad? Esa es la situación que aquí afrontamos según apunta y remarca el hecho probado: la recurrente es una sociedad unipersonal que corresponde al cien por cien a la persona física condenada. El non bis in ídem parece repudiar la doble condena. El régimen de responsabilidad penal de personas jurídicas exige una mínima alteridad de la persona jurídica respecto de la persona física penalmente responsable. Cuando el condenado penalmente como persona física es titular exclusivo de la sociedad, no resulta factible imponer dos penalidades sin erosionar, no ya solo el principio del non bis in ídem, sino la misma racionalidad de las cosas. El sistema de responsabilidad penal de personas jurídicas encierra inevitablemente ciertas dosis de ficción. Las penas impuestas a la persona jurídica no las sufren materialmente los entes morales, incapaces de padecer. Acaban inexorablemente recayendo en personas físicas (pocas o muchas, y más o menos diluidas). Cuando la persona jurídica se identifica con una persona física, es ésta la que sufre íntegramente la sanción. Si es penalmente responsable de la conducta por la que ha de responder la persona jurídica se le estará imponiendo una doble sanción por una única conducta: el delito cometido por él que arrastra, además, a la condena de la persona jurídica de su exclusiva titularidad. Esa dualidad no es coherente con la filosofía que inspira el régimen de responsabilidad penal de personas jurídicas en perspectiva asumida por la jurisprudencia dominante. Se dice que la sanción a la persona jurídica se funda en la ausencia de un sistema interno de prevención eficaz. Eso ha permitido hablar a la jurisprudencia de un delito corporativo y establecer un fundamento diferenciado de la sanción, así como hablar de autorresponsabilidad. Pues bien, resulta absurdo imponer a la persona física titular única de la mercantil dos penas: una por la comisión del delito: y otra ¡por no haber establecido mecanismos de prevención de sus propios delitos! Opera el principio de consunción: al castigar al responsable penal del delito se está contemplando y sancionando también su desidia e indiferencia (¡!) por no prevenir sus propios delitos; su, digamos en la nomenclatura extendida, falta de cultura de respeto a las normas No es concebible en esos supuestos que hubiese responsabilidad penal de la persona física administrador, y no de la Sociedad (por existir un programa de cumplimiento implantado por el propio responsable penal). El delito corporativo se diluye en el delito individual tradicional.

STS 154/2016: Derechos y garantías constitucionales, a los que se refieren los motivos examinados en el presente recurso, como la tutela judicial efectiva, la presunción de inocencia, al Juez legalmente predeterminado, a un proceso con garantías, etc..., sin perjuicio de concreta titularidad y de la desestimación de tales alegaciones en el caso presente, ampararían también a la persona jurídica de igual forma que lo hacen en el caso de las personas físicas cuyas conductas son objeto del procedimiento penal y, en consecuencia, podrían ser alegados por aquella como tales y denunciadas sus posibles vulneraciones en lo que a ella respecta. La determinación del actuar de la persona jurídica, relevante a efectos de la afirmación de su responsabilidad penal (incluido el supuesto del anterior art. 31 bis 1 párr. 1º CP y hoy de forma definitiva a tenor del nuevo art. 31 bis 1 a) y 2 CP, tras la reforma operada por la LO 1/2015), ha de establecerse a partir del análisis acerca de si el delito cometido por la persona física en el seno de aquella ha sido posible, o facilitado, por la ausencia de una cultura de respeto al Derecho, como fuente de inspiración de la actuación de su estructura organizativa e independiente de la de cada una de las personas físicas que la integran, que habría de manifestarse en alguna clase de formas concretas de vigilancia y control del comportamiento de sus directivos y subordinados jerárquicos, tendentes a la evitación de la comisión por éstos de los delitos enumerados en el Libro II del Código Penal como posibles antecedentes de esa responsabilidad de la persona jurídica. Y ello más allá de la eventual existencia de modelos de organización y gestión que, cumpliendo las exigencias concretamente enumeradas en el actual art. 31 bis 2 y 5, podrían dar lugar, en efecto, a la concurrencia de la eximente de ese precepto expresamente prevista, de naturaleza discutible en cuanto relacionada con la exclusión de la culpabilidad, lo que parece incorrecto, con la concurrencia de una causa de justificación o, más bien, con el tipo objetivo, lo que sería quizá lo más adecuado puesto que la exoneración se basa en la prueba de la existencia de herramientas de control idóneas y eficaces cuya ausencia integraría, por el contrario, el núcleo típico de la responsabilidad penal de la persona jurídica, complementario de la comisión del ilícito por la persona física. Según la Circular 1/2016 de la Fiscalía General del Estado, partiendo de un planteamiento diferente acerca de esa tipicidad, la eximente habría de situarse más bien en las proximidades de una "excusa absolutoria", vinculada a la punibilidad, afirmación discutible si tenemos en cuenta que una "excusa absolutoria" ha de partir, por su propia esencia, de la previa afirmación de la existencia de la responsabilidad, cuya punición se excluye, mientras que a nuestro juicio la presencia de adecuados mecanismos de control lo que supone es la inexistencia misma de la infracción. Núcleo de la responsabilidad de la persona jurídica que, como venimos diciendo, no es otro que el de la ausencia de las medidas de control adecuadas para la evitación de la comisión de delitos, que evidencien una voluntad seria de reforzar la virtualidad de la norma, independientemente de aquellos requisitos, más concretados legalmente en forma de las denominadas "*compliances*" o "modelos de cumplimiento", exigidos para la aplicación de la eximente que, además, ciertas personas jurídicas, por su pequeño tamaño o menor capacidad económica, no pudieran cumplidamente implementar. Y si bien es cierto que, en la práctica, será la propia persona jurídica la que apoye su defensa en la acreditación de la real existencia de modelos de prevención adecuados, reveladores de la referida "cultura de cumplimiento" que la norma penal persigue, lo que no puede sostenerse es que esa actuación pese, como obligación ineludible, sobre la sometida al procedimiento penal, ya que ello equivaldría a que, en el caso de la persona jurídica no rijan los principios básicos de nuestro sistema de enjuiciamiento penal, tales como el de la exclusión de una responsabilidad objetiva o automática o el de la no responsabilidad por el hecho ajeno, que pondrían en claro peligro planteamientos propios de una heterorresponsabilidad o responsabilidad por transferencia de tipo vicarial, a los que expresamente se refiere el mismo Legislador, en el Preámbulo de la Ley 1/2015 para rechazarlos, fijando como uno de los principales objetivos de la reforma la aclaración de este extremo.

STS 534/2020: La sociedad meramente instrumental, o "pantalla", creada exclusivamente para servir de instrumento en la comisión del delito por la persona física, ha de ser considerada al margen del régimen de responsabilidad del artículo 31 bis, por resultar insólito pretender realizar valoraciones de responsabilidad respecto de ella, dada la imposibilidad congénita de ponderar la existencia de mecanismos internos de control y, por ende, de cultura de respeto o desafección hacia la norma, respecto de quien nace exclusivamente con una finalidad delictiva que agota la propia razón de su existencia y que, por consiguiente, quizás hubiera merecido en su día directamente la disolución por la vía del artículo 129 del Código Penal, que contemplaba la aplicación de semejante "consecuencia accesoria" a aquellos entes que carecen de una verdadera personalidad jurídica en términos de licitud para desempeñarse en el tráfico jurídico o, en su caso, la mera declaración de su inexistencia como verdadera persona jurídica, con la ulterior comunicación al registro correspondiente para la anulación, o cancelación, de su asiento. En el supuesto, no estamos ante una persona jurídica que opera con normalidad en el mercado, ni ante sociedades que desarrollan una cierta activad, en su mayor parte ilegal, sino ante sociedades instrumentales lo que las hace inimputables pues no consta que tengan otra actividad legal o ilegal, sino que son residuales, constituidas para cometer el hecho delictivo aquí enjuiciado.

STS 221/2016: No es discutible que el régimen de responsabilidad de las personas jurídicas instaurado en España por las reformas de 2010 y 2015 es el propio de una responsabilidad penal. La Sala no puede identificarse con la tesis de que en el sistema español puede hablarse de una responsabilidad penal de las personas jurídicas, pero no de un delito de las personas jurídicas. No hay responsabilidad penal sin delito precedente. Lo contrario abriría una peligrosísima vía con efectos irreversibles en los fundamentos mismos del sistema penal. Sea cual fuere el criterio doctrinal mediante el que pretenda explicarse la responsabilidad de los entes colectivos, ésta no puede afirmarse a partir de la simple acreditación del hecho delictivo atribuido a la persona física. La persona jurídica no es responsable de todos y cada uno de los delitos cometidos en el ejercicio de actividades sociales y en su beneficio directo o indirecto por las personas físicas a que se refiere el art. 31 bis 1 b). Solo responde cuando se hayan "incumplido gravemente los deberes de supervisión, vigilancia y control de su actividad, atendidas las circunstancias del caso". Los incumplimientos menos graves o leves quedan extramuros de la responsabilidad penal de los entes colectivos. En definitiva, en la medida en que el defecto estructural en los modelos de gestión, vigilancia y supervisión constituye el fundamento de la responsabilidad del delito corporativo, la vigencia del derecho a la presunción de inocencia impone que el Fiscal no se considere exento de la necesidad de acreditar la concurrencia de un incumplimiento grave de los deberes de supervisión. Sin perjuicio de que la persona jurídica que esté siendo investigada se valga de los medios probatorios que estime oportunos para demostrar su correcto funcionamiento desde la perspectiva del cumplimiento de la legalidad. Son, por tanto, dos los sujetos de la imputación, cada uno de ellos responsable de su propio injusto y cada uno de ellos llamado a defenderse con arreglo a un estatuto constitucional que no puede vaciar su contenido en perjuicio de uno u otro de los acusados. La LO 1/2015, de 30 de marzo, ha proclamado que el sentido de la reforma introducida en el art. 31 bis del CP no tiene otra justificación que "llevar a cabo una mejora técnica en la regulación de la responsabilidad personal de las personas jurídicas… con la finalidad de delimitar adecuadamente el contenido del debido control, cuyo quebrantamiento permite fundamentar su responsabilidad penal. Con ello se pone fin a las dudas interpretativas que había planteado la anterior regulación, que desde algunos sectores había sido interpretada como un régimen de responsabilidad vicarial". Nuestro sistema, en fin, no puede acoger fórmulas de responsabilidad objetiva, en las que el hecho de uno se transfiera a la responsabilidad del otro, aunque ese otro sea un ente ficticio sometido, hasta hace bien poco, a otras formas de responsabilidad. La pena impuesta a la persona jurídica sólo puede apoyarse en la previa declaración como probado de un hecho delictivo propio. El hecho sobre el que ha de hacerse descansar la imputación no podrá prescindir, claro es, del delito de referencia atribuido a la persona física. Pero habrá de centrarse en su averiguación desde una perspectiva estructural. Se tratará, por tanto, de una indagación sobre aquellos elementos organizativo-estructurales que han posibilitado un déficit de los mecanismos de control y gestión, con influencia decisiva en la relajación de los sistemas preventivos llamados a evitar la criminalidad en la empresa. La responsabilidad de la persona jurídica ha de hacerse descansar en un delito corporativo construido a partir de la comisión de un previo delito por la persona física, pero que exige algo más, la proclamación de un hecho propio con arreglo a criterios de imputación diferenciados y adaptados a la especificidad de la persona colectiva. De lo que se trata, en fin, es de aceptar que sólo a partir de una indagación por el Juez instructor de la efectiva operatividad de los elementos estructurales y organizativos asociados a los modelos de prevención, podrá construirse un sistema respetuoso con el principio de culpabilidad.

STS 109/2020: No disponer de estos modelos de compliance lo que genera en los casos de la delincuencia ad extra de directivos y empleados ex art. 31 bis CP es su responsabilidad penal, pero no podemos concluir que la carencia de estos programas provoca la exoneración de responsabilidad en casos de estafa por haber sometido a la propia empresa a la autopuesta en peligro que desplaza el "engaño bastante" a la víctima del delito, pero sí hay que insistir en que estos programas de compliance reducen el riesgo de que ello ocurra y con el paso del tiempo debe existir la extensión de esta filosofía de uso para autoprotegerse de este tipo de situaciones en donde se comprueba una mayor facilidad para perpetrar este tipo de actos de falsedad de documento mercantil y estafa. Así pues, la ausencia de un compliance ad intra en el sector empresarial provoca la existencia de estos delitos de apropiación indebida, estafa, administración desleal y falsedades, como consta en las dos sentencias de esta Sala antes citadas al no poder concebirse la obligación del art. 31 bis y ss CP desde el punto de vista ad extra tan solo, para evitar esa responsabilidad penal de la persona jurídica, sino que el sector empresarial debe ser consciente de que el modelo del cumplimiento normativo lleva consigo una evitación de los tipos penales antes citados al hacer desaparecer los modelos tradicionales de confianza y relaciones personales que en el seno de una empresa degradan "el debido control" entre los órganos operativos que deben ejecutar decisiones en la empresa, tanto gerenciales, y de administración, como económicas y de pagos y cobros, porque está acreditado que la relación de los mecanismos de control en la empresa y el exceso en la confianza por las relaciones personales puede dar lugar en algunos casos a abusos que den lugar a que si la ausencia de control es prolongada, como aquí ha ocurrido, el resultado de la responsabilidad civil sea elevado. Estos tipos penales antes citados se dan con frecuencia en el sector empresarial auspiciados, precisamente, por la ausencia de mecanismos de control ajenos y extraños a los que conforman la relación entre sujetos que se aprovechan de esas relaciones personales y aquellos que les facultan y autorizan para realizar operaciones que entrañan riesgo para la empresa por la disponibilidad económica y de gestión de quienes los llevan a cabo. Precisamente, el compliance ad intra ajeno a esas relaciones personales y de confianza entre concedentes del poder y sus receptores evitaría, o disminuiría el riesgo de que estas situaciones se produzcan en el seno de las empresas. Con el compliance ad intra en el seno de la empresa estas situaciones que aquí se han dado resultan de un alto grado de imposibilidad de ejecución, ante los controles que en el cumplimiento normativo existen y, sobre todo, de un control externo, aunque dentro de la empresa, pero ajeno a los propios vínculos de confianza interna que existen que son los que facilitan, al final, estos ilícitos penales". No puede configurarse la ausencia de mecanismos de protección, o el exceso de confianza en las relaciones contractuales, como un "cheque en blanco" para la ejecución de delitos patrimoniales. Pero la inexistencia de lo que podríamos denominar "coraza protectora ante las estafas" que puede generar el compliance ad extra en estos casos puede conllevar la exoneración de responsabilidad. Lo denominamos compliance ad extra, por cuanto supone la implementación de medidas de autoprotección empresarial ante la delincuencia que se origina desde fuera de la empresa hacia la perjudicada, o, también, desde la propia empresa hacia fuera, lo que, a su vez, es lo que genera responsabilidad penal de la persona jurídica si no existe un adecuado programa de cumplimiento normativo debidamente implementado ex art. 31 bis CP. No obstante, en el presente caso se trató de una delincuencia ad extra de la empresa perjudicada que actuó sobre la misma basada en la confianza generada, y que ante el carácter bastante del engaño no pudieron actuar los mecanismos en la empresa de detección del fraude que se había generado, por medio del modus operandi descrito con claridad en el hecho probado generador de la estafa perpetrada. No puede, pues, imputarse, a la mercantil perjudicada que no perfeccionara mejor sus mecanismos de diligencia en la detección del fraude como vehículo conductor determinante de una exoneración de responsabilidad penal que se demanda, ya que la ausencia de estos mecanismos de control y la reiteración de este iter delictivo que se repite con frecuencia lo que debe llevar al sector empresarial es a acentuar y potenciar estos mecanismos de control interno y externo de estas conductas, pero no a facilitar la impunidad de quienes las cometan.

STS 833/2021: Una abundante jurisprudencia de esta Sala, ya consolidada pese a las dudas iniciales, ha proclamado que la fuente de la responsabilidad criminal de los entes colectivos no puede obtenerse a partir de un modelo de heterorresponsabilidad o responsabilidad vicarial. Antes al contrario, esa responsabilidad ha de construirse a partir de un sistema de autorresponsabilidad basado en la constatación de un defecto estructural en los modelos de gestión, vigilancia y supervisión. Es la ausencia de planes de prevención la que puede determinar la comisión de un delito corporativo.

STS 742/2018: La cuestión de la exigencia de previa condena de una persona física, como presupuesto de la de una persona jurídica, no se acomoda al precepto que la recurrente invoca (art. 31 ter CP). Una cosa es que se exija la "constatación" de la actuación de esos sujetos personas físicas y otra que sea un presupuesto la previa "condena" de las mismas.

STS 436/2018: En todo caso, es evidente que una comunidad de bienes no está obligada a contar con esos planes de cumplimiento normativo de *compliance*. Resulta evidente que esta vigilancia de cumplimiento y control no resultaba obligada, pero si aconsejable, tanto en el régimen de sociedades mercantiles como en el de comunidad de bienes, porque son reiterados los supuestos en que en ambas modalidades se producen actos de "distracción de dinero" ante ausencia de control, sin que sea esta ausencia lo que motiva la distracción, sino el dolo y ánimo apropiativo de sus autores.

STS 668/2017: En la STS 583/2017, de 19 de julio, insistíamos en la necesidad de preservar cualquier conflicto de intereses entre la dirección letrada de la persona jurídica investigada y la persona física autora del delito de referencia. Decíamos entonces que dejar en manos de quien se sabe autor del delito originario, la posibilidad de llevar a cabo actuaciones como las de buscar una rápida conformidad de la persona jurídica, proceder a la indemnización con cargo a ésta de los eventuales perjudicados y, obviamente, no colaborar con las autoridades para el completo esclarecimiento de los hechos, supondría una intolerable limitación del ejercicio de su derecho de defensa para su representada, con el único objetivo de ocultar la propia responsabilidad del representante o, cuando menos, de desincentivar el interés en proseguir las complejas diligencias dirigidas a averiguar la identidad del autor físico de la infracción inicial, incluso para los propios perjudicados por el delito una vez que han visto ya satisfecho su derecho a la reparación. También descartábamos la posible vulneración del derecho de defensa que alegaba el recurrente a la vista del no ofrecimiento por el Tribunal *a quo* del derecho a la última palabra a la persona jurídica investigada. La coincidente estrategia defensiva de ambos sujetos imputados -persona física y persona jurídica-, descartaba en el caso entonces enjuiciado cualquier vulneración de relevancia constitucional. Hemos negado la existencia de un extravagante *litis consorcio pasivo necesario* entre la persona jurídica y la persona física, recordando la autonomía de la responsabilidad de la persona jurídica frente a la que es predicable del directivo o empleado que comete el delito de referencia.

STS 123/2019: Aunque también es cierto que ese mismo precepto (art. 786 bis LECrim) dispone que la incomparecencia de la persona especialmente designada por la persona jurídica para su representación no impedirá en ningún caso la celebración de la vista, que se llevará a cabo con la presencia del Abogado y el Procurador, sin embargo, la aplicación de esta previsión ha de partir de una correcta citación del representante, sin que pueda extenderse a los casos de ausencia de tal citación. Por otro lado, tampoco puede dejar de valorarse que, en el caso, la persona jurídica y el acusado persona física comparecían representados por el mismo Procurador y defendidos por el mismo Letrado, lo cual parece difícilmente compatible con la contraposición de intereses ya apreciada en la instrucción y que había dado lugar a la designación de un representante especial y distinto del otro acusado, sin que se constate ningún suceso que la hubiera hecho desaparecer. En consecuencia, ha de apreciarse un déficit relevante en las condiciones en las que la persona jurídica compareció y pudo desarrollar su defensa en el plenario, y no solamente por no haber sido adecuadamente citada la persona especialmente designada para su representación en la causa penal, sino también porque fue representada procesalmente por la misma Procuradora y defendida por el mismo Letrado que actuaban en representación y defensa de otro acusado con el que se había apreciado la existencia de intereses contrapuestos, lo que en el caso, dadas las circunstancias, bien pudo haber causado un déficit en la defensa.

Art. 31 ter.

1. La responsabilidad penal de las personas jurídicas será exigible siempre que se constate la comisión de un delito que haya tenido que cometerse por quien ostente los cargos o funciones aludidas en el artículo anterior, aun cuando la concreta persona física responsable no haya sido individualizada o no haya sido posible dirigir el procedimiento contra ella. Cuando como consecuencia de los mismos hechos se impusiere a ambas la pena de multa, los jueces o tribunales

modularán las respectivas cuantías, de modo que la suma resultante no sea desproporcionada en relación con la gravedad de aquéllos.

2. La concurrencia, en las personas que materialmente hayan realizado los hechos o en las que los hubiesen hecho posibles por no haber ejercido el debido control, de circunstancias que afecten a la culpabilidad del acusado o agraven su responsabilidad, o el hecho de que dichas personas hayan fallecido o se hubieren sustraído a la acción de la justicia, no excluirá ni modificará la responsabilidad penal de las personas jurídicas, sin perjuicio de lo que se dispone en el artículo siguiente.

> **STS 165/2020:** En efecto, las personas jurídicas pueden cometer un hecho delictivo tanto en grado de consumación como en imperfecto grado de ejecución, como es la tentativa. No existe óbice alguno de naturaleza dogmática, para no hacer esta distinción en la ejecución criminal. Si la pena de multa se impusiere en grado de tentativa, ha de rebajarse conforme resulta del art. 62 del Código Penal.

> **STS 118/2020:** Cuando hay una persona jurídica condenada junto a la persona física autora, que a su vez es administradora, se vislumbra en efecto un problema de proporcionalidad. No es exclusivo de esa situación: aparece de forma análoga en los casos de codelincuencia y multas proporcionales. Pero el legislador lo aborda en este supuesto con una solución un tanto rudimentaria y simple. A ella hay que estar en todo caso. El art. 31 ter dice que en esos casos de concurrencia de condenas de la persona física y jurídica, "se modulará" la pena de multa. En una primera aproximación interpretativa no parece que el mandato de "modulación" autorice ni para cancelar respecto de uno de los sujetos la multa (suprimir es mucho más que modular); y, ni siquiera, para rebasar por debajo los mínimos establecidos. El tope de la "modulación" será imponer el mínimo. No es posible forzar el sentido del precepto hasta el punto de consentir un vaciamiento de la penalidad de la persona jurídica o de la persona física. Siempre que el administrador sea condenado a una pena de multa, habría que admitir, de optarse por otro entendimiento -también incluso cuando el administrador no sea ni siquiera socio de la persona jurídica y, por

tanto, para nada le afecte la pena que se imponga a ésta-, que la ley permite reducir la pena de multa hasta llegar a la cifra de un euro (¡!). Es más, esa exégesis supondría admitir que en esos casos el Código habilita para imponer al administrador responsable penal y a la persona jurídica sendas multas de un euro. A un nivel puramente conceptual no es asumible que a partir de la palabra modular se pueda alcanzar la conclusión de que el mínimo legal de la pena de multa es ¡un euro! El verbo modular no sería compatible ni con la pura y simple supresión como hizo el Jugado de lo Penal, ni tampoco con reducciones por debajo del mínimo legal.

VI. DE LAS PENAS Y SU APLICACIÓN
(ARTS. 32 A 79)

Art. 33.

1. En función de su naturaleza y duración, las penas se clasifican en graves, menos graves y leves.

2. Son penas graves:

a) La prisión permanente revisable.

b) La prisión superior a cinco años.

c) La inhabilitación absoluta.

d) Las inhabilitaciones especiales por tiempo superior a cinco años.

e) La suspensión de empleo o cargo público por tiempo superior a cinco años.

f) La privación del derecho a conducir vehículos a motor y ciclomotores por tiempo superior a ocho años.

g) La privación del derecho a la tenencia y porte de armas por tiempo superior a ocho años.

h) La privación del derecho a residir en determinados lugares o acudir a ellos, por tiempo superior a cinco años.

i) La prohibición de aproximarse a la víctima o a aquellos de sus familiares u otras personas que determine el juez o tribunal, por tiempo superior a cinco años.

j) La prohibición de comunicarse con la víctima o con aquellos de sus familiares u otras personas que determine el juez o tribunal, por tiempo superior a cinco años.

k) La privación de la patria potestad.

3. Son penas menos graves:

a) La prisión de tres meses hasta cinco años.

b) Las inhabilitaciones especiales hasta cinco años.

c) La suspensión de empleo o cargo público hasta cinco años.

d) La privación del derecho a conducir vehículos a motor y ciclomotores de un año y un día a ocho años.

e) La privación del derecho a la tenencia y porte de armas de un año y un día a ocho años.

f) Inhabilitación especial para el ejercicio de profesión, oficio o comercio que tenga relación con los animales y para la tenencia de animales de un año y un día a cinco años.

g) La privación del derecho a residir en determinados lugares o acudir a ellos, por tiempo de seis meses a cinco años.

h) La prohibición de aproximarse a la víctima o a aquellos de sus familiares u otras personas que determine el juez o tribunal, por tiempo de seis meses a cinco años.

i) La prohibición de comunicarse con la víctima o con aquellos de sus familiares u otras personas que determine el juez o tribunal, por tiempo de seis meses a cinco años.

j) La multa de más de tres meses.

k) La multa proporcional, cualquiera que fuese su cuantía, salvo lo dispuesto en el apartado 7 de este artículo.

l) Los trabajos en beneficio de la comunidad de treinta y un días a un año.

4. Son penas leves:

a) La privación del derecho a conducir vehículos a motor y ciclomotores de tres meses a un año.

b) La privación del derecho a la tenencia y porte de armas de tres meses a un año.

c) Inhabilitación especial para el ejercicio de profesión, oficio o comercio que tenga relación con los animales y para la tenencia de animales de tres meses a un año.

d) La privación del derecho a residir en determinados lugares o acudir a ellos, por tiempo inferior a seis meses.

e) La prohibición de aproximarse a la víctima o a aquellos de sus familiares u otras personas que determine el juez o tribunal, por tiempo de un mes a menos de seis meses.

f) La prohibición de comunicarse con la víctima o con aquellos de sus familiares u otras personas que determine el juez o tribunal, por tiempo de un mes a menos de seis meses.

g) La multa de hasta tres meses.

h) La localización permanente de un día a tres meses.

i) Los trabajos en beneficio de la comunidad de uno a treinta días.

5. La responsabilidad personal subsidiaria por impago de multa tendrá naturaleza menos grave o leve, según la que corresponda a la pena que sustituya.

6. Las penas accesorias tendrán la duración que respectivamente tenga la pena principal, excepto lo que dispongan expresamente otros preceptos de este Código.

7. Las penas aplicables a las personas jurídicas, que tienen todas la consideración de graves, son las siguientes:

a) Multa por cuotas o proporcional.

b) Disolución de la persona jurídica. La disolución producirá la pérdida definitiva de su personalidad jurídica, así como la de su capacidad de actuar de cualquier modo en el tráfico jurídico, o llevar a cabo cualquier clase de actividad, aunque sea lícita.

c) Suspensión de sus actividades por un plazo que no podrá exceder de cinco años.

d) Clausura de sus locales y establecimientos por un plazo que no podrá exceder de cinco años.

e) Prohibición de realizar en el futuro las actividades en cuyo ejercicio se haya cometido, favorecido o encubierto el delito. Esta prohibición podrá ser temporal o definitiva. Si fuere temporal, el plazo no podrá exceder de quince años.

f) Inhabilitación para obtener subvenciones y ayudas públicas, para contratar con el sector público y para gozar de beneficios e incentivos fiscales o de la Seguridad Social, por un plazo que no podrá exceder de quince años.

g) Intervención judicial para salvaguardar los derechos de los trabajadores o de los acreedores por el tiempo que se estime necesario, que no podrá exceder de cinco años.

La intervención podrá afectar a la totalidad de la organización o limitarse a alguna de sus instalaciones, secciones o unidades de negocio. El Juez o Tribunal, en la sentencia o, posteriormente, mediante auto, determinará exactamente el contenido de la intervención y determinará quién se hará cargo de la intervención y en qué plazos deberá realizar informes de seguimiento para el órgano judicial. La intervención se podrá modificar o suspender en todo momento previo informe del interventor y del Ministerio Fiscal. El interventor tendrá derecho a acceder a todas las instalaciones y locales de la empresa o persona jurídica y a recibir cuanta información estime necesaria para el ejercicio de sus funciones. Reglamentariamente se determinarán los aspectos relacionados con el ejercicio de la función de interventor, como la retribución o la cualificación necesaria.

La clausura temporal de los locales o establecimientos, la suspensión de las actividades sociales y la intervención judicial podrán ser acordadas también por el Juez Instructor como medida cautelar durante la instrucción de la causa.

STS 579/2022: No es procedente traducir en años cada doce meses. Un año supone 365 días de cumplimiento, cinco días más que el cumplimiento de doce meses.

Art. 36.[2]

1. La pena de prisión permanente será revisada de conformidad con lo dispuesto en el artículo 92. La clasificación del condenado en el tercer grado deberá ser autorizada por el tribunal previo pronóstico individualizado y favorable de reinserción social, oídos el Ministerio Fiscal e Instituciones Penitenciarias, y no podrá efectuarse:

   a) Hasta el cumplimiento de veinte años de prisión efectiva, en el caso de que el penado lo hubiera sido por un delito del Capítulo VII del Título XXII del Libro II de este Código.

   b) Hasta el cumplimiento de quince años de prisión efectiva, en el resto de los casos.

En estos supuestos, el penado no podrá disfrutar de permisos de salida hasta que haya cumplido un mínimo de doce años de prisión, en el caso previsto en la letra a), y ocho años de prisión, en el previsto en la letra b).

2. La pena de prisión tendrá una duración mínima de tres meses y máxima de veinte años, salvo lo que excepcionalmente dispongan otros preceptos del presente Código.

Cuando la duración de la pena de prisión impuesta sea superior a cinco años, el juez o tribunal podrá ordenar que la clasificación del condenado en el tercer grado de tratamiento penitenciario no se efectúe hasta el cumplimiento de la mitad de la pena impuesta.

En cualquier caso, cuando la duración de la pena de prisión impuesta sea superior a cinco años y se trate de los delitos enumerados a continuación, la clasificación del condenado en el tercer grado de tratamiento penitenciario no podrá efectuarse hasta el cumplimiento de la mitad de la misma:

   a) Delitos referentes a organizaciones y grupos terroristas y delitos de terrorismo del Capítulo VII del Título XXII del Libro II de este Código.

---

[2] Se modifican los apartados 2 y 3 y se añade un apartado 4, por la Ley Orgánica 10/2022, de 6 de septiembre.

b) Delitos cometidos en el seno de una organización o grupo criminal.

c) Delitos del Título VII bis del Libro II de este Código, cuando la víctima sea una persona menor de edad o persona con discapacidad necesitada de especial protección.

d) Delitos del artículo 181.

e) Delitos del Capítulo V del Título VIII del Libro II de este Código, cuando la víctima sea menor de dieciséis años.

En los supuestos de las letras c), d) y e), si la condena fuera superior a cinco años de prisión la clasificación del condenado en el tercer grado de tratamiento penitenciario no podrá efectuarse sin valoración e informe específico acerca del aprovechamiento por el reo del programa de tratamiento para condenados por agresión sexual.

3. La autoridad judicial de vigilancia penitenciaria, previo pronóstico individualizado y favorable de reinserción social y valorando, en su caso, las circunstancias personales de la persona condenada y la evolución del tratamiento reeducador, podrá acordar razonadamente, oídos el Ministerio Fiscal, Instituciones Penitenciarias y las demás partes, la aplicación del régimen general de cumplimiento, salvo en los supuestos contenidos en el apartado anterior.

4. En todo caso, la autoridad judicial de vigilancia penitenciaria, según corresponda, podrá acordar, previo informe del Ministerio Fiscal, Instituciones Penitenciarias y las demás partes, la progresión a tercer grado por motivos humanitarios y de dignidad personal de las personas condenadas enfermas muy graves con padecimientos incurables y de las personas septuagenarias, valorando, especialmente, su escasa peligrosidad.

> **STS 50/2021:** El art. 36.2 del CP incluye un mandato dirigido, no ya al órgano de enjuiciamiento que determina la pena, sino al Juez de Vigilancia Penitenciaria llamado al control de la ejecución de las penas privativas de libertad, hasta el punto que ese precepto completa la regulación del régimen penitenciario de la progresión al tercer grado, se haya o no pronunciado el Tribunal sentenciador sobre la restricción.
>
> **STS 718/2022:** Este precepto (art. 36.2 CP), puesto en relación con los distintos subapartados que integran el núm. 2 del art.

36 del CP, se justifica por la necesidad de conferir al tribunal sentenciador una facultad con incidencia directa en la progresión de grado de aquellos responsables condenados a penas graves. Esa facultad no puede ser interpretada como un mecanismo jurídico para evitar anticipadamente decisiones de la administración penitenciaria que no se consideren acordes con la gravedad de la pena. Estas decisiones tienen su cauce impugnativo ordinario y pueden ser objeto de revisión. El art. 36.2 del CP lo que otorga al tribunal sentenciador es la facultad de efectuar un pronóstico de peligrosidad que preserve los bienes jurídicos que fueron violentados con el delito.

Art. 42.

La pena de inhabilitación especial para empleo o cargo público produce la privación definitiva del empleo o cargo sobre el que recayere, aunque sea electivo, y de los honores que le sean anejos. Produce, además, la incapacidad para obtener el mismo u otros análogos, durante el tiempo de la condena. En la sentencia habrán de especificarse los empleos, cargos y honores sobre los que recae la inhabilitación.

STS 259/2015: Es necesario diferenciar la pena de inhabilitación especial cuando reviste el carácter de pena principal o accesoria; solo en este último caso se exige acreditar y motivar la relación directa entre el delito cometido y el derecho del que se priva al condenado.

STS 722/2018: Si lo que se pretende de esta Sala es que la misma facilite una especie de lista o relación de qué cargos o funciones concretas no puede desempeñar el condenado, dicha pretensión no puede ser acogida puesto que, como reiteradamente ha establecido la jurisprudencia de este Tribunal en interpretación del artículo 42 CP, es inviable un pronunciamiento que tratase de listar o enumerar todos esos hipotéticos cargos o empleos similares imaginables. Basta, en definitiva, con que la sentencia especifique los empleos o cargos sobre los que debe recaer la inhabilitación, que es precisamente lo que se hace en el caso de autos cuando se declara que la inhabilitación lo será para el ejercicio de cargos públicos electivos, ya sean de ámbito estatal, autonómico o local, así como para el ejercicio de funciones de gobierno en el ámbito estatal, autonómico o local. Es obvio que cuando el delito de prevaricación se comete en un cargo público de naturaleza política, como lo es el de miembro de Consejo de Gobierno de una Comunidad Autónoma, constituiría una burla al respeto que los ciudadanos deben al buen funcionamiento de los Poderes Públicos, que la pena de inhabilitación se limitase al cargo específico en el que se cometió la prevaricación, y permitiese al condenado seguir cometiendo esta clase de delitos en otro cargo análogo, fruto directo o indirecto de unas elecciones políticas, por el mero hecho de trasladarse de un cargo de representación política a otro similar, en el propio Gobierno Autonómico o de la Nación, en el Parlamento Autonómico, del Estado o de la Unión Europea, o en el ámbito municipal".

STS 88/2018: Respecto a la concreción del alcance de la pena de inhabilitación especial para empleo o cargo público, la jurisprudencia de esta Sala tiene proclamado que la inhabilitación especial no tiene por fundamento la privación selectiva de concretas parcelas funcionariales, sino que su significado -como pena restrictiva de derechos- mira de modo preferente al empleo o cargo público como tal, esto es, al título jurídico que habilita, tanto para el ejercicio de las ocupaciones laborales básicas, como a cualquiera otras de carácter temporal que puedan estarle vinculadas; esto es, que a la hora de definir el contenido de la inhabilitación, ésta ha de conectarse con la función raíz o la actividad que está en el origen del delito, no con los desempeños puramente ocasionales.

Art. 46.[3]

La inhabilitación especial para el ejercicio de la patria potestad, tutela, curatela, guarda o acogimiento, priva a la persona condenada

---

[3]   Se modifica por la LO 8/2021, de 4 de junio.

de los derechos inherentes a la primera, y supone la extinción de las demás, así como la incapacidad para obtener nombramiento para dichos cargos durante el tiempo de la condena. La pena de privación de la patria potestad implica la pérdida de la titularidad de la misma, subsistiendo aquellos derechos de los que sea titular el hijo o la hija respecto de la persona condenada que se determinen judicialmente. La autoridad judicial podrá acordar estas penas respecto de todas o algunas de las personas menores de edad o personas con discapacidad necesitadas de especial protección que estén a cargo de la persona condenada.

Para concretar qué derechos de las personas menores de edad o personas con discapacidad han de subsistir en caso de privación de la patria potestad y para determinar respecto de qué personas se acuerda la pena, la autoridad judicial valorará el interés superior de la persona menor de edad o con discapacidad, en relación a las circunstancias del caso concreto.

A los efectos de este artículo, la patria potestad comprende tanto la regulada en el Código Civil, incluida la prorrogada y la rehabilitada, como las instituciones análogas previstas en la legislación civil de las comunidades autónomas.

> STS 477/2017: Los artículos 55 y 56 del Código Penal prevén la posibilidad de imponer, como pena accesoria, la privación de la patria potestad, en las penas de prisión iguales o superiores a diez años (artículo 55) o inferiores a diez años (artículo 56), si este derecho hubiera tenido relación directa con el delito cometido, debiendo determinarse expresamente en la sentencia esta vinculación. La jurisprudencia (STS n° 118/2017, de 23 de febrero, que cita la STS n° 1083/2010, de 15 de diciembre), recuerda que la finalidad que debe prevalecer para determinar la aplicación de esta inhabilitación especial es la protección del bien superior del menor, lo que resulta aplicable a los casos de privación del derecho. En el artículo 46 se dispone que la pena de privación de la patria potestad implica la pérdida de la titularidad de la misma, subsistiendo los derechos de los que sea titular el hijo respecto del penado. Del mismo modo, la jurisprudencia no ha limitado la posibilidad de aplicación de estas penas a los casos de delitos cometidos contra los menores, sino

que lo ha entendido aplicable a supuestos en los que no siendo el menor sujeto pasivo o víctima del delito, sin embargo ha resultado ha resultado directamente afectado por él. Así, en la sentencia antes referida se concluía afirmando que "ciertamente repugna legal y moralmente mantener al padre en la titularidad de unas funciones que resultan absolutamente incompatibles en quien, de forma alevosa, ha intentado matar a la madre de la menor y se mostró indiferente a que se encontrara con el cadáver de su madre y especialmente privarle a una niña tan pequeña de su madre, daño irreparable en la integridad moral y desarrollo de la personalidad de la menor". En la STS 568/2015, en la que se examinaba un supuesto similar, esta Sala entendió que era un dato incontestable que la presencia de la menor en el ataque a su madre efectuado por su padre, iba a tener un prolongado efecto negativo en el desarrollo de la menor de mantener la patria potestad.

Art. 48.

1. La privación del derecho a residir en determinados lugares o acudir a ellos impide al penado residir o acudir al lugar en que haya cometido el delito, o a aquel en que resida la víctima o su familia, si fueren distintos. En los casos en que exista declarada una discapacidad intelectual o una discapacidad que tenga su origen en un trastorno mental, se estudiará el caso concreto a fin de resolver teniendo presentes los bienes jurídicos a proteger y el interés superior de la persona con discapacidad que, en su caso, habrá de contar con los medios de acompañamiento y apoyo precisos para el cumplimiento de la medida.

2. La prohibición de aproximarse a la víctima, o a aquellos de sus familiares u otras personas que determine el juez o tribunal, impide al penado acercarse a ellos, en cualquier lugar donde se encuentren, así como acercarse a su domicilio, a sus lugares de trabajo y a cualquier otro que sea frecuentado por ellos, quedando en suspenso, respecto de los hijos, el régimen de visitas, comunicación y estancia que, en su caso, se hubiere reconocido en sentencia civil hasta el total cumplimiento de esta pena.

3. La prohibición de comunicarse con la víctima, o con aquellos de sus familiares u otras personas que determine el juez o tribunal, impide al penado establecer con ellas, por cualquier medio de comunicación o medio informático o telemático, contacto escrito, verbal o visual.

4. El juez o tribunal podrá acordar que el control de estas medidas se realice a través de aquellos medios electrónicos que lo permitan.

> **STS 399/2021:** La pena de prohibición de residir en un determinado lugar -para algunos autores una versión actualizada de la histórica pena de destierro- no puede alterar su verdadero significado jurídico, convirtiéndose en una medida con vocación de permanencia que miraría, con carácter genérico, a la protección de los habitantes de una determinada localidad por los antecedentes penales del agresor. No es este el sentido que la jurisprudencia de esta Sala ha atribuido a esta pena privativa del derecho a la libre circulación y a situarse espacialmente en un determinado territorio (art. 19 CE). Su contenido y funcionalidad no son ajenos a una finalidad protectora de la víctima. Pero hemos matizado que "...la peligrosidad valorable no es la subjetiva o personal del acusado, como sujeto de posibles delitos futuros, sino la peligrosidad objetiva que deriva del delito cometido, la proximidad entre el delincuente y su víctima o su familia y la consiguiente posibilidad de enfrentamientos mutuos". La decisión judicial cuando impone la prohibición de residencia se justifica "...en el aseguramiento de la concordia social y en la evitación de posibles futuros males adicionales que pudieran derivarse de la coincidencia física de los ofendidos o perjudicados por el delito y su autor". Se trata, en fin, de una pena que "...supone una limitación de la posibilidad de libre circulación que correspondería al acusado una vez cumplida en su integridad la pena privativa de libertad, por lo que debe estar suficientemente justificada por las características del caso, sin que sea procedente su aplicación automática o mecánica solo justificada en la gravedad de la pena señalada a la clase de delito por el que se condena". Y en el proceso de individualización el Tribunal "...ha de conjugar la personalidad del delincuente con un pronóstico aproximado e incierto de reinserción, junto

con factores complementarios, como los que pueden derivarse del peligro añadido, de la reaparición del delincuente en el lugar del delito donde el recuerdo podría estar muy arraigado y la sensibilidad de las víctimas --también las indirectas-- podría verse afectada".

STS 547/2022 (Pleno): La Sala no detecta una interpretación contra reo del art. 48 del CP cuando la primera sentencia de instancia considera que un delito como el reflejado en el relato de hechos probados puede entenderse cometido en Internet y es susceptible de generar la prohibición de volver a acceder a la red social en la que ese delito se ideo, se desarrolló y se divulgó. La imposición, conforme al art. 48 del CP, de la pena de prohibición de acudir al lugar del delito, esto es, la red social de Youtube por 5 años, lo que implica el cierre por este tiempo del canal creado por el acusado, con la consiguiente prohibición de crear otros durante este tiempo, no implica una interpretación extensiva de las penas. (Tol 9051074)

STS 112/2018 (Pleno): La cuestión es la siguiente: dentro de la previsión de pena del art. 48.1 -prohibición de acudir al lugar en que se haya cometido el delito- ¿cabe encajar el impedimento para acceder, sin acotación alguna, a cualquier instalación de la red de Metropolitano de la ciudad de Barcelona? O, más bien, la palabra *lugar* exigiría una mayor concreción de forma que cabría la prohibición de personarse en una determinada estación o línea (aquellas en que se cometió el hecho delictivo) pero no en la totalidad de la red viaria. Puede admitirse con naturalidad y sin forzar ni el lenguaje, tanto en su versión popular o vulgar como en la más académica; ni la naturaleza de las cosas, que las instalaciones de la red de metropolitano de una ciudad, conectadas todas entre sí, constituyen *un lugar* ; un lugar bien delimitado, aunque no sea regular y se extienda con un largo kilometraje por el subsuelo de la capital con dependencias que asoman al exterior -las respectivas estaciones- para acceder a o *desde* la superficie. Por idéntica razón puede considerarse correcta a estos efectos la estimación de que el delito se ha cometido precisamente en las instalaciones del Metropolitano de Barcelona -en el metro- (aunque pudiéramos concretar más singularizando el punto exacto, la línea, el trayecto, o la estación). El término "lugar" puede designar un punto muy concreto y focalizado (km. cero, v. gr.); pero también un inmueble (una vivienda, una finca concreta), una zona (un barrio), una ciudad, incluso una provincia o extensiones geográficas mayores. Según los casos, la medida se ajustará o no a parámetros de proporcionalidad desde los que evaluar la acotación del *lugar* objeto de prohibición. Pero la literalidad de la ley no repele la concreción en la forma efectuada por el Juzgado de lo Penal. No sería coherente que sobre la base del art. 48.1 CP pudiese decretarse la prohibición de entrar, v.gr., en la ciudad de Barcelona; y, sin embargo, no fuese factible limitarla a esas instalaciones. (Tol 6538648)

Art. 49.[4]

Los trabajos en beneficio de la comunidad, que no podrán imponerse sin el consentimiento de la persona condenada, le obligan a prestar su cooperación no retribuida en determinadas actividades de utilidad pública, que podrán consistir, en relación con delitos de similar naturaleza al cometido por la persona condenada, en labores de reparación de los daños causados o de apoyo o asistencia a las víctimas, así como en la participación de la persona condenada en talleres o programas formativos de reeducación, laborales, culturales, de educación vial, sexual, resolución pacífica de conflictos, parentalidad positiva y otros similares. Su duración diaria no podrá exceder de ocho horas y sus condiciones serán las siguientes:

1.ª La ejecución se desarrollará bajo el control del Juez de Vigilancia Penitenciaria, que, a tal efecto, requerirá los informes sobre el desempeño del trabajo a la Administración, entidad pública o asociación de interés general en que se presten los servicios.

2.ª No atentará a la dignidad del penado.

---

[4] Se modifica el primer párrafo por la Ley Orgánica 8/2021, de 4 de junio.

3.ª El trabajo en beneficio de la comunidad será facilitado por la Administración, la cual podrá establecer los convenios oportunos a tal fin.

4.ª Gozará de la protección dispensada a los penados por la legislación penitenciaria en materia de Seguridad Social.

5.ª No se supeditará al logro de intereses económicos.

6.ª Los servicios sociales penitenciarios, hechas las verificaciones necesarias, comunicarán al Juez de Vigilancia Penitenciaria las incidencias relevantes de la ejecución de la pena y, en todo caso, si el penado:

a) Se ausenta del trabajo durante al menos dos jornadas laborales, siempre que ello suponga un rechazo voluntario por su parte al cumplimiento de la pena.

b) A pesar de los requerimientos del responsable del centro de trabajo, su rendimiento fuera sensiblemente inferior al mínimo exigible.

c) Se opusiera o incumpliera de forma reiterada y manifiesta las instrucciones que se le dieren por el responsable de la ocupación referidas al desarrollo de la misma.

d) Por cualquier otra razón, su conducta fuere tal que el responsable del trabajo se negase a seguir manteniéndolo en el centro.

Una vez valorado el informe, el Juez de Vigilancia Penitenciaria podrá acordar su ejecución en el mismo centro, enviar al penado para que finalice la ejecución de la misma en otro centro o entender que el penado ha incumplido la pena.

En caso de incumplimiento, se deducirá testimonio para proceder de conformidad con el artículo 468.

7.ª Si el penado faltara del trabajo por causa justificada no se entenderá como abandono de la actividad. No obstante, el trabajo perdido no se le computará en la liquidación de la condena, en la que se deberán hacer constar los días o jornadas que efectivamente hubiese trabajado del total que se le hubiera impuesto.

STS 653/2019: El juez del enjuiciamiento, cuando conozca de un juicio en el que la condena por delito sea la de trabajos en beneficio de la comunidad, deberá recabar, como hipótesis de condena, el consentimiento del reo. Si ello no hubiera sido posible, por cualesquiera circunstancia, el fallo de la sentencia debe contener la opción que el juzgador realiza, la concreta pena impuesta. Si la opción es la pena privativa de libertad, expresarlo así la sentencia con la duración correspondiente dentro de la previsión legal . Y si la opción es por la pena de trabajos en beneficio de la comunidad señalar su contenido y sujetar la efectiva ejecución al consentimiento que debe prestar el condenado, antes de su ejecución y prever la imposición de la alternativa de privación de libertad en el caso de que este consentimiento no fuera prestado, que operará de manera subsidiaria.

STS 325/2019: A tenor de lo dispuesto en el artículo 49 del Código Penal ningún órgano judicial puede imponer la pena de trabajos en beneficio de la comunidad sin contar con la aceptación del penado, no obstante, ello no quiere decir que siempre sea obligado prospeccionar la aceptación de esta pena por el acusado. Cuando el órgano de enjuiciamiento es de composición unipersonal, puesto que no se precisa de una posterior deliberación para alcanzar un pronunciamiento jurisdiccional y el legislador ha ofrecido al juzgador la pena de trabajos en beneficio de la comunidad como alternativa a otra pena de diferente naturaleza, el juez, considerando las circunstancias concurrentes en el caso concreto, puede rechazar la aplicación de aquella y entender procedente la imposición de la pena alternativa de prisión o de multa. En tal coyuntura, ninguna necesidad hay de indagar la posición del acusado, como tampoco existe esa posibilidad cuando se trata de un enjuiciamiento en su ausencia. Sin perjuicio, claro está, de que el posicionamiento será el contrario en todos aquellos supuestos en los que, en cumplimiento de las amplias facultades de individualización de la pena al caso concreto otorgadas al juzgador, éste considere que la pena ajustada a los hechos y a las circunstancias del culpable es la pena de trabajo en beneficio de la comunidad. En tales casos, el régimen de aplicación de la pena fijado en el artículo 49 del Código Penal exige reclamar el parecer del acusado, como deberá hacerlo también el tribunal de segunda instancia cuando entienda procedente revocar la pena impuesta y sustituirla por la pena alternativa que analizamos, si el beneplácito del acusado a la imposición de esta última no fue obtenido por el juzgador en la instancia.

STS 413/2022: Queda claro que el consentimiento del condenado habrá de obtenerse en cualquier momento anterior a la ejecución de la pena, en la instancia, en la apelación o, incluso, en la ejecución. En lo que respecta al modo en que ha de prestarse ese consentimiento por el penado, al no existir una específica previsión, es admisible tanto el manifestado directamente por el condenado, como el que se transmite al órgano judicial a través de su representación procesal, en el escrito de recurso, o en otro dirigido a tal fin. Eso sí, ha de tratarse de un consentimiento expreso, terminante y no condicionado.

Art. 50.

1. La pena de multa consistirá en la imposición al condenado de una sanción pecuniaria.

2. La pena de multa se impondrá, salvo que la Ley disponga otra cosa, por el sistema de días-multa.

3. Su extensión mínima será de diez días y la máxima de dos años. Las penas de multa imponibles a personas jurídicas tendrán una extensión máxima de cinco años.

4. La cuota diaria tendrá un mínimo de dos y un máximo de 400 euros, excepto en el caso de las multas imponibles a las personas jurídicas, en las que la cuota diaria tendrá un mínimo de 30 y un máximo de 5.000 euros. A efectos de cómputo, cuando se fije la duración por meses o por años, se entenderá que los meses son de treinta días y los años de trescientos sesenta.

5. Los Jueces o Tribunales determinarán motivadamente la extensión de la pena dentro de los límites establecidos para cada delito y según las reglas del capítulo II de este Título. Igualmente, fijarán en la sentencia, el importe de estas cuotas, teniendo en cuenta para ello exclusivamente la situación económica del reo, deducida de su patrimonio, ingresos, obligaciones y cargas familiares y demás circunstancias personales del mismo.

6. El tribunal, por causa justificada, podrá autorizar el pago de la multa dentro de un plazo que no exceda de dos años desde la firmeza de la sentencia, bien de una vez o en los plazos que se determinen. En este caso, el impago de dos de ellos determinará el vencimiento de los restantes.

> STS 292/2018: En efecto, el art. 50.5 del Código Penal señala que los Tribunales fijarán en la sentencia el importe de las cuotas diarias "teniendo en cuenta para ello exclusivamente la situación económica del reo, deducida de su patrimonio, ingresos obligaciones, cargas familiares y demás circunstancias personales del mismo". Pero con ello no se requiere significar que los Tribunales deban efectuar una inquisición exhaustiva de todos los factores directos o indirectos que puedan afectar a las disponibilidades económicas del acusado, que resulta imposible y es, además desproporcionado, sino únicamente que deben tomar en consideración aquellos datos esenciales que permiten efectuar una razonable ponderación de la cuantía proporcionada de la multa que haya de imponerse
> STS 419/2016: En cuanto a la cuota de la pena de multa, una reciente jurisprudencia viene afirmando que cuando la cuota señalada está muy próxima al mínimo legal, no hace falta una especial motivación; una cuota de doce euros se sitúa en el tramo inferior, bien cercano al mínimo legal, sin que requiera una especial motivación.

Art. 52.

1. No obstante lo dispuesto en los artículos anteriores y cuando el Código así lo determine, la multa se establecerá en proporción al daño causado, el valor del objeto del delito o el beneficio reportado por el mismo.

2. En estos casos, los jueces y tribunales impondrán la multa dentro de los límites fijados para cada delito, considerando para determinar en cada caso su cuantía, no sólo las circunstancias atenuantes y agravantes del hecho, sino principalmente la situación económica del culpable.

3. Si, después de la sentencia, empeorase la situación económica del penado, el juez o tribunal, excepcionalmente y tras la debida indagación de dicha situación, podrá reducir el importe de la multa dentro de los límites señalados por la ley para el delito de que se trate, o autorizar su pago en los plazos que se determinen.

4. En los casos en los que este Código prevé una pena de multa para las personas jurídicas en proporción al beneficio obtenido o facilitado, al perjuicio causado, al valor del objeto, o a la cantidad defraudada o indebidamente obtenida, de no ser posible el cálculo en base a tales conceptos, el Juez o Tribunal motivará la imposibilidad de proceder a tal cálculo y las multas previstas se sustituirán por las siguientes:

a) Multa de dos a cinco años, si el delito cometido por la persona física tiene prevista una pena de prisión de más de cinco años.

b) Multa de uno a tres años, si el delito cometido por la persona física tiene prevista una pena de prisión de más de dos años no incluida en el inciso anterior.

c) Multa de seis meses a dos años, en el resto de los casos.

Acuerdo no jurisdiccional del pleno de la Sala 2ª del TS de 22 de julio de 2008: En los casos de multa proporcional, la inexistencia de una regla específica para determinar la pena superior en grado, impide su imposición, sin perjuicio de las reglas especiales establecidas para algunos tipos delictivos. El grado inferior de la pena de multa proporcional, sin embargo, sí podrá determinarse mediante una aplicación analógica de la regla prevista en el art. 70 del CP. La cifra mínima que se tendrá en cuenta en cada caso será la que resulte una vez aplicados los porcentajes legales.

Art. 53.

1. Si el condenado no satisficiere, voluntariamente o por vía de apremio, la multa impuesta, quedará sujeto a una responsabilidad personal subsidiaria de un día de privación de libertad por cada dos cuotas diarias no satisfechas, que, tratándose de delitos leves, podrá cumplirse

mediante localización permanente. En este caso, no regirá la limitación que en su duración establece el apartado 1 del artículo 37.

También podrá el juez o tribunal, previa conformidad del penado, acordar que la responsabilidad subsidiaria se cumpla mediante trabajos en beneficio de la comunidad. En este caso, cada día de privación de libertad equivaldrá a una jornada de trabajo.

2. En los supuestos de multa proporcional los Jueces y Tribunales establecerán, según su prudente arbitrio, la responsabilidad personal subsidiaria que proceda, que no podrá exceder, en ningún caso, de un año de duración. También podrá el Juez o Tribunal acordar, previa conformidad del penado, que se cumpla mediante trabajos en beneficio de la comunidad.

3. Esta responsabilidad subsidiaria no se impondrá a los condenados a pena privativa de libertad superior a cinco años.

4. El cumplimiento de la responsabilidad subsidiaria extingue la obligación de pago de la multa, aunque mejore la situación económica del penado.

5. Podrá ser fraccionado el pago de la multa impuesta a una persona jurídica, durante un período de hasta cinco años, cuando su cuantía ponga probadamente en peligro la supervivencia de aquélla o el mantenimiento de los puestos de trabajo existentes en la misma, o cuando lo aconseje el interés general. Si la persona jurídica condenada no satisficiere, voluntariamente o por vía de apremio, la multa impuesta en el plazo que se hubiere señalado, el Tribunal podrá acordar su intervención hasta el pago total de la misma.

Acuerdo no jurisdiccional del pleno de la Sala 2ª del TS de 1 de marzo de 2005: En los casos de penas de prisión distintas, cada pena es independiente siempre y no se suman a los efectos del art. 53.3 del CP. La responsabilidad personal subsidiaria de la pena de multa debe sumarse a la pena privativa de libertad a los efectos del límite del art. 53.3.

STS 559/2018: El límite de cinco años, establecido en el n° 3 del art. 53 CP, sólo tendrá lugar para la pena privativa de libertad y pecuniaria, conjuntamente previstas por la comisión de un delito, pero no debe operar la suma de las penas privativas de libertad impuestas por distintos delitos en una misma sentencia para alcanzar este tope.

Art. 55.

La pena de prisión igual o superior a diez años llevará consigo la inhabilitación absoluta durante el tiempo de la condena, salvo que ésta ya estuviere prevista como pena principal para el supuesto de que se trate. El Juez podrá además disponer la inhabilitación especial para el ejercicio de la patria potestad, tutela, curatela, guarda o acogimiento, o bien la privación de la patria potestad, cuando estos derechos hubieren tenido relación directa con el delito cometido. Esta vinculación deberá determinarse expresamente en la sentencia.

STS 180/2020: Expresamente la exposición de motivos del anteproyecto que da origen a la reforma, indicaba como motivos que justifican la incorporación de la privación de la patria potestad en el Código Penal el interés del menor y razones de economía procesal, al otorgar al Juez o Tribunal penal la facultad de aplicar lo dispuesto en el art. 170 del Código Civil, en cuanto esta norma contiene una atribución legal que determina una extensión de la jurisdicción de los tribunales penales a cuestiones que, en principio, corresponden a la jurisdicción civil. Por tanto, con esta reforma del artículo 55 (en correlación con el art. 46) el Código Penal se remite a la totalidad de la regulación civil sobre la privación de la patria potestad, incluso a su naturaleza protectora en cuanto su aplicación deriva de la naturaleza de protección al menor de edad. Por tanto, debe primar en su imposición, no la voluntad de sancionar al progenitor, sino la apreciación de un daño o de un riesgo probable del mismo para el desarrollo del menor de tal entidad que exija que se adopte esta medida. La norma no establece ni exige que los delitos cometidos hubiesen recaído sobre el menor o persona con discapacidad, de cuya patria potestad se prive, sino que el comportamiento delictivo objeto de condena tenga relación directa, con el ejercicio de la patria potestad, y los deberes que implica; al margen de cuál haya sido el comportamiento previo del condenado con el menor o el discapaz. La finalidad que debe prevalecer para determinar la aplicación de esta inhabilitación especial es la protección del bien superior del menor, lo que resulta aplicable igualmente a los casos de privación del derecho.

Art. 56.

1. En las penas de prisión inferiores a diez años, los jueces o tribunales impondrán, atendiendo a la gravedad del delito, como penas accesorias, alguna o algunas de las siguientes:

1.º Suspensión de empleo o cargo público.
2.º Inhabilitación especial para el derecho de sufragio pasivo durante el tiempo de la condena.
3.º Inhabilitación especial para empleo o cargo público, profesión, oficio, industria, comercio, ejercicio de la patria potestad, tutela, curatela, guarda o acogimiento o cualquier otro derecho, la privación de la patria potestad, si estos derechos hubieran tenido relación directa con el delito cometido, debiendo determinarse expresamente en la sentencia esta vinculación, sin perjuicio de la aplicación de lo previsto en el artículo 579 de este Código.

2. Lo previsto en este artículo se entiende sin perjuicio de la aplicación de lo dispuesto en otros preceptos de este Código respecto de la imposición de estas penas.

STS 959/2021: El artículo 56 del Código Penal solo puede interpretarse en el sentido de que el Tribunal no está obligado a imponer una determinada pena accesoria, ni facultado para la imposición de más de una, pero sí obligado a añadir a las penas privativas de libertad no superiores a diez años alguna de las accesorias enumeradas; aunque no haya petición expresa de las partes acusadoras en tal sentido.

STS 64/2022: En relación a esta pena de inhabilitación especial, esta Sala ha expresado la necesidad de diferenciar cuando esta pena reviste el carácter de pena principal (art. 42 CP) de aquellos casos en los que se impone como pena accesoria (art. 56 CP). Frente a una serie de infracciones penales para las que, por la mera satisfacción de sus exigencias típicas, el legislador ya ha contemplado la imposición de la pena de inhabilitación especial (pena principal), se contemplan otros supuestos (pena accesoria) en los que la operatividad de la inhabilitación queda encomendada a una discrecionalidad judicial sujeta a dos limitaciones consistentes en: que la gravedad del hecho justifique ese mayor rigor punitivo, así como que la vinculación de la actuación ilícita, justifique, en términos de prevención general o especial, la imposición de la sanción elegida. El art. 56 CP exige, para que la inhabilitación opere como pena accesoria respecto de un determinado empleo o cargo público, profesión, oficio, industria, comercio, o del ejercicio de la patria potestad, de la tutela, curatela, guarda o acogimiento o de cualquier otro derecho, que el ejercicio de esta función o derecho haya tenido una relación directa con el delito cometido; imponiéndose, en garantía del correcto ejercicio de la discrecionalidad judicial, que la sentencia determine expresamente esa vinculación como una manifestación más del deber de motivación establecido en el art. 120.3 CE

STS 42/2020: La configuración legal de estas penas las hace inherentes a la pena de prisión impuesta al condenado como una consecuencia accesoria de la misma, de manera que en cada caso, por razones de proporcionalidad, el tribunal deberá imponer la que mejor se adecue a las características del hecho sancionado y la finalidad de la sanción penal. La compatibilidad entre varias de las penas accesorias previstas en la ley con carácter general resulta de una interpretación lógica, sistemática y teleológica. El delito por el que el recurrente fue condenado no lleva consigo como pena específica o principal la inhabilitación especial para el ejercicio de su profesión, por lo que habrá que entender que la pena de tres años de inhabilitación especial para el ejercicio de la actividad profesional de taxista tiene la consideración de pena accesoria (art. 56.3 CP) y, por lo tanto, de aplicación lo preceptuado en el nº 6 del art. 33 CP (las penas accesorias tendrán la duración que respectivamente tenga la pena principal, excepto lo que dispongan otros preceptos de este Código). Consecuentemente al no ser de aplicación la excepción prevista en el precepto, la inhabilitación deberá tener la misma duración que la pena principal impuesta.

STS 35/2021: En cada caso, por razones de proporcionalidad, el Tribunal deberá imponer la pena accesoria que mejor se adecue a las características del hecho sancionado y a la finalidad de la sanción penal. Es por eso que cuando el hecho cometido tenga relación directa con el empleo o cargo público, la profesión, oficio, industria, comercio o cualquier otro derecho, la pena accesoria pertinente, expresando en la sentencia la vinculación, es la de inhabilitación especial relativa al cargo, profesión, etc., que ha sido utilizado por el autor del delito en relación directa con la comisión del mismo, en cuanto que le ha proporcionado la ocasión de cometerlo.

Art. 57.[5]

1. Las autoridades judiciales, en los delitos de homicidio, aborto, lesiones, contra la libertad, de torturas y contra la integridad moral, trata de seres humanos, contra la libertad e indemnidad sexuales, la intimidad, el derecho a la propia imagen y la inviolabilidad del domicilio, el honor, el patrimonio, el orden socioeconómico y las relaciones familiares, atendiendo a la gravedad de los hechos o al peligro que el delincuente represente, podrán acordar en sus sentencias la imposición de una o varias de las prohibiciones contempladas en el artículo 48, por un tiempo que no excederá de diez años si el delito fuera grave, o de cinco si fuera menos grave.

No obstante lo anterior, si la persona condenada lo fuera a pena de prisión y el Juez o Tribunal acordara la imposición de una o varias de dichas prohibiciones, lo hará por un tiempo superior entre uno y diez años al de la duración de la pena de prisión impuesta en la sentencia, si el delito fuera grave, y entre uno y cinco años, si fuera menos grave. En este supuesto, la pena de prisión y las prohibiciones

---

[5]   Se modifica el apartado 1 por la Ley Orgánica 8/2021, de 4 de junio.

antes citadas se cumplirán necesariamente por la persona condenada de forma simultánea.

2. En los supuestos de los delitos mencionados en el primer párrafo del apartado 1 de este artículo cometidos contra quien sea o haya sido el cónyuge, o sobre persona que esté o haya estado ligada al condenado por una análoga relación de afectividad aun sin convivencia, o sobre los descendientes, ascendientes o hermanos por naturaleza, adopción o afinidad, propios o del cónyuge o conviviente, o sobre los menores o personas con discapacidad necesitadas de especial protección que con él convivan o que se hallen sujetos a la potestad, tutela, curatela, acogimiento o guarda de hecho del cónyuge o conviviente, o sobre persona amparada en cualquier otra relación por la que se encuentre integrada en el núcleo de su convivencia familiar, así como sobre las personas que por su especial vulnerabilidad se encuentran sometidas a su custodia o guarda en centros públicos o privados se acordará, en todo caso, la aplicación de la pena prevista en el apartado 2 del artículo 48 por un tiempo que no excederá de diez años si el delito fuera grave, o de cinco si fuera menos grave, sin perjuicio de lo dispuesto en el párrafo segundo del apartado anterior.

3. También podrán imponerse las prohibiciones establecidas en el artículo 48, por un periodo de tiempo que no excederá de seis meses, por la comisión de los delitos mencionados en el primer párrafo del apartado 1 de este artículo que tengan la consideración de delitos leves.

STS 164/2020: Tanto en caso de que resulte de facultativa adopción, como en el supuesto de que sea obligatorio, tales penas no pueden ser impuestas sino en los delitos del listado que ofrece el legislador en el apartado 1 del art. 57 del Código Penal. Siendo así, el delito de quebrantamiento de condena, tipificado en el art. 468 del Código Penal, se encuentra incluido en el Capítulo VIII del Título XX (Delitos contra la Administración de Justicia), y no pertenece al expresado listado, que se corresponde con delitos que tienen un sujeto pasivo como perjudicado directo. Por tanto, el quebranto de la pena impuesta, origina el delito, pero no produce el nacimiento de otra protección adicional, sino el reforzamiento de la existente, de modo que el delito se concibe, exclusivamente, como forma de sancionar al infractor por su incumplimiento de la medida de alejamiento o de incomunicación.

STS 741/2022: El texto del art. 48 CP[6] permite impone estas clases de penas privativas de derechos en dos supuestos diferentes, cuando nos dice "atendiendo a la gravedad de los hechos o al peligro que el delincuente represente"; basta esa gravedad o peligrosidad para que el Juez o Tribunal pueda acordar la aplicación del art. 57.1 en relación con el 48 CP, no siendo necesaria la concurrencia conjunta de estos dos supuestos como queda claro ante el uso de la conjunción disyuntiva "o" y no la copulativa "y".

STS 13/2022: Resulta incuestionable que el Código Penal obliga a iniciar el cumplimiento de la pena de alejamiento y de incomunicación del acusado con respecto a la víctima desde el mismo inicio de cumplimentación de las penas de prisión, de modo que pueda ya operar durante el tiempo de los permisos penitenciarios en el caso de que se concedieran. Precisamente por ello en el caso de penas de prisión concurrentes la duración de la pena necesariamente ha de ser superior a la privativa de libertad entre uno y diez años si el delito es grave como en este caso.

Art. 58.

1. El tiempo de privación de libertad sufrido provisionalmente será abonado en su totalidad por el Juez o Tribunal sentenciador para el cumplimiento de la pena o penas impuestas en la causa en que dicha privación fue acordada, salvo en cuanto haya coincidido con cualquier privación de libertad impuesta al penado en otra causa, que le haya sido abonada o le sea abonable en ella. En ningún caso un mismo periodo de privación de libertad podrá ser abonado en más de una causa.

2. El abono de prisión provisional en causa distinta de la que se decretó será acordado de oficio o a petición del penado y previa

---

6   Debe entenderse art. 57 CP.

comprobación de que no ha sido abonada en otra causa, por el Juez de Vigilancia Penitenciaria de la jurisdicción de la que dependa el centro penitenciario en que se encuentre el penado, previa audiencia del ministerio fiscal.

3. Sólo procederá el abono de prisión provisional sufrida en otra causa cuando dicha medida cautelar sea posterior a los hechos delictivos que motivaron la pena a la que se pretende abonar.

4. Las reglas anteriores se aplicarán también respecto de las privaciones de derechos acordadas cautelarmente.

> **STS 659/2022:** El precepto es claro en orden al órgano que debe resolver en cada caso sobre el abono de la prisión provisional para el cumplimiento de la pena impuesta en sentencia. Si se trata de abonar el tiempo de prisión provisional sufrida en la misma causa en la que ha recaído sentencia condenatoria, el competente será el órgano judicial que ha dictado la condena. Si por el contrario se trata de abonar la prisión provisional sufrida en causa distinta, la competencia corresponde al Juzgado de Vigilancia Penitenciaria de la jurisdicción de la que dependa el centro penitenciario en que se encuentre el penado.
>
> **STS 645/2019:** El artículo 58.1 CP, en la redacción previa a la modificación operada por la LO 5/2010, conforme a la interpretación efectuada en la STC 57/2008, será aplicado a los supuestos en que haya coincidido la condición de preso preventivo y penado hasta la entrada en vigor de la citada LO 5/2010 , derecho del penado que cesa a partir de ese momento por expresa disposición legal.
>
> **STS 696/2022:** La norma legal actualmente vigente, que contiene un mandato imperativo ("en ningún caso...") tiene que ser aplicada en la ejecución de las sentencias dictadas con posterioridad a su entrada en vigor, pues es en el momento en el que se impone la condena cuando surge el derecho al abono de la preventiva sufrida, abono que debe realizarse conforme a la normativa legal imperante en el momento de la condena. Mantener el criterio anterior en la ejecución de las sentencias dictadas con posterioridad a la entrada en vigor de la clarificación introducida por este precepto equivaldría a vulnerar el mandato legal, claro y expreso, sobre la prohibición del doble

cómputo de un mismo periodo de privación de libertad, con el indebido fundamento de una improcedente ultractividad de la vieja doctrina.

STS 515/2020: El abono no puede hacerse sobre el máximo establecido en virtud del art. 76, sino sobre la suma total de penas. La STS 759/2011, de 30 de junio lo dice claramente: "el cómputo de los períodos transcurridos en prisión preventiva se ha de llevar a cabo independientemente del límite máximo de cumplimiento efectivo previsto en el artículo 76 del Código Penal, lo que quiere decir que la reducción de tiempo de cumplimiento derivado de dichos abonos no se ha de efectuar sobre ese máximo de cumplimiento sino para cada una de las penas que se han de ejecutar de conformidad con lo previsto en los artículos 75 y 76 del Código Penal".

STS 882/2022: No estamos ante un supuesto de doble computo, ni tampoco ante un límite máximo de cumplimiento fijado en relación a condenas impuestas en distintas causas aglutinadas en un expediente de acumulación ex artículo 988 LECRIM, sino ante un límite máximo de cumplimiento efectivo en la misma causa en la que los penados ya han soportado una privación real de libertad en la modalidad de detención y prisión provisional. Si a tenor de lo dispuesto en el artículo 76 CP el límite en cada caso acota el periodo máximo de cumplimiento efectivo, el juego de este precepto con el artículo 58 CP necesariamente requiere que la privación cautelar de libertad abonable lo sea de manera efectiva, es decir, sobre ese límite máximo, pues lo contrario nos llevaría hasta un periodo de cumplimiento real por encima de ese tope legalmente marcado. La aplicación en este caso del periodo de libertad provisional sobre el monto total de las penas impuestas, cuya suma rebasa palmariamente los 20 y 12 años respectivamente, diluye la efectividad del artículo 58 CP, infringe el 76 CP y compromete el derecho a la libertad personal que proclama el artículo 17 CE, en cuanto aboca a los penados a un periodo de efectiva privación de libertad en la misma causa superior al límite legalmente marcado.

STS 660/2021: La reparación de las privaciones indebidas de libertad, como regla general, debe producirse, siempre que resulte material o jurídicamente posible, con el abono de dicho período a las penas pendientes de cumplimiento. La imposibilidad de hacerlo puede derivar bien de la ausencia de dichas penas privativas de libertad pendientes, bien de la necesidad de evitar el surgimiento de una suerte de factor criminógeno, derivado de la creación de un "saldo" penitenciario a favor de la persona concernida, de modo tal que la misma resulte consciente de que la comisión de nuevos ilícitos penales no llevará aparejada, por compensación, el cumplimiento de pena privativa de libertad alguna. En tales supuestos, la reparación deberá articularse a través de su "equivalencia" económica. Precisamente, al efecto de evitar la creación del referido "saldo penitenciario favorable" y con el propósito de impedir que el mismo pueda contribuir a la promoción o favorecimiento de nuevas conductas delictivas, el artículo 58.3 del Código Penal excluye la posibilidad de abonar la prisión provisional sufrida en otra causa cuando "dicha medida cautelar sea posterior a los hechos delictivos que motivaron la pena a la que se pretende abonar"; precepto que, en atención a la reconocida finalidad que persigue, debe ser interpretado en el sentido de que los nuevos hechos determinantes de la condena hubieran tenido lugar con posterioridad a que su autor hubiera venido en conocimiento de que la causa en la que se determinó su privación de libertad cautelar había concluido ya por el dictado de una sentencia absolutoria o de cualquier otra resolución que pusiera término al procedimiento sin declaración de responsabilidad (o por el dictado de una sentencia condenatoria firme en la que se le impusiera una pena inferior a la duración de la privación de libertad acordada cautelarmente). Solo a partir de ese momento podrá resultar consciente del nacimiento a su favor del meritado "saldo penitenciario". Y solo, en consecuencia, desde entonces los hechos que protagonizara, si determinaran finalmente el dictado de una sentencia condenatoria, sobrepasarán justificadamente el límite temporal establecido para que el mencionado abono resulte posible, debiendo acudirse en tal caso, excepcional, a la reparación de la privación de libertad padecida indebidamente a través de una compensación económica.

Art. 59.

Cuando las medidas cautelares sufridas y la pena impuesta sean de distinta naturaleza, el Juez o Tribunal ordenará que se tenga por ejecutada la pena impuesta en aquella parte que estime compensada.

Acuerdo no jurisdiccional del pleno de la Sala 2ª del TS de 19 de diciembre de 2013: La obligación de comparecencia periódica ante el órgano judicial (comparecencia *apud acta*) es la consecuencia de una medida cautelar de libertad provisional; como tal medida cautelar, puede ser compensada conforme al art. 59 CP, atendiendo al grado de aflictividad que su efectivo y acreditado cumplimiento haya comportado.

STS 341/2019: No existe base para distinguir (a efectos del art. 59 CP) las comparecencias llevadas a cabo antes y después de dictarse sentencia, hasta el efectivo ingreso en prisión para el cumplimiento de la pena impuesta. La ley no establece distinción alguna. Tampoco establece que la citada medida de comparecencia apud acta deba quedar sin efecto una vez celebrado el juicio oral.

STS 377/2019: Cuando el art. 59 del C. Penal hace referencia a que "las medidas cautelares sufridas y la pena impuesta sean de distinta naturaleza", ha de entenderse que está contemplando el cómputo de las medidas cautelares en la ejecución de sentencia, ya se trate de medidas cautelares relativas a la libertad o a medidas relacionadas con penas privativas de otros derechos. Pues tanto unas como otras al operar cautelarmente deben ser consideradas medidas cautelares, dado que se acuerdan en una fase del procedimiento previa a la sentencia, tienen carácter provisional y se rigen en su imposición con arreglo a los criterios del "*fumus boni iuris*" y del "*periculum in mora*". En el caso analizado, en el que se acuerda la libertad provisional con retirada de pasaporte, es claro que se estamos ante una medida cautelar restrictiva del derecho a la libertad, en concreto al derecho de circular libremente, y no compartimos lo argumentado en la resolución impugnada, en primer lugar, porque la citada medida ya tiene por sí sola un componente incuestionable de aflictividad o gravosidad para el imputado, sin necesidad de acreditar que el penado haya solicitado al Tribunal autorización para salir de España. En segundo lugar, no comparte este Tribunal lo argumentado en el auto recurrido sobre que no procede la compensación dado que supondría un doble cómputo al coincidir temporalmente la retirada del pasaporte y la obligación de comparecencia, puesto que, como hemos indicado, estamos ante una medida cautelar heterogénea no solo con respecto a la prisión provisional, sino también en relación con la comparecencia *apud acta* , por lo que cabría la compensación aunque haya coincidencia en el tiempo, a diferencia de lo que ocurre con las medidas homogéneas abonables, que si son coincidentes en un periodo temporal no lo serían.

STS 611/2020: Hemos de dar la razón al recurrente en lo relativo a la compatibilidad del abono de las comparecencias periódicas con el del tiempo de retirada del pasaporte. Son medidas con efectos heterogéneos. Que se puedan superponer no priva a cada una de su específica derivación aflictiva y de limitación o restricción tanto de derechos diferenciados, como de distintas posibilidades de actuar. De otra parte, tampoco existe inconveniente, -es más: es lo procedente-, valorar la totalidad del tiempo en que se ha estado efectivamente sometido a esa medida cautelar; incluido, en su caso, el transcurrido desde la firmeza de la sentencia hasta el inicio de la ejecución si se mantuvo la medida. También cuando haya mediado una suspensión de la ejecución decretada por el Tribunal si no se alzó mientras tanto la medida.

STS 289/2021: La naturaleza de la medida cautelar no cambia en función de las circunstancias personales del encausado, de manera que una vez impuesta y constatado su cumplimiento, se consolida ya una limitación provisional de libertad de la que deriva un gravamen susceptible de ser compensado, con independencia de que las circunstancias personales del imputado incrementen o debiliten el grado de aflicción derivado de su cumplimiento, lo que también deberá ser tomado en consideración. Puede incluso que el afectado sea persona habituada a desarrollar su vida sin necesidad ni apetencia de viajar más allá de nuestras fronteras, lo que no implica que tenga cercenado el derecho a hacerlo, lo que sí ocurrirá por la mera imposición de la prohibición cautelar. Otra cosa distinta es que el módulo compensatorio varíe en función de la intensidad del agravio que la medida implica según los hábitos de vida que observe el afectado, o de sus necesidades, lo que nos aleja de fórmulas cerradas.

STS 438/2020: Las medidas cautelares abonables son aquellas que al ser acordadas han supuesto un plus respecto de lo que es inherente a la condición de parte pasiva de un proceso penal. Desde luego que tal estatus acarrea habitualmente molestias, inconvenientes, cargas... Pero son connaturales a esa condición: constituyen una consecuencia inevitable con la que el legislador cuenta. Antes de toda sentencia condenatoria se ha producido un juicio oral en el que normalmente habrá estado presente el acusado, y al que, indefectiblemente, habrá sido citado. Habrán existido, además, otras citaciones previas y otras eventuales actuaciones, de uno u otro signo, pero que, pudiendo suponer inconvenientes, son ineludibles. Las medidas cautelares abonables a través del art. 59 CP son aquéllas que, limitando la libertad del encausado, responden a una decisión que el órgano judicial podría adoptar o no adoptar (prisión provisional, obligación de comparecer, retirada del pasaporte, alejamiento...). Para permitir su compensación disminuyendo la gravosidad de la pena está pensando el art. 59 CP. En éste no se comprenden las vicisitudes inherentes a todo proceso. Si se estimase de otra forma siempre por necesidad habría que disminuir la pena en la sentencia, o incluso, posteriormente (pensemos en la suspensión de condena revocada: no se compensan comparecencias, o participación en programas...: vid. art. 86.3 CP). No incide para nada en la libertad personal en tanto que no restringe la posibilidad de moverse o desplazarse, ni impone carga u obligación alguna: sería un exceso inasumible llegar a la compensación de toda molestia que suponga un proceso penal, y que son inherentes a su desarrollo: hay que acudir a declarar, es necesario someterse a las diligencias pertinentes que el juez decrete (ruedas, cuerpo de escritura, prueba de ADN, etc...), muchas veces la condición de parte pasiva de un proceso ha venido precedida de seguimientos y vigilancias, hay que comunicar los cambios de domicilio... Solo las medidas cautelares que supongan una relevante restricción de derechos o impongan cargas del mismo nivel pueden activar el mecanismo de compensación que contempla el art. 59 CP.

STS 109/2022: El sistema de compensación se pone en relación con una pena, por lo que, al no tener tal naturaleza la parte civil del proceso penal, no cabrá la compensación con una medida cautelar propia de este ámbito, pues su finalidad es asegurar la responsabilidad civil, no penal, del delito.

Art. 62.

A los autores de tentativa de delito se les impondrá la pena inferior en uno o dos grados a la señalada por la Ley para el delito consumado, en la extensión que se estime adecuada, atendiendo al peligro inherente al intento y al grado de ejecución alcanzado.

STS 112/2015: Se propone abandonar el criterio de la tentativa acabada e inacabada para reducir la pena en uno o dos grados; no siempre la tentativa inacabada justificará la rebaja de la pena en dos grados, pues puede suceder que sea inacabada pero el grado de ejecución sea avanzado y el peligro ocasionado (inherente al intento) sea especialmente relevante, en cuyo caso debe reducirse la pena en un solo grado.

Art. 65.

1. Las circunstancias agravantes o atenuantes que consistan en cualquier causa de naturaleza personal agravarán o atenuarán la responsabilidad sólo de aquéllos en quienes concurran.

2. Las que consistan en la ejecución material del hecho o en los medios empleados para realizarla, servirán únicamente para agravar o atenuar la responsabilidad de los que hayan tenido conocimiento de ellas en el momento de la acción o de su cooperación para el delito.

3. Cuando en el inductor o en el cooperador necesario no concurran las condiciones, cualidades o relaciones personales que fundamentan

la culpabilidad del autor, los jueces o tribunales podrán imponer la pena inferior en grado a la señalada por la ley para la infracción de que se trate.

> **STS 358/2016:** El sujeto que no es funcionario público (*extraneus*) no puede ser autor de un delito especial propio (*intraneus*), pero sí puede ser cooperador necesario o inductor (resultándole de aplicación el art. 65.3 CP)[7].

Art. 66.

1. En la aplicación de la pena, tratándose de delitos dolosos, los jueces o tribunales observarán, según haya o no circunstancias atenuantes o agravantes, las siguientes reglas:

1.ª Cuando concurra sólo una circunstancia atenuante, aplicarán la pena en la mitad inferior de la que fije la ley para el delito.

2.ª Cuando concurran dos o más circunstancias atenuantes, o una o varias muy cualificadas, y no concurra agravante alguna, aplicarán la pena inferior en uno o dos grados a la establecida por la ley, atendidos el número y la entidad de dichas circunstancias atenuantes.

3.ª Cuando concurra sólo una o dos circunstancias agravantes, aplicarán la pena en la mitad superior de la que fije la ley para el delito.

4.ª Cuando concurran más de dos circunstancias agravantes y no concurra atenuante alguna, podrán aplicar la pena superior en grado a la establecida por la ley, en su mitad inferior.

5.ª Cuando concurra la circunstancia agravante de reincidencia con la cualificación de que el culpable al delinquir hubiera sido condenado ejecutoriamente, al menos, por tres delitos comprendidos en el mismo título de este Código, siempre que sean de la misma naturaleza, podrán aplicar la pena superior en grado

---

[7] Se admite la complicidad del *extraneus* aunque nada diga el precepto, y resulta controvertida la oportunidad de acumular en tal caso las correspondientes rebajas en grado.

a la prevista por la ley para el delito de que se trate, teniendo en cuenta las condenas precedentes, así como la gravedad del nuevo delito cometido.

A los efectos de esta regla no se computarán los antecedentes penales cancelados o que debieran serlo.

6.ª Cuando no concurran atenuantes ni agravantes aplicarán la pena establecida por la ley para el delito cometido, en la extensión que estimen adecuada, en atención a las circunstancias personales del delincuente y a la mayor o menor gravedad del hecho.

7.ª Cuando concurran atenuantes y agravantes, las valorarán y compensarán racionalmente para la individualización de la pena. En el caso de persistir un fundamento cualificado de atenuación aplicarán la pena inferior en grado. Si se mantiene un fundamento cualificado de agravación, aplicarán la pena en su mitad superior.

8.ª Cuando los jueces o tribunales apliquen la pena inferior en más de un grado podrán hacerlo en toda su extensión.

2. En los delitos leves y en los delitos imprudentes, los jueces o tribunales aplicarán las penas a su prudente arbitrio, sin sujetarse a las reglas prescritas en el apartado anterior.

STS 1015/2021: En efecto, el art. 66.1.1ª CP equipara todos los supuestos en que concurren varias atenuantes simples o una o varias, todas cualificadas o simples y privilegiadas. Asigna un mismo efecto para todos esos casos legalmente asimilados: degradación de la pena en uno o dos grados en atención al número y entidad de las circunstancias. Por tanto, hasta cierto punto, atribuir el carácter de cualificada a alguna o algunas de las atenuantes simples apreciadas; o añadir alguna atenuante más, no varía en exceso la perspectiva legal, en tanto la entidad de la atenuante (es decir su intensidad o peso) han de derivarse de los datos que constan y que no son negados ni por la sentencia ni por las partes. Cuando solo concurre una atenuante tendrá mucha relevancia determinar si se le dota del rango de cualificada en tanto la consecuencia legal será muy distinta. Pero cuando son varias, la cuestión pierde casi absolutamente cualquier trascendencia: su entidad ha de ser valorada -sea o no cualificada- para determinar cuánto se debe degradar la pena. Es posible que concurran dos circunstancias simples pero de enorme peso y el Tribunal opte legítimamente por rebajar dos grados la pena; y cabe también que concurran dos cualificadas o tres simples y el Tribunal razone que su potencialidad individual es muy tenue y se decante por una única degradación. Ambas decisiones serán legales si están debidamente razonadas. No estamos ante un problema aritmético, sino de discrecionalidad razonada.

STS 101/2018: De ahí que la previsión hiperagravatoria del artículo 66.5 CP solo sea aplicable a los supuestos específicamente previstos en tal norma, que no contempla su concurso simultaneo con una atenuante, mientras que el artículo 66.7 incluya los supuestos de coexistencia de circunstancia de atenuación y agravación, y dentro de ellos, que estas puedan tener «un fundamento cualificado de agravación». Por lo que solo cabe entender, de acuerdo con el tenor literal de las citadas normas, que cuando la multirreincidencia coincide con alguna atenuante, el artículo 66.7, que prevé específicamente supuestos de concurrencia de circunstancias atenuantes y agravantes, por su especificidad desplaza la previsión del artículo 66.5 CP.

STS 199/2019: Supone este (art. 66.1.6ª CP) un tercer espacio de individualización judicial de la pena, función exclusiva del juez por cuanto responde a extremos que el legislador no puede prever. Desde la gravedad del hecho y las circunstancias personales del delincuente, el arbitrio judicial en esta materia permite, y obliga a expresar, un criterio razonado y razonable, sobre la pena que se entiende adecuada imponer, entre los límites fijados por el legislador. La razonabilidad de la individualización de la pena, observada desde las circunstancias personales del delincuente, entraña contemplar los motivos que han llevado a delinquir al acusado, así como aquellos rasgos diferenciales de su personalidad que deben corregirse para evitar una reiteración delictiva. Por lo que hace referencia a la gravedad del hecho, esta Sala tiene declarado que la ponderación no se concreta en una evaluación de la gravedad del delito, pues el legislador ya considera la naturaleza del bien jurídico afectado por el delito cuando fija el marco penológico abstracto en cada uno de los tipos penales descritos en el código. La gravedad de los hechos que se sancionan, hace referencia a aquellas circunstancias fácticas concomitantes en el supuesto concreto que se está juzgando, es decir, la dimensión lesiva de lo realmente acontecido, desde la antijuricidad de la acción, el grado de culpabilidad del autor y la mayor o menor reprochabilidad que merezca su comportamiento. Ambos parámetros muestran la extensión adecuada de una pena que debe contemplar la resocialización del autor, atendiendo a la prevención especial y al juicio de reproche que su conducta merece, debiendo el tribunal expresar su criterio para evitar cualquier reparo de arbitrariedad y para poder satisfacer el derecho del justiciable a alcanzar la comprensión de la resolución judicial que le afecta.

STS 112/2018 (Pleno): No hay razones para asumir la misma gradación individualizadora en las penas conjuntas. Solo en las penas accesorias propias rige esa obligada simetría temporal. En las penas conjuntas o en las accesorias impropias como esta elegir el mínimo en una, no arrastra al mínimo de las demás. Ninguna regla contiene el código en ese sentido. (Tol 6538648)

STS 419/2016: Es doctrina de la Sala que en las penas conjuntas, el aumento o disminución del grado de la pena, debe alcanzar a la totalidad de ellas.

Art. 68.

En los casos previstos en la circunstancia primera del artículo 21, los jueces o tribunales impondrán la pena inferior en uno o dos grados a la señalada por la ley, atendidos el número y la entidad de los requisitos que falten o concurran, y las circunstancias personales de su autor, sin perjuicio de la aplicación del artículo 66 del presente Código.

Acuerdo no jurisdiccional del pleno de la Sala 2ª del TS de 1 de marzo de 2005: El art. 68 CP, cuando remite al art. 66 CP, no excluye ninguna de sus reglas, entre ellas la regla 8ª.

Art. 70.

1. La pena superior e inferior en grado a la prevista por la ley para cualquier delito tendrá la extensión resultante de la aplicación de las siguientes reglas:

1.ª La pena superior en grado se formará partiendo de la cifra máxima señalada por la ley para el delito de que se trate y aumentando a ésta la mitad de su cuantía, constituyendo la suma resultante su límite máximo. El límite mínimo de la pena superior en grado será el máximo de la pena señalada por la ley para el delito de que se trate, incrementado en un día o en un día multa según la naturaleza de la pena a imponer.

2.ª La pena inferior en grado se formará partiendo de la cifra mínima señalada para el delito de que se trate y deduciendo de ésta la mitad de su cuantía, constituyendo el resultado de tal deducción su límite mínimo. El límite máximo de la pena inferior en grado será el mínimo de la pena señalada por la ley para el delito de que se trate, reducido en un día o en un día multa según la naturaleza de la pena a imponer.

2. A los efectos de determinar la mitad superior o inferior de la pena o de concretar la pena inferior o superior en grado, el día o el día multa se considerarán indivisibles y actuaran como unidades penológicas de más o menos, según los casos.

3. Cuando, en la aplicación de la regla 1.ª del apartado 1 de este artículo, la pena superior en grado exceda de los límites máximos fijados a cada pena en este Código, se considerarán como inmediatamente superiores:

1.º Si la pena determinada fuera la de prisión, la misma pena, con la cláusula de que su duración máxima será de 30 años.

2.º Si fuera de inhabilitación absoluta o especial, la misma pena, con la cláusula de que su duración máxima será de 30 años.

3.º Si fuera de suspensión de empleo o cargo público, la misma pena, con la cláusula de que su duración máxima será de ocho años.

4.º Tratándose de privación del derecho a conducir vehículos a motor y ciclomotores, la misma pena, con la cláusula de que su duración máxima será de 15 años.

5.º Tratándose de privación del derecho a la tenencia y porte de armas, la misma pena, con la cláusula de que su duración máxima será de 20 años.

6.º Tratándose de privación del derecho a residir en determinados lugares o acudir a ellos, la misma pena, con la cláusula de que su duración máxima será de 20 años.

7.º Tratándose de prohibición de aproximarse a la víctima o a aquellos de sus familiares u otras personas que determine el juez o tribunal, la misma pena, con la cláusula de que su duración máxima será de 20 años.

8.º Tratándose de prohibición de comunicarse con la víctima o con aquellos de sus familiares u otras personas que determine el juez o tribunal, la misma pena, con la cláusula de que su duración máxima será de 20 años.

9.º Si fuera de multa, la misma pena, con la cláusula de que su duración máxima será de 30 meses.

4. La pena inferior en grado a la de prisión permanente es la pena de prisión de veinte a treinta años.

STS 704/2022: Desde la modificación en 2003 del CP 1995, no existe ya un punto de duración común entre una pena y la inferior o superior en grado. Siempre habrá una diferencia de un día entre el techo de la pena inferior en grado y el suelo de la superior. Un año es en este supuesto el suelo de la pena del tipo. Siendo una tentativa, la pena degradada no puede superar los doce meses menos un día (o, si somos exactos y rigurosos, los trescientos sesenta y cuatro días).

Acuerdo no jurisdiccional del pleno de la Sala 2ª del TS de 22 de julio de 2008: En los casos de multa proporcional, la inexistencia de una regla específica para determinar la pena superior en grado, impide su imposición, sin perjuicio de las reglas especiales establecidas para algunos tipos delictivos. El grado inferior de la pena de multa proporcional, sin embargo, sí podrá determinarse mediante una aplicación analógica de la regla prevista en el art. 70 del CP. La cifra mínima que se tendrá en cuenta en cada caso será la que resulte una vez aplicados los porcentajes legales.

Art. 71.

1. En la determinación de la pena inferior en grado, los jueces o tribunales no quedarán limitados por las cuantías mínimas señaladas en la ley a cada clase de pena, sino que podrán reducirlas en la forma que resulte de la aplicación de la regla correspondiente.

2. No obstante, cuando por aplicación de las reglas anteriores proceda imponer una pena de prisión inferior a tres meses, ésta será en todo caso sustituida por multa, trabajos en beneficio de la comunidad, o localización permanente, aunque la ley no prevea estas penas para el delito de que se trate, sustituyéndose cada día de prisión por dos cuotas de multa o por una jornada de trabajo o por un día de localización permanente.

Circular 2/2004 de la Fiscalía General del Estado: (Se muestra favorable a extender la sustitución forzosa ex art. 71.2 a los supuestos en los que la minoración de la pena de prisión por debajo de los tres meses deviene de lo previsto en el art. 801 LECrim) Si por aplicación de lo dispuesto en el art. 801 de la LECrim se llega a una conformidad a la pena que se reduce hasta imponer una inferior al límite mínimo establecido para la pena de prisión en el Código Penal, rige el principio de sustitución obligatoria de la pena.

Art. 72.

Los jueces o tribunales, en la aplicación de la pena, con arreglo a las normas contenidas en este capítulo, razonarán en la sentencia el grado y extensión concreta de la impuesta.

STS 350/2022: La mayor o menor gravedad de la pena puntual de forma inevitable contempla elementos relacionales, escalas comparativas no solo con otros delitos dentro del sistema sino con relación a las diversas configuraciones posibles del mismo delito. Lo que obliga, precisamente por ello, a justificar por qué se considera que la pena mínima no satisface el reproche por el total desvalor. De ahí que, a los efectos del artículo 72 CP, para imponer la pena por encima del mínimo deberán precisarse aquellos elementos o factores de mayor desvalor o de mayor culpabilidad que concurren en el caso. Como afirmábamos en la STS 719/2007, de 31 de octubre, "en la medida en que [la pena] se aleje del mínimo legal se hará más patente la necesidad de explicar fundadamente la razón de la pena que se impone".

Art. 73.

Al responsable de dos o más delitos o faltas se le impondrán todas las penas correspondientes a las diversas infracciones para su cumplimiento simultáneo, si fuera posible, por la naturaleza y efectos de las mismas.

STS 363/2016: El concepto de unidad natural de acción no ha provocado en la doctrina un entendimiento unánime. La originaria perspectiva natural explicaba aquel concepto poniendo el acento en la necesidad de que los distintos actos apareciesen en su ejecución y fueran percibidos como una unidad para cualquier tercero. Las limitaciones de ese enfoque exclusivamente naturalístico llevaron a completar aquella idea con la unidad de resolución (o de propósito) del sujeto activo. Conforme a esta visión, la unidad de acción podía afirmarse en todos aquellos casos en los que existiera una unidad de propósito y una conexión espacio-temporal o, con otras palabras, habría unidad de acción si la base de la misma está constituida por un único acto de voluntad. Pese a todo, hoy es mayoritaria la idea de que el concepto de unidad de acción, a efectos jurídico-penales, exige manejar consideraciones normativas, dependiendo su afirmación de la interpretación del tipo más que de una valoración prejurídica (diversos intentos de extracción frustrada de dinero en diferentes cajeros con una tarjeta constituye un delito leve de estafa en tentativa).

STS 91/2016: La jurisprudencia se ha preocupado en distinguir la unidad de acción en sentido natural, la unidad natural de acción, la unidad típica de acción y el delito continuado, perfilando el inicial pronunciamiento de que la solución a la cuestión de la continuidad delictiva no puede venir de la mano de un análisis naturalístico de las acciones, sino de criterios de racionalidad jurídica. Se habla de unidad de acción en sentido natural cuando el autor del hecho realiza un solo acto entendido en un sentido puramente ontológico o naturalístico. En cambio, se habla de unidad natural de acción cuando, aunque ontológicamente concurren varios actos, desde una perspectiva socio-normativa se consideran como una sola acción. Así, la jurisprudencia de esta Sala aplica la unidad natural de acción cuando los actos que ejecuta un sujeto presentan una unidad espacial y una estrechez o inmediatez temporal que, desde una dimensión socio-normativa, permiten apreciar un único supuesto fáctico subsumible en un solo tipo penal. En cambio concurre una unidad típica de acción cuando la norma penal engarza o ensambla varios actos o varias unidades naturales de acción en un único tipo penal, pues la unidad típica de acción se da cuando varios actos son unificados como objeto único de valoración jurídica por el tipo penal. De forma que varios actos que contemplados aisladamente colman las exigencias de un tipo de injusto, se valoran por el derecho desde un punto de vista unitario. Por último, el delito continuado aparece integrado por varias unidades típicas de acción que, al darse ciertos presupuestos objetivos y subjetivos previstos en el art. 74, se integran en una unidad jurídica de acción. Aparece constituido, por tanto, el delito continuado por varias realizaciones típicas individuales que acaban siendo abrazadas en una unidad jurídica a la que por su intensificación del injusto, se aplica una pena agravada con respecto al delito único propio de la unidad típica de acción.

STS 549/2022: Cuando nos enfrentamos a un único delito plural en que las diversas acciones integrables en el mismo han sido diseccionadas para enjuiciamiento separado, la jurisprudencia, en aras al principio de proporcionalidad, ha validado una segunda condena que integre la anterior incluyendo los hechos que quedaron descolgados del previo enjuiciamiento por razones procesales, pero siempre que se haga una valoración global. El incremento de pena derivado de la suma de ambas penalidades, en consecuencia: a) No puede superar de forma alguna el máximo de la pena prevista para el único delito. Si es continuado había que estar al art. 74 CP (mitad inferior de la pena superior en grado). En este caso al no rebasar la suma de las dos partidas de sustancia la cantidad que determinaría la aplicación del art. 369.1, la penalidad máxima será de 6 años. b) Ha de ajustarse a un juicio de proporcionalidad de la sanción resultante, redimensionándola, si procede, para fijar la pena que se hubiese impuesto de evaluarse globalmente las diversas acciones. Esa penalidad podría ser -en su caso- la misma que se impuso en la primera condena lo que supondrá un añadido "cero" en la segunda condena. En ocasiones esta Sala a través de esa doctrina ha llegado a anular una condena a través de un recurso de revisión al entender que el hecho enjuiciado separadamente no incrementaba significativamente la antijuricidad de los ya enjuiciados y penados conjuntamente.

STS 7/2019: La sumisión del imputado al procedimiento penal, según la doctrina de esta Sala en relación con esta clase de delitos permanentes, implicaría la cesión o interrupción en su ejecución, sin perjuicio de que, con posterioridad a ese momento, pudieran reanudar su vinculación delictiva, lo cual constituiría ya un nuevo delito no conexo con los aquí imputados.

STS 307/2020: En el momento en el que una resolución judicial, por más que se mueva en el plano indiciario que es propio de esa fase del procedimiento, atribuye responsabilidad a una persona por la comisión de un delito permanente o de trato sucesivo, se produce una genuina solución de continuidad que abre un antes y un después en el estatuto jurídico del afectado. Quien adquiere la condición de investigado sobre el que se proyecta una medida cautelar privativa de libertad, no puede alegar en su descargo que todo lo que hizo a partir de ese momento queda absorbido por el delito cuya investigación se inició ya varios meses atrás. Tratándose, como en el presente caso, de un delito de tenencia y depósito de explosivos, su disponibilidad, transporte y manipulación en un entorno geográfico distinto, en una secuencia temporal diferente y, en fin, con un objetivo también diferente, integran un nuevo delito que no puede ser consumido por el anterior. La antijuridicidad de la conducta inicialmente imputada al investigado se renueva. Y esa ruptura se produce, no sólo cuando el Juez de instrucción, como en el presente caso, dicta un auto de prisión, sino también cuando la medida cautelar privativa de libertad es acordada por agentes de policía en el marco de una investigación jurisdiccional. Incluso el reinicio en la ejecución de un hecho delictivo diferente puede asociarse a una resolución judicial no necesariamente restrictiva del derecho a la libertad. Un acto formal de imputación es ya un acto de ruptura con el estado de antijuridicidad que es propio del delito permanente o de tracto sucesivo.

Acuerdo no jurisdiccional del pleno de la Sala 2ª del TS de 20 de enero de 2015: Los ataques contra la vida de varias personas, ejecutados con dolo directo o eventual, se haya o no producido el resultado, realizados a partir de una única acción, han de ser tratados a efectos de penalidad conforme a las reglas previstas para el concurso real (arts. 73 y 76 del CP), salvo la existencia de regla penológica especial. (v. gr. 382 del CP).

Art. 74.

1. No obstante lo dispuesto en el artículo anterior, el que, en ejecución de un plan preconcebido o aprovechando idéntica ocasión, realice una pluralidad de acciones u omisiones que ofendan a uno o varios sujetos e infrinjan el mismo precepto penal o preceptos de igual o semejante naturaleza, será castigado como autor de un delito o falta continuados con la pena señalada para la infracción más grave, que se impondrá en su mitad superior, pudiendo llegar hasta la mitad inferior de la pena superior en grado.

2. Si se tratare de infracciones contra el patrimonio, se impondrá la pena teniendo en cuenta el perjuicio total causado. En estas infracciones el Juez o Tribunal impondrá, motivadamente, la pena superior en uno o dos grados, en la extensión que estime conveniente, si el hecho

revistiere notoria gravedad y hubiere perjudicado a una generalidad de personas.

3. Quedan exceptuadas de lo establecido en los apartados anteriores las ofensas a bienes eminentemente personales, salvo las constitutivas de infracciones contra el honor y la libertad e indemnidad sexuales que afecten al mismo sujeto pasivo. En estos casos, se atenderá a la naturaleza del hecho y del precepto infringido para aplicar o no la continuidad delictiva.

> **STS 628/2018:** Los requisitos establecidos en nuestra doctrina jurisprudencial para la concurrencia del art. 74 del Código Penal, son los siguientes: a) Una pluralidad de hechos, ontológicamente diferenciables, que no hayan sido sometidos al enjuiciamiento y sanción por parte del órgano judicial, pendientes pues de resolver en el mismo proceso; b) Dolo unitario, no renovado, con un planteamiento único que implica la unidad de resolución, y de propósito criminal. Es decir, un dolo global o de conjunto como consecuencia de la unidad de designio que requiere, en definitiva, como una especie de culpabilidad homogénea, una trama preparada con carácter previo, programada para la realización de varios hechos delictivos aunque puedan dejarse los detalles concretos de su realización para precisarlos después, conforme surja la oportunidad de ejecutarlos, siempre, sin embargo, con la existencia de elementos comunes que pongan de manifiesto la realidad de esa ideación global. Por lo que, en suma, es el elemento básico y fundamental del delito del art. 74 CP, que puede ser igualmente un dolo continuado cuando la conducta responda al aprovechamiento de idéntica ocasión; c) Unidad de precepto penal violado, o al menos, de preceptos semejantes y análogos, es decir, una especie de "semejanza del tipo", se ha dicho; d) Homogeneidad en el "modus operandi", lo que significa la uniformidad entre las técnicas operativas desplegadas o las modalidades delictivas puestas a contribución del fin ilícito; y e) Identidad de sujeto activo en tanto que el dolo unitario requiere un mismo portador, lo que es óbice para la posible implicación de terceros colaboradores, cuyas cooperaciones limitadas y singulares quedarían naturalmente fuera del juego de la continuidad.

STS 826/2017: Es también palmario que el delito continuado se consuma cuando se ejecuta la última acción que configura el complejo delictivo que se constituye en un ilícito penal por la conjunción de las distintas acciones que lo integran.

STS 141/2018: Han de excluirse de la continuidad delictiva los delitos en que el tipo acoge ya una pluralidad de acciones. Un ejemplo de ello puede ser el art. 399 bis (falsificación de tarjetas de crédito), como también todos los tipos que contemplan una actividad desplegada por necesidad en el tiempo. Así sucede con el delito de blanqueo de capitales y particularmente con los delitos de tráfico de drogas. La compatibilidad de los arts. 74 y 368 es dificultosa. El art. 368 es un tipo mixto alternativo que da lugar a un solo delito aunque se hayan realizado varias de las acciones típicas descritas (por ejemplo, cultivo más venta). Esto es claro. También es evidente que la repetición en un corto espacio de tiempo de una misma conducta es igualmente un caso de unidad típica de acción y por tanto de delito único. Como en todos los delitos de tracto continuado, surge la cuestión de determinar, cuándo acaba un delito y cuándo comienza otro, punible por separado. El problema surge de forma análoga, aunque no idéntica, no solo en los casos de delitos de tracto continuado (tenencia de armas o explosivos, por ejemplo); sino también en los delitos permanentes (delitos de detención ilegal); delitos de hábito (maltrato habitual); o delitos en varios actos (impago de pensiones), así como en otros de similar estructura (blanqueo de capitales). Ha de entenderse que el dato clave radica en el momento en que el sujeto activo es objeto de detención o de una citación que le lleva a conocer que es objeto de investigación por tales hechos. Para que se pueda hablar de un nuevo delito diferente es necesario que se produzca una ruptura jurídica en la actividad. No es suficiente con que exista el temor de haber sido descubierto o la sospecha de que se está sometido a investigación. Es precisa la seguridad de que existe una investigación penal estatal expresamente dirigida contra el sujeto activo. En ese momento se podrá hablar de un punto y aparte y, por tanto, de recomenzar una actividad delictiva diferente, y merecedora de un reproche penal distinto y autónomo, no susceptible de ser embebida en los hechos anteriores por los que ya se sigue causa penal.

STS 186/2022: Como se deduce del art. 74 CP, la calificación ha de ajustarse a los hechos más graves de los agrupados en continuidad.

STS 179/2022: El delito continuado es una realidad sustantiva. Su aplicación no puede venir condicionada por avatares procesales como sería la equivocada o arbitraria disgregación de procedimientos. Por eso, además, se ha abierto paso una doctrina que articula mecanismos y criterios para enmendar posibles resultados penológicos desproporcionados -y en algunos casos, contrarios a la Ley Penal sustantiva- provocados por esa escisión que viene repelida por el derecho penal material, en tanto no deja de ser una inaplicación indebida del art. 74 CP. Quien ha sustraído dos frutas simultáneamente y ha sido condenado en una sentencia que solo contempla una de las dos (por los motivos que sean: no se descubrió a tiempo, un olvido de la acusación...), no podrá volver a ser condenado por la sustracción de ninguna de ellas. Tampoco podrá ser enjuiciado por el apoderamiento de la fruta a la que no alcanzaba la condena. Existe cosa juzgada porque a efectos penales estamos ante un "mismo hecho", aunque desde el punto de vista naturalístico pueda distinguirse entre el apoderamiento de una de las frutas y la toma, sin solución de continuidad, de la otra mediante una acción (en sentido naturalístico) diferente. Las cosas se presentan de forma sustancialmente distinta cuando pensamos en el delito continuado (o en delitos en varios actos, o delitos permanentes o de tracto continuado). Desde el punto de vista jurídico la continuidad abarca diferentes acciones aunque sean reagrupadas en un único delito. Si la sustracción de cada una de las frutas se lleva a cabo en dos días consecutivos ya no hay unidad de acción, aunque estaremos ante un único delito continuado. Hay que delimitar cuándo hay "unidad de delito". Los textos internacionales (Pacto Internacional de Derechos Civiles y Políticos - art. 14.7- o Convenio Europeo de Derechos Humanos -art. 4 del Protocolo 7-) coinciden en referir el derecho a no ser doblemente juzgado o condenado a los supuestos de unidad de "infracción". El Tribunal Europeo de Derechos Humanos ha perfilado los contornos del término "infracción" que viene a ser equivalente a "hecho punible" o, por utilizar las mismas palabras del Tribunal de Estrasburgo, a "hecho penal único". "Infracción" no es expresión que se equipare con delito, pero tampoco con hecho; no, al menos, desde la sola consideración de éste como un suceso humano identificable conforme a unas coordenadas espacio-temporales. Lo que permite identificar una infracción son los hechos mirados desde una perspectiva normativa o, lo que viene a ser lo mismo: la relevancia que a los hechos enjuiciados o sancionados conceden las normas penales. En un delito continuado podemos hablar de una "infracción". Cuando nos enfrentamos a un delito continuado cuyas acciones han sido diseccionadas para el enjuiciamiento separado, la jurisprudencia, en aras al principio de proporcionalidad, ha entendido que cabe una segunda condena que integre la anterior incluyendo en la continuidad nuevos hechos que quedaron descolgados del previo enjuiciamiento por razones procesales, pero siempre que se haga una valoración global y el incremento de pena derivado de la suma de ambas penalidades: a) No supere de forma alguna el máximo de la pena prevista para el delito continuado a tenor del art. 74 CP (mitad inferior de la pena superior en grado: en este caso hasta un año y seis meses; lo que sería respetado aquí pues la suma alcanza un año); b) Se ajuste a un juicio de proporcionalidad de la pena resultante, redimensionándola si procede para fijar la pena que se hubiese impuesto de evaluarse globalmente todas las acciones. Esa penalidad podría ser -en su caso- la misma que se impuso en la primera condena lo que supondrá un añadido "cero" en la segunda condena. En ocasiones esta Sala a través de esa doctrina ha llegado a anular una condena por vía del recurso de revisión al entender que el nuevo hecho enjuiciado no incrementaba significativamente la antijuricidad de los ya enjuiciados y penados conjuntamente.

STS 327/2016: Cuando el acusado ya condenado por determinados hechos cometidos en un lapso temporal determinado, es condenado posteriormente por otros hechos distintos pero cometidos en el mismo período y que pudieron haber sido considerados en conjunto con los anteriores como constitutivos de un delito continuado, la ley vigente no contempla una solución expresa como podía haber sido la fijación de la pena máxima por parte de uno de los tribunales que dictaron las sentencias condenatorias o por un tribunal superior. La jurisprudencia, que no ha negado la posibilidad de enjuiciar las conductas distintas de las anteriores ya juzgadas, ha tendido a recomendar el examen de la pena máxima imponible al conjunto de los hechos a través de la hipotética sanción al delito continuado, para tratar de evitar que, al imponer la pena correspondiente al último enjuiciamiento, aquella sea superada por la suma de las penas impuestas en los distintos procesos.

STS 524/2019: Los hechos por los que fue condenado el acusado en la sentencia de instancia, pudieron haber sido enjuiciados junto a aquéllos que fueron enjuiciados y por los que fue condenado, pues en ellos se dan todos los elementos que posibilitan la construcción jurídica de la continuidad delictiva, por lo que deben ser considerados como una unidad jurídica. No hay duda de que el enjuiciamiento por separado le ha supuesto un perjuicio, ya que la suma de las penas de prisión impuestas por el delito continuado en ambos procesos asciende a un total de 3 años y 1 mes, próxima al límite máximo de la pena a imponer (de 1 año, 9 meses y 1 día a 3 años y 9 meses), y desde luego muy alejada de la pena que le fue impuesta en el primer proceso (1 año y 9 meses). En relación a la pena de multa, la suma de las impuestas es de 16 meses, superior al máximo de la que podía ser impuesta (9 meses y 1 día a 15 meses). No parece pues que la solución sea el cumplimiento de ambas penas cuya suma no guarda proporción con la gravedad de los hechos por los que fue condenado. Tampoco parece que esta fuera la pena que hubiera sido impuesta por el primer Tribunal de haberse juzgado los hechos en un único procedimiento. Pero de igual manera no cabe plantearse dejar de sancionar los hechos ejecutados por el acusado y por los que ha sido juzgado en el segundo procedimiento, pues ello supondría dejar impune el mayor desvalor que supone la conducta típica reiterada por el mismo. A fin de paliar o remediar los efectos penológicos sufridos por el acusado como consecuencia del enjuiciamiento en dos procesos distintos es necesario tener en consideración: 1) que la pena que ya se le impuso en el primer proceso, cuya sentencia ha devenido firme, es inalterable; 2) que ese mayor desvalor que implica la comisión de los hechos por los que es juzgado en la presente causa debe ser valorado a fin de considerar la pena que debería haberle sido impuesta de juzgarse todos los hechos en un mismo procedimiento. En consecuencia, teniendo en cuenta que la pena de prisión que le fue impuesta en el primer procedimiento lo fue en un día menos, 1 año y 9 meses, de su extensión mínima de 1 año, 9 meses y un día, de haberse tenido en consideración los hechos a los que se contrae la presente causa debería haber sido incrementada aquella en un mínimo de 4 meses más, en atención a la pluralidad de los nuevos hechos por los que es condenado, su reiteración en el tiempo y la cuantía total de la defraudación que con su actuación propició. Igualmente, con igual razonamiento, la pena de multa que le fue impuesta en el primer procedimiento en extensión de 9 meses, inferior también en un día a la pena mínima de 9 meses y 1 día, debe ser incrementada en 3 meses.

Acuerdo no jurisdiccional del pleno de la Sala 2ª del TS de 30 de octubre de 2007: El delito continuado siempre se sanciona con la mitad superior de la pena. Cuando se trata de delitos patrimoniales, la pena básica no se determina en atención a la infracción más grave, sino al perjuicio total causado. La regla primera del art. 74.1 CP queda sin efecto cuando su aplicación fuera contraria a la prohibición de doble valoración.

STS 278/2015: Cuando en los delitos patrimoniales ninguna de las cantidades defraudadas, individualmente consideradas, supere los 50.000 euros, pero sí se alcance dicho límite con la suma de ellas, se aplicará el tipo cualificado pero la continuidad delictiva seguirá la regla penológica prevista en el apartado 2 del art. 74 (evitando así la doble punición); solo se aplicará la regla penológica del art. 74.1 en conjunción con el subtipo agravado cuando uno o más de los actos defraudatorios rebasen la cifra de 50.000 euros.

STS 715/2020: Frente al delito continuado, que admite uno o varios sujetos pasivos, el delito masa exige necesariamente una considerable multiplicidad de perjudicados que el legislador identifica con el término de generalidad, expresión cuyo contenido semántico hace referencia (RAE) a una "mayoría, muchedumbre o casi totalidad de los individuos u objetos que componen una clase o un todo sin determinación a persona o cosa particular". Esta noción es la que refleja la interpretación que del delito masa ha hecho la jurisprudencia de esta Sala, proclamando que no hay generalidad de personas cuando, por más que se trate de bastantes o incluso muchos afectados, no conformen un colectividad indeterminada y difusa. El delito masa no necesariamente se caracteriza por una cantidad incontable de personas finalmente perjudicadas, pero sí precisa que el destinatario potencial de la actividad defraudadora sea una amplia e indiscriminada colectividad de individuos no singularizados por el dolo unitario del sujeto activo y sobre los que se irá replicando el engaño eficazmente generador de un menoscabo patrimonial en cada una de las víctimas.

STS 94/2018: El art. 74.2 CP, para los casos de delitos continuados contra el patrimonio, después de establecer que la pena se determinará, no en atención a la infracción más grave, sino teniendo en cuenta el perjuicio total causado, dispone que en los casos en los que los hechos revistan notoria gravedad y hubieren perjudicado a una generalidad de personas, el Tribunal impondrá motivadamente la pena superior en uno o dos grados en la extensión que estime conveniente. La jurisprudencia ha venido señalando que por generalidad de personas ha de entenderse una cantidad superior a la mera pluralidad. Reclama, dice esta sentencia, "una cierta indeterminación en el número de afectados de suerte que el destinatario potencial de la actividad defraudatoria lo sea una colectividad indeterminada o difusa de personas". En otras sentencias se hace referencia a "un grupo numeroso de personas", a "una colectividad indeterminada y difusa de individuos". Es necesario, por otro lado, que se aprecie, no solo la afectación a una generalidad de personas, sino también la notoria gravedad de los hechos. Son las dos circunstancias conjuntamente las que permiten la aplicación del artículo 74.2. El artículo 250.1.5º CP, en la redacción dada por la LO 1/2015, agrava las penas del tipo básico del artículo 249 cuando el valor de la defraudación supere los 50.000 euros o afecte a un elevado número de personas. Introduce así un nuevo concepto indeterminado, el elevado número de personas, que se sitúa parejo con la defraudación superior a 50.000 euros. La misma agravación se prevé (apartado 4°) para los casos en los que el hecho revista especial gravedad, atendiendo a la entidad del perjuicio y a la situación económica en que deje a la víctima o a su familia. También, en el apartado segundo del mismo artículo 250 se prevé una pena entre cuatro y ocho años de prisión para los casos en los que el valor de la defraudación supere los 250.000 euros. Por lo tanto, cuando la defraudación supere los 50.000 euros o afecte a un elevado número de personas, o cuando el hecho revista especial gravedad, la pena será de uno a seis años de prisión; cuando la defraudación supere los 250.000 euros, la pena quedará comprendida entre cuatro y ocho años de prisión; y cuando los hechos sean de notoria gravedad y hubieren perjudicado a una generalidad de personas, la pena se extenderá entre seis años y un día y nueve años de prisión si se incrementa en un grado, o entre nueve años y un día y trece años y seis meses si se incrementa en dos. Sin perjuicio, pues, de la diferenciación entre elevado número de personas y generalidad de personas, o entre especial gravedad y notoria gravedad, que conduciría, a la vista de las consecuencias, a considerar de mayor trascendencia a esta última y a la generalidad de personas frente a la especial gravedad y al elevado número de aquellas, la aplicación del artículo 74.2 no es posible si solo concurre la generalidad de personas, pues exige que, conjuntamente, se aprecie la notoria gravedad.

Art. 76.

1. No obstante lo dispuesto en el artículo anterior, el máximo de cumplimiento efectivo de la condena del culpable no podrá exceder del triple del tiempo por el que se le imponga la más grave de las penas en que haya incurrido, declarando extinguidas las que procedan desde que las ya impuestas cubran dicho máximo, que no podrá exceder de 20 años. Excepcionalmente, este límite máximo será:

a) De 25 años, cuando el sujeto haya sido condenado por dos o más delitos y alguno de ellos esté castigado por la ley con pena de prisión de hasta 20 años.

b) De 30 años, cuando el sujeto haya sido condenado por dos o más delitos y alguno de ellos esté castigado por la ley con pena de prisión superior a 20 años.

c) De 40 años, cuando el sujeto haya sido condenado por dos o más delitos y, al menos, dos de ellos estén castigados por la ley con pena de prisión superior a 20 años.

d) De 40 años, cuando el sujeto haya sido condenado por dos o más delitos referentes a organizaciones y grupos terroristas y delitos de terrorismo del Capítulo VII del Título XXII del Libro II de este Código y alguno de ellos esté castigado por la ley con pena de prisión superior a 20 años.

e) Cuando el sujeto haya sido condenado por dos o más delitos y, al menos, uno de ellos esté castigado por la ley con pena de prisión permanente revisable, se estará a lo dispuesto en los artículos 92 y 78 bis.

2. La limitación se aplicará aunque las penas se hayan impuesto en distintos procesos cuando lo hayan sido por hechos cometidos antes de la fecha en que fueron enjuiciados los que, siendo objeto de acumulación, lo hubieran sido en primer lugar.

STS 528/2022: Debemos distinguir entre acumulación jurídica de condenas y la refundición por enlace que supone un proyecto para alcanzar la libertad condicional y de obtener los beneficios penitenciarios como si se tratara de una sola condena. La primera tiene una significación sustantiva como es el establecimiento de límites penológicos, tratando de fijar la duración máxima de las penas a cumplir. La segunda supone una mera operación aritmética, a efectos de obtener mayor sencillez en el cómputo de los plazos para obtener el beneficio de la libertad condicional, aun cuando en la práctica penitenciaria se ha extendido esa unidad de ejecución a cualquier beneficio que tenga un límite temporal, como los permisos de salida, la consideración de los plazos para acceder a la libertad condicional, etc., teniendo en cuenta el principio de reinserción y reeducación como principal fundamento de las penas, pues no considerar esa unidad interrumpiría el proceso de reinserción iniciado. Por ello los principios que se aplican en una u otra institución no pueden extrapolarse, al responder aquellas a finalidades diversas.

Acuerdo no jurisdiccional del pleno de la Sala 2ª del TS de 27 de junio de 2018: 1. Las resoluciones sobre acumulación de condena solo serán revisables en caso de una nueva condena (o anterior no tenida en cuenta). 2. La nulidad como solución al recurso casacional, debe evitarse cuando sea dable conocer la solución adecuada, sin generar indefensión. 3. Cuando la sentencia inicial es absolutoria y la condena se produce *ex novo* en apelación o casación entonces, solo entonces, esta segunda fecha será la relevante a efectos de acumulación. 4. En la conciliación de la interpretación favorable del art. 76.2 con el art. 76.1 CP, cabe elegir la sentencia inicial, base de la acumulación, también la última, siempre que todo el bloque cumpla el requisito cronológico exigido; pero no es dable excluir una condena intermedia del bloque que cumpla el requisito cronológico elegido. 5. Las condenas con la suspensión de la ejecución reconocida, deben incluirse en la acumulación si ello favoreciere al condenado y se considerarán las menos graves, para el sucesivo cumplimiento, de modo que resultarán extinguidas cuando se alcance el periodo máximo de cumplimiento. Favorece al condenado, cuando la conclusión es que se extinguen, sin necesidad de estar sometidas al periodo de prueba. 6. No cabe incluir en la acumulación, el periodo de prisión sustituido por expulsión; salvo si la expulsión se frustra y se inicia o continúa a la ejecución de la pena de prisión inicial, que dará lugar a una nueva liquidación. 7. La pena de multa solo se acumula una vez que ha sido transformada en responsabilidad personal subsidiaria. Ello no obsta a la acumulación condicionada cuando sea evidente el impago de la multa. 8. La pena de localización permanente, como pena privativa de libertad que es, es susceptible de acumulación con cualquier otra pena de esta naturaleza. 9. A efectos de acumulación los meses son de 30 días y los años de 365 días. 10. La competencia para el incidente de acumulación, la otorga la norma al Juez o Tribunal que hubiera dictado la última sentencia; sin excepción alguna, por tanto, aunque fuere Juez de Instrucción (salvo en el caso del art. 801 LECrim), aunque la pena que se imponga no sea susceptible de acumulación e incluso cuando no fuere privativa de libertad. 11. Contra los autos que resuelven los incidentes de acumulación, solo cabe recurso de casación.

STS 809/2021: Destacar la singularidad axiológica y teleológica del mecanismo de la acumulación de penas del artículo 76. 1° CP. Y que justifica, sobradamente, su limitada aplicación a las penas privativas de libertad pues es la ejecución de estas la que puede poner en alto riesgo los fundamentos constitucionales del sistema penal si no se contemplan fórmulas de atemperación de la suma aritmética de las impuestas. Por otro lado, y ya con relación a las penas privativas de derechos que, contempladas en el artículo 48 CP, pueden o deben imponerse como accesorias, ex artículo 57 CP, cuando la persona responsable resulte condenada por alguno de los delitos que en este precepto se precisan, debe recordarse que, además de su contenido ontológicamente retributivo, adquieren, también, una finalidad comunicativa y pragmática específica como es la de proteger a la víctima del delito del riesgo de nuevos ataques por parte del victimario. Pero además de la diferente funcionalidad entre las penas privativas de libertad y las privativas de derechos o de prohibiciones que justifican un tratamiento cumulativo diferenciado, estas responden a presupuestos de individualización también distintos. En efecto, sin perjuicio del nomen iuris que reciben en el artículo 57 CP tales penas no comparten los rasgos constitutivos de la accesoriedad penológica. Además de que, como regla general, su imposición resulte facultativa, incluso en los supuestos especiales de preceptividad, su duración no viene determinada por la de la pena principal privativa de libertad. Esta actúa como marco temporal de referencia solo para identificar el arco de duración total de las penas de privación de derechos y prohibiciones de comunicación o aproximación -de uno a diez años más a la duración de la pena privativa de libertad fijada si el delito es grave o de uno a cinco años más si el delito es menos grave-. Lo que supone que el tribunal debe individualizar el concreto alcance temporal de dichas penas para lo que debe tomar en cuenta, de manera especialmente significativa, los factores de riesgo o las necesidades de protección que concurran. Por ello, el juicio de merecimiento de la nueva pena privativa de libertad por una suerte de injusto global resultante de la acumulación no parece fácilmente trasladable a las penas "accesorias" del artículo 57 CP. Su merecimiento no se ve afectado por este nuevo juicio jurídico-penal de desvalor que afecta a las penas privativas de libertad. Su reajuste, adaptando su duración a la nueva pena global privativa de libertad, no solo comprometería el principio de intangibilidad de la sentencia, sino que afectaría de manera no justificada a los propios fundamentos de su imposición.

STS 273/2021: La prohibición que marca el punto 6 del Acuerdo del Pleno del TS 27 de Junio de 2018 lo que no permite es la inclusión en la acumulación del periodo de prisión sustituido por expulsión. Pero en este caso es que las penas privativas de libertad de la segunda ejecutoria debían haber sido incluidas en la acumulación de condenas a la primera ejecutoria penal, que es lo que ahora se insta. En este caso si una o varias penas privativas de libertad deban ser incluidas en la acumulación de condenas, este derecho no puede verse impedido por un acuerdo de expulsión que no puede llevarse a efecto por estar cumpliendo la pena resultante de una acumulación en la que deberían estar incluidas las privativas de libertad impuestas en la segunda sentencia. No es por ello viable, y supone una actuación interpretable en contra del condenado, que tras el cumplimiento de la pena resultante de la acumulación, se ejecuten, aunque sustituidas por la expulsión, las penas privativas de libertad impuestas en la segunda sentencia cuando estas podían haberse integrado en ese límite máximo de cumplimiento que prevé el art. 76 del CP. No cabe ampararse en la negativa a la acumulación por el procedimiento llevado a cabo de sustituir la prisión por expulsión.

Acuerdo no jurisdiccional del pleno de la Sala 2ª del TS de 3 de febrero de 2016: La acumulación de penas deberá realizarse partiendo de la sentencia más antigua, pues al contenerse en ella los hechos enjuiciados en primer lugar, servirá de referencia respecto de los demás hechos enjuiciados en las otras sentencias.

A esa condena se acumularán todas las posteriores relativas a hechos cometidos antes de esa primera sentencia. Las condenas cuya acumulación proceda respecto de esta sentencia más antigua, ya no podrán ser objeto de posteriores operaciones de acumulación en relación con las demás sentencias restantes. Sin embargo, si la acumulación no es viable, nada impediría su reconsideración respecto de cualquiera de las sentencias posteriores, acordando su acumulación si entre sí son susceptibles de ello. A efectos del artículo 76.2 hay que estar a la fecha de la sentencia en la instancia y no la de juicio.

Acuerdo no jurisdiccional del pleno de la Sala 2ª del TS de 19 de diciembre de 2012: Para determinar los límites máximos de cumplimiento establecidos en las letras a) a d) del art. 76 CP hay que atender a la pena máxima imponible pero teniendo en cuenta las degradaciones obligatorias en virtud del grado de ejecución del delito.

STS 166/2020: En definitiva, en la fijación del máximo de cumplimiento del art. 76 ha de atenderse a la pena en abstracto, asociada a los tipos imperfectos de ejecución, no a las penas descritas con carácter general en cada tipo penal. Pero ello no es extensible a las circunstancias atenuantes; en cuanto ajenas a la estructura del tipo, absolutamente contingentes para la existencia del delito; y cuya función es servir de instrumento de medición de la intensidad que ha de revestir la pena en cada caso concreto; de ahí su propia denominación de "circunstancias", constituyen elementos circunstanciales, que en modo alguno permiten concluir que la penalidad asociada por su concurrencia, es precisamente la asociada con carácter abstracto a la establecida para cada 'delito', es decir, en cada tipología a la acción u omisión dolosa o imprudente penada por la ley. En modo alguno la configuración del tipo penal se ve afectada por la concurrencia de atenuantes.

STS 619/2019: Los límites máximos de cumplimiento previstos en el artículo 76 del Código Penal no son aplicables al conjunto de bloques de penas acumuladas, sino individualmente a cada uno de ellos.

Acuerdo no jurisdiccional del pleno de la Sala 2ª del TS de 29 de noviembre de 2005: No es necesaria la firmeza de las sentencias para fijar el límite de la acumulación.

STS 698/2018: En lo que se refiere a la fecha de las sentencias a que ha de atenderse para realizar el cómputo, debe estarse a la de las sentencias iniciales y no a la de la firmeza que eventualmente podría alcanzarse días, semanas o meses después. Partir de la fecha de firmeza acarrea un alargamiento del periodo en el que cabe agrupar las condenas recaídas. Potencialmente es más beneficioso para el condenado; pero no puede ser acogido a tenor del Acuerdo del Pleno de la Sala Segunda del Tribunal Supremo de 29 de noviembre de 2005, pues una vez que se haya dictado sentencia subsiguiente al plenario, ya no resulta posible la acumulación debido a la inviabilidad de enjuiciamiento conjunto. Ha de atenderse por tanto a la fecha de la primera sentencia (y no la de apelación o casación) a los efectos de cómputos y entrecruzamiento de datos cronológicos para decidir sobre la viabilidad de la acumulación. Solo cuando la sentencia inicial es absolutoria y la condena se produce *ex novo* en apelación o casación, esta segunda fecha será la relevante a efectos de acumulación.

STS 21/2019: Se dispone la nulidad del auto resolviendo la acumulación, al no constar los datos esenciales para resolver. De conformidad con una jurisprudencia reiterada, es imprescindible en los expedientes de acumulación de penas a que se refiere el art. 988 LECrim, que, junto a la hoja histórico-penal, se unan testimonios de todas las sentencias cuyas condenas pretendan acumularse, a fin de fijar el límite de cumplimiento, conforme al art. 76.1 CP. También se exige que en el Auto que recaiga se relacionen la totalidad de las penas impuestas al reo en los distintos procesos, así como las fechas de comisión de los diferentes hechos delictivos sancionados y de las sentencias recaídas -el momento de la firmeza no es exigible, de acuerdo con el Pleno no jurisdiccional de esta Sala de 29 de noviembre de 2005-. Son todos ellos datos imprescindibles para poder determinar con justicia y ajustándose a la norma legal el límite máximo de cumplimiento que procede.

STS 490/2018: Si se omiten elementos necesarios para revisar esa decisión en casación habrá que decretar la nulidad, por una infracción procesal (art. 988 LECrim). Cosa diferente es que cuando esos datos omitidos puedan obtenerse con facilidad del expediente o cuando se trate de errores de transcripción fácilmente comprobables (art. 267 LOPJ), excepcionalmente se pueda resolver el fondo del recurso valorándolos directamente (art. 899 LECrim).

STS 388/2021: La queja se concreta en la omisión en el auto de acumulación de los delitos por los que fue condenado el solicitante. Solo se hacen constar penas y fechas de sentencia y hechos. Pero, aparte de ser omisión fácil de subsanar, y cuya corrección podría haberse reclamado del propio Juzgado a través de alguno de los expedientes contenidos en el art. 161 LECrim, es una supuesta -solo supuesta- deficiencia que no comporta indefensión alguna pues en el derecho vigente la naturaleza del delito (salvo que sean penas muy elevadas y obliguen a manejar los máximos de cumplimiento excepcionales del art. 76 CP no tiene incidencia alguna en la tarea de cálculos para la acumulación ordenada por el art. 76 CP en combinación con el art. 988 LECrim. Es más, ni siquiera puede hablarse de deficiencia en un plano estrictamente legal: el art. 988 obliga a consignar en el auto fechas y penas; pero, seguramente porque el dato ciertamente carece de trascendencia salvo supuestos singulares, no impone que se recojan expresamente los delitos a que se refiere cada condena, por más que sea habitual incorporar esa mención. No hay defecto formal que pueda acarrear la nulidad.

STS 142/2019: El recurrente ha carecido durante todo el procedimiento de representación letrada, con lo que pudiera haberse vulnerado el derecho de defensa que asiste al condenado, siendo doctrina consolidada de esta Sala que el incidente de acumulación de condenas goza de la naturaleza de procedimiento contradictorio en el que se garantice el principio de igualdad de armas y proscripción de la indefensión, habiendo declarado al respecto: por ello, es insuficiente la mera petición personal del condenado para iniciar el procedimiento sin que con posterioridad, asistido técnicamente por letrado, se le dé audiencia a la vista de la documentación unida (hoja histórico penal y testimonio de las sentencias condenatorias) y del dictamen del Ministerio Fiscal. Se vulnerará, pues, el derecho de defensa cuando se omita el traslado del procedimiento al condenado a través de su asistencia letrada, que deberá propiciarse de oficio a falta de designación particular (en este mismo sentido, el abogado, bien al iniciar el procedimiento si tiene los datos necesarios para ello, o bien después, cuando en el trámite a seguir conforme al artículo 988 LECrim se encuentren incorporadas al procedimiento todas las sentencias condenatorias a acumular en su caso, tendrá que hacer un estudio sobre aquellas que hayan de quedar sometidas a los límites materiales del artículo 76).

STS 533/2020: En los incidentes de acumulación de condena el penado debe tener asistencia letrada que garantice los principios de contradicción, igualdad de armas y proscripción de la indefensión. Para ello, deberá darse audiencia a la representación del penado tras ofrecérsele tomar conocimiento de la documentación obrante en autos, de los testimonios de las sentencias y del dictamen del Ministerio Fiscal. En todo caso nuestra jurisprudencia, de conformidad doctrina pacífica del Tribunal Constitucional, tiene declarado que quien invoque la vulneración del derecho de defensa por una irregularidad procesal, debe argumentar de modo convincente que la resolución final del proceso a quo pudo verse afectada por una restricción de su capacidad de intervención procesal. Y en lo que hace referencia a la acumulación de penas, hemos expuesto que, aunque no se diera traslado formalmente de un trámite específico para alegaciones, si el penado estuvo pertrechado de asistencia letrada y tuvo a su alcance la posibilidad de comprobar el expediente completo y alegar lo que a su derecho hubiera convenido, pues le fueron notificadas todas las resoluciones dictadas por el Juzgado de lo Penal, no puede apreciarse esa indefensión inicial, pudiendo culminarse la asistencia al penado a través de los recursos legalmente previstos.

STS 467/2022 (Pleno): La doctrina de esta Sala contenida en la STS 349/2014, no permite declarar extinguida una pena no jurídicamente acumulable ex artículo 76.2 CP por superación de los plazos previstos en el artículo 76. 1º CP. La referida sentencia avaló, por mayoría, la solución de que aquellas personas condenadas a penas que no son susceptibles de ser limitadas en virtud del art. 76.2 del Código Penal, por no cumplir el criterio cronológico legalmente fijado, deban permanecer en prisión, aunque se hayan superado los límites previstos en el artículo 76.1 CP. Como se precisa en la sentencia indicada "no existe en nuestro sistema un derecho fundamental a la impunidad de los delitos cometidos cuando ya ha sido fijado un límite máximo de cumplimiento como consecuencia de la acumulación de condenas practicada con arreglo a aquel precepto", concluyendo que "fuera de los supuestos previstos en el artículo 76 del Código Penal, las limitaciones al cumplimiento sucesivo de las penas privativas de libertad no operarían, y ello por cuanto, de lo contrario se estaría alentando la expectativa de impunidad que implica el saber que alcanzado el límite máximo de cumplimiento, todas las penas impuestas por hechos cometidos con posterioridad quedarían absorbidos por la susodicha acumulación y, en consecuencia, no habrían de cumplirse". La sentencia pretende neutralizar lo que ha venido a denominarse, reiteradamente, como "patrimonio punitivo". Es decir, una suerte de privilegio que se ofrecería a la persona que sabedor de que las penas ya impuestas han cubierto el límite máximo de cumplimiento previsto en la norma podría cometer nuevos delitos sin consecuencia punitiva alguna; "una cosa es la flexibilización absoluta del concepto de conexidad, desvinculándolo de su estricto significado procesal, y otra muy distinta admitir y alentar la impunidad de los delitos no susceptibles de acumulación (...)". La sentencia contiene una expresa llamada de atención frente "a la posibilidad de comisión de graves delitos en el establecimiento penitenciario en el que se extingue la condena de 30 años que, conforme al criterio interpretativo que anima el recurso, nunca podrían ser objeto de cumplimiento. Se frustrarían con ello las exigencias inherentes a los principios de prevención general y especial que están en el fundamento mismo de la sanción penal. (Tol 8992159)

STS 766/2021: La Ley 23/2014, de 20 de noviembre, sobre reconocimiento mutuo de resoluciones penales de la Unión Europea en materia de acumulación hace un reenvío expreso a la

Ley Orgánica 7/2014, de 12 de noviembre, sobre intercambio de información y consideración de resoluciones penales en la Unión Europea. Este reenvío tiene sentido porque esta última ley es la trasposición al derecho interno de normas comunitarias singulares que complementan y contribuyen a un mejor funcionamiento de las normas sobre reconocimiento mutuo, nos referimos a la Decisión Marco 2008/675/JAI del Consejo, de 24 de julio de 2008, relativa a la consideración de las resoluciones condenatorias entre los Estados miembros de la Unión Europea con motivo de un nuevo proceso penal y de la Decisión Marco 2008/315/JAI, de 26 de febrero de 2009, relativa a la organización y al contenido del intercambio de información de los registros de antecedentes penales entre Estados miembros. Es precisamente en al ámbito específico de estas normas donde se regula el régimen de acumulación de condenas en España de las sentencias penales dictadas por los tribunales de la Unión Europea. Así, la Decisión Marco 2008/675/JAI tiene por objeto exclusivo fijar los criterios por los que cada Estado de la Unión debe garantizar la toma en consideración de las condenas penales dictadas por otro Estado miembro (artículo 3) y la Decisión Marco 2008/315/JAI, de 26 de febrero de 2009 establece los requisitos formales y procedimiento de transmisión y conservación de condenas, simplificando y clarificando el procedimiento. En consecuencia, la Ley aplicable al régimen de acumulación de condenas, respecto de las resoluciones dictadas por los demás tribunales de la Unión Europea es el artículo 76 del Código Penal, conforme a la interpretación que se deduce necesariamente de la Ley Orgánica 7/2014, de 12 de noviembre, que es la norma nacional que desarrolla en este particular al derecho comunitario. El artículo 76 CP que ha sido la norma de aplicación en todas estas resoluciones, no ha sido objeto de modificación en la LO 7/2014; lo que determina a su vez que tampoco haya existido sucesión temporal de leyes en todo el decurso analizado, sino meramente una diversa interpretación del mismo a la luz de la Decisión Marco 2008/675/JAI, que contemplaba la existencia de una excepción facultativa, que con el trámite de su incorporación al ordenamiento interno, veda la posibilidad de acumulación de sentencias dictadas por otro Estado miembro, al no integrar ya posibilidad "en defecto de ley", sino conclusión "contra ley" (...)".También es cierto que hay precedentes que han equiparado una sentencia procedente de países de la Unión Europea con una sentencia nacional a efectos de acumulación. Pero esa equiparación se realizó cuando la Decisión Marco no se había desarrollado mediante ley nacional incorporando las excepciones que dicha ley establece y que eran facultativas por disposición expresa de la Decisión Marco.

STS 367/2015: La existencia de acumulaciones jurídicas anteriores no impide un nuevo examen de la situación cuando se conozcan nuevas penas que pudieran ser susceptibles de acumulación, y sin que por ello sea aplicable la excepción de cosa juzgada al auto que en su momento se dictó.

STS 606/2018: En fase de ejecución, en efecto, se insertan pronunciamientos que no son ejecutivos, sino estrictamente declarativos. Son decisiones que podrían incluirse en la sentencia pero que por razones diversas y a veces de pura operatividad procesal se postergan. El eventual incidente de concreción de las responsabilidades civiles es uno de ellos. No el único. En materia propiamente penal el más significado es el incidente de acumulación de condenas. En ese trámite se está aplicando derecho penal sustantivo: se está procediendo a concretar unas reglas penológicas previstas para el concurso real de delitos. Podría hacerse en la sentencia y así se hace cuando los diversos delitos son objeto de enjuiciamiento conjunto. Como eso no siempre es factible, el legislador ha arbitrado un incidente que, aunque incrustado en la fase de ejecución, es puramente declarativo. Justamente por eso se concede un recurso (casación) que no aparece en otros supuestos. Las decisiones sobre acumulación causan firmeza. Podrá plantearse, ante una nueva condena posterior, si incide en la acumulación ya efectuada o denegada. Pero no si estuvo bien efectuada o denegada. Lo decidido en primera instancia y confirmado o variado por el Tribunal Supremo, si es que se interpuso recurso, goza de firmeza y deviene intangible.

La jurisprudencia ha declarado que solo procede la aplicación del art. 76 CP 1995 a penas que estén todas previamente adaptadas al Código de 1995. La adaptación según esa jurisprudencia ha de hacerse por cada tribunal y no por el último sentenciador (como propugnaba, en cambio, la Fiscalía General del Estado). El último Tribunal ha de limitarse a la acumulación conforme al art. 988 LECrim, con la imposibilidad de acumular penas de Códigos distintos. Si comprueba que sería necesario reconvertir alguna, deberá remitir al penado al órgano sentenciador. Una vez producida la revisión de cada una de ellas, habrá que reintentar la acumulación con las condenas ya revisadas. Sin esa homologación previa no es factible la acumulación. Ahora bien, para las revisiones individuales -ha aclarado posteriormente la jurisprudencia- no pueda dejar de hacerse un pronóstico contemplando el art. 76 CP para comparar la pena que resultará de la aplicación de éste con la que resultaría de la aplicación del art. 70 CP 1973. Es rechazable una visión alicorta -¡miope!- que atendiese solo a la penalidad asignada al delito concreto en uno u otro Código, sin alzar la mirada al horizonte, también penológico, que añade la ponderación del sistema de penalidad del concurso real (art. 70 *versus* art. 76). Aunque separadamente analizadas podría llegarse a la conclusión de que las condenas deberían permanecer inalteradas (una a una pueden resultar y en la mayoría de los casos resultan más beneficiosas atendida también la reducción posible por beneficios) como la redención por trabajo y en particular eso es predicable de la condena que determina el máximo de 25 años; que las que podrán ser imponibles con arreglo al Código vigente), su contemplación conjunta conduce a la conclusión contraria. Examinadas globalmente, y por tanto constatando los resultados finales según apliquemos el CP 1973 (art. 70) o el CP 1995 (art. 76), aparece de forma patente que, perdida la capacidad de redimir penas por el trabajo (primero por no ser compatible ese beneficio con la libertad condicional; después por la conducta del penado) es en principio más beneficioso el CP 1995.

STS 707/2013: Únicamente procederá la nueva acumulación jurídica de penas cuando, en su conjunto, sea favorable al reo, dado que la condena posterior no puede perjudicar retroactivamente a una acumulación ya practicada.

STS 540/2018: Una vez que se entra a revisar una acumulación anterior, la revisión no se limita a las penas efectivamente acumuladas, sino a todas las que fueron objeto de examen en el Auto, sin perjuicio de que entonces su acumulación se considerara improcedente ya que sí podrían ser acumulables con la nueva Sentencia.

STS 304/2018: No se pueden sumar las distintas penas privativas de libertad impuestas en la misma sentencia. Lo procedente es valorar cada una de las penas consideradas individualmente. Esto es obvio y resulta del tenor del art. 76 CP: se acumulan penas y no sentencias.

STS 674/2021: En cualquier caso, lo relevante aquí es tener en consideración que nos hallamos ahora en el trance no de proceder, como precipitadamente persigue la recurrente, a la liquidación de las condenas impuestas al penado, sino en el de fijar, de conformidad con las previsiones del artículo 76 del Código Penal, el límite máximo de cumplimiento respecto de las ejecutorias que pudieran resultar acumuladas por el cauce y en las condiciones previstas en dicho precepto, en relación con el artículo 988 de la Ley de Enjuiciamiento Criminal. A dicho fin, la pena más grave de entre las impuestas en el bloque de condenas acumuladas deberá determinarse en atención a las efectivamente establecidas en la sentencia, en coherencia con lo señalado en el precepto referido ("no podrá exceder del triple del tiempo por el que se le imponga la más grave de las penas en que haya incurrido"), prescindiendo en este momento de los abonos que a la misma pudiera corresponder (por cumplimiento parcial de la pena sustitutiva; o, por ejemplo, por el abono de la prisión provisional que hubiera padecido en dicha causa). El triple de dicha pena más grave, conforme se determina en la resolución impugnada, arroja un resultado de tres años, veintisiete meses y tres días (1908 días), cantidad inferior al sumatorio de las distintas condenas acumuladas (2186 días), y que operará como límite máximo de cumplimiento de todas ellas, naturalmente sin perjuicio de los abonos que, al tiempo de proceder a la liquidación de condena, resulten pertinentes. Igualmente, y por lo que respecta a las condenas no acumuladas, que deberán ser cumplidas separadamente, las mismas arrojan un sumatorio de 1782 días que, unidas a los 1908 que se fijan como límite máximo de cumplimiento de las acumuladas, arrojan un resultado final de 3690 días. Todo ello, sin perjuicio, claro está, del resultado de las liquidaciones de condena que correspondan.

STS 962/2021: Esta enjuició hechos cronológicamente diferenciados, con sustantividad típica propia y penados de manera independiente. Las condenas anudadas a los episodios ocurridos hasta el 8 de abril de 2014 podrían perfectamente ser objeto de acumulación, quedando excluida la que dimana del último suceso, penado como delito de quebrantamiento de condena, muy posterior en el tiempo, aunque conjuntamente enjuiciado. Ello nos coloca ante la necesidad de decidir si, a los efectos que nos ocupan, es decir, centrados en la acumulación de condenas que se acuerda al amparo de lo dispuesto en los artículos 76 CP y 988 LECRIM, es posible desagregar aquello que ha sido conjuntamente enjuiciado, de manera que parte de las penas impuestas en una misma ejecutoria se adicionen a la refundición acordada, mientras otras, por razones cronológicas, quedan excluidas. En principio no apreciamos problemas para desagregar en su ejecución las consecuencias punitivas de hechos sólo unidos a efectos de enjuiciamiento por el criterio de oportunidad recogido en el artículo 17.3 LECrim. Delitos que son perfectamente escindibles fáctica y penológicamente, y por ello, también en cuanto al cumplimiento de las penas. No olvidemos que de manera reiterada hemos señalado que lo que se acumula en aplicación del artículo 76 CP no son las condenas impuestas en cada sentencia, sino las penas que individualmente conforman la misma. La opción que se nos propone y por la que, ya lo adelantamos, vamos a decantarnos, no será posible en todos los casos, pues resultaría inviable en los supuestos, por ejemplo, de continuidad delictiva o soluciones concursales que aboquen a una indeterminación en el tiempo y/o una punición conjunta. Pero sí en el que ahora nos ocupa, una sentencia que aglutina episodios fácticos diferenciados y penados de manera independiente.

STS 516/2021: Por ende, toda tarea ajena a esta limitación, que determine la modificación del contenido de una ejecutoria, excede del ámbito de este incidente; en primer y fundamental lugar porque no se corresponde con su previsión normativa, pero también, porque ni siquiera el órgano judicial que determina el límite de cumplimiento, dispone de los procedimientos que han dado lugar a esa sentencia; y menos aún, cuando lo que se pretende, además de la ponderación de elementos objetivos, precisa concluir la concurrencia de concretos elementos del tipo, que contiene implicaciones subjetivas: un plan preconcebido o aprovechar idéntica ocasión. La exclusión de cualquier cuestión, ajena a la fijación del límite máximo de cumplimiento, es tal, que ni siquiera cabe en este trámite, declarar la existencia de prisión preventiva abonable, que no ha sido estimada previamente por el órgano judicial encargado de la ejecución; como tampoco lo sería concretar la extensión de la redención de pena por trabajo, en caso de subsistente ejecución aún por el Código Penal anterior

STS 172/2014: Sobre esta posibilidad de acumular penas privativas de libertad que ya hubieren sido extinguidas o cumplidas, viene señalando esta Sala desde el Acuerdo del Pleno celebrado el 08/05/1997 que la acumulación es posible aun cuando en alguna de las sentencias susceptibles de acumulación la pena privativa de libertad ya hubiese quedado cumplida.

STS 395/2020: La práctica enseña que ocasionalmente se produce una disculpable desidia en la ejecución de las penas de multa y su eventual posterior conversión cuando al órgano judicial le resulta patente que las gestiones para el cobro serán infructuosas por la declarada o presumible insolvencia del penado y se posterga por considerar burocracia inútil la indagación de esa solvencia. Pese a alguna jurisprudencia y de conformidad con un criterio que se viene abriendo paso en fechas más recientes, a la vista de la más que previsible insolvencia del penado y sin perjuicio de la posibilidad de abonar en cualquier momento la pena de multa, se incluye la responsabilidad personal subsidiaria en los cálculos pues es pena privativa de libertad (art. 35 CP). Por tanto se consignan las ejecutorias en las que se impuso al recurrente pena de multa pese a no aparecer confirmado que ésta haya sido efectivamente transformada en privación de libertad. La STS 460/2018 aclara que "se trata de una acumulación condicionada: si se constatase la solvencia del penado habrá que ejecutar la multa impuesta. Pero se puede anticipar ya la acumulabilidad de la eventual responsabilidad personal subsidiaria cuando es pronosticable tal insolvencia; como lo es aquí según deriva el tipo de delitos cometidos por el interno (infracciones patrimoniales), y el número de los mismos así como la permanencia del penado en prisión. Esa decisión condicionada no excluye la posibilidad de ejecución de la pena condicionalmente acumulada por el pago ex post de la multa, lo que sucederá si alguno o varios de los juzgados sentenciadores al proceder a la vía de apremio encuentran bienes suficientes (siempre después de haber dado preferencia al abono de las eventuales responsabilidades civiles que tampoco faltan aquí: art. 126 CP). Apostillaba finalmente esta sentencia: "Obviamente es recomendable adoptar alguna cautela al aplicar esta doctrina, omitiendo tal tipo de pronunciamiento cuando consta o puede presumirse la solvencia del penado; o también cuando la toma en consideración de los días de responsabilidad personal subsidiaria pudieran alterar los cálculos para aplicar la regla del art. 76 CP (lo que en todo caso será poco frecuente)". Ese caso que se pronosticaba como poco frecuente es el que aparece aquí: si se toman consideración las eventuales privaciones de libertad derivadas del impago de las penas de multa, serán éstas las que marquen el máximo a cumplir. Por tanto, mientras no conste que el penado no abona las multas y carece de solvencia y se procede a convertir las mismas en privación de libertad no se pueden adoptar decisiones que supondrían privar al penado de la posibilidad de cumplir esas condenas en su forma originaria (pago de la multa) acortando así su estancia en prisión. Eso no es óbice para que, una vez cumplidas las penas de prisión sin haberse abonado las multas, o, antes, si se produce la conversión de las multas en privación de libertad, se pueda proceder a la acumulación que entonces devendría procedente a través de un nuevo incidente en ejecución ante el último órgano sentenciador (art. 988 LECrim).

STS 460/2018: Si se constatase la solvencia del penado habrá que ejecutar la multa impuesta. Pero se puede anticipar ya la acumulabilidad de la eventual responsabilidad personal subsidiaria cuando es pronosticable tal insolvencia; como lo es aquí según deriva el tipo de delitos cometidos por el interno (infracciones patrimoniales), y el número de los mismos así como la permanencia del penado en prisión. Esa decisión condicionada no excluye la posibilidad de ejecución de la pena condicionalmente acumulada por el pago *ex post* de la multa, lo que sucederá si alguno o varios de los juzgados sentenciadores al proceder a la vía de apremio encuentran bienes suficientes (siempre después de haber dado preferencia al abono de las eventuales responsabilidades civiles: art. 126 CP). Cuando concurre una pluralidad de penas de multa (más si son elevadas) y además se han impuesto responsabilidades civiles de cierta cuantía y en algunas de las sentencias aparece declarada la insolvencia del penado es lógico anticipar ese pronunciamiento con ese carácter condicionado. Obviamente es recomendable adoptar alguna cautela al aplicar esta doctrina, omitiendo tal tipo de pronunciamiento cuando consta o puede presumirse la solvencia del penado; o también cuando la toma en consideración de los días de responsabilidad personal subsidiaria pudiera alterar los cálculos para aplicar la regla del art. 76 CP (lo que en todo caso será poco frecuente).

STS 452/2018: La acumulación de las penas suspendidas solo procede si favoreciere al condenado, de modo que si existe constancia de perjuicio, no hipotética probabilidad (frente a otra más plausible de beneficio), no procedería la acumulación

Art. 77.

1. Lo dispuesto en los dos artículos anteriores no es aplicable en el caso de que un solo hecho constituya dos o más delitos, o cuando uno de ellos sea medio necesario para cometer el otro.

2. En el primer caso, se aplicará en su mitad superior la pena prevista para la infracción más grave, sin que pueda exceder de la que represente la suma de las que correspondería aplicar si se penaran separadamente las infracciones. Cuando la pena así computada exceda de este límite, se sancionarán las infracciones por separado.

3. En el segundo, se impondrá una pena superior a la que habría correspondido, en el caso concreto, por la infracción más grave, y que no podrá exceder de la suma de las penas concretas que hubieran sido impuestas separadamente por cada uno de los delitos. Dentro de estos límites, el juez o tribunal individualizará la pena conforme a los criterios expresados en el artículo 66. En todo caso, la pena impuesta no podrá exceder del límite de duración previsto en el artículo anterior.

> **STS 444/2016:** Para hacer la comparativa penológica en el concurso medial y en el concurso ideal, es necesario acudir a las penas en concreto, es decir, tomando en consideración las circunstancias concurrentes y los factores de individualización.
> **Acuerdo no jurisdiccional del pleno de la Sala 2ª del TS de 12 de diciembre de 2017:** En caso de concurso medial, cuando las penas de prisión señaladas en abstracto en cada uno de los delitos que integran el concurso no superen los cinco años de duración, aunque la suma de las previstas en una y otras infracciones excedan de esa cifra, la competencia para su enjuiciamiento corresponde al Juez de lo Penal.
> **STS 125/2018:** La innovación efectuada en el CP genera en la práctica notables distorsiones en la aplicación del concurso medial y graves incoherencias axiológicas que se muestran contrarias a la finalidad que con la reforma pretendía llevar a la práctica el legislador. De forma que, siendo lo correcto interpretar el enunciado "*Se impondrá una pena superior a la que habría correspondido ...*" en un sentido que no perjudique al reo con el añadido de la expresión "en grado", lo cierto es que las consecuencias a que conduce el nuevo precepto, una vez aplicados los criterios hermenéuticos teleológico y sistemático, resultan perturbadoras y disfuncionales. En efecto, la redacción de la norma se muestra diáfanamente contraria al objetivo que buscaba el legislador, que no podía ser otro que deslindar punitivamente el concurso ideal propio del impropio o medial, creando así una punición intermedia para el concurso instrumental o medial que se aproximara a la del concurso real y se alejara del concurso ideal propio. Sin embargo, tal objetivo ha quedado sustancialmente frustrado, pues en la práctica la punición del concurso medial en lugar de ocupar el escalón intermedio entre

los tres concursos se ubica *de facto* más bien en el inferior. Y
ello por resultar muy plausible que en un mayoritario número
de casos el mínimo punitivo del concurso medial resulte inferior al que en teoría correspondería a un concurso ideal, pues
éste siempre que opere lo hará en la mitad superior de la pena, margen que puede fácilmente ser inferior en los casos del
concurso medial, dado que debe ser establecido a partir de un
día superior a la pena que en concreto corresponda al delito
más grave. Aunque todo indica que el fin de la nueva norma
era exacerbar la pena correspondiente al concurso medial con
respecto al concurso propiamente ideal, todo permite entrever
que el nuevo texto legal va a conseguir en un importante número de casos un efecto inverso. Lo normal parece que va a ser,
pues, que se incremente el descuadre punitivo que se intenta
solventar con la reforma, al distanciar al concurso medial del
propiamente ideal pero en dirección contraria a la que se pretendía. De otra parte, el nuevo sistema de cálculo punitivo del
concurso medial conlleva que los tribunales procedan a establecer el mínimo de la pena del concurso mediante las reglas propias del marco legal específico (reglas dosimétricas) y también
acudiendo a los criterios flexibles de individualización judicial
(gravedad del hecho y circunstancias personales). Ello supone
que el marco punitivo del concurso medial se configure de una
forma que puede considerarse heterodoxa y anómala. Tanto
por el hecho de que el marco punitivo del concurso medial ya
no lo fija el legislador sino el juez con criterios no poco discrecionales y laxos, como por las circunstancias singulares que se
darán al establecer un marco punitivo que se elabora a partir
del día siguiente a una pena concreta fijada discrecionalmente,
aunque se trate de una discrecionalidad que puede considerarse
en gran medida reglada. Al dejar en manos del arbitrio judicial,
aunque éste deba ser siempre razonado y razonable, la fijación
del antiguo marco legal del concurso medial, se genera una situación de incertidumbre que tiende a acentuarse al tener que
intervenir los jueces y tribunales en una doble operación de
individualización judicial para establecer los límites de la pena
del concurso y la posterior cuantificación en el caso concreto.
En efecto, no deja de resultar extraño y distorsionador que el

tribunal proceda a operar dos veces consecutivas con los criterios genéricos de individualización judicial: primero para fijar la pena concreta que corresponde al delito más grave del concurso, y después una segunda individualización judicial dentro del marco de la pena correspondiente ya al concurso, que ha de ser individualizada activando ya sólo los criterios genéricos de la individualización puestos en relación con la ponderación de los dos delitos que aparecen vinculados merced a una relación teleológica o medial. Las omisiones, la opacidad y los déficits de motivación punitiva que se observan en la práctica a la hora de individualizar la pena concreta dentro de un marco legal, pueden ahora hacerse bastante más notables al exigirse una doble individualización judicial: la primera para el delito más grave y la segunda para determinar la pena concreta a imponer al concurso delictivo. Y aunque no es admisible la aplicación duplicada de las circunstancias modificativas de la responsabilidad, no será fácil tampoco en la segunda individualización judicial prescindir de *facto* de los criterios sustantivos utilizados en la primera.

STS 28/2016: El nuevo régimen punitivo del concurso medial consiste en una pena de nuevo cuño que se extiende desde una pena superior a la que habría correspondido en el caso concreto por la infracción más grave, como límite mínimo, hasta la suma de las penas concretas que habrían sido impuestas separadamente por cada uno de los delitos, como límite máximo. El límite mínimo no se refiere a la pena "superior en grado" de la establecida legalmente para el delito más grave, lo que elevaría excesivamente la penalidad y no responde a la literalidad de lo expresado por el Legislador, sino a una pena superior a la que habría correspondido, en el caso concreto, por la infracción más grave. Es decir, si una vez determinada la infracción más grave y concretada la pena tomando en consideración las circunstancias y los factores de individualización, se estima que correspondería, como sucede en el caso actual, la pena de seis años de prisión, la pena mínima del concurso sería la de seis años y un día. El límite máximo de la pena procedente para el concurso medial no podrá exceder de la "suma de las penas concretas que hubieran sido impuestas separadamente para cada delito". Es preciso determinar la pena en concreto del delito menos grave, teniendo en cuenta, como en el caso anterior, las circunstancias concurrentes. Si dicha pena fuese de cuatro años, como sucede en el caso actual, el marco punitivo del concurso irá de seis años y un día como pena mínima, a diez años (seis del delito más grave, más cuatro del segundo delito) como pena máxima. Dentro de dicho marco se aplicarán los criterios expresados en el art. 66 CP, pero, como señala acertadamente la Circular 4/2015 de la FGE, que sigue este mismo sistema, en ese momento ya no debemos tener en cuenta las "reglas dosimétricas" del art. 66 CP, porque ya se han utilizado en la determinación del marco punitivo y, caso de hacerlo, se incurriría en un "*bis in ídem*" prohibido en el art. 67 CP. Deben tomarse en cuenta los criterios generales del art. 66, pero no las reglas específicas, que ya han incrementado el límite mínimo del concurso por la apreciación de una gravante, que no puede ser aplicada de nuevo.

STS 30/2018: Determinación de la infracción más grave, donde igualmente habrá de tenerse en cuenta el grado de ejecución y la participación (arts. 62 y 63 CP), en cuanto constituyen -según cualificada doctrina- formas de tipicidad autónomas que el Código Penal incorpora a su Parte General por razones sistemáticas, así como las eximentes incompletas (art. 68 CP), y el error de prohibición vencible (art. 14.3 CP), en cuanto constituyen institutos con eficacia limitadora del marco penal aplicable al delito.

STS 92/2019: La dificultad para determinar la existencia, o no, del concurso medial, estriba en dar un concreto contenido a la expresión de "medio necesario" que exige el presupuesto del concurso. En principio esa relación hay que examinarla desde el caso concreto exigiendo que la necesidad exista objetivamente, sin que baste con que el sujeto crea que se da esa necesidad. Ahora bien, tampoco cabe exigir una necesidad absoluta, pues esa exigencia chocaría con el concurso de leyes en la medida que esa exigencia supondría la concurrencia de dos leyes en aplicación simultánea.

STS 663/2019: Parece que un criterio seguro para la determinación de la "necesidad" es el de comprobar si en el caso concreto se produce una conexión típica entre los delitos concurrentes. Así cuando en la comisión de un delito fin, por ejemplo la estafa, el engaño típico se materializa a través de otro delito, por ejemplo, falsedades, uso de nombre supuesto, etc., teniendo en cuenta las exigencias de conexión lógica, temporal y espacial, esa acción ha de ser tenida por necesaria para la consideración de delito instrumental. Sucede sin embargo que en el concurso medial la conexión entre ambas infracciones es una relación teleológica de medio a fin, relación de necesidad que debe ser entendida en un sentido concreto y taxativo, no bastando el plan subjetivo del autor sino que será preciso que en el caso concreto un delito no pueda producirse objetivamente sin otro delito que esté tipificado como tal de forma independiente.

Art. 78.

1. Si a consecuencia de las limitaciones establecidas en el apartado 1 del artículo 76 la pena a cumplir resultase inferior a la mitad de la suma total de las impuestas, el juez o tribunal sentenciador podrá acordar que los beneficios penitenciarios, los permisos de salida, la clasificación en tercer grado y el cómputo de tiempo para la libertad condicional se refieran a la totalidad de las penas impuestas en las sentencias.

2. En estos casos, el juez de vigilancia, previo pronóstico individualizado y favorable de reinserción social y valorando, en su caso, las circunstancias personales del reo y la evolución del tratamiento reeducador, podrá acordar razonadamente, oídos el Ministerio Fiscal, Instituciones Penitenciarias y las demás partes, la aplicación del régimen general de cumplimiento.

Si se tratase de delitos referentes a organizaciones y grupos terroristas y delitos de terrorismo del Capítulo VII del Título XXII del Libro II de este Código, o cometidos en el seno de organizaciones criminales, y atendiendo a la suma total de las penas impuestas, la anterior posibilidad sólo será aplicable:

a) Al tercer grado penitenciario, cuando quede por cumplir una quinta parte del límite máximo de cumplimiento de la condena.

b) A la libertad condicional, cuando quede por cumplir una octava parte del límite máximo de cumplimiento de la condena.

STS 336/2021: La jurisprudencia de esta Sala en interpretación del artículo 78.1 del Código Penal ha resuelto que se trata de una facultad que corresponde al tribunal sentenciador, por la que se agravan las condiciones de cumplimiento de la pena y, por ello, requiere una motivación reforzada para justificar la adopción de una facultad que agrava la ejecución de la pena. El artículo 78 CP, supone "un endurecimiento evidente de la pena a través del sistema de cumplimiento, aunque dulcificado a través de la posibilidad que se concede al juez de vigilancia penitenciaria para retornar al régimen general, atendiendo no solo a las circunstancias personales del penado, sino también a la evolución del tratamiento reeducador, exigiéndose en ese sentido un pronóstico individualizado y favorable de reinserción social. Se impide así la colisión frontal con el artículo 25.2 de la Constitución, que exige que las penas privativas de libertad estén orientadas a la reinserción social del delincuente". Del texto del precepto se desprende, en primer lugar, que es preciso un elemento objetivo: que la pena a cumplir efectivamente sea inferior a la suma total de las penas impuestas. En segundo lugar, se aprecia que se establece una facultad discrecional ("podrá acordar") del juez o tribunal sentenciador. A diferencia de la versión original del artículo, retocada en tres ocasiones (LO 7/2003, LO 5/2010 y LO 1/2015), en la que se imponía expresamente la consideración de la peligrosidad criminal del penado, en la redacción actual no se hace referencia alguna a la peligrosidad ni a ningún otro aspecto. Por lo tanto, no le impone al Tribunal la valoración expresa de ningún elemento concreto. Tampoco se dice expresamente, como en aquella redacción, que el acuerdo deberá ser motivado, aunque ésta es una exigencia que se mantiene por aplicación de los artículos 24.2 y 120.3 de la Constitución. Se trata, además, de una modalidad agravada de la respuesta a la comisión de varios hechos delictivos, que ha de considerarse una excepción al régimen general de cumplimiento, por lo que será exigible una motivación reforzada.

STS 217/2021: Aunque la concurrencia del primer elemento exigido en el precepto, que la pena a cumplir efectivamente sea inferior a la suma total de las penas impuestas, sea imprescindible, no es suficiente para aplicar el artículo 78, siendo necesaria la concurrencia de otros elementos que demuestren no solo la necesidad de acudir a esa previsión, sino la imposibilidad de satisfacer tal necesidad de otra forma menos gravosa para el penado.

VII. DE LAS FORMAS SUSTITUTIVAS DE LA EJECUCIÓN DE LAS PENAS PRIVATIVAS DE LIBERTAD Y DE LA LIBERTAD CONDICIONAL
(ARTS. 80 A 94 BIS)

Art. 80.

1. Los jueces o tribunales, mediante resolución motivada, podrán dejar en suspenso la ejecución de las penas privativas de libertad no superiores a dos años cuando sea razonable esperar que la ejecución de la pena no sea necesaria para evitar la comisión futura por el penado de nuevos delitos.

Para adoptar esta resolución el juez o tribunal valorará las circunstancias del delito cometido, las circunstancias personales del penado, sus antecedentes, su conducta posterior al hecho, en particular su esfuerzo para reparar el daño causado, sus circunstancias familiares y sociales, y los efectos que quepa esperar de la propia suspensión de la ejecución y del cumplimiento de las medidas que fueren impuestas.

2. Serán condiciones necesarias para dejar en suspenso la ejecución de la pena, las siguientes:

1.ª Que el condenado haya delinquido por primera vez. A tal efecto no se tendrán en cuenta las anteriores condenas por delitos imprudentes o por delitos leves, ni los antecedentes penales que hayan sido cancelados, o debieran serlo con arreglo a lo dispuesto en el artículo 136. Tampoco se tendrán en cuenta los antecedentes penales correspondientes a delitos que, por su naturaleza o circunstancias, carezcan de relevancia para valorar la probabilidad de comisión de delitos futuros.

2.ª Que la pena o la suma de las impuestas no sea superior a dos años, sin incluir en tal cómputo la derivada del impago de la multa.

3.ª Que se hayan satisfecho las responsabilidades civiles que se hubieren originado y se haya hecho efectivo el decomiso acordado en sentencia conforme al artículo 127.

Este requisito se entenderá cumplido cuando el penado asuma el compromiso de satisfacer las responsabilidades civiles de acuerdo a su capacidad económica y de facilitar el decomiso acordado, y sea razonable esperar que el mismo será cumplido en el plazo prudencial que el juez o tribunal determine. El juez o tribunal, en atención al alcance de la responsabilidad civil y al impacto social del delito, podrá solicitar las garantías que considere convenientes para asegurar su cumplimiento.

3. Excepcionalmente, aunque no concurran las condiciones 1.ª y 2.ª del apartado anterior, y siempre que no se trate de reos habituales, podrá acordarse la suspensión de las penas de prisión que individualmente no excedan de dos años cuando las circunstancias personales del reo, la naturaleza del hecho, su conducta y, en particular, el esfuerzo para reparar el daño causado, así lo aconsejen.

En estos casos, la suspensión se condicionará siempre a la reparación efectiva del daño o la indemnización del perjuicio causado conforme a sus posibilidades físicas y económicas, o al cumplimiento del acuerdo a que se refiere la medida 1.ª del artículo 84. Asimismo, se impondrá siempre una de las medidas a que se refieren los numerales 2.ª o 3.ª del mismo precepto, con una extensión que no podrá ser inferior a la que resulte de aplicar los criterios de conversión fijados en el mismo sobre un quinto de la pena impuesta.

4. Los jueces y tribunales podrán otorgar la suspensión de cualquier pena impuesta sin sujeción a requisito alguno en el caso de que el penado esté aquejado de una enfermedad muy grave con padecimientos incurables, salvo que en el momento de la comisión del delito tuviera ya otra pena suspendida por el mismo motivo.

5. Aun cuando no concurran las condiciones 1.ª y 2.ª previstas en el apartado 2 de este artículo, el juez o tribunal podrá acordar la suspensión de la ejecución de las penas privativas de libertad no superiores a cinco años de los penados que hubiesen cometido el hecho delictivo a causa de su dependencia de las sustancias señaladas en el numeral 2.º del artículo 20, siempre que se certifique suficientemente, por centro o servicio público o privado debidamente acreditado u homologado, que el condenado se encuentra deshabituado o sometido a tratamiento para tal fin en el momento de decidir sobre la suspensión.

El juez o tribunal podrá ordenar la realización de las comprobaciones necesarias para verificar el cumplimiento de los anteriores requisitos.

En el caso de que el condenado se halle sometido a tratamiento de deshabituación, también se condicionará la suspensión de la ejecución de la pena a que no abandone el tratamiento hasta su finalización. No se entenderán abandono las recaídas en el tratamiento si estas no evidencian un abandono definitivo del tratamiento de deshabituación.

6. En los delitos que sólo pueden ser perseguidos previa denuncia o querella del ofendido, los jueces y tribunales oirán a éste y, en su caso, a quien le represente, antes de conceder los beneficios de la suspensión de la ejecución de la pena.

STS 59/2018: La satisfacción de las deudas contraídas por razón de delito y que el tribunal ha fijado en el fallo de la sentencia condenatoria constituyen un crédito en favor del acreedor que el obligado por la sentencia condenatoria debe satisfacer y a cuyo efecto dispone el ordenamiento procesal civil los embargos y medidas cautelares en el caso de que fuera preciso una ejecución obligatoria, por no haber sido asumida de forma voluntaria. En la fijación de esta forma de satisfacción y de ejecución judicial el propio ordenamiento señala las pautas a seguir, bajo la rúbrica del embargo de bienes en los artículos 584 y siguientes de la Ley de enjuiciamiento civil , regulando el modo de proceder para el aseguramiento de la deuda declarada. Es el propio ordenamiento civil el que señala en el artículo 607 la procedencia del embargo de sueldos y pensiones y considera inembargables los sueldos, jornales y retribuciones que sean superiores al salario mínimo interprofesional, conforme a la escala que relaciona estableciendo distintos niveles en función de los ingresos y de las cargas familiares. A su vez establece una excepción a la inembargabilidad respecto a pensiones alimentarias. Con ello el legislador civil trata de preservar del cumplimiento de la obligación un mínimo vital necesario para una vida en condiciones de dignidad del deudor obligado al pago de la responsabilidad civil declarada. Ese mínimo vital constituye el umbral de lo absolutamente necesario para una vida digna y constituye un dique de contención frente al legítimo derecho del acreedor al cobro su deuda. De esta manera se cohonesta el derecho de acreedor, que debe ser tutelado, y el deber del deudor que debe cumplir la obligación manteniendo las condiciones de dignidad que le permitan subsistir. Si por ministerio de la ley son bienes inembargables, sobre ellos no puede actuarse, desde la coacción del Estado, el cumplimiento de la obligación. Por tanto, quedan al margen de la ejecución y, consecuentemente, no puede ser considerados como parte del esfuerzo reparador que el deudor de la responsabilidad civil debe realizar para satisfacer la deuda los ingresos inferiores a lo declarado inembargable.

Art. 82.

1. El juez o tribunal resolverá en sentencia sobre la suspensión de la ejecución de la pena siempre que ello resulte posible. En los demás casos, una vez declarada la firmeza de la sentencia, se pronunciará con la mayor urgencia, previa audiencia a las partes, sobre la concesión o no de la suspensión de la ejecución de la pena.

2. El plazo de suspensión se computará desde la fecha de la resolución que la acuerda. Si la suspensión hubiera sido acordada en sentencia, el plazo de la suspensión se computará desde la fecha en que aquélla hubiere devenido firme.

No se computará como plazo de suspensión aquél en el que el penado se hubiera mantenido en situación de rebeldía.

STS 480/2018: Ante el nuevo panorama normativo surge el interrogante de si el nuevo artículo 82.1 CP, para ser respetuoso con los principios constitucionales, debe ser interpretado en el sentido de exigir la audiencia previa cuando la decisión sobre la suspensión se acuerde en sentencia. Es incuestionable que la decisión sobre la suspensión de la pena de prisión, ya sea estimatoria o desestimatoria, es una resolución compleja y discrecional, en la que han de ponderarse múltiples factores. No precisa de un especial esfuerzo argumentativo considerar imprescindible que, antes de decidir sobre la suspensión, se abra un trámite que permita a las partes alegar lo que estimen procedente en defensa de su posición, aportar, en su caso, las pruebas que se estimen pertinentes o, incluso, interesar que la decisión no se adopte en sentencia y se posponga para la fase de ejecución por falta de elementos necesarios para resolver en ese momento procesal, cuestión que también puede ser objeto de controversia. El artículo 82 del Código Penal debe ser interpretado conforme a la Constitución y en los términos más favorables para la tutela judicial efectiva de las partes en litigio, razón por la que, aunque el precepto guarde silencio, la decisión en sentencia sobre la suspensión de la pena privativa de libertad debe ir precedida de un trámite de audiencia que permita a las partes pedir, alegar o probar lo procedente en derecho en relación con este beneficio legal, caso de que esta cuestión no haya sido objeto de debate y prueba en el plenario.

Art. 84.

1. El juez o tribunal también podrá condicionar la suspensión de la ejecución de la pena al cumplimiento de alguna o algunas de las siguientes prestaciones o medidas:

1.ª El cumplimiento del acuerdo alcanzado por las partes en virtud de mediación.

2.ª El pago de una multa, cuya extensión determinarán el juez o tribunal en atención a las circunstancias del caso, que no podrá ser superior a la que resultase de aplicar dos cuotas de multa por cada día de prisión sobre un límite máximo de dos tercios de su duración.

3.ª La realización de trabajos en beneficio de la comunidad, especialmente cuando resulte adecuado como forma de reparación simbólica a la vista de las circunstancias del hecho y del autor. La duración de esta prestación de trabajos se determinará por el juez o tribunal en atención a las circunstancias del caso, sin que pueda exceder de la que resulte de computar un día de trabajos por cada día de prisión sobre un límite máximo de dos tercios de su duración.

2. Si se hubiera tratado de un delito cometido sobre la mujer por quien sea o haya sido su cónyuge, o por quien esté o haya estado ligado a ella por una relación similar de afectividad, aun sin convivencia, o sobre los descendientes, ascendientes o hermanos por naturaleza, adopción o afinidad propios o del cónyuge o conviviente, o sobre los menores o personas con discapacidad necesitadas de especial protección que con él convivan o que se hallen sujetos a la potestad, tutela, curatela, acogimiento o guarda de hecho del cónyuge o conviviente, el pago de la multa a que se refiere la medida 2.ª del apartado anterior solamente podrá imponerse cuando conste acreditado que entre ellos no existen relaciones económicas derivadas de una relación conyugal, de convivencia o filiación, o de la existencia de una descendencia común.

> **STS 603/2018 (Pleno):** Cuando de incumplimiento de condiciones de suspensión de la pena se trata, el ordenamiento jurídico establece la consecuencia que corresponde imponer. Así el artículo 84 del Código Penal prevé la posibilidad de tal suspensión de la ejecución de la pena a, entre otras, la condición de realizar trabajos en beneficio de la comunidad. Y, a su vez, el artículo 86 prevé las posibles consecuencias anudadas por el legislador a las diversas hipótesis descritas en sus apartados 1 y 2. Precisamente en el apartado 1. c) del citado artículo 86 del Código Penal se refiere al supuesto en que se ha incumplido por el penado alguna de las condiciones del artículo 84 del mismo cuerpo legal. Entre ellas por tanto la realización de trabajos en beneficio de la comunidad. Tal como se encabeza ese apartado 1 del artículo 86 citado la consecuencia será la revocación de la suspensión y la ejecución de la pena suspendida. Eso sí, se cuida de exigir el legislador para tan drástica respuesta, siempre que

el incumplimiento sea grave y reiterado. Porque, si no alcanza tal intensidad el incumplimiento, la consecuencia se mitiga en el apartado 2 del mismo artículo 86. Modificar las condiciones o prolongar la duración del plazo de suspensión. No cabe hablar de tipicidad, ni como quebrantamiento de condena ni como desobediencia desde la imputación de tales incumplimientos, en los casos en que el trabajo en beneficio de la comunidad es una condición de suspensión y no pena principal. La consecuencia a que se refiere el artículo 49, 6ª párrafo segundo -tipicidad como quebrantamiento de condena- solamente puede predicarse en supuesto en que los trabajos constituyan pena principal. (Tol 6940665)

Art. 86.

1. El juez o tribunal revocará la suspensión y ordenará la ejecución de la pena cuando el penado:

a) Sea condenado por un delito cometido durante el período de suspensión y ello ponga de manifiesto que la expectativa en la que se fundaba la decisión de suspensión adoptada ya no puede ser mantenida.

b) Incumpla de forma grave o reiterada las prohibiciones y deberes que le hubieran sido impuestos conforme al artículo 83, o se sustraiga al control de los servicios de gestión de penas y medidas alternativas de la Administración penitenciaria.

c) Incumpla de forma grave o reiterada las condiciones que, para la suspensión, hubieran sido impuestas conforme al artículo 84.

d) Facilite información inexacta o insuficiente sobre el paradero de bienes u objetos cuyo decomiso hubiera sido acordado; no dé cumplimiento al compromiso de pago de las responsabilidades civiles a que hubiera sido condenado, salvo que careciera de capacidad económica para ello; o facilite información inexacta o insuficiente sobre su patrimonio, incumpliendo la obligación impuesta en el artículo 589 de la Ley de Enjuiciamiento Civil.

2. Si el incumplimiento de las prohibiciones, deberes o condiciones no hubiera tenido carácter grave o reiterado, el juez o tribunal podrá:

a) Imponer al penado nuevas prohibiciones, deberes o condiciones, o modificar las ya impuestas.

b) Prorrogar el plazo de suspensión, sin que en ningún caso pueda exceder de la mitad de la duración del que hubiera sido inicialmente fijado.

3. En el caso de revocación de la suspensión, los gastos que hubiera realizado el penado para reparar el daño causado por el delito conforme al apartado 1 del artículo 84 no serán restituidos. Sin embargo, el juez o tribunal abonará a la pena los pagos y la prestación de trabajos que hubieran sido realizados o cumplidos conforme a las medidas 2.ª y 3.ª

4. En todos los casos anteriores, el juez o tribunal resolverá después de haber oído al Fiscal y a las demás partes. Sin embargo, podrá revocar la suspensión de la ejecución de la pena y ordenar el ingreso inmediato del penado en prisión cuando resulte imprescindible para evitar el riesgo de reiteración delictiva, el riesgo de huida del penado o asegurar la protección de la víctima.

El juez o tribunal podrá acordar la realización de las diligencias de comprobación que fueran necesarias y acordar la celebración de una vista oral cuando lo considere necesario para resolver.

Acuerdo no jurisdiccional del pleno de la Sala 2ª del TS de 24 de octubre de 2018: El control de la ejecución de los trabajos en beneficio de la comunidad impuestos como condición de la suspensión de la pena de prisión, conforme a los arts. 80 y 84 del Código Penal, corresponde al órgano sentenciador (art. 86 CP). Para propiciar una solución uniforme respecto de los trabajos en beneficio de la comunidad impuestos como pena sustitutiva bajo la vigencia del derogado art. 88 del CP, cabe estimar que la competencia para declarar el incumplimiento también corresponde al órgano sentenciador. Ello en la medida en que la nueva regulación del art. 86 del Código Penal introduce criterios más amplios que pueden favorecer al penado, y no impone en cambio el automatismo de la regulación precedente, donde el incumplimiento determinaba la revocación de la sustitución (art. 88.2 Código Penal).

Art. 89.

1. Las penas de prisión de más de un año impuestas a un ciudadano extranjero serán sustituidas por su expulsión del territorio español. Excepcionalmente, cuando resulte necesario para asegurar la defensa del orden jurídico y restablecer la confianza en la vigencia de la norma infringida por el delito, el juez o tribunal podrá acordar la ejecución de una parte de la pena que no podrá ser superior a dos tercios de su extensión, y la sustitución del resto por la expulsión del penado del territorio español. En todo caso, se sustituirá el resto de la pena por la expulsión del penado del territorio español cuando aquél acceda al tercer grado o le sea concedida la libertad condicional.

2. Cuando hubiera sido impuesta una pena de más de cinco años de prisión, o varias penas que excedieran de esa duración, el juez o tribunal acordará la ejecución de todo o parte de la pena, en la medida en que resulte necesario para asegurar la defensa del orden jurídico y restablecer la confianza en la vigencia de la norma infringida por el delito. En estos casos, se sustituirá la ejecución del resto de la pena por la expulsión del penado del territorio español, cuando el penado cumpla la parte de la pena que se hubiera determinado, acceda al tercer grado o se le conceda la libertad condicional.

3. El juez o tribunal resolverá en sentencia sobre la sustitución de la ejecución de la pena siempre que ello resulte posible. En los demás casos, una vez declarada la firmeza de la sentencia, se pronunciará con la mayor urgencia, previa audiencia al Fiscal y a las demás partes, sobre la concesión o no de la sustitución de la ejecución de la pena.

4. No procederá la sustitución cuando, a la vista de las circunstancias del hecho y las personales del autor, en particular su arraigo en España, la expulsión resulte desproporcionada.

La expulsión de un ciudadano de la Unión Europea solamente procederá cuando represente una amenaza grave para el orden público o la seguridad pública en atención a la naturaleza, circunstancias y gravedad del delito cometido, sus antecedentes y circunstancias personales.

Si hubiera residido en España durante los diez años anteriores procederá la expulsión cuando además:

a) Hubiera sido condenado por uno o más delitos contra la vida, libertad, integridad física y libertad e indemnidad sexuales castigados con pena máxima de prisión de más de cinco años y se aprecie fundadamente un riesgo grave de que pueda cometer delitos de la misma naturaleza.

b) Hubiera sido condenado por uno o más delitos de terrorismo u otros delitos cometidos en el seno de un grupo u organización criminal.

En estos supuestos será en todo caso de aplicación lo dispuesto en el apartado 2 de este artículo.

5. El extranjero no podrá regresar a España en un plazo de cinco a diez años, contados desde la fecha de su expulsión, atendidas la duración de la pena sustituida y las circunstancias personales del penado.

6. La expulsión llevará consigo el archivo de cualquier procedimiento administrativo que tuviera por objeto la autorización para residir o trabajar en España.

7. Si el extranjero expulsado regresara a España antes de transcurrir el período de tiempo establecido judicialmente, cumplirá las penas que fueron sustituidas, salvo que, excepcionalmente, el juez o tribunal, reduzca su duración cuando su cumplimiento resulte innecesario para asegurar la defensa del orden jurídico y restablecer la confianza en la norma jurídica infringida por el delito, en atención al tiempo transcurrido desde la expulsión y las circunstancias en las que se haya producido su incumplimiento.

No obstante, si fuera sorprendido en la frontera, será expulsado directamente por la autoridad gubernativa, empezando a computarse de nuevo el plazo de prohibición de entrada en su integridad.

8. Cuando, al acordarse la expulsión en cualquiera de los supuestos previstos en este artículo, el extranjero no se encuentre o no quede efectivamente privado de libertad en ejecución de la pena impuesta, el juez o tribunal podrá acordar, con el fin de asegurar la expulsión,

su ingreso en un centro de internamiento de extranjeros, en los términos y con los límites y garantías previstos en la ley para la expulsión gubernativa.

En todo caso, si acordada la sustitución de la pena privativa de libertad por la expulsión, ésta no pudiera llevarse a efecto, se procederá a la ejecución de la pena originariamente impuesta o del período de condena pendiente, o a la aplicación, en su caso, de la suspensión de la ejecución de la misma.

9. No serán sustituidas las penas que se hubieran impuesto por la comisión de los delitos a que se refieren los artículos 177 bis, 312, 313 y 318 bis.

> **STS 622/2020:** La sustitución de la pena por expulsión no es una pena y por tanto no forma parte del acuerdo de conformidad. No se encuentra incluida en la relación de penas recogida en el artículo 33 del Código Penal. La posibilidad de sustitución de la pena por expulsión del territorio español está contemplada en el artículo 89 comprendido como forma sustitutiva de la ejecución de las penas privativas de libertad dentro del Capítulo III del Título III del Código Penal. No es propiamente una pena impuesta sino una conmutación en su forma de ejecución. Tampoco el artículo 89 del Código Penal, que regula la sustitución de la pena por la expulsión del extranjero del territorio español, contempla posibilidad alguna de acuerdo sobre esta materia. Cuestión distinta es que, bien en el acto del juicio, bien en la audiencia del penado prevista en el apartado 3 del citado precepto sobre este concreto particular, éste muestre su conformidad con la sustitución. Audiencia que bien puede celebrarse en el mismo acto del Juicio Oral tras el acuerdo de conformidad. Ello no obstante, el apartado 3 del artículo 89 admite la posibilidad de ejecutar este trámite tras la firmeza de la sentencia, en ejecución de la misma si no fuera posible resolver sobre la sustitución en la propia sentencia.
>
> **STS 164/2018:** Tras la reforma operada en el artículo 89 CP por la LO 1/2015, se prevé la sustitución por expulsión de todas las penas superiores a un año de prisión impuestas a extranjeros, aunque su estancia en España no sea ilegal. Cuando las penas impuestas superen el año, y solas o conjuntamente

con otras no rebasen los cinco de privación de libertad, que es
nuestro caso, admite el precepto modular la medida y compati-
bilizarla con un cumplimiento parcial de la pena, que no podrá
ser superior a los dos tercios de la misma «cuando resulte necesario para asegurar la defensa del orden jurídico y restablecer
la confianza en la vigencia de la norma infringida por el delito»,
e impone en todo caso la sustitución del resto de la pena cuando se haya accedido al tercer grado o se le haya concedido la
libertad condicional. En el punto 4 del precepto señalado en su
actual redacción, se incorporan requisitos que ya jurisprudencialmente se venían exigiendo, y se precisa que no procederá la
sustitución cuando, a la vista de las circunstancias del hecho y
las personales del autor, en particular su arraigo en España, la
sustitución resulte desproporcionada. Y el párrafo segundo del
mismo apartado dispone que "La expulsión de un ciudadano
de la Unión Europea solamente procederá cuando represente
una amenaza grave para el orden público o la seguridad pública en atención a la naturaleza, circunstancias y gravedad del
delito cometido, sus antecedentes y circunstancias personales".
El término "ciudadano de la Unión Europea" que incluye el
artículo 89.4 CP debe rellenarse con la definición contenida al
respecto en los Tratados Europeos y las Directivas que los desarrollan, y que lo vinculan inequívocamente con la nacionalidad
del sujeto. Según el artículo 9 del Tratado de la Unión "Será
ciudadano de la Unión toda persona que tenga la nacionalidad
de un Estado miembro" y en el mismo sentido se pronuncia el
artículo 20 del Tratado de Funcionamiento de la Unión. Por su
parte, la Directiva 2004/38/CE del Parlamento Europeo y del
Consejo de 29 de abril de 2004 relativa al derecho de los ciudadanos de la Unión a circular y residir libremente en el territorio
de los Estados miembros, a la que se remite expresamente el
legislador en su reforma del artículo 89.4 CP operada por la
LO 1/2015, proclama en su artículo 2 que: "Se entenderá por
"Ciudadano de la Unión": toda persona que tenga la nacionalidad de un Estado miembro".

STS 233/2020: Carece de lógica que en el ámbito administrativo la Ley de Extranjería prevea la expulsión como sanción
administrativa sólo en caso de condenas a penas privativas de

libertad superiores a un año y que el Código Penal establezca un límite inferior. Esa es la razón por el Legislador ha armonizado el Código Penal con la norma administrativa prohibiendo, por razones de proporcionalidad, que no sea posible la sustitución por expulsión del territorio nacional cuando la pena no sea superior a un año. Partiendo de esta inicial afirmación nos planteamos si la pena de un año que debe ser tomada en consideración es la prevista en abstracto para el delito cometido o la impuesta efectivamente en la sentencia penal. El artículo 89 del Código Penal señala con toda precisión que deben tenerse en cuenta no las penas asignadas al delito sino "la pena impuesta", que no es otra que la establecida judicialmente en la sentencia. Lo contrario vulneraría el principio de legalidad de las penas proclamado en el artículo 25 de la Constitución.

STS 397/2018: La redacción del art. 89.2 CP surgida de la reforma de 2015 podría alimentar algún equívoco sobre un presupuesto de la expulsión. Para que pueda acordarse la expulsión del extranjero -también el residente legalmente- condenado a penas superiores a cinco años de prisión ¿es indispensable una reducción del tiempo de cumplimiento (en ningún caso superior a las dos terceras partes)? Si el Tribunal no considera pertinente el acortamiento, la expulsión vía art. 89 CP quedaría vedada. Empero, no puede olvidarse que eso materialmente no comporta que quedara así bendecida la permanencia en territorio español. Antes bien, lo que supondría es la activación del mecanismo administrativo para una expulsión que legalmente resultará obligada -art. 57.2 LO 4/2000, de 11 de enero- salvo concurrencia de razones excepcionales. La terminología manejada por el legislador -sustitución- alentaría esa interpretación: la expulsión que maneja el art. 89 CP no es una adición, un añadido; sino algo que sustituye a la pena: totalmente o en parte. Si hay cumplimiento íntegro no podría hablarse de sustitución, pues nada se dejaría sin efecto. Nótese que esa genérica terminología es compatible con la expulsión concebida como sustitutiva del periodo en tercer grado o en libertad condicional (que son también fases del cumplimiento de la pena). Así se deriva de la dicción del anterior art. 89.1.2 CP, en exégesis también congruente con la dicción del inciso final del actual art. 89.2 CP. No parece que el legislador de 2015 haya querido variar en ese punto el régimen anterior, lo que por otra parte resulta coherente con lo dispuesto en el art. 197.2 del Reglamento Penitenciario. Las reflexiones en torno a una supuesta infracción del non bis in ídem quedan de esa forma desautorizadas, más allá del debate de si la expulsión en esos casos, así como en los determinados en el art. 57.2 de la citada Ley de Extranjería -otro argumento a favor de la interpretación aquí expresada: no tendría sentido esperar al transcurso de los periodos de tercer grado o libertad condicional para poner en marcha ese mecanismo- es una medida o una sanción. Las previsiones (pena más expulsión: bien sea acordada en el proceso penal; bien se acuerde en un expediente administrativo ulterior), según ha entendido nuestro TC, no contradicen las exigencias de tal principio que, aparte de su proclamación en textos internacionales de aplicación directa en España nuestro TC desde algunos de sus primeros pronunciamientos consideró implícitamente acogido en el art. 25.2 CE.

STC 113/2018: El Pleno de este Tribunal se ha pronunciado en el sentido de entender necesaria la audiencia previa en casos en los que procediera la sustitución de la pena de prisión por expulsión. Y ello como consecuencia del conocimiento de la cuestión de inconstitucionalidad planteada contra el artículo 89.1 CP, en la redacción dada al mismo por la Ley Orgánica 5/2010, de 22 de junio, por posible vulneración de los artículos 18, 25 y 9 CE. En concreto, en el ATC 180/2015, FJ 4 se afirmó que "para efectuar una correcta ponderación de los intereses y derechos en juego siempre se debe dar audiencia al penado (aunque la redacción previa a la reforma de la Ley Orgánica 5/2010 no la recogiera) para valorar de manera correcta las concretas circunstancias del penado, laborales, arraigo y situación familiar". De la misma manera que la decisión de expulsión del territorio nacional debe ponderar las circunstancias personales del expulsado, al estar en juego una pluralidad de intereses constitucionales como el de protección social, económica y jurídica de la familia (art. 39.1, en relación con el art. 10.2 CE), en supuestos como el presente también el órgano judicial debe ponderar a través de una evaluación individualizada si, aunque proceda la expulsión, resulta necesario tomar la decisión excepcional de hacer cumplir una parte de la pena de prisión impuesta "para asegurar la defensa del orden jurídico y restablecer la confianza en la vigencia de la norma infringida por el delito" (art. 89.1 CP). Para ello será necesario, con carácter previo a la toma de tal decisión, abrir un nuevo trámite de alegaciones en el caso de que las partes y el Ministerio Fiscal sólo se hubieran pronunciado acerca de la medida de expulsión obligatoria para penas superiores de un año de prisión. De esta manera posibilita que el acusado pueda ejercer su derecho constitucional de defensa sobre la concreta forma de cumplimiento de la pena que se le va a imponer, pudiendo alegar acerca de cualquier circunstancia que estime conveniente. Hay que añadir que el argumento que refiere la Sala Segunda del Tribunal Supremo, de que no se trata de una decisión discrecional del Tribunal sentenciador, sino de una previsión específica de la norma que regula la expulsión, no es óbice para llegar a tal conclusión, pues como, en paralelo a lo que hemos dicho respecto de las penas, "en modo alguno le es exigible vaticinar y defenderse de hipotéticas y futuribles situaciones que pudiera decidir el órgano judicial, y que excedan por su gravedad, naturaleza o cuantía de las solicitadas por la acusación" (STC 155/2009, FJ 6).

STS 645/2022 (Pleno): Cuesta entender así que, si la indispensable audiencia del acusado en "condiciones de efectividad" se produjo en forma inobjetable para que pudiera procederse a la celebración del juicio, a la práctica de la prueba, a la determinación de los hechos realmente acaecidos, a la calificación jurídica de los mismos, y a la imposición de una pena (nada menos que privativa de libertad), decisiones, todas ellas, que el Tribunal provincial respalda; considere, sin embargo, que esas mismas condiciones no se produjeron respecto de la sustitución de la pena impuesta por la expulsión. Resulta, cuando menos, paradójico, que siendo, por ejemplo, la gravedad del hecho y las circunstancias personales del culpable, parámetros de indispensable valoración en el marco de la individualización de la pena (artículo 66.1.6ª), confirme su imposición la sentencia que ahora se recurre y entienda, sin embargo, -a nuestro parecer, sin explicación convincente alguna al respecto-, que no tuvo lugar una audiencia "en condiciones de efectividad" para valorar las circunstancias del hecho y las personales del autor, en particular su arraigo en España, con relación a la procedencia de acordar la sustitución de aquella pena privativa de libertad por la expulsión. Y es que, indudablemente, el acusado tuvo la oportunidad de aducir, también respecto a esas circunstancias, cuanto hubiera tenido por conveniente. Pudo expresarlas en su escrito de defensa y proponer al respecto las pruebas que juzgase oportunas. Pudo comparecer personalmente al juicio, al que resultó debidamente citado con expreso apercibimiento de que el mismo podría celebrarse en su ausencia, y exponer entonces cuanto le conviniese. Y pudo hacerlo también a través de su abogado, aportando al Tribunal cuantos elementos le pareciesen oportunos al respecto. Pudo, incluso, invocarlas al tiempo de recurrir en apelación la sentencia dictada en primera instancia. Resolvió no hacerlo. Pero ello en absoluto equivale, a nuestro parecer, a una, en tal caso indebida, preterición de su derecho a ser oído o a proponer pruebas, que se colma con la posibilidad efectiva de expresar ante el Tribunal cuanto le pareciese oportuno al respecto o de proponer los medios de prueba que mejor condujesen a su derecho, sin que, desde luego, exija también una conducta proactiva por parte del acusado. Una cosa es tener derecho a ser oído; y otra tener que ser oído cuando no se quiere hablar. Tan frágil nos parece el razonamiento de la sentencia impugnada que, por los mismos motivos, podría negarse la audiencia "en condiciones de efectividad", en el caso de que, en fase de ejecución de sentencia, no compareciese tampoco el condenado a la vista que se señalara con ese fin o si nada adujese en el trámite escrito que se articulase al respecto. En autos, la petición de expulsión obraba en la calificación provisional del Ministerio Fiscal, por ende, medió la posibilidad de oponerse a las pretensiones de la acusación de manera eficaz; tuvo la oportunidad de alegar y proponer prueba que justificara la evitación de la expulsión. El trámite de audiencia, rectamente entendido, como posibilidad ofertada para alegar y proponer prueba sobre el extremo invocado, fue cumplimentado; otra cuestión es que se optara por no alegar nada sobre la procedencia o improcedencia de la expulsión. (Tol 9123914)

STS 644/2022 (Pleno): En el caso de autos, la cuestión que se suscita es, si no habiendo comparecido el acusado al acto del Juicio Oral de forma voluntaria, y habiéndose celebrado el juicio en su ausencia, podía el Tribunal decidir sobre la sustitución de la pena de prisión por la expulsión del territorio español, dando por precluído el trámite de audiencia. Examinando las actuaciones ex art. 899 de la LECrim, podemos comprobar que nos encontramos ante un juicio rápido que fue incoado el mismo día en el que el acusado, entonces detenido, pasó a disposición judicial, siendo informado de sus derechos y acogiéndose a su derecho a no declarar. El mismo día se dictó auto de apertura de juicio oral en el que, además de decretarse la libertad del acusado, se requería al Ministerio Fiscal la presentación inmediata de su escrito de acusación del que se acordaba dar traslado a la defensa para que formulara también sus conclusiones y se fijaba el señalamiento para la celebración del juicio. El Ministerio Fiscal presentó ese mismo día escrito de conclusiones provisionales en el que solicitaba expresamente que le fuera impuesta una pena de prisión en extensión de un año y seis meses y que la misma fuera sustituida por la expulsión del acusado del territorio español y prohibición de entrada en España durante cinco años conforme a lo previsto en el art. 89 CP. Finalmente, también ese mismo día el acusado quedó citado personalmente para el acto del juicio oral y se le notificó, también personalmente, el auto de apertura de juicio oral del que se le entregó copia, confiriéndole asimismo traslado de la calificación del Ministerio Fiscal. Por último, se le hizo saber que su ausencia injustificada en el acto del juicio no impediría su celebración. Consta también en las actuaciones que el acusado estuvo asistido de intérprete de urdú. El juicio oral se celebró en el día y hora señalados. Al mismo no compareció el acusado, haciéndolo su defensa y practicándose en el mismo las pruebas propuestas por las partes. No se ha manifestado ni por el acusado ni por su defensa la existencia de impedimento alguno por el que se hubiese visto imposibilitado contra su voluntad de acudir a juicio. Por tanto, no se ha vulnerado el derecho de audiencia del acusado. Se le ha posibilitado en todo momento que alegara lo que tuviera por conveniente oponiéndose a la pretensión del Ministerio Fiscal y aportando los medios de prueba que estimara oportunos. El acusado, asistido de Letrado desde el inicio de las actuaciones, ha tenido así posibilidad de expresar al Tribunal su punto de vista respecto de la expulsión solicitada por el Fiscal en sus conclusiones provisionales elevadas a definitivas en el acto del Juicio Oral. Igualmente ha sido respetado el principio de contradicción, habiendo tenido su Defensa la posibilidad procesal de oponerse a tal pretensión y de ejercer el derecho a la prueba. Podemos por ello concluir afirmando que si el acusado no ha sido oído personalmente ello ha sido motivado por causas exclusivamente a él imputables. Por último, la motivación efectuada por el Juez de lo Penal es suficiente en atención a los datos que del acusado obraban en las actuaciones. El acusado conocía la petición de sustitución por expulsión interesada por el Ministerio Fiscal y no aportó ningún dato que permitiera ni siquiera intuir su arraigo en España. Lejos de ello lo que constaba en las actuaciones es que se encontraba indocumentado y que su estancia en España era irregular. Frente a ello no solo no aportó nada que acreditase su arraigo en España, sino que ni tan siquiera mencionó circunstancia alguna relativa a su situación familiar y laboral, que pudiera sustentar su arraigo en nuestro país. (Tol 9124648)

STS 617/2022 (Pleno): El Fiscal interpone recurso de casación contra la sentencia de apelación en cuanto considera infringido el régimen legal que regula la imposición de la medida de expulsión como sustitutiva de la pena de prisión. El gravamen lo identifica con la decisión por la que se deja sin efecto el pronunciamiento adoptado por el juez de instancia en cuanto se considera que el juicio celebrado en ausencia no garantiza la audiencia en las condiciones de efectividad que reclama la lectura constitucional del artículo 89 CP y, en consecuencia, se desplaza la decisión definitiva a la fase de ejecución donde deberá realizarse la audiencia prevista en el artículo 89. 3° CP. También para la mayoría del Tribunal el recurrente tiene razón: no hay razón normativa para diferir la decisión sobre la expulsión al trámite de ejecución previsto en el artículo 89.3 CP porque se han satisfecho todas las condiciones de audiencia exigidas por la norma. (Tol 9123797)

STS 344/2021: El art. 89.4 CP apunta como referente básico para la decisión, aunque no exclusivo, la desproporción; es decir, sopesar si en el caso concreto, por las raíces desarrolladas en España, la expulsión resulta singularmente aflictiva y, sumada al cumplimiento de una pena de prisión, supone una sanción conjunta desmedida, poco ponderada, excesiva. La expulsión del extranjero sin vinculación alguna con el país no alberga componente sancionador alguno; o, si acaso, nimio y despreciable. Cuando la medida comporta abandonar el lugar donde está instalado el afectado desde muchos años antes y donde mantiene su entorno laboral social y parental, encierra alto contenido aflictivo. Eso es lo que ha de evaluarse principalmente; más si la expulsión se establece no como un sustitutivo total sino como un añadido adosado al cumplimiento de toda la pena o de su mayor parte. El punto 4 del art. 89 CP incorpora los requisitos que la jurisprudencia venían exigiendo: no cabe la sustitución cuando, a la vista de las circunstancias del hecho y las personales del autor, en particular su arraigo en España, resulte desproporcionada, con independencia de su situación, regular o no. El arraigo no es sino la intensidad del establecimiento en nuestro país de un individuo. Usado como instrumento de medida para evaluar la proporcionalidad de la medida de expulsión, el arraigo obliga a contemplar dos vectores: 1) Principalmente, los perjuicios que para el penado puede suponer la expulsión del país. Eso involucra el esfuerzo vital (medido en años y calibrado por la expectativa de futuro) que el condenado haya consumido en asentarse en nuestro país; así como el agravio que la medida de expulsión entraña para su vida familiar o afectiva, para su actividad laboral o para otros intereses patrimoniales que pueden resultar afectados. Como ya hemos adelantado, no puede hablarse de proporcionalidad sin contemplar singularmente esta afectación de la medida. 2) En todo caso, existe una consideración colectiva del arraigo, que tampoco puede eludirse cuando la norma penal apela al arraigo como marcador de la proporcionalidad de la medida de expulsión. Esa dimensión del arraigo, hace referencia a si el extranjero condenado participa de los principios fundamentales en los que se asienta constitucionalmente nuestra convivencia social y en qué medida puede llegar a percibir nuestra comunidad como propia. Ambos factores -el personal y el colectivo- permiten mesurar el arraigo y ponderar el grado de afectación de una eventual decisión de expulsión, desvelando si puede resultar o no desproporcionada como respuesta punitiva, en atención al delito cometido y a las circunstancias por las que se impone. El Tribunal Europeo de Derechos Humanos ha afirmado que "excluir a una persona de un país donde viven sus parientes próximos puede constituir una injerencia en el respeto al derecho de la vida privada y familiar, protegida por el artículo 8.1°, de la Convención" [STEDH 22/5/2008 (Emre contra Suiza)]. Cuando hay hijos, el Tribunal Europeo de Derechos Humanos ha declarado que la expulsión podría ser desproporcionada cuando provoca la separación de su mujer e hijo menor de edad, de nacionalidad francesa, que tampoco había vivido nunca en Argelia y que no tiene lazo alguno con ese país [SSTEDH 26/9/1997 (Mehemi contra Francia), 15/7/2003 (Mokrani contra Francia) o con una ciudadana helvética, STEDH 2/9/2001 (Boultif contra Suiza)], o cuando tenía una esposa de nacionalidad danesa y varios hijos pequeños, resultando difícil para ella trasladarse a Irán y que era imposible para los dos establecerse en otro país [STEDH 11/7/2002 (Amrollahi contra Dinamarca)].

STS 277/2022: En efecto, la naturaleza próxima a lo punitivo de la medida de expulsión obliga a neutralizar riesgos de exceso que pueden derivarse del nivel de efectivo cumplimiento alcanzado por la pena privativa de libertad cuya sustitución se ordena. Resulta evidente que cuando la pena está prácticamente cumplida en España con la aplicación del periodo de prisión preventiva sufrida, artículo 58 del Código Penal, no puede resultar pertinente la expulsión como sustitución de aquella, pues en ese caso la sustitución se transformaría en un incremento de la sanción uniendo una medida de seguridad a una pena ya cumplida. Riesgo de incompatibilidad que, en efecto, identificamos en el caso que nos ocupa. El hoy recurrente ha permanecido en prisión provisional más de la mitad de la pena privativa de libertad impuesta en la sentencia lo que, en la práctica, mediante el abono previsto en el artículo 58 CP, supone reducir notabilísimamente el alcance objetivo de la sustitución íntegra ordenada, comprometiendo, a la postre, su sentido funcional y material. Lo que resta por sustituir ya no tiene mucho que ver con lo que la norma y la propia sentencia establecen que debe sustituirse. La pérdida de correspondencia entre el objeto a sustituir -la pena privativa de libertad-, y la medida sustitutiva -la expulsión-, obliga a dejar esta sin efecto. Lo que, por otro lado, abre la vía a la posibilidad de suspensión de la pena privativa de libertad de conformidad a lo previsto en el artículo 89.8 CP.

STS 120/2020: Plantea la recurrente que no debe añadirse a los dos tercios de la pena el tiempo empleado en ocasiones para la tramitación de la expulsión, pues ello supondría la superación del límite legalmente impuesto. Ha de tenerse en cuenta que, en principio, el tiempo que se emplee en la tramitación y ejecución de la expulsión no es identificable con el de cumplimiento de la pena. Sin embargo, es exigible que, cuando se tenga conocimiento previo de la fecha en la que deberá procederse a la expulsión, la tramitación de la misma hasta el momento de hacerla efectiva, se haga coincidir con el cumplimiento de la pena, pues en esos casos no se justificaría una prolongación artificial e innecesaria de la privación de libertad. Del artículo 89.8 CP se desprende que el ingreso del penado en un centro de internamiento de extranjeros, que el Juez o Tribunal pueden acordar para asegurar la expulsión, solo es procedente cuando, al acordarse la expulsión, el extranjero "no se encuentre o no quede efectivamente privado de libertad en ejecución de la pena impuesta". De donde puede deducirse que, estando el penado en prisión cumpliendo la pena, la preparación de la expulsión debe llevarse a cabo antes del momento de su puesta en libertad. De todo lo anteriormente expuesto, se desprende que, sin perjuicio de posibles errores en la interpretación de lo resuelto en instancia y en apelación, tal como se razona en esta sentencia, la penada deberá cumplir en España una parte de la pena privativa de libertad impuesta con el límite máximo de los dos tercios, transcurridos los cuales deberá ser expulsada del territorio español. Y, en todo caso, en el momento en que acceda al tercer grado o se le conceda la libertad condicional, aunque no hubiera alcanzado los dos tercios de cumplimiento, deberá procederse a su expulsión en los términos acordados en la condena.

Art. 90.

1. El juez de vigilancia penitenciaria acordará la suspensión de la ejecución del resto de la pena de prisión y concederá la libertad condicional al penado que cumpla los siguientes requisitos:

a) Que se encuentre clasificado en tercer grado.

b) Que haya extinguido las tres cuartas partes de la pena impuesta.

c) Que haya observado buena conducta.

Para resolver sobre la suspensión de la ejecución del resto de la pena y concesión de la libertad condicional, el juez de vigilancia penitenciaria valorará la personalidad del penado, sus antecedentes, las circunstancias del delito cometido, la relevancia de los bienes jurídicos que podrían verse afectados por una reiteración en el delito, su conducta durante el cumplimiento de la pena, sus circunstancias familiares y sociales y los efectos que quepa esperar de la propia suspensión de la ejecución y del cumplimiento de las medidas que fueren impuestas.

No se concederá la suspensión si el penado no hubiese satisfecho la responsabilidad civil derivada del delito en los supuestos y conforme a los criterios establecidos por los apartados 5 y 6 del artículo 72 de la Ley Orgánica 1/1979, de 26 de septiembre, General Penitenciaria.

2. También podrá acordar la suspensión de la ejecución del resto de la pena y conceder la libertad condicional a los penados que cumplan los siguientes requisitos:

a) Que hayan extinguido dos terceras parte de su condena.

b) Que durante el cumplimiento de su pena hayan desarrollado actividades laborales, culturales u ocupacionales, bien de forma continuada, bien con un aprovechamiento del que se haya derivado una modificación relevante y favorable de aquéllas de sus circunstancias personales relacionadas con su actividad delictiva previa.

c) Que acredite el cumplimiento de los requisitos a que se refiere el apartado anterior, salvo el de haber extinguido tres cuartas partes de su condena.

A propuesta de Instituciones Penitenciarias y previo informe del Ministerio Fiscal y de las demás partes, cumplidas las circunstancias de las letras a) y c) del apartado anterior, el juez de vigilancia penitenciaria podrá adelantar, una vez extinguida la mitad de la condena, la concesión de la libertad condicional en relación con el plazo previsto en el apartado anterior, hasta un máximo de noventa días por cada año transcurrido de cumplimiento efectivo de condena. Esta medida requerirá que el penado haya desarrollado continuadamente las actividades indicadas en la letra b) de este apartado y que acredite, además, la participación efectiva y favorable en programas de reparación a las víctimas o programas de tratamiento o desintoxicación, en su caso.

3. Excepcionalmente, el juez de vigilancia penitenciaria podrá acordar la suspensión de la ejecución del resto de la pena y conceder la libertad condicional a los penados en que concurran los siguientes requisitos:

a) Que se encuentren cumpliendo su primera condena de prisión y que ésta no supere los tres años de duración.

b) Que hayan extinguido la mitad de su condena.

c) Que acredite el cumplimiento de los requisitos a que se refiere al apartado 1, salvo el de haber extinguido tres cuartas partes de su condena, así como el regulado en la letra b) del apartado anterior.

Este régimen no será aplicable a los penados que lo hayan sido por la comisión de un delito contra la libertad e indemnidad sexuales.

4. El juez de vigilancia penitenciaria podrá denegar la suspensión de la ejecución del resto de la pena cuando el penado hubiera dado información inexacta o insuficiente sobre el paradero de bienes u objetos cuyo decomiso hubiera sido acordado; no dé cumplimiento conforme a su capacidad al compromiso de pago de las responsabilidades civiles a que hubiera sido condenado; o facilite información inexacta

o insuficiente sobre su patrimonio, incumpliendo la obligación impuesta en el artículo 589 de la Ley de Enjuiciamiento Civil.

También podrá denegar la suspensión de la ejecución del resto de la pena impuesta para alguno de los delitos previstos en el Título XIX del Libro II de este Código, cuando el penado hubiere eludido el cumplimiento de las responsabilidades pecuniarias o la reparación del daño económico causado a la Administración a que hubiere sido condenado.

5. En los casos de suspensión de la ejecución del resto de la pena y concesión de la libertad condicional, resultarán aplicables las normas contenidas en los artículos 83, 86 y 87.

El juez de vigilancia penitenciaria, a la vista de la posible modificación de las circunstancias valoradas, podrá modificar la decisión que anteriormente hubiera adoptado conforme al artículo 83, y acordar la imposición de nuevas prohibiciones, deberes o prestaciones, la modificación de las que ya hubieran sido acordadas o el alzamiento de las mismas.

Asimismo, el juez de vigilancia penitenciaria revocará la suspensión de la ejecución del resto de la pena y la libertad condicional concedida cuando se ponga de manifiesto un cambio de las circunstancias que hubieran dado lugar a la suspensión que no permita mantener ya el pronóstico de falta de peligrosidad en que se fundaba la decisión adoptada.

El plazo de suspensión de la ejecución del resto de la pena será de dos a cinco años. En todo caso, el plazo de suspensión de la ejecución y de libertad condicional no podrá ser inferior a la duración de la parte de pena pendiente de cumplimiento. El plazo de suspensión y libertad condicional se computará desde la fecha de puesta en libertad del penado.

6. La revocación de la suspensión de la ejecución del resto de la pena y libertad condicional dará lugar a la ejecución de la parte de la pena pendiente de cumplimiento. El tiempo transcurrido en libertad condicional no será computado como tiempo de cumplimiento de la condena.

7. El juez de vigilancia penitenciaria resolverá de oficio sobre la suspensión de la ejecución del resto de la pena y concesión de la libertad condicional a petición del penado. En el caso de que la petición no

fuera estimada, el juez o tribunal podrá fijar un plazo de seis meses, que motivadamente podrá ser prolongado a un año, hasta que la pretensión pueda ser nuevamente planteada.

8. En el caso de personas condenadas por delitos cometidos en el seno de organizaciones criminales o por alguno de los delitos regulados en el Capítulo VII del Título XXII del Libro II de este Código, la suspensión de la ejecución del resto de la pena impuesta y concesión de la libertad condicional requiere que el penado muestre signos inequívocos de haber abandonado los fines y los medios de la actividad terrorista y haya colaborado activamente con las autoridades, bien para impedir la producción de otros delitos por parte de la organización o grupo terrorista, bien para atenuar los efectos de su delito, bien para la identificación, captura y procesamiento de responsables de delitos terroristas, para obtener pruebas o para impedir la actuación o el desarrollo de las organizaciones o asociaciones a las que haya pertenecido o con las que haya colaborado, lo que podrá acreditarse mediante una declaración expresa de repudio de sus actividades delictivas y de abandono de la violencia y una petición expresa de perdón a las víctimas de su delito, así como por los informes técnicos que acrediten que el preso está realmente desvinculado de la organización terrorista y del entorno y actividades de asociaciones y colectivos ilegales que la rodean y su colaboración con las autoridades.

Los apartados 2 y 3 no serán aplicables a las personas condenadas por la comisión de alguno de los delitos regulados en el Capítulo VII del Título XXII del Libro II de este Código o por delitos cometidos en el seno de organizaciones criminales.

STS 59/2018: El art. 90 del Código penal prevé como condición necesaria para acordar la libertad condicional la satisfacción de la responsabilidad civil "conforme a los criterios establecidos en los apartados 5 y 6 del art. 72 de la Ley Orgánica 1/1979, de 26 de septiembre, General Penitenciaria". A tal efecto, los mencionados apartados de la L. Orgánica General Penitenciaria, considera que se ha procedido a su cumplimiento no solo por el abono, reparar el daño o restitución e indemnizaciones, sino también valorar la capacidad real, presente y futura, la estimación del enriquecimiento obtenido por el culpable y, en su caso, el daño o entorpecimiento al servicio público y los daños y perjuicios causados, etc... En definitiva se asimila a la satisfacción de las responsabilidades civiles, la efectiva realización de su pago y el análisis de las circunstancias personales, valorando lo que se ha denominado el esfuerzo reparador. Desde la perspectiva expuesta es llano afirmar que el juez de vigilancia penitenciaria ha de valorar la situación del penado, o del liberado, e imponer medidas tendentes a la satisfacción de la responsabilidad civil o en la adopción de medidas tendentes a la realización de un esfuerzo reparador que satisfaga la exigencia del art. 90 del Código penal. Consecuentemente, con estimación del recurso consideramos que la interpretación procedente del artículo 90 del Código penal en cuanto a las medidas que pueden ser impuestas y referidas a la responsabilidad civil no permiten imponer obligaciones de reparación sobre ingresos inferiores a los límites establecidos en el artículo 607 la Ley de enjuiciamiento civil.

VIII. DE LAS MEDIDAS DE SEGURIDAD
(ARTS. 95 A 108)

Art. 98.

1. A los efectos del artículo anterior, cuando se trate de una medida de seguridad privativa de libertad o de una medida de libertad vigilada que deba ejecutarse después del cumplimiento de una pena privativa de libertad, el Juez de Vigilancia Penitenciaria estará obligado a elevar al menos anualmente, una propuesta de mantenimiento, cese, sustitución o suspensión de la misma. Para formular dicha propuesta el Juez de Vigilancia Penitenciaria deberá valorar los informes emitidos por los facultativos y profesionales que asistan al sometido a medida de seguridad o por las Administraciones Públicas competentes y, en su caso, el resultado de las demás actuaciones que a este fin ordene.

2. Cuando se trate de cualquier otra medida no privativa de libertad, el Juez o Tribunal sentenciador recabará directamente de las

Administraciones, facultativos y profesionales a que se refiere el apartado anterior, los oportunos informes acerca de la situación y la evolución del condenado, su grado de rehabilitación y el pronóstico de reincidencia o reiteración delictiva.

3. En todo caso, el Juez o Tribunal sentenciador resolverá motivadamente a la vista de la propuesta o los informes a los que respectivamente se refieren los dos apartados anteriores, oída la propia persona sometida a la medida, así como el Ministerio Fiscal y las demás partes. Se oirá asimismo a las víctimas del delito que no estuvieren personadas cuando así lo hubieran solicitado al inicio o en cualquier momento de la ejecución de la sentencia y permanezcan localizables a tal efecto.

STS 370/2020: La libertad vigilada se introdujo en nuestro Código Penal tras la reforma de la Ley Orgánica 5/10 de 22 de junio, siendo posteriormente modificada para ampliar su ámbito de aplicación por la Ley Orgánica 1/2015. Se insertó en el Título IV del Libro Primero del Código Penal, relativo a las medidas de seguridad, en sus artículos 98, 105 y 106. La libertad vigilada pivota alrededor del concepto de peligrosidad y resulta aplicable no sólo respecto los pronósticos de peligrosidad del individuo relacionados con estados de insanidad que han determinado su inimputabilidad o semiinimputabilidad, concepto clásico y propio de la libertad vigilada, sino, y aquí residió la novedad de la reforma del Código Penal de 2010, cuando la peligrosidad se deriva del específico pronóstico de un sujeto imputable (responsable y capaz de culpabilidad) en relación con la naturaleza del delito cometido, esto es, en la peligrosidad del individuo una vez ya ha cometido un delito. Por lo tanto, ya no estamos únicamente ante medidas alternativas a la pena de prisión o para cumplir con carácter previo a la pena, supuesto de inimputables o semi-inimputables, sino que se ejecutarán una vez cumplida ésta, es la modalidad post-penitenciaria. Corresponde al juez o tribunal sentenciador la imposición de la medida pero su concreción se desarrolla en un momento anterior a la finalización de la prisión con intervención del juez de vigilancia penitenciaria. Esta Sala ha tratado en varias Sentencias la problemática derivada de esta medida de seguridad. La novedad del nuevo sistema de la medida de seguridad radica en que el pronóstico de peligrosidad que la justifica se va a derivar, no sólo de la posible imputabilidad del autor, como sucede en el resto de las medidas de seguridad, sino también de un pronóstico futuro con relación a su posible peligrosidad de un sujeto imputable, y que se establece en relación con la naturaleza del hecho cometido y amparado con una previsión expresa en la norma legal. Se establece como obligatoria para los delitos contra la indemnidad sexual y los delitos terroristas, incluyendo para ambos una versión potestativa de la misma cuando se trate de delincuentes primarios que cometan un solo delito no grave. Es potestativa en los delitos de asesinato y en el de lesiones cometidas en el marco de violencia de género, y ese carácter de imposición potestativa exige un ponderado pronóstico de peligrosidad en relación con la naturaleza del delito lo que exigirá un análisis de las circunstancias que rodean el hecho delictivo, motivación, detonante, actitudes, y, también, de las circunstancias personales, familiares y sociales que rodean al autor y a la víctima, su personalidad, antecedentes previos, incumplimientos, en su caso, de órdenes de alejamiento, conflictividad familiar, y demás circunstancias concurrentes que ayuden a valorar esa peligrosidad y el peligro para la víctima o futuras víctimas, factor de protección que también está presente como criterio a indagar a la hora de adoptar alguna de las penas accesorias del Art. 57 CP. Ese ponderado análisis puede ser objeto de revisión y control de legalidad examinando el correcto ejercicio de la facultad previsto en el Código. Esta especial consideración exige que, tanto desde la pretensión de condena, como desde la sentencia que la impone, se motive la medida de libertad vigilada en base a esa peligrosidad analizando los indicadores de la peligrosidad que deben abarcar tanto la naturaleza del delito como su gravedad y circunstancias, así como las circunstancias del autor lo que hace preciso unos apoyos en ciencias humanas para afinar en los criterios que permitan valorar de una forma rigurosa y adecuada la conducta y la peligrosidad de estas personas. En definitiva, la medida de seguridad se impone en atención a la peligrosidad del autor del delito, por el riesgo de reiteración de actos de violencia, con la particularidad de que la pena accesoria se impone directamente en la sentencia y se concreta al finalizar la pena privativa de libertad a propuesta del Juez de Vigilancia Penitenciaria, a partir de la valoración de los informes de los facultativos y profesionales que asistan al sujeto afectado y a las Administraciones Públicas competentes. En todo caso, el fundamento en la peligrosidad requiere un pronóstico de peligrosidad razonable basado en criterios.

Art. 101.

1. Al sujeto que sea declarado exento de responsabilidad criminal conforme al número 1.º del artículo 20, se le podrá aplicar, si fuere necesaria, la medida de internamiento para tratamiento médico o educación especial en un establecimiento adecuado al tipo de anomalía o alteración psíquica que se aprecie, o cualquier otra de las medidas previstas en el apartado 3 del artículo 96. El internamiento no podrá exceder del tiempo que habría durado la pena privativa de libertad, si hubiera sido declarado responsable el sujeto, y a tal efecto el Juez o Tribunal fijará en la sentencia ese límite máximo.

2. El sometido a esta medida no podrá abandonar el establecimiento sin autorización del Juez o Tribunal sentenciador, de conformidad con lo previsto en el artículo 97 de este Código.

STS 34/2020: Por lo que se refiere específicamente a la medida de internamiento privativo de libertad al declarado exento de responsabilidad criminal conforme al art. 20.1° CP (art. 101 CP), sin perjuicio de que el Juez o Tribunal recabe "los informes que estime convenientes" previamente a decidir sobre su aplicación (art. 95.1 CP), la decisión de imponerla -que deberá ser motivada- es exclusivamente judicial y estará orientada a una doble finalidad: a) la protección de la sociedad frente a los riesgos que represente el afectado por la medida; y b) la protección del propio afectado destinatario del tratamiento médicoterapéutico, en la media en que puede servir para controlar sus impulsos criminales y hacer una vida normalizada. Es decir, "la medida de seguridad no se impone -sin más- como un remedio terapéutico para el enfermo mental, inimputable penalmente, sino en función de la peligrosidad social del sujeto, y del pronóstico de reincidir en su comisión criminal", si bien, junto a este fundamento, "ha de subyacer en su adopción, simultáneamente, un fin terapéutico respecto del sujeto declarado inimputable, objetivo último de este instrumento legal vinculado a la pena en su función de reinserción social, por mandato del art. 25 CE". Por ello, precisamente, se trata de una decisión eminentemente judicial, no médica ni terapéutica, que se rodea de las garantías propias de un proceso penal, no solo en el momento de su adopción tras el correspondiente juicio oral que permita acreditar la concurrencia de los presupuestos inexcusables (art. 3.1 CP), sino también en su fase de ejecución (art. 3.2 in fine CP), para decidir sobre su mantenimiento, cese, sustitución o suspensión (arts. 97 y 98 CP). La consecuencia es que es al Juez o Tribunal al que corresponde decidir ponderadamente -previos los informes que estime convenientes y que, en cualquier caso, carecen de efecto vinculante- sobre la conjugación de ambos fines, el de la defensa social y el rehabilitador o resocializador del individuo afectado, que, de todas formas, no son incompatibles, sino armónicos.

STS 378/2019: Conviene recordar que los artículos 101 a 103 del Código Penal establecen que "el internamiento no podrá exceder del tiempo que habría durado la pena privativa de libertad, si hubiera sido declarado responsable el sujeto, y a tal efecto el Juez o Tribunal fijará en la sentencia ese límite máximo" y el artículo 105 de la norma penal establece que "en los casos previstos en los artículos 101 a 104 cuando imponga la medida privativa de libertad o durante la ejecución de la misma, el Juez o Tribunal podrá imponer razonadamente una o varias medidas que se enumeran a continuación". Parece deducirse de estos preceptos, aunque el Código Penal no lo diga expresamente, que debe ser en sentencia cuando se fije la medida de internamiento y que, una vez acordado, pueden imponerse las medidas no privativas de libertad, en la misma sentencia o en momento posterior durante la ejecución. Sin embargo y dado que los preceptos citados no establecen un mandato imperativo, si el Tribunal no dispone de elementos de juicio suficientes para determinar qué medida de seguridad es procedente puede deferir la cuestión a la fase de ejecución, mediante el correspondiente trámite contradictorio, con intervención de las partes y recabando los informes que se estimen procedentes. Lo que en todo caso debe determinarse en la sentencia, y en este caso así se ha hecho, es establecer el límite máximo de cumplimiento. En la STS 603/2009, de 11 de junio , se sostuvo que "(...) dada la diferencia de naturaleza, fundamento y finalidad que hay entre las penas y las medidas de seguridad, estimamos que la pena concreta a imponer en el caso para la hipótesis en que haya de aplicarse una eximente (completa o incompleta) no constituye el límite de la duración del internamiento de la medida de seguridad aplicable. Entendemos que tal límite se encuentra en el tope máximo de la pena a imponer habida cuenta del tipo concreto de que se trate, su grado de ejecución (consumación o tentativa), su grado de participación (autoría o complicidad), así como las circunstancias atenuantes y agravantes que pudieran concurrir (siempre que estén desconectadas de aquello por lo que se aplicó la eximente (completa o incompleta). Ha de calcularse, pues, ese límite máximo de la duración de la medida de seguridad por el límite máximo de la pena a imponer, no por la pena concreta con que se hubiera sancionado de no existir esa eximente. Por eso el órgano jurisdiccional que impone una medida de seguridad consistente en privación de libertad sólo ha de tener en cuenta ese máximo legal posible de duración de la pena si no hubiera habido eximente, y no tiene obligación de determinar en concreto cuál habría sido esa pena de no haber concurrido la eximente (...)". Ese es el criterio que ha seguido esta Sala en el Acuerdo no Jurisdiccional de 31 de marzo de 2009, en el que acordamos que "la duración máxima de la medida de internamiento se determinará en relación a la pena señalada en abstracto para el delito de que se trate". Por tanto, la fijación de la duración máxima del internamiento, en la hipótesis de que se acordara la medida, viene determinada por un criterio objetivo y dispuesto legalmente, sin que sea necesaria una motivación concreta que valore las circunstancias en cada caso concurrentes.

IX. DE LA RESPONSABILIDAD CIVIL Y LAS COSTAS PROCESALES
(ARTS. 109 A 126)

Art. 109.

1. La ejecución de un hecho descrito por la ley como delito obliga a reparar, en los términos previstos en las leyes, los daños y perjuicios por él causados.

2. El perjudicado podrá optar, en todo caso, por exigir la responsabilidad civil ante la Jurisdicción Civil.

> **STS 414/2016:** Dada la preferencia de la jurisdiccional penal (art. 111 LECrim: mientras estuviese pendiente la acción penal no se ejercitará la civil con separación hasta que aquella haya sido resuelta en sentencia firme), donde el ejercicio de la acción penal conlleva en forma adhesiva el ejercicio de la acción civil, la previa demanda civil por los mismos hechos no impide el ejercicio de la acción penal (y civil conjunta), si bien ello determina la suspensión del proceso civil hasta que se resuelva el proceso penal, en los términos del art. 40 LEC, que opera como remedio para evitar las disfunciones de esa especie de litispendencia impropia.

> **STS 192/2020:** La responsabilidad civil da respuesta a una acción distinta de la penal, aunque acumulada al proceso por razones de utilidad y economía procesal, con la finalidad de satisfacer los legítimos derechos (civiles) de las víctimas. Sin embargo, las acciones civiles no pierden su naturaleza propia por el hecho de ejercitarse ante otra jurisdicción, lo que implica que en su regulación el derecho civil resarcitorio de la infracción penal cometida desplace al derecho penal. Ello da entrada a al principio de rogación previsto en el artículo 216 de la LEC, que rige en relación al ejercicio de acciones civiles. De tal manera no cabe un pronunciamiento que exceda de las peticiones formuladas por las partes.

> **STS 647/2021:** Protesta porque en el denominado auto de transformación (art. 779.1.4ª LECrim) no fue incluida como

eventual tercero responsable civil. Pese a ello, las acusaciones solicitaron que fuese declarada tal condición a lo que accedió el auto de apertura del juicio oral. La recurrente entiende que la omisión en el auto que abre en el procedimiento abreviado la fase intermedia (auto de transformación) vedaba que las acusaciones y/o actores civiles pudiesen dirigir sus pretensiones frente a ella. Para el ejercicio de la acción penal es indispensable sobrepasar el llamado juicio de acusación, sin parangón en el proceso civil. Está pergeñado como garantía que evita el sometimiento a acusaciones infundadas. No existe una institución paralela en el proceso civil en tanto no se identifica una necesidad de filtrar demandas injustificadas equivalente a la que rige en el proceso penal cuya regulación viene inspirada y condicionada por el carácter estigmatizante que comporta ser acusado (no, en cambio, ser tercero responsable civil). Para abrir el juicio oral y salvaguardar el ejercicio del derecho de defensa constituyen presupuestos ineludibles que el acusado haya tenido ocasión de declarar sobre los hechos, que haya sido informado sobre el proceso y que haya podido oponerse eficazmente a esa apertura (art. 779.1.4ª LECrim que solo menciona expresamente al imputado). Esa triple garantía se articula mediante un régimen, igual en lo esencial pero distinto en las fórmulas procesales, en el procedimiento ordinario, en el procedimiento abreviado y en el procedimiento de jurado (procesamiento, auto de prosecución, auto de continuación del art. 26 LOTJ, combinados todos con la ulterior apertura de juicio oral). Respecto de los terceros civiles eventualmente responsables, como se deriva de los arts. 615 y ss, lo necesario es que sean traídos al proceso antes del juicio oral. No es requisito indispensable para ello ni su declaración (que normalmente no se dará), ni una expresa constitución judicial anterior a la apertura del juicio oral. Siendo, desde luego, más correcto que esa expresa condición hubiese sido atribuida formalmente con anterioridad (art. 615 LECrim), nada impide que sea formalizada en al auto de apertura del juicio oral a la vista de los escritos de acusación (asimilables a la demanda a estos efectos) que incorporan también el ejercicio de la acción civil derivada de delito. Con eso quedan

Jerónimo García San Martín

satisfechas las exigencias indeclinables del derecho de defensa de una parte pasiva civil.

STS 685/2019: No es aceptable negar a Red Eléctrica Española la condición de posible beneficiaria de las indemnizaciones. Se dice que el perjudicado directo fue GAROC S.L. quien compareció, y a quien se efectuó el ofrecimiento de acciones. A Red Eléctrica ni siquiera se le hizo el ofrecimiento de acciones (art. 109 LECrim). Ni se le efectuó, ni había que hacerlo en cuanto, en efecto, no era perjudicada directa por el delito. Pero eso no excluye la posibilidad de convertirse en beneficiaría de la indemnización. No es cierto que esa decisión reclame siempre un previo ofrecimiento de acciones. Ni que los temas de responsabilidad civil tengan nada que ver con el principio acusatorio (sí, en cambio, con el principio de rogación conceptualmente distinto, lo que comporta diferencias en cuanto a consecuencias). Por tanto, no hay inconveniente alguno para que por virtud de acuerdos extraprocesales quien se ha subrogado en la posición del perjudicado directo reclame en el proceso penal la indemnización que en principio correspondía al cedente. Está plenamente legitimada para convertirse, al menos, en actor civil, que es el ámbito en el que su actuación ha gozado de relevancia.

STS 264/2020: Los arts. 105 y 108 de la Ley de Enjuiciamiento Criminal otorgan legitimación subrogada al Ministerio Fiscal y recordábamos que "solo la renuncia expresa permite al Fiscal desistir de la acción civil. La renuncia no se presume (artículo 108 de la Ley de Enjuiciamiento Criminal). No haberse constituido en parte, no reclamar o no estar localizada no son causas que permitan deducir una renuncia que ha de ser expresa y terminante". En el mismo sentido explicábamos que "(...) el artículo 108 de la Ley de Enjuiciamiento Criminal obliga al Ministerio Fiscal a entablar, juntamente con la penal, la acción civil y ello con independencia de que "haya o no en el proceso acusador particular". La única excepción prevista es la de que el "ofendido renunciare expresamente su derecho". Es evidente que el mayor o menor acierto de ese ofendido actuando en el proceso, no supone renuncia expresa a ser indemnizado en ninguna medida. Ni en la cuantía ni en las personas que deban indemnizarle".

STS 78/2022: La reserva, a diferencia de la renuncia, no comporta ningún efecto extintivo del derecho sobre el que se funda la acción. Expresa, simplemente, la voluntad de la parte legitimada para ejercer la acción ante la jurisdicción correspondiente una vez terminado el juicio criminal, como se precisa en el artículo 112 LECrim. Dicha declaración carece de todo contenido dispositivo y no produce, en consecuencia, ningún efecto liberatorio con relación a las obligaciones indemnizatorias, reparatorias o restitutorias en las que pudiera haber incurrido el responsable del daño. A diferencia de la renuncia clara y terminante a la acción civil, la reserva sí puede dejarse sin efecto mediante una nueva declaración expresa de ejercicio en el proceso penal, en los términos y en las condiciones tempo- procesales precisadas en el artículo 110 LECrim. El único límite cabe fijarlo, ex artículo 11 LOPJ, en el ejercicio desleal o abusivo del derecho que comprometa la equidad del proceso por afectar a las expectativas defensivas de la persona acusada -piénsese, por ejemplo, en un supuesto en el que el perjudicado, en la fase previa o preparatoria, reserva la acción civil para después de terminado el juicio criminal y, sin embargo, en conclusiones definitivas reintroduce la pretensión civil de condena, impidiendo o dificultando, así, que el acusado pueda defenderse de la misma-. Pero este no es el caso. Pese a que la reserva de la acción civil se formuló al inicio del proceso en 2008, a la vista de la gravemente disfuncional tramitación temporal de la causa, los perjudicados optaron por reactivar su ejercicio en el proceso penal al presentar las conclusiones provisionales, sin que el hoy recurrente formulara objeción alguna. Momento procesal de ejercicio explícito que en nada afectó ni al contenido obligacional exigible al Sr. Rubén ni, tampoco, a las razonables expectativas de defensa de las que disponía para oponerse a lo pretendido.

STS 390/2017: El art. 379 CP define un delito de riesgo abstracto, que se consuma exclusivamente por el peligro corrido, no exigiendo la realidad de daños o lesiones. Las barreras de protección están adelantadas. No obstante, en el caso de que se produzca un resultado dañoso, ya de daños materiales o corporales, el art. 382 CP, cuyo origen se encuentra en el CP de

1973, en concreto en el art. 340 bis c) se establece -y se establecía- el principio de absorción y mayor rango punitivo y en consecuencia solo se sancionaba la infracción más gravemente penada, condenando en todo caso –frase que se mantiene en el actual art. 382 CP- al pago de la indemnización civil que se hubiera originado. Ello es -y era- obligado por aplicación de la normativa existente en relación a tales pronunciamientos civiles. El art. 109.1º CP establece como criterio y norma general como se deriva de su ubicación sistemática en el Libro I del CP que "la ejecución de un hecho descrito por la ley como delito, obliga a reparar, en los términos previstos en la ley, los daños y perjuicios por él causados". Se trata, como se ha dicho, de un precepto general que impone tal causa indemnizatoria cuando se acredite el nexo causal entre el hecho constitutivo de delito y el resultado dañoso. En relación con el art. 382 CP, en el se establece una norma concursal cuando junto con el delito de riesgo abstracto, concurra otro delito de resultado. En tal caso, y por el juego de tal norma solo se sanciona el más gravemente penado, pero -y esto es importante- en todo caso deben satisfacerse los perjuicios causados, de suerte que si el delito más grave es el de resultado, se sancionará este último, con los pronunciamientos civiles a que hubiese lugar, pero si el más grave de los delitos siguiera siendo el de riesgo abstracto, solo se sancionará este, pero además se indemnizarán los perjuicios causados, "en todo caso". Por lo tanto la norma concursal del art. 382 CP no puede interpretarse en el sentido de que vacíe de contenido el deber indemnizatorio ex art. 109.1º CP. El art. 116 CP abunda en la misma idea de que "toda persona criminalmente responsable de un delito, lo es también civilmente si del hecho se derivasen daños o perjuicios. A notar que habla del "hecho" no del delito, y en el presente caso, el hecho fue la conducción de la condenada lo que causó daños en una farola del Ayuntamiento.

STS 121/2021: Consecuencia de esta acumulación accesoria de la acción civil a la acción penal es que mientras no prescriba el delito, no prescribe la acción civil dimanante del mismo; y lógica y consecuentemente la querella (regulada en los arts. 270 y ss LECrim), claro que interrumpe la prescripción, basta leer los arts. 1969 y 1973 CC a la luz del 132.2 CP. Hasta el extremo, que si el proceso penal concluye sin que se haya efectivamente ejercitado la acción penal por medio de condena (como sucede en los casos de sobreseimiento o de sentencias absolutorias), es entonces cuando de nuevo comienza a correr el plazo de prescripción de la acción civil, cuando se produce la firmeza de esa resolución respecto de las partes personadas, pero sólo una vez que se comunique al perjudicado no personado la finalización del proceso; pues el plazo de prescripción civil, se interrumpe, incluso cuando el perjudicado no se haya personado.

STS 607/2020 (Pleno): En el proceso penal la ejecución de los pronunciamientos civiles se realiza de oficio y no a instancia de parte, lo que da lugar a dos consecuencias: De un lado, no tiene razón de ser que se reconozca un plazo de caducidad para el ejercicio de la acción ejecutiva porque el derecho declarado en la sentencia no precisa de esa acción. De otro lado y como consecuencia de lo anterior, no es necesario que se presente demanda para hacer efectiva la sentencia. Por tanto, la singular configuración del proceso de ejecución en la jurisdicción penal permite concluir que no es aplicable el plazo de caducidad establecido en el artículo 518 de la LEC, de la misma forma que tampoco es necesaria la presentación de demanda ejecutiva. Excluida la aplicabilidad del artículo 518 de la LEC, surge el interrogante de si debe aplicarse al plazo de prescripción del artículo 1971 del Código Civil en el que se dispone que "el tiempo de la prescripción de las acciones para exigir el cumplimiento de obligaciones declaradas por sentencia comienza desde que la sentencia quedó firme". La respuesta es similar a la ofrecida anteriormente. Es cierto que la prescripción tiene un fundamento múltiple (el poder público no puede defender con el mismo vigor un derecho que no es ejercitado frente al que lo es, negligencia del titular, necesaria certeza de las relaciones jurídicas, etc.), pero también lo es que la jurisprudencia de este Tribunal viene reiterando que el basamento más relevante es la presunción de abandono del derecho y ello es así porque la prescripción presupone la reclamación del acreedor y se presume abandonada si no se actúa en el plazo señalado en la ley. Si bien es cierto que la prescripción extintiva es la regla general y se aplica a todos los derechos y acciones (artículo 1930

CC), también lo es que el tiempo para su cómputo se cuenta
desde el día en que el derecho o la acción pudieron ejercitarse
(artículo 1969 CC) y que se interrumpe con su ejercicio ante
los tribunales, por reclamación extrajudicial o por cualquier
reconocimiento del deudor (artículo 1973 CC). De estos preceptos se deduce que la prescripción presupone la necesidad del
ejercicio de la acción ejecutiva por el acreedor, y en el proceso
penal, una vez dictada sentencia, no hay necesidad de promover
dicha acción porque es el propio órgano judicial el que activa la
ejecutoria. Por tanto, atendiendo a los criterios hermenéuticos
a que antes hemos hecho referencia y teniendo en cuenta la
singular configuración del proceso penal no tendría razón de
ser el reconocimiento de un nuevo plazo prescriptivo a partir
de la firmeza de la sentencia, por cuanto el cumplimiento de la
obligación declarara en la sentencia no depende de la actuación
de parte sino que se encomienda al órgano judicial. Es cierto
que declarada la firmeza se pueden producir paralizaciones que
dilaten la conclusión de la ejecutoria, pero no tienen trascendencia a estos efectos dado que en el proceso de ejecución no es
admisible la caducidad de la instancia, por disposición expresa
del artículo 239 de la LEC. Declarada la firmeza de la sentencia,
la ejecución de sus pronunciamientos civiles puede continuar
hasta la completa satisfacción del acreedor, según previene el
artículo 570 de la LEC, sin que le sea de aplicación ni la prescripción ni la caducidad. (Tol 8232620)

STS 591/2021: No está legitimado un responsable penal para
enarbolar en casación esa pretensión; ni lo estaba como acusado para suscitarla como cuestión previa en la instancia en los
momentos vestibulares del plenario. Es parte pasiva. Su rol procesal viene constreñido a lo que es su propia y exclusiva defensa. Ni puede acusar formalmente a terceros (podrá argumentar
que un tercero es autor para combatir la acusación formulada contra él; pero jamás podrá solicitar su condena); ni puede
reclamar la condena como responsable civil de otros. Él será
siempre el responsable civil principal. Su situación material no
se verá afectada porque haya otros posibles responsables. En su
caso, si son preferentes (algún supuesto de responsabilidad civil
directa), podrá luego repetir contra ellos; pero nunca traerlos al

proceso penal, ni accionar en su seno contra ellos. En supuestos como el ahora examinado, el responsable penal será siempre el responsable civil principal, con independencia de que el riesgo de su insolvencia haya de ser cargado por el perjudicado o por esos posibles terceros responsables civiles que, si afrontan el pago de las indemnizaciones, siempre podrán repetir frente a él.

Art. 110.

La responsabilidad establecida en el artículo anterior comprende:

1.º La restitución.
2.º La reparación del daño.
3.º La indemnización de perjuicios materiales y morales.

Acuerdo no jurisdiccional del pleno de la Sala 2ª del TS de 28 de febrero de 2018: Al amparo del art. 34 LH el adquirente de buena fe que confiado en los datos registrales inscriba su derecho en el Registro de la Propiedad, gozará de protección incluso en supuestos donde la nulidad del título proviene de un ilícito penal.

STS 31/2018: La ejecución de un hecho que es calificado en sentencia firme como delito doloso es nulo desde el principio, en estricta aplicación del artículo 1275 del C. Civil: la causa debe ser lícita; es ilícita -como dispone esta norma- la que es contraria a la ley, como en el caso extremo de ser delictiva, y el contrato con causa ilícita es nulo en aplicación del artículo 6.3 CC. La sanción genera la ineficacia del acto, y en consecuencia la privación de todos los efectos que estaba llamado a producir. Por tratarse de nulidad de pleno derecho, puede ser declarada incluso de oficio, según una doctrina jurisprudencial inveterada.

STS 540/2019: Cuando se ha realizado un negocio jurídico en la comisión del delito, tal reparación civil se realiza a través de la declaración de nulidad de dicho negocio. Ahora bien, para que tal declaración pueda hacerse en la sentencia penal, es necesario que se ejercite la acción correspondiente en debida forma, esto es, de acuerdo con los principios procesales que regulan el ejercicio de estas acciones de carácter civil. Uno de tales principios es el respeto al derecho de defensa, de modo que no cabe hacer en sentencia ningún pronunciamiento que pueda perjudicar a quien no fue llamado como parte en el correspondiente proceso, elevado a la categoría de derecho fundamental de la persona por lo dispuesto en el artículo 24.1 de la Constitución Española. Si en tal contrato intervinieron varias personas, todas ellas han de ser traídas al proceso, porque contra todas ha de ejercitarse la correspondiente acción civil de nulidad, bien exclusivamente tal acción civil figurando sólo como demandados civiles en el seno del proceso penal, bien acumulada a la acción penal porque el procedimiento se dirija contra todos los intervinientes en el contrato al haber sido todos ellos acusados como partícipes en el delito y consiguientemente como responsables civiles.

STS 608/2014: El Tribunal queda vinculado por las peticiones de las partes acusadoras para la fijación de las cuantías de las indemnizaciones, de manera que no puede superarlas, en virtud del principio dispositivo.

Art. 113.

La indemnización de perjuicios materiales y morales comprenderá no sólo los que se hubieren causado al agraviado, sino también los que se hubieren irrogado a sus familiares o a terceros.

STS 59/2016: La jurisprudencia ha señalado que los daños morales no necesitan estar especificados en los hechos probados cuando fluyen de manera directa y natural del relato histórico. También ha señalado que no es preciso que los daños morales tengan que concretarse en relación con alteraciones patológicas o psicológicas sufridas por la víctima, bastando que sean fruto de una evaluación global de la reparación debida a las mismas.

STS 368/2018: En los delitos sexuales se puede hablar de una presunción implícita de daños morales que no necesita ulteriores explicaciones. La indemnización por daños morales viene impuesta, no solo por el genérico art. 113 CP, sino también de forma específica para estas infracciones por el art. 193 CP.

Acuerdo no jurisdiccional del pleno de la Sala 2ª del TS de 20 de diciembre de 2006: Por regla general no se excluye la indemnización por daño moral en los delitos patrimoniales, y es compatible con el art. 250.1.6 CP.

STS 99/2015: Sobre la indemnización por daños morales en los delitos patrimoniales, el Tribunal Supremo admite esta posibilidad, pero exige que resulte probado que la víctima o el perjudicado han padecido alguna clase de sufrimiento como consecuencia del delito, que no puede traducirse en un daño o perjuicio material, pero que debería ser de alguna forma indemnizado.

STS 337/2018: Se ataca la fijación de una responsabilidad civil por daño moral basándose en las manifestaciones de la madre de la menor indicando que no deseaba reclamar nada. Tratándose de una menor, la renuncia exigiría aprobación judicial en expediente específico que no se ha producido (art. 166 del Código Civil). Acertó el Tribunal al no sentirse atado por la manifestación -además ambigua: no parece una renuncia clara y taxativa- de la madre fijando, en consecuencia, la indemnización adecuada. Si los representantes legales de la menor insisten en renunciar habrán de solicitar en el orden civil esa aprobación judicial, necesaria para la eficacia de ese acto abdicativo en nombre de un menor. La inminente mayoría de edad desplazará esa facultad de renuncia en exclusiva a la víctima, que será libre para adoptar por sí misma y según su criterio esa decisión.

STS 126/2022 (Pleno): En el caso, sin embargo, la dedicación de la lesionada a la atención a su hija discapacitada no puede englobarse dentro de las tareas del hogar, teniendo en cuenta que el grado de discapacidad de la hija a la que venía atendiendo asciende al 95%, lo que requiere una atención y dedicación especial, intensa y constante, no exenta de una cierta especialización técnica, bien diferenciada de lo que generalmente puede entenderse como tareas del hogar. Esa dedicación debe ser valorada a estos efectos como su trabajo habitual, que la lesionada desempeñaba de forma cuasi profesional hasta que las lesiones, primero, y las secuelas después, se lo impidieron.

Efectivamente, en determinados supuestos el trabajo que venía prestando la persona que resultó lesionada, resulta imprescindible, por lo que no puede valorarse solo teniendo en cuenta los ingresos que, en su caso, había venido obteniendo del mismo, sino que ha de computarse el importe que supone sustituir al trabajador lesionado por otro u otros que, bajo su dependencia, continúen ejecutando el mismo trabajo. (Tol 8818983)

STS 434/2018: Dentro del concepto "intereses legales" deben diferenciarse los " intereses procesales " a que se refiere el art. 576 LEC, de los llamados "intereses moratorios", que se regulan en los arts. 1.108, 1.100 y 1.101 del Código Civil. Los primeros, considera la doctrina científica de manera pacífica, tienen su razón de ser en la pretensión del legislador de disuadir al condenado que pretenda con la interposición de recursos, incidentes en la ejecución de la sentencia u otras maniobras dilatorias, retrasar el pago de la cantidad líquida a la que le condena la sentencia. Es decir, estos " intereses procesales " son una suerte de mecanismo destinado a conseguir que el perjudicado quede pronta y totalmente satisfecho en su interés económico, sin que recaigan sobre él los costes de la dilación que supone la interposición y sustanciación de los recursos de apelación y eventualmente de casación. Las características más sobresalientes de estos intereses, es que: a) han sido configurados con esta doble finalidad: mantener el valor de aquello a lo que condena la sentencia, de un lado y, de otro, como intereses " punitivos " o " disuasorios " de la interposición de recursos temerarios; b) nacen *ex lege;* c) se generan sin necesidad de que la parte los haya pedido previamente; d) incluso sin necesidad de que a ellos condene de forma expresa la sentencia y sin necesidad de que la sentencia sea firme. Los intereses procesales, cuando no se interponga recurso o cuando el interpuesto sea desestimado, se computan tomando como base la cantidad líquida fijada en la sentencia de primera instancia y el día en que se dictó, hasta la completa ejecución de la misma. Ahora bien, otra cosa son los "intereses moratorios", cuando por ley o por pacto, el condenado a pagar la indemnización sea, además, deudor de intereses moratorios según lo que establecen los ya citados arts. 1.108, 1.100 y 1.101 C. Civil. Partiendo de que por disposición legal (art. 1.106 CC) la indemnización por daños y perjuicios comprende no sólo el valor de la pérdida sufrida, sino también el de la ganancia que haya dejado de obtener el acreedor; y que en caso de dolo el deudor responde de todos los daños y perjuicios conocidos (art. 1.107), el art. 1.108 establece que cuando la obligación consista en el pago de una cantidad de dinero, y el deudor incurra en mora, la indemnización de daños y perjuicios consistirá en el pago de los intereses de demora, que tienen por finalidad no el conservar el valor nominal consignado en la resolución judicial, sino de indemnizar el lucro cesante.

STS 171/2016: Los intereses moratorios, a diferencia de los procesales, han de ser expresamente reclamados, y a falta de anterior reclamación judicial o extrajudicial, el día inicial del cómputo será el de interposición de querella, o en su defecto, el de presentación de escrito de acusación por quien se personó en los autos con posterioridad a su inicio como acusador particular. A partir de la fecha de la sentencia operan *ex lege* los intereses procesales del art. 576 LEC.

Art. 114.

Si la víctima hubiere contribuido con su conducta a la producción del daño o perjuicio sufrido, los Jueces o Tribunales podrán moderar el importe de su reparación o indemnización.

STS 522/2017: En definitiva el alcance del art. 114 CP se refiere a aquellos casos -dolosos o culposos- en los que la contribución de la víctima al suceso, y por tanto a su propia victimización no es causal ni penalmente relevante, ni por tanto deba tener reflejo en los pronunciamientos penales, pero sin embargo puede haber facilitado, y es en esa situación cuando surge la facultad discrecional a que se refiere el art. 114 CP para atemperar la cuantía indemnizatoria en atención a la contribución que la propia víctima haya tenido en el desarrollo de la acción punible, incluso vía dolosa. No se trata, como ya se ha dicho, tanto de una cuestión de compensación de culpas que tendría difícil encaje en los supuestos de delito doloso, sino que más

limitadamente el campo del art. 114 CP, como se opina por
algún sector de la doctrina científica, se situaría en aquellos
supuestos en los que la contribución de la víctima no siendo
causal ni por tanto situarse en el resultado, puede tener alguna
relevancia en la materia indemnizatoria en virtud de la facultad
de discrecionalidad que en relación a la responsabilidad civil
otorga este artículo a los Tribunales.

STS 269/2021: Asiste la razón al recurrente cuando afirma
que este Tribunal ha estimado que el art. 114 CP confiere una
facultad al Tribunal, no le impone una obligación. En el caso
analizado, el Tribunal de instancia ha hecho uso de la potestad
que le confiere el art. 114 CP, precepto que no precisa expresa
petición de parte. Para que el Tribunal pueda accionarla basta
con que exista petición de indemnización del actor civil y el
demandado muestre su oposición a la pretensión de aquel. No
obstante, esta Sala también ha suprimido toda posibilidad de
moderar la responsabilidad civil en los delitos dolosos contra
el patrimonio o de enriquecimiento. En estos casos, no cabe
moderar la responsabilidad penal del autor en los delitos dolosos contra el patrimonio de enriquecimiento. Esto es, no cabe
aplicar el art. 114 del CP, "por mucha negligencia causal que
pueda atribuirse a la víctima". Tampoco puede el autor de la infracción consolidar su enriquecimiento injusto, ni total ni parcialmente. Cuando lo que procede es la restitución o en defecto
de ella la indemnización como sustitutiva, no cabe moderación.

STS 721/2018: Tal norma (art. 114 CP), según ha entendido la
jurisprudencia, es aplicable tanto a delitos imprudentes como
a delitos dolosos (piénsese en casos de lesiones dolosas en que
media previa provocación; o de imprudencia con resultado de
muerte en la que la víctima también tuvo un comportamiento desatento que contribuyó al desenlace; o eximentes incompletas de legítima defensa). Ahora bien, esa norma no habilita
nunca para moderar la responsabilidad civil en los casos de
delitos de enriquecimiento. Estamos ante supuestos de estricta justicia conmutativa en que sostener lo contrario llevaría a
contradecir criterios elementales de justicia. No puede consolidar legalmente el autor de la infracción el enriquecimiento
ilícito, ni total ni parcialmente, por mucha negligencia causal

que pueda atribuirse a la víctima. Cuando lo procedente es la restitución o, como fórmula subrogada, la indemnización equivalente, no cabrá jamás hacer uso del expediente del art. 114 CP. La responsabilidad civil dimanante del delito no puede ser menguada en esos casos. Por eso el art. 114 solo menciona la indemnización o la reparación y no la restitución. Cuando lo que procede es la restitución o en defecto de ella la indemnización como sustitutiva, no cabe moderación. La pregunta sería ¿el art. 114 CP es escindible o fragmentable? Es decir ¿se permite la moderación de la responsabilidad civil con base en el art. 114 CP para unos responsables civiles y no para otros? Más en concreto: tal precepto, ¿habilita para establecer una cuantificación de la responsabilidad civil del penado y otra diferente y mitigada para el tercero responsable civil en virtud de tales razones? En nuestro ordenamiento la responsabilidad civil nacida de delito tiene un régimen especial y diferente, en puntos a veces no despreciables, del régimen general de la culpa extracontractual: arts. 1092 y 1093 del Código Civil. Hay que estar a lo dispuesto en el Código Penal. Y en el Código Penal el art. 114 es un precepto inescindible. La responsabilidad civil subsidiaria es estrictamente vicaria de la responsabilidad civil del responsable penal. Es un espejo de ella. El responsable civil subsidiario responde de lo mismo que el responsable penal, aunque solo en defecto de éste. No caben diferenciaciones en el alcance de sus respectivas responsabilidades civiles en virtud de factores como éste (la culpa de la víctima no tendría relevancia en relación a la conducta dolosa, pero sí repartiría el daño en relación al tercero cuando hay culpas concurrentes). Y no se exige constatar en concreto la presencia de culpa de ese tercero civil responsable.

Art. 115.

Los Jueces y Tribunales, al declarar la existencia de responsabilidad civil, establecerán razonadamente, en sus resoluciones las bases en que fundamenten la cuantía de los daños e indemnizaciones, pudiendo fijarla en la propia resolución o en el momento de su ejecución.

STS 597/2016: El auto o la sentencia por la que se fija en ejecución de sentencia las cuantías correspondientes a la responsabilidad civil declarada en la sentencia, es recurrible en casación.

STS 721/2018: Que se haya acordado en un momento posterior la cuantificación de la responsabilidad civil no recorta la impugnabilidad de ese pronunciamiento en casación. Ha de poder revisarse en casación lo mismo que si hubiese plasmado en la sentencia. Ahora bien: lo mismo, sí; pero no más. El hecho de haberse concretado en un auto autónomo no hace este pronunciamiento más fiscalizable: hay que estar a la doctrina general sobre posibilidades de revisar en casación las cuantías de la responsabilidad civil, que no son tan holgadas como sucedería en una apelación. Solo son debatibles en cuanto puedan encajarse los argumentos de discrepancia en alguno de los motivos tasados de casación de los arts. 849 a 852 LECrim; y respetando la naturaleza extraordinaria del recurso de casación. La impugnabilidad en casación de ese auto no habilita para atacar indirectamente la sentencia anterior en la que se establecieron las bases y el marco de esa responsabilidad civil. Todo lo que se decidió en aquella sentencia ha de considerarse firme en tanto fue consentido, al no recurrirse. No es posible impugnar ahora los pronunciamientos adoptados en la sentencia dictada. Tan solo puede ser cuestionado lo que quedó postergado para decisión ulterior.

Art. 116.

1. Toda persona criminalmente responsable de un delito lo es también civilmente si del hecho se derivaren daños o perjuicios. Si son dos o más los responsables de un delito los jueces o tribunales señalarán la cuota de que deba responder cada uno.

2. Los autores y los cómplices, cada uno dentro de su respectiva clase, serán responsables solidariamente entre sí por sus cuotas, y subsidiariamente por las correspondientes a los demás responsables.

La responsabilidad subsidiaria se hará efectiva: primero, en los bienes de los autores, y después, en los de los cómplices.

Tanto en los casos en que se haga efectiva la responsabilidad solidaria como la subsidiaria, quedará a salvo la repetición del que hubiere pagado contra los demás por las cuotas correspondientes a cada uno.

3. La responsabilidad penal de una persona jurídica llevará consigo su responsabilidad civil en los términos establecidos en el artículo 110 de este Código de forma solidaria con las personas físicas que fueren condenadas por los mismos hechos.

> **STS 129/2018:** Por regla general en el caso de ser varios los responsables de un delito, no obstante el carácter solidario de su responsabilidad, las Audiencias precisamente por las repercusiones que el pago de cada partícipe puede producir en las obligaciones de los demás ante la posibilidad del ejercicio de las acciones de repetición, deben fijar la cuota de la que deba responder cada partícipe, pero cuando se trata de un único delito y la participación de los acusados es de idéntico grado, el señalar una cantidad única no tiene más trascendencia que la de entender la responsabilidad civil por partes iguales.
>
> **STS 50/2019:** Alega que existe un error a la hora de determinar la responsabilidad civil. El mismo se debe a que se están enjuiciando unos hechos en los que han participado mayores y menores de edad y, al ser responsables solidarios, puede reclamarse todo a todos, tanto en el procedimiento de menores como en el de adultos y se produciría un enriquecimiento si el perjudicado cobrase el total de la indemnización debida de ambos responsables en los dos procedimientos escindidos. Le asiste la razón a la parte en un extremo: se debe evitar un posible enriquecimiento injusto por la duplicidad de indemnización. Ahora bien, ello no supone que no quepa ser condenado al pago de indemnización en este procedimiento, sino que la condena se debe mantener, pero acordando su carácter solidario con la del menor de edad. Dado que se ha confirmado la autoría de las lesiones por parte del recurrente, tal carácter solidario es el que deriva de la aplicación del artículo 116.2 CP (los autores y los cómplices, cada uno dentro de su respectiva clase, serán responsables solidariamente entre sí por sus cuotas, y subsidiariamente por las correspondientes a los demás responsables).

Art. 117.

Los aseguradores que hubieren asumido el riesgo de las responsabilidades pecuniarias derivadas del uso o explotación de cualquier bien, empresa, industria o actividad, cuando, como consecuencia de un hecho previsto en este Código, se produzca el evento que determine el riesgo asegurado, serán responsables civiles directos hasta el límite de la indemnización legalmente establecida o convencionalmente pactada, sin perjuicio del derecho de repetición contra quien corresponda.

> **Acuerdo no jurisdiccional del pleno de la Sala 2ª del TS de 24 de abril de 2007:** No responderá la aseguradora con quien tenga concertado el seguro obligatorio de responsabilidad civil cuando el vehículo de motor sea el instrumento directamente buscado para causar el daño personal o material derivado del delito. Responderá la aseguradora por los daños diferentes de los propuestos directamente por el autor.
>
> **Acuerdo no jurisdiccional del pleno de la Sala 2ª del TS de 30 de enero de 2007:** Cuando la compañía de seguros tenga concertado un contrato de seguros con el perjudicado por el delito, y satisfaga cantidades en virtud de tal contrato, sí puede reclamar frente al responsable penal en el seno del proceso penal que se siga contra el mismo, como actor civil, subrogándose en la posición del perjudicado.
>
> **STS 351/2020 (Pleno):** La Aseguradora busca el abrigo del transcrito apartado 8 del art. 20 LCS: existía una causa razonable que justificaría la falta de consignación. Su omisión vendría justificada por la acusación por homicidio doloso que se mantenía por Ministerio Fiscal y Acusación particular y que motivó el procesamiento. Siendo un delito doloso queda excluida la cobertura por seguro obligatorio, único con que contaba el vehículo, al no ser un hecho de la circulación. Eso legitimaría su postura renuente a la consignación o al pago por una obligación de más que discutible procedencia en su estimación, que, además, estaría apoyada en una jurisprudencia clara. En el marco del seguro voluntario está consolidada la doctrina de esta Sala: el art. 76 LCS permite al perjudicado accionar contra

la aseguradora, también cuando existe dolo. La STS 338/2011, de 16 de abril estableció ese criterio luego reiterado hasta convertirse en doctrina pacífica en la actualidad. En el campo del seguro obligatorio, que es en el que nos tenemos que mover, las cosas se presentan de otra forma. El seguro obligatorio tiende a proteger a las víctimas de los daños causados por una conducta de riesgo como es la circulación de vehículos de motor; pero es el legislador, que lo establece como elemento de protección, quien ha decidido excluir de su ámbito indemnizatorio a las víctimas de acciones dolosas en las que el vehículo haya sido utilizado como instrumento directo". La exclusión alcanza solo a los supuestos de dolo directo. En este caso era palmario que solo podía hablarse de dolo eventual. La acción de arrancar el vehículo con la finalidad primordial de huir, aunque se pusiese en grave riesgo la vida de una persona sin importar sus resultados, merecía indudablemente la consideración de hecho de la circulación y por tanto quedaba en cualquier caso cubierta por el seguro obligatorio, fuese cual fuese la decisión final. Por tanto, la aseguradora resultaba obligada en todo caso, ya fuese dolo eventual o imprudencia grave: no contaba con causa justificada para eludir su obligación. La incertidumbre fáctica (dolo eventual o culpa) no acarreaba ninguna consecuencia sobre la obligación de indemnizar con cargo al seguro obligatorio (no existía incertidumbre jurídica sobre la cobertura: la jurisprudencia era ya cristalina en ese punto, superadas anteriores vacilaciones). Esta primera vertiente del recurso del tercero responsable civil no puede por tanto prosperar: la indemnización acordada ha de ser incrementada con los intereses del art. 20 LCS. Resta por resolver la segunda queja de este recurso. Se plantea con carácter subsidiario y por eso viene agrupada formalmente con la anterior en un único motivo pese a que plantea un tema diferenciado: los intereses por mora. Consignemos primeramente de nuevo el texto alrededor del cual gira el debate que se trae a casación, el art. 20.4 de la Ley 50/1980, de 8 de octubre, de Contrato de Seguro. Reza así: "Si el asegurador incurriere en mora en el cumplimiento de la prestación, la indemnización de daños y perjuicios, no obstante entenderse válidas las cláusulas contractuales que sean más beneficiosas para el asegurado, se ajustará a las siguientes reglas: (...) 4.º La indemnización por mora se impondrá de oficio por el órgano judicial y consistirá en el pago de un interés anual igual al del interés legal del dinero vigente en el momento en que se devengue, incrementado en el 50 por 100; estos intereses se considerarán producidos por días, sin necesidad de reclamación judicial. No obstante, transcurridos dos años desde la producción del siniestro, el interés anual no podrá ser inferior al 20 por 100". La controversia se concreta en la siguiente cuestión: cuando hayan transcurrido dos años desde la producción del siniestro sin pago o consignación, ¿cómo se calcula el pago de los intereses moratorios a que viene obligada una compañía aseguradora? Conviven en la práctica y en la doctrina dos posibles interpretaciones: a) El interés ha de ascender al interés legal del dinero incrementado en el 50% durante los dos primeros años desde la fecha del siniestro y al 20% a partir de entonces (cálculo en dos tramos). Desde esta perspectiva, se considera que el artículo 20.4 LCS pretende la imposición de dos tramos con dos tipos distintos; de tal manera que si la aseguradora se retrasa más de dos años, se aplicaría un tipo equivalente al interés legal del dinero incrementado en un 50% para el tiempo transcurrido entre el siniestro y los dos años siguientes (primer tramo); y, a partir de los dos años, un tipo del 20% hasta el pago (segundo tramo). Es este el criterio cuya aplicación reclama la recurrente. b) El interés ha de ascender al 20% desde la fecha del siniestro (cálculo en un solo tramo). Conforme con esta interpretación, si transcurren dos años desde el siniestro sin que la aseguradora haya indemnizado o consignado, el interés del 20% será aplicable desde la fecha del siniestro. Parte de una interpretación del precepto que pone el acento en la expresión "no obstante". La aplicación sucesiva de dos tipos distintos no se compadecería bien con la naturaleza disuasoria y sancionadora que persigue el legislador. Estas contradicciones, y la falta de jurisprudencia sobre el devengo y cuantía de los intereses moratorios previstos en el artículo 20 LCS, exige que se fije definitivamente la doctrina de esta Sala, que, se adelanta, no es otra que la siguiente: Durante los dos primeros años desde la producción del siniestro, la indemnización por mora consistirá en el pago de un interés anual igual al del interés legal del dinero al tipo vigente cada día, que será el correspondiente a esa anualidad incrementado en un 50%. A partir de esta fecha el interés se devengará de la misma forma, siempre que supere el 20%, con un tipo mínimo del 20%, si no lo supera, y sin modificar por tanto los ya devengados diariamente hasta dicho momento. (Tol 8013173)

STS 584/2020: Es necesario recordar que el seguro de responsabilidad civil es aquel en el que "el asegurador se obliga a cubrir, dentro de los límites establecidos por la ley y el contrato, el riesgo de quedar gravado el patrimonio del asegurado por el nacimiento de una obligación de indemnizar derivada de su responsabilidad civil" (art. 73 LCS) y su función social y económica es ofrecer una garantía en determinadas actividades de riesgo, para que quienes en ella participen tengan garantizado el resarcimiento de los daños que puedan sufrir. Por ello, lo que el art. 19 LCS excluye es que el asegurador esté obligado a indemnizar al asegurado en siniestro ocasionado por él de mala fe, pero no impide que el asegurador garantice la responsabilidad civil correspondiente frente a terceros perjudicados. Precisamente porque los responsables no pueden asegurar su propio dolo, la ley reconoce al asegurador el derecho a repetir contra el asegurado, a fin de que el coste de la indemnización recaiga finalmente sobre el patrimonio de quien ocasionó el siniestro, pero sin vaciar de contenido la cobertura del contrato y su sentido social y económico, en relación con los perjudicados, los cuales deberán ser indemnizados siempre que la responsabilidad civil garantizada proceda de mala praxis profesional. La aseguradora al concertar el seguro de responsabilidad civil y por ministerio de la ley (art. 76) asume frente a la víctima (que no es parte en el contrato) la obligación de indemnizar todos los casos de responsabilidad civil surgidos de la conducta asegurada, aunque se deriven de una actuación dolosa. En las relaciones internas y contractuales con el asegurado no juega esa universalidad. La responsabilidad civil nacida de un hecho intencionado ha de repercutir finalmente en el asegurado. Pero el riesgo de insolvencia de éste, la ley quiere hacerlo recaer sobre la aseguradora y no sobre la víctima. La acción directa otorga a la víctima un derecho propio que no deriva solo del contrato sino también de la ley. Por tanto no se ve afectado por las exclusiones de cobertura. Al asegurador solo le queda la vía del regreso. Que el regreso fracase por insolvencia del asegurado es parte de su riesgo como empresa. Conviene insistir de nuevo en que el art. 76 LCS rige para todos los seguros de responsabilidad civil. En los repertorios de jurisprudencia se encuentran casos nada infrecuentes en que tal previsión ha servido de soporte para que la aseguradora indemnice al perjudicado "sin perjuicio del derecho de repetir" por conductas dolosas surgidas con motivo del ejercicio de profesionales liberales (vid. SSTS 384/2004, de 22 de marzo, o 2172/2001, de 26 de noviembre, referidas ambas a defraudaciones imputadas a abogados, o con matices diversos, la STS 173/2009, de 29 de marzo, en el ámbito sanitario). Por tanto la consideración ilícita, incluso dolosa de la actuación del colegiado asegurado en el ejercicio de su actividad profesional, no excluye la reclamación directa del perjudicado a la aseguradora.

Art. 120.[8]

Son también responsables civilmente, en defecto de los que lo sean criminalmente:

1.º Los curadores con facultades de representación plena que convivan con la persona a quien prestan apoyo, siempre que haya por su parte culpa o negligencia.

2.º Las personas naturales o jurídicas titulares de editoriales, periódicos, revistas, estaciones de radio o televisión o de cualquier otro medio de difusión escrita, hablada o visual, por los delitos cometidos utilizando los medios de los que sean titulares, dejando a salvo lo dispuesto en el artículo 212.

3.º Las personas naturales o jurídicas, en los casos de delitos cometidos en los establecimientos de los que sean titulares, cuando por parte de los que los dirijan o administren, o de sus

---

[8]   Se modifica el punto 1 por la Ley 8/2021, de 2 de junio.

dependientes o empleados, se hayan infringido los reglamentos de policía o las disposiciones de la autoridad que estén relacionados con el hecho punible cometido, de modo que éste no se hubiera producido sin dicha infracción.

4.º Las personas naturales o jurídicas dedicadas a cualquier género de industria o comercio, por los delitos que hayan cometido sus empleados o dependientes, representantes o gestores en el desempeño de sus obligaciones o servicios.

5.º Las personas naturales o jurídicas titulares de vehículos susceptibles de crear riesgos para terceros, por los delitos cometidos en la utilización de aquellos por sus dependientes o representantes o personas autorizadas.

STS 268/2020: A tenor de lo dispuesto en el artículo 120.4 CP son también responsables civilmente, en defecto de los que lo sean criminalmente "las personas naturales o jurídicas dedicadas a cualquier género de industria o comercio, por los delitos que hayan cometido sus empleados o dependientes, representantes o gestores en el desempeño de sus obligaciones o servicios". Las dos notas que vertebran la responsabilidad civil subsidiaria son: a) Que exista una relación de dependencia entre el autor del delito y el principal, sea persona física o jurídica, para quien trabaja; y b) que el autor actúe dentro de las funciones de su cargo, aunque extralimitándose de ellas. La jurisprudencia de esta Sala ha experimentado una evolución que progresivamente ha ensanchado este tipo de responsabilidad y postulado la interpretación de estos parámetros de imputación con amplitud, no solo según los criterios de la culpa in eligendo y la culpa in vigilando, sino también, y muy especialmente, conforme a la teoría de la creación del riesgo, de manera que quien se beneficia de actividades que de alguna forma puedan generar un riesgo para terceros, debe soportar las eventuales consecuencias negativas de orden civil respecto de esos terceros cuando resulten perjudicados.

STS 630/2010: Habiéndose citado al responsable civil directo pero no al subsidiario, no se declara por tal motivo la nulidad del juicio.

STS 81/2019: Es doctrina de esta Sala Casacional que el responsable civil subsidiario tiene limitada su actuación dentro del proceso penal al área puramente indemnizatoria sin que le sea posible alegar en su defensa cuestiones de descargo penales, máxime en los supuestos en que el inculpado en la instancia se conforma con la pena que contra él se solicita por la acusación o cuando el ya condenado se acalla frente a la sentencia del Tribunal "a quo", no formalizando el correspondiente recurso de casación.

STS 525/2022: La concurrencia de algún grado de negligencia por parte de la perjudicada ni excluye la responsabilidad civil del tercero ni la disminuye. El esfuerzo del Tribunal a quo analizando los datos que permiten hablar de esa negligencia por parte de la perjudicada es estéril: no conduce a nada en materia penal. Si hay delito, hay responsabilidad penal. Y si el responsable penal responde civilmente también responde el tercero del art 120.4º CP. Lo decisivo para la operatividad del art. 120.4º CP es la realidad de una actuación bajo la dependencia del principal. No basta con que el sujeto activo del delito mantenga la condición de dependiente o un vínculo con el principal. Si fuese de otra forma cualquier estafa cometida por un empleado de banca al margen de su trabajo atraería la responsabilidad civil del banco. Ni siquiera es suficiente con que los perjudicados puedan creer, con mayor o menor fundamento, que está actuando por cuenta del principal: esa tesis llevaría a la conclusión de que el engaño pergeñado por alguien haciéndose pasar por empleado de una entidad arrastraría absurdamente a ésta a la obligación de indemnizar por las acciones de aquél. Además del vínculo de dependencia, que no se puede negar aquí en cuanto existía una relación mantenida aunque a un nivel mínimo, lo determinante es que la conducta delictiva pueda incluirse en el marco de la actividad por cuenta del principal, aunque se produzcan extralimitaciones.

STS 707/2017: Se interpreta el art. 120.4º del C. Penal en el sentido de que debe descartarse una interpretación estricta del precepto, de tal manera que cualquier extralimitación o desobediencia del empleado pueda considerarse que rompe la conexión con el empresario. Son muy frecuentes las resoluciones jurisprudenciales que contemplan casos en los que la actuación del condenado penal se ha producido excediéndose de los mandatos expresos o tácitos del titular de la empresa acusada como responsable civil subsidiaria. Y esto es así porque el requisito exigido para la aplicación del art. 120.4º, nada tiene que ver con el apartamiento o no del obrar del acusado respecto de lo ordenado por su principal. La condición exigida es que el acusado ha de haber actuado con cierta dependencia en relación con la empresa, dependencia que no se rompe con tales extralimitaciones. Pero también debe descartarse que el empresario deba responder de todos los actos del empleado, sin atender a que los mismos tengan alguna relación con su trabajo. Relación que según los casos habría que atender al dato espacial (el hecho delictivo tiene lugar en las instalaciones de la empresa); temporal (en el horario o tiempo de trabajo); instrumental (con medios de la empresa); formal (con el informe de la empresa); o final. Por ello, tratándose de una responsabilidad objetiva, en clara línea aperturista, habrá que analizar especialmente si la organización de los medios personales y materiales de la empresa tiene o no alguna influencia sobre el hecho delictivo, si lo favorece. Según la doctrina de esta Sala para que proceda declarar la responsabilidad subsidiaria en el caso del art. 120.4º CP es preciso, de un lado, que el infractor y el presunto responsable civil subsidiario se hallen ligados por una relación jurídica o de hecho o por cualquier otro vínculo, en virtud del cual el primero se encuentre bajo su dependencia onerosa o gratuita, duradera o puramente circunstancial y esporádica, de su principal, o al menos que la tarea, actividad, misión, servicio o función que realice cuenten con el beneplácito, anuencia o aquiescencia del supuesto responsable civil subsidiario; y de otro lado, que el delito que genera la responsabilidad se halle inscrito dentro del ejercicio normal o anormal de las funciones desarrolladas en el seno de la actividad o cometido confiados al infractor, perteneciendo a su esfera o ámbito de aplicación. Lo relevante es que la persona elegida para desempeñar una determinada función actúe delictivamente precisamente en el ejercicio de dichas funciones (*culpa in eligendo*), y las desarrolle con infracción de las normas penales sin que los sistemas ordinarios de control interno de la empresa los detecte (*culpa in vigilando*). Por ello, la interpretación de aquellos requisitos debe efectuarse con amplitud, apoyándose la fundamentación de tal responsabilidad civil subsidiaria no solo en los pilares tradicionales de la culpa in eligiendo y la culpa in vigilando, sino también y sobre todo en la teoría del riesgo, conforme al principio *qui sentire commodum, debet sentire incomodum*; de manera que quien se beneficia de actividades que de alguna forma puedan generar un riesgo para terceros debe soportar las eventuales consecuencias negativas de orden civil respecto de esos terceros cuando resultan perjudicados. Por tanto, la interpretación de los requisitos mencionados ha de hacerse con un criterio amplio que acentúe el criterio objetivo de la responsabilidad civil subsidiaria, fundamentada no sólo en los pilares tradicionales de la culpa, sino también en la teoría del riesgo, interés o beneficio.

Art. 121.

El Estado, la Comunidad Autónoma, la provincia, la isla, el municipio y demás entes públicos, según los casos, responden subsidiariamente de los daños causados por los penalmente responsables de los delitos dolosos o culposos, cuando éstos sean autoridad, agentes y contratados de la misma o funcionarios públicos en el ejercicio de sus cargos o funciones siempre que la lesión sea consecuencia directa del funcionamiento de los servicios públicos que les estuvieren confiados, sin perjuicio de la responsabilidad patrimonial derivada del funcionamiento normal o anormal de dichos servicios exigible conforme a las normas de procedimiento administrativo, y sin que, en ningún caso, pueda darse una duplicidad indemnizatoria.

Si se exigiera en el proceso penal la responsabilidad civil de la autoridad, agentes y contratados de la misma o funcionarios públicos, la pretensión deberá dirigirse simultáneamente contra la Administración o ente público presuntamente responsable civil subsidiario.

STS 130/2015: El Tribunal Supremo descarta la responsabilidad civil subsidiaria del Estado en un supuesto de agresión de un interno a dos funcionarios de prisiones, dado que la situación de motín fue sobrevenida y espontánea y, por ello, impredecible.

Acuerdo no jurisdiccional del pleno de la Sala 2ª del TS de 17 de julio de 2002: La responsabilidad civil subsidiaria del Estado por los daños causados por los agentes de las fuerzas y cuerpos de seguridad, por el uso del arma reglamentaria, se deriva de que, aún cuando el arma no se haya utilizado en acto de servicio, el riesgo generado con el hecho de portarla si es consecuencia directa del modo de organización del servicio de seguridad, por lo general beneficioso para la sociedad, pero que entraña este tipo de riesgos. Pero el mero hecho de la utilización del arma reglamentaria no genera de manera necesaria la responsabilidad civil del Estado, quedando ésta excluida en aquellos supuestos en los que el daño no sea una concreción del riesgo generado por el sistema de organización del servicio de seguridad. Entre tales supuestos deben incluirse las agresiones efectuadas con el arma reglamentaria, en el propio domicilio del agente, contra sus familiares o personas que convivan con él. Si bien, incluso en los casos mencionados en el apartado anterior, habrá responsabilidad civil subsidiaria del Estado, si existen datos debidamente acreditados, de que el arma debió habérsela retirado al funcionario por carencia de las condiciones adecuadas para su posesión.

Acuerdo no jurisdiccional del pleno de la Sala 2ª del TS de 26 de mayo de 2000: El art. 121 del nuevo CP no altera la jurisprudencia de esta Sala relativa a la responsabilidad civil subsidiaria del Estado por delitos cometidos en establecimientos sometidos a su control, cuando concurran infracciones reglamentarias en los términos del art. 120.3º del CP.

Art. 122.

El que por título lucrativo hubiere participado de los efectos de un delito, está obligado a la restitución de la cosa o al resarcimiento del daño hasta la cuantía de su participación.

STS 256/2016: La obligación de resarcimiento del partícipe a título lucrativo (art. 122 CP) tiene su fundamento en que nadie debe enriquecerse indebidamente en virtud de un negocio jurídico que se deriva de una causa ilícita en perjuicio de una víctima de un hecho delictivo. No se trata de un supuesto de responsabilidad civil *ex delicto*, sino de aplicar en el proceso penal la nulidad de los contratos que tienen causa ilícita, excluyendo de esa responsabilidad civil a quien haya adquirido una cosa de buena fe y a título oneroso. La receptación civil refiere a un enriquecimiento o aun aprovechamiento de los efectos de un delito a título lucrativo, no oneroso, con el límite del beneficio obtenido. Se exige que no haya sido condenado por la responsabilidad penal en el delito del que se generan los bienes, no siendo preciso el conocimiento de la ilícita procedencia, pues ello supondría dar lugar a responsabilidad penal.

STS 438/2018: Para su aplicación (art. 122 CP), es indispensable: 1º) que exista una persona, física o jurídica que hubiere participado de los efectos de un delito o falta, en el sentido de haberse aprovechado de ellos por título lucrativo, por lo que quedan excluidas las adquisiciones en virtud de negocios no susceptibles de esta calificación jurídica; 2º) el adquiriente debe tener meramente conocimiento de la adquisición e ignorar la existencia de la comisión delictiva de donde provienen los efectos, a fin de impedir la aplicación del «*crimen receptationis*» en concepto de autor, cómplices y encubridor; 3º) la valoración antijurídica de la transmisión de los objetos y su reivindicabilidad se ha de hacer de acuerdo con la normativa que regula el tráfico jurídico, y la determinación del resarcimiento se realizará por la cuantía de la participación.

STS 227/2015: En el partícipe a título lucrativo (art. 122 CP) nos encontramos ante un supuesto de pura responsabilidad civil directa, solidaria junto con el autor material o cómplice del delito pero hasta el límite de lo aprovechado. No se trata de una responsabilidad civil *ex delicto*, ni subsidiaria de un tercero, sino de una acción civil por enriquecimiento injusto, acumulada al proceso penal.

Art. 123.

Las costas procesales se entienden impuestas por la ley a los criminalmente responsables de todo delito.

STS 254/2016: La regla metodológica para aplicar el art. 240 LECrim en materia de costas, consiste en primer término en dividir las costas por el número de delitos y, posteriormente, en relación con cada uno de éstos por su número de partícipes.

STS 516/2019: La jurisprudencia se ha decantado por la fórmula basada en una fragmentación de las costas según el número de delitos enjuiciados -hechos punibles y no calificaciones diferentes: lo que tiene aquí relevancia pues obliga a dividir por hechos y no por tipificaciones esgrimidas-. Dentro de cada delito -hecho penalmente relevante- se divide entre los que han sido acusados como partícipes de cada uno para declarar de oficio la parte correspondiente a los absueltos y condenar a su respectiva fracción a los condenados. En el supuesto de autos, el acusado fue acusado por delito de deslealtad profesional y por delito de apropiación indebida, y, alternativamente a este último, por delito de estafa. Por ello conforme a la doctrina antes expresada, el acusado ha sido enjuiciado por dos delitos (o por dos hechos constitutivos de delito) habiendo sido absuelto de uno de ellos, esto es, del delito de apropiación indebida y del delito de estafa del que era acusado de forma alternativa. En consecuencia debe responder del pago de la mitad de las costas procesales causadas en la instancia.

STS 671/2022: Esta Sala ha apostado decididamente por el sistema basado en una fragmentación de las costas según el número de delitos enjuiciados. El reparto "por cabezas" opera después, una vez calculadas las porciones correspondientes a cada delito objeto de acusación y excluidas las correspondientes a los delitos por los que se ha absuelto a todos. No es ese, en todo caso, un criterio rígido: admite modulaciones compatibles con la amplia fórmula usada por el art. 240 LECrim. No son reglas inflexibles e impermeables a consideraciones no estrictamente aritméticas. El principio general será el del reparto en la forma establecida. Excepcionalmente se pueden introducir correctivos, justificando el apartamiento de esas divisiones cuantitativamente exactas para establecer las proporciones en atención al mayor o menor "trabajo" procesal provocado por los diferentes hechos, para asignar a sus responsables unas cuotas diversificadas.

STS 174/2018: El artículo 123 CP dispone que las costas procesales se entienden impuestas por la ley a los criminalmente responsables de todo delito. Y el artículo 240.2º, último párrafo, de la LECrim, establece que no se impondrán nunca las costas a los procesados que fueren absueltos. En el caso, el recurrente fue absuelto de los delitos por los que venía acusado al apreciarse una eximente completa por anomalía o alteración psíquica, por lo que no es procedente la condena en costas.

Art. 124.

Las costas comprenderán los derechos e indemnizaciones ocasionados en las actuaciones judiciales e incluirán siempre los honorarios de la acusación particular en los delitos sólo perseguibles a instancia de parte.

STS 682/2016: Solo puede condenarse en costas a la acusación particular cuando exista una petición expresa en tal sentido, lo que no es extensible a las costas del condenado, y de las costas en favor de la acusación particular en los delitos perseguibles únicamente a instancia de parte. Sí se requiere, por el contrario, petición expresa de parte para incluir las costas de la acusación particular en los demás delitos y para condenar en costas a la acusación particular. Las costas procesales gozan de una naturaleza eminentemente civil, por su carácter resarcitorio o compensatorio y, por ello, en su regulación rige el principio de rogación.

STS 398/2019: La petición de una condena en costas en boca de una acusación particular no puede significar otra cosa: que solicita que se impongan todas las costas y entre ellas las causadas por esa acusación. Es absurdo pensar que quedaban excluidas las propias; como lo es imaginar que si el acusado no se opuso a ello fue por no deducirlo de la forma genérica del escrito de conclusiones; y como lo sería exigir para articular esa petición una fórmula ritual ("incluidas las causadas por esta acusación particular") como si fuesen unas palabras sacramentales sin las cuales no podría considerar hecha una petición que, con naturalidad, si no se retuercen las cosas, está implícita naturalmente en la petición global e inespecífica de la condena en costas.

STS 767/2016: La jurisprudencia abandonó hace tiempo la doctrina de la relevancia de la actuación de la acusación particular a efectos de extender la condena en costas al acusado de las generadas a instancia de aquella. No es ese el criterio que ha de orientar la inclusión de las costas de la acusación particular en la actualidad. Las costas de la acusación particular se impondrán siempre que resulte condenado el acusado y la actuación de la acusación particular no haya resultado perturbadora por su heterogeneidad con respecto a la condena definitiva. Las discrepancias en cuestiones secundarias (penas, agravantes o atenuantes, perfiles últimos de la tipificación, …) entre la pretensión acusatoria y la condena, dentro de una identidad en lo nuclear, no son motivo para excluir las costas de la acusación particular.

STS 99/2016: Para la imposición de la condena en costas a la acusación particular por temeridad o mala fe, la doctrina de esta Sala ha considerado que si bien es cierto que no existe un concepto o definición de las mismas, lo que permite un cierto margen de valoración subjetiva en cada supuesto concreto, debe entenderse que tales circunstancias han concurrido cuando carezca de consistencia la pretensión de la acusación particular, en tal medida que pueda deducirse que quien ejerció la acción penal, no podía dejar de tener conocimiento de la injusticia y sinrazón de su acción. Del mismo modo que se considera temeridad cuando se ejerce la acción penal mediante querella a sabiendas de que el querellado no ha cometido el delito que se le imputa. No obstante, el simple dato de disparidad de criterio entre el Fiscal y la acusación particular es insuficiente para fundamentar la condena en costas por temeridad.

STS 423/2018: La jurisprudencia proclama que la temeridad y la mala fe han de ser notorias y evidentes, afirmando la procedencia de mantener una interpretación restrictiva de estos términos legales, de modo que la regla general será su no imposición. Además del sometimiento al principio de rogación, hemos proclamado que: 1) La prueba de la temeridad o mala fe, corresponde a quien solicita la imposición de las costas. 2) No es determinante al efecto que la acusación no oficial haya mantenido posiciones en el proceso diversas, incluso contrapuestas, a las de la acusación oficial. 3) El Tribunal a quo ha de expresar las razones por las que aprecia la concurrencia de un comportamiento procesal irreflexivo y, por tanto, merecedor de la sanción económica implícita en la condena en costas. En relación con la justificación de la eventual decisión de condena, resulta también controvertida la trascendencia que pueden tener las decisiones jurisdiccionales que, a lo largo del procedimiento, controlan la admisibilidad de la pretensión, pues la decisión de admitir a trámite la querella, la de posibilitar a las acusaciones que formalicen la imputación o la decisión de apertura del juicio oral, no son el mero resultado de una opción procesal de la acusación particular, sino que presuponen una consideración judicial de que la pretensión de la parte puede no estar enfrentada a su viabilidad jurídica.

STS 192/2018: Si el órgano jurisdiccional con competencia para resolver la fase intermedia y decidir sobre la fundabilidad de la acusación, decide que ésta reúne los presupuestos precisos para abrir el juicio oral, la sentencia absolutoria no puede convertirse en la prueba *ex post* para respaldar una temeridad que, sin embargo, ha pasado todos los filtros jurisdiccionales. Como factores reveladores de aquella temeridad o mala fe suele indicarse más que la objetiva falta de fundamento o inconsistencia de la acusación, la consciencia de ello por parte de quien, no obstante, acusa. Lo que no empece que sea la evidencia de esa falta de consistencia la que autorice a inferir aquella consciencia. Así se impone la condena cuando se estime que existen razones para suponer que no le asistía el derecho o cuando las circunstancias permiten considerar que no podía dejar de tener conocimiento de la injusticia y sinrazón de su acción. Desde luego se considera temeridad cuando se ejerce la acción penal, mediante querella, a sabiendas de que el querellado no ha cometido el delito que se le imputa. Recientemente hemos indicado como determinante que el acusador tuviera conocimiento de datos que demostrarían la inexistencia de delito y los oculta o no los aporta, dotando así de una apariencia de consistencia a la acusación que sostiene. Cabe que aparezca a lo largo de la tramitación aunque no en momento inicial.

X. DE LAS CONSECUENCIAS ACCESORIAS
(ARTS. 127 A 129 BIS)

Art. 127.

1. Toda pena que se imponga por un delito doloso llevará consigo la pérdida de los efectos que de él provengan y de los bienes, medios o instrumentos con que se haya preparado o ejecutado, así como de las ganancias provenientes del delito, cualesquiera que sean las transformaciones que hubieren podido experimentar.

2. En los casos en que la ley prevea la imposición de una pena privativa de libertad superior a un año por la comisión de un delito imprudente, el juez o tribunal podrá acordar la pérdida de los efectos que provengan del mismo y de los bienes, medios o instrumentos con que se haya preparado o ejecutado, así como de las ganancias provenientes del delito, cualesquiera que sean las transformaciones que hubieran podido experimentar.

3. Si por cualquier circunstancia no fuera posible el decomiso de los bienes señalados en los apartados anteriores de este artículo, se acordará el decomiso de otros bienes por una cantidad que corresponda al valor económico de los mismos, y al de las ganancias que se hubieran obtenido de ellos. De igual modo se procederá cuando se acuerde el decomiso de bienes, efectos o ganancias determinados, pero su valor sea inferior al que tenían en el momento de su adquisición.

STS 405/2022: El decomiso, a diferencia de las penas que tienen un carácter personalísimo, no está vinculado a la pertenencia del bien al responsable criminal sino a la demostración del origen ilícito del producto o las ganancias o, como es el caso, a su utilización para fines criminales, con el límite que supone su pertenencia a terceros de buena fe. La redacción del vigente artículo 127.1 CP omite esa mención excluyente del decomiso de los bienes pertenecientes al tercero de buena fe, sin embargo, la sombra que proyecta el artículo 7.1 CC y una lectura integrada de los distintos preceptos penales y procesales (artículo 803 ter y ss LECrim) concernidos en la regulación del decomiso, invitan necesariamente a entender que ese régimen subsiste. Solo así puede concebirse en un sistema de represión penal respetuoso en todos sus efectos gravosos, aun cuando excedan el estricto ámbito de la pena, con el principio de culpabilidad. De tal manera ningún óbice existe para el decomiso de bienes que hayan sido empleados como instrumentos del delito, pertenecientes a un tercero que no lo fuera de buena fe. El régimen económico matrimonial que el CC llama "sociedad de gananciales", se estructura sobre una pormenorizada regulación en los artículos 1.344 a 1.410 CC. El recurrente esgrime la existencia de este complejo régimen matrimonial, sin adentrarse en su concreta regulación donde nos encontramos con preceptos como el 1373 CC en relación con el 1366 CC que vinculan el patrimonio ganancial a las "deudas propias" de cada cónyuge; del artículo 1384 CC que legitima los actos de administración de bienes realizados por el cónyuge en cuyo poder se encuentra el bien, del 1385 párrafo 2 que habilita a cualquiera de los cónyuges para ejercitar la defensa de los bienes y derechos comunes, sin perjuicio de los correspondientes ajustes que se habrán de producir cuando se liquida la sociedad de gananciales conforme a lo previsto en los artículos 1373 y 1390; así como a las disposiciones que integran la sección del CC "De la disolución de la sociedad de gananciales", artículos 1392 a 1410. El examen de la causa permite comprobar que, durante la fase de instrucción, la esposa del recurrente fue oída en relación al decomiso ya en aquel momento solicitado. Todo ello con independencia de los pronunciamientos que la sentencia recurrida contiene en relación a su conocimiento respecto a la utilización de la embarcación en los hechos enjuiciados.

Art. 127 bis.

1. El juez o tribunal ordenará también el decomiso de los bienes, efectos y ganancias pertenecientes a una persona condenada por alguno de los siguientes delitos cuando resuelva, a partir de indicios objetivos fundados, que los bienes o efectos provienen de una actividad delictiva, y no se acredite su origen lícito:

a) Delitos de trata de seres humanos.

a bis) Delitos de tráfico de órganos.

b) Delitos relativos a la prostitución y a la explotación sexual y corrupción de menores y delitos de abusos y agresiones sexuales a menores de dieciséis años.

c) Delitos informáticos de los apartados 2 y 3 del artículo 197 y artículo 264.

d) Delitos contra el patrimonio y contra el orden socioeconómico en los supuestos de continuidad delictiva y reincidencia.

e) Delitos relativos a las insolvencias punibles.

f) Delitos contra la propiedad intelectual o industrial.

g) Delitos de corrupción en los negocios.

h) Delitos de receptación del apartado 2 del artículo 298.

i) Delitos de blanqueo de capitales.

j) Delitos contra la Hacienda pública y la Seguridad Social.

k) Delitos contra los derechos de los trabajadores de los artículos 311 a 313.

l) Delitos contra los derechos de los ciudadanos extranjeros.

m) Delitos contra la salud pública de los artículos 368 a 373.

n) Delitos de falsificación de moneda.

o) Delitos de cohecho.

p) Delitos de malversación.

q) Delitos de terrorismo.

r) Delitos cometidos en el seno de una organización o grupo criminal.

2. A los efectos de lo previsto en el apartado 1 de este artículo, se valorarán, especialmente, entre otros, los siguientes indicios:

1.º La desproporción entre el valor de los bienes y efectos de que se trate y los ingresos de origen lícito de la persona condenada.

2.º La ocultación de la titularidad o de cualquier poder de disposición sobre los bienes o efectos mediante la utilización de personas físicas o jurídicas o entes sin personalidad jurídica interpuestos, o paraísos fiscales o territorios de nula tributación que oculten o dificulten la determinación de la verdadera titularidad de los bienes.

3.º La transferencia de los bienes o efectos mediante operaciones que dificulten o impidan su localización o destino y que carezcan de una justificación legal o económica válida.

3. En estos supuestos será también aplicable lo dispuesto en el apartado 3 del artículo anterior.

4. Si posteriormente el condenado lo fuera por hechos delictivos similares cometidos con anterioridad, el juez o tribunal valorará el alcance del decomiso anterior acordado al resolver sobre el decomiso en el nuevo procedimiento.

5. El decomiso a que se refiere este artículo no será acordado cuando las actividades delictivas de las que provengan los bienes o efectos hubieran prescrito o hubieran sido ya objeto de un proceso penal resuelto por sentencia absolutoria o resolución de sobreseimiento con efectos de cosa juzgada.

> STS 599/2020: De lo que se trata, en fin, es no perder de vista que el decomiso ampliado sólo se justifica -como exige el art. 127 bis del CP- cuando, mediante indicios objetivos y fundados puede acreditarse su condición de ganancia derivada de un delito cometido con anterioridad a aquel por el que se dicta condena. El origen ilícito de esos bienes, por tanto, ha de estar acreditado mediante indicios que, como es natural, no pueden responder al puro voluntarismo del órgano judicial que acuerda el decomiso. Han de estar fundados y no pueden quedar

neutralizados por datos que sugieran lo contrario, esto es, que esos bienes son el resultado de una actividad económica no vinculada al ilícito sobre el que se construye la condena. En la apreciación de la prueba indiciaria exigida por el apartado 2º del art. 127 bis del CP -objetiva y fundada-, conviene tener bien presente que la cadena de indicios y presunciones a que se refieren los arts. 127 quinquies y 127 sexies, no altera los presupuestos que definen nuestro sistema probatorio. Esas presunciones legales no aspiran -no pueden aspirar- a anticipar el desenlace valorativo del Juez, suplantando su inferencia por la prevista por el legislador. No se trata de verdaderas presunciones legales, que alterarían el esquema sobre el que también se construye la presunción de inocencia, sino de pautas hermenéuticas mediante las que el legislador busca facilitar la tarea decisoria, sin que su propia existencia implique una subversión de la carga de la prueba.

Art. 127 ter.

1. El juez o tribunal podrá acordar el decomiso previsto en los artículos anteriores aunque no medie sentencia de condena, cuando la situación patrimonial ilícita quede acreditada en un proceso contradictorio y se trate de alguno de los siguientes supuestos:

a) Que el sujeto haya fallecido o sufra una enfermedad crónica que impida su enjuiciamiento y exista el riesgo de que puedan prescribir los hechos,

b) se encuentre en rebeldía y ello impida que los hechos puedan ser enjuiciados dentro de un plazo razonable, o

c) no se le imponga pena por estar exento de responsabilidad criminal o por haberse ésta extinguido.

2. El decomiso al que se refiere este artículo solamente podrá dirigirse contra quien haya sido formalmente acusado o contra el imputado con relación al que existan indicios racionales de criminalidad cuando las situaciones a que se refiere el apartado anterior hubieran impedido la continuación del procedimiento penal.

STS 100/2022: La acción de decomiso autónomo contra terceros prevista en el artículo 127 quáter CP, en relación con lo dispuesto en el artículo 803 ter j. LECrim, es del todo compatible con la que también pueda ejercerse en el mismo proceso contra el acusado rebelde o contra el imputado respecto del que concurran indicios de criminalidad, en los términos precisados en el artículo 127 ter CP. En puridad, en estos supuestos, se ejercen dos acciones de forma cumulativa, sin ninguna interdependencia que condicione la legitimación de los unos y de los otros, a salvo el cuestionable, desde las exigencias de interpretación conforme con el derecho de la Unión, supuesto excepcional de no llamamiento al tercero previsto en el artículo 803 ter a. 2. b) LECrim.

Art. 127 quater.

1. Los jueces y tribunales podrán acordar también el decomiso de los bienes, efectos y ganancias a que se refieren los artículos anteriores que hayan sido transferidos a terceras personas, o de un valor equivalente a los mismos, en los siguientes casos:

a) En el caso de los efectos y ganancias, cuando los hubieran adquirido con conocimiento de que proceden de una actividad ilícita o cuando una persona diligente habría tenido motivos para sospechar, en las circunstancias del caso, de su origen ilícito.

b) En el caso de otros bienes, cuando los hubieran adquirido con conocimiento de que de este modo se dificultaba su decomiso o cuando una persona diligente habría tenido motivos para sospechar, en las circunstancias del caso, que de ese modo se dificultaba su decomiso.

2. Se presumirá, salvo prueba en contrario, que el tercero ha conocido o ha tenido motivos para sospechar que se trataba de bienes procedentes de una actividad ilícita o que eran transferidos para evitar su decomiso, cuando los bienes o efectos le hubieran sido transferidos a título gratuito o por un precio inferior al real de mercado.

STS 100/2022: La acción de decomiso autónomo contra terceros prevista en el artículo 127 quáter CP, en relación con lo dispuesto en el artículo 803 ter j. LECrim, es del todo compatible con la que también pueda ejercerse en el mismo proceso contra el acusado rebelde o contra el imputado respecto del que concurran indicios de criminalidad, en los términos precisados en el artículo 127 ter CP. En puridad, en estos supuestos, se ejercen dos acciones de forma cumulativa, sin ninguna interdependencia que condicione la legitimación de los unos y de los otros, a salvo el cuestionable, desde las exigencias de interpretación conforme con el derecho de la Unión, supuesto excepcional de no llamamiento al tercero previsto en el artículo 803 ter a. 2. b) LECrim.

Art. 128.

Cuando los referidos efectos e instrumentos sean de lícito comercio y su valor no guarde proporción con la naturaleza o gravedad de la infracción penal, o se hayan satisfecho completamente las responsabilidades civiles, podrá el Juez o Tribunal no decretar el decomiso, o decretarlo parcialmente.

STS 299/2019: En elación al decomiso previsto en el art. 128 del CP, el mismo no ha sufrido modificación en la reforma del 2010, ni en la del 2015, se limita a establecer una cláusula de proporcionalidad que permite al Juez o Tribunal no decretar el decomiso (o decretarlo parcialmente) de efectos e instrumentos susceptibles del mismo (no se alude a los bienes, medios o ganancias), que sean de lícito comercio y cuyo valor no guarde proporción con la naturaleza o la gravedad de la infracción penal o cuando se hayan satisfecho las responsabilidades civiles.

XI. CAUSAS DE EXTINCIÓN DE LA RESPONSABILIDAD CRIMINAL

(Arts. 130 a 135)

Art. 130.[9]

1. La responsabilidad criminal se extingue:

1.º Por la muerte del reo.

2.º Por el cumplimiento de la condena.

3.º Por la remisión definitiva de la pena, conforme a lo dispuesto en los apartados 1 y 2 del artículo 87.

4.º Por el indulto.

5.º Por el perdón de la persona ofendida, cuando se trate de delitos leves perseguibles a instancias de la persona agraviada o la ley así lo prevea. El perdón habrá de ser otorgado de forma expresa antes de que se haya dictado sentencia, a cuyo efecto la autoridad judicial sentenciadora deberá oír a la persona ofendida por el delito antes de dictarla.

En los delitos cometidos contra personas menores de edad o personas con discapacidad necesitadas de especial protección que afecten a bienes jurídicos eminentemente personales, el perdón de la persona ofendida no extingue la responsabilidad criminal.

6.º Por la prescripción del delito.

7.º Por la prescripción de la pena o de la medida de seguridad.

2. La transformación, fusión, absorción o escisión de una persona jurídica no extingue su responsabilidad penal, que se trasladará a la entidad o entidades en que se transforme, quede fusionada o absorbida y se extenderá a la entidad o entidades que resulten de la escisión. El Juez o Tribunal podrá moderar el traslado de la pena a la persona jurídica en función de la proporción que la persona jurídica originariamente responsable del delito guarde con ella.

---

[9]   Se modifica el apartado 1.5º por la LO 8/2021, de 4 de junio.

No extingue la responsabilidad penal la disolución encubierta o meramente aparente de la persona jurídica. Se considerará en todo caso que existe disolución encubierta o meramente aparente de la persona jurídica cuando se continúe su actividad económica y se mantenga la identidad sustancial de clientes, proveedores y empleados, o de la parte más relevante de todos ellos.

> **Acuerdo no jurisdiccional del pleno de la Sala 2ª del TS de 5 de abril de 2005:** El Tribunal Supremo será competente para informar indultos, como Tribunal sentenciador, cuando dicte segunda sentencia, en todo caso.

Art. 131.

1. Los delitos prescriben:

A los veinte años, cuando la pena máxima señalada al delito sea prisión de quince o más años.

A los quince, cuando la pena máxima señalada por la ley sea inhabilitación por más de diez años, o prisión por más de diez y menos de quince años.

A los diez, cuando la pena máxima señalada por la ley sea prisión o inhabilitación por más de cinco años y que no exceda de diez.

A los cinco, los demás delitos, excepto los delitos leves y los delitos de injurias y calumnias, que prescriben al año.

2. Cuando la pena señalada por la ley fuere compuesta, se estará, para la aplicación de las reglas comprendidas en este artículo, a la que exija mayor tiempo para la prescripción.

3. Los delitos de lesa humanidad y de genocidio y los delitos contra las personas y bienes protegidos en caso de conflicto armado, salvo los castigados en el artículo 614, no prescribirán en ningún caso.

Tampoco prescribirán los delitos de terrorismo, si hubieren causado la muerte de una persona.

4. En los supuestos de concurso de infracciones o de infracciones conexas, el plazo de prescripción será el que corresponda al delito más grave.

STS 760/2014: La prescripción puede ser declarada de oficio en cualquier fase del procedimiento, precisamente por responder a principios de orden público y de interés general.

STS 627/2020: Esta Sala viene reiterando que la prescripción sólo puede ser apreciada en el trámite de resolución de las cuestiones de previo pronunciamiento, al inicio de la vista oral y sin celebración del juicio, cuando concurren de forma diáfana los presupuestos fácticos y jurídicos de la prescripción delictiva, es decir cuando de forma clara y manifiesta no existe justificación para celebrar el juicio oral porque desde el punto de vista fáctico no resulte necesaria la práctica de prueba alguna para adoptar una decisión sobre la cuestión previa planteada y desde el punto de vista jurídico no resulte necesario realizar una argumentación o motivación específica para rechazar en el Auto previo la calificación jurídica sostenida por las partes acusadoras que impide la prescripción, pues en caso de ser necesario este análisis jurídico previo las partes deben tener la oportunidad de defender su calificación de forma contradictoria en el acto del juicio oral. Y también ha dicho que se quebranta el deber de motivación de la resolución judicial y, por ende, el derecho a la tutela judicial efectiva proclamado en el artículo 24.2 CE cuando una resolución judicial es fruto de una decisión arbitraria en la medida en que ha sido adoptada de modo precipitado, en un momento procesal inoportuno, sin permitir a la parte recurrente practicar prueba para acreditar el fondo de sus pretensiones y sin permitirle alegar y argumentar en defensa de su derecho. Lo que delimita el objeto del proceso en el trámite de cuestiones previas son los escritos de calificación y a partir de ellos se debe determinar si el delito por el que se formula acusación está o no prescrito, sin que pueda quedar pendiente ese análisis de hipotéticos cambios de calificación que pudieran formularse en el trámite de conclusiones definitivas ya que, de admitirse semejante planteamiento, siempre sería prematuro todo pronunciamiento sobre la prescripción y conduciría a la imposibilidad de plantear esta excepción como cuestión de previo pronunciamiento. Es cierto que el objeto del proceso penal es de cristalización progresiva y está sujeto a modificaciones durante el desarrollo del proceso, incluso al término del juicio, pero en este último caso con relevantes limitaciones. Sin embargo, también es cierto que en la calificación provisional se han de determinar los elementos fácticos y jurídicos que justifican la acusación lo que delimita el objeto de enjuiciamiento, de todo punto imprescindible para la efectividad del derecho de defensa. La delimitación de ese objeto es lo que justifica la LECrim no sólo posibilite sino que obligue a plantear las cuestiones previas antes de la celebración del juicio, entre las que se comprende la prescripción del delito, y no sería congruente con esa exigencia procesal que la apreciación o no de la prescripción quedara condicionada a futuras modificaciones de la calificación provisional. Por lo tanto, la Audiencia Provincial ha actuado con corrección al declarar la prescripción de un delito en atención a la calificación del mismo efectuada en el escrito de calificación provisional.

STS 104/2016: En el supuesto del delito continuado ha de tenerse en cuenta la exasperación punitiva para conformar el plazo de prescripción del delito; debe considerarse en toda su extensión y por lo tanto en su concepción de pena máxima que pueda serle aplicada; pena en abstracto máxima posible legalmente.

Acuerdo no jurisdiccional del pleno de la Sala 2ª del TS de 26 de octubre de 2010: Para la aplicación del instituto de la prescripción se tendrá en cuenta el plazo correspondiente al delito cometido, entendido éste como el declarado como tal en la resolución judicial que así se pronuncie. En consecuencia no se tomarán en consideración para determinar dicho plazo aquellas calificaciones jurídicas agravadas que hayan sido rechazadas por el Tribunal sentenciador. Este mismo criterio se aplicará cuando los hechos enjuiciados se degraden de delito a falta, de manera que el plazo de prescripción será el correspondiente a la calificación definitiva de los mismos como delito o falta. En los delitos conexos o en el concurso de infracciones, se tomará en consideración el delito más grave declarado cometido por el Tribunal sentenciador, para fijar el plazo de prescripción del conjunto punitivo enjuiciado.

STS 634/2018: En caso de conexidad meramente procesal no hay obstáculo para apreciar separadamente la prescripción de los delitos que se enjuician en un único proceso, pero en los casos de conexidad natural hay que considerarlo todo como una unidad, al tratarse de un proyecto único en varias direcciones y, por consiguiente, no puede aplicarse la prescripción por separado y mientras el delito más grave no prescriba tampoco puede prescribir el delito con el que está conectado. La jurisprudencia de esta Sala ha operado con la conexidad sustantiva y no meramente procesal para fijar la prescripción conjunta de los delitos que concurrían en concurso, referida a los concursos mediales, la conexidad procesal no ha sido considerada por la jurisprudencia de esta Sala, en general, como suficiente para hablar de una unidad de acción. En consecuencia, de la misma manera que la imputación de un hecho a título de delito, luego declarado falta, no impide la aplicación de los tiempos computables como de paralización determinantes de prescripción previstos para las faltas, tampoco la no necesaria acumulación de objetos procesales, haciendo soportar al imputado la carga de un procedimiento por delito, que no le era aplicable, no puede impedir la estimación de la prescripción si la paralización ha sido superior al plazo de seis meses.

STS 889/2021: La unidad de proceso no aboca inexorablemente a la unidad de plazo de prescripción de las distintas infracciones conjuntamente enjuiciadas. Hay que distinguir los casos de conexión o vinculación material (concursos mediales o ideales), así como los de conexión procesal necesaria; de aquéllos en que la conexión puede considerarse de conveniencia, o no necesaria. En caso de conexidad meramente procesal no hay obstáculo para apreciar separadamente la prescripción de los delitos que se enjuician en un único proceso, -y obviamente también de las antiguas faltas-, pero en los casos de conexidad natural hay que considerarlo todo como una unidad, al tratarse de un proyecto único en varias direcciones y por consiguiente, no puede aplicarse la prescripción por separado y mientras el delito más grave no prescriba tampoco puede prescribir el delito con el que está conectado.

STS 7/2019: Una cosa es que en el caso de concurso de infracciones la más grave imponga a las demás un plazo de prescripción conjunto extendido y otra distinta es que, prescrita ya una infracción conexa, se siga perpetrando otra. La prolongación de ésta no arrastra el plazo de prescripción de la anterior. Aunque no se trata de un supuesto idéntico, por las mismas razones apuntadas, el enjuiciamiento de unos hechos constitutivos de una infracción no determina la interrupción del plazo de prescripción de otras que pudieran considerarse conexas con aquella y que no fueron entonces enjuiciadas. De otro lado, la sumisión del imputado a procedimiento penal, según la doctrina de esta Sala en relación con esta clase de delitos permanentes, implicaría la cesión o interrupción en su ejecución, sin perjuicio de que, con posterioridad a ese momento, pudieran reanudar su vinculación delictiva, lo cual constituiría ya un nuevo delito no conexo con los aquí imputados.

STC 25/2018: En íntima relación con esa imposibilidad de construir la conexión que funda el rechazo de la prescripción a partir de los hechos probados opera el dato de que la conducta del recurrente está delimitada de forma objetiva y subjetiva y constituya de forma autónoma un delito de blanqueo imprudente ya perfeccionado, al margen de la calificación de la conducta de la otra acusada para quien compró la finca y del hecho de que se trate de dos conductas que convergen en el resultado material de blanqueo. La consideración como un solo delito a efectos de prescripción de tipos delictivos tan claramente diferenciados como los concurrentes en el caso excede el más directo significado gramatical de los preceptos legales aplicados (arts. 131.1 y 132.1 CP), que disponen la extinción del delito en tanto transcurra el término prescriptivo señalado en función de su gravedad y no por la gravedad de otro delito coetáneo cometido por otra persona que está subjetivamente desconectado. Por ello, como también aprecia el Ministerio Fiscal en sus alegaciones, hay que afirmar que en este caso se ha hecho una aplicación del instituto de la prescripción irrazonable, que al estar incursa en un defecto de motivación con relevancia constitucional, debe llevar a apreciar la vulneración del artículo 24.1 CE en relación con los derechos a la libertad (art. 17.1 CE) y a la legalidad penal (art. 25.1 CE).

Acuerdo no jurisdiccional del pleno de la Sala 2ª del TS de 16 de diciembre de 2008: Para la determinación del plazo de prescripción del delito habrá de atenderse a la pena en abstracto señalada al delito correspondiente por el legislador.

STS 764/2017: El Acuerdo del Pleno no jurisdiccional de la Sala 2ª del TS de 16 de diciembre de 2008, ha vuelto a entender que la pena de la que hay que partir para la prescripción es la abstracta señalada al delito por el legislador y no la concreta resultante de aplicar las reglas sobre el grado de ejecución, participación y circunstancias. Se confirma así la vigencia del Acuerdo de Pleno de 29 de abril de 1997. Podríamos llegar a admitir que en el caso de la tentativa se abre una tipología distinta. Sería, en todo caso, muy discutible. Pero no es este el supuesto: es una atenuante cualificada lo que ha permitido desbordar el suelo del marco penal abstracto. Más allá de que en el momento de los hechos la dicción del art. 66 CP sugería una mera posibilidad -y no imperatividad- en la degradación (podrá), y sin entrar en la interpretación que se hizo tanto de esa locución como de la fórmula semejante del original art. 68, lo cierto es que una atenuante, aunque faculte u obligue a la degradación penológica no permite escapar del plazo de prescripción que debe fijarse atendiendo al marco penal abstracto del concreto tipo penal. Un delito con una atenuante no varía su naturaleza, ni se convierte en un subtipo o un tipo diferente. La presencia de atenuantes no acorta el plazo de prescripción.

STS 474/2021: Sucede, sin embargo, que, en ocasiones, como la que ahora nos importa, no es que la pena (única) asociada al delito cometido pueda, por su extensión, considerarse como leve y como menos grave, sino que nos hallamos ante una pena compuesta por dos o más sanciones, teniendo, cada una, distinta naturaleza (leve o menos grave). Estas penas compuestas, a su vez, pueden ser conjuntas (necesaria imposición de todas las concurrentes) o alternativas (en cuyo caso solo una de ellas resultará, al tiempo de procederse a la individualización de la misma, efectivamente impuesta). En el caso de las primeras, pena compuesta de aplicación conjunta, el problema de la prescripción desaparece o se minimiza notablemente: si de forma obligada va a ser impuesta una pena de naturaleza menos grave, tal ha de ser la categoría del delito y a la misma habrá de atenderse para fijar el plazo prescriptivo. Por el contrario, las penas compuestas de aplicación alternativa determinaron que algunas Audiencias Provinciales considerasen que, pudiendo resultar al final impuesta solo una pena leve, el delito tendría esa naturaleza y prescribiría al año; mientras que otras entendieron que la naturaleza del delito no depende de la pena que en concreto resulte impuesta sino de la prevista en abstracto, siendo así que tales infracciones habrían de reputarse como menos graves y el plazo de prescripción del delito, conforme a lo expuesto (no tratándose de calumnias o injurias), sería el de cinco años. La norma recogida en el artículo 13.4 del Código Penal, no es sino una regla especial para la determinación de la naturaleza de la infracción penal, en aquellos exclusivos supuestos en los que la pena, por su extensión, no puede categorizarse conforme con las reglas expresadas en el artículo 33 del Código Penal. Únicamente cuando la extensión de la pena fijada por el legislador se sitúa a caballo entre dos categorías que vienen definidas precisamente por su duración, el desvanecimiento de las referencias legales para la graduación, justifica la regla complementaria que analizamos. Para el resto de supuestos, entre los que se incluyen aquellos delitos en los que la penalidad es compuesta (bien por fijarse de forma conjunta varias penas con distinta consideración de leves o menos graves, como acontece en el artículo 405 del Código Penal ; bien en los casos en que la diversidad afecta a penas cuya imposición está prevista de manera alternativa, como el que nos ocupa), la no concurrencia de los presupuestos contemplados en la regla especial del artículo 13.4 del Código Penal, conduce a la aplicación de unas reglas generales que resultan perfectamente claras al respecto: cuando la infracción penal esté castigada por la Ley con una pena menos grave (individual, conjunta o alternativamente impuesta), la naturaleza menos grave viene también aparejada al delito, y éste sólo tiene la consideración de leve, cuando la pena con la que esté castigado sea leve.

STS 649/2018: En caso de delito continuado la facultad que concede el art. 74.1 de elevar la pena no deja de ser ley cierta y ley escrita en cuanto que se haya previamente establecido como posible en la propia norma preexistente, por lo que ha de ser la continuidad delictiva y hacer uso de dicha exasperación permisiva para determinar el plazo de prescripción del delito. Por tanto, la pena a tener en cuenta en abstracto en los delitos continuados debe estimarse en toda su extensión, esto es, la señalada para la infracción más grave que puede ser aumentada hasta la mitad inferior de la pena superior en grado (art. 74.1 CP).

Art. 132.[10]

1. Los términos previstos en el artículo precedente se computarán desde el día en que se haya cometido la infracción punible. En los casos de delito continuado, delito permanente, así como en las infracciones que exijan habitualidad, tales términos se computarán, respectivamente, desde el día en que se realizó la última infracción, desde que se eliminó la situación ilícita o desde que cesó la conducta.

En los delitos de aborto no consentido, lesiones, contra la libertad, de torturas y contra la integridad moral, contra la intimidad, el derecho a la propia imagen y la inviolabilidad del domicilio, y contra las relaciones familiares, excluidos los delitos contemplados en el párrafo siguiente, cuando la víctima fuere una persona menor de dieciocho años, los términos se computarán desde el día en que ésta haya alcanzado la mayoría de edad, y si falleciere antes de alcanzarla, a partir de la fecha del fallecimiento.

En los delitos de tentativa de homicidio, de lesiones de los artículos 149 y 150, en el delito de maltrato habitual previsto en el artículo 173.2, en los delitos contra la libertad, en los delitos contra la libertad e indemnidad sexual y en los delitos de trata de seres humanos, cuando la víctima fuere una persona menor de dieciocho años, los términos se computarán desde que la víctima cumpla los treinta y cinco años de edad, y si falleciere antes de alcanzar esa edad, a partir de la fecha del fallecimiento.

2. La prescripción se interrumpirá, quedando sin efecto el tiempo transcurrido, cuando el procedimiento se dirija contra la persona

---

[10] Se modifica el apartado 1 por la LO 8/2021, de 4 de junio, y se añade el apartado 4 por la LO 9/2021, de 1 de julio.

indiciariamente responsable del delito, comenzando a correr de nuevo desde que se paralice el procedimiento o termine sin condena de acuerdo con las reglas siguientes:

1.ª Se entenderá dirigido el procedimiento contra una persona determinada desde el momento en que, al incoar la causa o con posterioridad, se dicte resolución judicial motivada en la que se le atribuya su presunta participación en un hecho que pueda ser constitutivo de delito.

2.ª No obstante lo anterior, la presentación de querella o la denuncia formulada ante un órgano judicial, en la que se atribuya a una persona determinada su presunta participación en un hecho que pueda ser constitutivo de delito, suspenderá el cómputo de la prescripción por un plazo máximo de seis meses, a contar desde la misma fecha de presentación de la querella o de formulación de la denuncia.

Si dentro de dicho plazo se dicta contra el querellado o denunciado, o contra cualquier otra persona implicada en los hechos, alguna de las resoluciones judiciales mencionadas en la regla 1.ª, la interrupción de la prescripción se entenderá retroactivamente producida, a todos los efectos, en la fecha de presentación de la querella o denuncia.

Por el contrario, el cómputo del término de prescripción continuará desde la fecha de presentación de la querella o denuncia si, dentro del plazo de seis meses, recae resolución judicial firme de inadmisión a trámite de la querella o denuncia o por la que se acuerde no dirigir el procedimiento contra la persona querellada o denunciada. La continuación del cómputo se producirá también si, dentro de dicho plazo, el juez de instrucción no adoptara ninguna de las resoluciones previstas en este artículo.

3. A los efectos de este artículo, la persona contra la que se dirige el procedimiento deberá quedar suficientemente determinada en la resolución judicial, ya sea mediante su identificación directa o mediante datos que permitan concretar posteriormente dicha identificación en el seno de la organización o grupo de personas a quienes se atribuya el hecho.

4. En los procedimientos cuya investigación haya sido asumida por la Fiscalía Europea, la prescripción se interrumpirá:

a) cuando se dirija la investigación contra una persona determinada, suficientemente identificada, en los términos del apartado anterior, y así quede reflejado en un Decreto motivado.

b) cuando se interponga querella o denuncia ante la Fiscalía Europea en la que se atribuya a una persona determinada su presunta participación en un hecho que pueda ser constitutivo de delito, resultando de aplicación la regla 2.ª del apartado 2 de este artículo.

STS 40/2018: Baste recordar que cuando se trata de un delito continuado no comienza a transcurrir tal prescripción sino desde el último de los actos típicos. Y que, cuando se trata de concurso medial, análogos a estos efectos de prescripción, el plazo prescriptivo del conjunto delictivo será el que corresponda al delito más grave, computándose desde la fecha de consumación del delito-fin, cuando el delito-instrumento es anterior. La prescripción comienza cuando el delito termina, por lo que el cómputo del plazo no puede iniciarse antes de que el concurso o continuidad delictivos se hayan perfeccionado, por la producción del resultado típico. La unidad delictiva prescribe de modo conjunto porque el transcurso del tiempo no puede excluir la necesidad de pena para un único segmento subordinado de la conducta cuando subsiste para la acción delictiva principal, tanto si se contempla desde la perspectiva de la retribución como de la prevención general o especial.

STS 400/2022: Se ha descartado valor interruptivo de la prescripción a las diligencias de simple ordenación procedimental que no comporten efectiva prosecución procesal; las diligencias carentes de toda justificación investigadora razonable; la ordenación de requisitorias u órdenes de localización y presentación de personas investigadas; los incidentes competenciales, con efectos paralizantes de la tramitación, derivados de la aplicación e interpretación de los normas internas de reparto; los meros recordatorios de diligencias instructoras pendientes de práctica; las providencias que se limitan a ordenar la propia pendencia del proceso a la espera de futuras actuaciones o señalamientos no precisados; los incidentes que puedan tramitarse en la pieza separada de responsabilidad civil; o aquellas resoluciones que se limitan "expresa verbis" a intentar conjurar el riesgo prescriptivo, reiterando o declarando efectos procesales como los de la suspensión o la paralización previamente ordenada. Tiene razón el recurrente cuando afirma que no cabe anudar efectos interruptivos a la simple presentación de un escrito de parte siendo en todo caso necesaria una decisión o actuación judicial. Pero, en el caso, y como hemos tenido oportunidad de comprobar examinando las actuaciones para lo que nos faculta el artículo 899 LECrim, a la presentación del escrito de defensa prosiguió el dictado de una providencia en fecha cuatro de junio de 2008 con un claro contenido material y de impulso del proceso. En efecto, mediante dicha providencia no solo se decidió unir a autos el escrito de defensa. También se dispuso que la defensa había cumplido de forma satisfactoria con las cargas formales y temporales de presentación previstas en el artículo 788.1 LECrim. Lo que comportaba, ex artículo 788.1 párrafos tercero y cuarto, LECrim, entre otros efectos, que la prueba propuesta debía ser objeto de especial y previo pronunciamiento sobre su admisión o inadmisión por parte del tribunal de enjuiciamiento, como garantía específica del derecho a que se practique. Garantía que se reduce, precisamente, cuando la persona acusada incumple la carga de presentación del escrito de defensa en el término concedido. En este caso, como se precisa en la norma, el derecho a la práctica de prueba se limita a aquellos medios que pueda presentar y le sean admitidos en la audiencia previa del artículo 786 LECrim. Como hemos mantenido de forma reiterada, debe reconocerse efectos interruptivos "a todas las resoluciones que tratan de configurar y garantizar el derecho de defensa del imputado". Pero no solo. Consta también la providencia de 30 de julio de 2009 dictada por la Audiencia Provincial por la que se ordenó la formación del rollo de enjuiciamiento de la causa y se designó ponente, en los términos y a los efectos previstos en los artículos 626, 658, 659 en relación con el artículo 785, todos ellos, LECrim. Resolución que debe ser considerada como un escalón indispensable del propio desarrollo procedimental de la causa lo que permite anudarle, también, efecto interruptivo del término de prescripción.

STS 193/2022: Interrumpen, sin embargo, la prescripción todas las actuaciones tendentes a esclarecer los hechos, con independencia de que no lo consigan o de que, a la postre, resulten estériles o improductivas o impracticables. Las actuaciones efectuadas por el órgano competente para enjuiciar dirigidas a lograr la celebración del juicio oral deben ser reputadas diligencias esenciales que interrumpen la prescripción. Necesariamente han de considerarse interruptivas las actuaciones por las que se fija juicio oral y se señala fecha para el mismo. Las actuaciones procesales dirigidas a señalarlo y el propio día de señalamiento del juicio, así como su celebración o suspensión. Estos últimos son actos -los más importantes del proceso, en tanto procuran o suponen el desarrollo del juicio- que interrumpen el plazo prescriptivo.

STS 128/2021: Entre los ejemplos que reproducen muchas de las resoluciones de esta Sala como diligencias inidóneas para interrumpir la prescripción se incluye frecuentemente "la expedición de testimonios". Se consideran actuaciones incapaces de traslucir interés en la prosecución del proceso que permanece inerte. Ahora bien, se trata de una afirmación esta que exige matizaciones, porque no en todos los casos se puede considerar la expedición de testimonios como una actuación procesal carente de contenido material. Lo tendrá, por ejemplo, cuando de respuesta a una pretensión de parte encaminada a obtener elementos necesarios para el ejercicio en el mismo proceso de la defensa o de la acusación entablada, según la parte de la que provenga. Casos en los que la respuesta a esa petición ensambla con el efectivo ejercicio del derecho de defensa y la garantía de tutela judicial efectiva que proclama el artículo 24 CE, y que no puede desvincularse del interés del proceso. Sin embargo, no es este el caso que nos ocupa. La petición de testimonio que la representación procesal de los perjudicados presentó el 9 de enero de 2015 y que provocó la expedición de los mismos por parte del Juzgado, no guardaba relación, o desde luego no directa, con la pretensión que aquellos ejercitaban. Interesaron la obtención de los mismos para su presentación en un juicio de faltas seguido en otro juzgado. Una finalidad desvinculada de lo que constituía el objeto de este proceso, intrascendente y carente de cualquier contenido material respecto al mismo, lo que nos proyecta sobre aquellos supuestos a los que la jurisprudencia de esta Sala de antiguo ha negado fuerza disruptiva.

STS 41/2021: Resulta matizable que la carencia de efectos interruptivos de la prescripción afirmada de las requisitorias nacionales, se proyecte respecto de las órdenes de detención internacionales. La emisión de una orden de detención y entrega europea, interrumpe la prescripción del delito; como hemos reiterado, implica una activación del proceso, se activa la persecución y refuerza la imputación de la persona sobre la que recae; y en relación a su importancia, sistemática o naturaleza, son predicables ad maiorem ratio, los criterios jurisprudenciales en virtud de los cuales se concluye que la solicitud de extradición, interrumpe la prescripción. Ciertamente, la emisión de la ODE, no conlleva que el sujeto sobre el que recae esté localizado, pero aún así, la ODE integra una resolución judicial autónoma tendente a privar de libertad a una persona o al menos que reste sometido a medidas cautelares que determinen su disponibilidad a favor de una autoridad judicial de un Estado de la Unión; resolución donde ya resultan cumplimentados todos los requisitos necesarios para que esa persona sea entregada al Juzgado o Tribunal emisor, en el momento que fuere localizado; donde en ese momento ya no se precisa resolución judicial ulterior sino la remisión a la autoridad judicial competente del Estado de ejecución, para su tramitación del formulario existente desde la emisión de la ODE traducido a alguno de los idiomas admitidos por ese Estado.

STS 692/2022: A los efectos de este artículo, la persona contra la que se dirija el procedimiento deberá quedar suficientemente determinada en la resolución judicial, ya sea mediante su identificación directa o mediante datos que permitan concretar posteriormente dicha identificación en el seno de la organización o grupo de personas a quienes se atribuye el hecho. El reconocimiento por dos coimputados de la participación de una tercera persona, identificada con su nombre y apellidos e integrada en una organización terrorista, cuando va seguida -como sucedió en el presente caso- de un informe del Fiscal al que da respuesta una providencia interesando la activación de los procedimientos en que esa identificación puede producir efectos, tiene indudable efecto interruptivo.

STS 537/2019: Hemos de concluir que ni el acto de conciliación ni las actuaciones encaminadas a obtener la licencia judicial a que se refiere el artículo 215 CP gozan de eficacia para interrumpir la prescripción.

STS 586/2014: El auto de intervención telefónica o de registro domiciliario o un mandamiento de detención son potencialmente aptos para interrumpir la prescripción, en tanto que manifiestan una resolución motivada en la que se atribuye a un sospechoso su presunta participación en el hecho delictivo que está siendo investigado.

Acuerdo no jurisdiccional del pleno de la Sala 2ª del TS de 27 de abril de 2011: Las actuaciones declaradas nulas en el proceso penal, no pierden por ello la eficacia interruptora de la prescripción que tuvieron en su momento.

Art. 134.

1. El tiempo de la prescripción de la pena se computará desde la fecha de la sentencia firme, o desde el quebrantamiento de la condena, si ésta hubiese comenzado a cumplirse.

2. El plazo de prescripción de la pena quedará en suspenso:

a) Durante el período de suspensión de la ejecución de la pena.

b) Durante el cumplimiento de otras penas, cuando resulte aplicable lo dispuesto en el artículo 75.

STS 692/2018: Debe significarse que el plazo prescriptivo no viene referenciado a cada pena concreta de manera individual. Como no puede ser de otra manera, el artículo 134 del Código Penal contempla los plazos de tiempo que, de manera individual, se identifican en el artículo 133 del Código Penal como de prescripción de cada una de las penas, para indicar después cómo tiene que computarse "el tiempo de la prescripción de la pena". Y la regla de cómputo que se establece arranca de una referencia global, operativa tanto en los supuestos de imposición de pena individual, como de penas acumuladas. Establece así el Código (establecía ya con anterioridad a la LO 1/2015) que el tiempo de prescripción de cada pena se computará desde la fecha "de la sentencia", o desde el quebrantamiento "de la condena", en una acotación cuyo contenido semántico trasciende la observación singularizada de cada una de las sanciones que deba cumplir el reo, obligando a contemplar el cumplimiento de todo el complejo y ligado reproche punitivo que le fuera exigible. Una consideración de globalidad que opera tanto para el momento del cómputo inicial (*dies a quo*), como para su interrupción natural, y que precisamente muestra su virtualidad cuando se impulsa el cumplimiento de diversas penas de una misma naturaleza y, entre estos supuestos, cuando se trata de penas privativas de libertad, para las que el artículo 75 del Código Penal dispone que: "Cuando todas o algunas de las penas correspondientes a las diversas infracciones no puedan ser cumplidas simultáneamente por el condenado, se seguirá el orden de su respectiva gravedad para su cumplimiento sucesivo, en cuanto sea posible", sin más limitaciones temporales que las que resultan de los máximos de cumplimiento efectivo previstos en el artículo 76. Si el plazo de prescripción de una pena comienza desde el momento de la firmeza de la sentencia o desde el quebrantamiento de la condena, se interrumpe de manera natural cuando el pronunciamiento se esté ejecutando en los términos legalmente previstos, que no es otro que el cumplimiento sucesivo por orden gravedad de las penas privativas de libertad que hayan de llevarse a término. Una consideración normativa que resulta también conforme con la concepción unitaria de ejecución a efectos punitivos que el propio Tribunal Constitucional ha proclamado con ocasión de la acumulación de condenas. El Tribunal Constitucional ha determinado, que los actos de emplazamiento o las órdenes concernientes a la ejecución de la pena, en tanto no determinen el inicio de su cumplimiento, in natura o como sustitutivo, carecen también de relevancia interruptora de la prescripción. Sin embargo, y precisamente por apreciar que se trataba de supuestos de cumplimiento sustitutivo de la punición impuesta, el Tribunal

Constitucional ha reflejado que la doctrina anteriormente expuesta, no es trasladable a aquellos supuestos en los que la paralización de la ejecución natural de la pena deriva de cuantas formas alternativas de cumplimiento reconoce expresamente el legislador, lo que indudablemente se extiende al supuesto que nos ocupa, por tratarse, como se ha dicho, del cumplimiento natural y único, por más que sucesivo, del reproche penal que se ejecuta. Por ello, el artículo 134.2 del Código Penal, introducido con ocasión de su reforma operada por la LO 1/2015, de 23 de noviembre, cuando concreta que el plazo de prescripción de la pena quedará en suspenso durante el período de suspensión de la ejecución de la pena, así como durante el cumplimiento de otras penas si resulta aplicable lo dispuesto en el artículo 75, no incorpora modificación del régimen jurídico anteriormente vigente, limitándose la novedad a explicitar que la interrupción de la prescripción que comportan estas actuaciones, por tratarse de contingencias inherentes a la ejecución natural de la pena, suponen una mera paralización del plazo y no el reinicio del periodo de cómputo, para aquellos supuestos a los que esta circunstancia puede tener relevancia.

XII. DE LA CANCELACIÓN DE ANTECEDENTES DELICTIVOS
(ARTS. 136 A 137)

Art. 136.

1. Los condenados que hayan extinguido su responsabilidad penal tienen derecho a obtener del Ministerio de Justicia, de oficio o a instancia de parte, la cancelación de sus antecedentes penales, cuando hayan transcurrido sin haber vuelto a delinquir los siguientes plazos:

a) Seis meses para las penas leves.

b) Dos años para las penas que no excedan de doce meses y las impuestas por delitos imprudentes.

c) Tres años para las restantes penas menos graves inferiores a tres años.

d) Cinco años para las restantes penas menos graves iguales o superiores a tres años.

e) Diez años para las penas graves.

2. Los plazos a que se refiere el apartado anterior se contarán desde el día siguiente a aquel en que quedara extinguida la pena, pero si ello ocurriese mediante la remisión condicional, el plazo, una vez obtenida la remisión definitiva, se computará retrotrayéndolo al día siguiente a aquel en que hubiere quedado cumplida la pena si no se hubiere disfrutado de este beneficio. En este caso, se tomará como fecha inicial para el cómputo de la duración de la pena el día siguiente al del otorgamiento de la suspensión.

3. Las penas impuestas a las personas jurídicas y las consecuencias accesorias del artículo 129 se cancelarán en el plazo que corresponda, de acuerdo con la regla prevista en el apartado 1 de este artículo, salvo que se hubiese acordado la disolución o la prohibición definitiva de actividades. En estos casos, se cancelarán las anotaciones transcurridos cincuenta años computados desde el día siguiente a la firmeza de la sentencia.

4. Las inscripciones de antecedentes penales en las distintas secciones del Registro Central de Penados y Rebeldes no serán públicas. Durante su vigencia solo se emitirán certificaciones con las limitaciones y garantías previstas en sus normas específicas y en los casos establecidos por la ley. En todo caso, se librarán las que soliciten los jueces o tribunales, se refieran o no a inscripciones canceladas, haciendo constar expresamente esta última circunstancia.

5. En los casos en que, a pesar de cumplirse los requisitos establecidos en este artículo para la cancelación, ésta no se haya producido, el juez o tribunal, acreditadas tales circunstancias, no tendrá en cuenta dichos antecedentes.

STS 236/2020: El artículo 136 CP, luego de establecer los plazos necesarios para la cancelación de antecedentes, que han de transcurrir sin que el penado haya vuelto a delinquir, dispone que, cuando la pena se extinga mediante la remisión condicional, el plazo, una vez obtenida la remisión definitiva, se computará retrotrayéndolo al día siguiente a aquel en que hubiere quedado cumplida la pena si no se hubiere disfrutado de este beneficio. Y, en estos casos, se tomará como fecha inicial del cómputo de la duración de la pena el del otorgamiento de la suspensión. Dicho de otra forma, desde la fecha en que haya trascurrido el plazo de suspensión en las condiciones antes dichas, es obligación del órgano jurisdiccional acordar la remisión definitiva de la pena, sin que del retraso puedan derivarse consecuencias negativas para el penado. Nada dice la ley acerca de la incidencia que pudiera tener en este cómputo el hecho de no haber notificado al penado el auto de suspensión. Es evidente que puede tenerla, si en el Auto se han fijado reglas de conducta. En el caso, no consta que, en el acuerdo de suspensión, se hayan fijado a la penada reglas de conducta, cuyo cumplimiento debiera ser verificado. Por lo tanto, otorgada la suspensión por dos años mediante Auto del día 7 de octubre de 2013, la remisión definitiva debió haber sido acordada dos años después, es decir, el 7 de octubre de 2015, ya que no consta que por parte de la penada se haya cometido delito alguno en el plazo de suspensión. Es cierto que no lo fue formalmente, ya que el Juzgado no lo acordó, pero, es claro que debió haberlo hecho. No existe, pues obstáculo alguno para realizar los cálculos pertinentes por el hecho de que no conste que se haya acordado la remisión definitiva, ya que ésta pudo y debió haber sido acordada, sin que de la omisión de su declaración deban desprenderse consecuencias negativas para la penada.

STS 363/2019: En las siguientes, no se cumple el requisito temporal, porque el plazo temporal no ha de computarse desde el antecedente al hecho enjuiciado, sino desde la fecha de tal antecedente, hasta la fecha de la condena siguiente, puesto que el Código Penal, en el art. 136 dispone que los condenados que hayan extinguido su responsabilidad penal tienen derecho a obtener la cancelación de sus antecedentes penales, cuando hayan transcurrido sin haber vuelto a delinquir los plazos que se determinan en dicho precepto penal. Si no constan en los autos los datos necesarios se impone practicar un cómputo del plazo de rehabilitación favorable al reo, pues bien pudo extinguirse la condena impuesta por circunstancias tales como abono de prisión preventiva, redención, indulto o expediente de refundición, o pago inmediato en el caso de la multa.

STS 282/2020: Los requisitos de la cancelación vienen establecidos en el artículo 136 CP, en el que se señalan unos plazos en función del tipo de pena impuesta. Por lo demás dispone el citado artículo 136 que tales plazos se contarán desde el día siguiente a aquél en que quedara extinguida la pena establecida en la sentencia, sin otra especificación que la relativa a los supuestos en que la extinción se produce por efecto de la remisión condicional. Ninguna referencia contenía antes de la reforma de 2015 ni contiene ahora el precepto a los supuestos de acumulación jurídica de penas realizadas al amparo de los artículos 76 CP y 988 LECrim. La acumulación jurídica de condenas de los artículos 76 CP y 988 LECrim es un instrumento orientado en beneficio del reo para determinar el máximo de cumplimiento efectivo de condena en caso de plurales infracciones, cuando las penas se han impuesto en distintos procesos, si los hechos pudieran haberse enjuiciado en uno sólo. No en vano el artículo 76 CP se encuentra ubicado en el capítulo destinado a la aplicación de las penas, en la sección que contempla las reglas especiales para tal aplicación. Establece el artículo 76 CP que el máximo del cumplimiento efectivo de la condena del culpable no podrá exceder del triple del tiempo por el que se le imponga la más grave de las penas en que haya incurrido, declarando extinguidas las que procedan desde que las ya impuestas cubran dicho máximo, 20 años con carácter ordinario, que se elevan a 25, 30 o 40 en supuestos concretos. Uno de los problemas que la ley no resuelve respecto a la acumulación jurídica de condenas es precisamente el que suscita nuestro interés. Es decir, cual debe entenderse que es el momento de extinción de las distintas penas acumuladas a partir del cual computará el plazo de cancelación previsto en el artículo 136 CP respecto a cada una de ellas. La STS 280/2006 señala que "la limitación de las penas acumuladas, establecida en beneficio del reo, no puede determinar la conversión de dos penas menos graves en una pena grave, en una improcedente interpretación contra reo. De ello se infiere que no procede tomar en cuenta como parámetro para determinar el dies de la extinción, la extensión de la pena única resultante según el auto de refundición, sino sólo y exclusivamente la extensión de las penas refundidas, tal como han venido establecidas en las respectivas sentencias en que han sido impuestas". Concluíamos en la STS 885/2016 de 24 de noviembre, cuyas pautas seguimos ahora, que es imprescindible examinar en cada caso los términos de la acumulación realizada. Pues el momento de extinción de algunas de las penas integradas en la misma podrá ser perfectamente individualizado, en particular el de las más graves, que por ello habrán de entenderse ejecutadas materialmente primero, según el orden que determina el artículo 75 CP. Habrá otras que sólo resulten parcialmente cumplidas de manera efectiva e incluso puede que algunas, por exceder del límite máximo de cumplimiento fijado, queden extinguidas por efecto de la acumulación sin ni siquiera haberse iniciado su cumplimiento real. Para estas últimas y para las que solo se cumplan en parte, esa fecha límite marcará la de su extinción por cumplimiento, pero no para todas las restantes. La solución por la que en este caso opta la sentencia recurrida al partir de una fecha de extinción única aporta criterios de certeza, pero se aparta de la necesaria orientación pro reo en la medida que retrasa el inicio del plazo de cancelación de todas las penas jurídicamente acumuladas, con lo que se pueden llegar a lesionar derechos adquiridos por el penado en relación al mismo. Porque es evidente que algunas de las penas, y desde luego las de mayor duración, se han cumplido antes de alcanzar el límite máximo que triplica esta última. Y una vez cumplida de manera efectiva, no existen razones fundadas para entender que no hace nacer un plazo de cancelación respeto al antecedente que integra. Plazo que a tenor de lo dispuesto en el artículo 136 solo se interrumpe por la comisión de un nuevo delito, lo que cabe excluir en el caso de ejecutorias acumuladas, pues ninguna de las que lo han sido podrá dimanar de hechos posteriores a la más antigua de las sentencias. La acumulación aglutina condenas que derivan de infracciones heterogéneas vinculadas por un elemento de conexión cronológica -que dimanen de hechos que atendiendo al momento de su comisión, pudieron haberse enjuiciado en un solo proceso-. Sin embargo, de cara a la reincidencia solo serán efectivas las condenas por delitos incluidos en el mismo título del CP y de la misma naturaleza. Diferenciación que abona el tratamiento singularizado de las condenas eficientes para conformar la agravación. Por eso concluimos en la STS 885/2016 y lo hacemos ahora también, que en los casos en que no sea posible realizar ese análisis particularizado, necesariamente habremos de acudir como fecha de extinción a la de firmeza de la sentencia.

PARTE SEGUNDA
DERECHO PENAL

(PARTE ESPECIAL)

I. DELITOS CONTRA LA VIDA
(ARTS. 138 A 146)

Acuerdo no jurisdiccional del pleno de la Sala 2ª del TS de 20 de enero de 2015: Los ataques contra la vida de varias personas, ejecutados con dolo directo o eventual, se haya o no producido el resultado, realizados a partir de una única acción, han de ser tratados a efectos de penalidad conforme a las reglas previstas para el concurso real (arts. 73 y 76 del CP), salvo la existencia de regla penológica especial. (v. gr. 382 del CP).

Art. 138.

1. El que matare a otro será castigado, como reo de homicidio, con la pena de prisión de diez a quince años.

2. Los hechos serán castigados con la pena superior en grado en los siguientes casos:

a) cuando concurra en su comisión alguna de las circunstancias del apartado 1 del artículo 140, o

b) cuando los hechos sean además constitutivos de un delito de atentado del artículo 550.

STS 51/2016: El *animus necandi* (de matar) o *laedendi* (de lesionar) ha de inferirse de los datos existentes de las relaciones previas entre agresor y agredido, el comportamiento del autor antes, durante y después de la agresión (con especial cualificación del comportamiento simultáneo); lo que comprende las frases amenazantes, las expresiones proferidas, la prestación de ayuda a la víctima y cualquier otro dato relevante; el arma o los instrumentos empleados, la zona del cuerpo a la que se dirige el ataque, la intensidad del golpe o golpes en que consiste la agresión, así como las demás características de ésta, la reiteración de los golpes, la forma en que finaliza la secuencia agresiva y, en general, cualquier otro dato que pueda resultar de interés en función de las peculiaridades del caso concreto.

STS 568/2022: El delito de homicidio exige en el agente conciencia del alcance de sus actos, voluntad en su acción dirigida hacia la meta propuesta de acabar con la vida de una persona, dolo de matar, que, por pertenecer a la esfera íntima del sujeto, solo puede inferirse atendiendo a los elementos del mundo sensible circundante a la realización del hecho y que según reiterada jurisprudencia, podemos señalar como criterios de inferencia, los datos existentes acerca de las relaciones previas entre agresor y agredido, el comportamiento del autor antes, durante y después de la agresión, lo que comprende las frases amenazantes, las expresiones proferidas, la prestación de ayuda a la víctima y cualquier otro dato relevante; el arma o los instrumentos empleados; la zona del cuerpo a la que se dirige el ataque; la intensidad del golpe o golpes en que consiste la agresión, así como de las demás características de ésta, la repetición o reiteración de los golpes; la forma en que finaliza la secuencia agresiva; y en general cualquier otro dato que pueda resultar de interés en función de las peculiaridades del caso concreto, a estos efectos tienen especial interés el arma empleada, la forma de la agresión y el lugar del cuerpo al que ha sido dirigida. Estos criterios que "ad exemplum" se descubren no constituyen un sistema cerrado o "numerus clausus" sino que se ponderan entre sí para evitar los riesgos del automatismo y a su vez, se constatan con nuevos elementos que pueden ayudar a informar un sólido juicio de valor, como garantía de una más segura inducción del elemento subjetivo. Esto es, cada uno de tales criterios de inferencia no presenta carácter excluyente sino complementario en orden a determinar el conocimiento de la actitud psicológica del infractor y de la auténtica voluntad imperiosa de sus actos. El elemento volitivo reclamado por el aspecto subjetivo del injusto se agota en querer realizar una determinada acción o una omisión, a pesar de tener suficiente conocimiento sobre el riesgo o sobre la situación de peligro concreto para el bien jurídico que se introduce. Por lo tanto, para poder imputar un tipo de homicidio a título doloso basta con que una persona tenga información de que va a realizar lo suficiente para poder explicar un resultado de muerte y, por ende, que prevea el resultado como una consecuencia de ese riesgo. La decisión del autor está vinculada a dicha representación del riesgo. Lo anterior implica que la existencia del dolo no depende de que el autor se tome en serio un riesgo conocido sino de que conozca un riesgo que se tiene que tomar en serio. Dolo, aun en su forma eventual, que no puede quedar excluido por las creencias irracionales del sujeto de que el resultado no se va a producir.

STS 141/2016: Es irrelevante para la subsunción de los hechos cuando la acción se dirige contra una persona, pero a causa de la deficiente realización o por el hecho de que otra persona se interponga en la trayectoria del disparo, el resultado se produce sobre otra persona de idéntica protección jurídica, y ello porque el resultado producido era previsible dada la cercanía con el destinatario original. Solo en los supuestos en los que las dos víctimas, la potencial y la que sufre el resultado no se encontraran en el campo visual del autor, podría discutirse la posibilidad del concurso ideal entre el delito doloso en grado de tentativa y el delito imprudente consumado.

STS 78/2018: En las agresiones conjuntas no es preciso que se concrete en la sentencia la acción individual que realizó cada uno de los coautores, pues cada uno de los hechos ejecutados es un hecho de todos que a todos pertenece , generándose entre los coautores un vínculo de solidaridad que conlleva la imputación recíproca de las distintas contribuciones parciales. Y, asimismo, tiene afirmado este Tribunal que en las acciones de apuñalamiento no es preciso para ser considerado coautor propinar la puñalada que produce la muerte, sino que es suficiente con acorralar a la víctima cuando un tercero la apuñala. No obstante lo anterior, también es importante precisar que no todo integrante de un grupo numeroso de esa índole o de una masa de personas que acuda a realizar una acción de represalia o de venganza contra otro grupo hostil debe ser condenado como coautor de los homicidios que resulten de un ataque de esa naturaleza. Aquí habría que matizar o distinguir aquéllos que, formando parte del grupo y del ataque planificado, porten y blandan armas o instrumentos homicidas, signo inequívoco de la magnitud de la agresión que están dispuestos a practicar, y aquéllos que no conste que fueran armados ni que tuvieran una conducta protagonista en la acción agresora en grupo o en "masa". De modo que no siempre el hecho de formar parte del grupo o acompañarle en su marcha conlleva la condena como coautores por los homicidios o lesiones graves que el grupo perpetre. Los sujetos que no porten instrumentos homicidas y que no conste probado que hayan tenido una contribución o colaboración esencial con una acción homicida concreta no podrían ser condenados como coautores de los tipos penales contra la vida, sino a lo sumo como meros cómplices.

STS 112/2015: Se estima un concurso medial de delitos entre el allanamiento y el homicidio, por cuanto ninguna de las dos calificaciones abarca el desvalor total de la conducta. En algunos casos ha de aplicarse el concurso de normas y no de delitos.

STS 92/2019: No puede admitirse la tesis de la sentencia recurrida de la exclusión del concurso medial entre los delitos del quebrantamiento de la medida cautelar de alejamiento y del delito de homicidio. Pues cuando el acusado reinicia el viaje en Avilés es incuestionable que ya conoce que se ha dictado contra él una medida de alejamiento de su excompañera. Por lo cual, consuma el delito de quebrantamiento de la medida cautelar en el momento en que se ubica a una distancia de 500 metros del camping en que trabaja aquélla, instante en que todavía no ha iniciado en cambio los actos propios de la tentativa de homicidio. Y como la comisión del delito de quebrantamiento de la medida cautelar es necesario o imprescindible para acceder a la víctima e iniciar la ejecución de la tentativa de homicidio, es claro que sí se está ante el vínculo característico del concurso medial entre ambas figuras delictivas (art. 77.3 del C. Penal).

Art. 139.

1. Será castigado con la pena de prisión de quince a veinticinco años, como reo de asesinato, el que matare a otro concurriendo alguna de las circunstancias siguientes:

1.ª Con alevosía.

2.ª Por precio, recompensa o promesa.

3.ª Con ensañamiento, aumentando deliberada e inhumanamente el dolor del ofendido.

4.ª Para facilitar la comisión de otro delito o para evitar que se descubra.

2. Cuando en un asesinato concurran más de una de las circunstancias previstas en el apartado anterior, se impondrá la pena en su mitad superior.

> **STS 20/2016:** Tradicionalmente se han venido distinguiendo tres tipos de alevosía: 1) alevosía proditoria o traicionera, como trampa, celada, emboscada o traición; 2) alevosía sorpresiva, súbita o inopinada, repentina, fulgurante; y 3) alevosía por desvalimiento, caracterizada por la especial situación de la víctima, muy disminuida en sus posibilidades de defensa; es procurada y aprovechada para ejecutar el delito de manera más fácil como a salvo de cualquier defensa de la víctima.

> **STS 86/2016:** La Sala viene admitiendo la alevosía sobrevenida, que tiene lugar cuando, aun habiendo mediado un enfrentamiento previo sin circunstancias iniciales alevosas, se produce un cambio cualitativo en la situación, de modo que esa última fase de la agresión, con sus propias características no podía ser esperada por la víctima en modo alguno, en función de las concretas circunstancias del hecho, especialmente cuando concurre una alteración sustancial en la potencia agresiva, respecto al instrumento utilizado, el lugar anatómico de la agresión y la fuerza empleada.

> **STS 12/2015:** El Tribunal Supremo viene admitiendo la alevosía convivencial, basada en la relación de confianza proveniente de la convivencia, generadora para la víctima de su total despreocupación respecto de un eventual ataque que pudiera tener su origen en acciones del acusado.

> **STS 161/2017:** Hemos denominado como alevosía doméstica a una modalidad especial de alevosía convivencial, basada en la relación de confianza proveniente de la convivencia, generadora para la víctima de su total despreocupación respecto de un eventual ataque que pudiera tener su origen en acciones del acusado; se trata, por tanto, de una alevosía doméstica,

derivada de la relajación de los recursos defensivos como consecuencia de la imprevisibilidad de un ataque protagonizado por la persona con la que la víctima convive día a día.

Acuerdo no jurisdiccional del pleno de la Sala 2ª del TS de 26 de mayo de 2000: Compatibilidad entre la agravante de alevosía y la eximente completa de enajenación mental del art. 20.1º.

STS 112/2015: Las agravantes de alevosía y de disfraz son compatibles.

STS 278/2014: La extensión del asesinato por precio no solo al inducido sino también al inductor, aunque es una cuestión controvertida, la jurisprudencia mayoritaria admite la aplicación a quien entrega el precio y a quien lo recibe, de modo que la aplicación al inductor no vulnera la ley. En este caso, también entiende procedente la extensión de la alevosía al inductor, por cuanto habiendo concurrido la alevosía en la acción del autor material (inducido), ha de tenerse en cuenta que quien contrata a un sicario para que, por precio, cause la muerte a otra persona con la que no le une relación alguna, ha de considerar como altamente probable que el hecho se ejecute de forma que se asegure el resultado y se supriman las posibilidades de defensa del atacado; no acreditándose que el inductor excluyera la ejecución alevosa (teoría de las desviaciones previsibles), ha de responder como inductor de un asesinato alevoso.

STS 240/2018: Por lo que respecta al ensañamiento, el artículo 139 CP se refiere a él como agravante especifica del asesinato con la expresión "aumentando deliberada e inhumanamente el dolor del ofendido". Por su parte, el artículo 22.5ª del mismo texto, sin utilizar el término, considera circunstancia agravante genérica "aumentar deliberada e inhumanamente el sufrimiento de la víctima, causando a ésta padecimientos innecesarios para la ejecución del delito". En ambos casos se hace referencia a una forma de actuar en la que el autor, en el curso de la ejecución del hecho, además de perseguir el resultado propio del delito (en el asesinato la muerte), causa de forma deliberada otros males que exceden a los inherentes a la acción típica, innecesarios objetivamente para alcanzar el resultado, que buscan provocar un sufrimiento añadido a la víctima. Males superfluos causados por el simple placer de hacer daño, lo que supone una mayor gravedad del injusto típico. El ensañamiento requiere un elemento objetivo constituido por la causación de males innecesarios para alcanzar el resultado típico, que aumentan el dolor o sufrimiento de la víctima; y otro subjetivo, que el autor debe ejecutar, de modo consciente y deliberado, unos actos que ya no están dirigidos de modo directo a la consumación del delito, sino al aumento del sufrimiento de la víctima. En la medida que el sujeto no suele exteriorizar su propósito, este segundo elemento puede inferirse racionalmente de los actos objetivos que han concurrido en el caso.

STS 102/2018: La agravación del art. 139.1.4 CP juega también cuando el otro delito no ha llegado a iniciarse. Cuando además de la finalidad, que es lo que determina la cualificación como asesinato, se comete el otro delito es necesario para abarcar el total desvalor de la conducta proceder a la doble punición. A diferencia de lo que sucede con el delito de atentado que sí queda absorbido por el art. 138, el art. 139.1. 4ª no absorbe los delitos que puedan llegar a cometerse, y que, además, pueden ser delitos graves, menos graves y leves. Se ha catalogado a este asesinato como "homicidio *criminis causae* ". Abarcaría tres especies: a) el homicidio que se realiza "por no haber logrado el fin propuesto al intentar el (otro) delito"; b) el que se lleva a cabo "para reparar, facilitar, consumar o para asegurar" los resultados de otro delito, y c) el que se comete con el objetivo de "procurar la impunidad para sí o para otro" o con el fin de "ocultar otro delito". No estamos ante un delito complejo, -un delito de homicidio y otro delito en conexión- como ha llegado a sugerir alguien. No. El delito fin puede no haber llegado a ser cometido operando también la agravación. Es la finalidad, que se considera especialmente abyecta, la que cualifica el asesinato. Esta modalidad de asesinato entra en concurso de delitos, no de normas del art. 8 CP , con el delito que se favorece (en principio se tratará de un concurso medial) o que se oculta (modalidad de concurso real). El delito fin o el encubierto no quedan absorbidos por el asesinato. Han de ser penados con independencia del mismo abrazados por la correspondiente figura concursal. La expresión "facilitar la comisión de otro delito" es más amplia que la empleada en el concurso medial del art. 77 ("medio necesario"). Parece incluir supuestos en que el asesinato se comete para preparar o asegurar la comisión de otro delito, aunque no sea estrictamente necesario o ineludible. De ese modo parece abrir la puerta a la posible existencia, junto al concurso medial como supuesto más frecuente, de un concurso real cuando la muerte no sea necesaria para facilitar el segundo delito. Quien mata para robar incurre en el delito de asesinato del art. 139. 1.4ª. De no probarse la finalidad de robo nos hallaríamos ante un homicidio. Si, además, llega a cometer o desplegar otros actos de ejecución del robo, el asesinato irá en concurso medial con el robo -consumado o en tentativa-. Si, al margen del asesinato, no se despliegan otros actos de ejecución del robo, tan solo se castigará por asesinato, aunque sin olvidar que el hecho de dar muerte para robar al atacado ya es un acto de ejecución del robo. Pero cabe imaginar algún caso en que el robo ulterior este desligado de la agresión.

STS 418/2020: El legislador ha querido agravar el homicidio cometido con la finalidad de ocultar un delito, convirtiéndolo en asesinato (arts. 139.1.4 CP). Al propio tiempo, ha considerado que entre todos los delitos susceptibles de comisión, si se trata de un delito contra la libertad sexual perpetrado contra la misma víctima, el asesinato se convierte en un tipo hiperagravado castigado con la pena de prisión permanente revisable (art. 140.1.2 CP). Es cierto -venimos subrayándolo- que ambas decisiones de política legislativa no ofrecen una solución satisfactoria a numerosos supuestos de hecho imaginables. La Sala estima que, aun con las grietas que el legislador no ha sabido cubrir cuando ha querido dar forma a una decisión de política criminal, la agravación del art. 139.1.4 del CP puede encontrar su justificación en la insoportable banalización de la vida humana, de la propia existencia, que el autor del hecho convierte en una realidad prescindible cuando se trata de facilitar la comisión de otro delito o de evitar que se descubra el que ya ha sido cometido. Sabino privó dolosamente de la vida a Candida porque representaba un obstáculo para su patológica tranquilidad, al haber intentado, sin lograrlo, agredirla sexualmente, con el consiguiente riesgo de que fuera identificado por la víctima en su posterior denuncia. La necesidad de una protección reforzada de la vida como bien jurídico, en esas situaciones de especial peligro en las que el autor de un delito precedente está dispuesto a matar con tal de sortear el riesgo de ser descubierto, justifica la agravación. Se trata, por tanto, de castigar con mayor pena aquellos supuestos en los que la huida de la propia responsabilidad se persigue aun al precio de la muerte de otra persona. El asesinato previsto en el art. 139.1.4 del CP experimenta una especial agravación en aquellos casos en los que «el hecho fuera subsiguiente a un delito contra la libertad sexual que el autor hubiera cometido sobre la víctima» (art. 140.1.2 CP). El legislador ha querido -también ahora con deficiente técnica y bordeando los límites impuestos por la proscripción del bis in idem- que el delito de asesinato cometido con vocación de impunidad, cuando es subsiguiente a un delito contra la libertad sexual, sea castigado con la máxima pena prevista en el Código Penal. Ha asociado la pena de prisión permanente revisable a la mayor reprochabilidad que representa la convergencia de un ataque prácticamente simultáneo a bienes jurídicos del máximo rango axiológico, la libertad sexual y la vida. De todos aquellos asesinatos cualificados por haber servido como instrumento para facilitar u ocultar un delito precedente, el legislador ha estimado que si el delito inicial es un delito contra la libertad sexual, la respuesta penal sea la más severa. La Sala es consciente de que sólo una interpretación restrictiva de ese juego de preceptos tan mal combinados, puede ofrecer respuestas ajustadas a la gravedad del hecho y que no desborden la medida de la culpabilidad. Es previsible, por tanto, que la exacerbación punitiva que ha querido el legislador sea contemplada conforme a criterios restrictivos que descarten el riesgo de afectación del principio de proporcionalidad. Así, por ejemplo, una interpretación del vocablo subsiguiente a que se refiere el art. 140.1.2 del CP, que excluya paréntesis cronológicos especialmente abiertos entre el delito de asesinato y el delito que quiera encubrirse, podría estar más que justificada.

Art. 140.

1. El asesinato será castigado con pena de prisión permanente revisable cuando concurra alguna de las siguientes circunstancias:

1.ª Que la víctima sea menor de dieciséis años de edad, o se trate de una persona especialmente vulnerable por razón de su edad, enfermedad o discapacidad.

2.ª Que el hecho fuera subsiguiente a un delito contra la libertad sexual que el autor hubiera cometido sobre la víctima.

3.ª Que el delito se hubiera cometido por quien perteneciere a un grupo u organización criminal.

2. Al reo de asesinato que hubiera sido condenado por la muerte de más de dos personas se le impondrá una pena de prisión permanente revisable. En este caso, será de aplicación lo dispuesto en la letra b) del apartado 1 del artículo 78 bis y en la letra b) del apartado 2 del mismo artículo.

> **STS 585/2022 (Pleno):** Desde esta perspectiva, de lo que se trata es de responder a la cuestión de si la muerte alevosa de un menor cuya edad le inhabilita para cualquier defensa -hay menores que sí pueden defenderse-, impide un tratamiento agravado acorde con su mayor antijuridicidad. Y la respuesta ha de ser negativa. La consideración del asesinato de un niño como un presupuesto para sumar al desvalor inherente al medio ejecutivo la mayor reprochabilidad de la muerte a edad temprana, no suscita, a nuestro juicio, insuperables problemas de inherencia. De acuerdo con esta idea, el art. 140.1.1 del CP no agrava lo que ya ha sido objeto de agravación en el art. 139.1, esto es, la muerte de un menor ejecutada con alevosía por desvalimiento. El legislador ha seleccionado, entre las distintas modalidades de asesinato en las que el autor se aprovecha de la natural incapacidad de reacción defensiva de la víctima, un grupo social muy singular, a saber, el de las personas más vulnerables y, precisamente por ello, más necesitadas de protección. Conforme a la interpretación que ahora postulamos, la muerte alevosa de un niño siempre será más grave que la muerte alevosa de un mayor de edad que es asesinado mientras duerme o se encuentra bajo

los efectos de sustancias que le obnubilan. Y siempre será más grave porque el desvalor de la conducta es también mucho más intenso, sin que lo impida la regla prohibitiva de inherencia que proclama el art. 67 del CP.(...)" . En igual línea las SSTS 367/2021, de 30 de abril, y 704/2021, de 19 de septiembre y 719/2021, de 23 de septiembre. Sostiene el recurrente que el art. 140.1.1 cuando la alevosía del art. 139.1.1 recae sobre niños de corta edad, que no existe bis in idem, y que procede imponer la pena de prisión permanente revisable. Sostiene que la reforma operada por la LO 1/2015 prevé la posibilidad de comisión de un homicidio del art. 138 respecto las personas previstas en el 140.1, aplicando a este supuesto un mayor reproche penal, siendo sancionada esta conducta con la pena superior en grado. En el caso actual, como resulta del relato fáctico antes transcrito, la sentencia ha estimado que concurre la modalidad de alevosía por desvalimiento al recaer la acción homicida sobre un niño de dos años y seis meses de edad, siendo por tanto, plenamente aplicable la doctrina actual y mayoritaria de esta Sala, recogida en la sentencia dictada por la Magistrada Presidenta del Tribunal del Jurado, en la que la pena de prisión permanente revisable, que resulta de aplicación del art. 140.1 del Código Penal, tiene un fundamento distinto de las agravaciones que dan lugar al delito de asesinato, y ello por decisión del legislador, al incorporar tal pena a nuestro catálogo delictivo, pues en definitiva nos encontramos con una regla de punición especial. La reforma que incorpora la prisión permanente revisable es consecuencia de una decisión de política criminal, así como, está basada en principios de oportunidad, siendo la principal razón de la introducción de esta pena de considerable gravedad, la percepción social de la existencia de una delincuencia especialmente grave por razón de las víctimas del delito, personas desvalidas, como son los niños y los ancianos, lo que sin duda implica un mayor desvalor de la acción, un plus de antijuridicidad en la misma. El legislador penal, en distintos supuestos, ha ideado diversas fórmulas de agravación para la parte especial del Código Penal fundadas en la necesidad de una tutela cualificada a favor de determinados sectores sociales, expuestos a un riesgo especialmente elevado de sufrir daño en sus bienes mas esenciales -vida, salud, libertad, dignidad, integridad corporal- siendo los niños, ancianos y demás personas vulnerables por razón de enfermedad o discapacidad, ese tipo de víctimas que justifican esa punición especialmente grave acordada por el legislador. No obstante, esta Sala ha discrepado sobre la necesidad, pertinencia y legalidad de la regla de punición especial analizada, pero lo cierto es que, actualmente, la misma ha sido declarada constitucional -STC de 6 de octubre de 2021, Número Recurso: 3866/2015-, reforma del art. 140.1 que ha establecido que cuando en un delito de asesinato concurra alguna de las circunstancias detalladas en tal precepto, corresponderá la imposición de la pena de prisión permanente revisable, y ello ocurrirá, entre otros supuestos, por razón de la especial vulnerabilidad de la víctima, que se predica con carácter general para los menores de 16 años, sin que ello implique infracción del bis in idem, ya que la prisión permanente revisable tiene un fundamento distinto de las agravaciones que dan lugar al delito de asesinato. En definitiva, la declaración de principios efectuada en el Preámbulo de la LO 1/2015, a la que hace expresa referencia la sentencia del Tribunal Constitucional citada, y también las sentencias de esta Sala que acogen la tesis que mantenemos, apela a la necesidad de proporcionar una respuesta extraordinaria a delitos extraordinarios, con el elemento compensatorio de la posible revisión de la pena en principio indeterminada, lo que se trasluce una voluntad del legislador de intensificar la reacción penal frente a unos delitos que tenían asignada hasta entonces una pena de prisión de duración no superior a los 25 años, que el legislador de 2015 consideró insuficientemente disuasoria desde una determinada percepción del clima social, así en palabras del TC "la LO 1/2015 introduce la pena de prisión permanente revisable en determinadas tipologías de asesinato y de homicidio cualificado por la calidad del sujeto pasivo (víctima) .....que contaban en la regulación anterior con límites penológicos de 20, 25 y 30 años...". (Tol 9051234)

STS 113/2022: El art. 140.2 resulta de aplicación al caso de autos; pues estamos ante tres asesinatos enjuiciados conjuntamente. Pero paradójicamente, por una parte, la conclusión no sería la pretendida por las acusaciones pública y particular;

donde el Ministerio Fiscal, insta una segunda pena de prisión permanente revisable, por la muerte de Jeronimo, por ser la última; y donde la acusación particular insta una segunda pena de prisión permanente revisable, por la muerte de más de dos personas; y no una única pena de prisión permanente revisable, por los tres delitos de asesinato. No resulta congruente con la propia naturaleza de la pena, que un mismo delito sea susceptible de ser condenado con dos penas de prisión permanente revisable, especialmente, cuando la prevista ya establece la modalidad que cuenta con los plazos más largos para el acceso al tercer grado y a la suspensión de la ejecución del resto de la pena. Además, cuando el art. 140.2 establece "una" pena de prisión permanente revisable, no alude de modo indeterminado a esa pena, sino que es un numeral cardinal; una pena y no dos o más. Y en congruencia, a continuación, la remisión a los periodos más largos de consecución del tercer grado y libertad condicional. Además del art. 78 bis.1.b) y c), es el único caso en todo el Código penal donde se utiliza el vocablo una delante de pena de prisión permanente revisable; y la lectura del art. 78 bis, refuerza de manera inequívoca esa interpretación.

STS 969/2022: Ante la escasez de elementos exegéticos que proporciona el precepto, entendemos que la interpretación correcta es la propugnada en la sentencia que hemos citado, por lo que podemos afirmar que el artículo 140.2 solo es aplicable a quien cometa un asesinato después de haber sido ya condenado (por tanto, en sentencias anteriores) por al menos tres muertes más; y cabe preguntarnos si esas condenas anteriores pueden ser tanto por asesinato como por homicidio -aunque necesariamente el último delito habría de ser un asesinato-, ya que el precepto refiere muertes, pero teniendo en cuenta la gravedad de la pena a imponer y su valor aflictivo, así como que debe llevarse a cabo una interpretación restrictiva y que no sea contra reo, evitando con ello el riesgo de poder incluirse las muertes no dolosas, debemos circunscribir las mismas solo a delitos de asesinato, anteriores, y además, que sean consumados.

Jerónimo García San Martín

Art. 140 bis.[394]

1. A las personas condenadas por la comisión de uno o más delitos comprendidos en este título se les podrá imponer además una medida de libertad vigilada.

2. Si la víctima y quien sea autor de los delitos previstos en los tres artículos precedentes tuvieran un hijo o hija en común, la autoridad judicial impondrá, respecto de este, la pena de privación de la patria potestad.

La misma pena se impondrá cuando la víctima fuere hijo o hija del autor, respecto de otros hijos e hijas, si existieren.

STS 546/2021: El artículo 105 del Código Penal determina que podrá acordarse, en los casos legalmente previstos, por un tiempo no superior a cinco años, entre otras, la medida de libertad vigilada. Bien es verdad que el número segundo de dicho precepto permite que la extensión de la libertad vigilada pueda serlo de hasta diez años, "cuando expresamente lo disponga este Código". El artículo 140 bis, siempre del Código Penal, determina que a los condenados por uno o más delitos de los comprendidos en este Título "se les podrá imponer además una medida de libertad vigilada". Sin embargo, ello solo autoriza a establecerla hasta un límite máximo de cinco años (artículo 105.1). Cuando, conforme a la previsión contenida en el artículo 105.2 del Código Penal, ha querido el legislador sobrepasar este plazo como límite máximo pudiéndose llegar hasta los diez años, así lo ha hecho, tal como dicho precepto le impone, de manera expresa (por ejemplo, artículos 192.1 o 579 bis 2).

Art. 142.[395]

1. El que por imprudencia grave causare la muerte de otro, será castigado, como reo de homicidio imprudente, con la pena de prisión de uno a cuatro años.

---

[394]   Se modifica por la Ley Orgánica 8/2021, de 4 de junio.
[395]   Se modifican los párrafos segundo y cuarto del apartado 2 por la Ley Orgánica 11/2022, de 13 de septiembre.

Si el homicidio imprudente se hubiera cometido utilizando un vehículo a motor o un ciclomotor, se impondrá asimismo la pena de privación del derecho a conducir vehículos a motor y ciclomotores de uno a seis años. A los efectos de este apartado, se reputará en todo caso como imprudencia grave la conducción en la que la concurrencia de alguna de las circunstancias previstas en el artículo 379 determinara la producción del hecho.

Si el homicidio imprudente se hubiera cometido utilizando un arma de fuego, se impondrá también la pena de privación del derecho al porte o tenencia de armas por tiempo de uno a seis años.

Si el homicidio se hubiera cometido por imprudencia profesional, se impondrá además la pena de inhabilitación especial para el ejercicio de la profesión, oficio o cargo por un periodo de tres a seis años.

2. El que por imprudencia menos grave causare la muerte de otro, será castigado con la pena de multa de tres meses a dieciocho meses.

Si el homicidio se hubiera cometido utilizando un vehículo a motor o un ciclomotor, se impondrá también la pena de privación del derecho a conducir vehículos a motor y ciclomotores de tres a dieciocho meses. Se reputará en todo caso como imprudencia menos grave aquella no calificada como grave en la que para la producción del hecho haya sido determinante la comisión de alguna de las infracciones graves de las normas de tráfico, circulación de vehículos a motor y seguridad vial. La valoración sobre la existencia o no de la determinación deberá apreciarse en resolución motivada.

Si el homicidio se hubiera cometido utilizando un arma de fuego, se podrá imponer también la pena de privación del derecho al porte o tenencia de armas por tiempo de tres a dieciocho meses.

Salvo en los casos en que se produzca utilizando un vehículo a motor o un ciclomotor, el delito previsto en este apartado solo será perseguible mediante denuncia de la persona agraviada o de su representante legal.

STS 191/2020: La gravedad de la imprudencia se determina, desde una perspectiva objetiva o externa, con arreglo a la magnitud de la infracción del deber objetivo de cuidado o de diligencia en que incurre el autor, magnitud que se encuentra directamente vinculada al grado de riesgo no permitido generado por la conducta activa del imputado con respecto al bien que tutela la norma penal, o, en su caso, al grado de riesgo no controlado cuando tiene el deber de neutralizar los riesgos que afecten al bien jurídico debido a la conducta de terceras personas o a circunstancias meramente casuales. El nivel de permisión de riesgo se encuentra determinado, a su vez, por el grado de utilidad social de la conducta desarrollada por el autor (a mayor utilidad social mayores niveles de permisión de riesgo). Por último, ha de computarse también la importancia o el valor del bien jurídico amenazado por la conducta imprudente: cuanto mayor valor tenga el bien jurídico amenazado menor será el nivel de riesgo permitido y mayores las exigencias del deber de cuidado. Se trata de un análisis que integra componentes fácticos pero que es esencialmente normativo.

STS 421/2020 (Pleno): No existe, así pues, vicariedad de la norma penal respecto de la administrativa: ésta por voluntad del legislador aporta un indicativo, un criterio, un indicio de la posible catalogación como imprudencia menos grave, pero no cancela la facultad del Juzgador, para, in casu, razonándolo, declarar bien que es una imprudencia grave, bien que es una imprudencia leve. Algo aporta en todo caso la mención: una infracción grave de tráfico constituye una presunción, un criterio orientativo, de que, prima facie, estaremos ante una imprudencia menos grave. Para desactivar esa especie de presunción, salvo casos muy claros (vgr., y por usar un ejemplo tópico, alcance por detrás a escasa velocidad en un momento de colapso circulatorio con continuas retenciones) ordinariamente será necesario incoar diligencias, indagar y decidir mediante una motivación especial; razonar por qué en el supuesto concreto, pese a ello, la negligencia no tiene entidad suficiente para desbordar la categoría inferior (levedad). Evidentemente esa valoración no siempre será igual. Según cual sea la infracción grave de tráfico con que operemos habrá unos matices u otros. Y siempre será imprescindible el juicio que exige la imputación objetiva. En los excesos de velocidad habrá que graduar, entre otros imaginables factores, en cuánto se excedía el tope permitido: habrá supuestos muy diferenciables. Otras veces puede ser decisivo comprobar si la infracción administrativa en sí ha sido intencionada o por descuido (v. gr., al no respetarse un "ceda el paso") y ponderar las causas de esa desatención momentánea, ... No es posible un prontuario o un vademécum completo: será el juzgador el llamado a valorar en cada supuesto, sin perder de vista ese parámetro legal orientativo (infracción administrativa grave) del que no puede prescindir, y que le obliga prima facie a explicar por qué pese a constatar una infracción grave descarta la calificación como imprudencia menos grave. La presencia de una infracción grave constituye indicio de imprudencia menos grave; presunción que, puede ser contrarrestada por una motivación suficiente a veces basada en la evidencia, tendente a mostrar que esa imprudencia en esas concretas circunstancias y sus singulares características no alcanza ese rango intermedio y puede ubicarse razonablemente en la imprudencia leve. (Tol 8036243)

STS 284/2021: No basta la simple y acrítica constatación de que se ha producido una infracción reglamentaria para concluir irremediablemente el juicio de tipicidad en unos términos que supondrían la resurrección de la histórica imprudencia con infracción de reglamentos. La aplicación de los conceptos normativos propios del derecho penal -y la imprudencia lo es de modo incuestionable- no puede hacerse depender del juego de un enunciado legal que operaría a modo de presunción iuris et de iure. En el momento de la calificación jurídica de un homicidio por imprudencia cometido con vehículo de motor, la gravedad de la infracción del deber de cuidado no puede prescindir de la intensidad de la desatención que está en el origen de la acción negligente. La fidelidad a un tipo penal lastrado por su deficiente técnica legislativa conduce de forma irremediable a lesionar los principios de culpabilidad y proporcionalidad.

Art. 142 bis.

En los casos previstos en el número 1 del artículo anterior, el Juez o Tribunal podrá imponer motivadamente la pena superior en un grado, en la extensión que estime conveniente, si el hecho revistiere notoria gravedad, en atención a la singular entidad y relevancia del riesgo creado y del deber normativo de cuidado infringido, y hubiere provocado la muerte de dos o más personas o la muerte de una y lesiones constitutivas de delito del artículo 152.1.2.º o 3.º en las demás, y en dos grados si el número de fallecidos fuere muy elevado.

STS 344/2022: Podríamos acudir al art. 142 bis CP y no al art. 382 CP en los casos de unidad de acción con varios resultados producidos, cuando se den determinadas circunstancias relacionadas con el número de sujetos pasivos afectados, que es la clave de la reforma en lo que afecta a aplicar el art. 382 CP, o los arts. 142 bis o 152 bis CP, ya que esta reforma del CP se llevó a cabo, precisamente, para fijar el mayor reproche penal a las conductas con unidad de acción, pero con varios resultados posibles y en los que si se daban las circunstancias contempladas en el precepto del art. 142 bis o 152 bis CP se aplicaría la pena superior en grado en lugar de hacerlo en la mitad superior del delito mas grave que podría ser o el art. 142 o el 152 CP por la vía del art. 382 CP. Señalar que cierto es verdad que los arts. 142 bis y 152 bis también se refieren al tema de varios perjudicados resultantes de la unidad de acción imprudente cuando en el art. 142 bis CP se aplica que la pena se incrementaría en un grado si hubiere provocado la muerte de dos o más personas, o la muerte de una y lesiones constitutivas de delito del artículo 152.1.2.º o 3.º en las demás, (cualquiera que fuera el número de lesionados), y en dos grados si el número de fallecidos fuere muy elevado, pudiendo entenderse que en este último caso podría irse a una cifra por encima de cinco, quedando en un grado cuando lo fuere entre dos y cinco al referirse a la expresión "dos o más", y en el art. 152 bis cuando se refiere a la expresión "pluralidad de personas" podría entenderse como "pluralidad" en la referencia a más de dos y hasta cinco y en dos grados la subida de la pena si el número de lesionados fuere "muy elevado", siendo así más de cinco las víctimas como en el caso del homicidio imprudente.

Art. 144.

El que produzca el aborto de una mujer, sin su consentimiento, será castigado con la pena de prisión de cuatro a ocho años e inhabilitación especial para ejercer cualquier profesión sanitaria, o para prestar servicios de toda índole en clínicas, establecimientos o consultorios ginecológicos, públicos o privados, por tiempo de tres a diez años.

Las mismas penas se impondrán al que practique el aborto habiendo obtenido la anuencia de la mujer mediante violencia, amenaza o engaño.

STS 658/2019: La doctrina se refiere en estos casos a los dos verbos empleados en el art. 144 CP de producir y practicar. Así, mientras la producción de un aborto sin el consentimiento de la mujer, admite la comisión por omisión, partiendo de la base de que, pudiendo iniciarse el proceso abortivo de modo espontáneo, basta en el sujeto activo, se dé la existencia de una posición de garantía y probabilidad rayana en la certeza de evitar el resultado de mediar la conducta activa, para que sea admisible tal forma comisiva, la práctica de aborto con consentimiento de la mujer, pero obtenido éste mediante violencia, amenaza o engaño, exige siempre un actuar positivo. De otra parte, en la segunda de las conductas analizadas no necesariamente el sujeto activo del delito ha de coincidir con el que ejecuta, materialmente el aborto, que puede ser la propia mujer violentada, amenazada o engañada, o un tercero, que en su caso respondería como sujeto activo del delito. En todo caso la violencia, amenaza o engaño ha de ser grave, y en este caso esta gravedad ha resultado debidamente acreditada. Esta Sala ya ha tratado un tema similar de autoría mediata en un caso de aborto forzado en la sentencia del Tribunal Supremo 507/2019, de 25 de octubre, donde se admite la autoría mediata para condenar por la vía del art. 144 CP ante supuestos de coacción o amenaza para forzar un consentimiento viciado para abortar y "burlar" los controles de "consentimiento no viciado" hospitalarios.

Art. 145.

1. El que produzca el aborto de una mujer, con su consentimiento, fuera de los casos permitidos por la ley será castigado con la pena de prisión de uno a tres años e inhabilitación especial para ejercer cualquier profesión sanitaria, o para prestar servicios de toda índole en clínicas, establecimientos o consultorios ginecológicos, públicos o privados, por tiempo de uno a seis años. El juez podrá imponer la pena en su mitad superior cuando los actos descritos en este apartado se realicen fuera de un centro o establecimiento público o privado acreditado.

2. La mujer que produjere su aborto o consintiere que otra persona se lo cause, fuera de los casos permitidos por la ley, será castigada con la pena de multa de seis a veinticuatro meses.

3. En todo caso, el juez o tribunal impondrá las penas respectivamente previstas en este artículo en su mitad superior cuando la conducta se llevare a cabo a partir de la vigésimo segunda semana de gestación.

STS 798/2017: El artículo 145.1 del CP castiga al que produzca el aborto de una mujer, con su consentimiento, fuera de los casos permitidos en la ley, lo que necesariamente nos reconduce la las previsiones de la citada LO 2/2010 que ya hemos dicho, perfila una regulación del aborto que combina un sistema de plazos con el correspondiente asesoramiento a la embarazada (artículo 17 LO 2/2010), con el de indicaciones de carácter médico. Así está legalmente amparado el aborto solicitado por la mujer embarazada convenientemente informada, practicado dentro de las catorce primeras semanas de gestación (artículo 14 LO 2/2010). Se autoriza el aborto dentro de las 22 primeras semanas de gestación por razones médicas, siempre que exista "grave riesgo para la vida o la salud de la embarazada y así conste en un dictamen emitido con anterioridad a la intervención por un médico especialista distinto del que la practique o dirija (en la legislación anterior esta indicación terapéutica no estaba sometida a plazo); o riesgo de graves anomalías en el feto y así conste en un dictamen emitido con anterioridad a la intervención por dos médicos especialistas distintos del que la practique o dirija (artículo 15 a) y b) LO 2/2010). También se permite legalmente el aborto en cualquier momento cuando se detecten anomalías fetales incompatibles con la vida y así conste en un dictamen emitido con anterioridad por un médico o médica especialista, distinto del que practique la intervención, o cuando se detecte en el feto una enfermedad extremadamente grave e incurable en el momento del diagnóstico y así lo confirme un comité clínico. En todos los casos se requiere que la intervención se practique por un médico especialista o bajo su dirección; en centro sanitario público o privado acreditado; y que se realice con el consentimiento expreso y por escrito de la mujer embarazada o, en su caso, del representante legal artículo 13 LO 2/2010).

Art. 146.

El que por imprudencia grave ocasionare un aborto será castigado con la pena de prisión de tres a cinco meses o multa de seis a 10 meses.

Cuando el aborto fuere cometido por imprudencia profesional se impondrá asimismo la pena de inhabilitación especial para el ejercicio de la profesión, oficio o cargo por un período de uno a tres años.

La embarazada no será penada a tenor de este precepto.

> **STS 552/2018:** El aborto que sufrió es atribuible a título de imprudencia al acusado, ahora recurrente. Infringió de forma patente las reglas de cuidado que le eran exigibles al provocar con su comportamiento una situación con claros rasgos de peligro, y quebrantar, conociendo el estado de gravidez de la víctima, las cautelas necesarias para no comprometer el mismo en relación a la situación de riesgo que el mismo creó. Por el contrario, le propinó varios golpes y la zarandeó, al tiempo que le dirigía frases despectivas y humillantes, que por la situación en la que se encontraba, le ocasionaron un estrés que fue determinante de la rotura de las membranas del útero y el consiguiente aborto. Tal imprudencia reviste los caracteres de grave, porque grave es la infracción del deber de cuidado. Ningún riesgo era permitido ante tan gratuita agresión, y nula era la utilidad social de su comportamiento, contrario a las más elementales normas cívicas. El incuestionable valor del bien jurídico protegido imponía las mayores exigencias del deber de cuidado que el recurrente omitió cuando golpeó, zarandeó, insultó y vejó a la mujer embarazada a sabiendas de su estado.

II. DELITOS CONTRA LA INTEGRIDAD FÍSICA (ARTS. 147 A 158)

Art. 147.

1. El que, por cualquier medio o procedimiento, causare a otro una lesión que menoscabe su integridad corporal o su salud física o mental, será castigado, como reo del delito de lesiones con la pena de prisión de tres meses a tres años o multa de seis a doce meses, siempre que la lesión requiera objetivamente para su sanidad, además de una

primera asistencia facultativa, tratamiento médico o quirúrgico. La simple vigilancia o seguimiento facultativo del curso de la lesión no se considerará tratamiento médico.

2. El que, por cualquier medio o procedimiento, causare a otro una lesión no incluida en el apartado anterior, será castigado con la pena de multa de uno a tres meses.

3. El que golpeare o maltratare de obra a otro sin causarle lesión, será castigado con la pena de multa de uno a dos meses.

4. Los delitos previstos en los dos apartados anteriores sólo serán perseguibles mediante denuncia de la persona agraviada o de su representante legal.

STS 739/2021: En sentido estricto, el tratamiento médico consiste en la planificación de un sistema de curación o de un esquema médico prescrito por un titulado en medicina con finalidad curativa, y el tratamiento quirúrgico es aquel que, por medio de la cirugía, tiene la finalidad de curar una enfermedad a través de operaciones de esta naturaleza, cualquiera que sea su importancia: cirugía mayor o menor, incluyendo distintas actuaciones (diagnóstico, asistencia preparatoria ex ante, exploración quirúrgica, recuperación ex post, etc.). La distinción entre el tratamiento y la vigilancia o seguimiento médico, que se excluye legalmente del concepto a efectos penales, no es fácil de establecer. No cabe fijar criterios absolutos, pues en la distinción entre delito menos grave y delito leve, no puede prescindirse del examen de fondo sobre la relevancia de la lesión, apreciada en su conjunto. El seguimiento o vigilancia debe abarcar esencialmente los supuestos de comprobación del éxito de la medicación prescrita, de simple observación de la evolución de las lesiones o de señalamiento de medidas meramente precautorias, pero no aquellos que incluyan asistencias adicionales. En cuanto al tratamiento quirúrgico, existe siempre que se actúa médicamente sobre el cuerpo del paciente de forma agresiva, como ocurre cuando se abre, se corta, se extrae o se sutura, es decir siempre que la curación se persigue mediante la intervención directa en la anatomía de quien la necesite. Y así se ha descrito como la realización de cualquier intervención médica de esta naturaleza (cirugía mayor o cirugía menor), que sea objetivamente necesaria para reparar el cuerpo humano o para restaurar o corregir cualquier alteración funcional u orgánica producida por las lesiones. En orden al requisito

de que ese tratamiento sea acumulativo a la primera asistencia sugerido por el adverbio " además", no implica que sean actuaciones
incompatibles. Aun en el supuesto de que la sutura se aplique en la
primera asistencia, los tratamientos quirúrgicos, incluso en los casos
de cirugía menor, siempre necesitan cuidados posteriores, aunque de
hecho no los preste una persona titulada. Han de tener una prolongación en el tiempo, lo que excluye la posibilidad de aplicar la norma
correspondiente a la infracción conceptuada como delito leve. Es una
operación susceptible de realizarse en un solo acto. Pero si su sentido
es la aproximación de los bordes de una herida para favorecer la sol-
dadura de los tejidos, lo que cura realmente es la permanencia del cosido ejerciendo esa acción a lo largo de cierto tiempo, de manera que
la intervención facultativa mantiene su actividad terapéutica durante
todo ese periodo, en el que la lesión resulta tratada quirúrgicamente,
aun cuando deba hablarse de cirugía menor.

STS 615/2019: La jurisprudencia ha relacionado el concepto
de tratamiento médico especialmente con su finalidad curativa;
pero sin embargo, el elemento del tratamiento médico se debe entender de una manera normativa, en tanto su significado
es el de caracterizar una forma de lesión cuya gravedad no es
irrelevante; y en este sentido el tratamiento del dolor y la necesidad de reposo para permitir la curación también configuran
una gravedad de la lesión que no justifica la atenuación de la
pena que, en definitiva, antes el art. 617 CP y ahora el 147.2,
prevén para simples malestares corporales que carecen de relevancia patológica. La casuística, proporcionó situaciones donde, el descanso o reposo, no restaba al cuidado exclusivo del
paciente sino que precisaba de indicación y cuidado médico en
aras de un adecuado restablecimiento de las lesiones padecidas.
El supuesto más paradigmático viene referido a determinadas
fracturas o fisuras óseas o algunas lesiones ligamentosas o mus-
culares. Así, existe una numerosa jurisprudencia donde se destaca que concorde al enunciado jurisprudencial pacíficamente
admitido antes trascrito, existe tratamiento desde el punto de
vista penal, en toda actividad posterior tendente a la sanidad de
las personas, si está prescrita por el médico, incluida la administración de fármacos o la fijación de comportamientos a seguir,

donde el reposo como concreción de esos comportamientos, puede conformar por sí mismo el único tratamiento admisible para algunas lesiones.

STS 519/2016: El empleo de "*steri-strip*" o puntos de aproximación con cinta autoadhesiva desborda el concepto de primera asistencia e integra el de tratamiento médico-quirúrgico a efectos de la calificación del delito. Constituye un medio técnico de fijación (esparadrapo de sutura) menos cruento en su aplicación que los puntos de aproximación pero de efecto equivalente al cosido y, como éste, necesario para procurar la correcta cicatrización (inicial pegamento tisular y posterior cura local).

STS 103/2018: Si la jurisprudencia ha negado la posibilidad de lesiones psíquicas causadas por imprudencia, no encuentra dificultad para castigarlas penalmente cuando están abarcadas por un dolo eventual.

Art. 148.[396]

Las lesiones previstas en el apartado 1 del artículo anterior podrán ser castigadas con la pena de prisión de dos a cinco años, atendiendo al resultado causado o riesgo producido:

1.º Si en la agresión se hubieren utilizado armas, instrumentos, objetos, medios, métodos o formas concretamente peligrosas para la vida o salud, física o psíquica, del lesionado.

2.º Si hubiere mediado ensañamiento o alevosía.

3.º Si la víctima fuere menor de catorce años o persona con discapacidad necesitada de especial protección.

4.º Si la víctima fuere o hubiere sido esposa, o mujer que estuviere o hubiere estado ligada al autor por una análoga relación de afectividad, aun sin convivencia.

5.º Si la víctima fuera una persona especialmente vulnerable que conviva con el autor.

---

[396]   Se modifica el apartado 3 por la LO 8/2021, de 4 de junio.

STS 727/2022: En lo que respecta a la penalidad agravada, esta Sala ha precisado que, a diferencia de lo que sucede en las lesiones contempladas en los artículos 149 y ss CP, la agravación penológica recogida en el artículo 148 CP no se ha configurado por el legislador como imperativa, sino potestativa para el juzgador en función de las circunstancias del caso concreto, "atendiendo al resultado causado o riesgo producido", reza el texto legal. El que la agravación se configure a efectos penológicos como opcional, conlleva la necesaria ponderación de las circunstancias que en el caso concreto determinan la procedencia de hacer uso de esa facultad como respuesta a los principios de culpabilidad y proporcionalidad. Es decir, el riesgo lesivo añadido fruto del instrumento y de su concreta utilización.

STS 566/2017: En la conducta sancionada en el art. 148.1°, se requiere inexorablemente: a) una lesión del art. 147.1 CP; b) haber utilizado armas, instrumentos, objetos, medios, métodos o formas concretamente peligrosas para la vida o salud, física o psíquica, del lesionado. Pero además su sanción, su efectivo castigo, se hace depender de un tercer elemento, el resultado causado o riesgo producido, al que obliga atender; e integra el objeto de la cuestión debatida, pues no se niega la peligrosidad del fuego aplicado sobre el cuerpo humano. Más estrictamente el aumento del riesgo determinante en la concreta forma utilizada, pues el resultado, no se muestra de mayor entidad que el frecuentemente resultante, en el tipo básico de lesiones. El riesgo (cuya etimología deriva de risco por el peligro que supone) o el peligro, entiende la doctrina, que integra una modalidad intermedia entre los elementos descriptivos y normativos del tipo, denominados de muy variada forma, pero cuya característica principal, es que la mera observación no puede mostrar su existencia o inexistencia, ni en el caso concreto del peligro, ni el de su gravedad, pero tampoco puede determinarse por referencia a una norma, a salvo, en cuanto dato empírico, por remisión a las reglas de la experiencia.

STS 666/2020: El subtipo agravado del artículo 148.1 del Código Penal por uso de armas en la agresión, se aplica tanto a las armas de fuego como a las armas blancas, entre las que se encuentran puñales, cuchillos o navajas y, en general, todos los instrumentos cortantes o punzantes con capacidad lesiva.

STS 100/2021: Tampoco es atendible la alegada incompatibilidad entre la agravante genérica de alevosía (art. 22.1 CP) y el tipo agravado de lesiones (art. 148.1 CP). Es indudable que la solución a esa convergencia habrá de ser resuelta caso por caso, huyendo de fórmulas jurídicas generales que pueden oscurecer los matices que la realidad ofrece en cada supuesto. Sin embargo, el examen del presente caso pone de manifiesto que no existe la inherencia a que se refiere el art. 67 del CP. El empleo de armas o instrumentos peligrosos es perfectamente concebible sin una actuación alevosa y, a la inversa, la agresión alevosa no tiene por qué conllevar el empleo de tales armas. El tipo agravado de lesiones a que se refiere el art. 148.1 del CP presenta una neta significación instrumental, basada en la peligrosidad objetiva del medio empleado. Por el contrario, la alevosía implica una estrategia comisiva que busca, ante todo, el aseguramiento de la ejecución.

STS 261/2020: Ciertamente pueden producirse zonas de confluencia entre la alevosía y el uso de instrumento peligroso que comprometan el bis in ídem. Así será en el caso de que ese aseguramiento de la ejecución que caracteriza aquella y que determina el incremento de desvalor de la acción por el mayor peligro que supone para el bien jurídico, se alcance precisamente por el empleo de un instrumento cuya potencialidad lesiva elimine las posibilidades de reacción de la víctima, por ejemplo el empleo de un arma; pero no cuando la situación de indefensión que se aprovecha en la ejecución tenga orígenes diferentes. Porque no merece el mismo reproche penal la agresión con instrumentos, medios o formas concretamente peligrosos para la salud en una agresión que permite la defensa del atacado, que sí el acometimiento se produce, además, por sorpresa y de manera súbita e inesperada, por la espalda o impidiendo de otra forma toda posibilidad de una reacción defensiva. Por eso esta Sala ha admitido esa compatibilidad en el caso en que la alevosía se sustente en otros elementos más allá de las características del medio peligroso.

STS 702/2022: En nuestro caso la superioridad numérica de tres personas atacando a una sola implica esa superioridad personal, un evidente desequilibrio de fuerzas conocido y buscada por todos los integrantes, que salen corriendo desde el lugar en que se encontraban, persiguiendo a la víctima hasta rodearla y proceder a su agresión y lesiones finales, sin que la apreciación de esta agravante se encuentre subsumida en el subtipo agravado de lesiones del art. 148.1 CP, pues como afirma la doctrina jurisprudencial, "la esencia de este tipo delictivo y el fundamento de la agravación de la pena que previene el precepto radica en el resultado lesivo causado en la integridad de la víctima o en el riesgo producido según los instrumentos, armas, objetos, medios, métodos o formas concretamente peligrosas para la vida o salud física o psíquica del lesionado, y ejecutar la agresión de forma que implique esa superioridad personal no se encuentra necesariamente descrito en el tipo. Por ello la aplicación del art. 148.1 no es incompatible con esta circunstancia, cuando los agresores son varios, provocando así un claro desequilibrio de fuerzas que disminuye la capacidad de defensa del agredido.

STS 76/2022: Este Tribunal ya tuvo oportunidad de señalar que, cuando concurran dos de los elementos configurados en el artículo 148 del Código Penal y uno de ellos (la alevosía, pero también el ensañamiento) aparezca descrito en el catálogo de circunstancias agravantes genéricas expuesto en el artículo 22 del Código Penal, resultará lo procedente, configurado el tipo que el precepto contempla por el concurso de la circunstancia primera (empleo de instrumentos concretamente peligrosos), hacer aplicación, sobre su base, de la circunstancia agravante genérica que corresponda.

Art. 149.

1. El que causara a otro, por cualquier medio o procedimiento, la pérdida o la inutilidad de un órgano o miembro principal, o de un sentido, la impotencia, la esterilidad, una grave deformidad, o una grave enfermedad somática o psíquica, será castigado con la pena de prisión de seis a 12 años.

2. El que causara a otro una mutilación genital en cualquiera de sus manifestaciones será castigado con la pena de prisión de seis a 12 años. Si la víctima fuera menor o persona con discapacidad necesitada de especial protección, será aplicable la pena de inhabilitación especial para el ejercicio de la patria potestad, tutela, curatela, guarda o acogimiento por tiempo de cuatro a 10 años, si el juez lo estima adecuado al interés del menor o persona con discapacidad necesitada de especial protección.

> **STS 111/2019:** De manera pacífica y unánime, la doctrina de esta Sala ha calificado el ojo como un órgano principal. De igual modo, el elemento normativo de 'inutilidad' del órgano o miembro principal, cuenta con una amplia y pacífica concreción jurisprudencial, como "pérdida de eficacia funcional", que no debe entenderse en términos absolutos, bastando un menoscabo sustancial. Reiterada doctrina de esta Sala ha establecido que la pérdida de un ojo, aunque fuese parcial, pero de tal dimensión que afectase sensiblemente la agudeza visual, constituye un delito de lesiones con pérdida de miembro principal.
>
> **STS 355/2022:** Hemos de clarificar previamente que aunque se exprese en ocasiones pérdida de la visión o del sentido de la vista, se trata de la pérdida o inutilidad de un órgano principal, el ojo derecho, subsumible cuando dolosamente se causa en el art. 149, sin que sea óbice que existan dos ojos, no se pierde la condición de órgano principal para el sentido de la vista, que persista el otro ojo, por ello no pierde su condición de órgano principal, pues determinados órganos dobles existentes en el cuerpo humano, aún duales, tienen su funcionalidad propia e independiente de su par, como los ojos, los oídos y pulmones. Hemos dicho que: "Esta Sala entiende con carácter general que cuando se ha producido una agresión con un instrumento dirigido al cuerpo de la víctima, que ha ocasionado la pérdida de un ojo o su funcionabilidad, concurre dolo eventual y así lo ha considerado esta Sala en hipótesis de utilización como instrumento de agresión de un vaso, una piedra, un garrote, un palo, etc. Si la agresión se ha producido con las manos, verbigracia, un puñetazo, dependería de las circunstancias, reputándose

apto para el resultado si el agresor llevaba un grueso anillo en un dedo o la agresión fue especialmente violenta.

STS 698/2022: La deformidad grave es la que afecta de manera definitiva y relevante a la identidad del sujeto, y que afecta no sólo a su integridad corporal o a su salud sino a su propia identidad. Se ocasionan así unas repercusiones funcionales severas que modifican y hacen gravoso el desempeño de funciones esenciales para el desenvolvimiento del ser humano, pues no debe obviarse que la pena prevista por la causación de estas deformidades viene equiparada por el legislador a aquellas conductas en las que la actuación lesiva genera la pérdida de un miembro principal o su inutilidad. O dicho con otras palabras, la deformidad grave conlleva una modificación profunda de la configuración natural de las zonas corporales que de manera esencial contribuyen a fijar la personalidad del sujeto, deteriorando de manera profunda la proyección pública de su imagen. Y esto es especialmente aplicable cuando la deformidad produce la desfiguración del rostro de modo ostensible y altera la configuración del sujeto, pues el rostro es la parte del cuerpo que define más específicamente la fisonomía corporal, aun cuando no pueda ser considerado como un miembro principal. La deformidad grave (art. 149) se distingue de la deformidad base que se describe en el art. 150 del Código Penal, exclusivamente en criterios cuantitativos determinados por la intensidad de su influencia en la morfología humana y en la agresión estética que produce, siendo relevantes sus resultados y las consecuencias perennes, ordinariamente no reparables, como sucede con la simple deformidad del precepto últimamente citado, cuyo aspecto deformante es compatible con hipotéticas intervenciones quirúrgicas posteriores de cirugía reparadora, plástica o estética.

STS 464/2016: Estos supuestos que anteriormente se resolvían por la vía de la preterintencionalidad, desaparecida en el Código Penal de 1995, actualmente se subsumen en el concurso ideal de delitos, de forma que se considera que una misma acción (lanzar una botella al rostro del contrincante) tiene un componente doloso en lo que atañe a la acción agresora y a su resultado natural, frecuente o habitual, y un componente culposo o imprudente en lo que atañe al resultado más gravoso que resulta inhabitual o infrecuente, atendido al acto agresor y el riesgo que conllevaba. Es doctrina mayoritaria de esta Sala que en los supuestos de pérdida de un ojo por recibir en la cara un vaso u objeto de cristal arrojado desde cierta distancia, se aplica el concurso ideal de lesiones dolosas con imprudentes (lesiones del art. 147 en concurso ideal con lesiones imprudentes del art. 152 en relación con el art. 149 CP). Por el contrario, en supuestos en los que se golpea directamente en la cara con un vaso u objeto de cristal, con fuerza suficiente para que se rompa con el impacto y los cristales provoquen cortes que determinan la pérdida de la visión de un ojo, se aprecian lesiones dolosas del art. 149 CP porque en estos casos, la rotura del vaso es sumamente probable, con la lógica consecuencia de que los fragmentos de cristal provoquen cortes en el rostro y en los ojos del ofendido, con riesgo cierto de provocar la pérdida total del ojo o de la visión del mismo.

Art. 150.

El que causare a otro la pérdida o la inutilidad de un órgano o miembro no principal, o la deformidad, será castigado con la pena de prisión de tres a seis años.

> **STS 912/2021:** La dicotomía que el legislador emplea en la redacción de los comentados preceptos (deformidad/grave deformidad) no debe, sin embargo, confundirnos. No en el sentido de que entendamos que cualquier alteración estética, visible y permanente (en tanto no desaparecerá previsiblemente por sí sola), cuando no pudiera ser considerada como deformidad grave, necesariamente provocará la aplicación del artículo 150 del Código, concebido, en aquel entendimiento, como una suerte de precepto residual. Basta para comprenderlo considerar que el mencionado artículo 150, establece como límite mínimo de su pena abstracta los tres años de prisión (pudiendo llegar hasta seis) y equipara el resultado que ahora analizamos (deformidad), nada menos que a la pérdida, anatómica o funcional,

de un órgano o miembro (no principal). La mencionada sanción desborda, de forma muy relevante, la prevista en el tipo básico de lesiones (artículo 147.1 del Código Penal), que asocia a dichas conductas la imposición, alternativa, de una pena de prisión (de uno a tres años) o pecuniaria (multa de seis a doce meses). Así, desde una aproximación teleológica, obediente a los fines del precepto, y atenta al principio de proporcionalidad de las penas, resulta obligado convenir en que la posible existencia de secuelas que, aun imponiendo al perjudicado una cierta alteración estética, visible y permanente, que de cualquier modo empeore su aspecto externo y que no pueda ser calificada como grave, no necesariamente desplazará la calificación jurídica de los hechos hacia el artículo 150 del Código Penal.

STS 130/2015: La consideración de las cicatrices como deformidad, debe valorarse conforme a tres criterios: irregularidad física, permanencia y visibilidad; el Tribunal debe llevar a cabo un juicio de valor sobre la referida irregularidad con objeto de destacar, en su caso, que la misma sea de cierta entidad y relevancia.

Acuerdo no jurisdiccional del pleno de la Sala 2ª del TS de 19 de abril de 2002: La pérdida de incisivos u otras piezas dentarias, ocasionada por dolo directo o eventual, es ordinariamente subsumible en el art. 150 CP. Este criterio admite modulaciones en supuestos de menor entidad en atención a la relevancia de la afectación o a las circunstancias de la víctima, así como a la posibilidad de reparación accesible con carácter general, sin riesgos ni especiales dificultades para el lesionado. En todo caso, dicho resultado comportará valoración como delito y no como falta.

STS 505/2018: La pérdida de la pérdida de piezas dentales, especialmente los incisivos, por su trascendencia estética, han sido tradicionalmente valoradas como causantes de deformidad, argumentando básicamente que comporta la presencia de un estigma visible y permanente que, por más que pueda ser reparado mediante cirugía, no dejaría de subsistir, por lo que tiene de alteración de la forma original de una parte de la anatomía del afectado. Tras el pertinente debate, el Pleno no jurisdiccional de esta Sala celebrado el 19 de abril de 2002 señaló que son tres los aspectos a los que es preciso atender. De un lado, la relevancia de la afectación, pues debe examinarse en cada caso la importancia de la secuela y su trascendencia estética, así como su repercusión funcional, en su caso; de otro lado, las circunstancias de la víctima, entre ellas su aspecto anterior relacionado con el estado de las partes afectadas y la trascendencia que la modificación pueda suponer; y en tercer lugar, las posibilidades de reparación accesible con carácter general, sin que en el caso concreto suponga un riesgo especial para el lesionado. Para la valoración de estas circunstancias, ha de tomarse en consideración que la pena establecida para estos supuestos por el legislador, un mínimo de tres años de privación de libertad, indica claramente que se pretenden sancionar conductas especialmente graves, lo que aconseja excluir aquellos supuestos de menor entidad, en los que la pena legalmente predeterminada resulta desproporcionada. Desde lo expuesto, hemos de modular el criterio general de inclusión de la pérdida de una pieza dentaria en el tipo de agravación de la deformidad y atender a la proporcionalidad del hecho concreto en relación con los comportamientos que el tipo penal es susceptible de abarcar.

Art. 153.

1. El que por cualquier medio o procedimiento causare a otro menoscabo psíquico o una lesión de menor gravedad de las previstas en el apartado 2 del artículo 147, o golpeare o maltratare de obra a otro sin causarle lesión, cuando la ofendida sea o haya sido esposa, o mujer que esté o haya estado ligada a él por una análoga relación de afectividad aun sin convivencia, o persona especialmente vulnerable que conviva con el autor, será castigado con la pena de prisión de seis meses a un año o de trabajos en beneficios de la comunidad de treinta y uno a ochenta días y, en todo caso, privación del derecho a la tenencia y porte de armas de un año y un día a tres años, así como, cuando el juez o tribunal lo estime adecuado al interés del menor o persona con discapacidad necesitada de especial protección, inhabilitación para el ejercicio de la patria potestad, tutela, curatela, guarda o acogimiento hasta cinco años.

2. Si la víctima del delito previsto en el apartado anterior fuere alguna de las personas a que se refiere el artículo 173.2, exceptuadas las personas contempladas en el apartado anterior de este artículo, el autor será castigado con la pena de prisión de tres meses a un año o de trabajos en beneficio de la comunidad de treinta y uno a ochenta días y, en todo caso, privación del derecho a la tenencia y porte de armas de un año y un día a tres años, así como, cuando el Juez o Tribunal lo estime adecuado al interés del menor o persona con discapacidad necesitada de especial protección, inhabilitación para el ejercicio de la patria potestad, tutela, curatela, guarda o acogimiento de seis meses a tres años.

3. Las penas previstas en los apartados 1 y 2 se impondrán en su mitad superior cuando el delito se perpetre en presencia de menores, o utilizando armas, o tenga lugar en el domicilio común o en el domicilio de la víctima, o se realice quebrantando una pena de las contempladas en el artículo 48 de este Código o una medida cautelar o de seguridad de la misma naturaleza.

4. No obstante lo previsto en los apartados anteriores, el Juez o Tribunal, razonándolo en sentencia, en atención a las circunstancias personales del autor y las concurrentes en la realización del hecho, podrá imponer la pena inferior en grado.

STS 677/2018 (Pleno): No puede extraerse de la Exposición de motivos de la LO 11/2003 y trasladarse al tipo penal del art. 153.1 y 2 CP un elemento subjetivo del injusto que requiera de la concurrencia de la dominación o machismo en el ataque del hombre a la mujer cuando existe un acometimiento recíproco entre ellos, pero tampoco cuando existe solo un acometimiento del hombre a la mujer, ya que no lo exige el tipo penal, sino solo el objetivo de la agresión. (Tol 7658849)

STS 902/2021: Aunque, según la doctrina de la Sala, el tipo no requiere un especial elemento subjetivo consistente en la intención de dominación, sin embargo, exige que la agresión se produzca en el contexto de la relación de pareja. Esta puede ser actual o pasada, pero siempre será necesario que los hechos tengan lugar dentro de ese contexto. Si este extremo puede ser excepcionalmente excluido, el artículo 153 resultará inaplicable.

STS 572/2018: El resultado típico no se acota, como pretende el motivo, por la potencialidad lesiva, si por tal se entiende la que es capaz de causar una lesión. Pues tanto el artículo 147.3 como el 153 han tipificado como delito, siquiera con consecuencias jurídicas diversas, el comportamiento que no va más allá del maltrato de obra sin causar lesión.

STS 8/2020: La acusación por delito de lesiones es homogénea con la del delito de maltrato familiar por el que ha sido condenado al comprender en su estructura una acción causal a un menoscabo en la salud del art. 147 del Código Penal realizada en un ámbito de convivencia que el art. 153 prevé.

STS 342/2018 (Pleno): En efecto, esta Sala concluye que el delito de maltrato de obra sin causar lesión del artículo 153 CP sí debe entenderse comprendido entre aquellos delitos para los que el apartado segundo del artículo 57 CP prevé la imposición preceptiva de la prohibición de aproximación. (Tol 6670815)

STS 892/2021: En este caso, como acertadamente dice el Fiscal, no cabe la absorción resuelta por la sentencia, porque los delitos protegen bienes jurídicos no contemplados en el delito que se señala como absorbente. El artículo 153.1 CP se incluye, como hemos dicho, en el título del Código Penal de las lesiones, los malos tratos que contempla son los malos tratos físicos: el que "golpeare o maltratare de obra a otro sin causarle lesión". Estos maltratos no incluyen los ataques al honor (vejaciones o injurias leves) ni los ataques a la libre determinación de la voluntad (las amenazas). La condena por el delito del artículo 153.1 CP a la pena señalada en el mismo, no sanciona el desvalor de las conductas contra el honor y la libertad que son constitutivas de los delitos de los artículos 169.2 y 173.4 CP". Lo expuesto no es óbice para admitir la absorción cuando el ataque a los bienes honor, dignidad, integridad moral y libertad de la víctima por las expresiones que se hayan podido proferir en el contexto del maltrato carezcan de relevancia, de manera que el contenido del injusto y de reproche del hecho, es decir, toda su significación antijurídica quede cubierta por aquel, pero no cuando impliquen un plus que desborde los contornos que lo delimitan, invadiendo la esfera propia de otros bienes en colisión diferentes de la integridad física. La opción exige en un ejercicio de ponderación a través del significado de las palabras empleadas, y las concretas circunstancias en que las mismas se pronuncian.

STS 582/2022 (Pleno): La Ley 54/2007, manifiesta en su Exposición de Motivos, que corrige la redacción del art. 154 CC (donde se leía que los padres podían corregir moderada y razonablemente a los hijos, se establece ahora la obligación de los progenitores de respetar la integridad física y psicológica de los hijos en el ejercicio de la patria potestad) para dar respuesta a los requerimientos del Comité de Derechos del Niño, que ha mostrado su preocupación por la posibilidad de que la facultad de corrección moderada que hasta ahora se reconoce a los padres y tutores pueda contravenir el artículo 19 de la Convención sobre los Derechos del Niño de 20 de noviembre de 1989. En paralelo y concreción del amplio ámbito típico del art. 153 CP y específicamente en relación a cuando los destinatarios de la violencia son menores, por parte de sus progenitores, que invocan como causa justificativa de esa violencia, el derecho de corrección, ya ha sido objeto de pronunciamiento por parte de esta Sala Segunda; y así la sentencia núm. 47/2020 de 11 de febrero, con cita extensa de la núm. 654/2019, de 8 de enero de 2020: El legislador ha tipificado en el art. 153 CP el delito de violencia doméstica de forma que en el mismo se castiga con las penas que contiene en los distintos apartados al que "por cualquier medio o procedimiento causare a otro menoscabo psíquico o una lesión de menor gravedad de las previstas en el apartado 2 del art. 147 (esto es, lesiones que no requieran objetivamente para su sanidad, además de una primera asistencia facultativa, tratamiento médico o quirúrgico) o golpeare o maltratare de obra a otro sin causarle lesión", redacción dada por LO 1/2015. Por tanto, debemos indicar que de entrada y desde una perspectiva general el simple hecho de golpear a un menor ya incardina la conducta del acusado en el tipo penal contenido en el apartado segundo del precepto en el que se contempla el supuesto en el que el agredido fuera alguna de las personas a que se refiere el art. 173.2 CP. Posteriormente, tras reconocer la existencia de un moderado y proporcional derecho de corrección, ultima: En conclusión, debe considerarse que el derecho de corrección, tras la reforma del art. 154.2 in fine C.Civil , sigue existiendo como necesario para la condición de la función de educar inherente a la patria potestad, contemplada en el art. 39 CE y como contrapartida al deber de obediencia de los hijos hacia sus padres, previsto en el art. 155 C.Civil, únicamente de este modo, los padres pueden, dentro de unos límites, actuar para corregir las conductas inadecuadas de sus hijos. Si consideráramos suprimido el derecho de corrección y bajo su amparo determinadas actuaciones de los padres tales como dar un leve cachete o castigar a los hijos sin salir un fin de semana, estos actos podrían integrar tipos penales tales como el maltrato o la detención ilegal. Por lo tanto, tras la reforma del art. 154.2 C.Civil, el derecho de corrección es una facultad inherente a la patria potestad y no depende su existencia del reconocimiento legal expreso, sino de su carácter de derecho autónomo, por lo que sigue teniendo plena vigencia. Cosa distinta es la determinación de su contenido y de sus límites tras la supresión formal del mismo. Es por ello y por la progresiva dulcificación de la patria potestad que viene siendo una constante en los últimos tiempos que cada caso concreto debe ponerse en consonancia con la evolución y la interpretación de las leyes con atención a la realidad social del tiempo en que apliquen a tenor de lo establecido por el art. 3.1 del C.Civil. En este sentido los comportamientos violentos que ocasionen lesiones -entendidas en el sentido jurídico-penal como aquellas que requieren una primera asistencia facultativa y que constituyan delito- no pueden encontrar amparo en el derecho de corrección. En cuanto al resto de las conductas, deberán ser analizadas según las circunstancias de cada caso y si resulta que no exceden los límites del derecho de corrección, la actuación no tendrá consecuencias penales ni civiles. En autos, la bofetada no origina la necesidad de asistencia médica de la menor; pero en modo alguno puede considerarse atípica, cuando se contempla desprovista de cualquier necesidad, justificación ni resquicio de proporcionalidad; sino como mera reacción ante un comentario que no fue del agrado del recurrente. Deviene cuestionable, el derecho de corrección que comporta violencia sobre el menor por mínima que sea; y aún cuando en determinadas circunstancias la de muy liviano carácter no conlleve sanción penal, si integra mero maltrato por simple discrepancia con el menor; en modo alguno escapa a su condición típica acreedora de reproche penal. Por tanto, ningún amparo encuentra en esos criterios jurisprudenciales, un fuerte azote en las nalgas a una menor de cuatro años, que causa lesiones aunque no requiera asistencia facultativa, al ser de tal intensidad que deja marcada la mano; tanto más, si el motivo que generó la agresión es meramente que lloraba y no se dormía. (Tol 9051404)

STS 47/2020: Concurre el delito de maltrato de obra del artículo 153 del Código Penal , cuando la víctima sea menor aún sin convivencia, cuando se halle sujeta a la potestad, tutela, curatela, acogimiento o guarda de hecho del cónyuge o conviviente. Y en idénticos términos cuando la víctima fuere persona con discapacidad necesitada de especial protección.

STS 188/2018 (Pleno): La finalidad que persigue la agravación de la pena que prevé el apartado 3 del art. 153 es evitar la victimización de los menores que residen en el entorno doméstico, objetivo que tiene un sentido protector de sus personas en el contexto de la fenomenología de la violencia intrafamiliar o doméstica. De modo que, aunque no lo diga el precepto, se ha de tratar de menores integrados en el círculo de sujetos del art. 173.3 CP, pues la razón de la agravación estriba en la vulneración de derechos de los menores que presencian agresiones entre personas de su entorno familiar y educativo. Es decir, no se agravará la conducta cuando ésta se perpetre en presencia de menores de edad sin vinculación alguna con el agresor y el agredido (por ejemplo, agresión entre cónyuges en la vía pública presenciada por menores transeúntes). Asimismo, es claro que sólo se puede cumplimentar su objetivo exacerbando la pena en el caso en que el menor se percate o aperciba de la situación de crispación o de enfrentamiento familiar por cualquiera de los medios sensoriales con que pueda cerciorarse de los hechos. Sin que para ello sea preciso que los vea de forma directa por estar delante de los protagonistas de la escena violenta, sino que puede conocerla de forma sustancial a través de su capacidad auditiva y de otros medios sensoriales complementarios que le den perfecta cuenta de lo que está realmente sucediendo. La interpretación del término "en presencia" no puede pues restringirse a las percepciones visuales directas, sino que ha de extenderse a las percepciones sensoriales de otra índole que posibiliten tener conciencia de que se está ejecutando una conducta agresiva de hecho o de palabra propia de una escena de violencia. Y es que en tales supuestos es patente que el menor resulta directamente afectado de forma muy negativa en su formación y desarrollo personal, en su maduración psicosocial y en su salud física y mental. (Tol 6577889)

STS 478/2021: Tampoco es necesario que (la menor) se encontrara mirando, pues la percepción bien pudo obtenerla simplemente porque oyó las expresiones proferidas por agresor y víctima. Lo relevante es que la misma se encontraba en condiciones físicas y locativas idóneas para advertir de cualquiera de las formas posible los hechos.

STS 325/2019: La alegación del motivo sostiene que los tres comportamientos por los que el recurrente ha sido condenado como autor de sendos delitos de maltrato en el ámbito familiar del artículo 153.1 del Código Penal, engarzados en un dolo unitario y en unas coordenadas espacio-temporales semejantes, determinan la existencia de un delito continuado del artículo 74.1 del Código Penal , con la repercusión penológica más beneficiosa que esa norma contiene respecto del concurso real de delitos que se le ha aplicado. El delito continuado se caracteriza porque entre las acciones perpetradas por el sujeto activo confluye una unidad objetiva, que muestra una misma antijuricidad material y justifica su punición unitaria. Es la homogeneidad de los actos y del bien jurídico atacado, modelada por la búsqueda de una única meta o por el aprovechamiento de una ocasión repetida, la que muestra el exceso de que se sancionen separadamente unas actuaciones que lo que dibujan es una misma trayectoria o progresión delictiva, pero sin eludir el mayor desvalor que supone la permanencia o insistencia en el quebranto de los bienes jurídicos que el tipo penal defiende, justificándose así la potenciación de la pena que hubiera correspondido a cada uno de esos ataques individuales. No obstante, la configuración legal de esta compensación excluye los supuestos en los que los bienes jurídicos atacados tiene una naturaleza personal, pues la exigencia de un absoluto y permanente respeto al individuo, a su vida, a su integridad, y a aquellos derechos más inseparablemente unidos a la dignidad de su condición humana, impiden que pueda desdibujarse o modularse una antijuridicidad que es igualmente rechazable en cada uno de los ataques, siempre que estas agresiones tengan una realidad sustantiva diferenciada y puedan ser claramente individualizadas.

STS 27/2019: El art. 153.3 habla del domicilio de la víctima. Con esa agravación se presta una tutela reforzada al ámbito de privacidad de la víctima sancionando de forma más rigurosa el plus de antijuridicidad y victimización que supone que el ataque o la agresión se lleve a cabo en el espacio de privacidad de la víctima, en el lugar donde desarrolla su vida cotidiana, en su más señalado reducto de intimidad. Han de excluirse del ámbito de la agravación por razones tanto teleológicas como estrictamente literales los supuestos en que el maltrato se lleva a cabo en un inmueble que, siendo propiedad de víctima o familiares, no constituye su domicilio ni siquiera transitorio o de temporada; o en un lugar de estancia meramente esporádica o puntual (la habitación del hotel, v. gr.). No es que se quiera administrativizar el concepto de domicilio del art. 153.3, pero sí exigir que estemos ante un lugar de desarrollo más o menos estable de la propia vida personal.

STS 621/2021: Han de excluirse de la agravación, por razones tanto teleológicas como estrictamente literales, los supuestos en que el maltrato se desarrolla en zonas comunes de un edificio, ajenas a ese reducto de privacidad que es la propia vivienda. No juega aquí la jurisprudencia recaída en torno a las agravaciones del delito de robo (dependencias de casa habitada), cuyo fundamento es distinto (lo demuestra la equiparación con los establecimiento abiertos al público). Es exigible en el art. 153.3 CP que estemos ante un espacio de desarrollo, más o menos estable, de la propia vida personal.

STS 1011/2021: La ley lanza el mensaje de que, si el maltrato a esas personas cercanas merece un severo reproche, éste ha de incrementarse cuando se realiza en el ámbito doméstico, en el ámbito en que la víctima debiera sentirse más protegida, y donde, sin embargo, puede llegar a ser más vulnerable. No es necesario un dolo reduplicado, o una intención específica por parte del autor. Basta con que conozca que está perpetrando la agresión en la morada de la víctima. Por consiguiente, desvinculada la agravación prevista en el art. 153.3 del CP de una significación puramente estratégica, encaminada a obtener una mayor facilidad comisiva, es evidente que la concurrencia del tipo subjetivo habrá de estimarse colmada con el dolo genérico, esto es, la conciencia y voluntad del autor respecto de los elementos del tipo objetivo.

STS 214/2022: Las agravaciones comprendidas en el art. 153.3 CP contemplan situaciones que implican una mayor antijuridicidad de la acción desplegada por el sujeto activo del delito. Entre ellas se encuentra el supuesto de que se quebrante una pena de las contempladas en art. 48 CP o una medida cautelar o de seguridad de la misma naturaleza. Por ello puede entenderse que, junto a la indemnidad y seguridad de la víctima, el precepto también tutela el correcto funcionamiento de la Administración de Justicia. El bien jurídico del tipo penal previsto en el art. 468.2 CP es la efectividad y el acatamiento de las resoluciones judiciales, pero en el supuesto como el presente en el que se imputa el incumplimiento de medidas de prohibición de comunicación o de acercamiento, al mismo tiempo se están tutelando los intereses de la parte que se ve beneficiada o protegida por la medida quebrantada, en tanto que persigue como finalidad última la de prevenir situaciones de peligro para las víctimas. Se configura de esta forma como un delito pluriofensivo en el que, de un lado, se sigue protegiendo la Administración de Justicia. De otro lado tutela la indemnidad de la víctima de un delito preexistente cometido sobre alguna de las personas comprendidas en el art 173.2 CP. Por ello, en el hipotético supuesto de que la agresión perpetrada por el acusado hubiera tenido lugar fuera del domicilio de la víctima y quebrantando la medida cautelar de prohibición de acercamiento, concurriría unidad de acción tanto en su vertiente natural como en su vertiente jurídica. El hecho de que se quebrantara la medida de alejamiento al tiempo que se cometía el delito de maltrato y que, por ello, se agravara éste, impediría que aquella circunstancia se valorara nuevamente para postular una punición autónoma como delito de quebrantamiento de condena del art. 468 CP. El desvalor del hecho quedaría totalmente cubierto con la aplicación de sólo una de dichas normas penales haciendo innecesaria la aplicación de las demás. En otro caso se conculcaría el principio "non bis in idem". Consecuentemente con ello podríamos concluir que nos encontraríamos ante un concurso de normas a resolver conforme a lo dispuesto en el art. 8.3 CP. En consecuencia, siendo más amplio el precepto comprendido en el art. 153.3 CP, debería absorber al contemplado en el art. 468.2 CP. A diferencia de los casos anteriores, otra posibilidad que, como en el caso actual, sí permitiría la aplicación del concurso de delitos y que no vulneraría la prohibición de vulneración del principio del non bis in idem sería el caso de un supuesto del art. 153.1 CP donde concurre la vulneración de la prohibición de comunicación, o la orden de alejamiento, y, además, otra circunstancia del subtipo agravado del apartado 3º del art. 153 CP, como la de perpetrarlo en presencia de menores, con armas o en el domicilio común o de la víctima, por lo que teniendo en cuenta que el quebrantamiento de una medida cautelar impuesta en procesos criminales en los que el ofendido sea alguna de las personas a las que se refiere el artículo 173.2 está tipificada como delito autónomo -y agravado respecto de su tipo básico, en el artículo 468.2 del Código Penal- lo que surge es que cuando en la conducta subsumible en el artículo 153.1 del Código Penal se aprecia, además de un quebrantamiento de una medida cautelar del artículo 48 del mismo texto legal, una o más de las restantes tres circunstancias previstas en el artículo 153.3 del Código Penal antes citadas, cualquiera de las cuales, dada su enumeración alternativa, permitirían la aplicación del subtipo agravado en art. 153.3 CP en el apartado 1º, y ello permite la vía de la posibilidad de configurar dicho subtipo agravado con alguna o más de ellas y proceder a la punición por separado del delito de quebrantamiento de medida cautelar, lo que no conllevaría vulneración del principio non bis in idem. Aquí nos encontramos ante un hecho en el que concurren dos circunstancias agravatorias claramente diferenciadas. Ninguna de las normas, art. 153.3 o art. 468.2 CP, es suficiente para aprehender por completo el desvalor total y absoluto del hecho. Además, las circunstancias recogidas en el art. 153.3 CP que provocan el efecto agravatorio vienen referidas de forma disyuntiva o alternativa, no copulativa. De manera que la sola concurrencia de una de ellas determina la apreciación del subtipo agravado. Estamos, por tanto, ante un concurso de delitos en el que la circunstancia de perpetrar el hecho en el domicilio de la víctima integra ya el subtipo agravado. La otra circunstancia (quebrantamiento de la medida cautelar), constituiría el delito previsto en el art. 468.2 CP.

STS 86/2019: Entendemos no obstante aplicable el párrafo 4° del señalado precepto que permite al Juez o Tribunal, razonándolo en sentencia, en atención a las circunstancias personales del autor y las concurrentes en la realización del hecho, rebajar la pena en un grado , teniendo en cuenta la menor entidad de los hechos que podríamos calificar en este caso de una mera sujeción que no causó lesiones, sin que consten otros antecedentes de violencia en la pareja más allá de discusiones en el contexto de una relación ya deteriorada.

STS 72/2022: Hemos declarado en la sentencia núm. 915/2021, de 24 de noviembre, que la aplicación del tipo agravado del art. 153.3 del CP no excluye con carácter general la degradación en la respuesta penal que autoriza el art. 153.4 del CP. La propia dicción del precepto avala tal conclusión al referirse sin excepción a "los apartados anteriores".

Art. 154.

Quienes riñeren entre sí, acometiéndose tumultuariamente, y utilizando medios o instrumentos que pongan en peligro la vida o integridad de las personas, serán castigados por su participación en la riña con la pena de prisión de tres meses a un año o multa de seis a 24 meses.

STS 755/2022: Queda así acreditada la concurrencia de los elementos que la jurisprudencia ha exigido en relación con este delito: Que haya una pluralidad de personas que riñan entre sí con agresiones físicas entre varios grupos recíprocamente enfrentados. Que en tal riña esos diversos agresores físicos se acometan entre sí de modo tumultuario (confusa y tumultuariamente, decía de forma muy expresiva el anterior art. 424), esto es, sin que se pueda precisar quién fue el agresor de cada cual. Y que en esa riña tumultuaria haya alguien (o varios) que utilicen medios o instrumentos que pongan en peligro la vida o integridad de las personas, sin que sea necesario que los utilicen todos los intervinientes.

Art. 155.

En los delitos de lesiones, si ha mediado el consentimiento válida, libre, espontánea y expresamente emitido del ofendido, se impondrá la pena inferior en uno o dos grados.

No será válido el consentimiento otorgado por un menor de edad o una persona con discapacidad necesitada de especial protección.

STS 690/2019: Como sostienen relevantes sectores doctrinales, la heteropuesta en peligro consentida comporta una restricción teleológica del tipo de lesiones cuando el peligro equivalga, en su aspecto sustantivo, a una normalmente impune autopuesta en peligro con cooperación de terceros. Una equiparación que precisa de la comunión de los elementos que desdibujan la responsabilidad del autor con la del propio lesionado, concretamente: a) Que la víctima tenga un adecuado conocimiento del riesgo; b) Que consienta en la acción arriesgada causante del daño, sin venir tampoco impulsado por una marcada incitación del autor; c) Que el daño sea consecuencia del riesgo asumido, sin añadirse otros descuidos del ejecutante y d) Que la víctima, hasta el momento del completo descontrol del riesgo, haya podido dominarlo de una manera equivalente al autor mismo. Lo que es plenamente predicable respecto de aquella persona que, conociendo la patología contagiosa de otro, decide voluntaria y libremente mantener relaciones sexuales con él, sabedor que éstas son vehículo de transmisión de la enfermedad.

Art. 156 bis.

1. Los que de cualquier modo promovieren, favorecieren, facilitaren, publicitaren o ejecutaren el tráfico de órganos humanos serán

castigados con la pena de prisión de seis a doce años tratándose del órgano de una persona viva y de prisión de tres a seis años tratándose del órgano de una persona fallecida.

A estos efectos, se entenderá por tráfico de órganos humanos:

a) La extracción u obtención ilícita de órganos humanos ajenos. Dicha extracción u obtención será ilícita si se produce concurriendo cualquiera de las circunstancias siguientes:

1.ª que se haya realizado sin el consentimiento libre, informado y expreso del donante vivo en la forma y con los requisitos previstos legalmente;

2.ª que se haya realizado sin la necesaria autorización exigida por la ley en el caso del donante fallecido,

3.ª que, a cambio de la extracción u obtención, en provecho propio o ajeno, se solicitare o recibiere por el donante o un tercero, por sí o por persona interpuesta, dádiva o retribución de cualquier clase o se aceptare ofrecimiento o promesa. No se entenderá por dádiva o retribución el resarcimiento de los gastos o pérdida de ingresos derivados de la donación.

b) La preparación, preservación, almacenamiento, transporte, traslado, recepción, importación o exportación de órganos ilícitamente extraídos.

c) El uso de órganos ilícitamente extraídos con la finalidad de su trasplante o para otros fines.

2. Del mismo modo se castigará a los que, en provecho propio o ajeno:

a) solicitaren o recibieren, por sí o por persona interpuesta, dádiva o retribución de cualquier clase, o aceptaren ofrecimiento o promesa por proponer o captar a un donante o a un receptor de órganos;

b) ofrecieren o entregaren, por sí o por persona interpuesta, dádiva o retribución de cualquier clase a personal facultativo, funcionario público o particular con ocasión del ejercicio de su profesión o cargo en clínicas, establecimientos o consultorios, públicos o privados, con el fin de que se lleve a cabo o se facilite la extracción u obtención ilícitas o la implantación de órganos ilícitamente extraídos.

3. Si el receptor del órgano consintiere la realización del trasplante conociendo su origen ilícito será castigado con las mismas penas previstas en el apartado 1, que podrán ser rebajadas en uno o dos grados atendiendo a las circunstancias del hecho y del culpable.

4. Se impondrán las penas superiores en grado a las previstas en el apartado 1 cuando:

a) se hubiera puesto en grave peligro la vida o la integridad física o psíquica de la víctima del delito.

b) la víctima sea menor de edad o especialmente vulnerable por razón de su edad, discapacidad, enfermedad o situación.

Si concurrieren ambas circunstancias, se impondrá la pena en su mitad superior.

5. El facultativo, funcionario público o particular que, con ocasión del ejercicio de su profesión o cargo, realizare en centros públicos o privados las conductas descritas en los apartados 1 y 2, o solicitare o recibiere la dádiva o retribución a que se refiere la letra b) de este último apartado, o aceptare el ofrecimiento o promesa de recibirla, incurrirá en la pena en ellos señalada superior en grado y, además, en la de inhabilitación especial para empleo o cargo público, profesión u oficio, para ejercer cualquier profesión sanitaria o para prestar servicios de toda índole en clínicas, establecimientos o consultorios, públicos o privados, por el tiempo de la condena. Si concurriere, además, alguna de las circunstancias previstas en el apartado 4, se impondrán las penas en su mitad superior.

A los efectos de este artículo, el término facultativo comprende los médicos, personal de enfermería y cualquier otra persona que realice una actividad sanitaria o socio-sanitaria.

6. Se impondrá la pena superior en grado a la prevista en el apartado 1 e inhabilitación especial para profesión, oficio, industria o comercio por el tiempo de la condena, cuando el culpable perteneciere a una organización o grupo criminal dedicado a la realización de tales actividades. Si concurriere alguna de las circunstancias previstas en el apartado 4, se impondrán las penas en la mitad superior. Si

concurriere la circunstancia prevista en el apartado 5, se impondrán las penas señaladas en este en su mitad superior.

Cuando se tratare de los jefes, administradores o encargados de dichas organizaciones o grupos, se les aplicará la pena en su mitad superior, que podrá elevarse a la inmediatamente superior en grado. En todo caso se elevará la pena a la inmediatamente superior en grado si concurriera alguna de las circunstancias previstas en el apartado 4 o la circunstancia prevista en el apartado 5.

7. Cuando de acuerdo con lo establecido en el artículo 31 bis una persona jurídica sea responsable de los delitos comprendidos en este artículo, se le impondrá la pena de multa del triple al quíntuple del beneficio obtenido.

Atendidas las reglas establecidas en el artículo 66 bis, los jueces y tribunales podrán asimismo imponer las penas recogidas en las letras b) a g) del apartado 7 del artículo 33.

8. La provocación, la conspiración y la proposición para cometer los delitos previstos en este artículo se castigarán con la pena inferior en uno a dos grados a la que corresponde, respectivamente, a los hechos previstos en los apartados anteriores.

9. En todo caso, las penas previstas en este artículo se impondrán sin perjuicio de las que correspondan, en su caso, por el delito del artículo 177 bis de este Código y demás delitos efectivamente cometidos.

10. Las condenas de jueces o tribunales extranjeros por delitos de la misma naturaleza que los previstos en este artículo producirán los efectos de reincidencia, salvo que el antecedente penal haya sido cancelado o pueda serlo con arreglo al Derecho español.

> STS 710/2017: Es preciso indagar el bien jurídico objeto de protección, si la integridad física del donante o la salud pública en su conjunto y concretamente, las condiciones de dignidad que deben rodear un acto de liberalidad, como la donación de un órgano para ser trasplantado, y la propia normativa reguladora del sistema nacional de trasplantes, la Organización nacional de trasplante, que se estructura desde los principios de altruismo, solidaridad y gratuidad de las cesiones de órganos para su destino a enfermos necesitados de su realización, igualmente regido por criterios objetivos de adjudicación, propios

de un sistema público de salud. Se trata de proteger, además, el sistema público que garantiza las condiciones de salud, el principio de igualdad y la dignidad de las personas. Es cierto que la teoría del bien jurídico ha caído en desuso en la dogmática penal. La irrupción de corrientes doctrinales y filosóficas basadas en el funcionalismo y en el modelo sistémico en el que se encuadra el régimen represivo penal ya no parten del principio de exclusiva protección de bienes jurídicos, como criterio delimitador del *ius puniendi*, sino que se trata de conceptuar al sistema penal como instrumento para asegurar la vigencia de la norma y reprimir aquellas conductas que supongan un incumplimiento grave de las mismas, defraudando a las expectativas que la sociedad tiene en cada ciudadano que debe acomodar su conducta a las exigencias de la norma. En el caso, el tipo penal introducido en el año 2010 no trata solamente de proteger la salud o la integridad física de las personas, sino que el objeto de protección va más allá destinado a proteger la integridad física, desde luego, pero también las condiciones de dignidad de las personas, evitando que las mismas por sus condicionamientos económicos puedan ser cosificadas, tratadas como un objeto detentador de órganos que, por su bilateralidad o por su no principalidad, pueden ser objeto de tráfico. Y también el propio sistema nacional de trasplantes (Ley 30/1979, y RRDD 2070/1999 y 1301/2006), que establece un sistema, nacional, altruista y solidario para la obtención y distribución de órganos para su trasplante a enfermos que lo necesiten. La organización requiere de un apoyo normativo para su desarrollo y el cumplimiento de sus fines sobre los que se asienta el sistema. Desde la perspectiva expuesta, la tipicidad se asienta sobre cuatro verbos nucleares: favorecer, promover, y facilitar, los mismos que en el delito contra la salud pública por tráfico de drogas, y publicitar, actuaciones sobre el trasplante y tráfico de órganos, describiendo con esas conductas actuaciones que suponen la punición de conductas iniciales del trasplante como la desarrollada por los acusados que habían concertado un trasplante de un órgano de un ser vivo a cambio de precio, aprovechando su situación de necesidad expresada en el relato fáctico con la expresión de vivir de la limosna de terceras personas. El ejemplo sobre la admisibilidad excepcional de formas imperfectas de ejecución en el delito de tráfico de drogas, no es predicable para este delito en el que la acción de favorecer la realización de un tráfico o de un trasplante de órganos, de manera ilegal, se realiza con la conducta que se expresa en el hecho probado.

III. DELITOS CONTRA LA LIBERTAD (ARTS. 163 A 172 TER)

Art. 163.

1. El particular que encerrare o detuviere a otro, privándole de su libertad, será castigado con la pena de prisión de cuatro a seis años.

2. Si el culpable diera libertad al encerrado o detenido dentro de los tres primeros días de su detención, sin haber logrado el objeto que se había propuesto, se impondrá la pena inferior en grado.

3. Se impondrá la pena de prisión de cinco a ocho años si el encierro o detención ha durado más de quince días.

4. El particular que, fuera de los casos permitidos por las leyes, aprehendiere a una persona para presentarla inmediatamente a la autoridad, será castigado con la pena de multa de tres a seis meses.

STS 49/2018: Su forma comisiva está representada por los verbos nucleares de "encerrar" o "detener" que representan actos injustamente coactivos para una persona, realizados contra su voluntad o sin ella, afectando a un derecho fundamental de la misma cual es el de la libertad deambulatoria consagrada en el art. 17.1 CE. Libertad que se cercena injustamente cuando se obliga a una persona a permanecer en un determinado sitio cerrado ("encierro") o se le impide moverse en un espacio abierto ("detención"). En ambos casos, se priva al sujeto pasivo de la posibilidad de trasladarse de lugar según su voluntad y se limita ostensiblemente el derecho de deambulación en tanto se impide de alguna manera el libre albedrío en la proyección exterior y física de la persona humana. Este delito se proyecta desde tres perspectivas. El sujeto activo que dolosamente limita la deambulación de otro, el sujeto pasivo que anímicamente se ve constreñido -o físicamente impedido- en contra de su voluntad, y por último el tiempo como factor determinante de esa privación de libertad, aunque sea evidente que la consumación se origina desde que la detención se produce. En definitiva, el tipo descrito en el artículo 163 CP es un delito que se caracteriza por la concurrencia de los siguientes elementos: 1º) el elemento objetivo del tipo consistente en la privación de la libertad deambulatoria de la persona, tanto encerrándola físicamente como deteniéndola, es decir, impidiendo su libertad de movimientos, sin que sea preciso entonces un físico "encierro"; 2º) el elemento subjetivo del tipo, el dolo penal, consiste en que la detención se realice de forma arbitraria, injustificada, siendo un delito eminentemente intencional en el que no cabe la comisión por imprudencia. Y en cuanto al elemento subjetivo, el dolo no puede confundirse con él móvil. El dolo es la conciencia y voluntad de privar al sujeto pasivo de su libertad de movimientos, de realizar el tipo objetivo que es, de acuerdo con el pretexto que lo define, , encerrar o detener a otro, bastando con que el acusado tenga una idea clara de la ilicitud de su conducta. El elemento subjetivo de este delito no requiere que el autor haya obrado con una especial tendencia de desprecio la víctima diversa de lo que ya expresa el dolo, en tanto conocimiento de la privación de libertad deambulatoria de otra persona. Consecuentemente, comprobada la existencia del dolo, ningún propósito específico se requiere para completar el tipo subjetivo y, por lo tanto, la privación de libertad reúne todos los elementos del tipo, siendo irrelevante los móviles pues el tipo no hace referencia a propósitos ni a finalidades comisivas.

STS 295/2022: Una vez consumada la detención, que ya hemos precisado que es instantánea, el tipo aplicable es el previsto en el artículo 163.1 del Código Penal, que es el que describe la conducta típica, de forma que solo puede acudirse al tipo atenuado cuando queden acreditados los presupuestos fácticos necesarios. Dicho con otras palabras, no se trata de comenzar por el tipo atenuado y exigir la demostración de la voluntad de ir más allá de las 72 horas de detención, y la inexistencia de un propósito determinado o su no obtención, para aplicar el tipo básico. Antes al contrario, el tipo básico no requiere como elemento del tipo subjetivo la voluntad de prolongar la detención por más de 72 horas; es el tipo atenuado el que se relaciona con la indiscutible voluntad de no superar ese plazo. La estimación del tipo atenuado, no resulta de aplicación, cuando la situación de privación de libertad es interrumpida como consecuencia de actuaciones de terceros ajenas a la propia decisión del autor, bien sea de efectivos policiales, bien del propio detenido o bien de otros particulares.

STS 376/2017: En efecto, la primera condición que exige el precepto (subtipo atenuado del art. 163.2), es que sea el autor quien da libertad al detenido o encerrado, lo que excluye los casos en los que sea la actividad de la víctima lo que ocasiona la cesación de la situación de detención. Exige que la liberación de la víctima haya sido realizada voluntariamente por el sujeto pasivo, y, consecuentemente, niega la atenuación cuando ha sido el sujeto pasivo o terceras personas quienes, sin concurso del responsable del delito, han hecho cesar la situación ilegal. Por eso, se dice que la conducta del culpable ha de ser un acto voluntario, espontáneo y libre, pero rechazándose cuando la libertad de la víctima haya sido consecuencia de la actuación o intervención policial. En todo caso, la premisa esencial para la apreciación del tipo privilegiado es la concurrencia de un arrepentimiento durante la fase comisiva del delito, por lo que no resultará procedente cuando la liberación venga mediatizada en modo alguno y resulte por ello ajena a la determinación del culpable; lo que se aprecia en todos aquellos supuestos en los que el abandono de la actuación delictiva responde, no a la voluntariedad del autor, sino a la actuación de las fuerzas policiales, del propio detenido o de otros particulares. De otro lado, como segundo requisito el precepto exige que el autor no haya conseguido su propósito. La tercera exigencia legal se refiere al plazo dentro del cual ha de producirse la liberación de la víctima, tres días, plazo que se inicia en el momento mismo de la privación de libertad y termina en el instante mismo que cesa aquella privación, debiendo computarse por horas (72) ya que resulta más favorable para el reo y el fomento a la indemnidad del bien jurídico, finalidad de la atenuación.

Art. 164.

El secuestro de una persona exigiendo alguna condición para ponerla en libertad, será castigado con la pena de prisión de seis a diez años. Si en el secuestro se hubiera dado la circunstancia del artículo 163.3, se impondrá la pena superior en grado, y la inferior en grado si se dieren las condiciones del artículo 163.2.

STS 612/2021: Esta Sala tiene dicho que el secuestro del artículo 164 es un delito con autonomía propia aunque ciertamente emparentado con la detención ilegal de forma que ésta se presenta como instrumental para la consumación del primero que se ha calificado como complejo o integrado por la detención más la condición impuesta que en realidad constituye una amenaza, es más, incluso puede diferirse en el tiempo la exigencia de la condición mientras persiste la detención de la persona. También hemos dicho que el delito de detención ilegal se consuma en el instante de la privación del derecho de libertad que tiene la persona y la figura de la detención ilegal exigiendo alguna condición para poner en libertad del detenido se consuma desde que se pone la condición, no requiriéndose el efectivo cumplimiento de la condición. El tipo objetivo de este supuesto agravado se presentaría completo cuando a la efectiva privación de libertad se sume la puesta de una condición, aún en el supuesto de que no se obtenga el cumplimiento de la condición exigida.

Art. 167.

1. La autoridad o funcionario público que, fuera de los casos permitidos por la ley, y sin mediar causa por delito, cometiere alguno de los hechos descritos en este Capítulo será castigado con las penas respectivamente previstas en éstos, en su mitad superior, pudiéndose llegar hasta la superior en grado.

2. Con las mismas penas serán castigados:

a) El funcionario público o autoridad que, mediando o no causa por delito, acordare, practicare o prolongare la privación de libertad de cualquiera y que no reconociese dicha privación de libertad o, de cualquier otro modo, ocultase la situación o paradero de esa persona privándola de sus derechos constitucionales o legales.

b) El particular que hubiera llevado a cabo los hechos con la autorización, el apoyo o la aquiescencia del Estado o de sus autoridades.

3. En todos los casos en los que los hechos a que se refiere este artículo hubieran sido cometidos por autoridad o funcionario público, se les impondrá, además, la pena de inhabilitación absoluta por tiempo de ocho a doce años.

Acuerdo no jurisdiccional del pleno de la Sala 2ª del TS de 27 de enero de 2009: La remisión que el art. 167 CP hace al art. 163, alcanza también al apartado 4 de este último.

STS 678/2018: Si bien la descripción típica del artículo 167, referido a las detenciones ilegales llevadas a cabo por Autoridad o funcionario público distintas de las contempladas en el artículo 530 del mismo Código Penal, parece incongruente con una vinculación al supuesto del apartado 4 del 163, ya que éste se encabeza con la referencia a "El particular ....", lo cierto es que esta referencia a la literalidad de ambos preceptos no puede ser considerada como un obstáculo absoluto para la discutida posibilidad de remisión, toda vez que también el apartado 1 del meritado artículo 163, también castiga a "El particular que encerrare o detuviere a otro...". Por ello, la remisión del 167 ha de entenderse no referida a la integridad de los distintos tipos objetivos descritos en los diferentes apartados del artículo 163, con todos los elementos que los definen, sino, tan sólo, a un aspecto concreto de éstos, a saber, la acción típica, por lo que se trata de una remisión al hecho, sin incluir el carácter del sujeto de la acción.

STS 694/2016: La diferencia entre la detención ilegal del art. 530 y del art. 167, es que el primero exige que "medie causa por delito", lo que permite una privación de libertad inicialmente lícita, lo que no sucede en el supuesto del art. 167 en el que se dice expresamente "sin mediar causa por delito". En consecuencia, el tipo del art. 530 queda reservado a los casos de detención justificada pero en la que se produce luego el incumplimiento de los plazos legales o la inobservancia de las restantes exigencias, como la de no poder exceder la detención del tiempo estrictamente necesario, o de las garantías del art. 520 LECrim, a salvo las relativas a la información de derechos, cuyo incumplimiento origina el delito del art. 537 y no el del art. 530.

Art. 169.

El que amenazare a otro con causarle a él, a su familia o a otras personas con las que esté íntimamente vinculado un mal que constituya delitos de homicidio, lesiones, aborto, contra la libertad, torturas y contra la integridad moral, la libertad sexual, la intimidad, el honor, el patrimonio y el orden socioeconómico, será castigado:

1.º Con la pena de prisión de uno a cinco años, si se hubiere hecho la amenaza exigiendo una cantidad o imponiendo cualquier otra condición, aunque no sea ilícita, y el culpable hubiere conseguido su propósito. De no conseguirlo, se impondrá la pena de prisión de seis meses a tres años.

Las penas señaladas en el párrafo anterior se impondrán en su mitad superior si las amenazas se hicieren por escrito, por teléfono o por cualquier medio de comunicación o de reproducción, o en nombre de entidades o grupos reales o supuestos.

2.º Con la pena de prisión de seis meses a dos años, cuando la amenaza no haya sido condicional.

STS 328/2022: En efecto, la configuración típica de la amenaza como una infracción de mera actividad en la que no caben fórmulas imperfectas de consumación, toda vez que conceptualmente no es separable acción y resultado, reclama una correlación tempo-espacial concluyente entre la emisión y la recepción de la expresión amenazante por la persona a quien se dirige o por algunas a las que se refiere el artículo 169 CP. Relación que puede darse no solo cuando las condiciones recepticias del destinatario son inmediatas sino también cuando por el contexto de producción el emisor abarca que el receptor trasladará la amenaza al destinatario, representándose la eficacia de ese marco recepticio mediato.

STS 49/2019: La jurisprudencia ha venido decantándose por la existencia del delito de amenazas graves cuando nos encontramos ante una amenaza grave, seria y creíble por ser potencialmente esperado un comportamiento agresivo que lleve a efecto el mal amenazado. El criterio determinante de la distinción, tiene aspectos mayoritariamente cuantitativos, pero no debe descuidarse el perfil cualitativo de la amenaza que habrá que extraer de una serie de datos antecedentes y concurrentes en el caso. Nuestra jurisprudencia ha declarado en diversas ocasiones la posibilidad de estimar la continuidad delictiva en el delito de amenazas. La posibilidad de la continuidad delictiva en los delitos de amenazas, habría de resolverse caso por caso, ponderando las circunstancias concurrentes.

STS 510/2021: La incorporación de otras dos personas amenazadas a una secuencia en la que no se percibe solución de continuidad, incrementa el número de ofensas pero no destruye esa unidad de acción que llevará a la aplicación del instituto del concurso ideal homogéneo del art. 77 CP.

STS 699/2018: La amenaza de matar que precede al homicidio (consumado o intentado) queda englobada por el castigo de éste; la amenaza de causar lesiones proferida al tiempo que se están ocasionando no añade un plus de antijuricidad susceptible de dar vida a otro delito. En esos casos se produce, en efecto, una progresión delictiva que lleva a castigar únicamente por el delito en que se concreta el mal que se anuncia -principio de consunción-. La jurisprudencia afirma que las amenazas son susceptibles de quedar absorbidas por otros delitos, normalmente homicidio y lesiones, cuando primero se profieren y después sin solución de continuidad se ejecuta el mal anunciado. No puede ser esa la solución cuando se aprecian bienes jurídicos distintos: la amenaza consiste en el anuncio de un mal diferente al que se procede a ejecutar. Amenazar seriamente con ocasionar la muerte al tiempo que se golpea levemente a una persona, no puede ventilarse con una pena por el delito de maltrato de obra. Si fuese así, acompañar la amenaza de afectación a otro bien jurídico con alguna lesión concreta, aunque nimia, se convertiría en una extraña forma de atemperar las consecuencias del delito. En el caso objeto de recurso se están produciendo unas lesiones encajables en el art. 153, sin vocación de ir más allá en su gravedad. Simultáneamente se vierten amenazas de llevar a cabo una violación o de provocar la muerte. Esos anuncios no pueden quedar degradados por el hecho de ir adosados a la causación de una lesión.

STS 356/2021: Las amenazas proferidas contra la víctima cuando existe una solución de continuidad con el hecho que se pretende ocultar, determinada por el transcurso de un período relevante de tiempo, pueden ser consideradas como un nuevo delito, independiente del anterior, con el que concurrirá realmente. Pero, es cierto que, en algunas ocasiones, cuando en el delito principal está presente la violencia o la intimidación, es posible que las amenazas exigiendo el futuro silencio de la víctima formen parte de aquella actuación intimidadora o acompañen a la violencia reforzando sus efectos. En esos casos, es posible entender que las amenazas quedan absorbidas por el delito principal, en tanto que forman parte de la acción intimidatoria considerada en su totalidad. Esta Sala ha considerado en algunas ocasiones que las amenazas proferidas inmediatamente después de finalizar el acto delictivo principal, orientadas a conseguir que la víctima guarde silencio sobre lo ocurrido, dada su finalidad, el momento y el contexto en el que tienen lugar, deben considerarse actos copenados. La amenaza diluye su sustantividad típica, en la medida en que no es sino un acto propio dirigido expresamente a buscar la impunidad de otro de carácter precedente. Lo que se busca, pues, es ocultar el acto que acaba de ejecutarse, debiendo ser reputado como un acto copenado y, por tanto, impune, al estar sometido a la regla de consunción impuesta por el art. 8.3 del CP o, desde otra perspectiva doctrinal, a la regla de la subsidiariedad tácita del art. 8.2 del mismo texto legal.

STS 567/2022: En este marco que el legislador ha diseñado, bien puede decirse que la relación que mantiene el artículo 169.2 (amenazas no condicionales), con las distintas modalidades previstas en el artículo 171, más tiene de cuantitativa que de cualitativa, en el sentido de que, compartiendo, en lo sustancial, los elementos, ya definidos, que configuran al delito de amenazas, unas y otras figuras se perfilan o distinguen en atención a la intensidad, más o menos grave, de la amenaza proferida. El criterio determinante de la distinción, tiene aspectos mayoritariamente cuantitativos, pero no debe descuidarse el perfil cualitativo de la amenaza que habrá que extraer de una serie de datos antecedentes y concurrentes en el caso. Así las cosas, la gravedad de la amenaza, a los efectos de su correcta subsunción jurídica en uno u otro precepto, sin despreciar desde luego el significado material del mal con el que se advierte, no puede venir determinada de forma exclusiva o mecánica por éste. Precisamente, la naturaleza "esencialmente circunstancial" de estas figuras delictivas, en cierto modo estrecha el posible interés casacional, por contradicción con la doctrina de este mismo Tribunal Supremo o entre órganos de ámbito provincial, en la medida en que unas mismas palabras, la advertencia de unos mismos males, posibles, determinados y dependientes de la voluntad del sujeto activo, pueden, merecen, en unos casos, en atención a las circunstancias convergentes, la calificación de graves; y en otros, de leves. Partiendo de las consideraciones anteriores, la circunstancia de que, en el caso, algunas de las amenazas que integraron la infracción continuada se hicieran con empleo de un instrumento peligroso, ni la de que consistieran, de modo más o menos explícito, en causar la muerte de la víctima no resultan, por sí mismas, suficientes para dar razón a la recurrente. Ya hemos señalado que el artículo 171.5 del Código Penal alude a la existencia de amenazas leves "con armas o instrumentos peligrosos", lo que, aunque evidentemente no excluye que, utilizados éstos, las amenazas puedan reputarse graves, tampoco lo determina. En cuanto al significado puramente semántico de las expresiones proferidas, unas y las mismas pueden ser reputadas, graves o leves, en atención no al temor, más o menos acusado, que pudieran provocar en la víctima, sino "al perfil cualitativo de la amenaza que habrá que extraerse de una serie de datos antecedentes y concurrentes en el caso".

Art. 171.

1. Las amenazas de un mal que no constituya delito serán castigadas con pena de prisión de tres meses a un año o multa de seis a 24 meses, atendidas la gravedad y circunstancia del hecho, cuando la amenaza fuere condicional y la condición no consistiere en una conducta debida. Si el culpable hubiere conseguido su propósito se le impondrá la pena en su mitad superior.

2. Si alguien exigiere de otro una cantidad o recompensa bajo la amenaza de revelar o difundir hechos referentes a su vida privada o relaciones familiares que no sean públicamente conocidos y puedan afectar a su fama, crédito o interés, será castigado con la pena de prisión de dos a cuatro años, si ha conseguido la entrega de todo o parte de lo exigido, y con la de cuatro meses a dos años, si no lo consiguiere.

3. Si el hecho descrito en el apartado anterior consistiere en la amenaza de revelar o denunciar la comisión de algún delito el ministerio fiscal podrá, para facilitar el castigo de la amenaza, abstenerse de acusar por el delito cuya revelación se hubiere amenazado, salvo que éste estuviere castigado con pena de prisión superior a dos años. En este último caso, el juez o tribunal podrá rebajar la sanción en uno o dos grados.

4. El que de modo leve amenace a quien sea o haya sido su esposa, o mujer que esté o haya estado ligada a él por una análoga relación de afectividad aun sin convivencia, será castigado con la pena de prisión de seis meses a un año o de trabajos en beneficio de la comunidad de treinta y uno a ochenta días y, en todo caso, privación del derecho a la tenencia y porte de armas de un año y un día a tres años, así como, cuando el Juez o Tribunal lo estime adecuado al interés del menor o persona con discapacidad necesitada de especial protección, inhabilitación especial para el ejercicio de la patria potestad, tutela, curatela, guarda o acogimiento hasta cinco años.

Igual pena se impondrá al que de modo leve amenace a una persona especialmente vulnerable que conviva con el autor.

5. El que de modo leve amenace con armas u otros instrumentos peligrosos a alguna de las personas a las que se refiere el artículo 173.2, exceptuadas las contempladas en el apartado anterior de este artículo, será castigado con la pena de prisión de tres meses a un año o trabajos en beneficio de la comunidad de treinta y uno a ochenta días y, en todo caso, privación del derecho a la tenencia y porte de armas de uno a tres años, así como, cuando el Juez o Tribunal lo estime adecuado al interés del menor o persona con discapacidad necesitada de especial protección, inhabilitación especial para el ejercicio de la patria potestad, tutela, curatela, guarda o acogimiento por tiempo de seis meses a tres años.

Se impondrán las penas previstas en los apartados 4 y 5, en su mitad superior cuando el delito se perpetre en presencia de menores, o tenga lugar en el domicilio común o en el domicilio de la víctima, o se realice quebrantando una pena de las contempladas en el artículo 48 de este Código o una medida cautelar o de seguridad de la misma naturaleza.

6. No obstante lo previsto en los apartados 4 y 5, el Juez o Tribunal, razonándolo en sentencia, en atención a las circunstancias personales del autor y a las concurrentes en la realización del hecho, podrá imponer la pena inferior en grado.

7. Fuera de los casos anteriores, el que de modo leve amenace a otro será castigado con la pena de multa de uno a tres meses. Este hecho sólo será perseguible mediante denuncia de la persona agraviada o de su representante legal.

Cuando el ofendido fuere alguna de las personas a las que se refiere el apartado 2 del artículo 173, la pena será la de localización permanente de cinco a treinta días, siempre en domicilio diferente y alejado del de la víctima, o trabajos en beneficio de la comunidad de cinco a treinta días, o multa de uno a cuatro meses, ésta última únicamente en los supuestos en los que concurran las circunstancias expresadas en el apartado 2 del artículo 84. En estos casos no será exigible la denuncia a que se refiere el párrafo anterior.

STS 1008/2021: Los delitos de los artículos 171.4 y 171.7 CP, objeto de estudio, son delitos especiales, pues mientras los tipos de los artículos 169, 170 y 171.1, 2, 3 y 7 párrafo primero, son tipos comunes, dado que no restringen el círculo de sus posibles autores, los tipos de los artículos 171. 4, 5 y 7 párrafo segundo, son tipos especiales pues a sus autores se les exigen cualidades específicas que los relacionen con la víctima. Pero el sujeto pasivo del que debe predicarse la relación exigida en los tipos especiales, vendrá determinado por ser el destinatario de la amenaza, no por ser quien la presencia o sirve de intermediario para que llegue a su destino. El sujeto pasivo del delito es el titular del bien jurídico protegido, es decir, la persona amenazada, pues a ésta pertenece la libertad afectada, a través del comportamiento amenazador. En modo alguno, el delito de amenazas exige la presencia del amenazado cuando se profiere; ni siquiera del sujeto pasivo especial recogido en el art. 171.4: esposa, o mujer que esté o haya estado ligada a él por una análoga relación de afectividad. Así la multiplicidad de condenas por amenazas del art. 171.4, vertidas por medio del teléfono; supuestos donde con frecuencia se utilizan mensajes de texto que conllevan que la emisión y la recepción de la amenaza, por regla general no sea simultánea. Aunque se describa al delito de amenazas como de simple actividad, exige la "emisión" del mal anunciado y la "recepción" de ese mal por el destinatario. En palabras doctrinales, ello supone varias acciones desde la perspectiva del lenguaje: i) la acción (locutiva) de enunciar algo; y ii) la (ilocutiva) dada la intencionalidad con que se enuncia, de hacer saber algo al sujeto amenazado; y iii) pero mientras no medie la percepción del mensaje amenazante por parte del receptor, que posibilite un acción perlocutiva, la amenaza permanece en grado de tentativa. Pero la existencia de la acción ilocutiva (hacer saber al receptor) y de la acción locutiva (emitir el mensaje amenazante) no es aún suficiente para completar el desvalor del hecho de las amenazas, que se mantendrían aún en fase de tentativa; y que dicho desvalor sólo estaría completo -y el delito consumado- cuando, además, tuviera lugar la acción perlocutiva; pues el momento decisivo para la lesión del bien jurídico (libertad y seguridad de la víctima) es el momento de la percepción del mensaje amenazante por parte del receptor. En la mayoría de las ocasiones, emisión y recepción son simultáneas, lo que ocurre en las llamadas amenazas directas. En esas amenazas directas, expresadas ante el propio sujeto pasivo, resultará más difícil la tentativa, pero aún imaginable en supuestos en que la amenaza no es oída por el destinatario de la misma, o no es entendida. En cambio, en las amenazas indirectas, que no son vertidas ante el sujeto pasivo, como

Jerónimo García San Martín

ocurre en las amenazas a distancia o cuando se utiliza un instrumento para hacer llegar el contenido del mal anunciado a la víctima, cabe la tentativa en aquellos supuestos en que no exista transmisión del mal al amenazado y recepción por éste del mensaje amenazador. En este último caso, la amenaza indirecta, es un delito de mera actividad en dos actos: emisión y recepción de la amenaza. Si fallara el segundo cabría la tentativa.

STS 314/2022: En efecto, la acusada no puede cometer una amenaza que sea tipificada y objeto de punición en el art. 171.4. Es un delito especial y ella no puede ser sujeto activo. Como señalábamos en la sentencia núm. 1068/2009, de 4 de noviembre, el art. 171.4 CP "establece con meridiana claridad que el sujeto pasivo de la leve amenaza es la persona que sea o haya sido la esposa o mujer que esté o haya estado ligado al autor por una relación análoga de afectividad. No prevé la norma que la víctima pueda ser un individuo del sexo masculino". La Ley prevé pena inferior para el delito contemplado en el art. 171.7 CP que para el previsto en el art. 171.4 CP por el que la recurrente ha resultado condenada. Se trata de delitos homogéneos. La única diferencia, como ya hemos visto, es que el delito previsto en el art. 171.4 CP es un delito especial que solo puede ser cometido por el esposo, mientras que el tipo que integra el art. 171.7 CP puede ser cometido por ambos cónyuges. La acción es idéntica en ambos casos para los dos tipos penales, los cuales vienen redactados en igual forma: "el que de modo leve amenace". Y lógicamente, el bien jurídico atacado es el mismo.

Art. 172.

1. El que, sin estar legítimamente autorizado, impidiere a otro con violencia hacer lo que la ley no prohíbe, o le compeliere a efectuar lo que no quiere, sea justo o injusto, será castigado con la pena de prisión de seis meses a tres años o con multa de 12 a 24 meses, según la gravedad de la coacción o de los medios empleados.

Cuando la coacción ejercida tuviera como objeto impedir el ejercicio de un derecho fundamental se le impondrán las penas en su mitad superior, salvo que el hecho tuviera señalada mayor pena en otro precepto de este Código.

También se impondrán las penas en su mitad superior cuando la coacción ejercida tuviera por objeto impedir el legítimo disfrute de la vivienda.

2. El que de modo leve coaccione a quien sea o haya sido su esposa, o mujer que esté o haya estado ligada a él por una análoga relación de afectividad, aun sin convivencia, será castigado con la pena de prisión de seis meses a un año o de trabajos en beneficio de la comunidad de treinta y uno a ochenta días y, en todo caso, privación del derecho a la tenencia y porte de armas de un año y un día a tres años, así como, cuando el Juez o Tribunal lo estime adecuado al interés del menor o persona con discapacidad necesitada de especial protección, inhabilitación especial para el ejercicio de la patria potestad, tutela, curatela, guarda o acogimiento hasta cinco años.

Igual pena se impondrá al que de modo leve coaccione a una persona especialmente vulnerable que conviva con el autor.

Se impondrá la pena en su mitad superior cuando el delito se perpetre en presencia de menores, o tenga lugar en el domicilio común o en el domicilio de la víctima, o se realice quebrantando una pena de las contempladas en el artículo 48 de este Código o una medida cautelar o de seguridad de la misma naturaleza.

No obstante lo previsto en los párrafos anteriores, el Juez o Tribunal, razonándolo en sentencia, en atención a las circunstancias personales del autor y a las concurrentes en la realización del hecho, podrá imponer la pena inferior en grado.

3. Fuera de los casos anteriores, el que cause a otro una coacción de carácter leve, será castigado con la pena de multa de uno a tres meses. Este hecho sólo será perseguible mediante denuncia de la persona agraviada o de su representante legal.

Cuando el ofendido fuere alguna de las personas a las que se refiere el apartado 2 del artículo 173, la pena será la de localización permanente de cinco a treinta días, siempre en domicilio diferente y alejado del de la víctima, o trabajos en beneficio de la comunidad de cinco a treinta días, o multa de uno a cuatro meses, ésta última únicamente en los supuestos en los que concurran las circunstancias expresadas en el apartado 2 del artículo 84. En estos casos no será exigible la denuncia a que se refiere el párrafo anterior.

STS 35/2021: Los requisitos tipológicos que configuran las coacciones graves se resumen en: 1) Empleo de violencia con una cierta intensidad, que comprenda alguna de las tres posibles modalidades de "vis physica", "vis compulsiva" o intimidación, o bien "vis in rebus"; 2) Dinámica comisiva dirigida a impedir hacer o compeler a efectuar; 3) Relación de causalidad entre ambos elementos; 4) Elemento subjetivo, determinado por la finalidad de atentar contra la libertad, como ánimo tendencial de restringir la libertad ajena; y, por último, 5) Ausencia de autorización legítima para obrar de forma coactiva. También ha señalado esta Sala que "la mera restricción de la libertad de obrar supone de hecho una violencia y por tanto una coacción, siendo lo decisorio el efecto coercitivo de la acción más que la propia acción. Esta utilización del medio coercitivo ha de ser adecuada, eficaz, y causal respecto al resultado perseguido". La diferencia entre el delito menos grave y el leve radica en la gravedad o levedad de la fuerza física o moral empleada y en la mayor o menor incidencia de la misma en la libertad de decisión y de acción del sujeto pasivo, lo que exige un examen casuístico de las concretas circunstancias concurrentes en cada caso. Será delito menos grave cuando se de una patente y adusta agresión contra la libertad personal, y atente de forma grave a la autonomía de la voluntad y como leve en caso contrario, debiendo ser examinado cada caso concreto en función de las circunstancias concurrentes en cada supuesto. Efectivamente, el delito se consuma en el mismo momento en que se compele a realizar lo no querido o a impedirle hacer lo que desea. Se trata de una conducta violenta dirigida al constreñimiento de la voluntad y el resultado y la consumación se producen cuando empleado el medio se ha producido la coerción sobre la voluntad ajena.

STS 326/2018: La Jurisprudencia ha venido reconociendo en el delito de coacciones su naturaleza de delito de resultado en cuanto exige que efectivamente se impida hacer lo que la Ley no prohíbe o se obligue a efectuar lo que no se quiere, sea justo o injusto, y por ello es posible la tentativa. Debemos sin embargo enfatizar que la imperfección ejecutiva, con exclusión de la consumación, se determina atendiendo a que en la relación entre acción y resultado, mientras aquélla se ubica en el ámbito del sujeto activo, éste se ubica en el de la víctima. Al igual que los motivos del sujeto activo, irrelevantes para detección de la producción del resultado, se sitúan en la esfera del autor, el proyecto criminal de éste, no obstante la subjetividad referida también al autor, solamente es trascendente para dicha determinación de producción de resultado en cuanto acota el criterio de lo que ha de constatarse y que es, precisa y exclusivamente, la autodeterminación de la víctima. Por ello el resultado determinante de la consumación solamente cabe fijarlo en cuanto a su trascendencia en esa autodeterminación y no a la satisfacción de la finalidad procurada por el autor. En definitiva, se trata de saber si la víctima dejó de hacer lo que ella quería, o hizo lo que no quería. En el caso que aquí juzgamos la víctima se vio privada, siquiera por breve tiempo, de mantener su rostro sin ser cubierto y de mantenerse sentada sin necesidad de forcejear para lograrlo. Por ello la limitación de su autodeterminación se produjo efectivamente determinando la consumación.

STS 98/2022: Debe recodarse que el tipo de coacciones protege la libertad personal frente a ataques típicamente relevantes. La hoja de ruta del juicio normativo de tipicidad resulta evidente: no puede apreciarse coacción por la sola existencia de una perturbación del estado de ánimo o de otros intereses de los que una persona sea titular. El núcleo de la tipicidad reside en la lesión de la libertad personal mediante una compulsión directa, violenta o intimidatoria, y causalmente relevante para que la persona que la sufre se vea obligada a realizar lo que no quiere o dejar de hacer lo que tiene derecho a realizar. La violencia, aun en su forma ampliada in rebus, o la intimidación, pese a sus multiformes manifestaciones, debe ser percibida por la víctima como un ataque directo y efectivo a la libertad de autodisposición. Solo el ataque directo por los modos descritos en el artículo 172 CP puede ser penalmente relevante. Si dichos elementos no concurren o no se describen de forma suficientemente precisa, la conducta, aunque pueda ser considerada injusta, no es típica y, por tanto, no supera el umbral de la específica antijuricidad penal. Los principios constitucionales de protección y de sanción exigen que el tribunal precise con el mayor detalle todos los datos que permitan identificar en términos normativos la intimidación o la violencia y su idoneidad funcional para la producción del resultado. Solo así pueden neutralizarse los riesgos de hipertrofia que siempre acechan al delito de coacciones. Los riesgos de convertirse, finalmente, en una especie de cajón de sastre donde ubicar conductas antijurídicas variopintas, pero de tipicidad dudosa.

STS 61/2022: El referido art. 172.2 CP fue introducido por la reforma de LO 1/2004 de 28 de diciembre, de Medidas de Protección Integral contra la Violencia de Género, cuya Exposición de Motivos comienza con una declaración de principios, diciendo que "la violencia de género no es un problema que afecte al ámbito privado. Al contrario, se manifiesta como el símbolo más brutal de la desigualdad existente en nuestra sociedad. Se trata de una violencia que se dirige sobre las mujeres por el hecho mismo de serlo, por ser consideradas, por sus agresores, carentes de los derechos mínimos de libertad, respeto y capacidad de decisión. Conscientes de las diferencias típicas que presenta (el delito del art. 172 ter CP) con el de coacciones leves del art. 172.2 CP que aquí nos ocupa, no ofrece dudas su homogeneidad con él, y en la medida menciona, como manifestaciones de acoso, una serie de actos intrusivos en la libertad, que son presupuesto a partir del cual se define el delito, nos son válidos a los efectos de valorar como coacciones los hechos que nos ocupan, porque, precisamente, en el acoso se encuentra el denominador común de ambos delitos, de manera que, si no se cubren el resto de presupuestos, esto es, que los actos de acoso se lleven a cabo de forma insistente y reiterada, y que alteren gravemente el desarrollo de la vida cotidiana, el reproche penal quedará en el que corresponda por el delito de coacciones, porque no deja de ser una variante de éste al que acudir, por cuanto que no dejarán de concurrir los actos de acecho que le caracterizan. En efecto, tanto en el delito de hostigamiento del art. 172 ter, como en el de coacciones del art. 172 CP concurren los elementos fácticos intimidatorios, generadores del ataque a la libertad de otro; ahora bien, en el primero de ellos se precisan esos elementos mediante la mención a una serie de conductas consideradas intrusivas de la libertad, pero se precisa

algo más, de ahí que podamos hablar de un caso de homogeneidad descendente, dado que el elemento intimidación ha de
darse en ambos, por cuanto que el segundo delito contiene los
extremos fácticos intimidatorios como el primero, si bien éste,
además, precisará de alguno más para su apreciación. Son delitos que se encuentran en el mismo capítulo del CP, relativo a
las coacciones, afectando, por lo tanto, al mismo bien jurídico,
y el delito de coacciones se puede considerar un tipo residual,
que da cobertura a los ataques a la libertad individual que no
la encuentran en otros tipos más específicos (principio de especialidad). En efecto, es doctrina consolidada de este Tribunal,
como elemento fundamental para apreciar el delito que nos
ocupa, que la acción del sujeto activo suponga un constreñimiento antijurídico de la voluntad del sujeto pasivo; a partir de
aquí, en función de la intensidad se venía distinguiendo entre el
delito y la falta (en la actualidad delito leve); pero, asimismo, al
tratarse de un delito circunstancial, es preciso distinguir, dentro
de la intensidad más baja, qué actuación será de la suficiente
entidad para integrar el delito leve y cuál ni siquiera llegue a
tal, por no pasar de una simple molestia o contrariedad, con lo
que nos adentramos en un delicado terreno debido a las valoraciones circunstanciales de cada caso, pero que lo serán menos si
encontramos alguna guía para su objetivación.

STS 561/2017: El art. 172.3 se modifica (con la reforma operada por la LO 1/2015) añadiéndole un párrafo tercero que califica como coacción, fuera de los casos anteriores, el que cause
a otro una coacción de carácter leve, siendo castigado con la
pena de multa de uno a tres meses, es decir ex art. 33.4.g) CP
se trataría de un delito leve. En general las vejaciones que consisten en actos o acciones conllevan también un ingrediente de
coacción y a falta de un tipo específico de vejación será aplicable este delito. Por lo tanto el nuevo Código no contiene un va-
cío punitivo en relación con el espacio cubierto por la falta del
art. 620.2, hoy derogado, que castiga a los que causen a otro
una amenaza, coacción, injuria o vejación injusta de carácter
leve, salvo que el hecho sea constitutivo de delito.

Art. 172 ter.[397]

1. Será castigado con la pena de prisión de tres meses a dos años o multa de seis a veinticuatro meses el que acose a una persona llevando a cabo de forma insistente y reiterada, y sin estar legítimamente autorizado, alguna de las conductas siguientes y, de esta forma, altere el normal desarrollo de su vida cotidiana:

1.ª La vigile, la persiga o busque su cercanía física.

2.ª Establezca o intente establecer contacto con ella a través de cualquier medio de comunicación, o por medio de terceras personas.

3.ª Mediante el uso indebido de sus datos personales, adquiera productos o mercancías, o contrate servicios, o haga que terceras personas se pongan en contacto con ella.

4.ª Atente contra su libertad o contra su patrimonio, o contra la libertad o patrimonio de otra persona próxima a ella.

Cuando la víctima se halle en una situación de especial vulnerabilidad por razón de su edad, enfermedad, discapacidad o por cualquier otra circunstancia, se impondrá la pena de prisión de seis meses a dos años.

2. Cuando el ofendido fuere alguna de las personas a las que se refiere el apartado 2 del artículo 173, se impondrá una pena de prisión de uno a dos años, o trabajos en beneficio de la comunidad de sesenta a ciento veinte días. En este caso no será necesaria la denuncia a que se refiere el apartado 4 de este artículo.

3. Las penas previstas en este artículo se impondrán sin perjuicio de las que pudieran corresponder a los delitos en que se hubieran concretado los actos de acoso.

4. Los hechos descritos en este artículo sólo serán perseguibles mediante denuncia de la persona agraviada o de su representante legal.

5. El que, sin consentimiento de su titular, utilice la imagen de una persona para realizar anuncios o abrir perfiles falsos en redes sociales,

---

[397]   Se modifica el apartado 1 y se añade el apartado 5 por la LO 10/2022, de 6 de septiembre.

páginas de contacto o cualquier medio de difusión pública, ocasionándole a la misma situación de acoso, hostigamiento o humillación, será castigado con pena de prisión de tres meses a un año o multa de seis a doce meses.

> **STS 639/2022:** El legislador en la LO 1/2015 quiso adicionar a los actos de acoso objetivables un cierto elemento de corte y carácter mixto subjetivo/objetivo, en cuanto se refiere a una afectación en lo externo por su cambio de vida y en lo interno por cuanto estos actos objetivos de acoso determinan un cambio en su estado de ánimo que influyen en su rutina. Y todo ello, al incluir en el tipo penal junto al acto de acoso la expresión de la alteración personal en la víctima del acto acosador, señalando que se castiga al que acose a una persona llevando a cabo de forma insistente y reiterada, y sin estar legítimamente autorizado, alguna de las conductas siguientes y, de este modo, altere gravemente el desarrollo de su vida cotidiana. El tipo no exige planificación pero sí una metódica secuencia de acciones que obligan a la víctima, como única vía de escapatoria, a variar, sus hábitos cotidianos. Para valorar esa idoneidad de la acción secuenciada para alterar los hábitos cotidianos de la víctima hay que atender al estándar del "hombre medio", aunque matizado por las circunstancias concretas de la víctima (vulnerabilidad, fragilidad psíquica, ...) que no pueden ser totalmente orilladas. Nos encontramos ante un delito de resultado. Es necesario que la acción del sujeto cause directamente una limitación transcendente en alguno de los aspectos integrantes de la libertad de obrar del sujeto pasivo, ya sea en la capacidad de decidir, ya en la capacidad de actuar. Además, habrá de atender a los concretos perfiles y circunstancias del caso, analizando las acciones desarrolladas por el agente, con insistencia y reiteración, así como su idoneidad para alterar gravemente la vida y tranquilidad de la víctima.

> **STS 324/2017 (Pleno):** Se exige en el delito de *stalking* que la vigilancia, persecución, aproximación, establecimiento de contactos, incluso mediatos, uso de sus datos o atentados directos o indirectos, sean insistentes y reiterados, lo que ha de provocar

una alteración grave del desarrollo de la vida cotidiana. (Tol 6080914)

STS 843/2021: El legislador ha querido introducir en el tipo penal en el apartado 2° la especialidad propia del acoso en la violencia de género, para señalar que, cuando el ofendido fuere alguna de las personas a las que se refiere el artículo 173.2, se impondrá una pena de prisión de uno a dos años, o trabajos en beneficio de la comunidad de sesenta a ciento veinte días. La esencia del tipo penal, y, sobre todo, relacionado con hechos de violencia de género, como son los de acoso en situación de ex pareja, deben ser contemplados con perspectiva de género, ya que no es lo mismo una situación de acoso existente entre extraños, o conocidos, que en el vínculo de la relación de pareja, o ex pareja, en donde los lazos interpersonales que se han creado intensifican la situación de exigencias del acosador de dominación, o humillación, sobre la víctima que es, o ha sido, su pareja para conseguir la creación de unas ataduras físicas y psicológicas que evidencien esa sumisión que quiere trasladar el acosador sobre su víctima de que no se resista al acoso y vuelva con él. Además, a la hora de valorar los casos concretos y la concurrencia de los elementos del tipo penal es preciso acudir, -sobre todo en atención al componente de la alteración grave de la vida cotidiana de la víctima-, a la distinción entre el acoso de ex pareja y el acoso y situación ajena al ámbito de la pareja, dado que el primero tiene una contextualización más grave que la segunda, en razón a la peligrosidad de la ejecución posterior de los actos de acoso, lo que no tiene por qué darse obligatoriamente en la relación de actos de acoso y situación de personas que no tienen relación o vínculo de pareja. Por ello, señalamos que hay que enfocar estos casos y hechos con la perspectiva de género, que es un elemento sustancial y esencial a la hora de valorar y considerar en qué medida el acoso en relación ex pareja provoca una alteración grave de la vida cotidiana de la víctima, por esa elevación en la psique de la víctima de la posibilidad de ejecución de actos más graves que los meros de acoso.

IV. DELITOS CONTRA LA INTEGRIDAD MORAL (ARTS. 173 A 177 BIS)

Art. 173.[398]

1. El que infligiera a otra persona un trato degradante, menoscabando gravemente su integridad moral, será castigado con la pena de prisión de seis meses a dos años.

Igual pena se impondrá a quienes, teniendo conocimiento del paradero del cadáver de una persona, oculten de modo reiterado tal información a los familiares o allegados de la misma.

Con la misma pena serán castigados los que, en el ámbito de cualquier relación laboral o funcionarial y prevaliéndose de su relación de superioridad, realicen contra otro de forma reiterada actos hostiles o humillantes que, sin llegar a constituir trato degradante, supongan grave acoso contra la víctima.

Se impondrá también la misma pena al que de forma reiterada lleve a cabo actos hostiles o humillantes que, sin llegar a constituir trato degradante, tengan por objeto impedir el legítimo disfrute de la vivienda.

Cuando de acuerdo con lo establecido en el artículo 31 bis, una persona jurídica sea responsable de los delitos comprendidos en los tres párrafos anteriores, se le impondrá la pena de multa de seis meses a dos años. Atendidas las reglas establecidas en el artículo 66 bis, los Jueces y Tribunales podrán asimismo imponer las penas recogidas en las letras b) a g) del apartado 7 del artículo 33.

2. El que habitualmente ejerza violencia física o psíquica sobre quien sea o haya sido su cónyuge o sobre persona que esté o haya estado ligada a él por una análoga relación de afectividad aun sin convivencia, o sobre los descendientes, ascendientes o hermanos por naturaleza, adopción o afinidad, propios o del cónyuge o conviviente, o sobre los menores o personas con discapacidad necesitadas de

---

[398] Se modifican los apartados 1 y 4 por la LO 10/2022, de 6 de septiembre, y se añade el párrafo segundo al apartado 1 por la LO 14/2022, de 22 de diciembre.

especial protección que con él convivan o que se hallen sujetos a la potestad, tutela, curatela, acogimiento o guarda de hecho del cónyuge o conviviente, o sobre persona amparada en cualquier otra relación por la que se encuentre integrada en el núcleo de su convivencia familiar, así como sobre las personas que por su especial vulnerabilidad se encuentran sometidas a custodia o guarda en centros públicos o privados, será castigado con la pena de prisión de seis meses a tres años, privación del derecho a la tenencia y porte de armas de tres a cinco años y, en su caso, cuando el juez o tribunal lo estime adecuado al interés del menor o persona con discapacidad necesitada de especial protección, inhabilitación especial para el ejercicio de la patria potestad, tutela, curatela, guarda o acogimiento por tiempo de uno a cinco años, sin perjuicio de las penas que pudieran corresponder a los delitos en que se hubieran concretado los actos de violencia física o psíquica.

Se impondrán las penas en su mitad superior cuando alguno o algunos de los actos de violencia se perpetren en presencia de menores, o utilizando armas, o tengan lugar en el domicilio común o en el domicilio de la víctima, o se realicen quebrantando una pena de las contempladas en el artículo 48 o una medida cautelar o de seguridad o prohibición de la misma naturaleza.

En los supuestos a que se refiere este apartado, podrá además imponerse una medida de libertad vigilada.

3. Para apreciar la habitualidad a que se refiere el apartado anterior, se atenderá al número de actos de violencia que resulten acreditados, así como a la proximidad temporal de los mismos, con independencia de que dicha violencia se haya ejercido sobre la misma o diferentes víctimas de las comprendidas en este artículo, y de que los actos violentos hayan sido o no objeto de enjuiciamiento en procesos anteriores.

4. Quien cause injuria o vejación injusta de carácter leve, cuando el ofendido fuera una de las personas a las que se refiere el apartado 2 del artículo 173, será castigado con la pena de localización permanente de cinco a treinta días, siempre en domicilio diferente y alejado del de la víctima, o trabajos en beneficio de la comunidad de cinco a treinta días, o multa de uno a cuatro meses, esta última únicamente en

los supuestos en los que concurren las circunstancias expresadas en el apartado 2 del artículo 84.

Las mismas penas se impondrán a quienes se dirijan a otra persona con expresiones, comportamientos o proposiciones de carácter sexual que creen a la víctima una situación objetivamente humillante, hostil o intimidatoria, sin llegar a constituir otros delitos de mayor gravedad.

Los delitos tipificados en los dos párrafos anteriores sólo serán perseguibles mediante denuncia de la persona agraviada o su representante legal.

STS 157/2019: Con respecto al delito contra la integridad moral del art. 173.1 del Código Penal, esta Sala ha declarado que esa integridad protegida ha sido identificada con la idea de dignidad e inviolabilidad de la persona y abarca su preservación no sólo contra ataques dirigidos a lesionar su cuerpo o espíritu, sino también contra toda clase de intervención en esos bienes que carezca del consentimiento de su titular. En el contexto en que se encuentra el precepto aplicado, la integridad moral se ha identificado también con la integridad psíquica, entendida como libertad de autodeterminación y de actuación conforme a lo decidido. Dicho delito de trato degradante requiere para su apreciación de la concurrencia de un elemento medial ("infligir a una persona un trato degradante"), y un resultado ("menoscabando gravemente su integridad moral"). Por trato degradante habrá de entenderse "aquel que pueda crear en las víctimas sentimientos de terror, de angustia y de inferioridad susceptibles de humillarles, de envilecerles y de quebrantar, en su caso su resistencia física o moral". La acción típica, pues, consiste en infligir a otra persona un trato degradante, de forma que se siga como resultado y en perfecta relación causal un menoscabo grave de su integridad moral. El núcleo de la descripción típica está integrado por la expresión "trato degradante", que -en cierta opinión doctrinal- parece presuponer una cierta permanencia, o al menos repetición, del comportamiento degradante, pues en otro caso no habría "trato" sino simplemente ataque; no obstante ello, no debe encontrarse obstáculo, antes bien parece ajustarse más a la previsión típica, para estimar cometido el delito a partir de una conducta única y puntual, siempre que en ella se aprecie una intensidad lesiva para la dignidad humana suficiente para su encuadre en el precepto; es decir, un solo acto, si se prueba brutal, cruel o humillante puede ser calificado de degradante si tiene intensidad suficiente para ello. De manera que por trato degradante deberá entenderse en términos generales cualquier atentado a la dignidad de la persona. Por lo que hace referencia al resultado se precisará un menoscabo de la integridad moral, como bien jurídico protegido por la norma y que se configura como valor autónomo, independiente del derecho a la vida, a la integridad física, a la libertad o al honor, radicando su esencia en la necesidad de proteger la inviolabilidad de la persona. Se trata de un tipo residual que recoge todas las conductas, que supongan una agresión grave a la integridad moral. Y en cuanto a la mecánica comisiva se sanciona cualquier trato degradante que menoscabe gravemente la integridad moral. Se trata de someter a la víctima, de forma intencionada, a una situación degradante de humillación e indignidad para la persona humana. El atentado a la integridad moral debe ser, en consecuencia, grave, debiendo la acción típica ser interpretada a la vista de todas las circunstancias concurrentes en el hecho, pues cuando el atentado no revista gravedad podríamos estar ante una infracción de menor entidad punitiva.

STS 694/2018: En efecto, el delito de acoso laboral, también denominado "mobbing", aparece específicamente tipificado en el art. 173.1 del Código Penal tras la reforma llevada a cabo en el mismo por la Ley Orgánica 5/2010 de 22 de junio, y ha de ser entendido como hostigamiento psicológico en el marco de cualquier relación laboral o funcionarial que humille al que lo sufre, imponiendo situaciones de grave ofensa a la dignidad. Supone, por tanto, un trato hostil o vejatorio al que es sometida una persona en el ámbito laboral de forma sistemática. Requiere este tipo penal que la conducta constituya un trato degradante, pues se constituye como una modalidad específica de atentado contra la integridad moral, siendo característica de su realización el carácter sistemático y prolongado en el tiempo que determina un clima de hostilidad y humillación hacia el trabajador por quien ocupa una posición de superioridad de la que abusa. También podemos señalar que se trata de generar en la víctima un estado de desasosiego mediante el hostigamiento psicológico que humilla a la misma constituyendo una ofensa a la dignidad. Como elementos del delito de acoso laboral podemos señalar, los siguientes: a) realizar contra otro actos hostiles o humillantes, sin llegar a constituir trato degradante; b) que tales actos sean realizados de forma reiterada; c) que se ejecuten en el ámbito de cualquier relación laboral o funcionarial; d) que el sujeto activo se prevalga de su relación de superioridad; e) que tales actos tengan la caracterización de graves.

STS 426/2021: Es más que evidente que una interpretación excesivamente elástica del ámbito típico abarcado por el art. 173.1.II del CP puede conducir a una superposición de injustos en la que actos explicables por la tensión que es propia de toda relación laboral, construida a partir de un esquema jerárquico, se conviertan en acciones susceptibles de ser calificadas, siempre y en todo caso, como delictivas. Una labor interpretativa que no fuera cuidadosa con esta exigencia, que es inherente a los principios que legitiman la aplicación de la ley penal, alentaría la confusión sobre el alcance de un precepto en el que se vuelcan elementos normativos de visible amplitud. Sobre todo, con la dificultad añadida de una reforma poco cuidadosa con los requerimientos impuestos por la buena técnica legislativa y que, queriendo resolver problemas de tipicidad, ha incrementado los escollos interpretativos. La exigencia de que se trate de actos reiterados de carácter hostil y humillante que, sin llegar a constituir trato degradante, supongan un grave acoso a la víctima, representa el punto de partida para conformar el juicio de subsunción. Han de quedar, por tanto, fuera de la tipicidad que ofrece el art. 173.1.II los hechos episódicos, aislados y puntuales que sean reflejo de un acto de arbitrariedad, pretendidamente amparado por el principio de jerarquía, pero que pueden encontrar adecuado tratamiento jurídico en la jurisdicción laboral o en otros preceptos menos graves de los que ofrece el Código Penal. Lo que se sanciona en el delito de acoso laboral es la creación de un permanente clima de humillación que lleve al trabajador a la pérdida de su propia autoestima, que convierta el escenario cotidiano de su trabajo en el lugar en el que ha de aceptar con resignación las vejaciones impuestas por quien se ampara arbitrariamente en su jerarquía. El acoso que desborda el tratamiento propio de la relación laboral implica un cúmulo de actos reiterados de persecución con grave afectación psicológica en el trabajador. Se trata de decisiones enmarcadas en la prevalente posición jerárquica que ocupa el superior, generadoras de una atmósfera hostil, humillante que altera la normalidad de cualquier relación laboral. Son actos cuya imposición trata de explicarse en el ejercicio de las facultades de dirección pero que, sin embargo, implican medidas manifiestamente innecesarias desde la perspectiva de la óptima regulación del trabajo. Es cierto que la aplicación del art. 173.1.II del CP exige un proceso interpretativo que ayude a determinar qué ha de entenderse por "...actos hostiles o humillantes que (...) supongan grave acoso contra la víctima". Parece claro que el carácter hostil o humillante de determinados actos no puede fijarse atendiendo exclusivamente a la percepción personal que tenga la víctima acerca de la hostilidad o humillación que puedan encerrar las decisiones que le afectan. En el juicio de subsunción hemos de operar con parámetros que, aun sin vocación de universalidad, sean ponderados conforme a criterios aplicables a la generalidad de los trabajadores. Pero la presencia de lo objetivo no puede eliminar cualquier consideración referida a las circunstancias personales del trabajador que luego se convierte en destinatario de unas decisiones encaminadas a desalentar su ánimo y a prescindir de sus servicios. Y ello con independencia de que esas actuaciones tengan como desenlace una patología física o psíquica evaluable médicamente. La relevancia penal del acoso laboral no puede hacerse depender, desde luego, de la subjetividad y vulnerabilidad de la víctima. Pero tampoco puede exigirse para predefinir su alcance un análisis de la capacidad de resistencia del trabajador para tolerar la situación a la que está siendo sometido. La conclusión acerca de si unos actos sin aparente justificación para mejorar la productividad o la organización de la empresa son o no susceptibles de tratamiento penal exige un examen interrelacionado de todas las circunstancias que convergen en el caso concreto.

STS 45/2021: El precepto exige que los actos supongan grave acoso. Si a la noción de acoso es inherente la reiteración (solo hay acoso si se produce repetición o acumulación de conductas), la gravedad, mencionada como elemento adicional, no puede estar basada en exclusiva en la repetición. Si lo estimásemos así, convertiríamos ese adjetivo en un añadido inútil y superfluo. Si reiteración implica per se gravedad, no existirían acosos no graves. Ese entendimiento contradice la literalidad del precepto. El término "gravedad" exige un plus frente al acoso que, por sí, implica reiteración de actos. Conviene en todo caso advertir que lo debatido -gravedad del acoso- no es una cuestión de hecho; ha de concretarse mediante una valoración estrictamente jurídica, por más que gire en torno a un concepto enormemente vaporoso como es el de "gravedad": cuándo podemos catalogar de "grave" un acoso. La reiteración de conductas no determina por sí misma la gravedad; aunque sin duda entre los factores que deben ponderarse para catalogar de grave un acoso ocupará un lugar importante el hecho de la mayor o menor repetición y la mecánica sistemática, metódica y perseverante de los actos de acoso.

STS 66/2021: La reciente sentencia 556/2020 de 29 de octubre de esta Sala, perfila, con vocación de permanencia, la interpretación ya apuntada en las sentencias 640/2017 y 199/2019, sobre el espacio específico de protección del tipo del maltrato habitual del artículo 173.2º CP, diferenciado de las diversas conductas que contra la integridad física o psíquica pueden nutrir la creación del clima habitual de violencia, como núcleo específico del injusto. Resultado que determina la existencia de un solo delito aun cuando ese clima habitual violento pueda afectar a varios de los sujetos pasivos mencionados en el precepto y sin perjuicio, claro está, del concurso real que pueda trazarse con los distintos delitos que contra bienes jurídicos individuales se hayan podido cometer en ese contexto relacional. El número de personas directamente afectadas por dicho clima violento duradero -como la frecuencia con que se reiteren los actos de violencia; la naturaleza concreta de los comportamientos; o el daño que los actos de dominación puedan irradiar a los demás integrantes de la unidad familiar-, servirá como parámetro para evaluar los indicadores de antijuridicidad de la acción y el alcance de la culpabilidad del responsable. Datos todos ellos que deberán ser tomados en cuenta para la individualización de la pena a imponer. Pero la pluralidad de sujetos afectados, insistimos, no transforma la naturaleza unitaria del delito del artículo 173.2 CP en tantos delitos homogéneos como personas mencionadas en el tipo hayan soportado directamente el clima habitual de violencia creada por el autor. Sobre todo, cuando los concretos menoscabos de la salud física o síquica producidos pueden ser objeto de sanción separada por expresa previsión del artículo 173.2 del Código Penal, satisfaciendo con ello la protección de los bienes jurídicos individuales directamente afectados sin riesgo de afectación del principio de prohibición del bis in idem.

STS 364/2016: Aplica el concurso real entre el delito de maltrato habitual (art. 173.2) y distintos delitos de maltrato familiar (153) y de amenazas en el ámbito familiar. La habitualidad del delito contenido en el art. 173 no es la habitualidad del art. 94; gana terreno y se consolida en la doctrina de la Sala, la línea que considera que lo relevante no es el número de actos violentos o que éstos excedan de un número, sino la relación entre actor y víctima más la frecuencia con que ello ocurre, esto es, la permanencia del trato violento.

Acuerdo no jurisdiccional del pleno de la Sala 2ª del TS de 22 de julio de 2009: El tipo delictivo del art. 173.2 del CP exige que el comportamiento atribuido sea activo, no siendo suficiente el comportamiento omisivo. Sin perjuicio de ello es sancionable penalmente, conforme a dicho precepto, quien contribuye a la violencia de otro, no impidiéndola pese a encontrarse en posición de garante.

Art. 174.

1. Comete tortura la autoridad o funcionario público que, abusando de su cargo, y con el fin de obtener una confesión o información de cualquier persona o de castigarla por cualquier hecho que haya cometido o se sospeche que ha cometido, o por cualquier razón basada

en algún tipo de discriminación, la sometiere a condiciones o procedimientos que por su naturaleza, duración u otras circunstancias, le supongan sufrimientos físicos o mentales, la supresión o disminución de sus facultades de conocimiento, discernimiento o decisión o que, de cualquier otro modo, atenten contra su integridad moral. El culpable de tortura será castigado con la pena de prisión de dos a seis años si el atentado fuera grave, y de prisión de uno a tres años si no lo es. Además de las penas señaladas se impondrá, en todo caso, la pena de inhabilitación absoluta de ocho a 12 años.

2. En las mismas penas incurrirán, respectivamente, la autoridad o funcionario de instituciones penitenciarias o de centros de protección o corrección de menores que cometiere, respecto de detenidos, internos o presos, los actos a que se refiere el apartado anterior.

STS 861/2022: Podemos, entonces, extraer, seis consecuencias que nos llevan al tipo penal objeto de condena del art. 174 CP, a saber: 1.- Con el fin de obtener una confesión o información de cualquier persona o de castigarla por cualquier razón que haya cometido o se sospeche que ha cometido. 2.- Sumisión de las víctimas a condiciones o procedimientos... que, de cualquier modo, "atenten contra su integridad moral". 3.- La única manera de diferenciar dicho comportamiento del sancionado como atentado contra la integridad moral en el art 175, viene establecida por el elemento teleológico, que se exige en el primero de dichos tipos penales (174), pero no en el segundo (175). En este caso: castigarla por cualquier razón que haya cometido o se sospeche que ha cometido. 4.- La clave para el tipo del art. 174 CP está en que concurra el elemento teleológico que es lo que caracteriza a este precepto. 5.- El sujeto activo tiene que abusar de su cargo, lo que significa un comportamiento extralimitativo, prevaliéndose de su condición pública, lo que produce una cierta intimidación para la consecución de sus fines y de sensación de impunidad en su comportamiento. 6.- Se atenta contra la integridad moral de una persona. Así, en estos casos no debe atenderse (para valorar la intensidad de la tortura) únicamente a los resultados lesivos causados, que por otra parte se sanciona separadamente, sino a las circunstancias de mayor o menor intensidad del atentado a la integridad moral que puede presentarse extremo aunque no deje huella o no produzca lesión, para lo que habrá que estar a las circunstancias concurrentes en cada caso. Como hemos expuesto, el precepto penal del 174 CP exige un elemento subjetivo del tipo, esto es que tenga por finalidad obtener una determinada confesión o información (tortura indagatoria), castigar a otro por un hecho que haya cometido o se sospeche que haya cometido (tortura vindicativa) y por razones discriminatorias. En este caso concurre la tortura vindicativa, tal y como se desprende de los hechos probados. De esta manera, la doctrina y la jurisprudencia de esta Sala vienen a apuntar que el tipo básico recogido en el art. 174 CP, utiliza el concepto de tortura reconocido en el derecho internacional público, de forma que necesita tres elementos para que haya tortura: el personal, el material y el teleológico o finalístico: 1.- El elemento personal, supone que el sujeto activo es un representante del poder estatal (autoridad o funcionario público) que abuse de su cargo (no cuando actúan por intereses particulares). Por tanto, es un delito especial propio, ya que exige una cualificación en el sujeto activo (autoridades, funcionarios públicos, funcionarios de instituciones penitenciarias o de centros de protección o de corrección de menores). Además, el sujeto activo ha de abusar de su cargo, usando medios ilegítimos. 2.- El elemento material, en el que concurren una serie de acciones constitutivas de tortura. Es un procedimiento que genera un sufrimiento en la víctima y atenta contra su integridad moral. 3.- El elemento teleológico o finalístico, se refiere a la intención. El CP exige que con estas actuaciones se busca una triple finalidad: obtener una información, usar una tortura de carácter punitivo cuya finalidad es el simple castigo y una tortura discriminatoria. Estos elementos finalísticos son elementos subjetivos del injusto (que diferencian a la tortura de otros delitos contra la integridad moral). En este elemento es donde el CP consagra el concepto de tortura indagatoria (que es la principal de las modalidades de tortura que se sanciona en el derecho internacional). El castigo de estas conductas, varía dependiendo de la gravedad de los procedimientos de tortura empleados. La determinación de la gravedad de la conducta se ha de relacionar con el sufrimiento y el daño moral causado a la víctima. Por su parte, el 174.2 CP se refiere a la tortura realizada en el ámbito penitenciario, así como la realizada por las autoridades o funcionarios públicos de centros de protección o de corrección de menores.

Art. 175.

La autoridad o funcionario público que, abusando de su cargo y fuera de los casos comprendidos en el artículo anterior, atentare contra la integridad moral de una persona será castigado con la pena de prisión de dos a cuatro años si el atentado fuera grave, y de prisión de seis meses a dos años si no lo es. Se impondrá, en todo caso, al autor, además de las penas señaladas, la de inhabilitación especial para empleo o cargo público de dos a cuatro años.

STS 620/2019: Integra el delito del art. 175 CP cualquier conducta arbitraria de agresión o ataque ejecutada por funcionario público abusando de su cargo que aún sin causar lesión y que tenga cierta intensidad, provocando humillación, quebranto degradante en el sujeto pasivo/víctima, con finalidades distintas de las comprendidas en el art. 174 (tortura).

Art. 177 bis.[399]

1. Será castigado con la pena de cinco a ocho años de prisión como reo de trata de seres humanos el que, sea en territorio español, sea desde España, en tránsito o con destino a ella, empleando violencia, intimidación o engaño, o abusando de una situación de superioridad o de necesidad o de vulnerabilidad de la víctima nacional o extranjera, o mediante la entrega o recepción de pagos o beneficios para lograr el consentimiento de la persona que poseyera el control sobre la víctima, la captare, transportare, trasladare, acogiere, o recibiere, incluido el intercambio o transferencia de control sobre esas personas, con cualquiera de las finalidades siguientes:

a) La imposición de trabajo o de servicios forzados, la esclavitud o prácticas similares a la esclavitud, a la servidumbre o a la mendicidad.

b) La explotación sexual, incluyendo la pornografía.

c) La explotación para realizar actividades delictivas.

---

[399] Se modifica el apartado 1 por la LO 8/2021, de 4 de junio, y se añade la letra c) al apartado 4 por la LO 13/2022, de 20 de diciembre.

d) La extracción de sus órganos corporales.

e) La celebración de matrimonios forzados.

Existe una situación de necesidad o vulnerabilidad cuando la persona en cuestión no tiene otra alternativa, real o aceptable, que someterse al abuso.

Cuando la víctima de trata de seres humanos fuera una persona menor de edad se impondrá, en todo caso, la pena de inhabilitación especial para cualquier profesión, oficio o actividades, sean o no retribuidos, que conlleve contacto regular y directo con personas menores de edad, por un tiempo superior entre seis y veinte años al de la duración de la pena de privación de libertad impuesta.

2. Aun cuando no se recurra a ninguno de los medios enunciados en el apartado anterior, se considerará trata de seres humanos cualquiera de las acciones indicadas en el apartado anterior cuando se llevare a cabo respecto de menores de edad con fines de explotación.

3. El consentimiento de una víctima de trata de seres humanos será irrelevante cuando se haya recurrido a alguno de los medios indicados en el apartado primero de este artículo.

4. Se impondrá la pena superior en grado a la prevista en el apartado primero de este artículo cuando:

a) se hubiera puesto en peligro la vida o la integridad física o psíquica de las personas objeto del delito;

b) la víctima sea especialmente vulnerable por razón de enfermedad, estado gestacional, discapacidad o situación personal, o sea menor de edad.

c) la víctima sea una persona cuya situación de vulnerabilidad haya sido originada o agravada por el desplazamiento derivado de un conflicto armado o una catástrofe humanitaria.

Si concurriere más de una circunstancia se impondrá la pena en su mitad superior.

5. Se impondrá la pena superior en grado a la prevista en el apartado 1 de este artículo e inhabilitación absoluta de seis a doce años a los que realicen los hechos prevaliéndose de su condición de autoridad, agente de ésta o funcionario público. Si concurriere además alguna de

las circunstancias previstas en el apartado 4 de este artículo se impondrán las penas en su mitad superior.

6. Se impondrá la pena superior en grado a la prevista en el apartado 1 de este artículo e inhabilitación especial para profesión, oficio, industria o comercio por el tiempo de la condena, cuando el culpable perteneciera a una organización o asociación de más de dos personas, incluso de carácter transitorio, que se dedicase a la realización de tales actividades. Si concurriere alguna de las circunstancias previstas en el apartado 4 de este artículo se impondrán las penas en la mitad superior. Si concurriere la circunstancia prevista en el apartado 5 de este artículo se impondrán las penas señaladas en este en su mitad superior.

Cuando se trate de los jefes, administradores o encargados de dichas organizaciones o asociaciones, se les aplicará la pena en su mitad superior, que podrá elevarse a la inmediatamente superior en grado. En todo caso se elevará la pena a la inmediatamente superior en grado si concurriera alguna de las circunstancias previstas en el apartado 4 o la circunstancia prevista en el apartado 5 de este artículo.

7. Cuando de acuerdo con lo establecido en el artículo 31 bis una persona jurídica sea responsable de los delitos comprendidos en este artículo, se le impondrá la pena de multa del triple al quíntuple del beneficio obtenido. Atendidas las reglas establecidas en el artículo 66 bis, los jueces y tribunales podrán asimismo imponer las penas recogidas en las letras b) a g) del apartado 7 del artículo 33.

8. La provocación, la conspiración y la proposición para cometer el delito de trata de seres humanos serán castigadas con la pena inferior en uno o dos grados a la del delito correspondiente.

9. En todo caso, las penas previstas en este artículo se impondrán sin perjuicio de las que correspondan, en su caso, por el delito del artículo 318 bis de este Código y demás delitos efectivamente cometidos, incluidos los constitutivos de la correspondiente explotación.

10. Las condenas de jueces o tribunales extranjeros por delitos de la misma naturaleza que los previstos en este artículo producirán los efectos de reincidencia, salvo que el antecedente penal haya sido cancelado o pueda serlo con arreglo al Derecho español.

11. Sin perjuicio de la aplicación de las reglas generales de este Código, la víctima de trata de seres humanos quedará exenta de pena

por las infracciones penales que haya cometido en la situación de
explotación sufrida, siempre que su participación en ellas haya sido
consecuencia directa de la situación de violencia, intimidación, engaño o abuso a que haya sido sometida y que exista una adecuada
proporcionalidad entre dicha situación y el hecho criminal realizado.

**Acuerdo no jurisdiccional del pleno de la Sala 2ª del TS de 31
de mayo de 2016:** El delito de trata de seres humanos, definido
en el art. 177 bis del CP, reformado por la LO 1/2015, de 30
de marzo, obliga a sancionar tantos delitos como víctimas, con
arreglo a las normas que regulan el concurso real.

STS 178/2016: Dado el bien jurídico protegido por el delito de
trata de seres humanos, de naturaleza eminentemente personal,
se cometen tantos delitos como víctimas.

STS 188/2016: La diferencia entre el delito de inmigración ilegal (art. 318 bis) y el de trata de seres humanos (art. 177 bis) ha
sido confusa en nuestro derecho positivo. Ambas conductas entrañan el movimiento de seres humanos, generalmente para obtener algún beneficio. Sin embargo, en el caso de la trata deben
darse dos elementos adicionales con respecto a la inmigración
ilegal: a) una forma de captación indebida, con violencia o intimidación, engaño o abuso de poder o pago de precio; y b) un
propósito de explotación (en la prostitución, trabajos forzados,
extracción de órganos u otras formas de abuso). En la inmigración ilegal, el precio ilegal pagado por el inmigrante irregular,
cuando se realiza en el subtipo agravado de ánimo de lucro, es
el origen de los ingresos, y no suele mantenerse ninguna relación persistente entre el delincuente y el inmigrante, una vez
que éste ha llegado a su destino. Otra de las grandes diferencias
entre ambos tipos, es que la inmigración ilegal siempre tiene
carácter transnacional, teniendo por objeto un extranjero ajeno
a la Unión Europea, mientras que la trata puede tener carácter
transnacional o no, ya que las víctimas pueden ser ciudadanos
europeos o incluso españoles. Otra diferencia es que el delito de inmigración ilegal está necesitado de heterointegración
administrativa, mientras que estos requisitos legales respecto a
entrada, estancia o tránsito de extranjeros no constituyen elementos del tipo del delito de trata, que tiene como elementos

relevantes la afectación del consentimiento y la finalidad de explotación.

STS 144/2018: En cuanto a la tipificación del delito de trata de seres humanos en el art. 177 bis del C. Penal, comprende las acciones de captar, transportar, trasladar, acoger, recibir o alojar. Y como medios de ejecución tipifica el referido precepto la violencia, intimidación, engaño, abuso de situación de superioridad o de necesidad o de vulnerabilidad de la víctima, y la entrega o recepción de pagos o beneficios. Complementándose el cuadro tipificador con los fines de imposición de trabajos o servicios forzados, explotación sexual, realización de actividades delictivas, extracción órganos corporales y celebración de matrimonios forzados.

STS 396/2019: En la sentencia de esta Sala 214/2017, de 29 de marzo, se subrayan como elementos típicos de la conducta criminal de la trata de seres humanos, que son destacados por la UNODC (Oficina de las Naciones Unidas contra la droga y el delito), y que se perciben en las sucesivas fases en las que se articula la trata: i) Fase de captación. La primera fase del delito de trata de seres humanos consiste en una inicial conducta de captación, que consiste en la atracción de una persona para controlar su voluntad con fines de explotación, lo que equivale al reclutamiento de la víctima. En esta fase de captación o reclutamiento, se utiliza habitualmente el engaño, mediante el cual el tratante, sus colaboradores o su organización articulan un mecanismo de acercamiento directo o indirecto a la víctima para lograr su "enganche" o aceptación de la propuesta. También se combina con frecuencia el engaño con la coacción. El engaño consiste en utilizar datos total o parcialmente falsos para hacer creer a la víctima algo que no es cierto y que generalmente se traduce en ofertas de trabajo legítimo, bien en el servicio doméstico, bien en establecimientos fabriles o comerciales, o incluso como modelos, y en general en ofrecer a personas desvalidas unas mejores condiciones de vida. Normalmente el engaño es utilizado para mantener a la víctima bajo control durante la fase de traslado e inicialmente en los lugares de explotación, aunque pronto se sustituye o se combina con la coacción. La coacción implica fuerza, violencia o intimidación para que las víctimas acepten las condiciones impuestas. Los tratantes utilizan este medio sobre las víctimas mediante diferentes elementos generadores: la amenaza de ejercer un daño directo y personal a la víctima o la de afectar a sus familiares o allegados que se quedan en el país de origen es una de las más frecuentes. La aportación de documentación, y su sustracción, tienen un papel determinante en la trata: los documentos de identidad y viaje (pasaporte, etc.) son falsificados con frecuencia, y en cualquier caso retenidos por los tratantes o sus colaboradores para dificultar la fuga de las víctimas. ii) Fase de traslado. Ocupa el segundo eslabón de la actividad delictiva en la trata de seres humanos. El traslado consiste en mover a una persona de un lugar a otro utilizando cualquier medio disponible (incluso a pie). La utilización de la expresión traslado enfatiza el cambio que realiza una persona de comunidad o país y está relacionado con la técnica del "desarraigo", que es esencial para el éxito de la actividad delictiva de trata. El traslado puede realizarse dentro del país, aunque es más habitual con cruce de fronteras. El desarraigo consiste en que la víctima es separada del lugar o medio donde se ha criado o habita, cortando así los vínculos afectivos que tiene con ellos mediante el uso de fuerza, la coacción y el engaño. El objetivo del desarraigo es evitar el contacto de la víctima con sus redes sociales de apoyo: familia, amistades, vecinos, a fin de provocar unas condiciones de aislamiento que permiten al tratante mantener control y explotarla. El desarraigo se materializa en el traslado de la víctima al lugar de explotación. Cuando se llega al destino final la víctima es despojada, con mucha frecuencia, de sus documentos de identidad y viaje, así como de otras pertenencias que la relacionen con su identidad y con sus lazos familiares y afectivos. iii) Fase de explotación. Consiste en la obtención de beneficios financieros, comerciales o de otro tipo a través de la participación forzada de otra persona en actos de prostitución, incluidos actos de pornografía o producción de materiales pornográficos. El Protocolo de Palermo de 15 de diciembre de 2015 se refiere como finalidad de la trata de seres humanos a la explotación de la prostitución ajena, a otras formas de explotación sexual, a los trabajos o servicios forzados, a la esclavitud o las prácticas análogas a la esclavitud, a la servidumbre o a la extracción de órganos.

STS 307/2021: No es necesario llegar a la explotación efectiva de la víctima, al transporte o al traslado a otro lugar; basta con que el sujeto pasivo haya sido ya captado para ello o se encuentre ya en disposición de ser objeto de alguna de las finalidades típicas. Por ello, cualquiera de las finalidades del art. 177 bis.1 CP que se citan de la letra a) a la e), son bastantes para realizar el delito de trata de seres humanos, aunque no es necesario que se produzcan efectivamente, por tratarse de un "delito de consumación anticipada". Se identifican con los "fines de explotación" de las víctimas del delito de trata de seres humanos y constituyen el "elemento subjetivo del injusto" del mismo. Como se ha expuesto, el delito de trata de seres humanos se consuma una vez realizada la acción típica independientemente de que se haya o no producido la situación concreta y efectiva de explotación laboral, sexual.

STS 677/2022: En todos aquellos supuestos en los que la modalidad comisiva descansa en que el autor se sirve de la vulnerabilidad de la víctima para imponer su conducta de abuso, se suscita la cuestión de cuándo el aprovechamiento de la vulnerabilidad puede ser merecedor, sin quebrantar la proscripción del bis in idem, de la agravación específica de especial vulnerabilidad del artículo 177 bis 4.b). Una primera aproximación al precepto expresa que la agravación exige de un plus de antijuricidad respecto de la conducta ordinaria, lo que el legislador habría recogido con la exigencia de que la víctima sea "especialmente" vulnerable. Sin embargo, el distinto contorno semántico del término vulnerabilidad utilizado en los dos párrafos, perfila que el diferente ámbito de aplicación de cada supuesto no sea meramente cuantitativo y que está directamente relacionado con los bienes jurídicos de libertad y dignidad que la figura delictiva contempla. Respecto de la conducta básica, el propio legislador indica (art. 177 bis 1, in fine), que "existe una situación de necesidad o vulnerabilidad cuando la persona en cuestión no tiene otra alternativa, real o aceptable, que someterse al abuso", haciendo con ello referencia a la antijuricidad que entraña aprovecharse de una realidad que restringe la libertad decisoria del sujeto pasivo. La vulnerabilidad se contempla aquí como una realidad socioeconómica personal, familiar o relacional, que condiciona al sujeto a soportar una situación que nunca hubiera aceptado sin unos condicionantes de exclusión social que son directamente instrumentalizados por el autor. Se equipara, por ello, a otras formas de anular o de restringir el comportamiento libre y voluntario de la víctima, como lo son también el uso de la violencia o de la intimidación, el abuso de una significativa superioridad o, incluso, el engaño. Por el contrario, la agravación del número 4 contempla la vulnerabilidad desde un plano de fragilidad subjetiva, de modo que operará en supuestos en los que, además de una restricción de la libertad de opción que determina la existencia del tipo básico, exista una erosión de las reglas más básicas de solidaridad humana. El legislador, precisamente en su función de definir los estándares sociales de más clara exigencia, fija como personas objeto de protección a quienes sufran discapacidad o enfermedad, o a las mujeres que pasen por un embarazo, cuando a su situación se les asigne una exigencia social y ética de especial respeto a su dignidad. En todo caso, el legislador no ha recogido las situaciones de especial protección enumerando un elenco cerrado de dificultades físicas (numerus clausus), sino que añade la posibilidad de aplicar la agravación cuando la persona sea especialmente vulnerable por su situación personal, en una referencia más abierta, pero que también debe ser contemplada desde el prisma de una especial exigencia ética ante los deberes más elementales de solidaridad individual. Mención distinta merece la punición cuando el delito afecta a menores. Cuando se materializa la acción delictiva sobre menores de edad, el artículo 177 bis 2 dispone que el delito existe, "aun cuando no concurra ninguno de los medios enunciados en el apartado anterior", añadiendo el artículo 177 bis 4.b) que, para estos supuestos, es aplicable la pena prevista en el subtipo agravado. De este modo, la norma contempla que el abuso de un menor de edad prescinde siempre de un consentimiento libre e informado y denota además un intolerable desprecio a la lesividad de un sujeto pasivo especialmente amparable. Se introduce por tanto una regla de punición especial, estableciendo un reproche punitivo idéntico al del resto de conductas agravadas y que directamente responde a la transposición de la Directiva 2011/36/UE del Parlamento Europeo y del Consejo, de 5 de abril de 2011, relativa a la prevención y lucha contra la trata de seres humanos y a la protección de las víctimas.

V. DELITOS CONTRA LA LIBERTAD SEXUAL (ARTS. 178 A 194 BIS)

Art. 178.[400]

1. Será castigado con la pena de prisión de uno a cuatro años, como responsable de agresión sexual, el que realice cualquier acto que atente contra la libertad sexual de otra persona sin su consentimiento. Sólo se entenderá que hay consentimiento cuando se haya manifestado libremente mediante actos que, en atención a las circunstancias del caso, expresen de manera clara la voluntad de la persona.

2. A los efectos del apartado anterior, se consideran en todo caso agresión sexual los actos de contenido sexual que se realicen empleando violencia, intimidación o abuso de una situación de superioridad o de vulnerabilidad de la víctima, así como los que se ejecuten sobre personas que se hallen privadas de sentido o de cuya situación mental se abusare y los que se realicen cuando la víctima tenga anulada por cualquier causa su voluntad.

3. El órgano sentenciador, razonándolo en la sentencia, y siempre que no concurran las circunstancias del artículo 180, podrá imponer la pena de prisión en su mitad inferior o multa de dieciocho a veinticuatro meses, en atención a la menor entidad del hecho y a las circunstancias personales del culpable.

---

[400] Modificado por la LO 10/2022, de 6 de septiembre.

Art. 179.[401]

Cuando la agresión sexual consista en acceso carnal por vía vaginal, anal o bucal, o introducción de miembros corporales u objetos por alguna de las dos primeras vías, el responsable será castigado como reo de violación con la pena de prisión de cuatro a doce años.

Art. 180.[402]

1. Las anteriores conductas serán castigadas con la pena de prisión de dos a ocho años para las agresiones del artículo 178.1 y de siete a quince años para las del artículo 179 cuando concurra alguna de las siguientes circunstancias, salvo que las mismas hayan sido tomadas en consideración para determinar que concurren los elementos de los delitos tipificados en los artículos 178 o 179:

1.ª Cuando los hechos se cometan por la actuación conjunta de dos o más personas.

2.ª Cuando la agresión sexual vaya precedida o acompañada de una violencia de extrema gravedad o de actos que revistan un carácter particularmente degradante o vejatorio.

3.ª Cuando los hechos se cometan contra una persona que se halle en una situación de especial vulnerabilidad por razón de su edad, enfermedad, discapacidad o por cualquier otra circunstancia, salvo lo dispuesto en el artículo 181.

4.ª Cuando la víctima sea o haya sido esposa o mujer que esté o haya estado ligada por análoga relación de afectividad, aun sin convivencia.

5.ª Cuando, para la ejecución del delito, la persona responsable se hubiera prevalido de una situación de convivencia o de parentesco, por ser ascendiente, o hermano, por naturaleza o adopción, o afines, o de una relación de superioridad con respecto a la víctima.

---

[401]   Modificado por la LO 10/2022, de 6 de septiembre.
[402]   Modificado por la LO 10/2022, de 6 de septiembre, y por la LO 8/2021, de 4 de junio.

6.ª Cuando el responsable haga uso de armas u otros medios igualmente peligrosos, susceptibles de producir la muerte o alguna de las lesiones previstas en los artículos 149 y 150 de este Código, sin perjuicio de lo dispuesto en el artículo 194 bis.

7.ª Cuando para la comisión de estos hechos el autor haya anulado la voluntad de la víctima suministrándole fármacos, drogas o cualquier otra sustancia natural o química idónea a tal efecto.

2. Si concurrieren dos o más de las anteriores circunstancias, las penas respectivamente previstas en el apartado 1 de este artículo se impondrán en su mitad superior.

3. En todos los casos previstos en este capítulo, cuando el culpable se hubiera prevalido de su condición de autoridad, agente de ésta o funcionario público, se impondrá, además, la pena de inhabilitación absoluta de seis a doce años.

Art. 181.[403]

1. El que realizare actos de carácter sexual con un menor de dieciséis años, será castigado con la pena de prisión de dos a seis años.

A estos efectos se consideran incluidos en los actos de carácter sexual los que realice el menor con un tercero o sobre sí mismo a instancia del autor.

2. Si en las conductas del apartado anterior concurre alguna de las modalidades de agresión sexual descritas en el artículo 178, se impondrá una pena de prisión de cinco a diez años.

En estos casos, en atención a la menor entidad del hecho y valorando todas las circunstancias concurrentes, incluyendo las circunstancias personales del culpable, podrá imponerse la pena de prisión inferior en grado, excepto cuando medie violencia o intimidación o concurran las circunstancias mencionadas en el artículo 181.4.

3. Cuanto el acto sexual consista en acceso carnal por vía vaginal, anal o bucal, o en introducción de miembros corporales u objetos por algunas de las dos primeras vías, el responsable será castigado con la

---

[403]   Modificado por la LO 10/2022, de 6 de septiembre.

pena de prisión de seis a doce años de prisión en los casos del apartado 1, y con la pena de prisión de diez a quince años en los casos del apartado 2.

4. Las conductas previstas en los apartados anteriores serán castigadas con la pena de prisión correspondiente en su mitad superior cuando concurra alguna de las siguientes circunstancias:

a) Cuando los hechos se cometan por la actuación conjunta de dos o más personas.

b) Cuando la agresión sexual vaya precedida o acompañada de una violencia de extrema gravedad o de actos que revistan un carácter particularmente degradante o vejatorio.

c) Cuando los hechos se cometan contra una persona que se halle en una situación de especial vulnerabilidad por razón de su edad, enfermedad, discapacidad o por cualquier otra circunstancia, y, en todo caso, cuando sea menor de cuatro años.

d) Cuando la víctima sea o haya sido pareja del autor, aun sin convivencia.

e) Cuando, para la ejecución del delito, el responsable se hubiera prevalido de una situación de convivencia o de una relación de superioridad o parentesco, por ser ascendiente, o hermano, por naturaleza o adopción, o afines, con la víctima.

f) Cuando el responsable haga uso de armas u otros medios igualmente peligrosos, susceptibles de producir la muerte o alguna de las lesiones previstas en los artículos 149 y 150 de este Código, sin perjuicio de lo dispuesto en el artículo 194 bis.

g) Cuando para la comisión de estos hechos el autor haya anulado la voluntad de la víctima suministrándole fármacos, drogas o cualquier otra sustancia natural o química idónea a tal efecto.

h) Cuando la infracción se haya cometido en el seno de una organización o de un grupo criminal que se dedicare a la realización de tales actividades.

5. En todos los casos previstos en este artículo, cuando el culpable se hubiera prevalido de su condición de autoridad, agente de ésta o funcionario público, se impondrá, además, la pena de inhabilitación absoluta de seis a doce años.

STS 967/2022: En estos casos, la nueva regulación contenida en el Código Penal tras la reforma operada por la LO 10/2022, contiene una previsión específica para los casos de agresiones sexuales sobre personas menores de 16 años, que permite imponer la pena de prisión inferior en grado en atención a la menor entidad del hecho y valorando todas las circunstancias concurrentes, incluyendo las circunstancias personales del culpable, excepto cuando medie violencia o intimidación o concurran las circunstancias previstas en el artículo 181.4. Esta previsión legal no existía con anterioridad a la reforma que se menciona, de manera que la realización de actos de carácter sexual con un menor de 16 años estaba castigado como abuso sexual con la pena de 2 a 6 años (artículo 183.1 del CP). Por lo tanto, en principio, la nueva regulación debe considerarse más favorable, ya que introduce un distinto marco penológico de menor gravedad al permitir la reducción en un grado y por ello la imposición de una pena inferior a 2 años, mínimo legal previsto anteriormente. Conclusión que se alcanza tanto si se entiende que la nueva regulación incorpora una nueva posibilidad de individualización de la pena, como si se sostiene que introduce un subtipo atenuado, caracterizado por un elemento normativo consistente en la menor entidad del hecho, tal como esta Sala sostuvo generalmente en relación a las previsiones similares contenidas en el artículo 368.2 del CP (STS nº 260/2022, de 17 de marzo y STS nº 664/2022, de 30 de junio, entre otras muchas). En el caso, no media violencia o intimidación, ni se aprecia ninguna de las circunstancias enumeradas en el artículo 181.4, no concurriendo por ello las causas de exclusión de la aplicación del nuevo subtipo atenuado.

STS 987/2022: Los hechos declarados probados encajan ahora sin margen de discusión en el nuevo artículo 181. 1, 2 y 3 segundo inciso CP, con una penalidad que oscila entre los 10 y los 15 años de prisión. Tal y como ha argumentado el Fiscal en el traslado que se le ha conferido al efecto, la pena de 12 años es también ahora imponible, lo que abocaría a su inmodificabilidad en el caso de que el Tribunal de instancia hubiera ejercido su arbitrio elevando la pena por encima de su umbral. Pero no fue así, por lo que la disminución en el límite mínimo por el que en su momento se decantaron, no solo la acusación, sino también el Tribunal sin objetar razones que según su criterio justificaran un mayor reproche traducido en cantidad de pena, determinan, como ha solicitado la parte recurrente, la aplicación retroactiva de la nueva norma fijando ahora la pena en 10 años de prisión. El resultado de la confrontación normativa se perfila con nitidez, toda vez que el relato de hechos probados no describe lesiones que pudieran determinar su punición independiente ex actual artículo 194 bis, por más que esta sea una cuestión no exenta de matices que no es el momento de abordar.

Art. 182.[404]

1. El que, con fines sexuales, haga presenciar a un menor de dieciséis años actos de carácter sexual, aunque el autor no participe en ellos, será castigado con una pena de prisión de seis meses a dos años.

2. Si los actos de carácter sexual que se hacen presenciar al menor de dieciséis años constituyeran un delito contra la libertad sexual, la pena será de prisión de uno a tres años.

Art. 183.[405]

1. El que a través de internet, del teléfono o de cualquier otra tecnología de la información y la comunicación contacte con un menor de dieciséis años y proponga concertar un encuentro con el mismo a fin de cometer cualquiera de los delitos descritos en los artículos 181 y 189, siempre que tal propuesta se acompañe de actos materiales encaminados al acercamiento, será castigado con la pena de uno a tres años de prisión o multa de doce a veinticuatro meses, sin perjuicio de las penas correspondientes a los delitos en su caso cometidos. Las penas se impondrán en su mitad superior cuando el acercamiento se obtenga mediante coacción, intimidación o engaño.

2. El que, a través de internet, del teléfono o de cualquier otra tecnología de la información y la comunicación contacte con un menor de dieciséis años y realice actos dirigidos a embaucarle para que le facilite material pornográfico o le muestre imágenes pornográficas

---

[404]	Modificado por la LO 10/2022, de 6 de septiembre.
[405]	Modificado por la LO 10/2022, de 6 de septiembre, y por la LO 8/2021, de 4 de junio.

en las que se represente o aparezca un menor, será castigado con una pena de prisión de seis meses a dos años.

Art. 183 bis.[406]

Salvo en los casos en que concurra alguna de las circunstancias previstas en el apartado segundo del artículo 178, el libre consentimiento del menor de dieciséis años excluirá la responsabilidad penal por los delitos previstos en este capítulo cuando el autor sea una persona próxima al menor por edad y grado de desarrollo o madurez física y psicológica.

Art. 183 ter.[407]

Art. 183 quater.[408]

Art. 184.[409]

1. El que solicitare favores de naturaleza sexual, para sí o para un tercero, en el ámbito de una relación laboral, docente, de prestación de servicios o análoga, continuada o habitual, y con tal comportamiento provocare a la víctima una situación objetiva y gravemente intimidatoria, hostil o humillante, será castigado, como autor de acoso sexual, con la pena de prisión de seis a doce meses o multa de diez a quince meses e inhabilitación especial para el ejercicio de la profesión, oficio o actividad de doce a quince meses.

2. Si el culpable de acoso sexual hubiera cometido el hecho prevaliéndose de una situación de superioridad laboral, docente o jerárquica, o sobre persona sujeta a su guarda o custodia, o con el anuncio expreso o tácito de causar a la víctima un mal relacionado con las

---

[406] Modificado por la LO 10/2022, de 6 de septiembre.
[407] Suprimido por la LO 10/2022, de 6 de septiembre.
[408] Suprimido por la LO 10/2022, de 6 de septiembre.
[409] Modificado por la LO 10/2022, de 6 de septiembre.

legítimas expectativas que aquella pueda tener en el ámbito de la indicada relación, la pena será de prisión de uno a dos años e inhabilitación especial para el ejercicio de la profesión, oficio o actividad de dieciocho a veinticuatro meses.

3. Asimismo, si el culpable de acoso sexual lo hubiera cometido en centros de protección o reforma de menores, centro de internamiento de personas extranjeras, o cualquier otro centro de detención, custodia o acogida, incluso de estancia temporal, la pena será de prisión de uno a dos años e inhabilitación especial para el ejercicio de la profesión, oficio o actividad de dieciocho a veinticuatro meses, sin perjuicio de lo establecido en el artículo 443.2.

4. Cuando la víctima se halle en una situación de especial vulnerabilidad por razón de su edad, enfermedad o discapacidad, la pena se impondrá en su mitad superior.

5. Cuando de acuerdo con lo establecido en el artículo 31 bis, una persona jurídica sea responsable de este delito, se le impondrá la pena de multa de seis meses a dos años. Atenidas las reglas establecidas en el artículo 66 bis, los jueces y tribunales podrán asimismo imponer las penas recogidas en las letras b) a g) del apartado 7 del artículo 33.

Art. 185.

El que ejecutare o hiciere ejecutar a otra persona actos de exhibición obscena ante menores de edad o personas con discapacidad necesitadas de especial protección, será castigado con la pena de prisión de seis meses a un año o multa de 12 a 24 meses.

Art. 186.

El que, por cualquier medio directo, vendiere, difundiere o exhibiere material pornográfico entre menores de edad o personas con discapacidad necesitadas de especial protección, será castigado con la pena de prisión de seis meses a un año o multa de 12 a 24 meses.

Art. 187.

1. El que, empleando violencia, intimidación o engaño, o abusando de una situación de superioridad o de necesidad o vulnerabilidad de la víctima, determine a una persona mayor de edad a ejercer o a mantenerse en la prostitución, será castigado con las penas de prisión de dos a cinco años y multa de doce a veinticuatro meses.

Se impondrá la pena de prisión de dos a cuatro años y multa de doce a veinticuatro meses a quien se lucre explotando la prostitución de otra persona, aun con el consentimiento de la misma. En todo caso, se entenderá que hay explotación cuando concurra alguna de las siguientes circunstancias:

a) Que la víctima se encuentre en una situación de vulnerabilidad personal o económica.

b) Que se le impongan para su ejercicio condiciones gravosas, desproporcionadas o abusivas.

2. Se impondrán las penas previstas en los apartados anteriores en su mitad superior, en sus respectivos casos, cuando concurra alguna de las siguientes circunstancias:

a) Cuando el culpable se hubiera prevalido de su condición de autoridad, agente de ésta o funcionario público. En este caso se aplicará, además, la pena de inhabilitación absoluta de seis a doce años.

b) Cuando el culpable perteneciere a una organización o grupo criminal que se dedicare a la realización de tales actividades.

c) Cuando el culpable hubiere puesto en peligro, de forma dolosa o por imprudencia grave, la vida o salud de la víctima.

3. Las penas señaladas se impondrán en sus respectivos casos sin perjuicio de las que correspondan por las agresiones o abusos sexuales cometidos sobre la persona prostituida.

Art. 188.[410]

1. El que induzca, promueva, favorezca o facilite la prostitución de un menor de edad o una persona con discapacidad necesitada de especial protección, o se lucre con ello, o explote de algún otro modo a un menor o a una persona con discapacidad para estos fines, será castigado con las penas de prisión de dos a cinco años y multa de doce a veinticuatro meses.

Si la víctima fuera menor de dieciséis años, se impondrá la pena de prisión de cuatro a ocho años y multa de doce a veinticuatro meses.

2. Si los hechos descritos en el apartado anterior se cometieran con violencia o intimidación, además de las penas de multa previstas, se impondrá la pena de prisión de cinco a diez años si la víctima es menor de dieciséis años, y la pena de prisión de cuatro a seis años en los demás casos.

3. Se impondrán las penas superiores en grado a las previstas en los apartados anteriores, en sus respectivos casos, cuando concurra alguna de las siguientes circunstancias:

a) Cuando la víctima se halle en una situación de especial vulnerabilidad por razón de su edad, enfermedad, discapacidad o por cualquier otra circunstancia.

b) Cuando, para la ejecución del delito, el responsable se hubiera prevalido de una situación de convivencia o de una relación de superioridad o parentesco, por ser ascendiente, o hermano, por naturaleza o adopción, o afines, con la víctima.

c) Cuando, para la ejecución del delito, el responsable se hubiera prevalido de su condición de autoridad, agente de ésta o funcionario público. En este caso se impondrá, además, una pena de inhabilitación absoluta de seis a doce años.

d) Cuando el culpable hubiere puesto en peligro, de forma dolosa o por imprudencia grave, la vida o salud de la víctima.

e) Cuando los hechos se hubieren cometido por la actuación conjunta de dos o más personas.

---

[410] Modificado por la LO 8/2021, de 4 de junio.

f) Cuando el culpable perteneciere a una organización o asociación, incluso de carácter transitorio, que se dedicare a la realización de tales actividades.

4. El que solicite, acepte u obtenga, a cambio de una remuneración o promesa, una relación sexual con una persona menor de edad o una persona con discapacidad necesitada de especial protección, será castigado con una pena de uno a cuatro años de prisión. Si el menor no hubiera cumplido dieciséis años de edad, se impondrá una pena de dos a seis años de prisión.

5. Las penas señaladas se impondrán en sus respectivos casos sin perjuicio de las que correspondan por las infracciones contra la libertad o indemnidad sexual cometidas sobre los menores y personas con discapacidad necesitadas de especial protección.

Art. 189.[411]

1. Será castigado con la pena de prisión de uno a cinco años:

a) El que captare o utilizare a menores de edad o a personas con discapacidad necesitadas de especial protección con fines o en espectáculos exhibicionistas o pornográficos, tanto públicos como privados, o para elaborar cualquier clase de material pornográfico, cualquiera que sea su soporte, o financiare cualquiera de estas actividades o se lucrare con ellas.

b) El que produjere, vendiere, distribuyere, exhibiere, ofreciere o facilitare la producción, venta, difusión o exhibición por cualquier medio de pornografía infantil o en cuya elaboración hayan sido utilizadas personas con discapacidad necesitadas de especial protección, o lo poseyere para estos fines, aunque el material tuviere su origen en el extranjero o fuere desconocido.

A los efectos de este Título se considera pornografía infantil o en cuya elaboración hayan sido utilizadas personas con discapacidad necesitadas de especial protección:

---

[411]   Modificado por la LO 8/2021, de 4 de junio.

a) Todo material que represente de manera visual a un menor o una persona con discapacidad necesitada de especial protección participando en una conducta sexualmente explícita, real o simulada.

b) Toda representación de los órganos sexuales de un menor o persona con discapacidad necesitada de especial protección con fines principalmente sexuales.

c) Todo material que represente de forma visual a una persona que parezca ser un menor participando en una conducta sexualmente explícita, real o simulada, o cualquier representación de los órganos sexuales de una persona que parezca ser un menor, con fines principalmente sexuales, salvo que la persona que parezca ser un menor resulte tener en realidad dieciocho años o más en el momento de obtenerse las imágenes.

d) Imágenes realistas de un menor participando en una conducta sexualmente explícita o imágenes realistas de los órganos sexuales de un menor, con fines principalmente sexuales.

2. Serán castigados con la pena de prisión de cinco a nueve años los que realicen los actos previstos en el apartado 1 de este artículo cuando concurra alguna de las circunstancias siguientes:

a) Cuando se utilice a menores de dieciséis años.

b) Cuando los hechos revistan un carácter particularmente degradante o vejatorio, se emplee violencia física o sexual para la obtención del material pornográfico o se representen escenas de violencia física o sexual.

c) Cuando se utilice a personas menores de edad que se hallen en una situación de especial vulnerabilidad por razón de enfermedad, discapacidad o por cualquier otra circunstancia.

d) Cuando el culpable hubiere puesto en peligro, de forma dolosa o por imprudencia grave, la vida o salud de la víctima.

e) Cuando el material pornográfico fuera de notoria importancia.

f) Cuando el culpable perteneciere a una organización o asociación, incluso de carácter transitorio, que se dedicare a la realización de tales actividades.

g) Cuando el responsable sea ascendiente, tutor, curador, guardador, maestro o cualquier otra persona encargada, de hecho, aunque fuera provisionalmente, o de derecho, de la persona menor de edad o persona con discapacidad necesitada de especial protección, o se trate de cualquier persona que conviva con él o de otra persona que haya actuado abusando de su posición reconocida de confianza o autoridad.

h) Cuando concurra la agravante de reincidencia.

3. Si los hechos a que se refiere la letra a) del párrafo primero del apartado 1 se hubieran cometido con violencia o intimidación se impondrá la pena superior en grado a las previstas en los apartados anteriores.

4. El que asistiere a sabiendas a espectáculos exhibicionistas o pornográficos en los que participen menores de edad o personas con discapacidad necesitadas de especial protección, será castigado con la pena de seis meses a dos años de prisión.

5. El que para su propio uso adquiera o posea pornografía infantil o en cuya elaboración se hubieran utilizado personas con discapacidad necesitadas de especial protección, será castigado con la pena de tres meses a un año de prisión o con multa de seis meses a dos años.

La misma pena se impondrá a quien acceda a sabiendas a pornografía infantil o en cuya elaboración se hubieran utilizado personas con discapacidad necesitadas de especial protección, por medio de las tecnologías de la información y la comunicación.

6. El que tuviere bajo su potestad, tutela, guarda o acogimiento a un menor de edad o una persona con discapacidad necesitada de especial protección y que, con conocimiento de su estado de prostitución o corrupción, no haga lo posible para impedir su continuación en tal estado, o no acuda a la autoridad competente para el mismo fin si carece de medios para la custodia del menor o persona con discapacidad necesitada de especial protección, será castigado con la pena de prisión de tres a seis meses o multa de seis a doce meses.

7. El Ministerio Fiscal promoverá las acciones pertinentes con objeto de privar de la patria potestad, tutela, guarda o acogimiento familiar, en su caso, a la persona que incurra en alguna de las conductas descritas en el apartado anterior.

8. Los jueces y tribunales ordenarán la adopción de las medidas necesarias para la retirada de las páginas web o aplicaciones de internet

que contengan o difundan pornografía infantil o en cuya elaboración se hubieran utilizado personas con discapacidad necesitadas de especial protección o, en su caso, para bloquear el acceso a las mismas a los usuarios de Internet que se encuentren en territorio español.

Estas medidas podrán ser acordadas con carácter cautelar a petición del Ministerio Fiscal.

Art. 189 bis.[412]

La distribución o difusión pública a través de Internet, del teléfono o de cualquier otra tecnología de la información o de la comunicación de contenidos específicamente destinados a promover, fomentar o incitar a la comisión de los delitos previstos en este capítulo y en los capítulos II bis y IV del presente título será castigada con la pena de multa de seis a doce meses o pena de prisión de uno a tres años.

Las autoridades judiciales ordenarán la adopción de las medidas necesarias para la retirada de los contenidos a los que se refiere el párrafo anterior, para la interrupción de los servicios que ofrezcan predominantemente dichos contenidos o para el bloqueo de unos y otros cuando radiquen en el extranjero.

Art. 189 ter.[413]

Cuando de acuerdo con lo establecido en el artículo 31 bis una persona jurídica sea responsable de los delitos comprendidos en este Capítulo, se le impondrán las siguientes penas:

a) Multa del triple al quíntuple del beneficio obtenido, si el delito cometido por la persona física tiene prevista una pena de prisión de más de cinco años.

b) Multa del doble al cuádruple del beneficio obtenido, si el delito cometido por la persona física tiene prevista una pena de prisión de más de dos años no incluida en el anterior inciso.

---

[412] Modificado por la LO 8/2021, de 4 de junio.
[413] Modificado por la LO 10/2022, de 6 de septiembre, y por la LO 8/2021, de 4 de junio.

c) Multa del doble al triple del beneficio obtenido, en el resto de los casos.

d) Disolución de la persona jurídica, conforme a lo dispuesto en el artículo 33.7 b) de este Código, pudiendo decretarse, atendidas las reglas recogidas en el artículo 66 bis, las demás penas previstas en el mismo que sean compatibles con la disolución.

Art. 190.[414]

La condena de un Juez o Tribunal extranjero, impuesta por delitos comprendidos en este Título, será equiparada a las sentencias de los Jueces o Tribunales españoles a los efectos de la aplicación de la circunstancia agravante de reincidencia.

Art. 191.[415]

1. Para proceder por los delitos de agresiones sexuales y acoso sexual será precisa denuncia de la persona agraviada, de su representante legal o querella del Ministerio Fiscal, que actuará ponderando los legítimos intereses en presencia. Cuando la víctima sea menor de edad, persona con discapacidad necesitada de especial protección o una persona desvalida, bastará la denuncia del Ministerio Fiscal.

2. En estos delitos el perdón del ofendido o del representante legal no extingue la acción penal ni la responsabilidad de esa clase.

Art. 192.[416]

1. A los condenados a pena de prisión por uno o más delitos comprendidos en este Título se les impondrá además la medida de libertad vigilada, que se ejecutará con posterioridad a la pena privativa de libertad. La duración de dicha medida será de cinco a diez años, si

---

[414]   Modificado por la LO 10/2022, de 6 de septiembre.
[415]   Modificado por la LO 10/2022, de 6 de septiembre.
[416]   Modificado por la LO 10/2022, de 6 de septiembre, y por la LO 8/2021, de 4 de junio.

alguno de los delitos fuera grave, y de uno a cinco años si se trata de uno o más delitos menos graves. En este último caso, cuando se trate de un solo delito cometido por un delincuente primario, el tribunal podrá imponer o no la medida de libertad vigilada en atención a la menor peligrosidad del autor.

2. Los ascendientes, tutores, curadores, guardadores, maestros o cualquier otra persona encargada de hecho o de derecho del menor o persona con discapacidad necesitada de especial protección, que intervengan como autores o cómplices en la perpetración de los delitos comprendidos en este Título, serán castigados con la pena que les corresponda, en su mitad superior.

No se aplicará esta regla cuando la circunstancia en ella contenida esté específicamente contemplada en el tipo penal de que se trate.

3. La autoridad judicial impondrá a las personas responsables de la comisión de alguno de los delitos de los Capítulos I o V cuando la víctima sea menor de edad y en todo caso de alguno de los delitos del Capítulo II, además de las penas previstas en tales Capítulos, la pena de privación de la patria potestad o de inhabilitación especial para el ejercicio de los derechos de la patria potestad, tutela, curatela, guarda o acogimiento, por tiempo de cuatro a diez años. A las personas responsables del resto de delitos del presente Título se les podrá imponer razonadamente, además de las penas señaladas para tales delitos, la pena de privación de la patria potestad o la pena de inhabilitación especial para el ejercicio de los derechos de la patria potestad, tutela, curatela, guarda o acogimiento, por el tiempo de seis meses a seis años, así como la pena de inhabilitación para empleo o cargo público o ejercicio de la profesión u oficio, retribuido o no, por el tiempo de seis meses a seis años.

Asimismo, la autoridad judicial impondrá a las personas responsables de los delitos comprendidos en el presente Título, sin perjuicio de las penas que correspondan con arreglo a los artículos precedentes, una pena de inhabilitación especial para cualquier profesión, oficio o actividades, sean o no retribuidos, que conlleve contacto regular y directo con personas menores de edad, por un tiempo superior entre cinco y veinte años al de la duración de la pena de privación de libertad impuesta en la sentencia si el delito fuera grave, y entre dos y veinte años si fuera menos grave. En ambos casos se atenderá proporcionalmente a la gravedad del delito, el número de los delitos cometidos y a las circunstancias que concurran en la persona condenada.

Art. 193.

En las sentencias condenatorias por delitos contra la libertad sexual, además del pronunciamiento correspondiente a la responsabilidad civil, se harán, en su caso, los que procedan en orden a la filiación y fijación de alimentos.

Art. 194.[417]

En los supuestos tipificados en los capítulos IV y V de este título, cuando en la realización de los actos se utilizaren establecimientos o locales, abiertos o no al público, se decretará en la sentencia condenatoria su clausura definitiva. La clausura podrá adoptarse también con carácter cautelar.

Art. 194 bis.[418]

Las penas previstas en los delitos de este título se impondrán sin perjuicio de la que pudiera corresponder por los actos de violencia física o psíquica que se realizasen.

Art. 178.[419]

El que atentare contra la libertad sexual de otra persona, utilizando violencia o intimidación, será castigado como responsable de agresión sexual con la pena de prisión de uno a cinco años.

STS 547/2016: La doctrina de esta Sala ya ha abandonado la exigencia de un ánimo libidinoso o lúbrico como elemento del

---

[417] Modificado por la LO 10/2022, de 6 de septiembre.
[418] Introducido por la LO 10/2022, de 6 de septiembre.
[419] Redacción anterior a la reforma operada por la LO 10/2022, de 6 de septiembre.

tipo de los delitos contra la libertad sexual, siendo lo relevante que el acto sexual en sí mismo considerado constituya un acto atentatorio contra la libertad o indemnidad sexual de la víctima, objetivamente considerado, cualquiera que sea el móvil que tuviera el autor de la acción.

STS 985/2016: No cabe la alevosía en los delitos contra la libertad e indemnidad sexual; únicamente en los delitos contra las personas; estos delitos (contra la libertad e indemnidad sexual) protegen a la persona como titular de estos derechos pero no específicamente a la vida o integridad física de ésta.

STS 422/2021: En el delito de abuso sexual el consentimiento se encuentra viciado como consecuencia de las causas legales diseñadas por el legislador, y en el delito de agresión sexual, la libertad sexual de la víctima queda neutralizada a causa de la utilización o el empleo de violencia o intimidación. Dicho de otro modo, el delito de abuso sexual supone un consentimiento viciado por las causas tasadas en la ley, y por eso el Código Penal se expresa disponiendo que "se consideran abusos sexuales no consentidos" los que hemos reseñado con anterioridad. En todos ellos, la víctima o era incapaz de negarse a mantener cualquier tipo de relación sexual o se encontraba en una posición que le coartaba su libertad. En el delito de agresión sexual, tampoco se consiente libremente, pero aquí el autor se prevale de la utilización de fuerza o intimidación (vis phisica o vis moral), para doblegar la voluntad de su víctima. El autor emplea fuerza para ello, aunque también colma las exigencias típicas la intimidación, es decir, el uso de un clima de temor o de terror que anula su capacidad de resistencia, a cuyo efecto esta Sala Casacional siempre ha declarado que tal resistencia ni puede ni debe ser especialmente intensa. Basta la negativa por parte de la víctima, pues para el delito de agresión sexual es suficiente que el autor emplee medios violentos o intimidatorios. Por eso hemos declarado que la intimidación empleada no ha de ser de tal grado que presente caracteres irresistibles, invencibles o de gravedad inusitada. Basta que sea suficiente y eficaz en la ocasión concreta para alcanzar el fin propuesto, paralizando o inhibiendo la voluntad de resistencia de la víctima y actuando en adecuada relación causal, tanto por vencimiento material como por convencimiento de la inutilidad de prolongar una oposición de la que -sobre no conducir a resultado positivo-, podrían derivarse mayores males. En cualquier caso, el delito de agresión sexual requiere violencia o intimidación, pero en modo alguno que se ocasionen lesiones a la víctima. La ausencia de señales físicas en el cuerpo de la ofendida o de otros signos externos, según tiene declarado esta Sala, no empece para la existencia del delito la agresión sexual, que ofrece muchas facetas, muchas posibilidades y muchas variedades, dentro de las cuales no es imprescindible que la violencia y la intimidación lleven consigo lesiones. La violencia a que se refiere el artículo 178 CP ha de estar orientada a conseguir la ejecución de actos de contenido sexual y equivale a acometimiento, coacción o imposición material, al empleo de cualquier medio físico para doblegar la voluntad de la víctima y debe ser apreciada cuando sea idónea y adecuada para impedir a la víctima desenvolverse en su libre determinación, atendiendo a las circunstancias personales y fácticas concurrentes en el caso concreto. También hemos declarado que la fuerza que se exige ha de ser eficaz y de suficiente entidad objetiva, pero este dato debe matizarse en relación a las condiciones concretas de la víctima, bastando simplemente la acreditación del doblegamiento de la víctima por la superior posición y dominio del actor, lo que supone valorar la vía física más con criterios más relativos y circunstanciales alejados de la nota de la irresistibilidad criterio ya superado como se ha dicho. En definitiva, mientras que en el delito de abuso sexual el consentimiento se obtiene de forma viciada o se aprovecha el estado de incapacidad para obtenerlo, en la agresión sexual la voluntad del autor se impone por la fuerza, bien ésta sea violenta bien lo sea de carácter intimidatorio.

STS 480/2016: Si el sujeto activo ejerce una intimidación clara y suficiente, entonces la resistencia de la víctima es innecesaria, pues lo que determina el tipo de agresión sexual es la actividad o actitud del sujeto activo y no la de la víctima. En cualquier caso, la intimidación a los efectos de la integración del tipo de agresión sexual debe ser previa, seria, inmediata, grave y determinante del consentimiento forzado.

STS 344/2019: Es patente la situación fronteriza con la intimidación sobre todo en el análisis de las concretas situaciones que puedan darse. El enjuiciamiento es siempre una actividad individualizada. En el caso de intimidación no existe consentimiento de la víctima hay una ausencia de consentimiento, ésta se encuentra doblegada por la intimidación por el miedo que le provoca la actitud del agente. En caso de prevalimiento, existe la voluntad de la víctima que acepta y se presta acceder a las pretensiones del agente, pero lo hace con un consentimiento viciado no fruto de su libre voluntad autodeterminada.

STS 107/2019: Las agresiones sexuales, como delitos contra la indemnidad y la libertad sexual, se consuman con la ejecución de un acto de tocamiento o contacto sobre el cuerpo de la víctima, cuando a tal acto se le deba atribuir, de forma indudable, un significado sexual. La tentativa, solo será posible, pues, cuando no exista un contacto de esa clase. Con ello no se quiere decir que no sea posible la consumación sin la existencia de un contacto físico entre autor y víctima. Son muchos los precedentes de esta Sala en los que la aplicación del art. 183 del CP no se ha visto obstaculizada por el hecho de que no mediara contacto físico entre agresor y víctima. Y no sólo en aquellos casos en los que la ausencia de relación física está ligada al escenario telemático en el que se desarrolla el abuso. La significación de los tocamientos que efectúe el sujeto activo, puede asociarse al carácter erógeno de la zona del cuerpo afectada. Pero puede también corresponderse con otros aspectos relacionados con las circunstancias en las que se ejecutan, pues es claro que pueden tener significación sexual, afectando a la indemnidad o a la libertad de la víctima, aunque se ejecuten sobre otras partes del cuerpo cuando, a la luz de determinadas circunstancias, puedan vincularse al significado sexual. Así, puede afirmarse que tienen ese significado los tocamientos realizados sobre el cuerpo de la mujer en el marco de una agresión sexual, aunque no se realicen sobre zonas erógenas.

STS 418/2019: Que en la terminología médica se hable de intento de penetración, no equivale en el plano jurídico a tentativa de acceso. Tratándose de víctimas menores en que la desproporción de órganos determina la inviabilidad de la penetración total es todavía más certera esa conclusión. Siendo claro que no es precisa una penetración más o menos completa, sino un mero "inicio de penetración", entendemos que en el presente caso debemos concluir que estamos ante un delito consumado.

Acuerdo no jurisdiccional del pleno de la Sala 2ª del TS de 10 de octubre de 2003: Las alteraciones psíquicas ocasionadas a la víctima de una agresión sexual ya han sido tenidas en cuenta por el legislador al tipificar la conducta y asignarle una pena, por lo que ordinariamente quedan consumidas por el tipo delictivo correspondiente por aplicación del principio de consunción del art. 8.3 del Código Penal, sin perjuicio de su valoración a efectos de la responsabilidad civil.

STS 351/2018: Puede sostenerse que son tres los requisitos o exigencias imprescindibles para poder hablar de la existencia de un delito continuado, en los delitos contra la libertad sexual como los que aquí nos ocupan, a saber: a) uno de carácter personal, en concreto el que la víctima ha de ser siempre la misma persona; b) otro requisito circunstancial, que hace referencia no sólo al dolo y plan de ejecución unitarios y a la identidad entre los diferentes tipos penales infringidos sino también a la semejanza comisiva en cuanto a las circunstancias de lugar, ocasión, etc. que las caractericen; c) y un tercero de naturaleza temporal, de modo que no se produzcan importantes censuras o soluciones de continuidad dilatadas entre los distintos hechos, o grupos de ellos, que habrán de integrar la continuidad delictiva. Dicho lo cual, en general se aplica el delito continuado en aquellos casos en los que aunque esos ataques de contenido sexual se hubieran llevado a cabo en diversas ocasiones a lo largo del tiempo, hay una carencia probatoria para poder precisar con concreción suficiente su número y circunstancias individuales, conformando un verdadero estado permanente de sometimiento a los deseos libidinosos del autor, por lo que se presentan como un verdadero "continuum" en la configuración del comportamiento infractor, como manifestación de un dolo unitario, esto es, hay homogeneidad en los hechos sobre el mismo sujeto pasivo y existe una absoluta imposibilidad de concretar con precisión las ocasiones en que los hechos se cometieron.

STS 98/2020: En general la doctrina de esta casa ha rechazado la aplicación de la continuidad delictiva en agresiones sexuales perfectamente delimitadas en el tiempo, si bien ha admitido la aplicación de esta figura en supuestos de reiteración de los actos agresivos realizados sobre la misma persona, que habitualmente comienzan cuando es menor de edad, y se desarrollan durante un periodo de tiempo más o menos extenso. Casos caracterizados por la existencia de un mismo sistema de intimidación combinado con situaciones de prevalimiento o de abuso de superioridad, con los que el autor consigue el dominio de la voluntad de la víctima para proseguir durante todo el periodo de ejecución con su conducta delictiva. En definitiva, situaciones en las que no es fácil individualizar suficientemente cada acometimiento, y obedecen a un dolo único o unidad de propósito, o al aprovechamiento de similares ocasiones por parte del mismo sujeto activo.

STS 66/2016: Varios abusos sexuales consumados y una agresión sexual en grado de tentativa, se castigan como delito continuado con la pena más grave y en su mitad superior (delito continuado de agresión sexual en grado de tentativa; pena inferior en grado y en su mitad superior).

STS 28/2016: La doctrina de esta Sala ha procurado sistematizar la relación entre el delito de detención ilegal y otros delitos como las agresiones sexuales, que por su propia naturaleza suelen conllevar una cierta privación de la libertad deambulatoria de la víctima, para consolidar la seguridad jurídica en este ámbito. Esta relación plantea situaciones diversas, bien concursales o bien de autonomía de las infracciones concernidas, que han sido clasificadas por esta Sala a partir de un análisis individualizado. En general, se pueden establecer los siguientes supuestos: 1º) Concurso real.- Cuando la detención no constituye el medio comisivo para la ejecución de otros delitos. En este caso, nos encontramos ante un concurso real de delitos, y por tanto cada delito mantiene su propia autonomía y sustantividad, sancionándose separadamente. Son casos en los que la privación de libertad puede coincidir temporalmente con el delito principal, pero no está relacionado con él, no es medio instrumental para la ejecución de éste, o incluso puede aparecer la detención con posterioridad a la ejecución de aquél, generalmente para facilitar la impunidad del mismo, excediendo notoriamente la duración de la detención del tiempo necesario para el acto depredatorio o de agresión sexual. 2º) Concurso medial.- Una detención ilegal, arbitrada e instrumentalizada como medio para perpetrar una agresión sexual, u otro delito, pero cuya duración excede del estrictamente necesario para ejecutar el acto, es decir del indispensable para retener a la víctima mientras la agresión se consuma, constituye un concurso medial o instrumental, también llamado por la doctrina concurso ideal impropio (art. 77.3 CP), que debe dar lugar a una condena conjunta, y no a una condena separada de ambos delitos. Condena que, en cualquier caso, debe ser superior a la que correspondería al delito principal o más grave, dado que la sanción por el delito principal no cubre toda la culpabilidad ni la antijuricidad del hecho. 3º) Concurso de normas.- Cuando la privación de libertad coincide temporalmente y exactamente con el tiempo necesario e imprescindible para cometer el delito principal. Son los casos en los que el tiempo de detención coincide con el acto depredatorio patrimonial o el ataque a la libertad sexual. En estos supuestos, el desvalor de la acción de detener queda absorbido e integrado en el desvalor del acto depredatorio o agresivo, por lo que solo se sancionaría el delito principal, ya sea la agresión sexual o el robo.

Art. 179.[420]

Cuando la agresión sexual consista en acceso carnal por vía vaginal, anal o bucal, o introducción de miembros corporales u objetos por alguna de las dos primeras vías, el responsable será castigado como reo de violación con la pena de prisión de seis a 12 años.

Acuerdo no jurisdiccional del pleno de la Sala 2ª del TS de 25 de mayo de 2005: Es equivalente acceder carnalmente a hacerse acceder.

---

[420] Redacción anterior a la reforma operada por la LO 10/2022, de 6 de septiembre.

STS 454/2021: Todo lo que sea un exceso, por leve o breve que sea, de superación de la "horizontalidad" en la zona sexual femenina supone la existencia de agresión sexual por violación del art. 179 CP y no del art. 178 CP por considerar que hubo penetración, sin poder exigirse que sea un acceso total y absoluto, ya que la violación concurre aunque el acceso sea leve o breve. Y, así, debe entenderse por "horizontalidad" la zona superficial referida al mero tocamiento externo, suponiendo la superación de la barrera de la horizontalidad, por leve que sea ese acceso o contacto, una penetración. No se puede exigir, por ello, ni más ni menos, sino el "acceso suficiente" para entender que ya se irrumpe en la zona sexual de la mujer por leve que sea el contacto o acceso. En estos casos ya habría introducción, porque en ningún supuesto se ha exigido un acceso total para que exista violación.

STS 537/2020: La sustantividad de las lesiones o su absorción en el delito de violación dependen de la naturaleza de las mismas como algo inevitable o consecuencia normal del yacimiento o como independientes y con sustantividad propia por la violencia ejercida. Su apreciación es por ello muy circunstancial y ha de operar caso a caso en función de las concretas lesiones producidas y su modo de causación. No se estimará absorbida la lesión si la violencia ejercida para doblegar o vencer la resistencia de la persona atacada superó los límites mínimos necesarios para entender que concurrió la violencia contemplada en la descripción del tipo objetivo de la agresión sexual, sancionando independientemente aquello que exceda. Hemos precisado también que la violación solamente consume las lesiones producidas por la violencia cuando éstas pueden ser abarcadas dentro del contenido de ilicitud que es propio del acceso carnal violento, como por ejemplo lesiones en la propia zona genital, no ocasionadas de modo deliberado sino como forzosa consecuencia del acto carnal forzado.

Art. 180.[421]

1. Las anteriores conductas serán castigadas con las penas de prisión de cinco a diez años para las agresiones del artículo 178, y de doce a quince años para las del artículo 179, cuando concurra alguna de las siguientes circunstancias:

1.ª Cuando la violencia o intimidación ejercidas revistan un carácter particularmente degradante o vejatorio.

2.ª Cuando los hechos se cometan por la actuación conjunta de dos o más personas.

3.ª Cuando la víctima sea especialmente vulnerable, por razón de su edad, enfermedad, discapacidad o situación, salvo lo dispuesto en el artículo 183.

4.ª Cuando, para la ejecución del delito, el responsable se haya prevalido de una relación de superioridad o parentesco, por ser ascendiente, descendiente o hermano, por naturaleza o adopción, o afines, con la víctima.

5.ª Cuando el autor haga uso de armas u otros medios igualmente peligrosos, susceptibles de producir la muerte o alguna de las lesiones previstas en los artículos 149 y 150 de este Código, sin perjuicio de la pena que pudiera corresponder por la muerte o lesiones causadas.

2. Si concurrieren dos o más de las anteriores circunstancias, las penas previstas en este artículo se impondrán en su mitad superior.

STS 62/2018: La jurisprudencia de esta Sala viene precisando que ese carácter degradante, humillante o vejatorio ha de predicarse de la violencia o intimidación y no de los actos sexuales.

STS 302/2022: Para la aplicación de este supuesto agravado se requiere que la pluralidad de sujetos actúe de forma conjunta o confabulados para agredir sexualmente al sujeto pasivo, en cambio no es preciso, de forma necesaria, un previo concierto de voluntades entre los sujetos, bastando el acuerdo accidental

---

[421] Redacción anterior a las reformas operadas por la LO 10/2022, de 6 de septiembre, y por la LO 8/2021, de 4 de junio.

de los mismos. Para la aplicabilidad de este supuesto agravado es preciso que el delito pudiera haberlo cometido uno sólo de los agentes, pues si para la comisión del delito resultara imprescindible la actuación conjunta de todos, en el caso concreto, no podríamos aplicar la presente agravación. Esta Sala se ha pronunciado en numerosas ocasiones sobre la agravación analizada, así en nuestra sentencia 1667/2002, de 16 de octubre, decíamos que: "Es cierto que esta Sala ha apreciado que la estimación de esta agravación puede ser vulneradora del principio "non bis in idem" cuando en una actuación en grupo se sanciona a cada autor como responsable de su propia agresión y como cooperador necesario en las de los demás, pues en estos casos la estimación de ser autor por cooperación necesaria, se superpone exactamente sobre el subtipo de actuación en grupo, dicho de otro modo, la autoría por cooperación necesaria en estos casos exige, al menos, una dualidad de personas por lo que a tal autoría le es inherente la actuación conjunta que describe el subtipo agravado. Argumento que ha sido reiteradamente expuesto por jurisprudencia de esta Sala, en definitiva, que el artículo 180.1.2ª del Código Penal prevé una pena superior para los casos de comisión por la actuación conjunta de dos o más personas, no solo por la mayor gravedad que supone la existencia de un acuerdo, anterior o simultáneo, para la ejecución de hechos de esta clase, sino por la mayor indefensión en que se encuentra la víctima ante un ataque desarrollado por varias personas. No exige el tipo, literalmente, una autoría conjunta, sino una actuación conjunta.

STS 444/2022: Tal como han quedado redactados los hechos probados, se describe una actuación conjunta de los distintos acusados, cada uno para la consumación de su propia agresión y de contribución eficaz para la perpetrada por los demás, generando, entre todos, una situación de violencia e intimidación eficaz y coadyuvante para el propósito común que a todos guiaba, de ahí que, como decíamos en nuestra STS 369/2020, de 3 de julio de 2020: "No puede mantenerse, por otro lado, una conducta de "aislamiento" en la responsabilidad penal de quien está presente en los actos y colabora en ellos vigilando o de otra manera sin evitar el acto sexual y coadyuvando de alguna manera, como se declaró probado, porque de esta manera se está integrando en el acto comisivo grupal, como aquí ocurrió". Se trata de situaciones en que el efecto intimidatorio se produce por la presencia de varias personas que acuden a ese proyecto común, siendo la concurrencia del grupo generadora de un estado de intimidación ambiental, de la que habla la jurisprudencia de esta Sala, que, si es extensible a todos los partícipes, con más razón alcanza a quien, como el recurrente, fue autor material de, al menos, uno de los accesos carnales. En este sentido en STS 145/2020, de 14 de mayo de 2020, decíamos como sigue: "En cualquier caso, sobre la participación de más de tres personas en este tipo de actos hemos señalado en la sentencia de este Tribunal Supremo, Sala Segunda, de lo Penal, Sentencia 344/2019 de 4 Jul. 2019, que: "La Sentencia n° 1291/2005, de 8 Nov. 2005, hace expresa referencia a la llamada "intimidación ambiental", en donde se recoge que: "Debe haber condena de todos los que en grupo participan en estos casos de agresiones sexuales múltiples y porque la presencia de otra u otras personas que actúan en connivencia con quien realiza el forzado acto sexual forma parte del cuadro intimidatorio que debilita o incluso anula la voluntad de la víctima para poder resistir, siendo tal presencia, coordinada en acción conjunta con el autor principal, integrante de la figura de cooperación necesaria del apartado b) art. 28 CP. En estos casos cada uno es autor del n° 1 del art. 28 por el acto carnal que el mismo ha realizado y cooperador necesario del apartado b) del mismo artículo, respecto de los demás que con su presencia ha favorecido. En este sentido, esta Sala de forma reiterada viene afirmando, en caso de agresión múltiple, la comisión de uno o varios delitos continuados, tantos como autores concurran a la agresión múltiple. De esta forma, considera que en estos casos "... existe unidad de sujeto activo para cada uno de los autores, es decir, cada uno de ellos será autor único de un delito continuado de violación. Uno, porque intimida y otro porque accede carnalmente, ambos conjugan el verbo nuclear del tipo; ambos son autores del número 1° del art. 28 del Código Penal. Tampoco sería una dificultad insuperable considerar que uno es autor y otro partícipe a título de cooperador necesario, puesto que a todos ellos considera autores el Código Penal en tal precepto, y desde luego que lo serían a los efectos de aplicar el art. 74 que disciplina una construcción más favorable para ellos. Luego desde esta perspectiva no existe dificultad para la aplicación del delito continuado".

STS 20/2022: Será cooperador necesario, no solo el que contribuye o coadyuva al acceso carnal ajeno, aportando su esfuerzo físico para doblegar la voluntad opuesta de la víctima, sino también aquel o aquellos que respondiendo a un plan conjunto ejecutan con otros una acción en cuyo desarrollo se realiza una violación o violaciones, aunque no se sujetase a la víctima porque la presencia de varios individuos concertados para llevar a cabo el ataque contra la libertad sexual conlleva en sí mismo un fuerte componente intimidatorio mucho más frente a una única joven y en lugar solitario. En definitiva, este concepto de cooperación necesaria se extiende también a los supuestos en que, aun existiendo un plan preordenado, se produce la violación en presencia de otros individuos sin previo acuerdo, pero con conciencia de la acción que realiza. En estos casos el efecto intimidatorio puede producirse por la simple presencia o concurrencia de varias personas, distintas del que consuma materialmente la violación, ya que la existencia del grupo puede producir en la persona agredida un estado de intimidación ambiental.

STS 727/2018: En efecto, la especial vulnerabilidad de la víctima es un dato que el legislador toma en consideración para dotar de más reprochabilidad del hecho, en función de la mayor desprotección de la víctima, aumentando la antijuridicidad de la acción, e incrementando en su consecuencia la penalidad a imponer. Esa vulnerabilidad de la víctima, puede provenir de las distintas circunstancias que describe la ley penal, que abarcan cualquier situación imaginable, al especificarse como la edad, que es la primera fase en el desarrollo vital que produce por sí mismo especial vulnerabilidad, junto a otras circunstancias, que por razón de disminuir los resortes físicos o psíquicos de resistencia, ocasionan precisamente tal vulnerabilidad, como es la enfermedad o la discapacidad, en realidad una modalidad de enfermedad, pero con contornos propios, dada su permanencia, o cualquier situación, que cierra el círculo de las posibilidades imaginables de especial vulnerabilidad. En el caso, la edad de trece años ha de tomarse como una franja de la edad a la que se refiere el legislador que dota a la menor de especial vulnerabilidad. Es decir, esta circunstancia por sí misma, a esa edad, una persona del sexo femenino tiene la consideración de niña, y por tanto, especialmente vulnerable ante el ataque de un adulto, como lo era el acusado, de 32 años de edad, de manera que tal agravación está perfectamente aplicada.

STS 724/2018: No hay que forzar mucho las cosas para entender que, aunque gramaticalmente mal expresado, para la agravación específica que contemplamos (art. 180.1.4ª CP), la consanguinidad, la adopción y la afinidad, se están equiparando en la Ley únicamente en los supuestos de un mismo grado de vinculación, esto es, que la equiparación se produce respecto de los grados equivalentes a los ascendientes, descendientes o hermanos, que no son otros que los suegros, los cuñados y los hijastros, quedando fuera de la agravación quienes tienen la lejana vinculación de sobrino-nieto por afinidad.

STS 389/2022: Consideramos relevante destacar aquí que la muy superior corpulencia del agresor, acompañada por lo general de otros factores y cuando la misma es aprovechada en la ejecución del delito, podría prestar soporte fáctico suficiente para la aplicación de la circunstancia agravante genérica de abuso de superioridad (artículo 22.2 del Código Penal). Distinto es, sin embargo, el caso previsto en el artículo 180.1.4ª de ese mismo texto legal, cuando se refiere a que el responsable del delito de agresión sexual, para la ejecución del mismo, se hubiera prevalido de una relación de superioridad. En puridad, no se está aludiendo en este último precepto a la diferente corpulencia entre agresor y agredido, ni, por ejemplo, a los instrumentos o armas que pudiera haber empleado aquél, o al número significativo de atacantes frente a una sola víctima, factores que contribuyen a facilitar la ejecución del delito, disminuyendo la eficacia de la defensa que pudiera protagonizar el atacado, sobre la base de una distinta situación de superioridad entre uno y otro. El artículo 180.1.4ª no viene referido al aprovechamiento, prevalimiento, de una situación de superioridad, sino de una

relación de superioridad. Como muy recientemente hemos tenido oportunidad de explicar, --así, en nuestra sentencia número
324/2022, de 30 de marzo-, en el marco del prevalimiento de
una relación de superioridad "los mecanismos o recursos defensivos de la víctima no se encuentran relajados o abatidos...
sino que resultan ineficaces o ceden, precisamente en atención a
la desarmónica, desigual, relación que aquélla mantiene con su
agresor, frente al que se halla en situación de inferioridad". Para añadir seguidamente: "Dicha superioridad evoca la idea de
alguna clase de relación entre víctima y agresor, más o menor
normativizada, con reparto o distribución de roles en un plano
vertical, conformada por el establecimiento, también más o menos explícito, de situaciones de subordinación o dependencia.
Dispone, en tales casos, el agresor de una suerte de función de
control, supervisión, dirección de la persona agredida, función
de la que, precisamente, se prevale para la comisión del delito.
No cuesta encontrar ejemplos en el marco de relaciones parentales, distintas de las contempladas en el artículo 183.4,d),
en las que, sin embargo, el familiar o cuasi familiar ejerce con
relación a la víctima aquellas funciones (pareja sentimental de
la madre, por ejemplo, que actúa respecto al menor "como un
padre"); y no parentales (docente/discente; monitor deportivo
o de otras actividades lúdicas frente al menor que participa en
ellas bajo su control y dirección; etc). En estas circunstancias,
consideramos que resulta inobjetable la aplicación del subtipo agravado previsto en el artículo 180.1.4ª del Código Penal,
habida cuenta de que el acusado se prevalió, para ejecutar el
hecho, de la relación de superioridad que mantenía con su víctima, sin perjuicio de que con posterioridad empleara también
la necesaria fuerza e intimidación para vencer su resistencia,
lo que resulta plenamente compatible. Aquella relación de superioridad trae causa de la distinta posición que cada uno os-
tentaba (oferente y demandante de un concreto empleo) que
fue, precisamente, la que permitió al acusado escoger, no ya el
momento de la entrevista sino, muy especialmente, el lugar en
el que la misma se desarrollaría. Así, resolvió que la cita no se
produjera emplazando directamente a la víctima en el local,
sino en una estación de tren a la que él mismo acudió a recoger

a Ascension en un automóvil, por lo que, incluso, le resultaría difícil a ella, como así fue, recordar el concreto emplazamiento del local. A su vez, solo esa relación vertical que les vinculaba, permitió al acusado entrar con su víctima en un local en el que no había ninguna otra persona, ordenarle que realizara una concreta actividad vinculada con el trabajo que ofrecía, y cerrar, cuando ella comenzó a hacerlo, la persiana metálica del establecimiento; conductas, todas ellas, que propiciaron la ejecución del delito y a las que Ascension se prestó, precisamente, como consecuencia de la relación (oferente/demandante de empleo) que les vinculaba y que, en esa medida, la sujetaba al "poder de dirección" del acusado.

STS 288/2022: La peligrosidad del medio empleado, una cuerda usada para cortar la respiración durante el tiempo y con la intensidad querida por el acusado, es evidente que es un medio apto para causar lesiones graves o muerte. Más aun cuando su uso se produce en el marco de un episodio de ataque sexual en el que el acusado puede perder el pretendido control sobre la intensidad del uso del lazo estrangulador. De hecho, la comparativa que a juicio del recurrente no resiste la cuerda frente a otros medios que cita tales como cuchillos, navajas, etc, puede perfectamente entenderse al revés, es decir, el uso de la cuerda a modo de lazo sobre el cuello tiene una potencialidad lesiva o mortal, cuando no se quiere directamente causar lesión o muerte, mayor que la propia de otros medios peligrosos o armas. La aplicación del subtipo agravado por el uso de esa manera de la cuerda está plenamente justificada como modo de responder ante el elevado riesgo contra la incolumidad física. Lo esencial no es la cuerda sino el uso dado a la misma, como lazo de estrangulamiento. Lo esencial es la forma en que dicha cuerda se utilizó, rodeando y apretando una zona tan sensible como es el cuello de la víctima, por lo que constituye un medio peligroso susceptible de haber causado graves lesiones o incluso la muerte". En la equiparación entre las armas o instrumentos peligrosos y lo que constituyen formas agresivas peligrosas resulta más expresiva la dicción del art. 148.2. Pero es claro, también en el ámbito del art. 180.1.5 (ó 242.3), que la agravación no se limita al objeto o artefacto usado; abarca también el método agresivo. No estamos ante un prohibido bis in idem como insinúa el recurrente. El legislador castiga con más pena hechos que considera más graves (intimidación o violencia particularmente peligrosas), lo que es distinto de utilizar una misma circunstancia para agravaciones sucesivas. El empleo de violencia determina la aplicación del art. 179 CP. Si esa violencia se desarrolla con medios o instrumentos de especial peligrosidad, se agrava la pena. Lo que se contempla, en otro orden de cosas, es el riesgo, no el efectivo daño. Si a la vez se produce la muerte o las lesiones (138, 149 o 150 CP), estaremos ante un concurso ideal de delitos con mayor repercusión agravatoria

STS 712/2014: El subtipo agravado de uso de arma en el delito de agresión sexual no se aplica con la sola presencia o exhibición de un arma, sino que se requiere su uso, por ejemplo colocarla en una zona sensible del cuerpo de la víctima.

Art. 181.[422]

1. *El que, sin violencia o intimidación y sin que medie consentimiento, realizare actos que atenten contra la libertad o indemnidad sexual de otra persona, será castigado, como responsable de abuso sexual, con la pena de prisión de uno a tres años o multa de dieciocho a veinticuatro meses.*

2. *A los efectos del apartado anterior, se consideran abusos sexuales no consentidos los que se ejecuten sobre personas que se hallen privadas de sentido o de cuyo trastorno mental se abusare, así como los que se cometan anulando la voluntad de la víctima mediante el uso de fármacos, drogas o cualquier otra sustancia natural o química idónea a tal efecto.*

3. *La misma pena se impondrá cuando el consentimiento se obtenga prevaliéndose el responsable de una situación de superioridad manifiesta que coarte la libertad de la víctima.*

---

[422]   Redacción anterior a la reforma operada por la LO 10/2022, de 6 de septiembre.

4. En todos los casos anteriores, cuando el abuso sexual consista en acceso carnal por vía vaginal, anal o bucal, o introducción de miembros corporales u objetos por alguna de las dos primeras vías, el responsable será castigado con la pena de prisión de cuatro a diez años.

5. Las penas señaladas en este artículo se impondrán en su mitad superior si concurriere la circunstancia 3.ª o la 4.ª, de las previstas en el apartado 1 del artículo 180 de este Código

STS 544/2022: La "docilidad" no puede ser interpretada ni como aceptación ni como un natural desarrollo de la relación matrimonial sino como un evidente indicativo de la particular lesividad que debe atribuirse a dichas situaciones de terror doméstico prolongado en el tiempo. En el caso, el marco de dominación y cosificación desplegado por el Sr. Benito privó a la Sra. Zaida de la capacidad de reacción y de autoprotección necesaria para emanciparse de su victimario. Cuando a consecuencia de dicho entorno socio-personal decir "no" a la relación sexual es más difícil que decir que "sí", el valor del consentimiento se debilita muy significativamente. El no decir "no" en este tipo de situaciones no equivale, ni mucho menos, a consentimiento válido, como previene el artículo 181.3 CP. Lo que, por otro lado, responde al mandato del artículo 36.2 del Convenio del Consejo de Europa para la prevención y lucha contra la violencia contra las mujeres y la violencia doméstica, hecho en Estambul el 10 de mayo de 2011, por el que se exige que "el consentimiento (sexual) debe prestarse voluntariamente como manifestación del libre arbitrio de la persona considerado en el contexto de las condiciones circundantes".

STS 396/2018: Cualquier acción que implique un contacto corporal inconsentido con significación sexual, en la que concurra el ánimo tendencial ya aludido, implica un ataque a la libertad sexual de la persona que lo sufre y, como tal, ha de ser constitutivo de un delito de abuso sexual previsto y penado en el artículo 181 CP; sin perjuicio de que la mayor o menor gravedad de dicha acción tenga reflejo en la individualización de la pena.

STS 486/2016: El prevalimiento, a efectos del delito de abuso sexual, ha sido concebido por esta Sala como el *modus operandi* a través del cual el agente obtiene el consentimiento viciado de la víctima en base a la concurrencia de tres elementos: a) Situación manifiesta de superioridad del agente; b) Que dicha situación influya de forma relevante, coartando la capacidad de decidir de la víctima; y c) Que el agente, consciente de esa situación de superioridad y de los efectos inhibidores que en la libertad de decidir de la víctima produce, se prevalga, la ponga a su servicio y así obtener el consentimiento viciado de la víctima.

STS 287/2022: No es que se excluya la posibilidad de que mantengan relaciones sexuales, lo cual constituye un derecho que incuestionablemente no puede ser negado, sino que se prohíben las relaciones sexuales llevadas a cabo abusando de su enajenación, instrumentalizando ésta. Lo que caracteriza esa modalidad típica es que la víctima no presta un verdadero consentimiento, valorable como libre ejercicio de la libertad sexual y que el autor logra obtener de ella un consentimiento no valorable como tal, debido al patente déficit de conciencia del alcance de los propios actos, motivador de una objetiva incapacidad para conducirse sexualmente con autonomía. Debe observarse que el precepto, matiza la presunción, pues no basta con el dato de que el sujeto pasivo padezca un trastorno mental: deberá además comprobarse que el sujeto activo ha abusado o se ha aprovechado de tal circunstancia para llevar a cabo el acto atentatorio a la libertad sexual. Así lo ha venido interpretando el Tribunal Supremo, para quien el abuso entraña la idea de prevalimiento de la situación de inferioridad por parte del sujeto activo del delito. Idea que si bien exige conceptualmente el conocimiento, por parte del agente, del trastorno psíquico en la víctima, trasciende obviamente a este puro dato cognitivo, requiriendo además de su instrumentalización a los efectos de un trato sexual que no se hubiera producido en condiciones normales. Requisito éste del abuso que trata de no impedir la posibilidad de un ejercicio de la sexualidad por parte de tales sujetos (...).

STS 770/2021: La cuestión, pues, se concreta en determinar si las circunstancias fácticas que se declaran probadas son suficientes para apreciar tanto la falta de consentimiento derivada de la falta de capacidad de la víctima (art. 181.2 CP) como la especial vulnerabilidad (art. 180.1.3ª CP). Para ello debemos tener en cuenta que la expresión utilizada por el precepto legal resulta genérica y vaga en exceso, por lo que debe ser interpretada en un contexto agravatorio. Ello nos conduce lógicamente a efectuar una interpretación de carácter restrictivo, debiéndose resolver cualquier duda en el sentido de excluir la estimación de la circunstancia exasperativa. Si bien, consideramos, no hay inconveniente en reputar atípicas (según que casos) las prácticas sexuales que las personas con capacidad diferente mantengan entre ellas, sí estimamos penalmente reprobables las que perpetra un individuo normal cuando como ocurre en este caso, se aprovecha (abusa) de una mayor aptitud para entender las cosas y querer hacerlas y las realiza con quienes no son capaces de controlar sus impulsos naturales por carecer de habilidad natural a tales efectos. No es una cuestión de índole moral sino jurídica; una sociedad que persigue la normalización de las personas con capacidad diferente y pretende integrarlas en su seno ofreciéndoles educación y trabajo fuera del ámbito familiar no puede amparar conductas que atenten contra su dignidad y el desarrollo normal de su personalidad. Mas allá del debilitamiento, merma o dificultad para prestar libremente su consentimiento a la relación sexual de cada una de las víctimas como consecuencia del grado de discapacidad que presentaban, la sentencia no expresa circunstancia adicional alguna de la que se infiera un plus de antijuridicidad que configura el tipo agravado comentado, por lo que su aplicación en el presente caso vulnera el principio non bis in idem.

Art. 183.[423]

1. *El que realizare actos de carácter sexual con un menor de dieciséis años, será castigado como responsable de abuso sexual a un menor con la pena de prisión de dos a seis años.*

2. *Cuando los hechos se cometan empleando violencia o intimidación, el responsable será castigado por el delito de agresión sexual a un menor con la pena de cinco a diez años de prisión. Las mismas penas se impondrán cuando mediante violencia o intimidación compeliere a un menor de dieciséis años a participar en actos de naturaleza sexual con un tercero o a realizarlos sobre sí mismo.*

3. *Cuando el ataque consista en acceso carnal por vía vaginal, anal o bucal, o introducción de miembros corporales u objetos por alguna de las dos primeras vías, el responsable será castigado con la pena de prisión de ocho a doce años, en el caso del apartado 1, y con la pena de doce a quince años, en el caso del apartado 2.*

4. *Las conductas previstas en los tres apartados anteriores serán castigadas con la pena de prisión correspondiente en su mitad superior cuando concurra alguna de las siguientes circunstancias:*

a) *Cuando el escaso desarrollo intelectual o físico de la víctima, o el hecho de tener un trastorno mental, la hubiera colocado en una situación de total indefensión y en todo caso, cuando sea menor de cuatro años.*

b) *Cuando los hechos se cometan por la actuación conjunta de dos o más personas.*

c) *Cuando la violencia o intimidación ejercidas revistan un carácter particularmente degradante o vejatorio.*

d) *Cuando, para la ejecución del delito, el responsable se haya prevalido de una relación de superioridad o parentesco, por ser ascendiente, o hermano, por naturaleza o adopción, o afines, con la víctima.*

e) *Cuando el culpable hubiere puesto en peligro, de forma dolosa o por imprudencia grave, la vida o salud de la víctima.*

---

[423]   Redacción anterior a las reformas operadas por la LO 10/2022, de 6 de septiembre, y por la LO 8/2021, de 4 de junio.

f) Cuando la infracción se haya cometido en el seno de una organización o de un grupo criminal que se dedicare a la realización de tales actividades.

5. En todos los casos previstos en este artículo, cuando el culpable se hubiera prevalido de su condición de autoridad, agente de ésta o funcionario público, se impondrá, además, la pena de inhabilitación absoluta de seis a doce años.

STS 953/2016: La línea divisoria entre la intimidación y el prevalimiento puede ser difícilmente perceptible en los casos límite, como es la diferencia entre un consentimiento cercenado por la amenaza de un mal y el viciado que responde al tipo del abuso, donde la víctima también en alguna medida se siente intimidada. Lo relevante es el contenido de la acción intimidatoria llevada a cabo por el sujeto activo, más que la reacción de la víctima frente a aquella. El miedo es una condición subjetiva que no puede transformar en intimidatoria una acción que en sí misma no tiene ese alcance objetivamente. En cualquier caso, la voluntad de los niños es más fácil de someter, y de ahí que amenazas que ante un adulto no tendrían eficacia intimidante, sí las adquieren frente a la voluntad de un menor. La amenazas con pegarle supuso el anuncio de un mal posible e inminente, con entidad objetiva y suficiente gravedad para vencer la resistencia de un niño de diez años, cuando procede precisamente de la persona encargada de su cuidado y con quien se encuentra a solas. Intimidación compatible con el abuso por parte del acusado de su parentesco, en cuanto que éste fue el que propició los encuentros con el niño y las condiciones en que éstos se produjeron.

STS 301/2016: Esta Sala viene considerando que el ataque a la indemnidad sexual del menor de edad puede producirse sin necesidad de contacto físico (por ejemplo, en un escenario telemático). Que la satisfacción sexual la obtenga el acusado tocando el cuerpo de la víctima o contemplándola desnuda mientras se masturba, es indiferente para integrar lo que es en ambos casos un comportamiento de indudable contenido sexual.

STS 58/2021: Esta Sala Casacional ha declarado que, con respecto al artículo 183.4.d), el prevalimiento o abuso de superioridad se refiere a la ejecución del hecho y no al consentimiento de la víctima. De la misma forma, se decía que "esta circunstancia exige una cierta preeminencia del autor sobre la víctima y que esta ventaja haya sido utilizada o aprovechada por el autor para realizar el acto objeto de imputación".

STS 287/2018: En el artículo 183.4 d) se agrava la pena cuando el autor se haya prevalido de una relación de superioridad para la ejecución del delito, supuesto que presenta diferencias sustanciales con el previsto en el artículo 181.3, en el que también se contempla un prevalimiento, aunque en esta ocasión dirigido a obtener el consentimiento de la víctima, al aprovechar el autor una situación de superioridad manifiesta que coarte la libertad de aquella. En el primer caso, el sujeto se aprovecha de una relación de superioridad que le facilita la comisión del delito, facilitación que no opera sobre la base de obtener el consentimiento de la víctima, que siendo menor de 16 años nunca podría considerarse válido, sino en atención a las circunstancias que esa relación de superioridad trae consigo.

STS 223/2020: El art. 183.4 d) CP exige un prevalimiento que puede apoyarse en dos factores diferentes: una relación de superioridad o el parentesco. Como han subrayado los comentaristas no es que la superioridad tenga que apoyarse en el parentesco. La conjunción disyuntiva "o" que une ambas ideas lo pone de manifiesto. Concurrirán los presupuestos de la agravante cuando se identifique un prevalimiento bien basado en el parentesco, bien en una relación de superioridad. Analicemos los dos términos agravatorios: a) Es cristalino que no podemos aplicar el parentesco (inciso final del art. 183.4.d). No está contemplada la pareja de hecho de la madre en cuanto que no genera parentesco. Y no es factible la analogía contra in malam partem. b) Es posible, en cambio, según se deduce de la doctrina jurisprudencial citada, que haya fraguado una especial relación de superioridad, que se superpone a la derivada de la edad, a raíz precisamente de ese tipo de relaciones familiares o cuasi-familiares que por sí solas no encajan en los parientes expresamente mencionados (ascendientes y hermanos). Así el padrastro de hecho; o quien en virtud de la relación de afectividad con la madre se ha convertido en autoridad en el hogar familiar compartido; o el conviviente que ostenta un rol similar; o el padrino no pariente... Pero en esos casos no basta con mencionar la relación. Ha de quedar expresada en el hecho probado la base fáctica de esa relación de superioridad. No basta constatar que es un tío carnal, o que es la pareja de la madre. Es preciso que el factum refleje expresamente ese especial ascendiente (en la jurisprudencia hemos acuñado la expresión hegemonía anímica) que, además, debe ser aprovechado para el hecho. En situaciones más dudosas puede incluso resultar innecesario ese esfuerzo indagador si, por entrar en juego con claridad el art. 192 CP (que muchas veces cae en el olvido), se trata en todo caso de un guardador de hecho lo que supondrá una penalidad idéntica. No sobra en todo caso puntualizar que abuso de superioridad y abuso de confianza son circunstancias diferentes y no intercambiables. Las dos aportan mayor facilidad para la comisión de los hechos. Pero en una es la superioridad (ascendiente, autoridad, relación de supremacía) lo tenido en cuenta; y en la otra es la confianza que provoca una relajación de las precauciones defensivas. Hay ocasiones en que puede haber abuso de confianza (un vecino, v.gr), pero no de superioridad.

Art. 183 bis.[424]

El que, con fines sexuales, determine a un menor de dieciséis años a participar en un comportamiento de naturaleza sexual, o le haga presenciar actos de carácter sexual, aunque el autor no participe en ellos, será castigado con una pena de prisión de seis meses a dos años.

Si le hubiera hecho presenciar abusos sexuales, aunque el autor no hubiera participado en ellos, se impondrá una pena de prisión de uno a tres años.

STS 468/2017: El tipo descrito en el nuevo art. 183 bis lo comete el que, con fines sexuales, determine a un menor de dieciséis años a participar en un comportamiento de naturaleza sexual,

---

[424] Redacción anterior a la reforma operada por la LO 10/2022, de 6 de septiembre.

o le haga presenciar actos de dicho carácter, aunque el autor no participe en ellos, el que será castigado con una pena de prisión de seis meses a dos años. Si le hubiera hecho presenciar abusos sexuales, aunque el autor no hubiera participado en ellos, se impondrá una pena de prisión de uno a tres años. Se trata de un comportamiento tipificado, dentro de los englobados como actos preparatorios punibles, del que ha destacado la doctrina científica que tal comportamiento se comete sin producirse contacto corporal. Constituye esta nueva conducta un comportamiento próximo a la corrupción de menores (art. 189.1.a) y al delito de exhibicionismo (art. 185), ya que permanece vigente este último. Ahora bien, desde esta última perspectiva y por el principio de especialidad se deberá aplicar el art. 183 bis. En consecuencia, el art. 185 tendrá un carácter residual, y solo se aplicará a los actos de exhibicionismo entre personas de 16 y 17 años de edad. La diferencia sustancial entre el delito de abusos sexuales del art. 183 y este nuevo tipo delictivo (art. 183 bis) ha de encontrarse en la realización típica de los hechos, puesto que el primero requiere inexcusablemente actos de contacto físico o corporal entre el autor y su víctima, mientras que en este segundo basta con que el autor haga presenciar al menor actos de carácter sexual, aunque aquel no participe en ellos. La mención determinar "a un menor de dieciséis años a participar en un comportamiento de naturaleza sexual" enturbia esta interpretación, pero únicamente es posible la interpretación que separe ambas conductas, si tomamos, primeramente, en consideración que tal comportamiento, con la participación o no del autor, se limite a llevar a cabo un comportamiento que no signifique realizar actos de carácter sexual con un menor de 16 años, puesto que en ese caso la aplicación preferente sería la del art. 183 del Código Penal; y en segundo lugar, considerando que el tipo penal del art. 183 bis requiere una conducta de futuro, en tanto que se penaliza un acto preparatorio, mientras que en el abuso sexual de menores del art. 183 del Código Penal, se consuma mediante la realización de actos sexuales con menores, que lleguen a cristalizar en acciones directas lúbricas entre el autor y su víctima. Es decir, en el momento en que de tal comportamiento de naturaleza sexual resulte el contacto físico o corporal con el menor por parte del autor, la incardinación delictiva debe ser la de abuso sexual del art. 183 del Código Penal. Con respecto a los actos de naturaleza sexual que se hagan presenciar al menor tienen que ser de forma directa, porque si le exhibe una grabación o vídeo, estaríamos ante el art. 186 (el que por cualquier medio exhibiere material pornográfico a menores de edad), y por el contexto jurídico que proporciona la conducta alternativa del mismo tipo (participar en un comportamiento de naturaleza sexual).

STS 116/2019: Se ha considerado por esta Sala que existen consunción entre la previa exhibición de material pornográfico para posteriormente realizar abusos sexuales (artículos 183 bis y 189.1) por considerar que la exhibición penada en el artículo 183 bis es un delito de peligro que se consume en los posteriores abusos, que es un delito de lesión, que materializa el peligro sancionado por el precepto antes citado. También se ha apreciado consunción en la utilización de menores para la elaboración de material pornográfico y su exhibición a los propios menores, dada la identidad del bien jurídico protegido y la similitud de conductas. Y se ha valorado la existencia de concurso ideal en el caso de abusos sexuales en el curso de los cuales se captaban las imágenes del menor, por entender que existía entre ambas acciones una relación instrumental. En el caso que nos ocupa no hay razón alguna para apreciar la existencia de un solo delito o para apreciar que entre los dos delitos exista una relación de concursal distinta del llamado "concurso real". El recurrente sostiene que los abusos sexuales y la obtención y posesión de material pornográfico responden a un mismo propósito, con una clara conexión espacio-temporal y con unidad de acción, por lo que debe aplicarse el principio de consunción, como modalidad del concurso aparente de normas. Sin embargo, las 60 fotografías de contenido de contenido pornográfico de la menor, que fueron obtenidas por el acusado mientras la niña dormía y en un periodo comprendido entre el 30 de julio de 2011 al 3 de noviembre de 2012, no se realizaron de forma coetánea a los abusos sexuales reiterados sino aprovechando que la menor dormía y en momentos y tiempos diferentes. Muchas de las fotos furtivas se tomaron cuando ya se habían dejado de producir los abusos. Se trata de acciones distintas, por más que ofendan al mismo bien jurídico. No existe relación instrumental entre ambas acciones, ni tampoco puede contemplarse una de las acciones como acto preparatorio de la otra. El total desvalor de la acción no se colma con la sanción de los abusos sexuales. La captación de imágenes de contenido pornográfico, aprovechando por quien debía cuidar a la menor, aprovechando que estaba dormida, merece un reproche penal distinto del que se predica de los abusos sexuales.

Art. 183 ter.[425]

1. *El que a través de internet, del teléfono o de cualquier otra tecnología de la información y la comunicación contacte con un menor de dieciséis años y proponga concertar un encuentro con el mismo a fin de cometer cualquiera de los delitos descritos en los artículos 183 y 189, siempre que tal propuesta se acompañe de actos materiales encaminados al acercamiento, será castigado con la pena de uno a tres años de prisión o multa de doce a veinticuatro meses, sin perjuicio de las penas correspondientes a los delitos en su caso cometidos. Las penas se impondrán en su mitad superior cuando el acercamiento se obtenga mediante coacción, intimidación o engaño.*

2. *El que a través de internet, del teléfono o de cualquier otra tecnología de la información y la comunicación contacte con un menor de dieciséis años y realice actos dirigidos a embaucarle para que le facilite material pornográfico o le muestre imágenes pornográficas en las que se represente o aparezca un menor, será castigado con una pena de prisión de seis meses a dos años.*

STS 158/2019: En cuanto al delito del artículo 183 ter.1, el llamado grooming, el tipo solamente requiere el contacto con el menor a través de las nuevas tecnologías, la proposición de un encuentro con el mismo para cometer cualquiera de los delitos de los artículos 183 y 189, y que la propuesta venga

---

[425] Redacción anterior a su supresión por la LO 10/2022, de 6 de septiembre.

acompañada de actos materiales encaminados al acercamiento, sin que exija la ejecución de actos de naturaleza sexual que afecten a la indemnidad sexual del menor, que, en caso de existir, serían sancionados de forma independiente. Y en el artículo 183.ter.2 (sexting) el tipo solamente exige el contacto con el menor a través del teléfono o de cualquier otra tecnología de la información y la comunicación y la realización de actos dirigidos a embaucarle para que le facilite material pornográfico o le muestre imágenes pornográficas en las que se represente o aparezca un menor. Contemplándose, pues, un acto preparatorio respecto de las conductas previstas en el artículo 189 CP.

Acuerdo no jurisdiccional del pleno de la Sala 2ª del TS de 8 de noviembre de 2017: El delito de ciberacoso sexual infantil previsto en el artículo 183 Ter.1 del Código Penal, puede conformar un concurso real de delitos con las conductas contempladas en los artículos 183 y 189.

STS 452/2020: En el artículo 183 ter.2, relativo a la conducta conocida como sexting, no se exige la comisión de actos de violencia contra el menor. Lo que el tipo requiere es la existencia de contactos con un menor de 16 años a través de internet, del teléfono o de cualquier otra tecnología de la información y la realización de actos dirigidos a embaucarle, con la finalidad de que facilite al autor material pornográfico o le muestre imágenes pornográficas en las que se represente o aparezca un menor. Los actos han de estar dirigidos a embaucar al menor. Embaucar significa engañar, prevaliéndose de la inexperiencia del engañado, y la conducta del autor contiene, generalmente, una mezcla de promesas y amenazas o conductas similares a través de las cuales se pretende conseguir la finalidad típica. Por lo tanto, es irrelevante que las comunicaciones verificadas no contengan amenazas.

Art. 183 quáter.[426]

El consentimiento libre del menor de dieciséis años excluirá la responsabilidad penal por los delitos previstos en este Capítulo, cuando el autor sea una persona próxima al menor por edad y grado de desarrollo o madurez.

STS 700/2020: No ha optado nuestro legislador por un criterio cronológico puro, sino que lo ha combinado con la relación de proximidad entre la edad del mayor y el menor, y en la simetría de madurez entre ambos, y ello porque estos son factores no sujetos a reglas fijas, lo que no significa que no podamos encontrarnos casos claros en que ni uno ni otro, o bien que uno u otro, se presenten sin duda, porque, si esto es así, cae por su base la aplicación de la referida cláusula de exoneración. Aunque el nuevo artículo no establece mínimo alguno en orden a la prestación de un consentimiento libre. Sin embargo, sí se fijan dos premisas o circunstancias que deben concurrir conjuntamente como son la proximidad de la edad entre ambos sujetos y de su grado de desarrollo o madurez, calidad de próximo aplicable a ambos criterios. Se trata pues de tener en cuenta el equilibrio de la pareja atendiendo a las circunstancias legales, es decir, la edad y el espíritu y mentalidad de ambos, debiendo rechazarse los casos de desequilibrio relevantes y notorios desde el punto de vista objetivo pero también subjetivamente cuando aquél pueda inferirse del contexto en el que tiene lugar la relación, lo que determina un cuidadoso examen de cada caso.

STS 337/2018: Abordar la cuestión del consentimiento es relevante porque de haberse producido los hechos con el libre consentimiento de la menor, atendida la edad del procesado, solo cinco años mayor que ella, podría haberse planteado la exención de su responsabilidad penal. La dicción del art. 183 quater es quizás demasiado maniquea: la disyuntiva que encierra es exoneración o responsabilidad íntegra sin matices o soluciones intermedias simplemente atenuatorias cuando aparezcan episodios de cierta penumbra como una madurez solo relativa que,

---

[426]   Redacción anterior a su supresión por la LO 10/2022, de 6 de septiembre.

sin llegar a cumplir todos los requisitos de la norma, se aproximen a la situación allí contemplada.

Art. 186.

El que, por cualquier medio directo, vendiere, difundiere o exhibiere material pornográfico entre menores de edad o personas con discapacidad necesitadas de especial protección, será castigado con la pena de prisión de seis meses a un año o multa de 12 a 24 meses.

> **STS 628/2020:** Como hemos dicho, la conducta integrante de la exhibición del material pornográfico se ejecutaba también como conducta autónoma y sin vinculación medial próxima con los actos insertables en los delitos de abusos sexuales. Ello quiere decir que se menoscaba con tales actos el bien jurídico que protege el art. 186 del C. Penal, centrado en el derecho a no resultar dañadas en el proceso de su formación sexual y en el desarrollo y evolución de su personalidad en ese ámbito. Este menoscabo se producía también, así pues, de forma separada e independiente de los actos sexuales concretos cuando los menores visionaban las películas pornográficas sin el fin inmediato o próximo de atender a los deseos sexuales del acusado.

> **STS 826/2017:** En cuanto al delito del artículo 186 CP, sus requisitos son: a) la difusión, venta o exhibición de material calificable como pornográfico; "difundir equivale a divulgar entre una pluralidad de personas; "vender" a enajenar a cambio de precio u otra contraprestación económica; "exhibir" a mostrar o colocar directamente a la vista del sujeto pasivo el material pornográfico correspondiente; b) la mecánica comisiva permite que tal conducta se realice por cualquier medio directo, lo que supone que el menor debe estar físicamente presente en la conducta de difusión, venta o exhibición, exigiendo desde una perspectiva legal, la confrontación directa entre ambos sujetos; c) que los destinatarios de la acción sean menores de edad o personas con discapacidad necesitadas de especial protección; d) que la conducta sea dolosa o intencional, no exigiéndose, en cambio, un elemento subjetivo del injusto especialmente

determinado, como atentar contra la formación o educación de los destinatarios, aunque tal finalidad esté ínsita en el reproche penal que fundamenta tal precepto. Y el bien jurídico protegido por este delito -comprendido en el capítulo dedicado a los delitos de exhibicionismo y provocación sexual- es la indemnidad o intangibilidad sexual de los menores destinatarios del material pornográfico, esto es una conglomeración de intereses y valores, o sea la preocupación o interés porque los menores tengan un desarrollo de la personalidad libre, sin injerencias extrañas a sus intereses, su desarrollo psicológico y moral sin traumatismos y su bienestar psíquico, esto es el derecho del menor a no sufrir interferencias en el proceso de formación adecuada su personalidad. Mientras en el delito del artículo 186, el destinatario de la pornografía, el sujeto pasivo del delito es un menor de edad en contacto directo con el autor, y el material pornográfico no contiene menores involucrados en el mismo, en el delito del artículo 189.1b, es el menor quien aparece en las escenas pedófilas o pornográficas y el destinatario de las mismas es un número indeterminado de personas, generalmente través de las redes sociales, mayores o menores de edad. No obstante, dada la similitud del bien protegido en ambas figuras delictivas, e incluso de comportamientos -en ambos se exhibe material pornográfico-, puede existir una repetición e innecesario solapamiento de conductas, cuando la pornografía se exhibe a un menor de edad y aquélla tiene un contenido pedófilo, la posibilidad de integrar el delito de provocación sexual en el artículo 186 en el delito continuado del artículo 189.1.b, debe admitirse, cuando el material pornográfico en que se haya utilizado menores de edad sea a su vez, exhibido a menor de edad, dada la igualdad de medio comisivo y ser preceptos de igual o semejante naturaleza conforme lo preceptuado en el artículo 74.1 en relación con el artículo 8.3 y 4 CP.

STS 151/2022: Tanto en relación al delito de exhibicionismo del art. 185, como en relación al delito de exhibición de material pornográfico del art. 186, la jurisprudencia de esta Sala ha entendido que pueden suscitar una situación de progresión delictiva que confluyera en una situación concursal (de normas o de delitos) cuando la conducta de exhibicionismo o la reproducción de películas pornográficas se ha producido en los instantes previos a los actos sexuales que integran el núcleo de abusos sexuales y como medio necesario para excitar a los menores con tal motivo y en esas circunstancias. Pero a su vez, se niega lógicamente tal progresión, cuando aparecen como conductas autónomas y sin vinculación medial próxima o integradas en el iter de los actos insertables en los delitos de abusos sexuales. No obstante, en todas esas conductas, nos dice la declaración de hechos probados, el acusado, actuaba movido por un evidente ánimo libidinoso, que llevó a cabo sobre la misma menor, su nieta; y todas ellas, se concentran en un mismo período de tiempo, de mayo a noviembre de 2015; y aunque tipificados en diversos preceptos, todos afectan a un mismo bien jurídico o aunque sea dable encontrar matices en la protección que otorgan, la semejanza del bien tutelado, siempre persiste. Siempre estamos ante tipos penales que afectan al mismo bien jurídico, pues tanto los abusos sexuales cuando afectan a menores o discapaces, como los actos de exhibición obscena y la exhibición de material pornográfico que tienen los mismos destinatarios, son delitos contra la indemnidad sexual, entendida como el derecho de menores y discapacitados a no verse involucrados en un contexto sexual, sin un consentimiento válidamente expresado, con el riesgo que esta involucración puede conllevar para la formación y desarrollo de su personalidad y sexualidad. Así se entendió la STS 608/2016, de 7 de julio: "en cuanto que ambos preceptos tienen naturaleza semejante, conforme a lo prevenido en el artículo 74 1° del Código Penal, tanto las conductas que se han calificado de abuso sexual como las que integrarían un supuesto del artículo 186, podrían considerarse incluidas en el delito continuado".

Art. 187.

1. El que, empleando violencia, intimidación o engaño, o abusando de una situación de superioridad o de necesidad o vulnerabilidad de la víctima, determine a una persona mayor de edad a ejercer o a

mantenerse en la prostitución, será castigado con las penas de prisión de dos a cinco años y multa de doce a veinticuatro meses.

Se impondrá la pena de prisión de dos a cuatro años y multa de doce a veinticuatro meses a quien se lucre explotando la prostitución de otra persona, aun con el consentimiento de la misma. En todo caso, se entenderá que hay explotación cuando concurra alguna de las siguientes circunstancias:

a) Que la víctima se encuentre en una situación de vulnerabilidad personal o económica.
b) Que se le impongan para su ejercicio condiciones gravosas, desproporcionadas o abusivas.

2. Se impondrán las penas previstas en los apartados anteriores en su mitad superior, en sus respectivos casos, cuando concurra alguna de las siguientes circunstancias:

a) Cuando el culpable se hubiera prevalido de su condición de autoridad, agente de ésta o funcionario público. En este caso se aplicará, además, la pena de inhabilitación absoluta de seis a doce años.
b) Cuando el culpable perteneciere a una organización o grupo criminal que se dedicare a la realización de tales actividades.
c) Cuando el culpable hubiere puesto en peligro, de forma dolosa o por imprudencia grave, la vida o salud de la víctima.

3. Las penas señaladas se impondrán en sus respectivos casos sin perjuicio de las que correspondan por las agresiones o abusos sexuales cometidos sobre la persona prostituida.

STS 400/2018: El artículo 187 CP, en su redacción actual tras la reforma del 2015 castiga a quien "empleando violencia, intimidación o engaño, o abusando de una situación de superioridad o de necesidad o vulnerabilidad de la víctima, determine a una persona mayor de edad a ejercer o a mantenerse en la prostitución". Protege el mismo la autodeterminación del sujeto en la esfera sexual, cuando resulta comprometida a través de los medios que el tipo perfila.

STS 393/2020: Al concepto de explotación no le es inherente de forma necesaria coacción o violencia. Cabe explotación sin violencia o extorsión. Por tanto, que el acusado pudiese no conocer esas circunstancias ni participar de ellas no le exonera de su responsabilidad, al lucrarse de la prostitución desarrollada en condiciones de explotación por la víctima. Las dos situaciones que expresa el art. 187.1 como constitutivas de explotación ("en todo caso"...) no agotan los supuestos que pueden reconducirse a la explotación. Aquí el hecho probado describe una situación incardinable en tal concepto: la víctima ve arrebatados todos los beneficios de su actividad desarrollada en condiciones leoninas y lesivas de su dignidad.

Art. 188.[427]

1. El que induzca, promueva, favorezca o facilite la prostitución de un menor de edad o una persona con discapacidad necesitada de especial protección, o se lucre con ello, o explote de algún otro modo a un menor o a una persona con discapacidad para estos fines, será castigado con las penas de prisión de dos a cinco años y multa de doce a veinticuatro meses.

Si la víctima fuera menor de dieciséis años, se impondrá la pena de prisión de cuatro a ocho años y multa de doce a veinticuatro meses.

2. Si los hechos descritos en el apartado anterior se cometieran con violencia o intimidación, además de las penas de multa previstas, se impondrá la pena de prisión de cinco a diez años si la víctima es menor de dieciséis años, y la pena de prisión de cuatro a seis años en los demás casos.

3. Se impondrán las penas superiores en grado a las previstas en los apartados anteriores, en sus respectivos casos, cuando concurra alguna de las siguientes circunstancias:

a) Cuando la víctima sea especialmente vulnerable, por razón de su edad, enfermedad, discapacidad o situación.

---

[427] Redacción anterior a la reforma operada por la LO 8/2021, de 4 de junio.

b) *Cuando, para la ejecución del delito, el responsable se haya prevalido de una relación de superioridad o parentesco, por ser ascendiente, descendiente o hermano, por naturaleza o adopción, o afines, con la víctima.*

c) *Cuando, para la ejecución del delito, el responsable se hubiera prevalido de su condición de autoridad, agente de ésta o funcionario público. En este caso se impondrá, además, una pena de inhabilitación absoluta de seis a doce años.*

d) *Cuando el culpable hubiere puesto en peligro, de forma dolosa o por imprudencia grave, la vida o salud de la víctima.*

e) *Cuando los hechos se hubieren cometido por la actuación conjunta de dos o más personas.*

f) *Cuando el culpable perteneciere a una organización o asociación, incluso de carácter transitorio, que se dedicare a la realización de tales actividades.*

4. El que solicite, acepte u obtenga, a cambio de una remuneración o promesa, una relación sexual con una persona menor de edad o una persona con discapacidad necesitada de especial protección, será castigado con una pena de uno a cuatro años de prisión. Si el menor no hubiera cumplido dieciséis años de edad, se impondrá una pena de dos a seis años de prisión.

5. Las penas señaladas se impondrán en sus respectivos casos sin perjuicio de las que correspondan por las infracciones contra la libertad o indemnidad sexual cometidas sobre los menores y personas con discapacidad necesitadas de especial protección.

STS 575/2020: El núcleo de la acción delictiva tipificada en el artículo 188.1 del vigente Código Penal, en lo que aquí interesa, consiste, en inducir, promover, favorecer o facilitar la prostitución de un menor o de una persona con discapacidad. El concepto básico, acerca del cual gira esta figura de delito, es el concepto de prostitución que, en síntesis, podríamos definir como la situación en que se encuentra una persona que, de una manera más o menos reiterada, por medio de su cuerpo, activa o pasivamente, da placer sexual a otro a cambio de una contraprestación de contenido económico, generalmente una cantidad de dinero. Quien permite o da acceso carnal, masturbación, felación, etc., a cambio de dinero, de forma más o menos repetida en el tiempo, decimos que ejerce la prostitución, cualquiera que sea la clase del acto de significación sexual que ofrece o tolera. Ahora bien, este concepto de prostitución se contempla en este tipo de delito del art. 187.1 desde una perspectiva de futuro, pues lo que configura el ilícito penal no es la prostitución en acto, sino el hecho de que el comportamiento del sujeto activo del delito constituya una incitación para que el menor o incapaz se inicie (aunque sea en una época posterior) en tal actividad de comercio carnal o se mantenga en la que ya ejerce. Nos hallamos ante un delito en el que lo que importa para su incriminación no es el acto en sí mismo realizado, sino el que pueda servir como vehículo para esa dedicación a la prostitución, para iniciarse en ella, aunque sea después, o para mantenerse en la misma, repetimos. Se trata de un delito de mera actividad o de resultado cortado. Por eso, lo que hemos de tener en cuenta para determinar si existe o no este delito es el comportamiento del sujeto activo (del delito) en cuanto suponga una inducción o facilitación que puede servir para una futura prostitución o como obstáculo para un abandono, nunca imposible, de quien ya la ejerce. Comportamiento que, desde esta perspectiva, ha de tener un doble contenido, pues ha de tratarse de realización de acto o actos de significación sexual y, además, a cambio de una contraprestación económica. Sin tal doble contenido no se concibe que pueda haber una incitación a la prostitución. Partiendo de este doble contenido luego habrá que ver si, por las circunstancias concretas del caso, puede o no afirmarse la existencia de esta infracción penal (...).No obsta a lo anterior el hecho de que ya hubiera ejercido esporádicamente la prostitución y que fuera ella la que reclamara ayuda al acusado. De la misma forma que hemos considerado que el contacto sexual consentido a cambio de precio con un menor que ya ejerce la prostitución, puede ser un acto que en sí favorece el mantenimiento de ésta en el ejercicio de la prostitución, dependiendo de su reiteración, de las circunstancias de los actos y de la edad del menor, con mayor motivo debe valorarse como acto de facilitación uno como el presente en el que el sujeto activo proporciona información relevante sobre la forma en que se debe publicitar la actividad en Internet para seguir prostituyéndose.

STS 628/2020: En nuestro caso, en todos y cada uno de los delitos de prostitución del artículo 188.4 CP objeto de condena, se solicita, ofreciendo dinero u objetos de valor -20, 40, 100, 150 euros, una Play, un paquete de tabaco o unas botas, una moto -, una relación sexual, con lo que, en todos los casos, el delito se consuma. El tipo solo exige que quien solicite, acepte u obtenga la relación sexual con menor de edad, "interponga remuneración o promesa" para conseguirlo. Desde luego ofrecer dinero o cualquier otra clase de ventaja al menor cumple las exigencias de tipicidad. No tiene por qué limitarse al dinero a la promesa de su recepción la remuneración que incluye cualquier otra contraprestación en especie -una invitación a un espectáculo, una entrada de cine o teatro, un viaje, etc.-, e incluso cualquier otra utilidad, ventaja o comodidad. No es necesario que el menor acepte mantener la relación sexual ni que la mantenga. La alternatividad típica de la solicitud, en efecto, no implica, ni la aceptación ni la obtención del favor sexual.

STS 25/2022: La estructura de los injustos típicos regulados en los arts. 187 y 188 difícilmente consienten el delito continuado, al ser delitos de tendencia o de simple actividad, su comportamiento típico abarca todos los actos que se haya podido realizar para propiciar o provocar el efecto inductor o favorecedor de la corrupción o prostitución de un menor. Cada sujeto pasivo puede integrar un delito, pero todos los actos que se dirijan frente a un solo sujeto, constituirán un delito no continuado. En definitiva, como se razona en la reciente STS 181/2021, la continuidad delictiva que se predica del delito relativo a la prostitución (art. 188.4 CP) a que fue sometido uno de los menores (dos actos de solicitación sexual en ocasiones diferenciadas, aunque no se precisa el tiempo), es ciertamente cuestión discutible. En verdad los tipos que se describen en los parágrafos anteriores de esta norma (art. 188) evocan un bien tutelado poco proclive a la diversificación en acciones con idoneidad para dar lugar a la continuidad. Evocan un comportamiento persistente más que actos aislados. Argumento adicional que militaría en contra de la posibilidad de continuidad sería la cláusula concursal para la punición por separado de los delitos sexuales cometidos. En el marco de los delitos sexuales, en cambio, el bien jurídico tutelado (indemnidad sexual) es más apto para identificar agresiones puntuales autónomas que, de ser plurales, nutrirían un delito continuado. Si hablamos de corrupción el terreno se torna más propicio para entender que las distintas acciones inciden en un mismo y único efecto corruptor, más o menos intenso, pero no atomizable, aunque se prolongue con reiteración de acciones (solicitaciones inatendidas en este caso). El mayor desvalor derivado de la repetición de acciones acompañadas de contactos sexuales quedaría ya abarcado por la punición separada del abuso sexual. Consecuentemente, los hechos probados constituirían un solo delito, no continuado, de corrupción de menores del art. 188.4 CP.

STS 911/2021: En STS 181/2021, de 2 de marzo de 2021, en la que, entre otras cuestiones, se plantea la Sala la relación concursal entre los delitos de corrupción de menores y abuso sexual, en este caso del art. 188.4 y 183, se pronuncia en igual sentido, decantándose por el concurso ideal de la siguiente manera: "En la medida en que el art. 188.4 CP incluye entre las acciones típicas la obtención de una relación sexual, a cambio de una remuneración, nos moveríamos en el marco del concurso ideal y no del real como ha entendido la Audiencia.

Art. 189.[428]

1. Será castigado con la pena de prisión de uno a cinco años:

a) El que captare o utilizare a menores de edad o a personas con discapacidad necesitadas de especial protección con fines o en espectáculos exhibicionistas o pornográficos, tanto públicos como privados, o para elaborar cualquier clase de material pornográfico, cualquiera que sea su soporte, o financiare cualquiera de estas actividades o se lucrare con ellas.

b) El que produjere, vendiere, distribuyere, exhibiere, ofreciere o facilitare la producción, venta, difusión o exhibición por cualquier medio de pornografía infantil o en cuya elaboración hayan sido utilizadas personas con discapacidad necesitadas de especial protección, o lo poseyere para estos fines, aunque el material tuviere su origen en el extranjero o fuere desconocido.

A los efectos de este Título se considera pornografía infantil o en cuya elaboración hayan sido utilizadas personas con discapacidad necesitadas de especial protección:

---

[428]   Redacción anterior a la reforma operada por la LO 8/2021, de 4 de junio.

a) Todo material que represente de manera visual a un menor o una persona con discapacidad necesitada de especial protección participando en una conducta sexualmente explícita, real o simulada.

b) Toda representación de los órganos sexuales de un menor o persona con discapacidad necesitada de especial protección con fines principalmente sexuales.

c) Todo material que represente de forma visual a una persona que parezca ser un menor participando en una conducta sexualmente explícita, real o simulada, o cualquier representación de los órganos sexuales de una persona que parezca ser un menor, con fines principalmente sexuales, salvo que la persona que parezca ser un menor resulte tener en realidad dieciocho años o más en el momento de obtenerse las imágenes.

d) Imágenes realistas de un menor participando en una conducta sexualmente explícita o imágenes realistas de los órganos sexuales de un menor, con fines principalmente sexuales.

2. Serán castigados con la pena de prisión de cinco a nueve años los que realicen los actos previstos en el apartado 1 de este artículo cuando concurra alguna de las circunstancias siguientes:

a) Cuando se utilice a menores de dieciséis años.

b) Cuando los hechos revistan un carácter particularmente degradante o vejatorio.

c) Cuando el material pornográfico represente a menores o a personas con discapacidad necesitadas de especial protección que sean víctimas de violencia física o sexual.

d) Cuando el culpable hubiere puesto en peligro, de forma dolosa o por imprudencia grave, la vida o salud de la víctima.

e) Cuando el material pornográfico fuera de notoria importancia.

f) Cuando el culpable perteneciere a una organización o asociación, incluso de carácter transitorio, que se dedicare a la realización de tales actividades.

g) Cuando el responsable sea ascendiente, tutor, curador, guardador, maestro o cualquier otra persona encargada, de hecho, aunque fuera provisionalmente, o de derecho, del menor o persona con discapacidad necesitada de especial protección, o se *trate de cualquier otro miembro de su familia que conviva con él o de otra persona que haya actuado abusando de su posición reconocida de confianza o autoridad.*

b) Cuando concurra la agravante de reincidencia.

3. *Si los hechos a que se refiere la letra a) del párrafo primero del apartado 1 se hubieran cometido con violencia o intimidación se impondrá la pena superior en grado a las previstas en los apartados anteriores.*

4. *El que asistiere a sabiendas a espectáculos exhibicionistas o pornográficos en los que participen menores de edad o personas con discapacidad necesitadas de especial protección, será castigado con la pena de seis meses a dos años de prisión.*

5. *El que para su propio uso adquiera o posea pornografía infantil o en cuya elaboración se hubieran utilizado personas con discapacidad necesitadas de especial protección, será castigado con la pena de tres meses a un año de prisión o con multa de seis meses a dos años.*

La misma pena se impondrá a quien acceda a sabiendas a pornografía infantil o en cuya elaboración se hubieran utilizado personas con discapacidad necesitadas de especial protección, por medio de las tecnologías de la información y la comunicación.

6. *El que tuviere bajo su potestad, tutela, guarda o acogimiento a un menor de edad o una persona con discapacidad necesitada de especial protección y que, con conocimiento de su estado de prostitución o corrupción, no haga lo posible para impedir su continuación en tal estado, o no acuda a la autoridad competente para el mismo fin si carece de medios para la custodia del menor o persona con discapacidad necesitada de especial protección, será castigado con la pena de prisión de tres a seis meses o multa de seis a doce meses.*

7. *El Ministerio Fiscal promoverá las acciones pertinentes con objeto de privar de la patria potestad, tutela, guarda o acogimiento familiar, en su caso, a la persona que incurra en alguna de las conductas descritas en el apartado anterior.*

8. *Los jueces y tribunales ordenarán la adopción de las medidas necesarias para la retirada de las páginas web o aplicaciones de internet que contengan o difundan pornografía infantil o en cuya elaboración se hubieran utilizado personas con discapacidad necesitadas de*

especial protección o, en su caso, para bloquear el acceso a las mismas a los usuarios de Internet que se encuentren en territorio español.

Estas medidas podrán ser acordadas con carácter cautelar a petición del Ministerio Fiscal.

STS 777/2017: La aplicación del tipo del art. 189.1° CP ha sido plenamente correcta. La descripción del precepto se refiere clara y nítidamente a las menores de edad (menos de 18 años). STS 332/2019: Conviene puntualizar que el delito previsto en el art. 189.1.a) del CP incluye entre sus modalidades algo más que la simple elaboración de material pornográfico en uno u otro soporte. En efecto, conforme a su literalidad -ajena a las exigencias impuestas por la buena técnica jurídica- el tipo penal también abarca la utilización de un menor de edad o un incapaz con fines exhibicionistas o pornográficos, lo que es perfectamente compatible con el desarrollo de los hechos en el ámbito privado, comprendiéndose la exhibición sólo para el propio sujeto activo del delito. Es decir, para la consumación del delito, puede ser suficiente la utilización del menor con esa finalidad exhibicionista o pornográfica, con independencia de la reproducción gráfica que pueda obtenerse de los hechos en los que el menor ha sido utilizado. Y esta idea conduce directamente a admitir que el tipo agravado previsto en el art. 189.3 b) del CP es aplicable, tanto a los hechos particularmente degradantes o vejatorios como a la reproducción gráfica de esos mismos hechos. Así parece desprenderse incluso del tenor gramatical de aquel precepto, en el que se alude a hechos, comprendiendo la utilización del menor para escenificar comportamientos pornográficos altamente vejatorios, como la grabación de los mismos. Hay que recordar que el delito de corrupción de menores por elaboración de material pornográfico utilizando a menores o incapaces descrito en el art. 189.1a) del CP tiene los siguientes caracteres: a) Es un delito de acción; b) El sujeto activo puede ser cualquiera, y el sujeto pasivo ha de ser menor o incapacitado; c) La acción típica se integra por dos elementos: la elaboración de material pornográfico mediante la realización de imágenes y escenas de esa naturaleza, y que se emplean en la realización de los mismos de un menor; d) La reproducción puede hacerse en cualquier material apto para soportar y conservar la grabación; e) Es un delito esencialmente doloso, incluido el supuesto del dolo eventual en cuanto a la edad del menor empleado; f) Caben las formas imperfectas de ejecución y de participación; g) La realización en unidad de acto de varias escenas constituye un único delito; h) No forman parte del tipo, ni por tanto quedan absorbidos en él los actos sexuales efectuados y grabados, los que seguirán siendo actos de agresión sexual o abuso sexual; i) Es independiente el consentimiento del menor o incapaz dada la imposibilidad de consentir; j) Finalmente, en cuanto al bien jurídico protegido, este se integra por el derecho al desarrollo equilibrado del menor en concreto en relación a su desarrollo sexual, por eso, si en el material pornográfico se emplean varios menores, tratándose de bienes jurídicos personalísimos, existirán tantos delitos de elaboración de material pornográfico con menores o incapaces, como hubiesen sido empleados. Se trata de un bien jurídico concreto y personalísimo.

STS 173/2018: Viene entendiéndose que el delito del art. 189.1.b) CP no se multiplica por el número de menores que aparecen en el material distribuido. Sin embargo el delito del art. 189.1 a) sí que se cometería tantas veces como menores se vean afectados, dado el carácter individual y personalísimo del bien jurídico afectado que queda así resaltado y enfatizado. El empleo de dos menores para la realización de material pornográfico constituiría un doble delito que reclama un doble reproche penal. La distribución de material pornográfico en el que aparecen dos o más menores constituiría un único delito. Tiene razón la recurrente en que la calificación preferente ha de ser la del art. 189.1.a) CP: la distribución queda consumida por la elaboración.

STS 395/2021: Aun cuando hemos dicho que las conductas recogidas en ambos párrafos son conductas autónomas, no resulta infrecuente que, como en el caso de autos, la realización de lo dispuesto en la letra b, sea subsiguiente a la perpetración del delito de utilización de menores para la elaboración de pornografía infantil. Es este un delito de acción y mera actividad que, respecto de la utilización de menores para la elaboración del material pornográfico, comporta su instrumentalización a la hora de obtener productos de creación que desbordan los límites de lo ético, de lo erótico y de lo estético, con finalidad de provocación sexual, constituyendo por tanto imágenes obscenas o situaciones impúdicas, todo ello de acuerdo con la realidad social. Como se ha apuntado anteriormente, los comportamientos descritos en el artículo 189.1.a) del Código Penal suponen un contacto del sujeto activo del delito con el proceso de elaboración del material pornográfico y con el menor corrompido, frente a las actuaciones previstas en el artículo 189.1. b), que se caracterizan por la conexión del sujeto activo con el material creado y por su desvinculación con el proceso de elaboración. De esta manera, comportamientos como la financiación o producción de la pornografía infantil, o su posterior venta, exhibición o distribución con una finalidad lucrativa, pueden ser subsumibles en ambas previsiones sancionadoras. Son las circunstancias del caso las que permiten establecer si el comportamiento o la participación del sujeto activo tuvo conexión con el proceso de elaboración del material y con el menor que los protagoniza, o exclusivamente se orientó a replicar o difundir obras ya creadas o que no afectan a menores reales. Es el supuesto concreto el que mostrará si la actuación del sujeto activo ofende principalmente a la libertad o indemnidad sexual de los menores o se ubique en un espacio en el que esa ofensa disminuye para acentuarse la protección del derecho a la imagen o el interés colectivo de proteger la dignidad de la infancia y evitar que puedan impulsarse futuras conductas de abuso. Conforme a lo expuesto, en los hechos que ahora analizamos, la utilización de los menores para la elaboración de material pornográfico (art. del 189.1.a) y la posterior divulgación pública de la imagen de esos menores encajada en la previsión del artículo 189.1.b del Código Penal, son conductas que colocan al sujeto activo del delito en comportamientos indiscutiblemente lesivos de bienes jurídicos eminentemente personales como la indemnidad sexual y la imagen de los menores afectados , lo que necesariamente excluye que los actos de corrupción proyectados sobre los diferentes individuos puedan integrarse en un delito continuado, tal y como hace la sentencia de instancia, al ser una posibilidad expresamente excluida en el artículo. 74.3

del Código Penal. Los hechos enjuiciados son constitutivos de tantos delitos de corrupción de menores, cuantos menores fueron utilizados en la elaboración del material pornográfico y deben ser sancionados aisladamente en los términos previstos en el artículo 73 del Código Penal, por más que la punición de la completa responsabilidad de los acusados esté finalmente limitada a la privación de libertad por el triple del tiempo por el que se imponga la más grave de las penas en las que incurrieran (art. 76.1 CP). Situación que no resulta normalmente equiparable a la de quienes, ofendiendo esencialmente un bien jurídico distinto, distribuyen o poseen el material pornográfico sin conexión con el proceso de su creación o con las numerosas víctimas que puedan aparecer en aquel.

Acuerdo no jurisdiccional del pleno de la Sala 2ª del TS de 27 de octubre de 2009: Una vez establecido el tipo objetivo del art. 189.1.b) CP, el subjetivo deberá ser considerado en cada caso, evitando incurrir en automatismos derivados del mero uso del programa informático empleado para descargar los archivos.

STS 240/2020: Recientemente, hemos sostenido en STS 132/2020, de 5 de mayo, a propósito de la interpretación del art. 189.3.a), que la utilización de menores de 13 años es sólo aplicable a quienes participen en el proceso de creación del material pornográfico, no a quienes se limitan a su difusión en la red. Es cierto que la jurisprudencia no ha mostrado en esta materia la uniformidad que habría sido deseable. No es fácil, sin embargo, consolidar un cuerpo uniforme de doctrina cuando la norma jurídica que ha de ser interpretada está sometida a vaivenes legislativos que impiden la sedimentación de criterios hermenéuticos estables, cuyo arraigo no es incompatible con la obligada adaptación a cada supuesto de hecho sometido a nuestra consideración. Las sucesivas reformas del art. 189.3 del CP, operadas por la LO 11/1998, 30 de abril, por la LO 15/2003, 25 de noviembre y por la LO 5/2010, 22 de junio, no facilitan precisamente la tarea complementadora del ordenamiento jurídico que el art. 1.6 del Código Civil atribuye a la jurisprudencia del Tribunal Supremo. Sea como fuere, superadas las dudas iniciales, hoy en día puede afirmarse que la línea jurisprudencial que propugnaba la exclusión del tipo agravado previsto en el art. 189.3.a) del CP, respecto de aquellos casos en los que el autor no participa en lo que pudiera denominar-se el primer escalón productor o distributivo, limitándose de forma exclusiva a su intercambio, ha acabado por imponerse. En la modalidad agravatoria de la letra b), ha de partirse de la constatación de que las imágenes pornográficas con menores resultan con carácter general degradantes o vejatorias, y no hay duda de que el abuso de menores para elaborar este material debe ser calificado en todo caso de degradante y vejatorio pa-ra ellos, en consecuencia ésta no es la interpretación correcta. Por consiguiente, la aplicación de esta modalidad agravatoria requiere, en primer lugar, un ejercicio especial de justificación o argumentación explícita respecto a las razones por las que ese carácter degradante o vejatorio, implícito en todo caso en la utilización de menores para la confección de material por-nográfico, adquiere un carácter especialmente cualificado en el caso específico, que justifique la exasperación punitiva, y, en segundo lugar, que la descripción de la imagen en el relato fác-tico permita apreciar la concurrencia objetiva de esta especial cualificación, por el carácter aberrante de las prácticas sexuales a las que se sometan a los menores en el material pornográfico utilizado. La citada STS 132/2020, de 5 de mayo, declara que la agravación contenida en el art. 189.3.b), sí es aplicable al difusor de ese material la agravación referida a que los hechos revistan un carácter particularmente vejatorio. La aplicación del tipo agravado previsto en el art. 189.3.b) del CP, no suscita ninguna dificultad en aquellos casos en los que quien divulga esas imágenes en la red capta con el dolo -directo o eventual- el carácter singularmente degradante que se añade a la vejación predicable de todo acto sexual con menores.

Art. 191.[429]

1. *Para proceder por los delitos de agresiones, acoso o abusos se-xuales, será precisa denuncia de la persona agraviada, de su represen-tante legal o querella del Ministerio Fiscal, que actuará ponderando los legítimos intereses en presencia. Cuando la víctima sea menor de edad, persona con discapacidad necesitada de especial protección o una persona desvalida, bastará la denuncia del Ministerio Fiscal.*

2. *En estos delitos el perdón del ofendido o del representante legal no extingue la acción penal ni la responsabilidad de esa clase.*

STS 311/2020: La exigencia de este requisito de procedibilidad no refleja una posición pacífica de la doctrina ya que hay opiniones muy fundadas que consideran que debería desaparecer, despojando a estos delitos de su naturaleza semiprivada. En cualquier caso desde antiguo la jurisprudencia de esta Sala viene flexibilizando su exigencia. Así, se ha declarado que no es necesaria una denuncia escrita y formal, bas-tando con una comunicación verbal. En esa misma dirección y según recuerda la reciente STS 340/2018, de 6 de julio, haciéndose eco de pronunciamientos anteriores, debe tenerse por cumplido este requisi-to cuando el perjudicado se persona en las actuaciones para ejercer la acusación o cuando, conociendo la existencia del proceso, no se opone al mismo. También se ha dicho que la mera anuencia pasiva a la prosecución del proceso, convalida la inexistencia de denuncia ini-cial e incluso que la renuncia a las acciones civiles por el representante legal del menor no erosiona la legitimidad de la condena. La denuncia es fuente de conocimiento del delito pero cuando se constituye en requisito de procedibilidad es esencialmente una manifestación de vo-luntad, que expresa la disposición del perjudicado, de su representan-te legal o del Ministerio Fiscal a que la acción penal se lleve a efecto. Cuando la notitia criminis ha llegado a conocimiento del Juzgado por vía distinta de la denuncia o sin la denuncia de todos los perju-dicados, la falta de denuncia formal se subsana o convalida si hay constancia de que el perjudicado muestra su consentimiento con la continuación del proceso penal, exteriorizando con su conducta pro-cesal esa voluntad. En tal caso no es necesaria una denuncia formal.

---

[429]   Redacción anterior a la reforma operada por la LO 10/2022, de 6 de septiembre.

En el presente caso el proceso se inició por denuncia del padre de una de las menores. Todos los menores han comparecido en el proceso y en el juicio, han colaborado con la investigación y no han mostrado objeción alguna a la continuación del proceso. Y por último, el Ministerio Fiscal ha intervenido en el desarrollo del proceso y ha ejercido la acción penal formulando y manteniendo la acusación. Por lo tanto y de acuerdo con la doctrina que se acaba de reseñar el requisito de procedibilidad de denuncia previa ha sido cumplido.

Art. 192.[430]

1. *A los condenados a pena de prisión por uno o más delitos comprendidos en este Título se les impondrá además la medida de libertad vigilada, que se ejecutará con posterioridad a la pena privativa de libertad. La duración de dicha medida será de cinco a diez años, si alguno de los delitos fuera grave, y de uno a cinco años si se trata de uno o más delitos menos graves. En este último caso, cuando se trate de un solo delito cometido por un delincuente primario, el tribunal podrá imponer o no la medida de libertad vigilada en atención a la menor peligrosidad del autor.*

2. *Los ascendientes, tutores, curadores, guardadores, maestros o cualquier otra persona encargada de hecho o de derecho del menor o persona con discapacidad necesitada de especial protección, que intervengan como autores o cómplices en la perpetración de los delitos comprendidos en este Título, serán castigados con la pena que les corresponda, en su mitad superior.*

No se aplicará esta regla cuando la circunstancia en ella contenida esté específicamente contemplada en el tipo penal de que se trate.

3. *El juez o tribunal podrá imponer razonadamente, además, la pena de privación de la patria potestad o la pena de inhabilitación especial para el ejercicio de los derechos de la patria potestad, tutela, curatela, guarda o acogimiento, por el tiempo de seis meses a seis años, y la pena de inhabilitación para empleo o cargo público o ejercicio de la profesión u oficio, por el tiempo de seis meses a seis años. A los*

---

[430]   Redacción anterior a las reformas operadas por la LO 10/2022, de 6 de septiembre, y por la LO 8/2021, de 4 de junio.

responsables de la comisión de alguno de los delitos de los Capítulos II bis o V se les impondrá, en todo caso, y sin perjuicio de las penas que correspondan con arreglo a los artículos precedentes, una pena de inhabilitación especial para cualquier profesión u oficio, sea o no retribuido que conlleve contacto regular y directo con menores de edad por un tiempo superior entre tres y cinco años al de la duración de la pena de privación de libertad impuesta en su caso en la sentencia, o por un tiempo de dos a diez años cuando no se hubiera impuesto una pena de prisión atendiendo proporcionalmente a la gravedad del delito, el número de los delitos cometidos y a las circunstancias que concurran en el condenado.

STS 64/2022: Al imponer la medida de libertad vigilada, para la determinación de si se está ante un delito grave o menos grave, hay que tener en cuenta la pena en abstracto imponible y no la pena en concreto impuesta. No pudiendo olvidar la recurrente que este delito (183.1º CP) lleva aparejada una pena de 2 a 6 años. Lo que según el artículo 33.2 determina su consideración de grave, determinando según el artículo 13 que deba calificarse este delito como tal.

VI. DE LA OMISIÓN DEL DEBER DE SOCORRO (ARTS. 195 A 196)

Art. 195.

1. El que no socorriere a una persona que se halle desamparada y en peligro manifiesto y grave, cuando pudiere hacerlo sin riesgo propio ni de terceros, será castigado con la pena de multa de tres a doce meses.

2. En las mismas penas incurrirá el que, impedido de prestar socorro, no demande con urgencia auxilio ajeno.

3. Si la víctima lo fuere por accidente ocasionado fortuitamente por el que omitió el auxilio, la pena será de prisión de seis meses a 18 meses, y si el accidente se debiere a imprudencia, la de prisión de seis meses a cuatro años.

STS 301/2022: El delito de omisión del deber de socorro requiere para su existencia: 1º) Una conducta omisiva sobre el deber de socorrer a una persona desamparada y en peligro manifiesto y grave, es decir, cuando necesite protección de forma patente y conocida y que no existan riesgos propios o de un tercero, como puede ser la posibilidad de sufrir lesión o perjuicio desproporcionado en relación con la ayuda que necesite. 2º) Una repulsa por el ente social de la conducta omisiva del agente. 3º) Una culpabilidad constituida no solamente por la conciencia del desamparo de la víctima y la necesidad de auxilio, sino además por la posibilidad del deber de actuar. La existencia de dolo se ha de dar por acreditada en la medida en que el sujeto tenga conciencia del desamparo y del peligro de la víctima, bien a través del dolo directo, certeza de la necesidad de ayuda, o del eventual, en función de la probabilidad de la presencia de dicha situación, pese a lo cual adopta una actitud pasiva.

STS 761/2022: El reproche penal por la infracción del deber de asistencia está sometido a un exigente cuadro cumulativo de condiciones de tipicidad. Primera, que la persona tributaria de auxilio se encuentre en una situación de peligro manifiesto y grave; segunda, que se encuentre desamparada; tercera, que la persona obligada conozca que se da dicha situación; cuarta, que tenga capacidad, sin riesgo propio o ajeno, para prestar socorro personalmente o demandar el socorro a terceros. Cabe recordar que el desamparo se produce cuando la persona expuesta al peligro grave y manifiesto carece de los medios necesarios para neutralizarlo o reducirlo. Ya sea porque no puede auxiliarse a sí misma o porque no está recibiendo ayuda ajena. Es cierto que el desamparo no desaparece cuando la ayuda que se presta es situacionalmente insuficiente. En términos normativos, el desamparo penalmente relevante abarca tanto el absoluto -cuando la persona necesitada no recibe ningún tipo de ayuda- como el relativo -cuando la que recibe es manifiestamente insuficiente-. Si bien en este caso deberá evaluarse si el peligro residual, el que se deriva de la ayuda incompleta, sigue siendo grave, ya que en caso contrario la omisión seguiría siendo penalmente irrelevante por falta de un presupuesto esencial de la tipicidad. Sobre esta compleja cuestión de los deberes concurrentes de actuación en socorro de quien se encuentra en una situación de peligro grave y manifiesto, diversos pronunciamientos de esta Sala han identificado, al hilo de la interpretación del artículo 195.3 CP, una suerte de deber prioritario de socorro si bien con relación a quien ha causado la situación de peligro. En estos casos, la simple presencia de terceras personas que aun pudiendo prestar el auxilio no lo hacen efectivo no excluye la relevancia penal de la omisión del obligado principal. Como se afirma en la STS 706/2012, de 24 de septiembre, al hilo de un supuesto en el que varias personas estaban presentes cuando surgió la situación de peligro grave y manifiesto, "todos tenían la obligación de acudir en auxilio de quien así lo necesitaba por encontrarse herida en el suelo después del atropello, todos los allí presentes que se percataron de tal situación, sin que la mera presencia de unos pudiera excusar a los otros de su deber de socorrer; pero más que ningún otro estaba obligado a auxiliar quien había sido causa del accidente. La injerencia del condenado en el suceso productor de las lesiones en virtud de una conducta gravemente negligente produce un deber de asistencia a quien se encuentra desamparado y en peligro manifiesto y grave, superior en intensidad al que tienen las otras personas que, ajenas al suceso, pudieran estar allí presentes conociendo tal situación de la víctima". En estos casos, se afirma en la sentencia, "el delito se consuma desde el momento en que se marchó del lugar el causante del accidente cuando nadie estaba prestando ningún auxilio a la víctima. El que tal auxilio pudiera producirse después no puede incidir en la realidad de un delito que ya antes había quedado perfeccionado". La razón de establecer deberes prioritarios y más intensos de actuación en estos casos radica en la necesidad de garantizar el objeto de protección inmediato -los bienes jurídicos personales de la persona en peligro- neutralizando el efecto inhibitorio del cumplimiento del deber de socorro conocido como "efecto del espectador que no ayuda" o Síndrome Genovese -"non helping bystander effect", en su denominación inglesa- que paradójicamente puede producirse por la presencia de varias personas que observan la situación de peligro. Pero fuera de estos supuestos en los que la "presencia inhibitoria" de terceros no excluye la relevancia típica de la omisión del causante de la situación de peligro grave y manifiesto, en el tipo general del artículo 195.1 CP, objeto de acusación, y como lógica consecuencia, si hay varias personas que alternativa y situacionalmente resultan obligadas, el deber de socorro decae cuando la persona necesitada ya está recibiendo asistencia por parte de otro obligado y la hipotética aportación de quien omite el deber no aportaría nada a la eliminación o reducción significativa de la situación de grave peligro.

VII. DELITOS CONTRA LA INTIMIDAD, EL DERECHO A LA PROPIA IMAGEN Y LA INVIOLABILIDAD DEL DOMICILIO (ARTS. 197 A 204)

Art. 197.[431]

1. El que, para descubrir los secretos o vulnerar la intimidad de otro, sin su consentimiento, se apodere de sus papeles, cartas, mensajes de correo electrónico o cualesquiera otros documentos o efectos personales, intercepte sus telecomunicaciones o utilice artificios técnicos de escucha, transmisión, grabación o reproducción del sonido o de la imagen, o de cualquier otra señal de comunicación, será castigado con las penas de prisión de uno a cuatro años y multa de doce a veinticuatro meses.

2. Las mismas penas se impondrán al que, sin estar autorizado, se apodere, utilice o modifique, en perjuicio de tercero, datos reservados de carácter personal o familiar de otro que se hallen registrados en ficheros o soportes informáticos, electrónicos o telemáticos, o en cualquier otro tipo de archivo o registro público o privado. Iguales penas se impondrán a quien, sin estar autorizado, acceda por cualquier medio a los mismos y a quien los altere o utilice en perjuicio del titular de los datos o de un tercero.

3. Se impondrá la pena de prisión de dos a cinco años si se difunden, revelan o ceden a terceros los datos o hechos descubiertos o las imágenes captadas a que se refieren los números anteriores.

Será castigado con las penas de prisión de uno a tres años y multa de doce a veinticuatro meses, el que, con conocimiento de su origen

---

[431]	Se modifica el apartado 7 por la LO 10/2022, de 6 de septiembre.

ilícito y sin haber tomado parte en su descubrimiento, realizare la conducta descrita en el párrafo anterior.

4. Los hechos descritos en los apartados 1 y 2 de este artículo serán castigados con una pena de prisión de tres a cinco años cuando:

a) Se cometan por las personas encargadas o responsables de los ficheros, soportes informáticos, electrónicos o telemáticos, archivos o registros; o

b) se lleven a cabo mediante la utilización no autorizada de datos personales de la víctima.

Si los datos reservados se hubieran difundido, cedido o revelado a terceros, se impondrán las penas en su mitad superior.

5. Igualmente, cuando los hechos descritos en los apartados anteriores afecten a datos de carácter personal que revelen la ideología, religión, creencias, salud, origen racial o vida sexual, o la víctima fuere un menor de edad o una persona con discapacidad necesitada de especial protección, se impondrán las penas previstas en su mitad superior.

6. Si los hechos se realizan con fines lucrativos, se impondrán las penas respectivamente previstas en los apartados 1 al 4 de este artículo en su mitad superior. Si además afectan a datos de los mencionados en el apartado anterior, la pena a imponer será la de prisión de cuatro a siete años.

7. Será castigado con una pena de prisión de tres meses a un año o multa de seis a doce meses el que, sin autorización de la persona afectada, difunda, revele o ceda a terceros imágenes o grabaciones audiovisuales de aquélla que hubiera obtenido con su anuencia en un domicilio o en cualquier otro lugar fuera del alcance de la mirada de terceros, cuando la divulgación menoscabe gravemente la intimidad personal de esa persona.

Se impondrá la pena de multa de uno a tres meses a quien habiendo recibido las imágenes o grabaciones audiovisuales a las que se refiere el párrafo anterior las difunda, revele o ceda a terceros sin el consentimiento de la persona afectada.

En los supuestos de los párrafos anteriores, la pena se impondrá en su mitad superior cuando los hechos hubieran sido cometidos por el cónyuge o por persona que esté o haya estado unida a él por análoga relación de afectividad, aun sin convivencia, la víctima fuera menor de edad o una persona con discapacidad necesitada de especial protección, o los hechos se hubieran cometido con una finalidad lucrativa.

STS 259/2022: Sin perjuicio de que el hecho probado presenta un grave déficit de completitud descriptiva pues no precisa qué contenidos fueron divulgados, en todo caso sirven para descartar que la divulgación responda a alguna de las formas de acción que se describen en el tipo del artículo 197 CP aplicado. Este no protege cualquier afectación del derecho a la privacidad. La protección penal solo se activa frente a específicos modos de lesión mediante los que un tercero no autorizado accede al dato divulgado por alguna de las fórmulas prohibidas precisadas en el tipo. Una interpretación desde el canon de la totalidad de las conductas típicas descritas en los ordinales 1 y 2 del artículo 197 CP permite identificar dos presupuestos normativos comunes: Uno, la acción lesiva debe provenir de alguien que no tenga consentimiento ni autorización para conocer, acceder, apoderarse, utilizar, modificar o alterar los diferentes datos personales que son objeto de protección. Dos, lo protegido, como se desprende del inciso final del artículo 197.2 CP, debe ser titularidad de un tercero que por tal motivo es la única persona que puede consentir o autorizar. El hoy recurrente no requería autorización ni para acceder a las conversaciones que mantuvo con la plena anuencia de la interlocutora Sra. Raquel, pues se encontraban registradas, insistimos, en la aplicación de mensajería utilizada por ambos. Ni, tampoco, para utilizar dichos contenidos. Y ello porque, aunque afectaran al plano de la privacidad de la Sra. Raquel, respondían al flujo de comunicación conformado por la voluntad de ambos interlocutores. El Sr. Eloy en ningún caso puede ser considerado tercero no autorizado que, como condición insoslayable de tipicidad de las conductas de revelación, reclama el artículo 197 1. y 2. CP. Por otro lado, lo comunicado por la Sra. Raquel al Sr. Eloy, pese al contexto de intimidad en que se produjo, no puede considerarse secreto en términos normativos y, por tanto, no cabe, tampoco, decantar un deber de confidencialidad en el interlocutor de cuyo quebranto puedan derivarse consecuencias penales.

Ni por la vía del artículo 197 ni, desde luego, del artículo 199, ambos, CP. Ello no quiere decir, ni mucho menos, que no identifiquemos en los hechos probados tasas significativas de antijuricidad en lo que suponen de lesión del derecho de toda persona a no sufrir la interferencia maliciosa de terceros en los planos más privados de la vida personal y familiar. Pero no siempre la norma penal puede, y debe, proteger cualquier tipo de lesión.

STS 328/2021 (Pleno): El punto de partida de nuestro análisis admite, no ya la flexibilidad para tolerar la fiscalización de los actos inicialmente protegidos por el derecho a la intimidad, sino la capacidad para extender ese ámbito de negociación al derecho a la inviolabilidad de las comunicaciones, excluyendo la imperatividad de la autorización judicial para justificar la intromisión. Empresario y trabajador pueden fijar los términos de ese control, pactando la renuncia, no ya a la intimidad, sino a la propia inviolabilidad de las comunicaciones. Y allí donde exista acuerdo expreso sobre fiscalización, se estará excluyendo la expectativa de privacidad que, incluso en el ámbito laboral, acompaña a cualquier empleado. Pero la exclusión de esa expectativa ha de ser expresa y consciente, sin que pueda equipararse a ésta una pretendida renuncia derivada de la voluntad presunta del trabajador. El trabajador que conoce la prohibición de utilizar para fines particulares los ordenadores puestos a su disposición por la empresa y, pese a ello, incumple ese mandato, incurre en una infracción que habrá de ser sancionada en los términos que son propios de la relación laboral. Pero esa infracción no priva al trabajador que incurre en ella de su derecho a definir un círculo de exclusión frente a terceros, entre los que se incluye, desde luego, quien le proporciona esos medios productivos. De admitir esa artificial asimilación a la hora de pronunciarnos sobre la legitimidad de la injerencia, estaríamos olvidando la propia naturaleza del contrato de trabajo por cuenta ajena. Los elementos de disponibilidad del derecho fundamental a la intimidad y a la inviolabilidad de las comunicaciones no pueden abordarse con quiebra del principio de proporcionalidad. De hecho, la efectiva vigencia de aquellos derechos del trabajador no puede hacerse depender exclusivamente de un pacto incondicional de cesión en el que todo se vea como susceptible de ser contractualizado. En el presente caso, no existe dato alguno que permita concluir que Octavio sacrificó convencionalmente el ámbito de su privacidad. La hipotética comisión por su parte de una infracción disciplinaria grave, derivada de la indebida utilización del ordenador puesto a su disposición por la empresa, sólo permitía a ésta asociar su incumplimiento a una consecuencia jurídica. Pero no legitimaba la irrupción del empresario en los correos electrónicos generado durante tres meses en una cuenta privada. No existió, por tanto, indebida aplicación del art. 197.1 del CP. (Tol 8413824) **STS 412/2020 (Pleno):** De una parte, las conductas típicas contempladas en el artículo 197.1 frente a las recogidas en el art. 197.2, no son necesariamente excluyentes, siendo posible, comportamientos susceptibles de subsumirse en ambas normas; consecuencia lógica de tipificarse en el apartado primero la apropiación y conductas alternativas del secreto documental y en el apartado segundo los secretos recogidos en archivos o registros. Si bien, al tutelarse en ambos casos diversas modalidades del mismo bien jurídico y resultar condenados con la misma pena, en estos supuestos, deviene irrelevante la calificación por el primero o por el segundo de los apartados del art. 197 CP. De modo que en relación con la fotografía y los correos electrónicos, pudiera tipificarse su 'apoderamiento', a través del art. 197.1, dado el fin pretendido, en cuanto documentos personales se trata; esa conducta igualmente se acomoda plenamente a las previsiones del art. 197.2 CP, pues se comete por un intraneus fáctico en relación a la ID que posibilita el acceso, aunque sin autorización alguna por parte de la usuaria titular de los ficheros, frente a la cual devenía indubitado extraneus; y donde resulta indiferente que los ficheros se encontrasen o no bajo custodia de la propia titular de los datos. La afectación a una generalidad de personas o encontrarse los ficheros fuera del ámbito de cuidado del titular de los datos no es requisito típico. Tanto menos cuando el tipo del art. 197.2 CP, no se contempla como una ley en blanco. Niega también el recurrente que el acceso y descarga de una fotografía realizada en un lugar público afecten a la intimidad personal al no contener la referida fotografía ningún secreto. Sin embargo, tanto la doctrina como la jurisprudencia afirman un contenido amplio, no limitado estrictamente a aquello que se encuentra oculto y reservado, sino referido a lo que no es conocido o ignorado por el sujeto activo. La intimidad es, por eso, contenido de un derecho fundamental, que goza de la protección del art. 18 de la Constitución. En este figura asimismo el secreto como derecho igualmente fundamental, que también comparte con aquella el tipo penal a examen. Ahora bien, esta contigüidad en el orden de la garantía normativa no puede hacer perder de vista la diversidad conceptual, que se proyecta también en este mismo plano. En efecto, pues el de intimidad es un concepto, ético-psíquico y, por eso, cabe decir, material o sustantivo; mientras el de secreto es un artificio jurídico-formal, puesto constitucionalmente al servicio de una diversidad de bienes jurídicos, y aquí, concretamente, de la primera, para tratar de preservarla o asegurarla cuando, por salir de su espacio original y entrar en el de la comunicación, resulta más vulnerable y debe ser más intensamente protegida. En este sentido y, en rigor, el término "secretos" yuxtapuesto al de "intimidad" en el art. 197,1° CP podría decirse que no añade nada a la segunda, o nada realmente significativo en el plano de los contenidos. (Tol 8039351)

STS 575/2021: El relato que nos vincula aglutina todos los elementos del artículo 197.1 CP, en su inciso primero, en relación con el 197. 2 CP que la sentencia aplica. La hoy recurrente se apoderó en sentido material y sin consentimiento de su propietario, conducta que ambos preceptos contemplan, del dispositivo que no le pertenecía y que alojaba la grabación videográfica de escenas de alto contenido sexual, susceptibles de afectar a la intimidad y la imagen de quienes las protagonizaban. Que las imágenes gráficas aprehendidas afectaban a una faceta intrínsecamente personal de quienes en ellas aparecían, resulta incuestionable a la vista del contenido que el relato fáctico les atribuye. El pendrive, en cuanto dispositivo electrónico de almacenamiento de datos, encaja holgadamente en el concepto de documento que diseña el artículo 26 CP y a la vez encuentra acomodo entre los soportes "informáticos, electrónicos o telemáticos" a los que alude el n° 2 del artículo 197 CP. El propósito de atacar la intimidad de quien aparecía como eje

central de la actividad documentada y, colateralmente, el de
las mujeres que interactuaban, y con él, el ánimo de perjuicio
que esa última modalidad incorpora, fluyen con naturalidad
del comportamiento de la recurrente, lo que resulta suficiente de cara a completar ambas tipicidades. Como dijimos en la
STS 412/2020, de 20 de julio, "los comportamientos tipificados
en el primer apartado del art. 197 CP, frente a los tipificados
en el apartado segundo, aunque diferenciados, no siempre son
estancos; de modo que mantienen una zona de confluencia, especialmente en relación con las conductas de apoderamiento
documental y apoderamiento de datos e incluso con el mero acceso, dadas las formas asimiladas de apoderamiento espiritua-
lizadas, consistentes en la captación intelectual del contenido;
donde pueden concretarse supuestos susceptibles de tipificarse
por ambos párrafos, en obvio concurso de normas".

STS 538/2021: El apoderamiento de documentos exigido en
el art. 197 CP, por tanto, no puede considerarse estrictamente como el apoderamiento físico de los mismos. Basta con su
aprehensión virtual, de manera que el sujeto activo del delito se
haga con su contenido de cualquier forma técnica que permita su reproducción posterior, como, por ejemplo, mediante su
fotografiado. Se consuma tan pronto el sujeto activo "accede"
a los datos, esto es, tan pronto los conoce y tiene a su disposición, pues sólo con eso se ha quebrantado la reserva que los
cubre. Se ha dicho, con razón, que la minuciosa descripción
del tipo previsto en el art. 197.2 del CP, que habla de apoderarse, utilizar, modificar, acceder o alterar datos reservados, en
realidad, puede ser reconducida a un único vocablo, a saber, la
"utilización" de esos datos. Y es que quien se apodera, modifica, accede o altera, no hace otra cosa que utilizar esos datos. Si
bien se mira, la información contenida muy difícilmente podrá
ser apoderada pues en la mayoría de las ocasiones tendrá una
realidad inmaterial y difícilmente apoderable. La utilización de
ese documento mediante su digitalización, con el fin de ser incorporado a una red social en la que todo queda automatizado,
despeja cualquier duda acerca de la significación típica de la
acción de apoderamiento y utilización atribuidos al acusado. Es
cierto que una interpretación sistemática del art. 197.2 del CP,

conectada a la rúbrica del capítulo en el que ese precepto se incardina, que habla del descubrimiento y revelación de secretos, podría restringir el ámbito del injusto a aquella información que cuidadosamente se oculta. Pero no es así. El epígrama dato reservado de carácter personal es un concepto normativo que ha de interpretarse conforme a la legislación protectora de ese derecho de nueva generación consolidado al amparo del art. 18.4 de la CE, esto es, el derecho a la autodeterminación informativa, o lo que es lo mismo, el derecho a conocer y controlar lo que los demás conocen de uno mismo, derecho que adquiere especial pujanza cuando la información que nos afecta se incorpora -en la mayoría de las ocasiones, de forma irreversible- a una red social. De ahí que el concepto de "datos personales" no pueda ser identificado a efectos penales como "dato secreto". Desde esta perspectiva, es indudable que una información referida a lo que se ha llamado la "historia social" de una persona, en la que se recogen datos que, siendo ciertos, no tienen por qué ser objeto de acceso y conocimiento público en contra de la voluntad de la interesada, puede tener plena cabida en el concepto normativo de dato reservado de carácter personal. No se olvide que los datos que se contienen en el historial de asistencia social de una persona pueden ser incluso datos susceptibles de precipitar una imagen que se proyecta sobre el círculo de la privacidad de cualquier ciudadano. Pueden afectar a la salud, a sus circunstancias familiares o, en fin, a su nivel de pobreza que justifica el ingreso en una casa de acogida.

STS 260/2021: La gravedad de las penas asociadas al art. 197.2 del CP son bien expresivas de la necesidad de una fundada y grave afectación del bien jurídico protegido, que no es la intimidad, entendida en el sentido que proclama el art. 18.1 de la CE , sino la autodeterminación informativa a que se refiere el art. 18.4 del texto constitucional. Se trata de una mutación histórica de innegable trascendencia conceptual, de un derecho de nueva generación que otorgaría a cada ciudadano el control sobre la información que nos concierne personalmente, sea íntima o no, para preservar, de este modo y en último extremo, la propia identidad, nuestra dignidad y libertad.

STS 700/2018: Del contenido del referido relato resulta que el apoderamiento de secretos, papeles, documentos o efectos a que se refiere el tipo penal por el que el acusado ha sido condenado (artículo 197 del Código Penal), no se realizó en un único acto, en cuyo caso sí podríamos encontrarnos ante una unidad de acción aun cuando el apoderamiento fuera múltiple y variado. Por el contrario, se llevó a efecto en sucesivas ocasiones, prolongadas en el tiempo, a lo largo de varios meses (por lo menos seis), de forma inconsentida e ilegítima, y aprovechando identidad de circunstancias (utilizando las llaves de la vivienda a las que tuvo acceso por razón de su cargo, y en el momento en que la vivienda se encontraba vacía conociendo el acusado ésta circunstancia) lo que permite la aplicación de la continuidad delictiva. Cada uno de los accesos tiene entidad propia y diferenciada de los otros, se desarrollan en un espacio temporal de varios meses y supone una reiteración en la conducta delictiva.

STS 586/2016: Un expediente judicial de cuyo contenido se obtiene una fotocopia de un certificado, no es encajable en el concepto de fichero ex art. 197.2 (no es un conjunto organizado de datos de carácter personal y relativos a una generalidad de personas). El bien jurídico protegido en el art. 197.2 no es la intimidad en el sentido que proclama el art. 18.1 CE, sino la autodeterminación informativa a que se refiere el art. 18.4 CE; se trata de una mutación histórica de innegable trascendencia conceptual de un derecho de nueva generación que otorgaría a cada ciudadano el control sobre la información que nos concierne personalmente, sea íntima o no, para preservar de este modo y en último extremo, la propia identidad, nuestra dignidad y libertad (el derecho a la protección de datos de carácter personal consagra un derecho fundamental que excede del ámbito propio del derecho fundamental a la intimidad).

STS 43/2022: Por datos de carácter personal ha de entenderse toda información sobre una persona física identificada o identificable. Así delimitado lo que debe ser entendido como "datos de carácter personal" y a los efectos de perfilar el concepto del objeto típico sobre el que recae la acción prevista en el artículo 197.2 del Código Penal, y por otro lado, datos de carácter reservado son aquellos que no son susceptibles de ser conocidos por cualquiera. Como hemos señalado reservados son "secretos" o "no públicos", parificándose de este modo el concepto con el art. 197.1 CP. Secreto será lo desconocido u oculto, refiriéndose a todo conocimiento reservado que el sujeto activo no conozca o no esté seguro de conocer y que el sujeto pasivo no desea que se conozca. A partir de aquí, se pone de manifiesto la necesidad de diferenciar, dentro de esos datos reservados de carácter personal (o familiar) incorporados a ficheros informáticos o a cualquier clase de registro público o privado, entre los que pueden calificarse como "datos sensibles" de aquellos otros que carecerían de dicha condición. Los datos sensibles merecen una protección especial, bien por su naturaleza o bien por su relación con los derechos y libertades fundamentales de las personas. De esta manera prohíbe su tratamiento con determinadas excepciones. Se trata de datos personales que revelen el origen étnico o racial, las opiniones políticas, las convicciones religiosas o filosóficas, o la afiliación sindical, y el tratamiento de datos genéticos, datos biométricos dirigidos a identificar de manera unívoca a una persona física, datos relativos a la salud o datos relativos a la vida sexual o a la orientación sexual de una persona. Y a partir de la referida distinción entre datos de carácter personal o familiar que pueden ser calificados como sensibles y aquellos otros que no merecen dicha consideración, cuando se trata de datos sensibles, el perjuicio consiste en su mero conocimiento derivado del simple acceso. Se actúa así "en perjuicio" cuando se accede a los datos que merezcan esa calificación, sin que sea necesario un perjuicio añadido a ese mero conocimiento... En los demás casos, el perjuicio pretendido debe justificarse suficientemente. En definitiva, "el mero acceso no integraría delito, salvo que se acreditara perjuicio para el titular de los datos o que este fuera ínsito, por la naturaleza de los descubiertos, como es el caso de los datos sensibles".

STS 476/2020: No cabe aplicar conjuntamente los tipos previstos en el artículo 197.2 y 197.5 del Código Penal salvo que se acredite que al margen de la lesión del derecho a la intimidad derivada del acceso a datos especialmente sensibles (salud) se haya actuado en perjuicio o causando perjuicios diferenciados.

Si no se da esa circunstancia se produciría una doble incriminación por el mismo hecho.

STS 102/2020: Es cierto que el legislador ha querido agravar, mediante la aplicación del art. 197.6 aquellas conductas en las que la vulneración del derecho a la intimidad esté filtrada por un propósito lucrativo. Quien obtiene o cede imágenes que comprometen la intimidad de la persona afectada y lo hace a cambio de dinero, incurre en un tipo agravado que suma a la ofensa del bien jurídico protegido, el especial reproche de la motivación económica. El art. 197.6 intensifica el desvalor de la conducta atentatoria de la intimidad. Sin embargo, el art. 171.2 del CP entra en juego cuando a la vulneración de la privacidad sigue un atentado a la libertad, al sosiego, al equilibrio anímico de la víctima, a la que se amenaza con difundir las imágenes si no se aviene a pagar una cantidad de dinero. El art. 171.2 es ley especial que, para no incurrir en doble valoración del mismo hecho, con la consiguiente quiebra de la medida de la culpabilidad, tiene que desplazar en su aplicación la ley general representada por el art. 197.6 del CP.

STS 699/2022: Hemos de señalar, primero, que tanto se conculca el derecho a la intimidad cuando la fotografía muestra la desnudez completa de la persona afectada, como si lo es parcialmente, pero, claro, siempre que se refiera a ámbitos tan íntimos como es el torso completamente desnudo para la mujer, visualizándose sus mamas, en lugar como veremos no público, y siempre contra su consentimiento. No a toda anatomía desnuda se refiere el precepto, sino a aquella que afecta gravemente a su intimidad, y desde este punto de vista, consideramos que las mamas de la mujer son partes que afectan a la esfera íntima de la misma, visibles solamente por su propia voluntad, si este fuera su deseo, lo que no lo era en el supuesto que contemplamos, en tanto que dicha mujer fue precisamente la denunciante de los hechos enjuiciados. El art. 197.7 del Código Penal, alude a contenidos cuya divulgación menoscabe gravemente la intimidad personal. La esfera sexual es, desde luego, una de las manifestaciones de lo que se ha denominado el núcleo duro de la intimidad, pero no es la única. No es tampoco necesario, hemos remarcado, que la fotografía haya sido captada por el acusado, basta, por el contrario que a éste le haya sido "remitida voluntariamente por la víctima", siendo el modo de obtención algo accidental, y por otro lado, tal sistema de remisión es el más habitual. Si bien es cierto que el art. 197.7 del Código Penal exige que estas imágenes hayan sido obtenidas "...en un domicilio o en cualquier otro lugar fuera del alcance de la mirada de terceros", esta frase no añade una exigencia locativa al momento de la obtención por el autor. Lo que busca el legislador es subrayar y reforzar el valor excluyente de la intimidad con una expresión que, en línea con la deficiente técnica que inspira la redacción del precepto, puede oscurecer su cabal comprensión, sobre todo, si nos aferramos a una interpretación microliteral de sus vocablos. El domicilio, por ejemplo, es un concepto que si se entiende en su significado genuinamente jurídico (cfr. art. 40 del Código Civil), restringiría de forma injustificable el ámbito del tipo. Imágenes obtenidas, por ejemplo, en un hotel o en cualquier otro lugar ajeno a la sede jurídica de una persona, carecerían de protección jurídico-penal, por más que fueran expresión de una inequívoca manifestación de la intimidad. Y la exigencia de que la obtención se verifique "...fuera del alcance de la mirada de terceros", conduciría a excluir aquellos supuestos -imaginables sin dificultad- en que la imagen captada reproduzca una escena con más de un protagonista. En consecuencia, no podemos aferrarnos a una interpretación ajustada a una defectuosa literalidad que prescinda de otros cánones hermenéuticos a nuestro alcance.

STS 70/2020: La acción nuclear consiste en difundir imágenes «obtenidas» con el consentimiento de la víctima en un domicilio o en cualquier otro lugar fuera del alcance de la mirada de terceros. El vocablo «obtener» -según el diccionario de la RAE- es sinónimo de alcanzar, conseguir, lograr algo, tener, conservar y mantener. Resulta muy difícil sostener que cuando esas imágenes se remiten por la propia víctima y se alojan en el móvil del destinatario, en realidad, no se consiguen, no se logran, no se tienen, no se conservan o no se mantienen. La obtención de las imágenes o grabaciones audiovisuales que, en todo caso, ha de producirse con la aquiescencia de la persona afectada, puede tener muy distintos orígenes. Obtiene la imagen, desde luego, quien fotografía o graba el vídeo en el que se exhibe algún aspecto de la intimidad de la víctima. Pero también obtiene la imagen quien la recibe cuando es remitida voluntariamente por la víctima, valiéndose para ello de cualquier medio convencional o de un programa de mensajería instantánea que opere por redes telemáticas. El núcleo de la acción típica consiste, no en obtener sino en difundirlas imágenes -obtenidas con la aquiescencia de la víctima- y que afecten gravemente a su intimidad. Pero es indispensable para acotar los términos del tipo excluir a terceros que son extraños al círculo de confianza en el que se ha generado el material gráfico o audiovisual y que obtienen esas imágenes sin conexión personal con la víctima. La difusión encadenada de imágenes obtenidas a partir de la incontrolada propagación en redes telemáticas, llevada a cabo por terceros situados fuera de la relación de confianza que justifica la entrega, queda extramuros del derecho penal. En palabras del Fiscal, sujeto activo es aquel a quien le es remitida voluntariamente la imagen o grabación audiovisual y posteriormente, sin el consentimiento del emisor, quebrantando la confianza en él depositada, la reenvía a terceros, habitualmente con fines sexistas, discriminatorios o de venganza. Este es, además, el criterio de la Circular de la Fiscalía General del Estado núm. 3/2017. Tampoco puede identificarse la Sala con el argumento esgrimido por el recurrente -con algún apoyo dogmático- de que fue la propia víctima la que creó el riesgo de su difusión, remitiendo su propia foto al acusado a través de un programa de mensajería telemática. Ese razonamiento, llevado a sus últimas consecuencias, puede llegar a justificar la lesión en bienes jurídicos del máximo valor axiológico. Basta para ello formular un juicio de reproche dirigido a la víctima, por no haber sabido defender con vigor sus propios bienes jurídicos. Las consecuencias derivadas de esta visión -piénsese, por ejemplo, en los delitos contra la libertad sexual o contra el patrimonio- hacen inaceptable esta línea de razonamiento. Quien remite a una persona en la que confía una foto expresiva de su propia intimidad no está renunciando anticipadamente a ésta. Tampoco está sacrificando de forma irremediable su privacidad. Su gesto de confiada entrega y selectiva exposición a una persona cuya lealtad no cuestiona, no merece el castigo de la exposición al fisgoneo colectivo. Así como el vocablo difundir ha de entenderse como sinónimo de extender, propagar o divulgar a una pluralidad de personas, las expresiones revelar o ceder son perfectamente compatibles con una entrega restringida a una única persona. El requisito de la difusión quedó cumplido cuando, sin autorización de la afectada, se inició la cadena de difusión, siendo indiferente que la imagen sea remitida a una o más personas. Resulta contrario a las reglas de la lógica y a la intención del legislador, la exigencia de una difusión masiva en redes sociales de uso generalizado o la difusión simultánea a más de una persona por parte del receptor de las imágenes.

Art. 197 bis.

1. El que por cualquier medio o procedimiento, vulnerando las medidas de seguridad establecidas para impedirlo, y sin estar debidamente autorizado, acceda o facilite a otro el acceso al conjunto o una parte de un sistema de información o se mantenga en él en contra de la voluntad de quien tenga el legítimo derecho a excluirlo, será castigado con pena de prisión de seis meses a dos años.

2. El que mediante la utilización de artificios o instrumentos técnicos, y sin estar debidamente autorizado, intercepte transmisiones no públicas de datos informáticos que se produzcan desde, hacia o dentro de un sistema de información, incluidas las emisiones electromagnéticas de los mismos, será castigado con una pena de prisión de tres meses a dos años o multa de tres a doce meses.

STS 494/2020: Podríamos denominar a este tipo de conductas como hacking de desafío, que es la acción delictiva del sujeto que, para demostrar su habilidad informática, o para descubrir fallos en un sistema, accede sin autorización al mismo y que resultaba atípico hasta la reforma de 2010. Sí incriminaba el CP conductas de hacking que podríamos denominar de apoderamiento o destructivo, a los conocidos en el lenguaje especializado como crackers, quienes utilizando sus conocimientos informáticos realizaban conductas lesivas como causar daños en el propio sistema informático o en los datos o programas en él alojados, atacar la intimidad o el patrimonio. La doctrina señala sobre este tipo penal que supone un nuevo adelantamiento en la línea de defensa del bien jurídico al dejar de exigirse que el acceso o mantenimiento sea a los datos o programas informáticos alojados en el sistema informático, bastando que el sujeto activo acceda o se mantenga en un sistema de información. Parece que lo que el legislador se ha propuesto es dar una tutela específica a la seguridad de los sistemas informáticos o de información por la importancia que los mismos tienen en las sociedades actuales, suponiendo dichas conductas un cierto peligro para la intimidad de los ciudadanos, y de entidades, en tanto en algunas ocasiones el acceso a tales equipos o sistemas puede suponer un riesgo evidente para determinados datos privados alojados en dichos equipos o sistemas. En la reforma del CP de 2015 en este tipo penal se mantiene como límite de la tipicidad la exigencia de falta de autorización y de vulneración de las medidas de seguridad establecidas para impedir el acceso. El "acceso" puede definirse como el comportamiento que radica en obtener algún tipo de control sobre los procesos que concurren en el sistema, ya se trate de un control absoluto (utilización de programas) o relativo (tener conocimiento de datos), en el sentido de tener la posibilidad de conocer en el caso de los datos, o de utilizarlos en el caso de programas. Por otra parte, el acceso puede llevarse a cabo de dos modos distintos si tenemos en cuenta el lugar en el que se encuentra ubicado el sujeto activo. Por un lado, el acceso puede ser directo, de manera que se produce como consecuencia de acceder físicamente a un sistema ajeno. Por otro lado, el acceso puede ser remoto cuando se lleva a cabo desde un sistema informático a otro por medio de una red informática, ya sea de carácter público o privado. Cabe señalar, que un requisito indispensable para que proceda la aplicación de este tipo penal es que la introducción en el sistema permita disponer de los datos que contiene con el fin de conocerlos, modificarlos, cambiarlos o utilizarlos. Asimismo, el tipo exige que el acceso ilícito al que venimos refiriéndonos se produzca como consecuencia de haber vulnerado las medidas de seguridad establecidas para evitarlo. En lo que respecta a estas medidas de seguridad, es preciso matizar que no se trata de medidas establecidas para evitar el acceso al lugar donde se encuentra el propio sistema, sino que su objetivo radica en impedir el acceso a los datos y programas contenidos en el sistema. Así pues, quedan dentro del concepto de medidas de seguridad las claves que dan acceso al sistema, el firewall o las medidas de bloqueo del equipo. Sin embargo, la forma o la vía que se utiliza para descubrir la clave queda excluida del marco de las medidas de seguridad.

Art. 198.

La autoridad o funcionario público que, fuera de los casos permitidos por la Ley, sin mediar causa legal por delito, y prevaliéndose de su cargo, realizare cualquiera de las conductas descritas en el artículo anterior, será castigado con las penas respectivamente previstas en el mismo, en su mitad superior y, además, con la de inhabilitación absoluta por tiempo de seis a doce años.

STS 244/2020: El citado tipo requiere en primer lugar que el sujeto activo sea autoridad o funcionario público. Ahora bien, no nos encontramos ante un tipo agravado anudado a la función pública. No es suficiente con la condición de funcionario público del sujeto activo. El propio tenor literal de precepto rechaza esta posibilidad. El artículo 198 del Código Penal exige algo más: que la actuación del sujeto no esté amparada por la Ley, que el acceso ilícito a la intimidad se produzca en una situación en la que no medie una causa o investigación por delito, y que el sujeto actúe con prevalimiento de cargo. Es necesario pues que la autoridad o funcionario actúe en el área de sus funciones específicas, de tal modo que aun cuando la acción sea ejecutada por una autoridad o funcionario público, si su actuación no se refiere específicamente a tales funciones y únicamente se ha aprovechado de su condición de autoridad o funcionario para facilitar la comisión del hecho, su actuación deberá ser calificada conforme al artículo 197 del Código Penal.

STS 744/2022: Esta Sala ya ha proclamado que la causa de agravación recogida en el artículo 198 respecto de "las conductas descritas en el artículo anterior" cuando el sujeto activo tenga la consideración de autoridad o de funcionario público, no permite una aplicación extensiva a la totalidad de los tipos penales que la Ley Orgánica 1/2015 introdujo en los artículos 197 bis a 197 quinquies, debiendo interpretarse como una agravación únicamente proyectada sobre las conductas típicas recogidas en el artículo 197. Decíamos en nuestra STS 167/2021, de 24 de febrero, que "mantener la conexión aplicativa entre los artículos 197 y 198, ambos, CP, no supone extender el ámbito de aplicación del segundo más allá de lo que el legislador racional dispuso y cabe presumir, en base a buenas razones, que sigue disponiendo. No se extiende, por tanto, el efecto agravatorio a un supuesto no previsto. No se crea otro espacio de prohibición praeter legem. Romper la conexión solo sería posible si el propio legislador hubiera adoptado una nueva decisión valorativa lo que parece claro que no ha hecho", añadiendo que "mantener la conexión entre las conductas generales de revelación previstas en el artículo 197 CP y la circunstancia de agravación del artículo 198 CP respeta, además, el núcleo y el sentido de la prohibición. Y no parece que pueda ser calificada de consecuencia imprevisible atendidas, precisamente, las intervenciones sucesivas del legislador".

STS 509/2016: La diferencia esencial entre las conductas contempladas en los artículos 197 y 198 y el 417 del CP (descubrimiento y revelación de secretos) cometidas por funcionario o autoridad, se centra en la legalidad del acceso a la información reservada a la que se refieren dichos preceptos. El art. 197 exige que el autor no esté autorizado para el acceso, mientras que el art. 417 refiere a secretos o informaciones que el funcionario o autoridad haya tenido acceso por razón de su cargo u oficio (autorizado).

Art. 199.

1. El que revelare secretos ajenos, de los que tenga conocimiento por razón de su oficio o sus relaciones laborales, será castigado con la pena de prisión de uno a tres años y multa de seis a doce meses.

2. El profesional que, con incumplimiento de su obligación de sigilo o reserva, divulgue los secretos de otra persona, será castigado con la pena de prisión de uno a cuatro años, multa de doce a veinticuatro meses e inhabilitación especial para dicha profesión por tiempo de dos a seis años.

STS 809/2017: El art. 199.2 CP castiga al profesional que con incumplimiento de su obligación de sigilo o reserva divulgue los secretos de otra persona- pena de prisión de uno a cuatro años, multa de 12 a 24 meses e inhabilitación especial para dicha profesión por tiempo de dos a seis años. Se contempla en este precepto la violación del secreto profesional, en cuanto lesiva de la intimidad personal. La conducta típica consiste en divulgar los secretos de otra persona, lo que equivale a hacer conocer a autos, difundir, extender, la información reservada que se conoce. El fundamento del delito se encuentra en la obligada introducción de otra persona en el ámbito de la intimidad personal o familiar propia, que debe hacer quien quiera recibir determinados servicios. Lo que como contraparte, debe suponer la obligación de guardar reserva por parte de las personas a las que por razón del servicio prestado, se ha hecho partícipes de tales informaciones o confidencias. El profesional de estas actividades es el que se ha llamado "confidente necesario", porque no es alguien a quien se decide espontáneamente hacer sabedor de determinados conocimientos, sino que tal decisión viene obligada por la naturaleza del servicio que se les requiere. Profesional es, por tanto, quien presta un servicio cuyo desempeño va unido al conocimiento de una información necesaria para el cumplimiento de su función y que queda legalmente obligado a no revelar. El guardar secreto forma parte necesaria del núcleo central de los servicios propios de la profesión que ejerce. Esto es lo que les convierte en "confidentes necesarios". Con la particularidad añadida de que -tal como destaca la doctrina más autorizada- sólo integra la tipicidad del artículo 199.2 CP la violación de los compromisos de secreto que están legalmente sancionados, sin comprender la simple infracción de deberes éticos profesionales o deontológicos sin respaldo jurídico obligatorio. Así lo resalta expresamente el precepto al exigir que el profesional actúe "con incumplimiento de su obligación de sigilo o reserva", lo que reenvía obligadamente a obligaciones respaldadas legal o reglamentariamente.

Art. 201.[432]

1. Para proceder por los delitos previstos en este Capítulo será necesaria denuncia de la persona agraviada o de su representante legal.

2. No será precisa la denuncia exigida en el apartado anterior para proceder por los hechos descritos en el artículo 198 de este Código, ni cuando la comisión del delito afecte a los intereses generales, a una pluralidad de personas o si la víctima es una persona menor de edad o una persona con discapacidad necesitada de especial protección.

3. El perdón del ofendido o de su representante legal, en su caso, extingue la acción penal sin perjuicio de lo dispuesto en el artículo 130.1.5.º, párrafo segundo.

> STS 693/2020: La falta de denuncia, exigida como presupuesto de perseguibilidad en los delitos contra la intimidad, no puede ser interpretada desde una perspectiva exclusivamente formal, capaz de alentar una concepción burocrática acerca de su exigencia. No es ésta la idea que late en el art. 265 de la LECrim, que llega a flexibilizar al máximo la forma en la que la transmisión de la notitia criminis puede llegar a la autoridad llamada a la persecución del delito. La denuncia puede hacerse por escrito, de palabra e incluso con mandatario con poder especial. Lo verdaderamente definitivo no es, por tanto, el vehículo formal del que se vale el denunciante. Lo decisivo es que la persona que ha sido víctima de un hecho delictivo que afecta a un bien personalísimo exteriorice su voluntad de activar el tratamiento jurisdiccional de la ofensa sufrida. Este punto de partida permite entender mejor una reiterada jurisprudencia que viene sosteniendo que la falta de denuncia se convalida con la presencia de la víctima en el proceso o con cualquier acto de convalidación tácita de la continuidad del proceso. La falta de denuncia es un vicio susceptible de convalidación expresa o tácita mediante la posterior actuación de la parte o partes perjudicadas, bastando que la víctima comparezca en el curso del procedimiento ya iniciado, colabore en la investigación judicial al ofrecer datos precisos para el esclarecimiento de los hechos, o simplemente

---

[432]   Se modifica por la LO 8/2021, de 4 de junio.

acepte la continuación del proceso en respuesta al ofrecimiento de acciones que se le hace en la causa. No es necesaria una denuncia formal cuando hay constancia de que el perjudicado se muestra conforme con el seguimiento del proceso penal, lo que en el presente caso es incuestionable al haber comparecido la víctima en el proceso y actuar como acusación particular.

Art. 202.

1. El particular que, sin habitar en ella, entrare en morada ajena o se mantuviere en la misma contra la voluntad de su morador, será castigado con la pena de prisión de seis meses a dos años.

2. Si el hecho se ejecutare con violencia o intimidación la pena será de prisión de uno a cuatro años y multa de seis a doce meses.

STS 587/2020: El domicilio es el lugar cerrado, legítimamente ocupado, en el que transcurre la vida privada, individual o familiar, aunque la ocupación sea temporal o accidental. Se resalta de esta forma la vinculación del concepto de domicilio con la protección de esferas de privacidad del individuo, lo que conduce a ampliar el concepto jurídico civil o administrativo de la morada para construir el de domicilio desde la óptica constitucional, como instrumento de protección de la privacidad. Encontrarán la protección dispensada al domicilio aquellos lugares en los que, permanente o transitoriamente, desarrolle el individuo esferas de su privacidad, alejadas de la intromisión de terceros no autorizados. Debe entenderse por la mentada morada, el recinto, generalmente cerrado y techado, en el que el sujeto pasivo y sus parientes próximos, habitan, desarrollan su vida íntima y familiar, comprendiéndose dentro de dicho recinto, dotado de especial protección, no solo las estancias destinadas a la convivencia en intimidad, sino cuantos anejos, aledaños o dependencias constituyan el entorno de la vida privada de los moradores, indispensable para el desenvolvimiento de dicha intimidad familiar, y que, de vulnerarse mediante la irrupción, en ellos, de extraños, implica infracción de la intangibilidad tutelada por la Ley; finalmente, en cuanto a la acción o dinámica comisiva, consta de un elemento positivo, esto es, entrar en morada ajena o permanecer en la misma contra la voluntad de su morador, y otro negativo, es decir, que, la referida conducta, se perpetre contra la voluntad del morador o del que tiene derecho a excluir, voluntad que puede ser expresa, tácita y hasta presunta.

STS 700/2018: En relación al binomio allanamiento de morada-asesinato, decíamos en la sentencia núm. 112/2015, de 10 de febrero, que asesinar a una persona es menos grave que asesinar a una persona en su hogar. Ninguna de las dos calificaciones abarca el desvalor total de la conducta. Es precisa la doble calificación, bien que abrazada por la modalidad de concurso medial: uno de los delitos (allanamiento) se presenta como instrumental respecto del delito fin (homicidio).

Art. 203.

1. Será castigado con las penas de prisión de seis meses a un año y multa de seis a diez meses el que entrare contra la voluntad de su titular en el domicilio de una persona jurídica pública o privada, despacho profesional u oficina, o en establecimiento mercantil o local abierto al público fuera de las horas de apertura.

2. Será castigado con la pena de multa de uno a tres meses el que se mantuviere contra la voluntad de su titular, fuera de las horas de apertura, en el domicilio de una persona jurídica pública o privada, despacho profesional u oficina, o en establecimiento mercantil o local abierto al público.

3. Será castigado con la pena de prisión de seis meses a tres años, el que con violencia o intimidación entrare o se mantuviere contra la voluntad de su titular en el domicilio de una persona jurídica pública o privada, despacho profesional u oficina, o en establecimiento mercantil o local abierto al público.

STS 89/2022 (Pleno): Es indiferente que el despacho de abogados se encontrara o no abierto al público, pues en todo caso esa apertura no se hacía extensiva a las zonas privadas donde se ubicaba el despacho personal de la perjudicada. Es evidente que tal despacho personal ni constituía ni podía ser equiparado al domicilio de una persona física, que es el lugar cerrado donde la misma desenvuelve su vida íntima y satisface su derecho a disponer de un ámbito en el que su privacidad no sea invadida ni perturbada por persona alguna. Ahora bien, se trataba de un recinto cerrado en el que la perjudicada y otros compañeros desarrollaban su actividad profesional. El despacho personal era de acceso claramente restringido, solo accesible obviamente a compañeros o empleados con los que mantuviese una relación de confianza o terceros previamente autorizados. El derecho fundamental a la intimidad del que era acreedora la perjudicada y el hecho de que el despacho personal lógicamente servía a la custodia de los expedientes de clientes que contienen datos sensibles que deben ser preservados, confería a aquella "el poder jurídico" de imponer a terceros el deber de abstenerse de entrar en su interior sin su permiso. En nuestro caso, tal derecho le facultaba a excluir la entrada en su despacho del acusado, como así se lo hizo saber a través de su secretaria. Por ello la invasión injustificada de tal espacio por parte de aquel, entrando en dependencias de acceso restringido, puso en riesgo efectivo el bien jurídico protegido por el tipo penal previsto en el art. 203.1 CP, esto es la intimidad de la perjudicada. Consecuentemente con ello debe considerarse su conducta penalmente relevante. (Tol 8803822)

Art. 204.

La autoridad o funcionario público que, fuera de los casos permitidos por la Ley y sin mediar causa legal por delito, cometiere cualquiera de los hechos descritos en los dos artículos anteriores, será castigado con la pena prevista respectivamente en los mismos, en su mitad superior, e inhabilitación absoluta de seis a doce años.

STS 590/2020: El artículo 204 del CP agrava la pena del allanamiento de morada para los casos en los que la autoridad o funcionario público cometiera el delito fuera de los casos permitidos por la ley y sin mediar causa legal por delito. Para apreciar que media causa legal por delito es necesario acreditar la existencia de unas diligencias policiales o judiciales de investigación sobre hechos concretos o bien de unos hechos que presenten caracteres delictivos y que puedan justificar la actuación policial en averiguación de sus circunstancias. No se puede aceptar que media causa por delito por el simple hecho de que los agentes afirmen que "tenían sospechas" de que el titular del domicilio o el detenido estaba cometiendo un delito. Es posible apreciar esa circunstancia en casos en los que las diligencias se inician como consecuencia de la actuación policial, y no antes, pero, en todo caso, debe acreditarse que las sospechas tienen una mínima consistencia que, al menos desde perspectivas razonables, aunque sean discutibles, podrían autorizar la actuación policial. Tampoco es aplicable cuando, careciendo de elementos que sustenten la sospecha y sabiendo que se ejecuta una conducta ilegítima, se consigue a través de la misma un resultado (que nunca podría ser valorado) que permitiría, aparentemente, justificar una actuación policial o judicial. Pues antes de la obtención de ese dato no se disponía de elementos que permitieran esa actuación y, por lo tanto, no existía causa por delito. En esas condiciones no puede sostenerse que mediara causa por delito en la forma exigida por la ley, que requiere una mínima concreción y consistencia en las razones que justifican la averiguación policial. Lo que la Constitución exige es la autorización del titular para entrar en un domicilio. No es necesario que se resista, de una u otra forma, a la entrada. Basta, pues, con la utilización de vías de hecho previas a la autorización. Es cuestión diferente que esta pueda ser otorgada mediante actos concluyentes, pero entre ellos no puede incluirse la inexistencia de resistencia. Los agentes policiales saben, por su formación, que, para entrar en el domicilio de un ciudadano, en ausencia de autorización judicial o delito flagrante, necesitan su consentimiento. No se trata de que no puedan entrar cuando el ciudadano lo prohíba, sino que no pueden hacerlo si no se les autoriza.

VIII. DELITOS CONTRA EL HONOR
(ARTS. 205 A 216)

Art. 205.

Es calumnia la imputación de un delito hecha con conocimiento de su falsedad o temerario desprecio hacia la verdad.

STS 174/2019: Aunque la redacción literal del precepto se refiere a la "imputación de un delito", lo cierto es que no se refiere a un tipo delictivo, sino a un hecho que presente caracteres delictivos como conducta típica. No se trata, por lo tanto, de imputar un delito sino, más exactamente, un hecho. Tal conclusión deriva sin dificultad de la exigencia de la falsedad de la imputación, la cual solo puede predicarse de hechos y no de juicios de valor de carácter general o de valoraciones jurídicas. La imputación de un delito puede ser correcta o incorrecta, acertada o no, pero no puede ser verdadera o falsa. Se discute si la falsedad del hecho debe ser objetiva, es decir, acreditada por una comprobación ex post; o si debe serlo subjetivamente, lo que encontraría apoyo en la referencia al temerario desprecio hacia la verdad. Un importante sector doctrinal se inclina a sostener que el hecho imputado debe ser falso. Desde el punto de vista subjetivo, el delito se comete, con dolo directo, cuando se conoce a ciencia cierta la falsedad. Y también, con dolo eventual, cuando se actúa con temerario desprecio hacia la verdad. Pero la imputación de un hecho delictivo cierto o verdadero no sería constitutivo de un delito de calumnia, sin perjuicio de la posibilidad de que constituyera un delito de injurias. En cuanto al elemento subjetivo, no es necesario un ánimo especial dirigido a la difamación del sujeto pasivo. La descripción típica actual configura el delito de calumnias como una infracción eminentemente dolosa, que ya sea en la forma de dolo directo -conocimiento de la falsedad de la imputación- o en la modalidad de dolo eventual -temerario desprecio hacia la verdad-, agotan el tipo subjetivo, sin necesidad de exigir un *animus difamandi* que necesariamente está abarcado ya por el dolo.

STS 202/2018: Para integrar el delito de calumnia no bastan imputaciones genéricas. Es esencial que sean tan concretas y terminantes que, en lo básico, contengan los elementos requeridos para definir el delito atribuido. Por eso no es calumnia, en principio, llamar a otra persona "estafador" o "ladrón", si no se le atribuyen específicamente hechos que sean constitutivos de tales figuras penales, sin perjuicio de que podamos estar ante unas injurias. Podría ser calumnia en cierto contexto afirmar de alguien que es un "violador" (STEDH de 7 de noviembre de

2017, asunto Egill Einarsson v. Islandia). Pero otras expresiones como "ladrón" o "corrupto" o "defraudador" no siempre nos llevan a un tipo penal específico y, por tanto, no son suficientes por sí solas para rellenar la tipicidad del art. 205 CP. Dependerá del contexto: "El político X es un ladrón" no significa que use fuerza en las cosas o violencia en las personas para arrebatar dinero; "la empresa Y estafa a su clientela" no significa, si no hay aclaraciones adicionales, que esté realizando la conducta descrita en el art. 248 CP.

STS 627/2022: La calumnia no pierde su potencial efecto erosivo de la honorabilidad de la víctima por el hecho de que ésta no se identifique con nombres y apellidos. Lo verdaderamente definitivo es que el destinatario de las frases que menoscaban la honorabilidad quede inequívocamente identificado. Y para ello puede ser suficiente que quede acreditado, como sucede en el presente caso, un contexto o unas imágenes que individualicen a quien el autor quiere convertir en receptor de la afrenta.

Art. 208.

Es injuria la acción o expresión que lesionan la dignidad de otra persona, menoscabando su fama o atentando contra su propia estimación.

Solamente serán constitutivas de delito las injurias que, por su naturaleza, efectos y circunstancias, sean tenidas en el concepto público por graves, sin perjuicio de lo dispuesto en el apartado 4 del artículo 173.

Las injurias que consistan en la imputación de hechos no se considerarán graves, salvo cuando se hayan llevado a cabo con conocimiento de su falsedad o temerario desprecio hacia la verdad.

STS 258/2020: En lo concerniente al delito de injurias, necesariamente hemos de partir de la nueva regulación de la injuria, tras la reforma LO 1/2015, que ha supuesto una despenalización en este concreto ámbito delictivo respecto a la normativa anterior, al subsistir como única infracción punible la injuria grave. La determinación de la gravedad de la injuria, según el párrafo 2° del art. 208 debe efectuarse atendiendo al concepto público que se tenga sobre su naturaleza, efectos y circunstancias, en lugar de haber ofrecido una definición legal de la misma, como hace un cambio en el párrafo 1° respecto a la noción de honor. Ello resulta comprensible dado el relativismo y la enorme circunstancialidad que caracteriza esta infracción, por lo que, tratándose de un elemento normativo del tipo será el juez quien, en definitiva, a la vista de tales indicaciones legales, valore y concrete en cada caso en particular lo que socialmente se considera o no grave en este ámbito delictivo. En el caso actual las expresiones entresacadas del artículo publicado por el querellado en un semanario local, referidas a la querellante aun sin especificar nombres y apellidos, si bien pueden tildarse de desafortunadas, lamentables, excesivas en el léxico e impertinentes, no tienen una carga ofensiva, insultante o vejatoria de una intensidad tal como para merecer el calificativo de graves a los efectos del art. 208.2.

STS 361/2019: El Tribunal Supremo al interpretar el artículo 208 del Código Penal ha considerado que este tipo delictivo está integrado por un elemento objetivo: las expresiones proferidas deben ser gravemente atentatorias al honor u honorabilidad; y un elemento subjetivo: el propósito de causar dolor moral con expresiones denigratorias o hirientes para el honor o reputación del sujeto pasivo. El *animus injuriandi*, como todo elemento interno, debe inferirse del comportamiento y manifestaciones del autor, siendo uno de los medios inductivos el propio contenido e interpretación o frases que objetivamente se consideran deshonrosas por su significado literal, ya que ningún otro propósito cabría estimar. En el bien entendido que hay que estar no sólo al valor de las palabras o expresiones proferidas o acciones ejecutadas, sino también atender y estimar las circunstancias concurrentes en cada supuesto.

STS 669/2022: Uno de los más clásicos tratadistas del derecho penal afirmaba que "... la esencia del delito de injurias no está en la corteza de los vocablos sino en la intención de quien los profiere". Sólo así se explica que a la hora de definir los límites de la tipicidad del delito castigado en el art. 208 del CP, una misma expresión pueda interpretarse, en un determinado contexto, como una interjección coloquial situada extramuros del derecho penal y esa misma palabra, ya en otro entorno, pueda ser valorada como el afilado instrumento para laminar la honorabilidad de un tercero. En efecto, algunos de los vocablos vertidos por el acusado ("hija de puta", "sinvergüenza", "cabrona", "lameculos"), puestos en conexión con otras expresiones hechas valer en los mismos vídeos que eran utilizados como vehículo para la difusión en redes de los mensajes críticos con la labor de gobierno de los denunciantes, impiden relativizar su alcance a lo que podrían considerarse expresiones coloquiales o propias de una forma singular de hablar. Si las palabras antes expuestas se conjugan con otras frecuentemente empleadas en los discursos del acusado ("...vas a echar sangre por el culo cabrona....Venid si tenéis cojones a por mí, hija de puta Esmeralda.....Me dan ganas de verdad de cagarme en vuestra cara, de escupiros, al Fabio puto White....", "ladrona"), es imposible cuestionar que el propósito que animaba la difusión de esos mensajes no era otro que erosionar de la forma más intensa posible la honorabilidad de los denunciantes. Nuestro sistema de libertades no otorga protección a expresiones como las empleadas por el acusado en el contexto en el que fueron utilizadas. En efecto, en el juicio ponderativo que la Sala ha de verificar entre el derecho al honor de los denunciantes y el derecho a difundir un mensaje crítico, ácido, incluso hiriente hacia los responsables públicos destinatarios de esas imprecaciones, otorgamos prevalencia al primero de esos derechos en conflicto.

Art. 209.

Las injurias graves hechas con publicidad se castigarán con la pena de multa de seis a catorce meses y, en otro caso, con la de tres a siete meses.

STS 344/2020 (Pleno): Propagar significa posibilitar que algo se extienda o multiplique. De este modo, la agravación del artículo 209 del Código Penal está sujeta a una condición objetiva que no se circunscribe a que un conjunto de individuos puedan ver afectada la consideración que tengan o que puedan formarse sobre una persona, sino que también alcanza a aquellos supuestos en los que lo que se agrede es la autoestima del sujeto pasivo, potenciándose o multiplicándose la lesividad de los hechos mediante instrumentos de divulgación pública que fortalezcan la acción expresamente emprendida para atacar el bien jurídico. Así acontece en el caso enjuiciado. Además de facilitarse el deterioro de la consideración pública de la denunciante a partir de la divulgación de su nombre hipocorístico en catalán (territorio en el que reside), y de su número de teléfono personal, la pretensión de que la víctima sufriera la humillación de sentirse socialmente degradada, se potenció al publicar unos falsos anuncios en las redes sociales, pues generaron que un amplio colectivo de desconocidos le telefoneara y que le hicieran propuestas sexuales que degradaban la personalidad libremente elegida por ella, colocándole en el difícil trance de debatir sobre comportamientos sexuales que falsamente parecía haber reclamado. De este modo, la acción del acusado pudo extenderse en el sentido de multiplicar el número de veces que la víctima sufrió la ofensa a la autoestima que sanciona el artículo 208 del Código Penal, determinando así la agravación que se discute. (Tol 8001110)

Art. 211.

La calumnia y la injuria se reputarán hechas con publicidad cuando se propaguen por medio de la imprenta, la radiodifusión o por cualquier otro medio de eficacia semejante.

STS 627/2022: La idea de que cualquier red social sólo es capaz de generar el efecto dañino para quienes, además de leer el comentario inveraz, fueron testigos presenciales de la trifulca que generó la imputación calumniosa, no puede ser avalada por esta Sala. En nuestra STS 4/2017, 18 de enero, decíamos que "... la extensión actual de las nuevas tecnologías al servicio de la comunicación intensifica de forma exponencial el daño de afirmaciones o mensajes que, en otro momento, podían haber limitado sus perniciosos efectos a un reducido y seleccionado grupo de destinatarios. Quien hoy incita a la violencia en una red social sabe que su mensaje se incorpora a las redes telemáticas con vocación de perpetuidad. Además, carece de control sobre su zigzagueante difusión, pues desde que ese mensaje llega a manos de su destinatario éste puede multiplicar su impacto mediante sucesivos y renovados actos de transmisión. Los modelos comunicativos clásicos implicaban una limitación en los efectos nocivos de todo delito que hoy, sin embargo, está ausente. Este dato, ligado al inevitable recorrido transnacional de esos mensajes, ha de ser tenido en cuenta en el momento de ponderar el impacto de los enunciados y mensajes que han de ser sometidos a valoración jurídico-penal.

IX. DELITOS CONTRA LOS DERECHOS Y DEBERES FAMILIARES (ARTS. 223 A 233)

Art. 225 bis.[433]

1. El progenitor que sin causa justificada para ello sustrajere a su hijo menor será castigado con la pena de prisión de dos a cuatro años e inhabilitación especial para el ejercicio del derecho de patria potestad por tiempo de cuatro a diez años.

2. A los efectos de este artículo, se considera sustracción:

     1.º El traslado de una persona menor de edad de su lugar de residencia habitual sin consentimiento del otro progenitor o de las personas o instituciones a las cuales estuviese confiada su guarda o custodia.

     2.º La retención de una persona menor de edad incumpliendo gravemente el deber establecido por resolución judicial o administrativa.

3. Cuando el menor sea trasladado fuera de España o fuese exigida alguna condición para su restitución la pena señalada en el apartado 1 se impondrá en su mitad superior.

4. Cuando el sustractor haya comunicado el lugar de estancia al otro progenitor o a quien corresponda legalmente su cuidado dentro de las veinticuatro horas siguientes a la sustracción con el compromiso de devolución inmediata que efectivamente lleve a cabo, o la

---

[433]   Se modifica el apartado 2 por la LO 8/2021, de 4 de junio.

ausencia no hubiere sido superior a dicho plazo de veinticuatro horas, quedará exento de pena.

Si la restitución la hiciere, sin la comunicación a que se refiere el párrafo anterior, dentro de los quince días siguientes a la sustracción, le será impuesta la pena de prisión de seis meses a dos años.

Estos plazos se computarán desde la fecha de la denuncia de la sustracción.

5. Las penas señaladas en este artículo se impondrán igualmente a los ascendientes del menor y a los parientes del progenitor hasta el segundo grado de consanguinidad o afinidad que incurran en las conductas anteriormente descritas.

STS 339/2021 (Pleno): El art. 225 bis atiende al interés superior del menor, a través de la sanción del quebranto del derecho de custodia, en aras de disuadir esta conducta con penas severas y lograr en todo caso su retorno con el custodio; pero como informa el Ministerio Fiscal, no atiende a bienes personales del menor, que restan por resolver, sino a que sea encauzada su determinación a través de las vías legales establecidas; protección formal del derecho de custodia por quien efectivamente lo ejerce con un título aparentemente válido, sin exigencia de afectación a bienes personales de los menores, que determina que resulte más convincente cuando de varios menores afectados por una misma sustracción se trata, su punición como un único delito. (Tol 8409861)

STS 340/2021 (Pleno): Se configura como un tipo mixto alternativo, donde se contemplan varias conductas, donde se contemplan sendas conductas típicas: trasladar y retener, pero una sola de ellas basta para configurar el delito y donde es indiferente que se realice una o ambas conductas en orden a su calificación. Desde la consideración del tenor literal de la propia norma cuando describe la modalidad alternativa de traslado, como de su configuración modelada por el Convenio de la Haya de 1980; como en sistemática interpretación dado el bien jurídico tutelado; como en congruencia con los dos precedentes de esta Sala, el Auto de 2 de febrero de 2012 recaído en la cuestión de competencia 20540/2011 (donde se proseguía procedimiento por el traslado del menor contra uno de los progenitores que tenía su custodia por atribución legal) y la STS 870/2015, de 19 de enero de 2016 (donde recaía condena sobre progenitor que tenía a su favor la custodia compartida del menor), ciertamente, el progenitor custodio, puede resultar sujeto activo del delito. (Tol 8409736)

STS 276/2022: No se trata de que sólo el progenitor custodio pueda incurrir en traslado o retención ilícita, pues esta exclusión del sujeto activo, solo resulta predicable del progenitor que tiene la custodia en exclusiva, aunque la patria potestad sea conjunta y con independencia del régimen de visitas establecido; de modo que, en casos de atribución conjunta como sucede ordinariamente por ministerio de ley, aunque no medie resolución judicial, quien traslada ilícitamente al menor, puede incurrir en delito, al igual que en caso de custodia compartida; lo relevante, es infringir el régimen de custodia.

Art. 227.

1. El que dejare de pagar durante dos meses consecutivos o cuatro meses no consecutivos cualquier tipo de prestación económica en favor de su cónyuge o sus hijos, establecida en convenio judicialmente aprobado o resolución judicial en los supuestos de separación legal, divorcio, declaración de nulidad del matrimonio, proceso de filiación, o proceso de alimentos a favor de sus hijos, será castigado con la pena de prisión de tres meses a un año o multa de seis a 24 meses.

2. Con la misma pena será castigado el que dejare de pagar cualquier otra prestación económica establecida de forma conjunta o única en los supuestos previstos en el apartado anterior.

3. La reparación del daño procedente del delito comportará siempre el pago de las cuantías adeudadas.

STS 419/2022: El delito contemplado en el artículo 227.1 del Código Penal se alinea entre los clasificados como de omisión propia y requiere el concurso de los siguientes elementos constitutivos, siguiendo el esquema ya trazado, entre otras, por nuestra sentencia número 937/2007, de 21 de noviembre: a) que una resolución de naturaleza judicial establezca la obligación de prestación económica, y que dicha resolución sea dictada dentro de los procesos a los que el tipo penal hace referencia (aprobando un convenio o en los de separación, divorcio, nulidad, sobre filiación o sobre alimentos, en este caso circunscrito a los exigidos a favor de hijos); b) la realidad de la no realización del pago de esa prestación, en los tiempos y cuantía que el tipo penal refleja; c) la posibilidad de que dicho pago pueda ser realizado por el obligado (in necesitate nemo tenetur), sin que, sin embargo, se requiera una situación de necesidad por parte del que tiene derecho a la prestación ni que se derive para éste perjuicio alguno diverso del de la no percepción de la prestación, tratándose de un delito de mera inactividad; y d) el conocimiento de la resolución judicial unido a la voluntad de no realizar el pago, cuya voluntad se estima ausente en los supuestos de imposibilidad de hacer efectiva la prestación, lo que le aleja del reproche de delito que instaure la prisión por deudas. Y es lógico que, tratándose de un delito de naturaleza esencialmente dolosa, el conocimiento por el sujeto activo de la resolución judicial que impone la obligación posteriormente incumplida, resulte un elemento indispensable para la perfección de esta figura delictiva.

STS 348/2020 (Pleno): El artículo 227 del Código Penal no efectúa distinción alguna entre pensión por alimentos y cuota hipotecaria, o entre deuda de la sociedad de gananciales y carga del matrimonio. Se refiere a "cualquier tipo de prestación económica a favor de su cónyuge o sus hijos, establecida en convenio judicialmente aprobado o resolución judicial, en los supuestos de separación legal, divorcio, declaración de nulidad del matrimonio, proceso de filiación, o proceso de alimentos a favor de sus hijos". Debe concluirse estimando que las cuotas hipotecarias constituyen una prestación económica en su sentido legal y gramatical, a cargo de ambos progenitores, con independencia de su naturaleza como carga del matrimonio o como deuda de la sociedad de gananciales. Como tal integra el elemento del tipo exigido por el artículo 227.1 del Código Penal. Y en consecuencia, las cuantías adeudadas por este concepto integran el daño procedente del delito que ha de ser reparado conforme a lo dispuesto en el apartado 3 del mismo precepto. Todo ello sin perjuicio, lógicamente, del resultado que la ejecución hipotecaria que pende sobre el bien pueda producir en relación a la liquidación de la sociedad de gananciales, lo que es ajeno al procedimiento penal. (Tol 8001362)

STS 346/2020 (Pleno): En este tipo de delitos de "tracto sucesivo acumulativo", se puede producir la extensión de los hechos hasta el mismo momento del Juicio Oral, siempre que las acusaciones así lo recojan en sus conclusiones definitivas y el acusado se haya podido defender adecuadamente de tal acusación. En conclusión, las omisiones periódicas que integran el tipo penal dan lugar a un delito de tracto sucesivo acumulativo, en el que, una vez superado ese tiempo mínimo sin abonar la pensión, los sucesivos impagos se acumulan a él sin relevancia penal a efectos de continuidad delictiva, pues, en su definición, esos plazos de incumplimiento son los mínimos y nada impide que por encima de ellos pueda haber unos mayores, que quedarían acumulados a los anteriores, hasta el momento en que se celebre el juicio oral. (Tol 8020816)

STS 364/2021 (Pleno): El art. 227.3 CP afirma rotundamente, sin dejar espacio a la discrepancia, que "la reparación del daño procedente del delito comportará siempre el pago de las cuantías adeudadas". El hecho de que la ley se sienta obligada a proclamarlo explícitamente sugiere que, sin tal previsión, la conclusión debería ser otra. Pues bien, esa obligación civil -pago pensiones- impuesta en sentencia (que en rigor puede reclamarse en el mismo proceso de ejecución en familia, aunque exista un proceso penal en trámite) no es responsabilidad civil que nazca de un delito. Se generó antes. Es una obligación nacida de la ley. No se transforma por el hecho de que su incumplimiento haya podido dar lugar a un proceso penal en el que viene a ser exigida. Sigue siendo la misma obligación, con idéntico régimen, y con idéntico obligado, aunque pueda convertirse en objeto accesorio del proceso penal. De ahí podemos concluir que no juega para esa obligación el régimen de prescripción de la responsabilidad civil nacida de delito, sino el específico de esa obligación que lleva a un plazo de cinco años en el derecho común y tres en el derecho civil catalán. Ni tampoco el régimen de sujetos obligados civilmente de los arts. 118 y ss. CP. Por la misma razón que una pensión alimenticia fijada ex art. 193 CP no atraería plazos de prescripción diferentes a los específicos marcados por la legislación civil. Aunque el argumento gramatical dista de ser inequívoco, puede significarse, a mayor abundamiento, que el art. 227.3 CP habla de pensiones adeudadas y no impagadas. No se adeudan las ya prescritas. Hay que dar la razón al recurrente: las pensiones que nacieron con una antelación superior a tres años a la fecha de interposición de la denuncia estaban y están civilmente prescritas. La condena al abono de las pensiones solo debe abarcar las posteriores -que son las únicas adeudadas- tal y como había declarado el Juzgado de lo Penal. (Tol 8422403)

Art. 228.

Los delitos previstos en los dos artículos anteriores, sólo se perseguirán previa denuncia de la persona agraviada o de su representante legal. Cuando aquélla sea menor de edad, persona con discapacidad necesitada de especial protección o una persona desvalida, también podrá denunciar el Ministerio Fiscal.

STS 557/2020 (Pleno): En cuanto al requisito de procedibilidad, debemos partir de las conclusiones que ha alcanzado esta Sala al respecto, conforme a lo anteriormente expuesto, que en concreto son las siguientes: 1º La denuncia previa a la que se refiere el art. 228 CP es un requisito de procedibilidad. 2º La falta de denuncia es un vicio de simple anulabilidad que puede subsanarse cuando la persona agraviada manifiesta su voluntad de denunciar los hechos ante la autoridad correspondiente, incluso iniciado ya el procedimiento. 3º Es valida de la denuncia formulada por el padre o madre receptor de la prestación cuando se refiere a cantidades no abonadas durante la minoría de edad del hijo o hija, así como cuando se trate de personas con discapacidad necesita de especial protección, aunque estos hayan adquirido la mayoría de edad cuando se formula la denuncia. 4º Es valida de la denuncia formulada por el progenitor que convive con el hijo o hija mayor de edad y sufraga los gastos no cubiertos por la pensión impagada, en este caso gozaría de legitimación activa para interponer la preceptiva denuncia e instar así su pago en vía penal, lo que supondría una legitimación compartida tanto por los alimentistas mayores de edad como por los progenitores con los que convive. (Tol 8195376)

Art. 229.

1. El abandono de un menor de edad o de una persona con discapacidad necesitada de especial protección por parte de la persona encargada de su guarda, será castigado con la pena de prisión de uno a dos años.

2. Si el abandono fuere realizado por los padres, tutores o guardadores legales, se impondrá la pena de prisión de dieciocho meses a tres años.

3. Se impondrá la pena de prisión de dos a cuatro años cuando por las circunstancias del abandono se haya puesto en concreto peligro la vida, salud, integridad física o libertad sexual del menor de edad o de la persona con discapacidad necesitada de especial protección, sin perjuicio de castigar el hecho como corresponda si constituyera otro delito más grave.

> **STS 347/2018:** El tipo penal por el que se condena en este caso es bien definido por la sentencia como un delito de peligro que comporta la exigencia dos componentes básicos, a saber: a) Una "acción peligrosa", en este caso realizada por quien ostenta el cargo de tutor, que por lo que respecta al artículo 229.3 del Código penal consiste en colocar o abandonar al incapaz en una situación de desamparo. b) Un "resultado de peligro" para su vida, salud o integridad física. Frente a ello, haya que recordar que en los casos del abandono de menor o persona con discapacidad necesitada de especial protección el legislador ha querido incluir y diferenciar los distintos supuestos, y así: 1.- Consta de un tipo básico, que se describe en el artículo 229.1. 2.- Dos tipos agravados: uno en el artículo 229.2 por la cualidad del sujeto activo, y otro el ahora analizado del art. 229.3 CP, porque el abandono se realiza en unas condiciones en que se ponen, en peligro concreto otros bienes jurídicos del menor o persona necesitada de especial protección, y 3.- Un tipo privilegiado por la corta duración del abandono, que se contempla en el artículo 230 y que rebaja la pena de los artículos anteriores. Las modalidades del art. 229 y 230 CP son supuestos de abandono propio frente a la modalidad de abandono impropio del art. 231 CP. Respecto al bien jurídico protegido en este caso del art. 229.3 CP ahora analizado, más que las relaciones jurídico familiares la doctrina considera que se trata de proteger en el caso del tipo penal del art. 229.3 CP la dignidad de la persona, de su integridad física y moral, lo que no se solapa exactamente con la vida y la salud de las personas. Y de esta manera asociamos a ello que en los casos en los que el resultado lesivo sobrevenga asociado al abandono procede apreciar un concurso de delitos, puesto que, como apunta la doctrina, la dignidad de la persona no es equivalente a la suma de vida, salud, libertad y

otros derechos del individuo, sino que siempre queda un remanente que puede ser menoscabado. Además, recordemos que la inexigencia de la constatación de un resultado en el tipo penal del art. 229.3 CP viene reflejado en que se añade in fine en el precepto «sin perjuicio de castigar el hecho como corresponda si constituyera otro delito más grave», por lo que queda claro que el tipo penal del art. 229.3 CP es un delito de constatación del peligro concreto para la vida, salud o integridad de las personas. Y debe añadirse que el fundamento de esta agravación es, precisamente, la tutela de tales bienes jurídicos antes reseñados. El art. 229.3 CP obedece a esta transformación, configurándose así como un tipo compuesto, integrado por una primera parte que constituye el abandono del menor o incapaz (apartados 1 y 2 del art. 229 CP) y por una segunda parte que vendría a ser un delito específico de peligro concreto para la vida, salud, integridad física o indemnidad sexual del menor o incapaz. El tipo agravado trataría así de proteger también estos otros bienes jurídicos adelantando la intervención penal a una fase previa a la lesión y para ello se contentaría con la simple puesta en peligro concreto de los mismos. Pues bien, la propia sentencia abunda en que en la tipificación del art. 229.3 CP el peligro concreto es el resultado típico. Y serán relevantes en estos casos las circunstancias conocidas o cognoscibles por el autor del hecho en el momento de su comisión, y si era previsible la causación de un resultado lesivo para el bien jurídico. Además, este delito se puede cometer por dolo directo, admitiendo el dolo eventual que se deduce de la existencia de una obligación, en este caso *ex lege*, y por concesión judicial vía art. 269 CC, de tener que suministrarle económicamente los medios económicos que el tutor ha cobrado, precisamente, para tener que atender a la persona afectada por la incapacidad.

X. DELITOS CONTRA EL PATRIMONIO Y CONTRA EL ORDEN SOCIOECONÓMICO (ARTS. 234 A 304)

STS 96/2022: Para deslindar la figura plena o consumada de la semiplena o intentada en el delito de robo, se ha optado por el criterio de la illatio, que supone la disponibilidad sobre la cosa sustraída, que determina la consumación, mientras que todavía no se consigue con la mera contractatio, que significa el apoderamiento de la cosa ajena, ni con la ablatio, que consiste en la separación de la cosa de la posesión material del ofendido. La consumación exige la apropiación del bien expoliado, que pasa a estar fuera del control y disposición de su legítimo titular, para entrar en otro control, en que impera la iniciativa y autonomía decisoria del aprehensor. Lo relevante de cara a determinar el momento de consumación es que se alcance la disponibilidad del efecto sustraído, término que no hay que confundir con que finalmente se pueda efectivamente disponer de él, es decir, con que llegue a beneficiarse del mismo, lo que se ubica en la fase de agotamiento. Por eso se habla de disponibilidad incluso potencial, mínima, momentánea o de breve duración

> STS 397/2022: En casos de consumación parcial de un delito de hurto, también aplicable a los de estafa y apropiación indebida, no cabrá entender consumado el delito con arreglo a una calificación más grave, cuando la cuantía de los efectos respecto de los que se ha obtenido la disponibilidad parcial no alcanza la que la misma requiere. Tales supuestos se resolverán a través de las reglas del concurso de normas, entre la infracción más grave en atención al valor conjunto de todos los efectos, en grado de tentativa, y la consumada a tenor de la disponibilidad efectiva, a resolver de conformidad con la regla del artículo 8.4 CP.

> **Acuerdo no jurisdiccional del pleno de la Sala 2ª del TS de 6 de octubre de 2000:** Se acuerda que podrá apreciarse la circunstancia agravante de reincidencia entre delitos de robo con violencia o intimidación y delitos con robo con fuerza en las cosas, por considerarse ambos de la misma naturaleza delictiva, siempre que concurran los demás elementos necesarios para su apreciación.

STS 155/2019: La doctrina jurisprudencial, considera que el robo con violencia e intimidación en las personas y el robo con fuerza en las cosas son figuras delictivas de la misma naturaleza, a los efectos de la apreciación de la agravante de reincidencia 8ª del art. 22 del Código Penal, de conformidad con el Acuerdo del Pleno de esta Sala de 6 de octubre de 2000. Nuestra jurisprudencia, sin embargo, nos enseña que aplicada la doctrina reseñada es clara la diferencia estructural y tipológica entre los delitos de hurto y robo, pudiéndose afirmar, que dentro de los delitos contra el patrimonio, son de naturaleza distinta. Las formas de ejecución, la peligrosidad de sus autores, así como las personas que habitualmente pueden cometerlos, son absolutamente distintos. En consecuencia, no son de la misma naturaleza, los delitos de robo con violencia o intimidación que contiene la hoja histórica del recurrente, que los delitos por hurto, que es el aspecto aquí cuestionado.

STS 492/2016: Las drogas o estupefacientes, así como las restantes cosas *extracomercium*, pueden ser objeto de los delitos de robo y hurto. Se suele dar un concurso medial entre el delito de robo o hurto y el delito contra la salud pública.

STS 674/2020: La existencia de daño moral y la virtualidad de determinados hechos delictivos para generarlo ha permitido a esta Sala manifestaciones, como la que se materializó en el Pleno no Jurisdiccional de 20-12-2006 que rezaba así "por regla general no se excluye la indemnización por daños morales en los delitos patrimoniales y es compatible con el art. 250.1-6 CP", el daño moral puede por tanto acompañar a delitos patrimoniales; en definitiva las únicas exigencias que podrían deducirse de esa pretensión indemnizatoria por daño moral serían: a) necesidad de explicitar la causa de la indemnización. b) imposibilidad de imponer una indemnización superior a la debida por las acusaciones. c) atemperar las facultades discrecionales del tribunal en esta materia al principio de razonabilidad.

Art. 234.[434]

1. El que, con ánimo de lucro, tomare las cosas muebles ajenas sin la voluntad de su dueño será castigado, como reo de hurto, con la pena de prisión de seis a dieciocho meses si la cuantía de lo sustraído excediese de 400 euros.

2. Se impondrá una pena de multa de uno a tres meses si la cuantía de lo sustraído no excediese de 400 euros, salvo si concurriese alguna de las circunstancias del artículo 235. No obstante, en el caso de que el culpable hubiera sido condenado ejecutoriamente al menos por tres delitos comprendidos en este Título, aunque sean de carácter leve, siempre que sean de la misma naturaleza y que el montante acumulado de las infracciones sea superior a 400 €, se impondrá la pena del apartado 1 de este artículo.

No se tendrán en cuenta antecedentes cancelados o que debieran serlo.

3. Las penas establecidas en los apartados anteriores se impondrán en su mitad superior cuando en la comisión del hecho se hubieran neutralizado, eliminado o inutilizado, por cualquier medio, los dispositivos de alarma o seguridad instalados en las cosas sustraídas.

> **STS 984/2022:** En efecto, la sustracción de tarjetas de crédito, cheques o talonarios -y, en su caso, recetas- no es un delito de hurto, porque el ánimo de lucro es esencial para la existencia de este delito y aquellas por sí mismas no reportan beneficio al carecer de valor, aunque pueden servir y ser utilizadas como instrumento para la comisión de otros delitos, como es el caso de falsedades documentales y estafas. Y en casos de robo, ha dicho esta Sala que el talonario, o un talón, no tiene valor económico en sí mismo y, por lo tanto, lo mismo que las llaves sustraídas a un propietario, o una tarjeta de crédito, su apoderamiento carece de relevancia jurídico-penal e independiente.
>
> **STS 316/2021 (Pleno):** En casos de consumación parcial de un delito de hurto, también aplicable a los de estafa y apropiación indebida, no cabrá entender consumado el delito con arreglo a

---

[434]   Se modifica el apartado 2 por la LO 9/2022, de 28 de julio.

una calificación más grave, cuando la cuantía de los efectos respecto de los que se ha obtenido la disponibilidad parcial no alcanza la que la misma requiere. Tales supuestos se resolverán a través de las reglas del concurso de normas, entre la infracción más grave en atención al valor conjunto de todos los efectos, en grado de tentativa, y la consumada a tenor de la disponibilidad efectiva, a resolver de conformidad con la regla del artículo 8.4 CP. En este caso, entre el tipo previsto en el artículo 234 1 y 3 CP intentado, y el delito leve del artículo 234 2 y 3 CP consumado. (Tol 8421786)

STS 300/2022: Plantea el recurrente cuál ha de ser la calificación procedente cuando distintos hechos delictivos, que aisladamente considerados constituirían delitos leves de hurto, unos consumados y otros intentados, se integran en un solo delito continuado, en aquellos casos en los que la suma del valor de los objetos sustraídos y de los que se pretendía sustraer determinen una modificación en la calificación. En el caso se trata de dos acciones distintas, ejecutadas en momentos diferentes. Pero su integración en la figura autónoma del delito continuado hace posible valorar el supuesto como análogo a una consumación parcial, acudiendo a la misma solución acogida en la sentencia del Pleno de esta Sala tantas veces aludida. Los hechos, pues, aplicando la regulación del concurso de normas, deben ser calificados como constitutivos de un delito continuado menos grave de hurto, intentado, de los artículos 234.1, 74 y 62 del CP.

STS 27/2020: La acusada, aprovechando que tenía unas llaves, se apoderó del vehículo cuando estaba debidamente aparcado. Esa actuación, el apoderamiento de un bien ajeno sin fuerza en las cosas, en tanto que se utilizaron llaves no sustraídas, sino legítimamente recibidas del propietario cuando mantenían una relación sentimental, constituye un delito de hurto, tipificado en el artículo 234 del Código Penal.

STS 327/2017 (Pleno): El valor de lo sustraído en establecimientos comerciales es el precio de venta al público, que debe interpretarse como la cantidad que debe abonarse para su adquisición, cifra que habitualmente se exhibe en el etiquetado de la mercancía, comprensiva, sin desglosar, los costes de producción y distribución del bien, los márgenes de beneficio de los sucesivos intervinientes en la cadena de producción y los tributos y aranceles que lo hayan gravado directa o indirectamente, con inclusión del IVA en el territorio de su aplicación (Península y Baleares), el IGIC (Islas Canarias) y el IPSI (Ciudades de Ceuta y Melilla). (Tol 6100858)

Art. 235.

1. El hurto será castigado con la pena de prisión de uno a tres años:

1.º Cuando se sustraigan cosas de valor artístico, histórico, cultural o científico.

2.º Cuando se trate de cosas de primera necesidad y se cause una situación de desabastecimiento.

3.º Cuando se trate de conducciones, cableado, equipos o componentes de infraestructuras de suministro eléctrico, de hidrocarburos o de los servicios de telecomunicaciones, o de otras cosas destinadas a la prestación de servicios de interés general, y se cause un quebranto grave a los mismos.

4.º Cuando se trate de productos agrarios o ganaderos, o de los instrumentos o medios que se utilizan para su obtención, siempre que el delito se cometa en explotaciones agrícolas o ganaderas y se cause un perjuicio grave a las mismas.

5.º Cuando revista especial gravedad, atendiendo al valor de los efectos sustraídos, o se produjeren perjuicios de especial consideración.

6.º Cuando ponga a la víctima o a su familia en grave situación económica o se haya realizado abusando de sus circunstancias personales o de su situación de desamparo, o aprovechando la producción de un accidente o la existencia de un riesgo o peligro general para la comunidad que haya debilitado la defensa del ofendido o facilitado la comisión impune del delito.

7.º Cuando al delinquir el culpable hubiera sido condenado ejecutoriamente al menos por tres delitos comprendidos en este Título, siempre que sean de la misma naturaleza. No se tendrán en cuenta antecedentes cancelados o que debieran serlo.

8.º Cuando se utilice a menores de dieciséis años para la comisión del delito.

9.º Cuando el culpable o culpables participen en los hechos como miembros de una organización o grupo criminal que se dedicare a la comisión de delitos comprendidos en este Título, siempre que sean de la misma naturaleza.

2. La pena señalada en el apartado anterior se impondrá en su mitad superior cuando concurrieran dos o más de las circunstancias previstas en el mismo.

> **STS 481/2017:** Para interpretar los arts. 234 y 235 del Código Penal en un sentido que resulte congruente el concepto de multirreincidencia con el concepto básico de reincidencia y que se respete al mismo tiempo el principio de proporcionalidad de la pena, ha de entenderse que cuando el texto legal se refiere a tres condenas anteriores, éstas han de ser por delitos menos graves o graves, y no por delitos leves. Y ello porque ese es el criterio coherente y acorde con el concepto básico de reincidencia que recoge el Código Penal en su parte general, y porque, además, en ningún momento se afirma de forma específica en los arts. 234 y 235 que las condenas anteriores comprendan las correspondientes a los delitos leves. Frente a ello se puede contraponer que en el art. 235.1.7º se afirma que la multirreincidencia está referida a delitos "comprendidos en este título", sin hacer ninguna distinción sobre delitos leves y menos graves. Sin embargo, esa forma genérica de expresarse el legislador, unida a la interpretación literal de la misma que se hace en el recurso, genera, al margen de otros efectos, una notable desigualdad al asignar un mismo marco punitivo al acusado que comete un delito leve que al que comete un delito menos grave cuando ambos tienen antecedentes por tres delitos leves.

Art. 237.

Son reos del delito de robo los que, con ánimo de lucro, se apoderaren de las cosas muebles ajenas empleando fuerza en las cosas para acceder o abandonar el lugar donde éstas se encuentran o violencia o intimidación en las personas, sea al cometer el delito, para proteger la huida, o sobre los que acudiesen en auxilio de la víctima o que le persiguieren.

> **STS 90/2022 (Pleno):** El art. 237 del CP nos habla de quien se apoderare de las cosas muebles ajenas, pero no utiliza la antigua expresión "contra la voluntad de su dueño", por lo tanto, conforme a lo expuesto, resulta obvio que las cosas depositadas en los Puntos Limpios, tiene la ajenidad que es exigible en el tipo penal. (Tol 8803773)
>
> **STS 376/2022:** Como indica el artículo 237 del Código Penal la sustracción constituye el tipo penal de robo violento si se lleva a cabo "empleando ....violencia o intimidación en las personas". El verbo emplear que determina el tipo penal significa hacer servir una cosa para un fin determinado. Por ello hemos de concluir que la violencia tanto se hace servir si se despliega para un fin como si se "utiliza" su resultado para ese fin, es decir si de alguna manera es aprovechada. En el sentido que en nuestra lengua tiene la voz aprovechar: utilizar cierta circunstancia para obtener provecho o conseguir algo en beneficio propio. En resumen, lo relevante es que exista la funcionalidad de la violencia respecto de la sustracción, sea aquélla anterior, coetánea o posterior a ésta. Eso sí, si no existe inmediatez entre violencia y sustracción, es decir proximidad en tiempo y espacio, mal se podrá predicar aquella funcionalidad de la violencia para la sustracción, por lo que no cabrá decir que ésta facilita aquélla.
>
> **Acuerdo no jurisdiccional del pleno de la Sala 2ª del TS de 24 de abril de 2018:** Cuando aprovechando la comisión de un ilícito penal en el que se haya empleado violencia, y en la misma relación de inmediatez y unidad espacio temporal se realiza un apoderamiento de cosas muebles ajenas se entenderá que se comete un delito de robo del art. 237 del Código Penal cuando se haya perpetrado con inmediatez al acto violento y sin ruptura temporal y la violencia empleada facilite el acto del apoderamiento.

STS 399/2016: La violencia ejercida sobre la víctima que es posteriormente aprovechada por el autor para cometer la sustracción, constituye también un delito de robo con violencia.

STS 405/2021: De acuerdo a la jurisprudencia de esta Sala el concepto de intimidación típica viene constituida, conforme al art. 1267 y ss. del Código Civil por el anuncio o conminación de un mal inmediato, grave, personal, concreto y posible que despierte o inspire en el ofendido una situación de miedo, angustia o desasosiego ante la contingencia de un daño real o imaginario, una inquietud anímica apremiante por aprensión racional o recelo más o menos justificado. No puede ceñirse la intimidación al supuesto de empleo de medios físicos o uso de armas, que integra un tipo agravado, bastando las palabras o actitudes conminatorias o amenazantes cuando por las circunstancias existentes (ausencia de terceros, superioridad física del agente, credibilidad de los males anunciados, etc.) hay que reconocer si la idoneidad para la consecución del efecto inhibitorio pretendido. La intimidación no ha de ser poco menos que invencible, es suficiente con que el anuncio de un mal inminente sea susceptible de inspirar en el receptor un sentimiento de temor o angustia ante la contingencia de un daño real o imaginario. Realmente ofrece una fuerte carga de subjetividad y habrá de atenderse en el caso concreto a las condiciones y situación de la persona intimidada, lugar, tiempo y cualesquiera perspectivas fácticas de razonable valoración y a su suficiencia e idoneidad instrumental como medio para el apoderamiento, sin pretender una subjetivación absoluta que dotaría de influencia penal a coacciones morales objetivamente insuficientes. La creación de una atmósfera coactiva que actúa como elemento desencadenante de la entrega de un bien mueble se conceptúa de intimidación en la medida en que el sujeto pasivo es compelido a la realización de una entrega de un bien mueble contra su voluntad.

Ha dicho esta Sala que los delitos de robo con violencia o intimidación contienen en su estructura típica una pluralidad de bienes jurídicos atacados que se encarnan en el derecho a la propiedad y en el derecho a la vida y a la integridad física y moral, bienes éstos, eminentemente personales que vetan la aplicación del delito continuado aunque ello suponga una agravación de la entidad punitiva que corresponde a cada uno de los delitos penados separadamente. Es evidente que es esa la consideración que merece el delito de robo con violencia e intimidación, en cuanto que, aunque la finalidad sea eminentemente patrimonial (apoderarse mediante medio o violencia de una cosa ajena), la utilización de esos medios afecta a bienes de naturaleza obviamente personal como lo son la integridad física y psíquica de las personas.

Art. 238.

Son reos del delito de robo con fuerza en las cosas los que ejecuten el hecho cuando concurra alguna de las circunstancias siguientes:

1.º Escalamiento.
2.º Rompimiento de pared, techo o suelo, o fractura de puerta o ventana.
3.º Fractura de armarios, arcas u otra clase de muebles u objetos cerrados o sellados, o forzamiento de sus cerraduras o descubrimiento de sus claves para sustraer su contenido, sea en el lugar del robo o fuera del mismo.
4.º Uso de llaves falsas.
5.º Inutilización de sistemas específicos de alarma o guarda.

STS 595/2016: La actual doctrina jurisprudencial restringe el concepto de escalamiento a aquellos supuestos, más acordes con los principios de legalidad y proporcionalidad, en los que la entrada o la salida por lugar no destinado al efecto, haya exigido una destreza o un esfuerzo de cierta importancia; destreza o esfuerzo presentes en la noción estricta de escalamiento (trepar o ascender a un lugar determinado), que es el punto de referencia legal del que dispone el intérprete. El hecho de tener que salvar una altura de tres metros y medio, supone una especial energía criminal suficiente para ser equiparable a la fuerza física en sentido estricto.

STS 894/2021: Aun cuando el tipo no lo diga, la interpretación sistemática respecto del delito de robo con fuerza produce que la acción típica propia del hurto no debe conllevar fuerza. Este requisito negativo está directamente vinculado para su comprensión, a la clase de fuerza que se integra en la descripción del robo, toda vez que este último delito no se integra con "cualquier presencia de presión física" (a diferencia de lo que sucede con la violencia o intimidación, que basta con que se den en grado mínimo) en la ejecución del hecho, sino especialmente con las modalidades de fuerza legalmente descritas en el art 238 CP. Por lo tanto, toda fuerza diferente de esas permite que subsista la calificación de hurto. Además, debe añadirse que cualquier interpretación "laxa" del concepto de fuerza determinante del robo, y correlativa reductora del ámbito del hurto, es abiertamente contra reo. El robo con fuerza se construye sobre un concepto normativo de fuerza y, por ende, limitativo. Por lo tanto, el delito de hurto se caracteriza por ser un apoderamiento en el que no concurre ninguna de las circunstancias del art. 238 CP. Es por ello que la agilidad, la destreza, la pericia, la habilidad etc., y no la fuerza es lo que califica al hurto, por lo que en caso de duda o deficiencia en la probanza del elemento fuerza habrá hurto y no robo. A partir de las consideraciones anteriores, fácilmente se comprenderá que el presente motivo del recurso deba ser estimado. En efecto, en el caso, el relato de hechos probados de la sentencia impugnada no permite conocer qué clase de fuerza resultó implementada sobre el vehículo para acceder a los objetos que se encontraban en su interior. Ni siquiera puede conocerse si la misma se efectuó sobre sus puertas o ventanas. La lacónica descripción empleada, -tras forzar el vehículo, se apoderó de los efectos-, obtura cualquier posibilidad de profundizar acerca de esta relevante cuestión, impide conocer el concreto modo en el que Bienvenido accedió al interior del vehículo, que no presentaba, a su vez, daño o desperfecto alguno.

Art. 239.

Se considerarán llaves falsas:

1. Las ganzúas u otros instrumentos análogos.

2. Las llaves legítimas perdidas por el propietario u obtenidas por un medio que constituya infracción penal.

3. Cualesquiera otras que no sean las destinadas por el propietario para abrir la cerradura violentada por el reo.

A los efectos del presente artículo, se consideran llaves las tarjetas, magnéticas o perforadas, los mandos o instrumentos de apertura a distancia y cualquier otro instrumento tecnológico de eficacia similar.

STS 15/2020: El uso de llaves falsas es una de las circunstancias que trasmutan el hurto en robo con fuerza; y existe definición legal que considera llaves falsas, entre otras las ganzúas u otros instrumentos análogos. Este Tribunal ha señalado, que el concepto de llave no es rigurosamente semántico o literal, sino funcional; no requiere que el instrumento mantenga la forma convencional de llave, de manera que la falsedad de la misma proviene de la falta de destino por parte del titular al cierre en el que se emplea. Los hechos probados indican que para acceder al interior del vehículo se utiliza una tijera a modo de cizalla como sistema de apertura de cierre distinto a las llaves del vehículo, descripción que se acomoda plenamente al concepto funcional de llave falsa.

STS 16/2021: Podemos apreciar que hay algunas notas fundamentales para considerar como falsa la llave legítima: como cuando llegan a poder del sujeto activo de manera subrepticia, o cuando se utilizan sin estar autorizado para su uso, lo que es importante tener en cuenta, porque, si se utilizan esas mismas llaves a espaldas del dueño, que ha autorizado a utilizarlas, pero para un uso distinto al que se le da, estaríamos ante un hurto. Esta es la línea a la que apunta una jurisprudencia más reciente. La utilización del ardid engañoso empleado por el acusado, característico del delito de estafa, le permitió hacerse, de manera subrepticia, con una copia de la llave, con la que accedió a la habitación, no ya sin autorización, sino en contra de la voluntad de sus titulares, venciendo así el obstáculo que estos habían puesto para acceder a sus bienes, en definitiva, empleando una de las variables que, dentro de ese concepto normativo de fuerza típica, se contemplan en el art. 237, 238.4° y 239.2 CP.

Art. 241.

1. El robo cometido en casa habitada, edificio o local abiertos al público, o en cualquiera de sus dependencias, se castigará con una pena de prisión de dos a cinco años.

Si los hechos se hubieran cometido en un establecimiento abierto al público, o en cualquiera de sus dependencias, fuera de las horas de apertura, se impondrá una pena de prisión de uno a cinco años.

2. Se considera casa habitada todo albergue que constituya morada de una o más personas, aunque accidentalmente se encuentren ausentes de ella cuando el robo tenga lugar.

3. Se consideran dependencias de casa habitada o de edificio o local abiertos al público, sus patios, garajes y demás departamentos o sitios cercados y contiguos al edificio y en comunicación interior con él, y con el cual formen una unidad física.

4. Se impondrá una pena de dos a seis años de prisión cuando los hechos a que se refieren los apartados anteriores revistan especial gravedad, atendiendo a la forma de comisión del delito o a los perjuicios ocasionados y, en todo caso, cuando concurra alguna de las circunstancias expresadas en el artículo 235.

Acuerdo no jurisdiccional del pleno de la Sala 2ª del TS de 15 de diciembre de 2016: Los trasteros y garajes comunes sitos en edificio de propiedad horizontal, donde también se integran viviendas, tendrán la consideración de dependencia de casa habitada, siempre que tengan las características siguientes: a) Contigüidad, es decir, proximidad inmediata o directa con la casa habitada; que obviamente puede ser tanto horizontal como vertical; b) Cerramiento, lo que equivale a que la dependencia esté cerrada, aunque no sea necesario que se halle techada ni siquiera murada; c) Comunicabilidad interior o interna entre la casa habitada y la dependencia; es decir, que medie puerta, pasillo, escalera, ascensor o pasadizo internos que unan la dependencia donde se comete el robo con el resto del edificio como vía de utilizable acceso entre ambos; d) Unidad física, aludiendo al cuerpo de la edificación.

STS 279/2022: Dándose también los elementos de la contigüidad con la casa habitada, al accederse a través de un sistema de comunicación interior -ascensor o escalera-; de su configuración cerrada pues solo pueden acceder los moradores de la finca que dispongan de llaves o los terceros que estos autoricen; y de la inescindible unidad físico-funcional con el resto del edificio, no cabe otra conclusión que considerar al portal dependencia a los efectos agravatorios contemplados en el artículo 242.2º CP.

STS 198/2022: La especial gravedad por los perjuicios causados, integra alternativa a la especial gravedad por la forma de comisión, que dada la ejemplificación que realiza la Exposición de Motivos o Preámbulo de la LO 1/2015, el modo de comisión alude a la forma de acceso: butrones o alunizajes; mientras que los perjuicios ocasionados, alude a los daños derivados por la "fuerza en las cosas" empleada. El importe de los daños ocasionados con los actos de fuerza, no es dable adicionarlos, con el importe del valor de los efectos sustraídos para configurar con esa mixtura una nueva causa de agravación, no prevista en la norma.

Art. 242.

1. El culpable de robo con violencia o intimidación en las personas será castigado con la pena de prisión de dos a cinco años, sin perjuicio de la que pudiera corresponder a los actos de violencia física que realizase.

2. Cuando el robo se cometa en casa habitada, edificio o local abiertos al público o en cualquiera de sus dependencias, se impondrá la pena de prisión de tres años y seis meses a cinco años.

3. Las penas señaladas en los apartados anteriores se impondrán en su mitad superior cuando el delincuente hiciere uso de armas u otros medios igualmente peligrosos, sea al cometer el delito o para proteger la huida, y cuando atacare a los que acudiesen en auxilio de la víctima o a los que le persiguieren.

4. En atención a la menor entidad de la violencia o intimidación ejercidas y valorando además las restantes circunstancias del hecho, podrá imponerse la pena inferior en grado a la prevista en los apartados anteriores.

STS 615/2019: El despojo que conlleva la apropiación de dinero y joyas por parte de la acusada, se realiza contra la voluntad de la víctima propietaria de esos bienes, pero sucede además aquí, que el medio por el que se logra contrariar esa voluntad es la administración de un psicotrópico, donde no solo ocasionalmente se priva de consciencia a la víctima, sino que le ocasiona un grave menoscabo corporal tributario de tratamiento médico. La violencia afirmada concorde con las conclusiones acusatorias, es la derivada de la intoxicación, en el mismo sentido que la describe la STS núm. 1332/2004 de 11 de noviembre (reiterado en la núm. 577/2005, de 4 de mayo), cuando entiende que añadir sustancia estupefaciente al whisky constituye la violencia o intimidación exigida por el art. 242 para penar esta clase de robo, que implica una sumisión química equivalente a la sujeción física.

STS 328/2018: Cabe subrayar que el artículo 242.3 del Código Penal prevé la agravación "cuando el delincuente hiciere uso de armas u otros instrumentos igualmente peligrosos". Es de resaltar que esa agravación no especifica una estrategia prediseñada, antes de la sustracción, de emplear tales medios para lograr el objetivo de la sustracción. El verbo emplear que determina el tipo penal significa hacer servir una cosa para un fin determinado. Por ello hemos de concluir que la violencia tanto se hace servir si se despliega para un fin como si se "utiliza" su resultado para ese fin, es decir si de alguna manera es aprovechada. En el sentido que en nuestra lengua tiene la voz aprovechar: Utilizar cierta circunstancia para obtener provecho o conseguir algo en beneficio propio.

STS 359/2018 (Pleno): La reforma de 2015 sobre esta agravación específica ha supuesto los siguientes cambios. De una parte, en el robo con fuerza las cosas, el artículo 241.1 del Código penal prevé la agravación por su realización en edificio o local abiertos al público y añade, en el párrafo segundo, la posibilidad de que dicha agravación concurra en horas de apertura al público o fuera de las horas de apertura, lo que conforma con una distinta penalidad, pero ambos son tipos agravados del robo con fuerza en las cosas. Desde un criterio lógico y gramatical, parece deducirse que el legislador ha corregido de una parte, el criterio jurisprudencial, pues hace concurrir el tipo agravado aun fuera de las horas de apertura, y de otra ha acogido la interpretación jurisprudencial, al señalar una pena menor cuando los hechos se desarrollan fuera las horas de apertura. Una segunda modificación de la reforma del 2015, respecto a la agravación por el establecimiento o local abierto al público, es la previsión de un tipo agravado en el robo con intimidación, al disponer el artículo 242.2 del Código penal la imposición de una pena agravada cuando el robo se cometa en casa habitada, edificio local abierto al público con cualquiera de sus dependencias, esta vez sin distinción de horario de apertura. Una tercera modificación respecto al establecimiento o local abierto al público la encontramos en el artículo 203.2 del Código penal cuando al regular el allanamiento de morada señala como tipo agravado el desarrollo de la acción del establecimiento mercantil o local abierto al público, fuera de las horas de apertura, manteniendo otra tipicidad agravada cuando la acción se desarrolle en establecimiento mercantil o local abierto al público. Sobre la interpretación del nuevo tipo agravado del robo con intimidación por su desarrollo en establecimiento abierto al público ya se pronunció esta Sala en Sentencia 101/2018, de 28 de febrero, y lo hace reiterando la doctrina de esta Sala en el Pleno no jurisdiccional de 25 de mayo de 1997 requiriendo que se trata de establecimientos abiertos al público, destinados a albergar al público y que se encuentran de manera efectiva abiertos al uso que le es propio. La justificación de la agravación radica en la extensión del riesgo respecto de personas, eventuales clientes, que pueden permanecer o incorporarse al mismo o en la facilidad de acceso que brinda el carácter local. Esa interpretación persistente en el tiempo era conocida y el legislador de 2015 no ha previsto, como si lo ha hecho respecto a los tipos agravados del delito de robo con fuerza y respecto del delito de allanamiento de morada, su modificación, con lo que ha resaltado la concepción del establecimiento abierto al público como local efectivamente abierto al público para agravar el delito de robo con intimidación situando la justificación de la agravación en el incremento del peligro respecto a víctimas potenciales cuando el hecho sustractivo ocurre en un establecimiento con libre acceso de personas, precisamente en las horas de apertura y respecto de personas desvinculadas del bien jurídico patrimonio, que es el objeto de protección del tipo penal. La agravación se justifica por esa potencialidad de peligro respecto a los sujetos pasivos del hecho delictivo. (Tol 6677161)

STS 248/2022: En relación a la posible apreciación del subtipo atenuado contemplado en el art 242.4 CP, referíamos que la norma contenida en el citado precepto "constituye una previsión orientada a la mejor adaptación de la pena a las circunstancias del caso concreto, tratando de evitar una pena desproporcionada para actos que mereciendo la calificación de robo con violencia o intimidación y no de hurto, presentaran un escaso elemento coaccionador contra la víctima y se alejaran de manera sustantiva de la ordinaria lesividad que estos ataques comportan para la libertad individual del sujeto pasivo o para su integridad física. Decíamos que la rebaja de la pena prevista en el actual art. 242.4 del Código Penal viene determinada por la menor antijuridicidad del hecho, no por consideraciones relativas a una culpabilidad disminuida, como claramente se deduce de su propia redacción del precepto, que condiciona su aplicación a la -"entidad de la violencia o intimidación" y a las "circunstancias del hecho"-, en unos términos que nos conducen al suceso acaecido en su dimensión objetiva. Como decíamos también, se consigue así establecer un escalón o enlace natural entre el robo con fuerza y el robo con intimidación, cuando la magnitud del ataque personal está notablemente disminuida. Esta dimensión objetiva, referida a la existencia de una menor antijuridicidad del hecho en sí mismo considerado, conduce a que nuestra jurisprudencia haya reconocido: a) La posibilidad de aplicar el artículo 242.4 en supuestos en que concurre la circunstancia agravante de reincidencia, 8.ª del art. 22 o b) También en los casos en que concurre alguna de las circunstancias de agravación específica previstas en el párrafo

2 y 3 del mismo art. 242, al entenderse que ante la ausencia de una acentuada peligrosidad de los hechos, se muestra también desproporcionada la pena inicialmente prevista para el robo en casa habitada, o en edificio o local abierto al público, o en casos de uso de armas u otros medios peligrosos. De este modo la entidad de la violencia o intimidación es esencial a la hora de determinar la minoración, pero no basta por sí misma para aplicar la rebaja en grado que contemplamos, sino que hay que examinar las otras circunstancias del hecho, indeterminadas en la propia norma y, por tanto, de muy variada condición, entre las que nuestra jurisprudencia ha destacado: el lugar donde se roba; el número de sujetos que impulsan la acción o la forma de actuación del grupo; el número de personas atracadas y su situación económica, física o personal, incluyendo sus posibilidades de defenderse; las circunstancias espacio temporales; o, incluso, el valor de lo sustraído, que también confiere al hecho mayor o menor contenido antijurídico. Todos estos criterios habrán de tenerse en cuenta conjuntamente, a fin de poder valorar de modo global la gravedad objetiva de lo ocurrido, en sí mismo considerado, y determinar en definitiva si la pena básica a imponer (la de los artículos 242.1, 242.2 o 242.3) es proporcionada a esa gravedad o si ha de considerarse más adecuada la rebaja en un grado de la pena prevista en cada uno de ellos, tal y como establece el 242.3. No olvidemos que, como antes se ha dicho, la razón de ser del precepto es la de dar al juzgador unas mejores posibilidades de adaptación de la pena al caso concreto, evitando el que sea forzoso imponer una determinada sanción cuando la menor gravedad del hecho aconseje otra de menor entidad.

STS 238/2019: El actual 242.4 Código Penal se refiere "a la pena prevista en los apartados anteriores", lo que impide el recorrido dosimétrico aplicado por la jurisprudencia existente sobre el texto del art. 242 anterior a la reforma de la LO 5/2010, por lo que únicamente debiera partirse de la pena prevista en el art. 242.1 CP a los efectos de su bajada en grado en los supuestos de no concurrencia de subtipos agravados.

STS 993/2016: Cuando se cometen varias detenciones ilegales para perpetrar un robo con violencia, solo una de aquellas podrá estar en relación de concurso medial con el robo con violencia; el resto de detenciones ilegales se castigarán separadamente, en relación de concurso real.

STS 8/2015: La jurisprudencia de esta Sala ha venido distinguiendo tres supuestos de concurso entre el robo violento e intimidatorio y la detención ilegal, que podemos resumir del siguiente modo: 1º) Parte de la concepción de que en todo delito de robo con violencia e intimidación en las personas hay siempre una privación de libertad ambulatoria, siquiera sea mínima, consecuencia necesaria del acto de amenaza o fuerza física que paraliza los movimientos de la víctima; aquí habría un concurso de normas a resolver por el art. 8.3 CP; 2º) En este caso no se produciría coincidencia temporal entre la detención y el robo, pues consumado el hecho de la apropiación material del bien mueble ajeno, se deja a la víctima o a algún rehén atado, esposado, encerrado, en definitiva impedido para moverse de un lado a otro. Si tal detención no es instantánea o por breves momentos, nos hallaríamos ante un concurso rea de delitos, ya que la detención queda fuera del episodio apoderativo; y 3º) Puede ocurrir que existiendo coincidencia temporal entre los dos delitos, es decir, se priva de libertad mientras se está produciendo el expolio, en la medida estricta en que es necesario para el éxito del mismo, se desarrolle el episodio en un prolongado período de tiempo durante el cual simultáneamente se está produciendo el despojo patrimonial y el atentado a la libertad, en cuyo nos hallaríamos ante un concurso medial de delitos.

Art. 243.

El que, con ánimo de lucro, obligare a otro, con violencia o intimidación, a realizar u omitir un acto o negocio jurídico en perjuicio de su patrimonio o del de un tercero, será castigado con la pena de prisión de uno a cinco años, sin perjuicio de las que pudieran imponerse por los actos de violencia física realizados.

STS 159/2019: Decía esta Sala que, a diferencia del robo, la estructura típica del delito de extorsión varia al exigirse una colaboración decisiva (delito de encuentro) del sujeto pasivo a fin de facilitar la confección o entrega del documento incorporador de un valor económico; perjuicio económico que no es necesario que se haya producido efectivamente para estimar consumada la extorsión al tratarse de un delito de "resultado cortado". La consumación se produce tan pronto se consigue la realización u omisión del acto o negocio jurídico (art. 243), con los citados ánimo de lucro y propósito defraudatorio, por lo que cualquier episodio posterior pertenece no al tracto comisivo de la infracción, sino a su fase de agotamiento. Y, en el mismo sentido, se decía que el tipo penal se consuma una vez ejercitadas la violencia o intimidación y logrado el fin perseguido, que es la realización u omisión por la víctima del acto o negocio jurídico (es decir, una acción con eficacia en el tráfico jurídico de cualquier naturaleza con significancia económica), añadiendo más adelante que en la extorsión la obtención efectiva del lucro pertenece a la fase -penalmente irrelevante- del agotamiento y no a la de consumación delictiva.

STS 1014/2021: El tipo penal se consuma una vez ejercitadas la violencia o intimidación y logrado el fin perseguido, que es la realización u omisión por la víctima del acto o negocio jurídico (es decir, una acción con eficacia en el tráfico jurídico de cualquier naturaleza con significancia económica)". Junto a este elemento de la conducta delictiva que integra el núcleo y la finalidad esencial como elemento instrumental para alcanzar ese objetivo, se encuentra el empleo de la violencia o intimidación ("conducta condicionada"). Respecto a la amplitud del concepto de violencia, se plantea la doctrina, que como quiera que el CP no cita, a diferencia de lo que ocurre con otros tipos, la fuerza en las cosas (vis in rebus) si tal supuesto ha de entenderse incluido o excluido. Parece mayoritaria la postura que entiende que tal expresiva omisión solo puede resolverse entendiendo que el tipo no abarca los supuestos en los que la fuerza no se proyecta sobre las personas sino sobre las cosas. No obstante otra postura -al igual que en las coacciones del art. 172.1- considera que la fuerza en las cosas propias si puede ser apta para generar una lógica intimidación o clima de terror, es decir, esa violencia moral, sí incluida en el tipo. Pensemos un supuesto de rotura de objetos -puertas, armarios, ventanas o cuadros de valor- como método de intimidación. En cuanto a la intimidación se produce, en términos generales, cuando se inspira a la víctima un sentimiento de miedo, terror o angustia, suscitado por el anuncio de un mal físico o material. Y como en el caso de la violencia habrán de tenerse en cuenta las circunstancias no solo objetivas, sino subjetivas de la edad, sexo, temperamento de la víctima, etc. En las amenazas condicionales se hace depender la causación del mal anunciado a la persona amenazada de una condición, es decir, de un acontecimiento futuro cuya realización depende de la voluntad del sujeto pasivo. La condición puede ser lícita o ilícita, lucrativa o no lucrativa. En estas últimas -amenazas lucrativas exigiendo una cantidad, su naturaleza es compleja en cuanto ataca a dos bienes jurídicos diferentes, cuales son la libertad y el patrimonio, lo que implica que exista solapamiento con la figura de la extorsión, que va a comportar inevitablemente un concurso de normas en muchos supuestos al poder ser subsumidos indistintamente en amenazas condicionales lucrativas o extorsión. La doctrina ha recurrido a diferentes criterios de distinción: a) Uno de ellos es el cronológico que se fija en la inmediatez del mal, de suerte que una extorsión, además del ánimo de lucro, existe una violencia o intimidación directa en el comportamiento del sujeto activo. En el delito de amenazas lucrativas la inmediatez del mal se difiere más en el tiempo, es decir, por supuesto que con ánimo de lucro, es una acción más "a distancia". Elemento temporal que sirve para diferenciar estas amenazas de otras figuras delictivas, además de la extorsión, como son las coacciones y el robo con intimidación. b) Otro criterio, muy sutil, es lo que se denomina en la doctrina "eficacia transitiva de la amenaza". La amenaza es una conducta formal que no precisa para la integración que se produzca un efecto especial en el destinatario, esto es, no es necesario la producción de la perturbación anímica que el autor persigue, de manera que basta con que las expresiones utilizadas sean aptas para amedrentar a la víctima, aunque normalmente lo produzca. La intimidación es algo más que la amenaza. Gráficamente puede decirse que la amenaza es el vehículo de la intimidación, como señala algún autor, para que exista

intimidación la amenaza precisa haber causado efecto intimidatorio en el sujeto pasivo cuyo estado de ánimo ha de haberse
visto afectado por aquella conducta. No olvidemos que si bien
el delito de extorsión es precepto complejo y especial respecto
a la amenaza genérica, lo mismo sucede con la amenaza condicional lucrativa respecto a aquella, por cuanto también protege,
al igual que el delito del art. 243 CP, el patrimonio que se ve
afectado con la exigencia de la condición pecuniaria. En definitiva, las comúnmente denominadas extorsiones a empresarios
y profesionales destinadas a allegar fondos a organizaciones
terroristas, constituyen, en sentido técnico y jurídico penal, un
supuesto de amenazas condicionales de un mal constitutivo de
delito, en el que se exige una cantidad de dinero -delito del art.
169.1-2- y por tanto, deberá canalizarse en el art. 572.1.3, vigente en el momento de los hechos, actual art. 573 bis 1-4 CP.

STS 1009/2022: El delito de extorsión es calificado en la doctrina como un "delito de encuentro" o "experimental" ciertamente de encuentro forzado porque el sujeto pasivo perjudicado es obligado a facilitar el acto o documento que incorpora
un valor económico del que resulta un perjuicio para el extorsionado o bien para un tercero. Es decir, se precisa una cierta
colaboración de la víctima que elige ceder a la presión en vez de
arriesgarse a denunciar. También concurre la condición de ser
un delito de "resultado cortado", pues no se precisa la producción de un efectivo perjuicio patrimonial, siendo suficiente para
la consumación que se realice u omita el acto o negocio jurídico
apto para producir el perjuicio. En definitiva, el acto o negocio
jurídico ha de ser apto para producir un perjuicio patrimonial,
si bien la consumación no precisa de un efectivo empobreci-
miento, ya que esta consecuencia es accesoria en relación con la
perfección de la ejecución, y se considera un mero agotamiento
de la misma. De esta forma se adelanta el momento de la intervención penal al de la lesión de la libertad a la voluntad del sujeto y al del peligro para el patrimonio. La tentativa será posible, entonces, cuando tras utilizar la violencia o intimidación la
víctima utiliza su margen de voluntad para decidir no ceder a la
presión y no realizar el acto o negocio jurídico. Es precisamente
en este espacio de libertad que queda al sujeto donde radica

una de las diferencias con el robo. El extorsionado dispone de una oportunidad de defensa que la víctima del robo no tiene.

STS 641/2021: Partiendo exclusivamente de extorsión y detenciones ilegales, la jurisprudencia es reacia a entender posible el concurso interesado. No es ajeno a ello, el último párrafo del art 243, que tras indicar la pena conminada, añade: "sin perjuicio de las que pudieran imponerse por los actos de violencia física realizados". No obstante en autos no se describen actos violentos relevantes. Aún así, la posibilidad de concurso es negada en la STS 892/2008, de 26 de diciembre: "en modo alguno puede entenderse por la teoría de la consunción que el delito de extorsión del art. 243 puede ser absorbido por el delito de detención ilegal o secuestro, art. 164 y 164, cuando son totalmente distintos, como distinto es el bien jurídico de una y otra infracción, siendo perfectamente autónomos e independientes sin que entre ellos exista la relación que haga posible un supuesto de progresión o se dé el caso de que uno de los preceptos en los que el hecho es subsumible en su injusto el todo, de modo que el supuesto fáctico previsto por una de las normas constituya parte integrante del previsto por otra, y si se admitiera la aplicación del principio de consunción no se produciría la integra desvalorización del hecho, si se penara solo el secuestro y no la extorsión, quedaría impune una parte injusta del hecho". No así, en la STS núm. 946/2009, de 6 de octubre, donde se admite su posibilidad, pero la niega en el caso concreto: "en los hechos que la sentencia de instancia declara probados, se produce una privación de libertad del sujeto pasivo durante el tiempo en que, amenazado con una pistola, es atado y obligado a realizar una llamada telefónica. Esta privación de libertad queda absorbida por el delito de extorsión, en cuanto que éste requiere como elemento típico la existencia de, al menos, intimidación. Pero, finalizada esta acción, los acusados no solo no le devuelven la libertad, sino que lo dejan atado de manos en la habitación del hotel, prolongando así su situación de privación de libertad ambulatoria, que se extiende más allá, por lo tanto, de lo que es consustancial al delito de extorsión. El recurrente alega que le facilitaron un cúter para que procediera a deshacer sus ataduras y pudiera recuperar su libertad en un corto periodo de tiempo. Es una conducta relevante en cuanto puede facilitar el acortamiento del tiempo de privación de libertad, pero no suprime la realidad de ésta". Desde una perspectiva teórica y atendiendo a la morfología de las conductas típicas contempladas, resultaría potencialmente aplicable la jurisprudencia desarrollada al contemplar la concurrencia de los delitos de detención ilegal y robo con violencia o intimidación, pues las diferencias a veces resultan muy escasas, según la colaboración que se requiera de la víctima, como ejemplifica en que en autos, ni siquiera se calificara y acusara por los robos intimidatorios que se describen. No obstante, en autos, son varias las circunstancias que lo impiden; pues la detención no fue episódica sino que se prolongó durante varias horas, son varias las víctimas de detención ilegal; y muy especialmente se prolongó de manera innecesaria, tras haberse consumado la extorsión.

Art. 248.[435]

Cometen estafa los que, con ánimo de lucro, utilizaren engaño bastante para producir error en otro, induciéndolo a realizar un acto de disposición en perjuicio propio o ajeno.

Los reos de estafa serán castigados con la pena de prisión de seis meses a tres años. Para la fijación de la pena se tendrá en cuenta el importe de lo defraudado, el quebranto económico causado al perjudicado, las relaciones entre este y el defraudador, los medios empleados por este y cuantas otras circunstancias sirvan para valorar la gravedad de la infracción.

Si la cuantía de lo defraudado no excediere de 400 euros, se impondrá la pena de multa de uno a tres meses.

---

[435] Modificado por la LO 14/2022, de 22 de diciembre.

Art. 249.[436]

1. También se consideran reos de estafa y serán castigados con la pena de prisión de seis meses a tres años:

a) Los que, con ánimo de lucro, obstaculizando o interfiriendo indebidamente en el funcionamiento de un sistema de información o introduciendo, alterando, borrando, transmitiendo o suprimiendo indebidamente datos informáticos o valiéndose de cualquier otra manipulación informática o artificio semejante, consigan una transferencia no consentida de cualquier activo patrimonial en perjuicio de otro.

b) Los que, utilizando de forma fraudulenta tarjetas de crédito o débito, cheques de viaje o cualquier otro instrumento de pago material o inmaterial distinto del efectivo o los datos obrantes en cualquiera de ellos, realicen operaciones de cualquier clase en perjuicio de su titular o de un tercero.

2. Con la misma pena prevista en el apartado anterior serán castigados:

a) Los que fabricaren, importaren, obtuvieren, poseyeren, transportaren, comerciaren o de otro modo facilitaren a terceros dispositivos, instrumentos o datos o programas informáticos, o cualquier otro medio diseñado o adaptado específicamente para la comisión de las estafas previstas en este artículo.

b) Los que, para su utilización fraudulenta, sustraigan, se apropiaren o adquieran de forma ilícita tarjetas de crédito o débito, cheques de viaje o cualquier otro instrumento de pago material o inmaterial distinto del efectivo.

3. Se impondrá la pena en su mitad inferior a los que, para su utilización fraudulenta y sabiendo que fueron obtenidos ilícitamente, posean, adquieran, transfieran, distribuyan o pongan a disposición de terceros tarjetas de crédito o débito, cheques de viaje o cualesquiera otros instrumentos de pago materiales o inmateriales distintos del efectivo.

---

[436] Modificado por la LO 14/2022, de 22 de diciembre.

Art. 248.[437]

1. Cometen estafa los que, con ánimo de lucro, utilizaren engaño bastante para producir error en otro, induciéndolo a realizar un acto de disposición en perjuicio propio o ajeno.

2. También se consideran reos de estafa:

a) Los que, con ánimo de lucro y valiéndose de alguna manipulación informática o artificio semejante, consigan una transferencia no consentida de cualquier activo patrimonial en perjuicio de otro.

b) Los que fabricaren, introdujeren, poseyeren o facilitaren programas informáticos específicamente destinados a la comisión de las estafas previstas en este artículo.

c) Los que utilizando tarjetas de crédito o débito, o cheques de viaje, o los datos obrantes en cualquiera de ellos, realicen operaciones de cualquier clase en perjuicio de su titular o de un tercero.

STS 573/2018: Ciertamente, siendo la estafa un delito de resultado, el mero peligro de tal perjuicio no basta para la consumación del tipo penal. De ahí que, cuando la disposición reviste la modalidad pasiva de inhibición en la integración del patrimonio, al embazar el ingreso patrimonial, debamos acudir al criterio de diferenciar la consumación del agotamiento del delito. Para ello la referencia esencial será la de identificar la causa de tal inhibición del perjudicado en la procura de indemnidad patrimonial. En efecto si el perjudicado simplemente aplaza consciente y voluntariamente el remedio de ésta la ejecución de la estafa estará todavía incompleta. Pero si la abstención del perjudicado en neutralizar el perjuicio buscado por el autor se debe a la persistencia en el error que éste desencadenó el delito se habrá consumado y la persistencia de tal estado de cosas se traduce en el mero agotamiento del delito de estafa. Así se perfecciona también la consumación de la estafa lograda con la disposición activa que provoca el perjuicio, aunque la víctima

---

[437] Redacción anterior a la reforma operada por la LO 14/2022, de 22 de diciembre.

siga disponiendo de las acciones procesales para neutralizar jurídicamente los efectos de su positivo acto de disposición.

STS 318/2016: La jurisprudencia ha venido matizando prudentemente el uso desmedido del recurso justificador consistente en la exigencia de autoprotección al supuesto perjudicado de la estafa cuya desatención excluiría, conforme a diversas construcciones dogmáticas, la tipicidad defraudadora del beneficiado. Solo se excluye la idoneidad del engaño cuando el origen del acto dispositivo perjudicial esté en una absoluta falta de perspicacia, una estúpida credulidad o una extraordinaria indolencia para enterarse de las cosas por parte del engañado. En definitiva, la aplicación del delito de estafa no puede quedar excluida mediante la culpabilización de la víctima con específicas exigencias de autoprotección, cuando la intencionalidad del autor para aprovecharse patrimonialmente de un error deliberadamente inducido mediante engaño, pueda estimarse suficientemente acreditada y el acto de disposición se haya efectivamente producido, consumándose el perjuicio legalmente previsto. No se debe desplazar sobre la víctima la responsabilidad del engaño, exigiendo un modelo de autoprotección o autotutela que no está definido en el tipo, no se reclama en otras infracciones patrimoniales.

STS 334/2020: La finalidad de la estafa no es proteger a quienes toman decisiones financieras arriesgadas o sin el debido cuidado, cuando han sido informados de todos los elementos relevantes del negocio jurídico concluido. En mayor o menor medida toda operación financiera lleva aparejado un riesgo de incumplimiento que, por sí mismo, no es suficiente para justificar la represión penal. En un caso en el que los adquirentes de obligaciones hipotecarias no toman los recaudos que son exigibles a un comerciante cuidadoso, es claro que no existe razón jurídica para la protección penal de la falta de cuidado del acreedor, dado que la estafa requiere que el error del sujeto pasivo sea causado por un engaño y no por sus juicios apresurados sobre la rentabilidad de los negocios.

STS 592/2022: El carácter anticipado el dolo viene referido no necesariamente al momento de la contratación, sino al tiempo del desplazamiento patrimonial. Es perfectamente imaginable un contrato lícito en su origen que se transmuta en medio defraudatorio cuando una de las partes sabedor de que su propósito inicial de atender las obligaciones contraídas deviene imposible, calla y oculta circunstancias relevantes o aparenta que nada ha cambiado, para prolongar la percepción de fondos, servicios o mercancías o materiales pactados a pesar de prever y asumir que no habrá contraprestación. Frente una anterior jurisprudencia que exigía un dolo antecedente para el negocio criminalizado, se abre paso otra corriente en la cual se afirma que, en este tipo de situaciones jurídicas de estafa, el dolo puede surgir en el curso del cumplimiento del contrato inicialmente válido cuando el autor se aprovecha de la situación de normalidad generada por el contrato para, conociendo la imposibilidad de cumplirlo, o no queriéndolo cumplir, permanecer en esa apariencia de normalidad para beneficiarse del desplazamiento económico que sabe no va a ser compensado con la prestación que a él le corresponde.

STS 524/2016: El engaño se caracteriza tanto por la afirmación de hechos falsos como verdaderos, como por la ocultación de hechos verdaderos. No solamente engaña a un tercero quien le comunica algo falso como si fuera auténtico, sino también quien le oculta datos relevantes que estaba obligado a comunicarle, actuando como si no existieran, pues con tal forma de proceder provoca un error de evaluación de la situación que le induce a realizar un acto de disposición que en una valoración correcta, de conocer aquellos datos, no habría realizado.

STS 38/2021: Desde el punto de vista de la estructura dogmática del delito de estafa en comisión por omisión, es necesario que el perjuicio pueda ser considerado como el resultado de una omisión "engañosa", siempre que el sujeto activo, ya sea como consecuencia de una específica obligación legal o contractual, o por ser responsable de la creación de la situación de riesgo, ostente la posición de garante.

STS 514/2015: No todo engaño es idóneo para integrar el tipo de estafa previsto en el art. 248 CP; solo encierra esa virtualidad aquel que determina causalmente un error en la víctima y que lleva a ésta a realizar un acto de desplazamiento patrimonial en su propio perjuicio o en el de un tercero.

STS 236/2018: Esta Sala parte de la base de que todo ataque al patrimonio ajeno, obtenido mediante un engaño idóneo para producir error y generar un desplazamiento patrimonial, ha de ser castigado por el derecho penal. Una acción de esa naturaleza es perfectamente subsumible en el concepto de estafa proclamado por el art. 248 del CP, por más que el engaño esté íntimamente ligado a una acción ilícita prometida por el autor y aceptada por la víctima. No es obstáculo a esta afirmación el hecho de que el Código Civil considere que "... los contratos sin causa, o con causa ilícita, no producen efecto alguno. Es ilícita la causa cuando se opone a las leyes o a la moral". La situación de la víctima delincuente es interesante desde la perspectiva criminológica y de la misma pueden extraerse importantes consecuencias dogmáticas, apuntándose por un sector doctrinal que el fin de protección de la norma en el delito de estafa no puede consistir en dispensar tutela penal a quien sufre sin menoscabo patrimonial como consecuencia de un incumplimiento de una promesa ilícita, incluso constitutiva de delito, o cuando la disposición del patrimonio pretende conseguir determinados efectos contrarios a Derecho, incluso que infringen la norma penal, al menos como tentativa de delito (así en los casos del tipo de la estampita, engaño de la máquina de fabricar dinero o "filo-misho", billete de lotería premiado o "tocomocho", timo del pañuelo o "paquero", y la entrega de dinero para el tráfico con supuestas influencias ante funcionario público, el caso de quien paga al supuesto asesino para dar muerte a otro; o a quien paga para que le saque ilegalmente del país, cuando en ningún momento él pretendía prestar el servicio convenido y otros análogos, en estos casos sería posible, por un lado, la exigencia de responsabilidad penal a la propia víctima en la medida que su comportamiento pueda ser calificado como tentativa punible, y además, que pueda perder la protección penal de aquel patrimonio, pues la norma penal no podría razonablemente extender la protección hasta alcanzar la tutela frente a pérdidas patrimoniales que han tenido lugar en el contexto de un negocio ilícito y la víctima infractora perdería su derecho al resarcimiento produciéndose el comiso de la cantidad defraudada". Con ello, la ilicitud de la propuesta conocida por el sujeto pasivo del delito de estafa no hace desaparecer o decaer la tipicidad del delito de estafa convirtiendo en impune la existencia del engaño bastante que provoca error y un desplazamiento patrimonial, haciendo derivar a la vía civil una reclamación meramente civil, cuando los elementos del tipo penal concurren y sin que en modo alguno se configure esta circunstancia como anulatoria de la antijuridicidad y culpabilidad del acto típico y, por ello, punible.

Acuerdo no jurisdiccional del pleno de la Sala 2ª del TS de 28 de febrero de 2006: El contrato de descuento bancario no excluye el dolo de la estafa si la ideación defraudatoria surge en momento posterior durante la ejecución del contrato.

STS 376/2020: Tiene razón el recurrente en el anómalo desdoblamiento que hace la sentencia de instancia entre las dos variantes de estafa: la ordinaria y la procesal, construyendo sendos delitos continuados con unos y otros episodios. No es eso correcto penalmente: el delito continuado previsto en el art. 74 CP permite agrupar hechos que encarnen tipicidades no idénticas aunque sí de naturaleza semejante. No es imprescindible que se trate del mismo tipo penal. Remite luego a la pena del delito más grave con una agravación adicional (mitad superior de la pena que puede llegar hasta la mitad de la pena superior en grado: art. 74). Estamos, así pues, ante un único delito continuado acoplable en los arts. 74, 248 y 250.1.7ª, y no ante dos delitos continuados: uno sin la agravación del art. 250.1.7º y otro con ella: esa distinción no solo es artificiosa, sino que contradice la voluntad del art. 74 CP que habla de preceptos de igual o semejante naturaleza.

STS 209/2018: La estafa y la apropiación indebida por la que han sido condenados puedan obedecer a un mismo designio criminal: no hay razones para excluir esa hipótesis más beneficiosa. Sí, las hay, en cambio, para intuirla como la más factible. Precisamente por eso podrían ser agrupadas en un único delito continuado. No es rechazable de forma tajante apriorística y absoluta que la estafa y la apropiación indebida puedan ser consideradas infracciones de naturaleza semejante a los efectos de la continuidad delictiva (art. 74 CP).

STS 232/2014: Cuando la falsedad en documento privado se comete como medio para la estafa, se advierte un concurso de normas, a resolver por absorción en favor de la estafa (cuando la estafa es en grado de tentativa o constituye un delito leve de estafa, debe castigarse por el delito más gravemente penado).

STS 379/2019: La actual redacción del art. 248.2 del Código Penal permite incluir en la tipicidad de la estafa aquellos casos que mediante una manipulación informática o artificio semejante se efectúa una transferencia no consentida de activos en perjuicio de un tercero admitiendo diversas modalidades, bien mediante la creación de órdenes de pago o de transferencias, bien a través de manipulaciones de entrada o salida de datos, en virtud de los que la máquina actúa en su función mecánica propia. Como en la estafa debe existir un ánimo de lucro; debe existir la manipulación informática o artificio semejante que es la modalidad comisiva mediante la que torticeramente se hace que la máquina actúe; y también un acto de disposición económica en perjuicio de tercero que se concreta en una transferencia no consentida. Subsiste la defraudación, y el engaño propio de la relación personal, es sustituido como medio comisivo defraudatorio por la manipulación informática o artificio semejante en el que lo relevante es que la máquina, informática o mecánica, actúe a impulsos de una actuación ilegítima que bien puede consistir en la alteración de los elementos físicos, de aquéllos que permite su programación, o por la introducción de datos falsos. Cuando la conducta que desapodera a otro de forma no consentida de su patrimonio se realiza mediante manipulaciones del sistema informático, bien del equipo, bien del programa, se incurre en la tipicidad del art. 248.2 del Código Penal. También cuando se emplea un artificio semejante. Una de las acepciones del término artificio hace que este signifique artimaña, doblez, enredo o truco. La conducta de quien aparenta ser titular de una tarjeta de crédito cuya posesión detenta de forma ilegítima y actúa en connivencia con quien introduce los datos en una máquina posibilitando que ésta actúe mecánicamente está empleando un artificio para aparecer como su titular ante el terminal bancario a quien suministra los datos requeridos para la obtención de fondos de forma no consentida por el perjudicado.

STS 509/2018: En el abundante casuismo del denominado "phising", donde por diversos fraudes, que van desde la simple petición de los datos hasta las maquinaciones y alteraciones informáticas a través de la red, se logra el conocimiento de los datos relativos a tarjeta de bancarias (o asimilados), que posibilitan con el indebido uso de los mismos, el ulterior desplazamiento patrimonial, pacíficamente se califican de estafa informática.

Art. 249.[438]

Los reos de estafa serán castigados con la pena de prisión de seis meses a tres años. Para la fijación de la pena se tendrá en cuenta el importe de lo defraudado, el quebranto económico causado al perjudicado, las relaciones entre éste y el defraudador, los medios empleados por éste y cuantas otras circunstancias sirvan para valorar la gravedad de la infracción.

Si la cuantía de lo defraudado no excediere de 400 euros, se impondrá la pena de multa de uno a tres meses.

STS 310/2020: La gravedad de la estafa, que determina la penalidad, se contempla en función de la "cuantía de lo defraudado", según el artículo 249 CP o del "valor de la defraudación", según la dicción que emplea el artículo 250.1.5º CP. Por tal motivo la doctrina viene distinguiendo entre valor de la defraudado o perjuicio típico y perjuicio civilmente indemnizable, que son conceptos diferentes. El valor de la defraudación es el valor del acto de disposición realizado por el sujeto activo, el montante del desplazamiento neto patrimonial, la diferencia entre el valor de lo que se recibe en virtud del acto de disposición y lo que se recibe como contraprestación. Y es el parámetro a utilizar para calibrar la cuantía de la estafa a los efectos de determinar la distinción entre delito leve y grave y para aplicar el subtipo agravado del artículo 250.1.5ª CP. El valor de lo defraudado se identifica con

---

[438]   Redacción anterior a la reforma operada por la LO 14/2022, de 22 de diciembre.

el del desplazamiento patrimonial causado por el acto de disposición ejecutado por el error derivado del engaño. Distinto es el perjuicio civilmente indemnizable por el delito, que es la disminución patrimonial que el sujeto pasivo soporta por consecuencia del delito y que no tiene que coincidir necesariamente con el parámetro anterior, ni tampoco con el enriquecimiento del sujeto activo. En el perjuicio causado debe incluirse no sólo el valor económico del patrimonio afectado sino también los derechos patrimoniales del titular del patrimonio así como la finalidad patrimonial pretendida por el titular, lo que permite incluir en el ámbito de los perjuicios conceptos como el lucro cesante, las expectativas frustradas o el daño moral.

Art. 250.

1. El delito de estafa será castigado con las penas de prisión de uno a seis años y multa de seis a doce meses, cuando:

1.º Recaiga sobre cosas de primera necesidad, viviendas u otros bienes de reconocida utilidad social.

2.º Se perpetre abusando de firma de otro, o sustrayendo, ocultando o inutilizando, en todo o en parte, algún proceso, expediente, protocolo o documento público u oficial de cualquier clase.

3.º Recaiga sobre bienes que integren el patrimonio artístico, histórico, cultural o científico.

4.º Revista especial gravedad, atendiendo a la entidad del perjuicio y a la situación económica en que deje a la víctima o a su familia.

5.º El valor de la defraudación supere los 50.000 euros, o afecte a un elevado número de personas.

6.º Se cometa con abuso de las relaciones personales existentes entre víctima y defraudador, o aproveche éste su credibilidad empresarial o profesional.

7.º Se cometa estafa procesal. Incurren en la misma los que, en un procedimiento judicial de cualquier clase, manipularen las pruebas en que pretendieran fundar sus alegaciones o emplearen otro fraude procesal análogo, provocando error en el juez o tribunal y llevándole a dictar una resolución que perjudique los intereses económicos de la otra parte o de un tercero.

8.º Al delinquir el culpable hubiera sido condenado ejecutoriamente al menos por tres delitos comprendidos en este Capítulo. No se tendrán en cuenta antecedentes cancelados o que debieran serlo.

2. Si concurrieran las circunstancias incluidas en los numerales 4.º, 5.º, 6.º o 7.º con la del numeral 1.º del apartado anterior, se impondrán las penas de prisión de cuatro a ocho años y multa de doce a veinticuatro meses. La misma pena se impondrá cuando el valor de la defraudación supere los 250.000 euros.

> STS 670/2016: El subtipo agravado de bienes de primera necesidad (art. 250.1.1º) viene referido, según doctrina reiterada, a cosas de las que no se puede prescindir, tales como productos de consumo imprescindibles para la subsistencia o salud. Se considera bien de primera necesidad un coche adaptado para que una persona con minusvalía, que le impida su desplazamiento autónomo, pueda utilizarlo con su silla de ruedas.

> **Acuerdo no jurisdiccional del pleno de la Sala 2ª del TS de 20 de diciembre de 2006:** En el caso de medicamentos, el concepto cosas de primera necesidad del art. 250.1.1º debe ser entendido en relación a las necesidades de quienes sufran las consecuencias del delito.

> STS 262/2019: El tipo agravado exige que la estafa recaiga sobre un bien de primera necesidad, viviendas u otros bienes de reconocida utilidad social, debiendo considerarse concurrente tal tipo agravado al recaer sobre la recaudación que estaba destinada a sufragar los gastos inherentes al tratamiento médico precisado, pues era un dinero cuya finalidad se vinculaba a una acción social de primera necesidad, como es la salud , y sin duda justifica el mayor reproche impuesto por el legislador, pues no en vano, en épocas de crisis, tales eventos han venido a suplir la falta de acción social de las Administraciones. Esta Sala debe estimar que el concepto salud y todos aquellos escenarios relacionados con la misma, donde se cometa un delito de estafa, en cuanto a la aplicación de la agravación por concurrencia de

una de las circunstancias que concurran en el precepto, está incluido entre los bienes de utilidad social expuestos en el n° 1 del art. 250.1 CP.

STS 193/2021: Cualquier vivienda no se encuentra comprendida en el ámbito de la aquí estudiada circunstancia 1ª del art. 250.1, sino solo aquella que pude considerarse bien de "primera necesidad" o "de reconocida utilidad social", esto es, la primera vivienda que tenga una persona para la satisfacción de esa fundamental necesidad de disponer de un albergue que le permita atender sus propias exigencias personales, y en su caso, familiares, excluyendo las que no sirven para este derecho prioritario. El subtipo agravado no será de aplicación, por tanto, en los casos en que la víctima dispone de dinero para adquirir otra vivienda, distinta de aquella en la que habita, como inversión, recreo o para aumentar su patrimonio, o incluso en los casos de cambio de domicilio, si no se acredita la venta de la primera vivienda y la realidad del traslado. Como hemos dicho en la reciente sentencia 689/2020, de 14 de diciembre: La vivienda de protección oficial constituye por sí un bien de primera necesidad pues su propia construcción viene marcada por la finalidad de garantizar el derecho de acceso a la vivienda de personas que, por sus condiciones económicas, tendrían enormes dificultades de acceso al mercado libre de viviendas. Lo que justifica su peculiar régimen jurídico tanto de acceso a la propiedad, uso y limitaciones de transmisión futura caracterizado, además, por una significativa intervención pública y exigentes cargas de acreditación a los adquirentes de los presupuestos objetivos y subjetivos que les hagan merecedores de dicho beneficio de política pública.

STS 820/2021: Cuando un fraude se produce en el contexto de un contrato sobre una vivienda, el acto dispositivo o la apropiación, tanto se trate de una estafa como de una apropiación indebida, suele ser dinero, de forma que lo relevante para apreciar la agravación es que el contrato que ha determinado el acto dispositivo tenga como objeto una vivienda que vaya a ser la vivienda habitual del sujeto pasivo. En este tipo de fraudes el consumidor se desprende de un dinero destinado a la adquisición de su futura vivienda y el mayor desvalor que se deriva de la frustración de su expectativa se produce tanto en el caso de que el consumidor sea engañado para hacer la entrega como en el caso de que simplemente quien recibe esos fondos los incorpora a su patrimonio sin darles el destino para el que fueron entregados, y esa es la razón por la que la agravación es aplicable de forma común a los delitos de estafa y apropiación indebida, según se deduce del contenido de los artículos 248 y 253, en relación con el artículo 250 del Código Penal.

STS 364/2018: La agravación puede concurrir tanto si la estafa se produce en el proceso de adquisición de una vivienda, como si el acto de disposición fruto del engaño recae sobre una vivienda que ya constituye la morada del perjudicado.

STS 192/2019: Una lectura literal y lógica del texto exige, para apreciar tal agravante específica (art. 250.1.2º CP), que haya existido abuso o mal uso de la firma que se estampa conscientemente en un documento y que se utiliza para un fin distinto para el que se estampó. Se está pensando esencialmente en las firmas en un documento en blanco, que confiadamente se entrega a otra persona y que, desatendiendo la orden o el mandato se destina a un fin distinto del convenido. Existe firma en blanco al decir de la doctrina cuando se produce un aprovechamiento de la firma puesta al pie de un documento que el sujeto activo va a dotar, en perjuicio del otorgante o tercero, de un contenido diverso del que motivó la firma en blanco, en suma el acto de confianza, circunstancias que aquí concurren y que agravan la conducta al margen del engaño que ya existe y que mediante el modus operandi suponen un plus añadido al propio del engaño bastante. Señala la doctrina al respecto que con este subtipo agravado se penaliza juntamente con la estafa, el posible abuso de confianza respecto a la persona que firma un documento, ya en blanco, ya redactado. Se ha ampliado así la antigua fórmula de "abuso de firma en blanco", pues abarca, a la vez, dos supuestos de hecho distintos: a) Puede darse el caso de que se rellene un documento ya firmado en blanco con contenido distinto al estipulado, apartándolo de su destino propio y creando una apariencia documental distinta a aquella para la que la firma fue destinada. b) O también, puede producirse la alteración o adición de un documento ya terminado y firmado tras su redacción esto es, abusando de la firma estampada en un documento completo, o que al firmar se entiende ya cerrado en su contenido, cambiando su finalidad y alterando los términos o naturaleza del mismo. Se insiste doctrinalmente en que es importante a estos efectos la forma en que el documento debe llegar a manos del autor del delito, para que se cumpla el elemento especializante de este subtipo agravado, que radica en el término "abuso". Por ello, tanto si el documento es entregado al sujeto pasivo en blanco, total o parcialmente, para ser completado ulteriormente en la forma previamente pactada o conforme a instrucciones impartidas, como si es depositado para su custodia al autor del acto típico pero sin autorizar su modificación, habrá un abuso de la situación creada y una quiebra de la confianza depositada y de las expectativas del titular o firmante de aquél, puesto que la acción del agente vulnera dicha confianza y expectativas y aprovecha ilícitamente la situación, abusa de ella.

STS 830/2021: Esta consideración sobre el objeto material del delito previsto en el art. 250.1.3º, permite una tutela penal más conforme al mandato constitucional que restaría sin amparar, tanto en los delitos de estafa y apropiación indebida, como por el resto de la normativa tuitiva del patrimonio histórico dispersa en otros tipos contra el patrimonio, ya directamente en el específico capítulo sobre los delitos sobre el patrimonio histórico, ya como agravaciones específicas, en los delitos de hurto (art. 235.1.1º), robo con fuerza (art. 241.1), o receptación (art. 298.1.a). De modo que así, también proyecta su ámbito la agravación específica del art. 250.1.3º, a:

- Los bienes de valor histórico ocultos o no descubiertos.

- Los que por la dejadez del titular no han sido declarados.

- Los que por la falta de agilización de los procesos o expedientes administrativos no hayan sido catalogados, inventariados o declarados de interés cultural.

- Los que por la deliberada descripción espuria de sus características no alcanzan reconocimiento administrativo.

- Los excluidos de la consideración por una errónea decisión administrativa.

Una efectiva protección del patrimonio cultural exige que esta protección se produzca con independencia de la declaración formal del mismo realizada por los órganos administrativos o por la Ley. Consecuentemente y en definitiva, el elemento típico bienes de valor histórico, artístico, científico o cultural o monumental, integra un elemento normativo de naturaleza cultural a valorar judicialmente.

STS 822/2021: En cuanto al tipo agravado previsto en el art. 250.1.4 CP, entiende la doctrina que la especial gravedad de la estafa debe valorarse teniendo en cuenta de modo conjunto la entidad del perjuicio y la situación económica en la que deje a la víctima o a su familia. La entidad del perjuicio es un criterio objetivo que varía en función de la evolución de los índices y costos de la vida, mientras que la situación económica en la que se deja a la víctima o a su familia es un criterio subjetivo, que deberá valorarse desde una perspectiva relativa y personal. No es necesario para apreciar este tipo que se deje a la víctima o a su familia en una situación de indigencia o de absoluta penuria. Basta con que se cause un estado patrimonial difícil o preocupante.

Acuerdo no jurisdiccional del pleno de la Sala 2ª del TS de 30 de octubre de 2007: El delito continuado siempre se sanciona con la mitad superior de la pena. Cuando se trata de delitos patrimoniales, la pena básica no se determina en atención a la infracción más grave, sino al perjuicio total causado. La regla primera del art. 74.1 CP queda sin efecto cuando su aplicación fuera contraria a la prohibición de doble valoración.

STS 128/2019: En las ocasiones en que la suma del perjuicio total ocasionado se tome en consideración para aplicar el subtipo agravado de especial gravedad atendiendo al valor de la defraudación, resulta redundante aplicar además el efecto agravatorio de la regla primera del art. 74 del CP. Se trata de evitar la aplicación de la regla general agravatoria, prevista en el art. 74.1º del CP , a aquellos delitos en los que el importe total del perjuicio ha determinado ya un cambio de calificación jurídica y la correlativa agravación, es decir a delitos de estafa o apropiación indebida que, por razón de su importe total, se desplazan del tipo básico al subtipo agravado (o de la falta al delito). En estos supuestos, mantener la aplicación incondicional del art. 74.1° del CP , determinaría la vulneración de la prohibición constitucional del "bis in idem". Pero esta exclusión no es aplicable cuando alguna de las acciones que integran el delito continuado alcanza una cuantía superior a 50.000 euros, que por sí sola ya determina la aplicación del subtipo agravado por aplicación del número quinto del art 250.1. En consecuencia, no se produce infracción legal alguna por aplicar al delito patrimonial ya agravado por una sola de las acciones enjuiciadas, la mayor penalidad prevista por la regla primera del art. 74 para los delitos continuados, pues de otro modo quedarían sin sanción las conductas defraudatorias añadidas.

STS 242/2020: La aplicación del artículo 250.1.5 del Código Penal resulta del valor de lo defraudado superior a los 50.000. En este sentido no es necesariamente coincidente el concepto de defraudación y el de perjuicio. Ambos son contemplados en los artículos 249 y 250, pero de forma expresa se reconoce su diferencia en la redacción posterior a la reforma operada por la ley orgánica 5/2010, en tanto que el artículo 250.1 se refiere a ambos extremos en números diferentes, el 4° mencionando la "entidad del perjuicio", y el 5° refiriéndose al "valor de la defraudación". De esta forma el valor de lo defraudado se identifica con el desplazamiento patrimonial causado por el acto de disposición ejecutado por el error derivado del engaño. El valor de la defraudación y la entidad del perjuicio, aunque en alguna sentencia se han considerado como anverso y reverso de la misma realidad, son conceptos distintos, refiriéndose el primero directamente al contenido del acto de disposición, es decir, a aquello de lo que se ha dispuesto sobre la base del error provocado por el engaño, que es lo que deberá ser valorado; y el segundo a sus consecuencias económicas, en la medida en la que haya causado un perjuicio a quien dispone o a un tercero. El valor de la defraudación está en correlación con el valor de la cosa objeto del delito de apropiación indebida (lo propio ocurriría en el delito de estafa); tal valor es un criterio patrimonial que se identifica con su venta potencialmente en el mercado, valor que puede ser acreditado tanto por referencia a un mercado oficial como por una prueba pericial de tasación.

No se corresponde ni con el valor de coste del producto en el pasado, sino por el de venta por su propietario. Pero tampoco se identifica con el precio fijado por el sujeto activo del delito cuando este ha vendido el objeto en una operación controlada por el mismo. En efecto, cuando no es el propietario quien vende la cosa, el precio aceptado por el autor del delito no puede convertir tal suma, sin más, en valor incontestable a los efectos de determinar el valor de la defraudación, sencillamente porque habrá concertado tal precio a su conveniencia, no siendo propietario de la cosa. Y por supuesto, tampoco podremos tomar como valor de la defraudación al precio vil de una venta apresurada por las circunstancias. Distinto al valor de la cosa, es el perjuicio sufrido por el sujeto pasivo del delito, puesto que en este concepto se añaden consideraciones relativas a las consecuencias económicas sufridas por la pérdida de aquél.

STS 180/2019: El criterio de esta Sala es que no procede sumar el importe de las tentativas de estafa con el de las estafas consumadas a efectos de alcanzar la cifra señalada en el subtipo del núm. 5 del art. 250 CP.

STS 377/2017: La aplicación del subtipo exacerbado por el abuso de relaciones personales del núm. 6º del artículo 250 del Código Penal queda reservada para aquellos supuestos en los que además de quebrantar una confianza genérica, subyacente en todo hecho típico de esta naturaleza, se realice la acción típica desde una situación de mayor confianza o mayor credibilidad que caracteriza a determinadas relaciones previas y ajenas a la relación subyacente; en definitiva, un plus que hace de mayor gravedad el quebrantamiento de confianza implícito en delitos de este tipo. La doctrina de esta Sala respecto al referido subtipo agravado de abuso de relaciones personales entre víctima y defraudador, tiene declarado que cualquiera de las tres modalidades que contempla el subtipo: relaciones personales, credibilidad empresarial o credibilidad profesional, tiene como presupuesto de aplicación una situación fáctica que descansando sobre el contexto del engaño antecedente, causante y bastante sobre el que se nuclea la estafa, suponga una situación diferente y más grave que patentiza un plus añadido al abuso de confianza en cuyo seno se realiza la estafa que supone siempre una relación previa entre defraudador y víctima.

STS 610/2018: Tiene dicho esta Sala que la confianza de la que se abusa y la lealtad que se quebranta deben estar meridianamente acreditadas, pudiendo corresponder a especiales relaciones profesionales, familiares, de amistad, compañerismo y equivalentes, pero han de ser objeto de interpretación restrictiva, reservándose su apreciación para casos en los que, verificada esa especial relación entre agente y víctima, se aprecie manifiestamente un atropello a la fidelidad con la que se contaba. El subtipo agravado previsto en el artículo 250.1.6º CP se estructura sobre dos ideas claves. La primera de ellas, el abuso de relaciones personales, que atiende a un grado especial de vinculación entre autor y víctima; la segunda, el abuso de la credibilidad empresarial o profesional, que pone el acento no tanto en la previa relación entre autor y víctima, sino en las propias cualidades del sujeto activo, cuya consideración en el mundo de las relaciones profesionales o empresariales harían explicable la rebaja en las prevenciones normales de cualquier víctima potencial frente a una estrategia engañosa. Y se subraya de forma especial que esta Sala ha incidido en la necesidad de ponderar cuidadosamente la aplicación de esta agravación, en la medida en que en la mayor parte de los casos, especialmente en los supuestos de apropiación indebida dado el quebrantamiento de confianza que es propio de este tipo penal, presenta significativos puntos de coincidencia con la descripción del tipo agravado.

STS 835/2016: En relación a la estafa procesal, es cierto que se aceptan formas incompletas de ejecución cuando no se llega al dictado de la resolución judicial concernida. En la reforma de la LO 1/2015, la estafa procesal se encuentra tipificada en el art. 250.1.7º, concretándose sus exigencias típicas prescindiendo, y esto es lo relevante, de la exigencia de un acto de disposición con desplazamiento patrimonial consiguiente, exigible en la estafa clásica; ahora solo se exige y solo se consuma la estafa procesal con el dictado de la resolución judicial, sin que sea exigible la efectividad, la ejecución de la misma. En la estafa procesal existe una estructura triangular, integrada por el sujeto activo (el agente), el sujeto pasivo o engañado (que es el propio operador judicial que dicta una resolución fruto del engaño urdido por el sujeto activo) y en tercer lugar, el perjudicado o tercero (que es la persona que resultó perjudicada o que puede resultar perjudicada con la resolución judicial).

STS 252/2018: También la jurisprudencia, en contra de parte de la doctrina, ha estimado que puede producirse el fraude procesal cuando el engañado no es el juez sino la parte contraria, a la cual por determinadas argucias realizadas dentro del procedimiento (ordinariamente pruebas falsas o por simulación de un contrato) se le impulsa a que se allane, desista, renuncie, llegue a una transacción o, en cualquier caso, determine un cambio de su voluntad procesal como solución más favorable, lo que se denomina estafa procesal impropia.

STS 146/2018: Una versión parcial y, como tal, interesada de los hechos, una omisión de cuestiones fácticas o jurídicas de importancia para el tratamiento jurisdiccional del objeto del proceso o, simplemente, una selección del procedimiento afectada por el particular interés de quien lo promueve, no integran, sin más, la acción típica.

STS 388/2022: El tipo no protege al tercero frente a la demanda con una causa material total o parcialmente injusta o ficticia sino contra el uso de mecanismos procesales que puedan determinar la decisión del tribunal. No se protege frente a una pretensión sin razón normativa sino contra el uso fraudulento de los resortes instrumentales que acompañan a la acción provocando que la decisión judicial sea consecuencia de aquella. El tipo identifica esos mecanismos prohibidos con expresa referencia a la manipulación de las pruebas u otros artificios procesales de análogo desvalor y alcance. El fin de protección de la norma penal es, por tanto, la adecuación del proceso decisional a los valores del proceso justo que excluyen trampas y maquinaciones, como garantías institucionales del rol de la adjudicación judicial. Insistimos, la protección penal no se dispensa porque los fundamentos fácticos-normativos del objeto procesal introducidos por el demandante no sean ciertos o inconsistentes sino porque haya utilizado mecanismos procedimentales que alterando las reglas del proceso que encauzan la acción, determinen una decisión del tribunal, en perjuicio de la otra parte o de un tercero, que de no haberse activado esos mecanismos fraudulentos no se hubiera producido.

STS 684/2019: La figura agravada del artículo 250.1.8 CP no podrá conformarse sobre previas condenas por delitos leves, que quedan excluidos en la formulación de la agravante genérica de reincidencia. La redacción del citado artículo 250.1 no distingue para su operatividad entre el delito básico de estafa del artículo 249.1 CP y la versión leve incorporada en el apartado 2 del mismo precepto. Y así señala aquél "el delito de estafa será castigado (...)", con abstracción de si el valor de la defraudación supera o no los 400 euros. La interpretación de la norma según su construcción gramatical puede hacer pensar que la genérica alusión al delito de estafa, extiende la operatividad de las agravaciones contenidas en el artículo 250.1 CP a todas sus modalidades, incluida la que el artículo 249.2 incorpora como delito leve, heredero de la desaparecida falta del artículo 623.4 CP. Sin embargo, tal aparente claridad deja abierta la puerta a diversas incógnitas que deben ser despejadas con perspectiva sistemática, porque la aplicación de las normas penales desde la garantía de tipicidad (artículo 25.1 CE), veda una interpretación analógica y extensiva en perjuicio del reo. Y así, no puede considerarse baladí, desde una concepción integrada del texto penal, que, a diferencia de lo que ocurre en relación al delito leve de hurto del artículo 234.2, a tenor del cual "se impondrá una pena de multa de uno a tres meses si la cuantía de lo sustraído no excediese de 400 euros, salvo si concurriese alguna de las circunstancias del artículo 235", ninguna referencia a la aplicación del artículo 250 incluya el artículo 249.2 CP. Máxime cuando ambos preceptos fueron incorporados por la misma Ley, lo que, a contrario sensu, avala la exclusión del delito leve de estafa de la órbita agravatoria del artículo 250 CP. El artículo 250.1.8 CP utiliza la reincidencia como único soporte para configurar un tipo agravado, sin contar con un nuevo supuesto conductual que legitime la cualificación. La aplicación a los delitos leves de la nueva figura agravada de estafa produce de esta manera un distorsión del sistema. Distorsión, porque solo así puede entenderse el que la mera existencia de tres antecedentes previos, que ya en su día acarrearon la correspondiente pena, equipare una estafa de menos de 400 euros, con otra en la que no se aprecie multirreincidencia, pero que puede llegar a alcanzar un cuarto de millón. Todo ello nos aboca a entender que tal salto agravatorio exige una expresa y clara regulación, como la del hurto, sin que, en su defecto, nos sea permitida una interpretación extensiva y analógica. Lo señalado respecto a la agravación del artículo 250.1.8 es aplicable a las restantes circunstancias que el precepto prevé, pues, aunque sustentadas en distinto fundamento y algunas de difícil, cuando no imposible, encaje estructural con un delito leve, deben ser tratadas desde la misma pauta interpretativa. No es posible desde una interpretación extensiva en contra reo, un doble salto penológico desde el delito leve a la modalidad agravada.

STS 126/2016: La relación entre la falsedad de documento privado y la estafa procesal es de concurso de normas.

Art. 251.

Será castigado con la pena de prisión de uno a cuatro años:

1.º Quien, atribuyéndose falsamente sobre una cosa mueble o inmueble facultad de disposición de la que carece, bien por no haberla tenido nunca, bien por haberla ya ejercitado, la enajenare, gravare o arrendare a otro, en perjuicio de éste o de tercero.

2.º El que dispusiere de una cosa mueble o inmueble ocultando la existencia de cualquier carga sobre la misma, o el que, habiéndola enajenado como libre, la gravare o enajenare nuevamente antes de la definitiva transmisión al adquirente, en perjuicio de éste, o de un tercero.

3.º El que otorgare en perjuicio de otro un contrato simulado.

STS 164/2019: Conforme señalábamos, en el artículo 251 del Código Penal se alojan tres comportamientos, calificados doctrinalmente como estafas impropias, que por razones históricas el Código Penal arrastra dentro de un contenido diferenciador del delito de estafa común o propia, definido en el artículo

248.1 de aquél, junto a los comportamientos asimilados que se encuentran incluidos en el apartado 2 de este último. En el primer supuesto típico, el artículo 251.1 describe la conducta de la transferencia engañosa de una cosa (mueble o inmueble) mediante el fenómeno de la doble venta, la imposición de un gravamen o el arrendamiento, por quien no tiene ya, o no ha tenido nunca, esa facultad de disposición. El segundo apartado, lo constituye la enajenación mediante ocultación de carga, o bien la venta como libre y a continuación la imposición de un gravamen o enajenación siempre antes de la definitiva transmisión al adquirente, y finalmente, en el tercer apartado, a modo de comprensión general de tales comportamientos, el otorgamiento de un contrato simulado, sin más especificaciones, denominado falsedad defraudatoria o estafa documental. En cualquier caso, se requiere perjuicio de tercero, bien sea al adquirente o al propietario del bien, o a un tercero. Y aparte de que los casos típicos de actos de gravamen se encuentran confusamente redactados, es lo cierto que tales comportamientos indudablemente contienen en su descripción una modalidad de engaño que origina un error en el sujeto pasivo que le ha llevado a realizar el acto de autolesión, en que se traduce la estafa propia o común, por lo que la mayoría de tales comportamientos no podrían considerarse atípicos pese a una hipotética desaparición de dicho precepto, sino incorporados a la propia estafa, al colmar tales acciones las exigencias típicas que se describen en el artículo 248.1 del Código Penal. En cualquier caso, por razón de especialidad, y alternatividad, se ha de aplicar el referido artículo 251 del Código Penal cuando los hechos queden incluidos en tal descripción típica.

STS 283/2020: Los recurrentes han sido condenados como autores de un delito de estafa impropia del artículo 251.2 CP. Se trata de un precepto autónomo, al que no le son aplicables todos los elementos de la estafa común. El delito no requiere que el perjuicio del primer adquirente resulte de una maniobra engañosa que haya determinado su acto de disposición, sino que deriva de una conducta posterior realizada con un tercero, en la que no es imprescindible que ése resulte engañado ni que resulte perjudicado, ya que el precepto admite como elemento típico alternativo el perjuicio de uno u otro. Ni siquiera es necesario que la voluntad o el propósito de realizar el gravamen o enajenación preceda en el tiempo a la ejecución de la primera transmisión. El tipo solo exige que, habiendo sido enajenada, antes de la definitiva transmisión, se venda nuevamente a otro o se grave la cosa. Respecto al propósito que insinúan de cancelar la carga antes de que hubiera de ser definitivamente entregada la vivienda, además de que no llegó a materializarse, resulta irrelevante de cara a la tipicidad. El delito quedó consumado en el momento que se constituyó el gravamen, los actos posteriores encaminados a reponer al perjudicado en sus derechos podrán producir efectos en la esfera civil, incluso servir de base a una circunstancia de atenuación por reparación del daño, pero no afectan a una tipicidad ya colmada.

STS 336/2020: Hemos dicho que la información sobre las cargas o gravámenes de la cosa transmitida impide la comisión del delito de estafa impropia en la modalidad que estamos enjuiciando. La información suministrada a los adquirentes sobre la posibilidad de gravar las fincas mediante la hipoteca del suelo o a la de las fincas futuras es suficiente a efectos de enervar el delito, en tanto que no se engañó a los compradores, y no existiendo engaño, no es posible hablar de delito de estafa. Es cierto que los acusados se comprometieron a entregar la posesión de las fincas objeto de la operación, libres de cargas, una vez finalizada la ejecución del proyecto de construcción. Ello sin embargo no impedía que se pudieran gravar las fincas con el fin de financiar la construcción. De hecho, al tiempo de la celebración del contrato denominado de compraventa de cosa futura se hacía constar la existencia de una carga sobre los bienes y la posibilidad de que se constituyeran futuras cargas sobre los mismos.

STS 921/2021: Es verdad que se constituyó una nueva hipoteca sobre el inmueble pendiente de transmisión, pero se hizo levantando cargas superiores que pesaban sobre ella y que conocía el comprador y, probablemente -las dudas jugarán en favor del reo- con esa finalidad (levantar las cargas previas). Eso excluye de raíz uno de los elementos esenciales tanto de esta modalidad como del resto de estafas: el perjuicio de tercero. Antes de la operación que se quiere considerar delictiva la finca estaba en peores condiciones para el comprador que las que derivaron de esa operación. No puede ser constitutiva de estafa esa conducta y, sin embargo, considerar, paradójicamente, que no existiría responsabilidad penal si el vendedor se hubiera limitado a mantener los gravámenes anteriores conocidos por el comprador. El juzgador no ha de fijarse exclusivamente -como razona el recurso- en si se ha constituido un gravamen antes de la definitiva transmisión. También ha de discernir si la operación se ha hecho con la finalidad de perjudicar económicamente en tanto que la finca se ve devaluada. Si la nueva carga es menos gravosa que las que ya pesaban sobre ella y se constituye precisamente para cancelar estas no podrá hablarse de estafa pues no concurre el elemento del perjuicio causado o intentado.

STS 238/2021: Cuestiona la corrección de la subsunción jurídica: no estaría cubierta la tipicidad del art. 251.1. Se dice que el acusado, ni ha enajenado, ni ha gravado, ni ha vendido el bien. Es inexacta esa afirmación: una aportación al capital de una sociedad es una enajenación. El bien pasa a ser titularidad de la sociedad, y sale del patrimonio del aportante que en ese momento se convierte en socio. No por ello sigue siendo propietario del bien, sino de las acciones o, en su caso, de las participaciones. La aportación a una sociedad supone un acto de enajenación que colma la tipicidad del art. 251.1. Al recibir como contraprestación una entrada en el capital social se produce objetivamente un perjuicio que aflorará cuando el titular auténtico reclame el bien. Por tanto, con independencia de que el recurrente finalmente no haya obtenido lucro alguno, el delito está consumado. Que pudiese actuar en la confianza de que el bien no iba a ser reclamado no desvirtúa la tipicidad.

STS 355/2021 (Pleno): No se aprecia la existencia de razones consistentes que avalen que la agravación de las estafas que se contempla en el artículo 250.1 y 250.2 CP cedan ante la agravación de los tipos básicos contenida en el artículo 251, en los casos en que sea aplicable, dadas las características de la conducta. Todos los supuestos previstos en el artículo 251 presentan caracteres especiales respecto de los previstos con carácter muy general en el artículo 248. Y lo mismo ocurre con las previsiones del artículo 250, apartados 1 y 2. Puede tenerse en cuenta, como supuesto bien significativo, la atribución de facultades inexistentes sobre inmuebles, por valor defraudatorio superior a 50.000 euros, que están destinados a vivienda habitual del comprador, frente a cualquier otro engaño respecto a los mismos. En este segundo caso, la pena quedaría comprendida entre 4 y 8 años, mientras que en el primero lo sería entre 1 y 4 años. Por lo tanto, y aunque ello conduzca a la aplicación más restrictiva del tipo básico (artículo 248 y 249) y a la de un primer subtipo agravado respecto del mismo (artículo 251), la correcta protección de los bienes jurídicos afectados por conductas que la norma considera más graves, aconseja considerar que, por aplicación del principio de especialidad, será aplicable en primer lugar el artículo 250.1 y 2 (pena de 4 a 8 años de prisión y multa de 12 a 24 meses), cuando concurran las circunstancias previstas en él, es decir, la 1ª del artículo 250.1 junto con las previstas en los apartados 4º, 5º, 6º o 7º del mismo artículo. En segundo lugar, se aplicará el artículo 250.1 (pena de 1 a 6 años de prisión y multa de 6 a 12 meses) en caso de no concurrir de la forma expuesta las circunstancias antes referidas, pero apreciando la concurrencia de cualquiera de las circunstancias de este artículo 250.1. En tercer lugar, se aplicará el artículo 251 (pena de 1 a 4 años de prisión) cuando, no siendo aplicables los anteriores preceptos, concurran las circunstancias previstas en el mismo. De la misma forma será aplicable en los casos en que por las características de los hechos no sea aplicable el tipo general de la estafa, por no apreciarse la concurrencia del engaño. Y, finalmente, en cuarto lugar, serán aplicables los artículos 248 y 249 (pena de 6 meses a 3 años de prisión), cuando no sean aplicables los anteriores preceptos. De tal manera que la regulación de la estafa vendría constituida por un tipo básico y tres subtipos progresivamente agravados en atención a la gravedad de la conducta y a las necesidades de protección de los bienes jurídicos, de manera que, para resolver el concurso aparente de normas, es aplicable el principio de especialidad. En todo caso, si se reconocieran distintas especialidades sin posibilidad de optar por alguna de ellas de modo preferente, la aplicación del principio de alternatividad conduciría a la misma solución. En el caso, por lo tanto, al tratarse de una operación de compraventa de un inmueble destinado a vivienda habitual del comprador en la que la decisión de la compradora vino determinada por un engaño consistente en la ocultación de una carga por importe de más de 50.000 euros, puede apreciarse la concurrencia aparente del artículo 251.2°, inciso primero, con el artículo 248, 250.1, 1ª y 5ª, según la redacción actualmente vigente, y 250.2, todos del CP, por lo que la pena estaría comprendida entre 4 y 8 años de prisión, además de la multa de 12 a 24 meses, resultando aplicable este último precepto como consecuencia del principio de especialidad (artículo 8.1° CP), y, subsidiariamente, por aplicación del principio de alternatividad (artículo 8.4° CP). No resultan aplicables separadamente las agravaciones contempladas en los apartados 4° y 5°, pues, en el caso, la entidad del perjuicio solo viene determinada, según lo que resulta de los hechos probados, por el importe de la defraudación. Y tampoco resulta de aplicación la agravación prevista en el apartado 6°, pues no se aprecia abuso de unas relaciones personales inexistentes entre víctima y defraudadora, ni tampoco aparece descrito un aprovechamiento de la credibilidad empresarial o profesional de esta última. (Tol 8422164)

Art. 252.[439]

1. Serán castigados con las penas del artículo 248 o, en su caso, con las del artículo 250, los que teniendo facultades para administrar un patrimonio ajeno, emanadas de la ley, encomendadas por la autoridad o asumidas mediante un negocio jurídico, las infrinjan excediéndose en el ejercicio de las mismas y, de esa manera, causen un perjuicio al patrimonio administrado.

2. Si la cuantía del perjuicio patrimonial no excediere de 400 euros, se impondrá una pena de multa de uno a tres meses.

---

[439]   Se modifica el apartado 1 por la LO 14/2022, de 22 de diciembre.

STS 163/2016: La reforma por la LO 1/2015 es coherente con la más reciente doctrina jurisprudencial que establece como criterio diferenciador entre el delito de apropiación indebida y el de administración desleal, la disposición de los bienes con carácter definitivo en perjuicio de su titular (apropiación indebida), y el mero hecho abusivo de aquellos bienes en perjuicio de su titular pero sin pérdida definitiva de los mismos (administración desleal). En consecuencia, en la reciente reforma legal operada por la LO 1/2015, el art. 252 recoge el tipo de delito societario de administración desleal del art. 295 derogado, extendiéndolo a todos los casos de administración desleal de patrimonios en perjuicio de su titular, cualquiera que sea el origen de las facultades administradoras, extendiéndose, por su parte, el delito de apropiación indebida a los supuestos en los que el perjuicio ocasionado al patrimonio de la víctima consiste en la definitiva expropiación de sus bienes, incluido el dinero; conducta que antes se sancionaba en el art. 252 y ahora en el art. 253.

STS 49/2022: Una doble contabilidad sin mayores aditamentos no es ni conducta delictiva ni prueba de una administración desleal o de sustracciones dinerarias. Y cuando todos los socios, que conforman el cien por cien del capital social, consienten, expresa o implícitamente, gastos o inversiones o destinos a dar a los beneficios o fondos sociales no es viable configurar un fantasmagórico perjuicio del ente social, disgregado de sus titulares. Si cupiese semejante construcción (un delito patrimonial de enriquecimiento cometido de consuno por todos los socios en perjuicio exclusivo del ente social) habría que concluir que en todo reparto de beneficios convenido entre los titulares de una mercantil se estaría produciendo un fraude a la sociedad que se ve despojada de sus fondos. No cabe concebir una voluntad de la sociedad como algo absolutamente al margen de la voluntad de sus titulares (unánime o formada con arreglo a las reglas estatutarias con las mayorías requeridas en cada caso). Si todos los socios consentían esa irregularidad contable y el trasiego de fondos que el hecho probado insinúa aunque no concreta (¿de qué lugar del hecho probado sale la cuantía que los recurrentes fijan como perjuicio y montante de la apropiación?), no puede hablarse de administración desleal. Si todos los administradores actúan de acuerdo y, además, ellos mismos ostentan la titularidad íntegra de la administrada, es inviable tal delito: no cabe la auto-administración desleal, como no cabe la auto apropiación indebida, o el auto-hurto.

STS 56/2021: No hay cuestión tampoco sobre la posibilidad de aplicar la figura del delito continuado al delito de administración desleal. El delito de administración desleal se consuma con un solo acto abusivo en perjuicio de la sociedad. Si se realizan varios desplegados en el tiempo estaremos ante una infracción continuada. Por otra parte apropiación indebida y administración desleal son infracciones de naturaleza semejante a los efectos del art. 74 CP. Cabe agruparlas a través del mecanismo de la continuidad delictiva.

Art. 253.[440]

1. Serán castigados con las penas del artículo 248 o, en su caso, del artículo 250, salvo que ya estuvieran castigados con una pena más grave en otro precepto de este Código, los que, en perjuicio de otro, se apropiaren para sí o para un tercero, de dinero, efectos, valores o cualquier otra cosa mueble, que hubieran recibido en depósito, comisión, o custodia, o que les hubieran sido confiados en virtud de cualquier otro título que produzca la obligación de entregarlos o devolverlos, o negaren haberlos recibido.

2. Si la cuantía de lo apropiado no excediere de 400 euros, se impondrá una pena de multa de uno a tres meses.

STS 53/2022: En realidad, la reforma es coherente con la más reciente doctrina jurisprudencial que establece como criterio diferenciador entre el delito de apropiación indebida y el de administración desleal la disposición de los bienes con carácter definitivo en perjuicio de su titular (caso de la apropiación indebida) y el mero hecho abusivo de aquellos bienes en perjuicio

---

[440]   Se modifica el apartado 1 por la LO 14/2022, de 22 de diciembre.

de su titular, pero sin pérdida definitiva de los mismos (caso de la administración desleal). En consecuencia en la reciente reforma legal operada por la LO 1/2015, el artículo 252 recoge el tipo de delito societario de administración desleal del artículo 295 derogado, extendiéndolo a todos los casos de administración desleal de patrimonios en perjuicio de su titular, cualquiera que sea el origen de las facultades administradoras, y la apropiación indebida los supuestos en los que el perjuicio ocasionado al patrimonio de la víctima consiste en la definitiva expropiación de sus bienes, incluido el dinero, conducta que antes se sancionaba en el artículo 252 y ahora en el artículo 253. La admisión de la apropiación indebida de dinero siempre ha suscitado problemas doctrinales y jurisprudenciales, por su naturaleza fungible, pero sin entrar ahora en debates más complejos es necesario constatar que el Legislador ha zanjado la cuestión en la reforma operada por la LO 1/2015, de 30 de marzo, al mantener específicamente el dinero como objeto susceptible de apropiación indebida en el nuevo artículo 253 del Código Penal. Lo que exige la doctrina jurisprudencial para apreciar el delito de apropiación indebida de dinero es que se haya superado lo que se denomina el "punto sin retorno", es decir que se constate que se ha alcanzado un momento en que se aprecie una voluntad definitiva de no entregarlo o devolverlo o la imposibilidad de entrega o devolución.

STS 525/2016: No cualquier título que produzca la obligación de devolver o entregar es apto para integrar el delito de apropiación indebida; solo aquellos que habiendo transmitido la posesión, no transmiten a la vez el dominio (p. ej.: depósito, comisión, administración,…). Por ello, ni el préstamo o mutuo, ni el depósito irregular, por más que generen una obligación de devolver, darán nunca lugar a una infracción penal incardinable en el tipo de apropiación indebida. Autor ha de ser el poseedor, no el propietario. La primera condición para apropiarse de algo es no ser dueño. Respecto al contrato de arrendamiento de obra, solo cabría especular con una eventual apropiación indebida si se hubiese producido aportación de materiales por parte de los perjudicados, pero no es viable conformar tal tipo penal cuando el contratista está encargado por su cuenta y riesgo de acopiar los materiales. Por su parte, un arrendamiento de obra como base de una apropiación indebida a través de la modalidad de distracción, solo cabría a través de un tortuoso camino: cuando dentro de la cantidad recibida, se diferencia entre lo destinado específicamente a hacer acopio de los materiales que debían emplearse y el monto destinado específicamente a la retribución anticipada por el trabajo. Pero si el presupuesto es global y no discrimina entre cantidades destinadas a uno u otro concepto, porque en definitiva son los contratistas los obligados a recabar esos materiales, no importa a qué precio ni de qué forma, es imposible colmar la tipicidad del anterior art. 252, ni siquiera en la modalidad de distracción, ahora no explícita en el art. 253 actual. Nunca podrá constituir una apropiación indebida el incumplimiento de una obligación de hacer retribuida anticipadamente.

STS 360/2021: La jurisprudencia de esta Sala ha ido conectando aquellos títulos que permiten la comisión de este delito, aparte de los que recoge el art. 253: depósito, comisión o administración, concretamente: el mandato, la aparcería, el transporte, la prenda, el comodato, la compraventa con pacto de reserva de dominio (Acuerdo Pleno no Jurisdiccional de esta Sala Segunda de 3 de febrero de 2005), la sociedad, arrendamiento de cosas, de obras o servicios. Debiendo tenerse en cuenta que la jurisprudencia de esta Sala también ha declarado el carácter de "numerus apertus" del precepto, en el que caben, precisamente por el diseño abierto de la fórmula, aquellas relaciones jurídicas de carácter complejo y atípico que no encajan en ninguna de las categorías concretadas por la ley o el uso civil o mercantil.

STS 300/2020: Junto a la naturaleza del objeto del negocio jurídico, que no sería apto para configurar el delito de apropiación indebida, la entrega a través de la formalización de un contrato de permuta no obliga a devolver o restituir la cosa entregada (que debió ser y no es, dinero u otra cosa fungible) toda vez que tal contrato -como el de compraventa- produce un efecto traslativo del dominio, convirtiendo al adquirente de la cosa en dueño absoluto y legítimo de la misma, haciendo imposible la materialización del delito, pues mal puede apropiarse de algo quien ya es su propietario.

STS 494/2021: Es cierto que la jurisprudencia tradicional de esta Sala viene negando a la donación, en cuanto negocio jurídico traslativo del dominio, la condición de título hábil para hacer nacer el delito de apropiación indebida. Sin embargo, la doctrina proclamada con carácter tradicional, "...admite alguna modulación. Sobre todo cuando (...) no nos encontramos ante una donación pura y simple, sino ante lo que la doctrina civil denomina una "donación modal", es decir aquella en que se impone al donatario un modo, carga o gravamen que puede ser cualquier tipo de actuación o conducta, aún no evaluable económicamente, "un motivo, finalidad, deseo o recomendación o, en definitiva, el cumplimiento de una obligación como determinación accesoria de la voluntad del donante y precisa". Modalidad distinta de la donación condicional en cuanto que su efectividad no se hace depender de un suceso futuro o incierto, o de un suceso pasado que los interesados pudieran ignorar, sino de un modo o gravamen, cuyo incumplimiento atribuye al donante la facultad de revocar la donación. Sea como fuere, la dificultad para estimar que los hechos declarados probados son constitutivos de un delito de apropiación indebida por incumplimiento de una donación modal, no se deriva, por tanto, de la inidoneidad del título jurídico -donación modal- para integrar esa conducta, sino por la insuficiencia probatoria de la que se hace eco la propia Audiencia Provincial.

STS 139/2022: El contrato de cuenta en participación aparece regulado a continuación de las sociedades y antes de los contratos, como tránsito entre la compañía mercantil, que crea una personalidad jurídica, y la relación puramente contractual. Su objeto es, por un lado, la aportación o las aportaciones de un tercero, el cuenta-partícipe, al negocio de otro, el gestor, pudiendo las partes convenir, en el ejercicio de su autonomía negocial, si debe destinarse a todas las actividades o a una concreta. Y, por otro, la participación de ambos en sus resultados, prósperos o adversos, en la proporción que determinen. El otorgamiento de un contrato de esta naturaleza genera una serie de obligaciones entre el partícipe y el gestor. El primero, ha de realizar la aportación comprometida, debiéndose mantener al margen de la gestión del negocio que es asumida en exclusiva por el gestor, adquiriendo aquél el derecho a participar en los resultados de la operación que justifica la aportación dineraria. El gestor, por su parte, asume la obligación de aplicar los fondos aportados por el partícipe al fin pactado, adquiriendo la titularidad de los bienes y obligándose a rendir cuentas de los resultados del negocio suscrito. Por su parte, la idoneidad del contrato de cuentas en participación para generar el delito de apropiación indebida ha sido reiterada por este Tribunal en cuanto la recepción de la aportación por el gestor, aunque pueda serlo en concepto de dueño está sometida a un deber jurídico concreto: emplearlo en el negocio precisado en el contrato. De tal modo, el título de transmisión no es equiparable ni al préstamo mutuo ni al depósito irregular, sino al de administración, al de gestión, hasta el punto que el Código de Comercio denomina gestor al receptor. Es cierto, no obstante, que en el contrato de cuentas en participación las partes contratantes asumen los resultados de la gestión, sean estos favorables o desfavorables, lo que siempre comporta un ontológico riesgo económico. De ahí que la pérdida del capital entregado por el cuenta-partícipe, a consecuencia de la gestión realizada, no suponga, por sí, un incumplimiento del contrato. Pero no lo es menos que ese riesgo económico nada tiene que ver con el hecho de que el gestor, sin justificación alguna, frustre la gestión programada, desviando el capital recibido de la finalidad gestora que causalizó su entrega. Insistimos, lo que el cuenta-partícipe asume como riesgo es no recibir las ganancias previstas o deseadas, pero no que la fuente negocial de dichas futuras ganancias (o pérdidas) no llegue tan siquiera a iniciarse. La aportación del cuenta-partícipe no es a fondo perdido ni es un simple acto de financiación a un tercero que se obliga a su retorno con los correspondientes intereses. Responde a una causa negocial-económica singular por la que el gestor asume concretas obligaciones de gestión e inversión que resultan idóneas para obtener las ganancias proyectadas a repartir en la cuota que se pacte y que constituyen, a su vez, la causa económica de la aportación de los bienes o del capital por parte del cuenta-partícipe. Tanto la aportación como la gestión finalística forman parte del objeto negocial y del componente causal-oneroso del contrato de cuenta en participación. Y de ahí su idoneidad como título que puede dar lugar al delito de apropiación indebida pues impone un deber de lealtad por parte del gestor que se quebranta cuando, frustrado el negocio que justifica la aportación dineraria, no se procede a la rendición justificada de las cuentas y a la consiguiente devolución del dinero.

STS 318/2022: La pertenencia de los bienes gananciales a la sociedad, hace que cada uno de los cónyuges disponga de una propiedad diferida que no le faculta para disponer o distraer ningún bien de cualquier manera, sino conforme a los presupuestos y requisitos estipulados en el pacto o en la norma. Es la regulación de la sociedad de gananciales, como titular de los bienes, la que precisa en los artículos 1362 y ss. CC, las cargas y obligaciones a los que estos deben responder y cómo deben gestionarse por los cónyuges como administradores. De ahí que, si alguno dispone del bien o lo distrae en perjuicio de la sociedad y en beneficio propio, cometa un delito de apropiación indebida. Responsabilidad que no queda neutralizada porque el cónyuge pueda ostentar una titularidad diferida resultante de la liquidación. A esta idea nuclear respondió nuestro Acuerdo de Pleno no Jurisdiccional de 24 de junio de 2005 cuando afirmábamos: "El régimen de sociedad de gananciales no es obstáculo para la comisión del delito de apropiación indebida, en su modalidad de distracción, por uno de los cónyuges, sin perjuicio de la aplicación en su caso de la excusa absolutoria". La clave no reside en si el sujeto activo es propietario sino en la forma de gestión que se hace de esos bienes. En consecuencia, si uno de los cónyuges dispone de la totalidad del dinero depositado en régimen de sociedad de gananciales distrayendo todo el dinero depositado en las cuentas corrientes o en cualquier otro instrumento financiero de titularidad compartida, sin que responda al interés familiar ni contando con el consentimiento del otro cónyuge, en los términos exigidos por el artículo 1377 CC, se comete un delito de apropiación. Apropiarse del dinero compartido en una cuenta corriente de titularidad conjunta o respecto de la que solo existen facultades de disposición, integra el tipo. Encierra un acto de deslealtad frente al cotitular o frente a aquel que ha autorizado la disposición. Es cierto, no obstante, que cuando en los hechos declarados probados se describen actos cruzados de deslealtad, entendidos éstos como acciones unilaterales de disposición de fondos de una cuenta de titularidad conjunta, el juicio de tipicidad se desdibuja pues en estos supuestos surge la necesidad instrumental de un proceso previo de liquidación que defina la verdadera capacidad de disposición de aquel a quien se atribuye un acto expropiatorio del dinero u otra cosa fungible. Pues la imposibilidad de fijación de una cuantía líquida y exigible, puede alzar un obstáculo insalvable a la tipicidad del hecho, en la medida en que podría llegar a desdibujar la concurrencia del dolo y la existencia misma de ánimo de lucro. Pero no lo es menos, como también hemos establecido reiteradamente, que la necesidad de liquidación previa solo es exigible cuando sea procedente para determinar el saldo derivado de las operaciones de cargo y la fecha como resultado de las compensaciones posibles, pero no cuando se trata de operaciones perfectamente concretadas. Por ello, como afirmábamos en la STS 316/2020, de 15 de junio, la liquidación de cuentas pendientes como causa excluyente del dolo penal, "no es aplicable cuando se trata de relaciones perfectamente determinadas y separadas, exigiéndose la justificación del crédito por parte del acusado, si este pretende una previa liquidación de cuentas, ha de indicar la existencia de algún posible crédito en su favor o de una posible deuda a cargo del perjudicado, no bastando con meras referencias genéricas o inconcretas". De tal modo, "no hay dificultad dogmática alguna para que convivan apropiación indebida y relaciones económicas complejas y no finiquitadas pendientes de aclarar cuentas y deudas y créditos recíprocos. Es una cuestión de prueba".

STS 280/2022: Es obvio, por tanto, que la ejecución provisional de la condena dineraria no solo supone que el ejecutado ponga a disposición del ejecutante la cantidad adeudada, sino que este la reciba, como si se tratara de la ejecución definitiva, como efectivo pago de la obligación, sin perjuicio del efecto "resolutorio" que pueda derivarse de la revocación posterior de la sentencia. Momento en que se activan las garantías institucionales que la LEC también reconoce al derecho del hasta ese momento ejecutado a ser reintegrado por el ejecutante provisional de todo lo que la sentencia que resuelve el recurso declara indebidamente percibido, más los intereses devengados desde la fecha de la ejecución, así como las costas que el antes ejecutado hubiera satisfecho. Título de recepción que excluye, en términos ontológicos, el delito de apropiación indebida en caso de que revocada la sentencia dicha cantidad no se devuelva. El legislador, en el ejercicio de su libertad configurativa, ha descartado establecer en el proceso civil de ejecución provisional de condenas pecuniarias cautelas de aseguramiento de la devolución en caso de revocación. Como también ha prescindido de proteger penalmente, mediante el tipo de apropiación indebida, la no devolución de la cantidad recibida como préstamo -lo que sí se contempla, por ejemplo, en los artículos 59 de la Ley de Hipoteca Mobiliaria y Prenda sin Desplazamiento de Posesión y 12 de la Ley de Venta de Bienes Muebles a Plazos, en los que se establece un particular reenvío al delito de apropiación indebida-. Voluntad expresa que no puede ser suplida mediante una interpretación de los elementos objetivos del tipo que suponga la extensión de su significado, sacrificando o desplazando el sentido que se decanta de una interpretación textual, contextual y sistemática de aquellos. En el caso, el tribunal de instancia, atribuyendo a la entrega del dinero consecuente a la ejecución provisional de la sentencia un alcance obligacional condicionado no previsto en la norma, y otorgando a dicha ejecución la condición de título hábil para integrar el elemento objetivo del delito de apropiación indebida, traspasó claramente los límites interpretativos que le vinculaban.

STS 65/2016: La comisión o mandato mercantil cuando es una comisión de venta, da lugar al delito de apropiación indebida, tanto si el apoderamiento se produce respecto del dinero recibido de la venta, como si lo apropiado es la propia cosa recibida para ser vendida.

STS 244/2016: El leasing o arrendamiento financiero es un título apto para que pueda cometerse, sobre tal obligación de devolver el bien arrendado, un delito de apropiación indebida.

Acuerdo no jurisdiccional del pleno de la Sala 2ª del TS de 23 de mayo de 2017: 1. En caso de cantidades anticipadas a los promotores para la construcción de viviendas, el mero incumplimiento, por sí solo, de las obligaciones previstas en las Disposición Adicional Primera de la Ley 38/1999, de 5 de noviembre, de Ordenación de la Edificación, en la redacción dada por la Ley 20/2015, de 14 de julio, consistentes en garantizar mediante un seguro la devolución de dichas cantidades para el caso de que la construcción no se inicie o no llegue a buen fin, y de percibir esas cantidades a través de cuenta especial en entidades de crédito, no constituye delito de apropiación indebida. 2. Cuando las cantidades entregadas no se hayan destinado a la construcción de las viviendas comprometidas con los adquirentes, podrá apreciarse un delito de estafa si concurren los elementos del tipo, entre ellos un engaño determinante del acto de disposición, o bien un delito previsto en los artículos 252 o 253 CP si concurren los elementos de cada tipo.

STS 321/2019: Este Acuerdo ha sido objeto de posteriores pronunciamientos que han confirmado el criterio unánime de la Sala, debiéndose citar por su claridad la STS 406/2017, de 5 de junio. En la sentencia citada y después de hacer un extenso recorrido sobre la los distintos pronunciamientos jurisprudenciales de esta Sala en torno a la interpretación del artículo 6 de la Ley 57/1968 , poniéndolo en relación con la Ley Orgánica 10/1995, que dio nueva redacción al Código Penal, y con la Ley 38/1999, de 5 de noviembre, de Ordenación de la Edificación (LOE), se razona el criterio adoptado por unanimidad en el Acuerdo no Jurisdiccional a que acabamos de hacer referencia y se concluye con la siguiente doctrina: "La jurisprudencia mayoritaria ha seguido entendiendo que el delito de apropiación indebida, en la modalidad de distracción, exige que se dé al dinero recibido un destino distinto del que impone el título de recepción, que pretende ser definitivo y que, en el ámbito probatorio, se valora como tal al superar el llamado punto de no retorno. Cuando se trata, pues, de cantidades anticipadas al promotor para la construcción de viviendas, el destino de esas cantidades es, precisamente, la construcción, aunque la ley imponga unas medidas de aseguramiento y garantía a cargo de aquel y en beneficio de los adquirentes. Medidas cuyo incumplimiento tiene previstas sanciones de tipo administrativo, contempladas en la Disposición Adicional Primera de la Ley de Ordenación de la Edificación, en la redacción dada actualmente por la Ley 20/2015. Pero solamente es apreciable un delito de apropiación indebida cuando el promotor haga suyas las cantidades recibidas, no empleándolas en la construcción de las viviendas, que era la finalidad pactada y la única que autorizan la ley y el contrato, sin perjuicio de que, como ocurre con cualquier otro caso de apropiación indebida, no sea preciso demostrar cuál fue el destino concreto de esas cantidades, bastando con probar que no se destinaron a la construcción de las viviendas".

STS 24/2020: No se trata de dilucidar si cabe condenar por apropiación indebida cuando hay una liquidación de cuentas pendiente. No es ese un tema sustantivo. No hay dificultad dogmática alguna para que convivan apropiación indebida y relaciones económicas complejas y no finiquitadas pendientes de aclarar cuentas y deudas y créditos recíprocos. Es una cuestión de prueba. Es perfectamente imaginable y los repertorios dan buena muestra de ello, una apropiación indebida en el contexto de ese tipo de relaciones que aguardan una liquidación y aclaración de las cuentas, para precisar débitos y créditos recíprocos y establecer las compensaciones que procedan. Singularmente es ello posible cuando el autor se embolsa cantidades muy por encima de las que le corresponderían o realiza actuaciones que por su clandestinidad o mecánica o morfología fraudulenta revelan de forma inequívoca ese ánimo de apoderamiento de lo que corresponde al principal, o a la entidad administrada, o al cosocio.

STS 122/2016: Figurar como titular formal o autorizado en una cuenta corriente, no condiciona el título real por el que se ostentan facultades de disposición o administración sobre los fondos. Por eso, aunque exista capacidad de disposición sobre los fondos de la cuenta corriente, puede existir apropiación indebida si son de titularidad ajena o no se estaba autorizado a emplearlos en beneficio propio. Desde el momento de la disolución y liquidación de los gananciales, esos fondos quedaban afectos al pago al cónyuge de su mitad de gananciales. Desviar los fondos sobre los que ya era mera administradora para incorporarlos al patrimonio propio, es delito de apropiación indebida.

STS 150/2018: La jurisprudencia de esta Sala ha considerado reiteradamente que la relación profesional entablada por un Letrado en ejercicio con su cliente se encuadra en el arrendamiento de servicios, título que no da lugar a la comisión de un delito de apropiación indebida cuando el profesional que ha recibido una cantidad en concepto de provisión de fondos como parte de sus honorarios no cumple el encargo recibido. Pues las cantidades recibidas en ese concepto lo han sido como pago anticipado de sus servicios, por lo que las hace legítimamente suyas aunque se produzca un incumplimiento contractual, que podría dar lugar, en su caso, a un delito de deslealtad profesional o a una obligación civil de reintegro. Por otro lado, en ocasiones, la entrega de cantidades en concepto de provisión de fondos puede tener como finalidad anticipar el pago de parte de los honorarios o bien atender a gastos concretos por gestiones encargadas al Letrado. En este segundo caso, se apreciará un delito de apropiación indebida si el Letrado, en lugar de destinarlas a la finalidad pactada las hace suyas. Del mismo modo cuando aplica a sus honorarios lo que ha recibido de un órgano jurisdiccional o de terceros para entregarlo a su cliente. Pues, en estos casos es un gestor de dinero ajeno, mientras que en aquellos recibe un pago por sus servicios, de forma que lo hace legítimamente propio.

Art. 254.

1. Quien, fuera de los supuestos del artículo anterior, se apropiare de una cosa mueble ajena, será castigado con una pena de multa de tres a seis meses. Si se tratara de cosas de valor artístico, histórico, cultural o científico, la pena será de prisión de seis meses a dos años.

2. Si la cuantía de lo apropiado no excediere de 400 euros, se impondrá una pena de multa de uno a dos meses.

STS 502/2021: Los elementos de tal delito, son: 1) un acto de apropiación, que lo será de incorporación al patrimonio del sujeto activo del delito, en modo alguno un acto de distracción; tampoco lo será el simple uso de una cosa mueble ajena, que le puede venir otorgado por cualquier título jurídico legítimo; 2) que el objeto sobre el que recaiga lo sea una cosa mueble ajena, que será interpretada conforme al Código Civil (arts. 335 y siguientes), de manera que lo será el dinero, efectos o valores o cualquier otra cosa mueble, conforme a una interpretación sistemática de este precepto con el anterior; 3) que el título por el cual el sujeto tenga la posesión de tal cosa mueble ajena no sea alguno de los que justifican la aplicación del art. 253 del Código Penal. Desde esta perspectiva, la LO 1/2015 engloba en la tipología del nuevo art. 254, conductas anteriores tales como la apropiación de cosa perdida o de dueño desconocido (art. 253), o la recepción indebida por error del transmitente de dinero o alguna otra cosa mueble, o niegue haberla recibido, o comprobado el error, no proceda a su devolución (art. 254). En suma, el tipo comentado se configura así como un tipo residual o subsidiario (art. 8.2 del Código Penal) respecto a la estricta apropiación indebida, ahora alojada en el art. 253 del Código Penal, de manera que cuando el título jurídico que justifica la posesión no puede entenderse englobado en su tipología, por lo demás, bastante abierta, conforme a la tradición jurisprudencial de "numerus apertus" en la descripción de los títulos que posibilitaban la apropiación indebida, se aplicará este nuevo delito -el art. 254- cuando el autor se apropiare de una cosa mueble que no le pertenezca.

STS 119/2021: La figura penal guarda estrecha relación con el cuasicontrato de los arts. 1895 y siguientes del Código civil, siendo preciso delimitar el contenido del injusto correspondiente al tipo penal que permita la delimitación del cuasicontrato y de la figura penal. Este radica en la voluntad de apropiación, en la voluntad de haberlo como propio, el dinero o bien mueble erróneamente recibido, en definitiva de incorporarlo al patrimonio de forma definitiva. Como delito patrimonial la consumación del delito se produce en el momento de la incorporación al patrimonio, pero como el tipo penal admite la posibilidad de que el ingreso pueda ser inadvertido por el titular de la cuenta, en el supuesto de ingresos erróneos en cuenta corriente, la consumación se produce cuando se niega a devolverlo o cuando, advertido del error existente no procede a su devolución.

Art. 255.

1. Será castigado con la pena de multa de tres a doce meses el que cometiere defraudación utilizando energía eléctrica, gas, agua, telecomunicaciones u otro elemento, energía o fluido ajenos, por alguno de los medios siguientes:

1.º Valiéndose de mecanismos instalados para realizar la defraudación.

2.º Alterando maliciosamente las indicaciones o aparatos contadores.

3.º Empleando cualesquiera otros medios clandestinos.

2. Si la cuantía de lo defraudado no excediere de 400 euros, se impondrá una pena de multa de uno a tres meses.

STS 787/2022: La vigencia histórica de este precepto se explica -como justifica la doctrina- por la necesidad de crear un tipo específico, diferenciado de los delitos de robo y hurto por el objeto material sobre el que recae la acción típica, que ya no es una cosa corporal sino un fluido, una corriente energética que, debidamente manipulada, genera un beneficio para el autor. Y ha sido sistemáticamente ubicado entre las defraudaciones debido a las dificultades técnicas -ya superadas legalmente- para admitir el engaño característico de la estafa cuando no se dirige a una persona sino al dispositivo que dispensa la entrega que permite la obtención del beneficio. Es cierto, por tanto, que existen puntos de coincidencia en la porción típica abarcada por los arts. 248.2 y 255 del CP. Sin embargo, la Sala entiende que en el presente caso, prima la maquinación insidiosa para la obtención de un lucro -que llegó a ascender a 72.538 euros- frente a la obtención de una prestación gratuita del servicio de telecomunicación. El acusado, en efecto, no se limitaba a disfrutar sin contraprestación de los servicios de telefonía que ofrece una determinada operadora, no maquinaba para eludir el pago de las facturas que genera ese consumo. Su objetivo no era consumir sin coste el fluido que hace posible la comunicación telefónica bidireccional, sino incrementar su patrimonio a costa, no sólo de la entidad que ofrece esos servicios, que se veía obligada a abonar ingentes cantidades de llamadas a líneas de tarificación adicional, sino de otros usuarios de líneas telefónicas que también manipulaba. Dicho con consciente simpleza: el acusado no quería ahorrarse las llamadas "...valiéndose de mecanismos instalados para realizar la defraudación". Buscaba su propio enriquecimiento mediante el empleo de un sofisticado acceso a las cajas terminales o armarios exteriores de distribución de Telefónica S.A. logrando así realizar ingentes cantidades de llamadas a tres concretas líneas de tarificación adicional con prefijo 803, generando así un perjuicio que se proyectaba en una doble dirección al afectar a la operadora y a los titulares de líneas telefónicas usadas fraudulentamente. Por consiguiente, es correcta la aplicación del art. 248.2, frente al art. 255 del CP, en aquellas ocasiones en que la acción defraudatoria va más allá del deseo de obtener sin coste una prestación de energía eléctrica, gas, agua o de telecomunicaciones, esto es, cuando el origen de la defraudación mira a la obtención de un beneficio patrimonial que no se contenta con el disfrute gratuito de una prestación, sino que encierra una estrategia encaminada a valerse de un sofisticado engaño capaz de reportar ganancias añadidas que nada tienen que ver con el disfrute propio de esos fluidos.

Art. 257.

1. Será castigado con las penas de prisión de uno a cuatro años y multa de doce a veinticuatro meses:

1.º El que se alce con sus bienes en perjuicio de sus acreedores.

2.º Quien con el mismo fin realice cualquier acto de disposición patrimonial o generador de obligaciones que dilate, dificulte o impida la eficacia de un embargo o de un procedimiento ejecutivo o de apremio, judicial, extrajudicial o administrativo, iniciado o de previsible iniciación.

2. Con la misma pena será castigado quien realizare actos de disposición, contrajere obligaciones que disminuyan su patrimonio u oculte por cualquier medio elementos de su patrimonio sobre los que la ejecución podría hacerse efectiva, con la finalidad de eludir el pago de responsabilidades civiles derivadas de un delito que hubiere cometido o del que debiera responder.

3. Lo dispuesto en el presente artículo será de aplicación cualquiera que sea la naturaleza u origen de la obligación o deuda cuya satisfacción o pago se intente eludir, incluidos los derechos económicos de los trabajadores, y con independencia de que el acreedor sea un particular o cualquier persona jurídica, pública o privada.

No obstante lo anterior, en el caso de que la deuda u obligación que se trate de eludir sea de Derecho público y la acreedora sea una persona jurídico pública, o se trate de obligaciones pecuniarias derivadas de la comisión de un delito contra la Hacienda Pública o la Seguridad Social, la pena a imponer será de prisión de uno a seis años y multa de doce a veinticuatro meses.

4. Las penas previstas en el presente artículo se impondrán en su mitad superior en los supuestos previstos en los numerales 5.º o 6.º del apartado 1 del artículo 250.

5. Este delito será perseguido aun cuando tras su comisión se iniciara un procedimiento concursal.

> STS 194/2018: Hemos dicho que el delito de alzamiento de bienes es un delito de mera actividad o de riesgo que se consuma desde que se produce una situación de insolvencia, aun parcial de un deudor, provocada con el propósito en el sujeto agente de frustrar legítimas esperanzas de cobro de sus acreedores depositadas en los bienes inmuebles o muebles o derechos de contenido económico del deudor. Los elementos de este delito son: 1º) existencia previa de crédito contra el sujeto activo del delito, que pueden ser vencidos, líquidos y exigibles, pero también es frecuente que el defraudador se adelante en conseguir una situación de insolvencia ante la conocida inminencia de que los créditos lleguen a su vencimiento, liquidez o exigibilidad, porque nada impide que, ante la perspectiva de una deuda, ya nacido, pero todavía no ejercitable, alguien realice un verdadero y propio alzamiento de bienes; 2º) un elemento

dinámico que consiste en una destrucción u ocultación real o ficticia de sus activos por el acreedor. Por ello ha de incidirse en la estructura totalmente abierta a la acción delictiva, ya que la norma tipifica el "realizar" cualquier acto de disposición patrimonial o generador de obligaciones" art. 257.1.2, de ahí que la constitución de un préstamo hipotecario, no parece razonable entender que no implique de por sí una reducción del patrimonio sino sólo la obligación de su cumplimiento, pudiéndose sólo hablar de disminución, cuando, producido el impago del préstamo, se hubiera ejecutado el bien que garantizaba la deuda, pues parece evidente que, según el concepto económico jurídico del patrimonio que sigue la jurisprudencia y la doctrina, el contraer una obligación hipotecaria si disminuye de forma sustancial el valor de su patrimonio; 3°) resultado de insolvencia o disminución del patrimonio del delito que imposibilita o dificulta a los acreedores el cobro de lo que les es debido; y 4°) un elemento tendencial o ánimo específico en el agente de defraudar las legítimas expectativas de los acreedores de cobrar sus créditos. Elemento subjetivo del sujeto o ánimo de perjudicar a los acreedores.

STS 823/2021: La constante doctrina de esta Sala dice que "la expresión en perjuicio de sus acreedores" que hoy reitera el artículo 257.1° del Código Penal, ha sido siempre interpretada por la doctrina de esta Sala, no como exigencia de un perjuicio real y efectivo en el titular del derecho de crédito, sino en el sentido de intención del deudor que pretende salvar algún bien o todo su patrimonio en su propio beneficio o en el de alguna otra persona allegada, obstaculizando así la vía de ejecución que podrían seguir sus acreedores. Como resultado de este delito, no se exige una insolvencia real y efectiva, sino una verdadera ocultación o sustracción de bienes que sea un obstáculo para el éxito de la vía de apremio. Y por eso las sentencias de esta Sala, que hablan de la insolvencia como resultado del alzamiento de bienes, siempre añaden los adjetivos total o parcial, real o ficticia. Por ello, para la consumación del delito no es necesario que el deudor quede en una situación de insolvencia total o parcial, basta con una insolvencia aparente, consecuencia de la enajenación real o ficticia, onerosa o gratuita de los propios bienes o de cualquier actividad que sustraiga tales bienes al destino solutorio al que se hallen afectos porque no es necesario en cada caso hacerle la cuenta al deudor para ver si tiene o no más activo que pasivo, lo cual no sería posible en muchos caos precisamente por la actitud de ocultación que adopta el deudor en estos supuestos. Desde luego no se puede exigir que el acreedor, que se considera burlado por la actitud de alzamiento del deudor, tenga que ultimar el procedimiento de ejecución de su crédito hasta realizar los bienes embargados, ni menos aún que tenga que agotar el patrimonio del deudor embargándole uno tras otro todos sus bienes para, de este modo, llegar a conocer su verdadera y real situación económica.

STS 896/2021: El fundamento de la agravación debe encontrarse en la estructura del injusto modalizando el elemento subjetivo que acompaña al tipo básico del artículo 257.1 CP - en perjuicio de sus acreedores-, al que se remite, como norma de integración, el propio artículo 257.3 CP. De tal modo, para la aplicación del subtipo agravado deberá exigirse la acreditación de un especial o prevalente ánimo de perjudicar al acreedor persona jurídica pública. Una intención cualificada y prioritaria de obstaculizar la posible ejecución de la deuda específica de derecho público. Lo que coliga mejor no solo con las exigencias de correspondencia material entre el mayor reproche que se deriva y los específicos indicadores de mayor desvalor y culpabilidad sino, también, con el propio tenor literal de la norma en la que se establece como presupuesto de agravación que la deuda de derecho público sea la "que se trate de eludir". Esto es, que el plan de acción gire de manera exclusiva o, al menos, muy preponderante sobre el fin de elusión de deudas de dicha naturaleza.

STS 635/2021: Según se ha expuesto en diferentes sentencias de esta Sala el tipo penal de alzamiento de bienes (art. 257 CP) no recoge en el texto legal el requisito de que el alzamiento se realice en un solo acto dispositivo, de tal modo que cada conducta aislada de disposición de uno de sus bienes realizada por el agente con ánimo de defraudar las expectativas de cobro por sus acreedores constituya un nuevo delito de alzamiento. Al contrario, el empleo de la palabra "bienes" en plural permite comprender que se trate de disponer de varios bienes diferentes mediante actos realizados en distintas ocasiones o momentos, e incluso será frecuente que así sea, pero todos ellos determinados y agrupados con la misma finalidad defraudatoria para personas en las que concurra la circunstancia de que sean acreedoras del que con sus bienes se alce. De esta forma, todos los actos con finalidad de alzamiento realizados por una persona en perjuicio de los acreedores constituyen un solo y único delito de alzamiento de bienes, porque la estructura de tal delito se refiere a una actuación plural/global que absorbe los hechos aislados realizados todos con una común finalidad defraudatoria, lo que excluye también la posibilidad de aplicar la figura del delito continuado.

STS 680/2019: Cuando el art. 257 se remite al art. 250.1.5º CP hay que entender por valor de lo defraudado no el total del importe de la deuda, sino el perjuicio causado como consecuencia del alzamiento. Si alguien, v.gr., oculta 2.000 euros de su patrimonio (o un efecto con ese valor) para eludir su embargo con motivo de una deuda por importe de 100.000 euros, lo defraudado a efectos de la aplicación de ese novedoso subtipo agravado del delito de alzamiento no será el total de la deuda, sino el total de lo ocultado, de los bienes alzados.

STS 136/2015: La responsabilidad civil por los delitos de alzamiento de bienes, suele limitarse ordinariamente a la anulación de los negocios jurídicos fraudulentos, para reintegrar al patrimonio los bienes sustraídos; pero existen supuestos en los que la anulación no es viable, procediendo en tales casos declarar otra responsabilidad civil, cuando legítimamente quepa deducir del delito de alzamiento de bienes unos perjuicios directamente anudables al mismo.

STS 711/2022: Tales figuras delictivas tienen un carácter absolutamente heterogéneo en cuanto son diferentes los requisitos que requieren para su comisión. Aun cuando ambos son delitos contra el patrimonio, incluidos en el mismo Título del Código Penal, el delito de insolvencia punible previsto en el art. 257.1.1º CP consiste, en esencia, en una maniobra de ocultación a través de la cual el deudor consigue mantener el control sobre sus bienes sustrayéndolos de sus responsabilidades frente a los acreedores, mientras que los delitos de apropiación indebida y administración desleal suponen una distracción por parte del poseedor legítimo de dinero o de la cosa mueble ajenos (apropiación indebida) o por parte del administrador respecto de los bienes sociales que tiene a su alcance (administración desleal). Se trata de conductas diferentes en cuanto a los elementos objetivos y subjetivos que las integran y que por ello requieren un tratamiento totalmente distinto.

Art. 263.

1. El que causare daños en propiedad ajena no comprendidos en otros títulos de este Código, será castigado con multa de seis a veinticuatro meses, atendidas la condición económica de la víctima y la cuantía del daño.

Si la cuantía del daño causado no excediere de 400 euros, se impondrá una pena de multa de uno a tres meses.

2. Será castigado con la pena de prisión de uno a tres años y multa de doce a veinticuatro meses el que causare daños expresados en el apartado anterior, si concurriere alguno de los supuestos siguientes:

1.º Que se realicen para impedir el libre ejercicio de la autoridad o como consecuencia de acciones ejecutadas en el ejercicio de sus funciones, bien se cometiere el delito contra funcionarios públicos, bien contra particulares que, como testigos o de cualquier otra manera, hayan contribuido o puedan contribuir a la ejecución o aplicación de las Leyes o disposiciones generales.

2.º Que se cause por cualquier medio, infección o contagio de ganado.

3.º Que se empleen sustancias venenosas o corrosivas.

4.º Que afecten a bienes de dominio o uso público o comunal.

5.º Que arruinen al perjudicado o se le coloque en grave situación económica.

6.º Se hayan ocasionado daños de especial gravedad o afectado a los intereses generales.

STS 333/2021 (Pleno): El tipo penal del art. 263 del Código
Penal, el delito de daños, describe como conducta típica la causación de daños en propiedad ajena. Es un tipo residual, pues la
propia redacción refiere la tipicidad en el delito respecto a los
causados no comprendidos en otros títulos del Código Penal.
La escasa redacción típica ha sido objeto de una reiterada interpretación por la jurisprudencia de entre la que destacamos
los hitos principales: el objeto material es una cosa mueble o
inmueble, material y económicamente evaluable, susceptible de
deterioro o de destrucción y de ejercicio de la propiedad; la
conducta típica consiste en la destrucción, deterioro o inutilización con menoscabo de la sustancia del bien; son posibles todos
los medios de comisión, aunque alguno de ellos sean objeto de
especial agravación en el art. 264 del Código Penal; la configuración del tipo orientado a la prohibición del resultado, hace
perfectamente posible la comisión por omisión, y el resultado
se produce por la destrucción, deterioro o menoscabo, siendo
factible cualquier forma de tentativa. En consecuencia, el elemento objetivo de este tipo básico es causar un daño en propiedad ajena (no comprendido en otros títulos). En la conceptuación del daño suele considerarse la destrucción, la inutilización,
el deterioro o el menoscabo de una cosa. El elemento subjetivo
del delito de daños es el dolo, sin que se exija ninguna especificidad y caben en sus formas de comisión, el dolo de segundo
grado y el dolo eventual. Existe el delito de daños, aunque el
culpable no busque directamente la causación de los daños. El
objeto de la acción es siempre una cosa y el resultado es, como
se ha señalado, la destrucción, equivalente a la pérdida total
de su valor; la inutilización, que supone la desaparición de sus
cualidades y utilidades; el deterioro, que supone la pérdida de
su funcionalidad; o el menoscabo de la cosa misma, que consiste en su destrucción parcial, un cercenamiento de la integridad,
o una pérdida de valor de la cosa. Al tratarse de un delito patrimonial, el resultado debe comprender su evaluación económica
debidamente tasada en la causa. Desde una interpretación lógica, la acción de pintar la fachada, y la puerta, de una vivienda
que produce un daño en el bien que lo recibe, se subsume el
delito de daños que requiere un desembolso económico para

su reparación. El bien ha sido dañado en su configuración física, estética y funcional. Por otra parte, difícilmente podría afirmarse que la puerta y fachada "embadurnada" no ha sido dañada y deteriorada, si es precisa una reparación evaluada económicamente para su recuperación en el estado en el que su propietario lo tenía. El deslucimiento de un bien que implique una pérdida de su valor o suponga una necesidad de reparación evaluable económicamente, ha de ser reconducido al delito de daños. La desaparición de la falta no implica la despenalización de la conducta, y así lo expresa la Exposición de Motivos de la reforma de 2015. Estamos en presencia de dos conductas homogéneas, de manera que despenalizada la conducta del art. 626 CP, que constituía un precepto penal especial, al contemplar supuestos en los que el resultado básico solo requería de labores de limpieza, la conducta puede encuadrarse en el delito de daños si resultan perjuicios patrimoniales y será en función de su cuantía la que llevará a la aplicación del delito o del delito leve. (Tol 8422293)

STS 628/2018: La jurisprudencia de esta Sala ha considerado que en el delito de daños el objeto es siempre una cosa y el resultado, la destrucción equivalente a la pérdida total de su valor, la inutilización, que supone la desaparición de sus cualidades y utilidades, o el menoscabo de la cosa misma que consiste su destrucción parcial, o un cercenamiento de su integridad. Este criterio es también el que hemos empleado para la valoración de los efectos objeto del delito de hurto. En consecuencia, el valor de lo sustraído, en establecimiento comerciales, es el precio de venta al público que debe interpretarse como la cantidad que debe abonarse para su adquisición, cifra que habitualmente se exhibe en el etiquetado de la mercancía, comprensiva, sin desglosar, las costas de producción y distribución del bien, los márgenes de beneficio de los sucesivos intervinientes en la cadena de producción y los tributos y aranceles que lo hayan gravado directa o indirectamente, con inclusión del Impuesto del Valor Añadido (IVA) en el territorio de su aplicación (península y Baleares) el impuesto General Indirecto Canario (IGIG), en las Islas Canarias y el impuesto sobre la Producción, los Servicios y las Importaciones (IPSI) en las ciudades de Ceuta y

Melilla. En el caso, el importe de los daños es el importe del juicio de reposición, incluyendo el importe de los impuestos y excluyendo los gastos derivados de la reparación que sí integra la responsabilidad civil.

STS 92/2022 (Pleno): El legislador penal al señalar la agravación no la refiere exclusivamente a la titularidad pública, por título dominical o por afectación, de un concreto bien, sino que lo referencia, como alternativa al dominio, al uso público o comunal. Esa alternativa permite ampliar la protección a los bienes que son destinados al cumplimiento de las competencias públicas, siendo indiferente que ese desarrollo de una competencia esencial la realice la Entidad Local o una empresa concesionaria, pues se trata de una opción de gestión de una competencia pública. Lo relevante es el destino del bien, el uso público o comunal, sobre el que recae la acción dirigida por la causación de daños. La elección del contenedor no es casual, sino elegida para perjudicar el servicio público que desarrolla. La previsión normativa es clara, en orden a la naturaleza pública del servicio que el objeto incendiado presta. Lo relevante de cara a la concurrencia del tipo agravado no es tanto la titularidad, pública o privada del contenedor, que la sentencia considera de titularidad privada de la empresa concesionaria, sino la afectación a la prestación al servicio público de la recogida de residuos cumpliendo así una previsión legal que califica de competencia esencial de la Administración Local. Desde la perspectiva expuesta, el contenedor sobre el que se realiza una acción de destrucción, que aparece dispuesto para la recogida de residuos, en el desarrollo de una competencia que el ordenamiento jurídico atribuye a la Administración tiene la consideración de bien de uso público o comunal y rellena la tipicidad del art. 263.2.4 del Código Penal. (Tol 8803737)

Art. 264.

1. El que por cualquier medio, sin autorización y de manera grave borrase, dañase, deteriorase, alterase, suprimiese o hiciese inaccesibles datos informáticos, programas informáticos o documentos

electrónicos ajenos, cuando el resultado producido fuera grave, será castigado con la pena de prisión de seis meses a tres años.

2. Se impondrá una pena de prisión de dos a cinco años y multa del tanto al décuplo del perjuicio ocasionado, cuando en las conductas descritas concurra alguna de las siguientes circunstancias:

1.ª Se hubiese cometido en el marco de una organización criminal.

2.ª Haya ocasionado daños de especial gravedad o afectado a un número elevado de sistemas informáticos.

3.ª El hecho hubiera perjudicado gravemente el funcionamiento de servicios públicos esenciales o la provisión de bienes de primera necesidad.

4.ª Los hechos hayan afectado al sistema informático de una infraestructura crítica o se hubiera creado una situación de peligro grave para la seguridad del Estado, de la Unión Europea o de un Estado Miembro de la Unión Europea. A estos efectos se considerará infraestructura crítica un elemento, sistema o parte de este que sea esencial para el mantenimiento de funciones vitales de la sociedad, la salud, la seguridad, la protección y el bienestar económico y social de la población cuya perturbación o destrucción tendría un impacto significativo al no poder mantener sus funciones.

5.ª El delito se haya cometido utilizando alguno de los medios a que se refiere el artículo 264 ter.

Si los hechos hubieran resultado de extrema gravedad, podrá imponerse la pena superior en grado.

3. Las penas previstas en los apartados anteriores se impondrán, en sus respectivos casos, en su mitad superior, cuando los hechos se hubieran cometido mediante la utilización ilícita de datos personales de otra persona para facilitarse el acceso al sistema informático o para ganarse la confianza de un tercero.

STS 220/2020: La gravedad se adueña de la descripción del tipo básico y de los tipos agravados. No basta con que el resultado sea grave, lo ha de ser también la acción de borrar, dañar, deteriorar, alterar, suprimir o hacer inaccesible el sistema o los datos que éste incorpora. No es fácil modular la gravedad de una acción sin la referencia que proporciona su resultado que, al exigirlo el legislador, ha de ser también grave. Se trata pues, de una gravedad encadenada, acumulativa, que no siempre podrá afirmarse sin dificultad. Una manipulación limitada al simple pulsado de varias teclas y comandos puede propiciar daños informáticos de especial gravedad y que conduzcan a la inutilización del sistema. En tales casos, la levedad de la acción tendrá como punto de contraste la gravedad del resultado, suscitando fundadas dudas acerca de su tipicidad. Por si fuera poco, el apartado 2 del mismo art. 264 construye un tipo agravado para el caso en que los daños hayan sido "de especial gravedad" y el apartado 5 del mismo precepto incluye un tipo hiperagravado si "... los hechos hubieran resultado de extrema gravedad". La primera conclusión a la que conduce el análisis del tipo es que los daños informáticos son atípicos cuando el resultado -en su descripción más básica- no es grave. Es cierto que se trata de un concepto normativo que habrá de ser fijado sin aferrarnos a un criterio puramente cuantitativo que lleve, por ejemplo, a entender que esa gravedad, cuando no alcanza la frontera de los 400 euros, carece de relevancia típica. Se trata de una gravedad por el daño funcional que entorpece el sistema operativo. La constatación de ese daño será evidente, claro es, cuando sea imposible recuperar la plena operatividad del sistema. También podrá entenderse que se alcanza la gravedad típica -con inspiración en la Circular de la Fiscalía General del Estado núm. 3/2017- en supuestos en los que el retorno operativo del sistema exija grandes esfuerzos de dedicación técnica y económica. No existe obstáculo conceptual para apreciar un tipo de imperfecta ejecución, pero para ello es indispensable, como impone el art. 16.1 del CP, que el autor dé principio "...a la ejecución del delito directamente por hechos exteriores, practicando todos o parte de los actos que objetivamente deberían producir el resultado, y sin embargo éste no se produce por causas independientes de la voluntad del autor".

STS 358/2022: No es difícil, desde luego, imaginar distintos escenarios en los que el nombre de dominio puede convertirse en un instrumento para la consecución de un injustificado beneficio o para perjudicar a un tercero mediante la confusión generada a cualquier usuario de la web. Son muchos los supuestos y, desde luego, no todos ellos admiten una solución jurídico-penal unitaria. La utilización de términos como cybersquatting o dominio-okupación sugiere un fenómeno criminológico bajo el que pueden cobijarse muy distintas realidades. El legislador español, por ejemplo, no ha considerado oportuno criminalizar controversias que pueden tener otras vías de solución más ágiles a través de procedimientos no necesariamente jurisdiccionales. El destacado papel de la ICANN (Corporación para la Asignación de Nombre y Números de Internet) en la política de resolución de disputas de nombres de dominios (Uniform Domain-Name Dispute-   Resolution Policy -UDRP-) resulta incuestionable. Fenómenos como la ciberokupación u otras formas de aprovechamiento y utilización ilegal de dominios encuentran en esta fórmula arbitral un tratamiento jurídico eficaz y satisfactorio. Pero no faltan casos en los que el nombre de dominio constituye el instrumento para una vulneración de derechos de la propiedad intelectual o industrial. El dominio se convierte así en el vehículo para menoscabar los derechos amparados por una marca (cfr. Arts. 270, 273 y concordantes del CP) y su indebida utilización puede ser constitutiva de algunos de los delitos contra la propiedad industrial o intelectual. La respuesta penal en este supuesto persigue, no la protección de la titularidad del nombre de dominio que identifica a una web, sino el castigo de aquellas acciones que ofenden los derechos de la creación intelectual o industrial. El nombre de dominio puede también ser utilizado como referencia engañosa para inducir al consumidor a error, haciéndole creer que su desplazamiento patrimonial se está realizando a favor de una persona que no es aquella que debería obtener ese beneficio. Se dibuja así el delito de estafa informática a que se refiere el art. 249.2.a del CP. Tampoco parece descartable que el daño mediante la indebida inutilización de un nombre de dominio que genera graves consecuencias para su titular puede adquirir relevancia penal con la cobertura del art. 264 del CP. Se sanciona así lo que se ha denominado el delito de sabotaje informático. En efecto, inutilizar la funcionalidad y el acceso de una página web atacando un nombre de dominio podría tener pleno encaje en el apartado 1º de aquel precepto, pues hacer "...inaccesibles datos, programas informáticos o documentos electrónicos ajenos" ofrece una tipicidad adaptable a conductas como las descritas.

STS 91/2022 (Pleno): Concluimos que la gravedad de la acción no debe observarse a partir del mecanismo que se emplee para llevar a término la acción típica, pues el propio legislador plasma la punición de la conducta con independencia de cuál sea el medio que se emplee

para borrar, dañar, deteriorar, alterar, suprimir o hacer inaccesibles
los datos informáticos, los programas informáticos o los documentos
electrónicos ajenos, habiendo previsto como una agravación específica cuando el autor actúe por medio de programas informáticos concebidos o adaptados principalmente para cometer la acción, o cuando
emplee para ello una contraseña, un código o un dato de acceso al sistema de información para cuyo uso no estuviera el sujeto activo legítimamente autorizado (art. 264.2.5.ª, en relación con el artículo 264
ter del Código Penal). La gravedad de la acción viene determinada
por el daño funcional que el comportamiento genere, resultando atípicas todas aquellas actuaciones que, pese a satisfacer objetivamente
alguna de las modalidades de obrar previstas en el tipo penal, resulten
cualitativa o cuantitativamente irrelevantes para que el servicio o el
sistema operen de manera rigurosa. Solo si la función digital deviene
imposible o si se trastoca de manera relevante la utilidad o facilitación que introduce, la actuación dolosa de pervertir el sistema puede
llegar a merecer el reproche penal. En todo caso, la tipicidad exige
además que la disfunción electrónica genere un resultado realmente
gravoso para el titular de los instrumentos digitales. la gravedad típica
se alcanza cuando es imposible recuperar la operatividad del sistema
o cuando su recomposición es difícilmente reversible sin notables esfuerzos de dedicación técnica y económica. Debe observarse que las
unidades o procesos informáticos que aquí se protegen, son elementos
intangibles que no siempre presentan un valor económico intrínseco,
ni siquiera lo tienen por el valor estimado de una recuperación incier-
ta. El borrado del histórico fotográfico digital que una persona acopia
durante toda su vida o la pérdida de las pruebas de diagnóstico y evolución que conforman su largo historial médico, ni son susceptibles
de valoración intrínseca, ni existe la posibilidad de cuantificar el coste
del trabajo preciso para una recuperación imposible, lo que no impide
apreciar la trascendencia del perjuicio y lo dañino del resultado. (Tol
8810357)

Art. 266.

1.Será castigado con la pena de prisión de uno a tres años el que
cometiere los daños previstos en el apartado 1 del artículo 263 mediante incendio, o provocando explosiones, o utilizando cualquier

otro medio de similar potencia destructiva o que genere un riesgo relevante de explosión o de causación de otros daños de especial gravedad, o poniendo en peligro la vida o la integridad de las personas.

2. Será castigado con la pena de prisión de tres a cinco años y multa de doce a veinticuatro meses el que cometiere los daños previstos en el apartado 2 del artículo 263, en cualquiera de las circunstancias mencionadas en el apartado anterior.

3. Será castigado con la pena de prisión de cuatro a ocho años el que cometiere los daños previstos en los artículos 265, 323 y 560, en cualquiera de las circunstancias mencionadas en el apartado 1 del presente artículo.

4. En cualquiera de los supuestos previstos en los apartados anteriores, cuando se cometieren los daños concurriendo la provocación de explosiones o la utilización de otros medios de similar potencia destructiva y, además, se pusiera en peligro la vida o integridad de las personas, la pena se impondrá en su mitad superior.

En caso de incendio será de aplicación lo dispuesto en el artículo 351.

STS 53/2019: El artículo 266 del Código Penal contempla también como modalidad agravada, de manera alternativa a las anteriormente expresadas, cuando la causación de los daños, sea cual sea el instrumento empleado en su comisión, ponga en peligro la vida o la integridad de las personas, supuesto que en modo alguno resulta de aplicación por remisión del artículo 351.2, en la medida en que es precisamente la ausencia de este elemento la que activa la aplicación subordinada del tipo agravado de daños. Consecuentemente, el elemento diferencial entre el delito de daños del artículo 266 del Código Penal y el delito de incendio del artículo 351 del Código Penal, al limitarse aquel a los supuestos en los que únicamente concurre el objetivo dañino, reside en la concurrencia y percepción de que la potencial acción devastadora del fuego pueda comprometer, no sólo a los bienes a los que la combustión puede alcanzar, sino a la vida o la integridad física de los demás, sin perjuicio de que, en este último caso, el reproche punitivo al sujeto activo del delito pueda modularse en función del grado de riesgo introducido o de otras circunstancias concurrentes como elementos configuradores del desvalor de la acción y de su resultado. Y siendo el riesgo un dato de naturaleza objetiva, sólo cuando no se aprecie la idoneidad del fuego para generar un peligro personal, esto es, cuando carezca de potencial de peligro para la vida o integridad de las personas, bien porque el medio incendiario empleado sea inhábil para su propagación, bien por la limitada capacidad de combustión de la sustancia utilizada, los hechos pueden derivar en el delito de daños del artículo 266 del Código Penal, cuya pena es más adecuada a la real gravedad de los hechos.

STS 110/2018: En el delito de daños también se prevé el medio incendiario y el riesgo para la vida o la integridad de las personas. Incluso cuando el daño buscado por el autor es el tipificado en el genérico artículo 263 del mismo Código Penal. Desde luego no cabe olvidar que, tras la reforma, se mantuvo la regla de resolución de la concurrencia de tales normas ordenando estar al artículo 351 cuando nos encontremos en caso de "incendio". Lo que implica diferenciar el supuesto de daños como objetivo del autor, en cuyo caso se acude al incendio como mero medio de causación, de aquél otro en el cual el incendio alcanza la tipicidad del citado específico artículo 351. En el artículo 266, por otra parte, el riesgo para la vida o la integridad de las personas constituye un elemento alternativo y separado del incendio como medio, lo que difiere del supuesto en que ambos elementos concurren acumulados. Cuando tal acumulación concurre ha de estarse a la previsión agravada del apartado cuarto del citado art. 266 que, sin embargo, se excluye si el hecho es tipificable conforme al artículo 351 según el párrafo segundo de dicho apartado cuarto.

Art. 268.

1. Están exentos de responsabilidad criminal y sujetos únicamente a la civil los cónyuges que no estuvieren separados legalmente o de hecho o en proceso judicial de separación, divorcio o nulidad de su matrimonio y los ascendientes, descendientes y hermanos por naturaleza o por adopción, así como los afines en primer grado si viviesen

juntos, por los delitos patrimoniales que se causaren entre sí, siempre que no concurra violencia o intimidación, o abuso de la vulnerabilidad de la víctima, ya sea por razón de edad, o por tratarse de una persona con discapacidad.

2. Esta disposición no es aplicable a los extraños que participaren en el delito.

STS 436/2018: Se fijan los siguientes parámetros de actuación para la aplicación de esta exención de responsabilidad penal: 1.- Que sólo afecta a los parientes que se citan, a saber: los cónyuges que no estuvieren separados legalmente o de hecho o en proceso judicial de separación, divorcio o nulidad de su matrimonio y los ascendientes, descendientes y hermanos por naturaleza o por adopción, así como los afines en primer grado si viviesen juntos. 2.- Que se trate de delitos patrimoniales. 3.- Que no queda excluida la responsabilidad civil, la cual puede ser reconocida en la sentencia penal que haya reconocido la excusa absolutoria, o bien si se acepta en la fase de instrucción dejar abierta la vía civil para ello. 4.- Que para que opere esta excusa absolutoria es preciso que no concurra violencia o intimidación, o abuso de la vulnerabilidad de la víctima, ya sea por razón de edad, o por tratarse de una persona con discapacidad. 5.- Esta exención de responsabilidad penal no es aplicable a los extraños que participaren en el delito, de tal manera que en este caso se seguiría contra ellos el proceso penal. Por ello, la proyección lo es solo en relación a las personas incluidas en el arco de relación familiar citado en el art. 268 CP, pero si en el caso existen terceros perjudicados no puede obligarse a estos a acudir a la vía civil, por la circunstancia de que entre los perjudicados existan sujetos incluidos en esa relación familiar entre sujeto activo y pasivo del delito.

Acuerdo no jurisdiccional del pleno de la Sala 2ª del TS de 1 de marzo de 2005: A los efectos del art. 268 CP, las relaciones estables de pareja son asimilables a la relación matrimonial.

Acuerdo no jurisdiccional del pleno de la Sala 2ª del TS de 15 de diciembre de 2000: No se exige la convivencia entre hermanos para la aplicación de la excusa absolutoria del art. 268 del Código Penal.

STS 235/2019: Al ser cometida la estafa contra la cuñada del acusado, la víctima se ubica fuera del circulo exculpatorio del art. 268 del C. Penal, precepto que no puede operar cuando se menoscaba penalmente el patrimonio de una sociedad de gananciales en la que uno de sus integrantes no queda comprendido dentro del marco de la excusa absolutoria.

STS 637/2018: Se admite la excusa absolutoria de los afines en primer grado si conviviesen juntos, lo que no quiere decir que si no conviven se pueda ejercer la acción penal. No debe confundirse la naturaleza del art. 103 LECrim con la del art. 268 CP. La primera sirve para constituir la relación jurídica procesal y la segunda interviene en la punibilidad si se dan los requisitos de su operatividad. La doctrina y la jurisprudencia coinciden en señalar que en relación al parentesco por afinidad al que alude el art. 103 de la Ley de Enjuiciamiento Criminal, debe entenderse referido no sólo a los hermanos, sino también a los ascendientes y descendientes, por lo que no podrán ejercitar la acción penal los padres respecto a los cónyuges de los hijos ni dichos cónyuges contra los padres de su esposo o esposa, es decir suegros con yernos o nueras (parientes por afinidad en línea directa de primer grado). Del mismo modo, tampoco podrán ejercitar dicha acción penal los hermanos por afinidad o cuñados (parientes por afinidad de segundo grado en línea colateral). Distinto es que aunque concurra el presupuesto prohibitivo del art. 103 LECrim se efectúe la formulación de una denuncia y que el Fiscal ejercite, en su caso, la acción penal, porque en estos casos la excusa absolutoria se aplicaría, o no, atendiendo a si concurren los presupuestos que requiere el art. 268 CP.

STS 170/2022: Esta Sala ha precisado que la excusa absolutoria entre hermanos regulada en el art. 268 del CP también es aplicable cuando el hecho imputado se comete en estructuras societarias. Decíamos que "...se hace necesario recordar la doctrina aplicada profusamente por esta Sala del "levantamiento del velo" con vistas a impedir fraudes legales. Si tal teoría se ha utilizado en contra del reo para impedir que bajo la cobertura societaria se cometan impunemente delitos patrimoniales, con más razón, siguiendo una interpretación "in bonam partem" debemos levantar el velo y concluir que los intereses de la sociedad son los mismos y además coincidentes con los de los socios, todos ellos hermanos de la querellante y por tanto incluidos en el alcance beneficioso u órbita de aplicación de la excusa absolutoria prevista en el art. 268 CP".

STS 238/2020: En concreto la sentencia de esta Sala resolvió que la eficacia de la excusa absolutoria del art. 268 CP no alcanzaba al delito societario ni a los de falsedades por no ser delitos estrictamente patrimoniales.

STS 928/2021: Esta Sala ha admitido la posibilidad de que la excusa absolutoria produzca sus efectos ya en la fase de instrucción o en la fase intermedia, mediante la oportuna resolución de sobreseimiento al amparo del artículo 637.3 de la LECrim, siempre que estén acreditados suficientemente los presupuestos básicos que requiere la aplicación de aquella; así como que una vez acordada la absolución por el delito contenido en la acusación, no es posible un pronunciamiento respecto de la responsabilidad civil que se hubiera derivado del mismo, debiendo acudir a la jurisdicción civil para obtener el resarcimiento que fuera procedente. De modo que la exención de responsabilidad penal, cuando sus presupuestos fácticos estén claramente establecidos y no resulten razonablemente cuestionados, no autoriza a la prosecución del proceso penal con la única finalidad de establecer la responsabilidad civil, salvo en los casos expresamente contemplados en la ley. No obstante ello, resaltábamos que no faltan precedentes que admiten la declaración de responsabilidad civil una vez que el Tribunal ha procedido a establecer unos hechos determinados y aplica luego la excusa para absolver al acusado. La STS 436/2018, de 28 de septiembre, subrayaba que "entre los parámetros de actuación para la aplicación de la excusa absolutoria, está que no quede excluida la responsabilidad civil, la cual puede ser reconocida en la sentencia penal que haya recogido la excusa, o bien si se acepta en la fase de instrucción, dejando abierta la vía civil para ello".

Art. 269.

La provocación, la conspiración y la proposición para cometer los delitos de robo, extorsión, estafa o apropiación indebida, serán castigadas con la pena inferior en uno o dos grados a la del delito correspondiente.

STS 217/2022: La oportunidad de extender la fórmula del desistimiento de la tentativa a las formas preparatorias punibles no significa que los supuestos sean idénticos y que no deba, por tanto, hacerse un esfuerzo de categorización que permita "trasplantar" las soluciones de la fase ejecutiva a la fase preparatoria. No debe olvidarse que la conspiración se consuma desde que se produce el acuerdo firme de voluntades entre dos o más personas en las que se dan las condiciones necesarias para ser las autoras de un delito concreto que han proyectado. Concierto que es lo que introduce, precisamente, el peligro concreto para el bien jurídico y justifica la punición de la forma preparatoria. El hecho de que la conspiración pueda ser considerada un delito dependiente no significa que la situación de peligro creada por la decisión de delinquir no se independice de cada uno de los sujetos concertados. Y que, por tanto, como regla general, si estos no hacen nada positivo para impedirlo, el peligro introducido pueda desembocar en la producción del delito. De ahí que no resulte correcto hablar de desistimiento de la conspiración, pues esta forma de manifestación del delito está consumada. En puridad, es el conspirador quien desiste contrarrestando el peligro ya introducido de que pueda llegarse a la fase de ejecución. Y es aquí donde radica la clave de la cuestión normativa suscitada. ¿Basta para identificar desistimiento penalmente significativo que un conspirador abandone el plan ideado? ¿Qué decida, como propone el recurrente, en su fuero interno, no dar inicio a la ejecución? ¿O, como se sostenía por algún sector doctrinal, consintiendo la conspiración " en tan solo pensar en cometer el delito lo lógico es que baste para desistir el pensamiento contrario, el pensamiento de no cometerlo"? La respuesta común a cada una de las anteriores cuestiones debe ser negativa. Si por la vía de la integración analógica debemos acudir a la regulación del desistimiento en la tentativa, resulta evidente que la regla que resultaría aplicable, la del artículo 16.3 CP, exige mucho más que la mera decisión de no ejecutar. Precisamente, porque la intervención de varios sujetos -nota constitutiva de la conspiración- cualifica la fuente de peligro de que el delito proyectado se pueda finalmente ejecutar. Debe recordarse que cuando interviene un solo autor, la evitación del delito consumado cuando el sujeto no ha realizado todo lo necesario para la consumación se produce automáticamente desde el momento en que de manera voluntaria deja de actuar, retirando su aportación al hecho. Sin embargo, el desistimiento en las formas de coautoría exige no solo que el partícipe desista del plan comisivo asumido, sino que, además, intente seria, firme y decididamente, como exige el artículo 16.3 CP, impedir la consumación por la actuación de los otros partícipes. Un hecho en el que intervienen varios sujetos generalmente es más peligroso que si interviene uno solo y en muchas ocasiones esta mayor peligrosidad no desaparece por la sola anulación de la participación de alguno de ellos. Lo que justifica que se exija para el desistimiento un serio intento de evitación de la consumación. Fórmula que en su traslación analógica a la conspiración pasa porque el co-conspirador intente seria, firme y decididamente neutralizar, al menos, su aportación conspirativa que puede dar lugar o favorecer la ulterior ejecución y, además, convencer a los otros conspiradores de la necesidad de abandonar el plan criminal urdido. No olvidemos que la conspiración implica una decisión sobre la efectividad de lo proyectado, una voluntad concertada de ejecutarla por parte de los conspiradores. Estas actuaciones de neutralización, equivalentes a verdaderos actus contrarius, pueden ser más o menos significativas o intensas en función del grado alcanzado de planeamiento de la ejecución y de la mayor o menor proximidad a dicha fase de ejecución. Pero, en todo caso, no puede limitarse a la decisión interna de no proseguir en el iter trazado. Es cierto, no obstante, que en algunos supuestos la decisión de no actuación, como una suerte de desistimiento pasivo, tendrá un valor equivalente al desistimiento activo. En particular, cuando, atendidas las circunstancias de la ideación criminal, el conspirador que no acude al lugar donde el delito debe ejecutarse impide que este pueda consumarse -piénsese, por ejemplo, en los supuestos en los que el conspirador que no acude es el único que dispone de las claves de entrada al establecimiento donde se iba a robar o de apertura de la caja fuerte o que es el único que podía conducir el vehículo que resultaba indispensable para que los partícipes se desplazaran al lugar de ejecución-. En estos casos, insistimos, no solo se decide no actuar, sino que se aportan condiciones negativas para que el delito no pueda consumarse por los otros partícipes. En puridad, como si se tratara de un desistimiento activo, se neutraliza una aportación decisiva al plan de ejecución y se impide la consumación. Finalmente, y por vía de excepción, cabrá también considerar la existencia de desistimiento de la conspiración, en aquellos supuestos en los que resulte inequívocamente acreditada la voluntad definitiva de abandonar el proyecto delictivo, sin aportación causal al mismo de ninguna naturaleza.

Art. 270.

1. Será castigado con la pena de prisión de seis meses a cuatro años y multa de doce a veinticuatro meses el que, con ánimo de obtener un beneficio económico directo o indirecto y en perjuicio de tercero, reproduzca, plagie, distribuya, comunique públicamente o de cualquier otro modo explote económicamente, en todo o en parte, una obra o prestación literaria, artística o científica, o su transformación, interpretación o ejecución artística fijada en cualquier tipo de soporte o comunicada a través de cualquier medio, sin la autorización de los titulares de los correspondientes derechos de propiedad intelectual o de sus cesionarios.

2. La misma pena se impondrá a quien, en la prestación de servicios de la sociedad de la información, con ánimo de obtener un beneficio económico directo o indirecto, y en perjuicio de tercero, facilite de modo activo y no neutral y sin limitarse a un tratamiento meramente técnico, el acceso o la localización en internet de obras o prestaciones objeto de propiedad intelectual sin la autorización de los titulares de los correspondientes derechos o de sus cesionarios, en particular ofreciendo listados ordenados y clasificados de enlaces a las obras y contenidos referidos anteriormente, aunque dichos enlaces hubieran sido facilitados inicialmente por los destinatarios de sus servicios.

3. En estos casos, el juez o tribunal ordenará la retirada de las obras o prestaciones objeto de la infracción. Cuando a través de un portal de acceso a internet o servicio de la sociedad de la información, se difundan exclusiva o preponderantemente los contenidos objeto de la propiedad intelectual a que se refieren los apartados anteriores, se ordenará la interrupción de la prestación del mismo, y el juez podrá

acordar cualquier medida cautelar que tenga por objeto la protección de los derechos de propiedad intelectual.

Excepcionalmente, cuando exista reiteración de las conductas y cuando resulte una medida proporcionada, eficiente y eficaz, se podrá ordenar el bloqueo del acceso correspondiente.

4. En los supuestos a que se refiere el apartado 1, la distribución o comercialización ambulante o meramente ocasional se castigará con una pena de prisión de seis meses a dos años.

No obstante, atendidas las características del culpable y la reducida cuantía del beneficio económico obtenido o que se hubiera podido obtener, siempre que no concurra ninguna de las circunstancias del artículo 271, el Juez podrá imponer la pena de multa de uno a seis meses o trabajos en beneficio de la comunidad de treinta y uno a sesenta días.

5. Serán castigados con las penas previstas en los apartados anteriores, en sus respectivos casos, quienes:

a) Exporten o almacenen intencionadamente ejemplares de las obras, producciones o ejecuciones a que se refieren los dos primeros apartados de este artículo, incluyendo copias digitales de las mismas, sin la referida autorización, cuando estuvieran destinadas a ser reproducidas, distribuidas o comunicadas públicamente.

b) Importen intencionadamente estos productos sin dicha autorización, cuando estuvieran destinados a ser reproducidos, distribuidos o comunicados públicamente, tanto si éstos tienen un origen lícito como ilícito en su país de procedencia; no obstante, la importación de los referidos productos de un Estado perteneciente a la Unión Europea no será punible cuando aquellos se hayan adquirido directamente del titular de los derechos en dicho Estado, o con su consentimiento.

c) Favorezcan o faciliten la realización de las conductas a que se refieren los apartados 1 y 2 de este artículo eliminando o modificando, sin autorización de los titulares de los derechos de propiedad intelectual o de sus cesionarios, las medidas tecnológicas eficaces incorporadas por éstos con la finalidad de impedir o restringir su realización.

d) Con ánimo de obtener un beneficio económico directo o indirecto, con la finalidad de facilitar a terceros el acceso a un ejemplar de una obra literaria, artística o científica, o a su transformación, interpretación o ejecución artística, fijada en cualquier tipo de soporte o comunicado a través de cualquier medio, y sin autorización de los titulares de los derechos de propiedad intelectual o de sus cesionarios, eluda o facilite la elusión de las medidas tecnológicas eficaces dispuestas para evitarlo.

6. Será castigado también con una pena de prisión de seis meses a tres años quien fabrique, importe, ponga en circulación o posea con una finalidad comercial cualquier medio principalmente concebido, producido, adaptado o realizado para facilitar la supresión no autorizada o la neutralización de cualquier dispositivo técnico que se haya utilizado para proteger programas de ordenador o cualquiera de las otras obras, interpretaciones o ejecuciones en los términos previstos en los dos primeros apartados de este artículo.

STS 335/2021 (Pleno): La conducta típica no se integra, solamente, por los verbos nucleares de "reproduzca, plagie, distribuya, o comunique públicamente", sino que se ha añadido, una nueva modalidad, "o de cualquier modo explote económicamente". A esa modalidad típica es a la que se refiere la motivación de la sentencia cuando recoge, como fundamento de la tipicidad, la explotación de un negocio, tipo locutorio, en el que a cambio de dinero se facilita a clientes el uso de los ordenadores, para los que es preciso que estos dispongan de las licencias pertinentes. (Tol 8422232)

STS 546/2022 (Pleno): La Sala no pone en tela de juicio que en el concepto de "prestaciones" tienen cabida las grabaciones audiovisuales. La protección jurídica de los derechos derivados de su exhibición está explícitamente proclamada, como ya hemos apuntado supra, en los arts. 120 y ss. del texto refundido de la Ley de Propiedad Intelectual. El problema consiste en decidir si la vulneración de los derechos exclusivos que se generan por la emisión de un encuentro de fútbol de primera o segunda división o un partido de la Copa de su Majestad El Rey tiene encaje, a los efectos de su punición por el art. 270.1 del CP, en la noción de "obra o prestación literaria, artística o científica". Y la respuesta ha de ser negativa. Descartada la condición de un partido de fútbol como "obra" literaria científica o artística, su consideración como "prestación" de tal carácter, a efectos de tipicidad penal, resulta especialmente dificultosa. No es fácil fijar los límites del tipo cuando éste acoge elementos normativos que evocan la literatura, el arte o la ciencia. Precisamente por ello, las pautas exegéticas para delimitar ese alcance han de ser extremadamente prudentes para no desbordar los contornos de lo que cada vocablo permite abarcar. El fútbol, desde luego, no es literatura. Tampoco es ciencia. Es cierto que en un partido de fútbol -en general, en cualquier espectáculo deportivo- pueden sucederse lances de innegable valor estético, pero interpretar esos momentos o secuencias de perfección técnica como notas definitorias de un espectáculo artístico puede conducir a transgredir los límites del principio de tipicidad. Un partido de fútbol es un espectáculo deportivo, no artístico. Lo que el art. 270.1 del CP define como objeto del delito, en todo o en parte, es "una obra o prestación literaria, artística o científica". Y como venimos razonando, las grabaciones audiovisuales son verdaderas prestaciones que han de gozar de la tutela jurídica que dispensan los derechos de la propiedad intelectual. Pero de lo que ahora se trata no es de cuestionar si esas grabaciones han de incluirse en el concepto de obra o en el concepto de prestación. Lo que centra nuestro interés es definir si la reproducción, el plagio, la distribución, la comunicación pública y, en fin, cualquier otro modo de explotación de esas grabaciones han de ser tuteladas penalmente y, por tanto, con encaje típico en el art. 270.1 del CP. La respuesta es negativa. Habría bastado con añadir a la locución "prestaciones literarias, artísticas o científicas" el calificativo "deportivas" para que ninguna duda se suscitara acerca de la inclusión de los hechos denunciados en el precepto -art. 270 del CP- cuya aplicación se reivindica. Pero no ha sido así. La omisión de ese término obliga al intérprete a un esfuerzo de integración de los espectáculos deportivos en el forzado molde que ofrecen las creaciones artísticas, literarias o científicas. Y ni siquiera con la recurrente invocación de la voluntad del legislador puede lograrse ese objetivo sin quebrantar las exigencias impuestas por el principio de legalidad. (Tol 9045190)

STS 920/2016: A efectos del tipo penal del art. 270 CP es necesario determinar si los contenidos van dirigidos a lo que la STJUE de 13 de febrero de 2014 (asunto *Svennson*) denomina "público nuevo", es decir, si lo que se previene es el acceso a los contenidos protegidos por parte de un público nuevo obviando las condiciones de acceso dispuestas por los titulares (conducta típica) o si, por el contrario, la acción se limita a simplificar el acceso a una obra que ya era conocida por los usuarios o potencialmente la podrían conocer de manera libre, en cuyo caso la conducta sería atípica. De modo que la tipicidad ha de conformarse poniendo el acento en lo que el TJUE denomina "público nuevo".

Art. 279.

La difusión, revelación o cesión de un secreto de empresa llevada a cabo por quien tuviere legal o contractualmente obligación de guardar reserva, se castigará con la pena de prisión de dos a cuatro años y multa de doce a veinticuatro meses.

Si el secreto se utilizara en provecho propio, las penas se impondrán en su mitad inferior.

> **STS 679/2018:** En cuanto a la infracción denunciada del art. 279 del Código Penal, debemos partir de que el citado artículo castiga, en su tipo básico, la difusión, revelación o cesión de un secreto de empresa llevada a cabo por quien tuviere legal o contractualmente obligación de guardar reserva. Y, en su tipo privilegiado, a quien utilice el secreto en provecho propio. Elemento nuclear de este delito -como también del previsto en el art. 278 CP - es el secreto de empresa, el cual no es definido por el Código Penal, por lo que habremos de ir a una concepción funcional-práctica, debiendo considerar secretos de empresa los propios de la actividad empresarial, que de ser conocidos contra la voluntad de la empresa, pueden afectar a su capacidad competitiva. Así serán notas características: - la confidencialidad (pues se quiere mantener bajo reserva), -la exclusividad (en cuanto propio de una empresa), -el valor económico (ventaja o rentabilidad económica), -licitud (la actividad ha de ser legal para su protección). A falta de un concepto legal de secreto empresarial que nos permita deslindar en cada caso si concurre o no el referido tipo, también podemos acudir al

artículo 39 del ADPIC (ratificado por España el 30 de Diciembre de 1994 y publicando en el BOE de fecha 24 de Enero de 1995), según el cual la información debe reunir los siguientes caracteres: a) Que sea secreta, en cuanto no sea conocida ni fácilmente accesible para personas introducidas en los círculos en que normalmente se utiliza ese tipo de información. b) Que tenga un valor comercial o competitivo por ser secreta. c) Que haya sido objeto de medidas razonables, en las circunstancias concurrentes, para mantenerla secreta, tomadas por la persona que legítimamente la controla.

Art. 282 bis.

Los que, como administradores de hecho o de derecho de una sociedad emisora de valores negociados en los mercados de valores, falsearan la información económico-financiera contenida en los folletos de emisión de cualesquiera instrumentos financieros o las informaciones que la sociedad debe publicar y difundir conforme a la legislación del mercado de valores sobre sus recursos, actividades y negocios presentes y futuros, con el propósito de captar inversores o depositantes, colocar cualquier tipo de activo financiero, u obtener financiación por cualquier medio, serán castigados con la pena de prisión de uno a cuatro años, sin perjuicio de lo dispuesto en el artículo 308 de este Código.

En el supuesto de que se llegue a obtener la inversión, el depósito, la colocación del activo o la financiación, con perjuicio para el inversor, depositante, adquiriente de los activos financieros o acreedor, se impondrá la pena en la mitad superior. Si el perjuicio causado fuera de notoria gravedad, la pena a imponer será de uno a seis años de prisión y multa de seis a doce meses.

STS 369/2019: La conducta típica, en el tipo objetivo, consiste en falsear la información económico-financiera. No se sanciona, pues, a quien la pública o difunde o la remite a otros para su publicación o difusión, sino a quien la falsea. Son elementos del tipo que esa información se refiera a los recursos, actividades y negocios presentes y futuros de la sociedad; que la información se refiera a una sociedad emisora de valores negociados en los mercados de valores; que se trate de información contenida en los folletos de emisión de cualesquiera instrumentos financieros o de las informaciones que la sociedad debe publicar y difundir conforme a la legislación del mercado de valores. A diferencia de lo que ocurre en el artículo 290 CP, no se exige que el falseamiento de la información sea idóneo para causar un perjuicio al inversor o financiador. Sin embargo, ha de entenderse que, como ocurre en general con los delitos básicos de falsedad documental, quedan excluidas las falsedades burdas incapaces por sus propias características, de alterar el tráfico jurídico. Ha de apreciarse, por lo tanto, una mínima capacidad de la información falseada para captar la inversión o el crédito. Y en el tipo subjetivo es necesario el dolo, que debe abarcar la falsedad de la información, y un elemento finalista consistente en la finalidad de obtener una aportación de capital.

Art. 285.[441]

1. Quien de forma directa o indirecta o por persona interpuesta realizare actos de adquisición, transmisión o cesión de un instrumento financiero, o de cancelación o modificación de una orden relativa a un instrumento financiero, utilizando información privilegiada a la que hubiera tenido acceso reservado en los términos del apartado 4, o recomendare a un tercero el uso de dicha información privilegiada para alguno de esos actos, será castigado con la pena de prisión de seis meses a seis años, multa de dos a cinco años, o del tanto al triplo del beneficio obtenido o favorecido o de los perjuicios evitados si la cantidad resultante fuese más elevada, e inhabilitación especial para el ejercicio de la profesión o actividad de dos a cinco años, siempre que concurra alguna de las siguientes circunstancias:

a) que, como consecuencia de su conducta obtuviera, para sí o para tercero, un beneficio superior a quinientos mil euros o causara un perjuicio de idéntica cantidad;

---

[441] Se modifica el apartado 5 por la LO 14/2022, de 22 de diciembre.

b) que el valor de los instrumentos financieros empleados fuera superior a dos millones de euros;

c) que se causara un grave impacto en la integridad del mercado.

2. Se impondrá la pena en su mitad superior si concurriera alguna de las siguientes circunstancias:

1.ª Que el sujeto se dedique de forma habitual a las anteriores prácticas de operaciones con información privilegiada.

2.ª Que el beneficio obtenido, la pérdida evitada o el perjuicio causado sea de notoria importancia.

3. Las penas previstas en este artículo se impondrán, en sus respectivos casos, en su mitad superior si el responsable del hecho fuera trabajador o empleado de una empresa de servicios de inversión, entidad de crédito, autoridad supervisora o reguladora, o entidades rectoras de mercados regulados o centros de negociación.

4. A los efectos de este artículo, se entiende que tiene acceso reservado a la información privilegiada quien sea miembro de los órganos de administración, gestión o supervisión del emisor o del participante del mercado de derechos de emisión, quien participe en el capital del emisor o del participante del mercado de derechos de emisión, quien la conozca con ocasión del ejercicio de su actividad profesional o empresarial, o en el desempeño de sus funciones, y quien la obtenga a través de una actividad delictiva.

5. Las mismas penas previstas en este artículo se impondrán cuando el responsable del hecho, sin tener acceso reservado a la información privilegiada, la obtenga de cualquier modo distinto de los previstos en el apartado anterior y la utilice conociendo que se trata de información privilegiada.

> **STS 491/2015:** El delito de uso de información relevante ex art. 285 CP se entiende consumado en la fecha en la que la cotización de las acciones se encuentra en su máximo nivel de ganancias, una vez que la noticia es pública, y por su impacto en el mercado, siendo ajenos al delito un posible descenso o incremento posterior del precio (teoría de la revalorización de las acciones).

Art. 286 bis.

1. El directivo, administrador, empleado o colaborador de una empresa mercantil o de una sociedad que, por sí o por persona interpuesta, reciba, solicite o acepte un beneficio o ventaja no justificados de cualquier naturaleza, u ofrecimiento o promesa de obtenerlo, para sí o para un tercero, como contraprestación para favorecer indebidamente a otro en la adquisición o venta de mercancías, o en la contratación de servicios o en las relaciones comerciales, será castigado con la pena de prisión de seis meses a cuatro años, inhabilitación especial para el ejercicio de industria o comercio por tiempo de uno a seis años y multa del tanto al triplo del valor del beneficio o ventaja.

2. Con las mismas penas será castigado quien, por sí o por persona interpuesta, prometa, ofrezca o conceda a directivos, administradores, empleados o colaboradores de una empresa mercantil o de una sociedad, un beneficio o ventaja no justificados, de cualquier naturaleza, para ellos o para terceros, como contraprestación para que le favorezca indebidamente a él o a un tercero frente a otros en la adquisición o venta de mercancías, contratación de servicios o en las relaciones comerciales.

3. Los jueces y tribunales, en atención a la cuantía del beneficio o al valor de la ventaja, y a la trascendencia de las funciones del culpable, podrán imponer la pena inferior en grado y reducir la de multa a su prudente arbitrio.

4. Lo dispuesto en este artículo será aplicable, en sus respectivos casos, a los directivos, administradores, empleados o colaboradores de una entidad deportiva, cualquiera que sea la forma jurídica de ésta, así como a los deportistas, árbitros o jueces, respecto de aquellas conductas que tengan por finalidad predeterminar o alterar de manera deliberada y fraudulenta el resultado de una prueba, encuentro o competición deportiva de especial relevancia económica o deportiva.

A estos efectos, se considerará competición deportiva de especial relevancia económica, aquélla en la que la mayor parte de los participantes en la misma perciban cualquier tipo de retribución, compensación o ingreso económico por su participación en la actividad; y competición deportiva de especial relevancia deportiva, la que sea calificada en el calendario deportivo anual aprobado por la federación deportiva correspondiente como competición oficial de la máxima categoría de la modalidad, especialidad, o disciplina de que se trate.

5. A los efectos de este artículo resulta aplicable lo dispuesto en el artículo 297.

STS 1014/2022: Autorizada doctrina ha señalado que el delito de corrupción deportiva exige dos requisitos: Elemento objetivo: "prometer", "ofrecer", "conceder", "recibir", "solicitar" o "aceptar" beneficios o ventajas de cualquier naturaleza, no justificadas, incumpliendo sus obligaciones. Hay una conducta activa y otra pasiva. Elemento subjetivo: que "tengan por finalidad predeterminar o alterar de manera deliberada y fraudulenta el resultado de una prueba, encuentro o competición deportiva". Se trata de un delito de mera actividad, que se consuma con la realización de cualquiera de aquellas acciones sin que sea necesario que se produzca el resultado perseguido en relación a la prueba, encuentro o competición. Ante todo conviene señalar que, para aclarar correctamente el término, la palabra amaño es propia de un acuerdo bilateral (de los dos equipos que aparentemente contienden), mientras que aquí propiamente nos referimos a una entrega de prima para predeterminar un encuentro, aunque el término amaño signifique también, popularmente, este último comportamiento. Hemos distinguido entre dos conductas: las primas por ganar y el recibo de beneficios o ventajas por perder. Solamente estas últimas pueden considerarse incluidas en el tipo definido en el art. 286 bis 4 del Código Penal. Las primeras pueden tener otro tratamiento en vía administrativa, que escapa a nuestro control casacional de índole penal exclusivamente. Por tanto, el recibo o el ofrecimiento de las mismas con dicha finalidad no entra en la tipicidad penal que estamos interpretando, por las razones que han sido ya estudiadas en nuestro fundamento jurídico anterior. Pero dicho esto, el caso que resolvemos contiene primas por perder, o lo que es lo mismo, el ofrecimiento y recibo de cantidades de dinero (beneficio o ventaja no justificada y de cualquier naturaleza, en este caso económica), que satisfacen las exigencias del tipo por el que han sido condenados.

Art. 290.

Los administradores, de hecho o de derecho, de una sociedad constituida o en formación, que falsearen las cuentas anuales u otros documentos que deban reflejar la situación jurídica o económica de la entidad, de forma idónea para causar un perjuicio económico a la misma, a alguno de sus socios, o a un tercero, serán castigados con la pena de prisión de uno a tres años y multa de seis a doce meses.

Si se llegare a causar el perjuicio económico se impondrán las penas en su mitad superior.

> **STS 313/2019:** Los elementos del delito tipificado en el artículo 290 del Código Penal, según criterio reiterado de esta Sala, son los siguientes: a) la acción típica consiste en el falseamiento de cuentas anuales u otros documentos que deban reflejar la situación jurídica o económica de la entidad. Por cuentas anuales, se entiende el balance, la cuenta de resultados (pérdidas y ganancias) y la memoria anual. Pero al referirse el tipo penal a otros documentos, se convierte en un concepto amplísimo, máxime cuando no se trata estrictamente de documentos económicos, sino aquellos otros que puedan reflejar la "situación jurídica", lo que nos conduce a dificultades de interpretación, ya que no se puede llegar a comprender si queda algún elemento documental excluido, en razón a la amplitud del término "situación jurídica". Por si fuera poco, el propio concepto de lo que entiende por documento en el art. 26 del Código penal (a los efectos de este Código se considera documento todo soporte material que exprese o incorpore datos, hechos o narraciones con eficacia probatoria o cualquier otro tipo de relevancia jurídica) extiende aún más la interpretación; b) como resultado, el precepto exige que tal acción típica sea idónea para causar un perjuicio económico a la entidad, a alguno de sus socios o a un tercero. El tipo básico no requiere perjuicio económico alguno, simplemente que sea idóneo para causarlo; pero sin duda las falsedades que puedan incluirse tendrán vocación económica. Por el contrario, si se llegare a causar el perjuicio económico, surge un tipo agravado, y las penas se impondrán en su mitad superior; c) la relación de este tipo penal con las falsedades

documentales, conductas falsarias incluidas en los arts. 390 y siguientes del Código penal son complejas. A título interpretativo, la Consulta 15/1997 de la Fiscalía General del Estado, llega a las siguientes conclusiones: 1°) en el delito falsario societario del art. 290 del Código penal , la conducta típica expresada en el verbo falsearen comprende cualquiera de las modalidades falsarias del art. 390 (incluida la falsedad ideológica del número 4, que para los documentos privados se encuentra destipificada actualmente); 2°) si se dieren todos los requisitos de tipicidad de los arts. 290 y 392 del Código penal , el concurso de leyes debe ser resuelto a favor del 290 en virtud del principio de especialidad; 3°) la falta de requisito de procedibilidad o de alguno de los elementos típicos específicos del delito societario del art. 290, determinará la aplicación de la falsedad en documento mercantil del art. 392, siempre que la conducta falsaria tenga encaje en alguna de las modalidades de los tres primeros apartados del art. 390 del Código penal de 1995 (no la ideológica).

STS 94/2018: El artículo 290 CP solamente considera posibles autores a los administradores de hecho o de derecho, aunque cabe la posibilidad de considerar partícipes extraneus a título de inducción, cooperación necesaria o complicidad a otros intervinientes. El delito del artículo 290 se consuma cuando las cuentas, ya elaboradas y, en su caso, auditadas, inician su camino para la presentación a los socios que han de aprobarlas. La actividad de éstos firmando las cuentas se produce, pues, con posterioridad a la consumación del delito, por lo que no es posible calificar su conducta como un supuesto de cooperación necesaria. Los casos en los que se declare probado que quienes intervienen posteriormente a la consumación del delito, comprometieron previamente a los hechos una aportación relevante que, aunque se produzca con posterioridad a la consumación, opera durante la ejecución como un elemento de garantía y seguridad de su éxito, pueden merecer otras consideraciones, que no es preciso examinar aquí, al no haberse declarado probado ese compromiso previo.

Art. 291.

Los que, prevaliéndose de su situación mayoritaria en la Junta de accionistas o el órgano de administración de cualquier sociedad constituida o en formación, impusieren acuerdos abusivos, con ánimo de lucro propio o ajeno, en perjuicio de los demás socios, y sin que reporten beneficios a la misma, serán castigados con la pena de prisión de seis meses a tres años o multa del tanto al triplo del beneficio obtenido.

STS 359/2022: Ha establecido esta Sala que este delito sanciona penalmente "determinadas conductas incardinables en el ejercicio abusivo de los derechos (artículo 7.2 C.C). Alusión que en la actualidad debe entenderse referida al artículo 204., 2º de la Ley de Sociedades de Capital, aprobada por el Real Decreto Legislativo 1/2010, de 2 de julio, que incorpora entre los acuerdos impugnables, los abusivos, entendiendo por tales los que "sin responder a una necesidad razonable de la sociedad, se adopta por la mayoría en interés propio y en detrimento injustificado de los demás socios". El artículo 291 parte de la adopción de un acuerdo obtenido lícitamente pero que debe calificarse de abusivo, y aquí radica la esencia del tipo, que conlleva necesariamente la existencia de un ánimo de lucro propio o ajeno (el de los socios que constituyen la mayoría) en perjuicio de la minoría y siempre que ello no reporte beneficios a la sociedad, es decir, es atípica la concurrencia del mencionado ánimo como compatible con un resultado beneficioso para los intereses societarios, con independencia de que la minoría se vea perjudicada. En síntesis, la esencia de la conducta típica está constituida por el abuso de la mayoría en beneficio propio y exclusivo. El delito ha sido calificado como especial y de peligro concreto que no exige la existencia de un perjuicio real (agotamiento), bastando para su consumación la adopción del acuerdo abusivo. La interdicción del abuso se endereza a sancionar aquellos actos que sobrepasen manifiestamente los límites normales del ejercicio de un derecho, con daño para tercero, por su intención, objeto o circunstancias (artículo 7.2 C.C). La distinción entre el abuso que debe ser sancionado en la vía civil o mercantil y el comprendido en el artículo 291 CP sólo puede establecerse, en primer lugar, teniendo en cuenta los elementos típicos descritos en este último, ya señalados anteriormente. Partiendo de su presencia y de la licitud formal en la adopción del acuerdo, la intención del agente debe responder, además, a un exclusivo ánimo de lucro propio o ajeno. Ello equivaldrá a considerar las circunstancias concurrentes en cada caso concreto para verificar si el ejercicio del derecho sobrepasa manifiestamente sus límites normales.

Art. 293.

Los administradores de hecho o de derecho de cualquier sociedad constituida o en formación, que sin causa legal negaren o impidieren a un socio el ejercicio de los derechos de información, participación en la gestión o control de la actividad social, o suscripción preferente de acciones reconocidos por las Leyes, serán castigados con la pena de multa de seis a doce meses.

STS 729/2021: El derecho de información del socio resulta uno de los más significativos que al mismo se atribuyen al resultar, tanto en términos lógicos como metodológicos, presupuesto indispensable para el ejercicio de sus derechos de participación y censura o control de la gestión societaria. Ello no obstante, está fuera de dudas que la amenaza de una pena, asociada al incumplimiento de ese deber definido por la legislación mercantil, sólo adquiere sentido cuando se reserva el derecho penal para las formas más graves de obstaculización del ejercicio de aquel derecho. Las conductas abarcadas por el tipo previsto en el art. 293 del CP no pueden ser definidas a partir de un automatismo en la penalización de todo aquello que no se ajuste a las exigencias del derecho mercantil, sobre todo, cuando éste conoce mecanismos de reparación igual de eficaces y, lo que es más importante, sin los efectos añadidos que son propios de toda condena penal. En definitiva, en la interpretación del tipo penal que sanciona el menoscabo del derecho de información que asiste a todo socio, no cabe una metodología mimética que se desentienda de la verdadera intencionalidad y trascendencia lesiva de la acción imputada al socio incumplidor. Esta necesidad de una interpretación restrictiva, ajustada a los principios que informan el derecho penal, ha sido destacada por la jurisprudencia de esta Sala. Así nos hemos referido a la relevancia de los derechos básicos de los accionistas que no pertenecen al grupo de control de la sociedad, la gravedad de los ataques de que pueden ser objeto, y la necesidad de una tutela contundente frente a estas agresiones, que sólo puede ser proporcionada por la intervención penal. Sin embargo, asiste la razón a los críticos en la necesidad de restringir los supuestos que justifican la intervención penal que deben quedar limitados a los comportamientos más abiertamente impeditivos del ejercicio de estos derechos básicos, para diferenciarlos de los supuestos en que lo que se discute es simplemente la suficiencia del modo, en que se ha atendido a los derechos de los accionistas, supuestos que están reservados al ámbito mercantil. La restricción debe alcanzarse a través de una interpretación del precepto sujeta a su fundamentación material, en el triple ámbito del objeto, de la conducta típica y del elemento normativo ("sin causa legal").

Art. 296.

1. Los hechos descritos en el presente capítulo, sólo serán perseguibles mediante denuncia de la persona agraviada o de su representante legal. Cuando aquélla sea menor de edad, persona con discapacidad necesitada de especial protección o una persona desvalida, también podrá denunciar el Ministerio Fiscal.

2. No será precisa la denuncia exigida en el apartado anterior cuando la comisión del delito afecte a los intereses generales o a una pluralidad de personas.

> STS 512/2018: Esta Sala ha expresado en otras ocasiones que la referencia al agraviado que se recoge en el artículo 296 del Código Penal, no tiene por qué coincidir necesariamente con los perjudicados, sino que lo que la regla prosecutoria impone es la existencia de una denuncia o querella de quienes soportan efectivamente los perjuicios, lo que no es sino el concreto reflejo de una protección penal orientada a aquellos que ostentan posiciones minoritarias en el capital o el entramado social.

Art. 298.

1. El que, con ánimo de lucro y con conocimiento de la comisión de un delito contra el patrimonio o el orden socioeconómico, en el que no haya intervenido ni como autor ni como cómplice, ayude a

los responsables a aprovecharse de los efectos del mismo, o reciba, adquiera u oculte tales efectos, será castigado con la pena de prisión de seis meses a dos años.

Se impondrá una pena de uno a tres años de prisión en los siguientes supuestos:

a) Cuando se trate de cosas de valor artístico, histórico, cultural o científico.

b) Cuando se trate de cosas de primera necesidad, conducciones, cableado, equipos o componentes de infraestructuras de suministro eléctrico o de servicios de telecomunicaciones, o de otras cosas destinadas a la prestación de servicios de interés general, productos agrarios o ganaderos o de los instrumentos o medios que se utilizan para su obtención.

c) Cuando los hechos revistan especial gravedad, atendiendo al valor de los efectos receptados o a los perjuicios que previsiblemente hubiera causado su sustracción.

2. Estas penas se impondrán en su mitad superior a quien reciba, adquiera u oculte los efectos del delito para traficar con ellos. Si el tráfico se realizase utilizando un establecimiento o local comercial o industrial, se impondrá, además, la pena de multa de doce a veinticuatro meses. En estos casos los jueces o tribunales, atendiendo a la gravedad del hecho y a las circunstancias personales del delincuente, podrán imponer también a éste la pena de inhabilitación especial para el ejercicio de su profesión o industria, por tiempo de dos a cinco años y acordar la medida de clausura temporal o definitiva del establecimiento o local. Si la clausura fuese temporal, su duración no podrá exceder de cinco años.

3. En ningún caso podrá imponerse pena privativa de libertad que exceda de la señalada al delito encubierto. Si éste estuviese castigado con pena de otra naturaleza, la pena privativa de libertad será sustituida por la de multa de 12 a 24 meses, salvo que el delito encubierto tenga asignada pena igual o inferior a ésta; en tal caso, se impondrá al culpable la pena de aquel delito en su mitad inferior.

STS 601/2019: Los elementos objetivos y subjetivos integrantes del tipo penal: 1) La comisión de un delito contra los bienes; 2) ausencia de participación en el del acusado, ni como autor ni como cómplice; 3) una actuación de ayuda a los responsables o de aprovechamiento para sí de los efectos del delito, lo que constituye el núcleo de esta inflación y determina el momento de la consumación; 4) un elemento básico de carácter normativo y cognoscitivo, consistente en el conocimiento por el sujeto activo de la comisión antecedente de tal delito contra los bienes.

STS 986/2021: El conocimiento por el sujeto activo de la comisión antecedente de un delito contra el patrimonio o contra el orden socioeconómico, del que proceden los efectos objeto de aprovechamiento, no exige una noticia exacta, cabal y completa del mismo, ni implica el de todos los detalles o pormenores del delito antecedente, ni siquiera el "nomen iuris" que se le atribuye (si proceden de un robo, un hurto o una estafa, por ejemplo), pues no se requiere un conocimiento técnico bastando un estado de certeza que equivale a un conocimiento por encima de la simple sospecha o conjetura. A diferencia del blanqueo de capitales, que admite la comisión imprudente, el delito de receptación es necesariamente doloso, pero puede ser cometido tanto por dolo directo (conocimiento con seguridad de la procedencia ilícita de los efectos), como por dolo eventual, cuando el receptador realiza sus actos a pesar de haberse representado como altamente probable que los efectos tienen su origen en un delito contra el patrimonio o el orden socioeconómico, es decir cuando el origen ilícito de los bienes receptados aparezca con un alto grado de probabilidad, dadas las circunstancias concurrentes. Este conocimiento, como hecho psicológico, es difícil que pueda ser acreditado por prueba directa debiendo inferirse a través de una serie de indicios, como la irregularidad de las circunstancias de la compra o modo de adquisición, la clandestinidad de la misma, la inverosimilitud de las explicaciones aportadas para justificar la tenencia de los bienes sustraídos, la personalidad del adquirente acusado o de los vendedores o transmitentes de los bienes o la mediación de un precio vil o ínfimo, desproporcionado con el valor real de los objetos adquiridos, entre otros elementos indiciarios.

STS 841/2021: En cuanto al ánimo de lucro, la jurisprudencia de esta Sala lo deduce a partir de datos objetivos y considera que no es necesario que el receptador se beneficie en una cantidad económica específica o que consiga para sí uno de los efectos robados. Es suficiente cualquier tipo de ventaja, utilidad o beneficio, incluso el aportar un acto de apoyo que le permita recibir el reconocimiento de los beneficiados o su mayor integración en el grupo, de cara a beneficios ulteriores. Es decir, el tipo no exige la percepción de un beneficio concreto sino únicamente el ánimo de obtención de alguna ventaja propia, inmediata o futura. Y la ventaja patrimonial perseguida puede proceder tanto de la cosa misma como del precio, recompensa o promesa ofrecido por el autor del delito principal u otras personas.

> STS 673/2018 (Pleno): Del tenor literal del texto legal se desprende con nitidez que la habitualidad no fundamenta un tipo agravado en la receptación de efectos procedentes de delito, sino que la agravación deriva del ánimo de traficar con ellos. El fin de traficar no es el elemento del tipo básico, sino del tipo agravado, por lo que es precisa su delimitación frente al ánimo de lucro (como elemento de la receptación). En conclusión, el artículo 298.2 exige el ánimo de traficar, que hemos definido como la intención de comerciar o negociar con los efectos del delito adquiridos, recibidos u ocultados, mediante permuta, venta o cualquier otro acto semejante de naturaleza civil o mercantil para introducirlos en el circuito económico general, sin que la descripción típica incorpore matización alguna que permita exigir que tal ánimo se proyecte sobre más de un acto de venta. De manera que, se colmara la tipicidad siempre se perfeccione el comportamiento de previsto en el nº1 del mismo precepto con la finalidad de traficar, aun cuando se refiera a un acto u operación aislada. Eso sí, en el buen entendimiento de que dicho ánimo, no necesariamente coincidente con el lucro y compatible con él, debe concurrir en el momento mismo en el que se reciban, adquieran u oculten los efectos del delito, sin necesidad de que la operación de tráfico se llegue a materializar, resultando intrascendente a estos efectos el ánimo sobrevenido de forma desligada a la consumación de la receptación. Como ya hemos adelantado, el tipo previsto en el artículo 298.2 exige un específico ánimo tendencial, el propósito de introducir el objeto que se sabe efecto de un delito en el circuito económico general, que basta para colmar la tipicidad, y con ella para su consumación, con independencia de que la ulterior transacción llegue o no a perfeccionarse. Se entiende consumado el

delito desde el momento en que se constata la existencia de un poder de disposición, aunque sea potencial, sobre les bienes receptados.

De manera contante ha considerado esta Sala que la limitación penológica a la que queda supeditada la punición de los delitos de receptación (art. 298.3), lo es en relación a la pena atribuida al delito encubierto en abstracto. Lo que se prohíbe es la superación de la pena privativa de libertad prevista para "el delito encubierto" no para el encubridor del mismo, expresión que alude al delito originario de cuyos efectos el receptador se aprovecha, y cuya penalidad a considerar es la pena abstracta correspondiente al tipo penal, sin tener en cuenta las reducciones o incrementos de pena que alcancen al autor del mismo. (Tol 6976942)

Art. 301.[442]

1. El que adquiera, posea, utilice, convierta, o transmita bienes, sabiendo que éstos tienen su origen en una actividad delictiva, cometida por él o por cualquiera tercera persona, o realice cualquier otro acto para ocultar o encubrir su origen ilícito, o para ayudar a la persona que haya participado en la infracción o infracciones a eludir las consecuencias legales de sus actos, será castigado con la pena de prisión de seis meses a seis años y multa del tanto al triplo del valor de los bienes. En estos casos, los jueces o tribunales, atendiendo a la gravedad del hecho y a las circunstancias personales del delincuente, podrán imponer también a éste la pena de inhabilitación especial para el ejercicio de su profesión o industria por tiempo de uno a tres años, y acordar la medida de clausura temporal o definitiva del establecimiento o local. Si la clausura fuese temporal, su duración no podrá exceder de cinco años.

La pena se impondrá en su mitad superior cuando los bienes tengan su origen en alguno de los delitos relacionados con el tráfico de drogas tóxicas, estupefacientes o sustancias psicotrópicas descritos en

---

[442]   Se modifica el último párrafo del apartado 1 por la LO 6/2021, de 28 de abril.

los artículos 368 a 372 de este Código. En estos supuestos se aplicarán las disposiciones contenidas en el artículo 374 de este Código.

También se impondrá la pena en su mitad superior cuando los bienes tengan su origen en alguno de los delitos comprendidos en el título VII bis, el capítulo V del título VIII, la sección 4.ª del capítulo XI del título XIII, el título XV bis, el capítulo I del título XVI o los capítulos V, VI, VII, VIII, IX y X del título XIX.

2. Con las mismas penas se sancionará, según los casos, la ocultación o encubrimiento de la verdadera naturaleza, origen, ubicación, destino, movimiento o derechos sobre los bienes o propiedad de los mismos, a sabiendas de que proceden de alguno de los delitos expresados en el apartado anterior o de un acto de participación en ellos.

3. Si los hechos se realizasen por imprudencia grave, la pena será de prisión de seis meses a dos años y multa del tanto al triplo.

4. El culpable será igualmente castigado aunque el delito del que provinieren los bienes, o los actos penados en los apartados anteriores hubiesen sido cometidos, total o parcialmente, en el extranjero.

5. Si el culpable hubiera obtenido ganancias, serán decomisadas conforme a las reglas del artículo 127 de este Código.

> **STS 165/2016:** El delito de blanqueo de capitales contempla una pluralidad de actos que han de ser concebidos como una unidad de valoración (unidad típica de acción) propia de un único delito no continuado. Es de los llamados tipos que incluyen conceptos globales, es decir, hechos plurales incluidos en una única figura delictiva. Para que la conducta se encuadrable en el delito de blanqueo de capitales, no solo es necesario que concurra una doble condición (ilícito previo y encubrir su origen), sino que los comportamientos imputados han de considerarse idóneos para incorporar el activo en el tráfico económico legal, y que dicha idoneidad venga abarcada, asimismo, por la intención del autor a través de la voluntad de sacar provecho de tales ganancias en los canales financieros.

> **STS 265/2015:** La acción típica sancionada como delito de blanqueo no consiste en el simple hecho de adquirir, poseer o utilizar los beneficios adquiridos sino, como precisa el tipo, en realizar estos u otros actos cuando tiendan a ocultar o encubrir

el origen ilícito de las ganancias. Esta finalidad de encubrir u ocultar la ilícita procedencia de los bienes o ayudar a los participantes del delito previo, constituye, en consecuencia, un elemento esencial integrante de todas las conductas previstas en el art. 301.1 CP.

STS 208/2016: El delito de blanqueo de capitales no es un delito permanente, tampoco cabe la subsunción de los diferentes actos como delito continuado; se trata de un solo delito (unidad típica de acción) posiblemente integrado por acciones homogéneas. No cabe considerar aisladamente la prescripción de actos concretos de blanqueo, sino que debe examinarse la actividad de lavado en su integridad para apreciar la prescripción, tomando como fecha inicial del cómputo del plazo, la de la última acción de blanqueo ejecutada.

STS 785/2017: Es sabido que la jurisprudencia de esta Sala se muestra notablemente restrictiva con la aplicación de la tentativa en el delito de blanqueo de capitales. Sin embargo, sí hay alguna sentencia que la acoge y la fundamenta. En la sentencia 56/2014 también se afirma que "el delito previsto en el apartado 1 del art. 301 se estructura como un tipo de mera actividad en los que la conducta rellena las exigencias de la tipicidad sin requerir un resultado distinto de la realización de la acción. Por el contrario, el apartado 2 del art. 301 contiene una segunda previsión de blanqueo: el ocultar o encubrir la verdadera naturaleza, origen, ubicación, destino, movimiento o derechos sobre los bienes o propiedad de los mismos a sabiendas de su procedencia ilícita. Esta segunda modalidad se estructura como un delito de resultado. Se trata de una acción que produce un resultado, el de ocultar o encubrir la naturaleza... etc. de los bienes de procedencia ilícita. Esta modalidad, por lo tanto, admite formas imperfectas de ejecución cuando la conducta realizada no alcanza, pese a su habilidad, a alcanzar el fin propuesto por el autor". No obstante lo expuesto en la sentencia citada, también ha de tenerse en consideración que el apartado 1 del art. 301 recoge como fin de las conductas que tipifica el ocultar o encubrir su origen ilícito. De modo que aunque no exige para consumarlas que se llegue a ocultar o encubrir su procedencia ilícita, sí describe conductas que admiten el intento de ejecución propio de la tentativa. Y ése es el caso que ahora se examina con respecto al recurrente y a su esposa, pues, una vez que el principal acusado ya ha realizado las conductas propias de introducir el dinero de procedencia ilícita en el circuito lícito de un banco a través de la cuenta de una empresa que actuaba de buena fe, la conducta de los otros dos acusados, que no consta que intervinieran en la primera fase del blanqueo ni en su planificación, se limitó a intentar adquirir ese dinero para ocultarlo y reintegrarlo a los sujetos que perpetraron las estafas. Pero al no conseguir recuperarlo, ni por lo tanto ocultarlo ni reintegrarlo a los autores de la estafa, es claro que su acto de adquisición no se consumó. Por lo tanto, si bien se hace referencia doctrinalmente a que el apartado 1 del art. 301 recoge un tipo penal de resultado cortado por no ser preciso que el dinero se oculte ni encubra, lo cierto es que las conductas que se tipifican en los verbos iniciales del precepto sí pueden dejar de consumarse y quedar realizadas en una fase de tentativa, lo que permite en cierto supuestos determinados hablar de la tentativa de delito. Sin que tampoco deba excluirse, como es sabido, la posibilidad de la aplicación de la tentativa en ciertos delitos de mera actividad. Desde otra perspectiva, y sopesando siempre el auténtico laberinto normativo en que nos movemos, también ha de tenerse en cuenta que no parece fácil que la conducta de ocultación y de encubrimiento prevista en el apartado 2 del art. 301 no aparezca precedida de una fase previa de tentativa subsumible en el apartado 1 del mismo precepto (en el que se penalizan los actos encauzados a ocultar o encubrir el origen ilícito de los bienes), por lo que si entendiéramos que la conducta del apartado 1 no permite la tentativa, difícilmente podría darse en los comportamientos del apartado 2. Es decir, si la adquisición del dinero para ocultarlo o encubrirlo no puede constituir una conducta de tentativa del delito con arreglo al apartado 1 del referido precepto, tampoco parece fácil admitirlo con arreglo al apartado 2, ya que la fase previa a la ocultación consumada ya estaría penada como tal en el apartado 1.

STS 706/2016: Sobre el conocimiento de la procedencia delictiva del dinero blanqueado, tiene declarado esta Sala que para poder considerar acreditado que el acusado no solo tenía

conocimiento de la procedencia delictiva del dinero blanqueado, sino también de su origen en el tráfico de estupefacientes,
han de tomarse en consideración cuatro factores: 1) En lo referente a la precisión de las conductas delictivas, nuestra doctrina jurisprudencial no exige el conocimiento de los detalles o
pormenores de las operaciones específicas de tráfico de las que
procede el dinero, sino exclusivamente de su procedencia genérica de dicha actividad; 2) En lo que se refiere a la naturaleza
del conocimiento, nuestra doctrina ha venido afirmando que el
conocimiento exigible no implica saber (en sentido fuerte) sino
que se trata de un conocimiento práctico, del que se obtiene a
través de la experiencia y de la razón, y que permite represen-
tarse una conclusión como la más probable en una situación
dada; 3) Como consecuencia de lo anterior, en lo que se refiere
al dolo exigible, basta con el eventual, siendo suficiente que el
acusado disponga de datos suficientes para poder inferir que el
dinero procede del tráfico de estupefacientes, y le resulte indiferente dicha procedencia; y 4) En cuanto a la prueba, nuestra
doctrina afirma que basta con la indiciaria, que es la que ordinariamente nos permitirá obtener una conclusión razonable
sobre el conocimiento interno del sujeto.

STS 617/2018: No es preciso identificar un concreto hecho delictivo, ni tampoco que ya exista una sentencia condenatoria
que lo establezca. Pero será precisa, al menos, una mínima identificación, de manera que pueda afirmarse de forma contundente que el origen de los bienes no es una actividad solamente
ilícita, sino delictiva. En los casos en los que no ha recaído condena por el delito que se considera antecedente, como origen de
los capitales blanqueados, la prueba del mismo puede resultar
dificultosa. Pero ello no excusa de su debida acreditación. La
existencia de una acusación en otra causa por hechos que se
consideran delictivos y de los que podría proceder el capital
blanqueado, junto con otros elementos, entre ellos la coincidencia temporal o la inexistencia de otra posible fuente de ingresos,
puede resultar un elemento útil, valorable en el ámbito de la
prueba indiciaria. Pero, por sí mismo, no explica la procedencia
de los bienes. Dadas estas evidentes dificultades probatorias, se
explica que en la reforma de la LECrim por la Ley 41/2015, se

haya incluido entre los delitos conexos el blanqueo de capitales respecto al delito antecedente, lo cual permite la investigación y el enjuiciamiento en la misma causa, al menos cuando resulte conveniente para el esclarecimiento de los hechos y la determinación de las responsabilidades procedentes, con exclusión de los casos en los que suponga excesiva complejidad o dilación para el proceso, (art. 17 LECrim). Regulación que permite adoptar la resolución más conveniente en función de las circunstancias del caso.

STS 608/2022: La jurisprudencia ha venido advirtiendo que el de blanqueo de capitales no es un delito de sospecha. Como cualquier otra condena penal exige acreditar todos y cada uno de los elementos del delito. No existe en nuestro derecho un delito de enriquecimiento ilícito que suponga una inversión de la carga de la prueba o que obligue para salvar esa cuestión a fijar la atención en aspectos de transparencia o apariencia como objeto de la tutela penal que se busca a través de ese tipo de infracciones. Para la condena por este delito, como por cualquier otro, es necesaria la certeza más allá de toda duda basada en parámetros objetivos y racionales, de que concurren todos y cada uno de los elementos de tipicidad: una actividad delictiva previa idónea para generar ganancias o bienes; operaciones realizadas con esos bienes con la finalidad de ocultar su origen; y en el caso del tipo agravado, como el que ahora nos concierne, que el delito previo esté relacionado con el tráfico de drogas tóxicas, estupefacientes o sustancias psicotrópicas. Ninguna de esas cuestiones se puede presumir en el sentido de que pueda escapar a esa certeza objetivable. No basta con una probabilidad o sospecha más o menos alta. Una muy consolidada jurisprudencia ha consagrado un triple pilar indiciario sobre el que se edifica una condena por el delito de blanqueo de capitales: a) Incrementos patrimoniales injustificados u operaciones financieras anómalas. B) Inexistencia de actividades económicas o comerciales legales que justifiquen esos ingresos. C) Vinculación con actividades de tráfico ilícito de estupefacientes. Pilares que en este caso emergen con nitidez.

STS 642/2018: Lo que diferencia el mero disfrute o aprovechamiento de las ganancias ilícitas por parte del autor, del delito de blanqueo cometido por él mismo, es que el tipo penal de blanqueo exige la finalidad de ocultar o encubrir bienes, pero con el mecanismo de integrar los bienes de origen delictivo en el sistema económico legal y hacerlo con la apariencia de haber sido adquiridos de forma lícita. La simple utilización de fondos procedentes del tráfico de drogas en el pago de gastos ordinarios de consumo, o en gastos destinados a la continuidad de la propia actividad del tráfico, no constituye un acto de auto-blanqueo, pues no se trata de actos realizados con la finalidad u objeto de ocultar o encubrir bienes para integrarlos en el sistema económico legal con apariencia de haber sido adquiridos de forma lícita.

STS 40/2021: Ya hemos señalado que el denominado auto-blanqueo se incorpora, en buena parte por exigencias de la normativa comunitaria e internacional al respecto, a la descripción típica superando la, ya periclitada, discusión acerca de si era dable cometer el blanqueo de dinero o bienes procedentes de actividades delictivas cometidas por el propio sujeto activo del delito previsto en el artículo 301.1 del Código Penal. Sin embargo, un entendimiento desmesurado de la afirmación anterior, conduciría de modo inexorable a reputar autor de un delito de blanqueo a quien lo hubiera sido de otro ilícito penal cualquiera que reportase la obtención de alguna clase de producto con valor económico, lo que produciría el indeseable efecto de exasperar las penas correspondientes a la mayor parte de los delitos consumados con producto económico, pugnaría en esos casos con las exigencias derivadas del ne bis in idem y sancionaría, incluso, en no pocos casos, más gravemente la tenencia del producto obtenido que la propia comisión del delito que permitió obtenerlo. El factor de corrección de todos estos efectos indeseables se halla, conforme ha venido proclamando la mayor parte de la doctrina, en la exigencia de que el autor del delito de blanqueo no se limite a detentar el producto del ilícito penal anterior, sino que actúe, tal y como lo exige el artículo 301.1 del Código Penal, con el propósito de ocultar o encubrir su origen ilícito, en definitiva con la intención de "blanquear" el producto del delito anterior, de incorporar lo obtenido ilícitamente al mercado económico y financiero legal. No existe, en tales casos, bis in idem, habida cuenta de que sobre haber lesionado el bien jurídico protegido en el delito base u origen (por ejemplo, la salud pública), la conducta de quien comete blanqueo lesiona también o pone en peligro el protegido por el delito previsto en el artículo 301.1 (la regularidad del sistema financiero). El delito de blanqueo de capitales, en definitiva, no se comete por el mero disfrute o aprovechamiento de las ganancias adquiridas con la comisión de un delito. Requiere la ejecución de alguna de las acciones típicas con el objetivo de ocultar el origen ilícito del bien de que se trate o de ayudar al autor de aquel delito antecedente a eludir las consecuencias legales de sus actos.

STS 257/2016: En el tipo penal imprudente de blanqueo de capitales, no es exigible que el sujeto sepa la procedencia de los bienes, sino que por las circunstancias del caso esté en condiciones de conocerlas solo con observar las cautelas propias de su actividad y, sin embargo, haya actuado al margen de tales cautelas o inobservando los deberes de cuidado que le eran exigibles y los que incluso, en ciertas formas de actuación, le imponían normativamente averiguar la procedencia de los bienes o abstenerse de operar sobre ellos, cuando su procedencia no estuviera claramente establecida. La omisión de la diligencia elemental exigible para salir de su incertidumbre e ignorancia, sería sin duda subsumible en la modalidad de imprudencia grave que castiga el art. 301.3 CP.

STS 363/2021: En efecto, actúa imprudentemente quien ignora el origen ilícito de los bienes por haber incumplido el deber objetivo de cuidado que impone el art 301.3. Es ampliamente mayoritaria tanto en la doctrina como en la jurisprudencia, la conclusión de que la imprudencia no recae sobre la conducta en sí misma, sino sobre el conocimiento de la procedencia delictiva de los bienes. Este criterio es congruente con el hecho de que en esta modalidad imprudente, la pena no se eleva aunque los bienes procedan de delitos de tráfico de estupefacientes, corrupción o contra la ordenación del territorio, lo que indica que la imprudencia no recae sobre la conducta, sino sobre el conocimiento de la procedencia de los bienes. La doctrina jurisprudencial acepta sin reservas la aplicación del dolo eventual en los delitos de blanqueo. En los supuestos de dolo eventual se incluyen los casos en que el sujeto no tiene conocimiento concreto y preciso de la procedencia ilícita de los bienes, pero sí es consciente de la alta probabilidad de su origen delictivo, y actúa pese a ello por serle indiferente dicha procedencia. En la imprudencia se incluyen los supuestos en los que el agente actúa sin conocer la procedencia ilícita de los bienes, pero por las circunstancias del caso se encontraba en condiciones de sospechar fácilmente la ilícita procedencia y de evitar la conducta blanqueadora sólo con haber observado la más elemental cautela, es decir sus deberes de cuidado, que es lo que ocurre en este caso con el acusado recurrente.

Acuerdo no jurisdiccional del pleno de la Sala 2ª del TS de 18 de julio de 2006: El art. 301 no excluye, en todo caso, el concurso real con el delito precedente.

XI. DELITOS CONTRA LA HACIENDA PÚBLICA Y CONTRA LA SEGURIDAD SOCIAL

(Arts. 305 a 310 bis)

Art. 305.

1. El que, por acción u omisión, defraude a la Hacienda Pública estatal, autonómica, foral o local, eludiendo el pago de tributos, cantidades retenidas o que se hubieran debido retener o ingresos a cuenta, obteniendo indebidamente devoluciones o disfrutando beneficios fiscales de la misma forma, siempre que la cuantía de la cuota defraudada, el importe no ingresado de las retenciones o ingresos a cuenta o de las devoluciones o beneficios fiscales indebidamente obtenidos o disfrutados exceda de ciento veinte mil euros será castigado con la pena de prisión de uno a cinco años y multa del tanto al séxtuplo de la citada cuantía, salvo que hubiere regularizado su situación tributaria en los términos del apartado 4 del presente artículo.

La mera presentación de declaraciones o autoliquidaciones no excluye la defraudación, cuando ésta se acredite por otros hechos.

Además de las penas señaladas, se impondrá al responsable la pérdida de la posibilidad de obtener subvenciones o ayudas públicas y del derecho a gozar de los beneficios o incentivos fiscales o de la Seguridad Social durante el período de tres a seis años.

2. A los efectos de determinar la cuantía mencionada en el apartado anterior:

a) Si se trata de tributos, retenciones, ingresos a cuenta o devoluciones, periódicos o de declaración periódica, se estará a lo defraudado en cada período impositivo o de declaración, y si éstos son inferiores a doce meses, el importe de lo defraudado se referirá al año natural. No obstante lo anterior, en los casos en los que la defraudación se lleve a cabo en el seno de una organización o grupo criminal, o por personas o entidades que actúen bajo la apariencia de una actividad económica real sin desarrollarla de forma efectiva, el delito será perseguible desde el mismo momento en que se alcance la cantidad fijada en el apartado 1.

b) En los demás supuestos, la cuantía se entenderá referida a cada uno de los distintos conceptos por los que un hecho imponible sea susceptible de liquidación.

3. Las mismas penas se impondrán a quien cometa las conductas descritas en el apartado 1 y a quien eluda el pago de cualquier cantidad que deba ingresar o disfrute de manera indebida de un beneficio obtenido legalmente, cuando los hechos se cometan contra la Hacienda de la Unión Europea, siempre que la cuantía defraudada excediera de cien mil euros en el plazo de un año natural. No obstante lo anterior, en los casos en los que la defraudación se lleve a cabo en el seno de una organización o grupo criminal, o por personas o entidades que actúen bajo la apariencia de una actividad económica real sin desarrollarla de forma efectiva, el delito será perseguible desde el mismo momento en que se alcance la cantidad fijada en este apartado.

Si la cuantía defraudada no superase los cien mil euros pero excediere de diez mil, se impondrá una pena de prisión de tres meses a un año o multa del tanto al triplo de la citada cuantía y la pérdida de la posibilidad de obtener subvenciones o ayudas públicas y del derecho a gozar de los beneficios o incentivos fiscales o de la Seguridad Social durante el período de seis meses a dos años.

4. Se considerará regularizada la situación tributaria cuando se haya procedido por el obligado tributario al completo reconocimiento y pago de la deuda tributaria, antes de que por la Administración Tributaria se le haya notificado el inicio de actuaciones de comprobación o investigación tendentes a la determinación de las deudas tributarias objeto de la regularización o, en el caso de que tales actuaciones no se hubieran producido, antes de que el Ministerio Fiscal, el Abogado del Estado o el representante procesal de la Administración autonómica, foral o local de que se trate, interponga querella o denuncia contra aquél dirigida, o antes de que el Ministerio Fiscal o el Juez de Instrucción realicen actuaciones que le permitan tener conocimiento formal de la iniciación de diligencias.

Asimismo, los efectos de la regularización prevista en el párrafo anterior resultarán aplicables cuando se satisfagan deudas tributarias una vez prescrito el derecho de la Administración a su determinación en vía administrativa.

La regularización por el obligado tributario de su situación tributaria impedirá que se le persiga por las posibles irregularidades contables u otras falsedades instrumentales que, exclusivamente en relación a la deuda tributaria objeto de regularización, el mismo pudiera haber cometido con carácter previo a la regularización de su situación tributaria.

5. Cuando la Administración Tributaria apreciare indicios de haberse cometido un delito contra la Hacienda Pública, podrá liquidar de forma separada, por una parte los conceptos y cuantías que no se encuentren vinculados con el posible delito contra la Hacienda Pública, y por otra, los que se encuentren vinculados con el posible delito contra la Hacienda Pública.

La liquidación indicada en primer lugar en el párrafo anterior seguirá la tramitación ordinaria y se sujetará al régimen de recursos propios de toda liquidación tributaria. Y la liquidación que en su caso derive de aquellos conceptos y cuantías que se encuentren vinculados con el posible delito contra la Hacienda Pública seguirá la tramitación que al efecto establezca la normativa tributaria, sin perjuicio de que finalmente se ajuste a lo que se decida en el proceso penal.

La existencia del procedimiento penal por delito contra la Hacienda Pública no paralizará la acción de cobro de la deuda tributaria. Por parte de la Administración Tributaria podrán iniciarse las actuaciones dirigidas al cobro, salvo que el Juez, de oficio o a instancia de parte, hubiere acordado la suspensión de las actuaciones de ejecución, previa prestación de garantía. Si no se pudiese prestar garantía en todo o en parte, excepcionalmente el Juez podrá acordar la suspensión con dispensa total o parcial de garantías si apreciare que la ejecución pudiese ocasionar daños irreparables o de muy difícil reparación.

6. Los Jueces y Tribunales podrán imponer al obligado tributario o al autor del delito la pena inferior en uno o dos grados, siempre que, antes de que transcurran dos meses desde la citación judicial como imputado satisfaga la deuda tributaria y reconozca judicialmente los hechos. Lo anterior será igualmente aplicable respecto de otros partícipes en el delito distintos del obligado tributario o del autor del delito, cuando colaboren activamente para la obtención de pruebas decisivas para la identificación o captura de otros responsables, para el completo esclarecimiento de los hechos delictivos o para la averiguación del patrimonio del obligado tributario o de otros responsables del delito.

7. En los procedimientos por el delito contemplado en este artículo, para la ejecución de la pena de multa y la responsabilidad civil, que comprenderá el importe de la deuda tributaria que la Administración Tributaria no haya liquidado por prescripción u otra causa legal en los términos previstos en la Ley 58/2003, General Tributaria, de 17 de diciembre, incluidos sus intereses de demora, los Jueces y Tribunales recabarán el auxilio de los servicios de la Administración Tributaria que las exigirá por el procedimiento administrativo de apremio en los términos establecidos en la citada Ley.

STS 448/2021: El artículo 305 del Código Penal emplea, no por casualidad, el sintagma "defraudar" como verbo rector de la conducta que describe. Y aunque es verdad que la doctrina no es del todo conteste en cuanto a los aspectos que dicha expresión debe abarcar (ni en consecuencia coincide tampoco en señalar qué conductas quedarían extramuros del mismo), sí existe, en cambio, un consenso general en que la expresión escogida por el legislador demanda la existencia, en el plano objetivo y subjetivo, de una cierta maquinación, maniobra o añagaza, aun cuando pudiera ser meramente pasiva, para disimular, oscurecer u ocultar a la Hacienda la realidad del hecho imponible. Aunque pudiera parecer desprenderse que lo único exigible para poder considerar perpetrado el delito fiscal sería la no presentación en plazo de la declaración con la correspondiente liquidación -cuando debió hacerse-, superando las cuantías fijadas por la ley, por el simple hecho de constituir tal conducta un supuesto de impago del impuesto debido, lo cierto es que el criterio mantenido por este Tribunal se orienta hacia la exigencia añadida de un componente defraudatorio en la conducta del sujeto activo, que se traduzca en la ocultación del hecho imponible o de sus características (tipo objetivo) con el ánimo de eludir el pago del impuesto (tipo subjetivo). Un "elemento de mendacidad" que eleva el impago a la categoría de delito, y no de simple infracción tributaria. Pues lo realmente importante no es el impago, sino la ocultación del deber de pagar, y la ausencia de declaración oculta precisamente ese dato. En los tributos que se gestionan en régimen de autoliquidación, la regulación tributaria establece un plazo para efectuar la autoliquidación y para hacer efectivo el pago. El deber impuesto, deber de contribuir, se cumple, pues, atendiendo a dos aspectos: declarar y pagar. La infracción de cualquiera de ellos podría tener consecuencias de naturaleza tributaria. Sin embargo, lo que penalmente se sanciona no es la omisión de la declaración por sí misma, formalmente considerada, aislada de cualquier valoración. Ni tampoco el impago, entendido como omisión del ingreso material del dinero, si ha mediado una declaración veraz. Pues el tipo exige una conducta defraudatoria y no el mero incumplimiento de deberes tributarios. De esta forma, la omisión de la declaración solo será típica si supone una ocultación de la realidad tributariamente relevante.

STS 89/2019: El delito contra la Hacienda Pública tipificado en el artículo 305 del Código Penal, es un delito de resultado que se comete mediante la realización de una acción o de una omisión para la obtención de un resultado concreto que determina un perjuicio económico para la Hacienda Pública cuando alcance la cantidad fijada en la norma penal (actualmente 120.000 euros). El citado precepto contempla cuatro formas de defraudación: la evitación del pago de tributos; la elusión de cantidades retenidas o que se hubiesen debido retener; la obtención indebida de devoluciones; o el disfrute de beneficios fiscales indebidamente. El delito se consuma cuando se produce el perjuicio económico para la Hacienda Pública, que puede ocurrir cuando se presenta la declaración tributaria de manera fraudulenta o también cuando se percibe o se computa el beneficio fiscal improcedente. Aunque no es frecuente en este tipo de delitos, en el supuesto de obtención indebida de devoluciones, son posibles las formas imperfectas de ejecución. Cuando se trata de defraudaciones cometidas en relación con el IVA, para afirmar la existencia de una conducta delictiva, es necesario establecer que la cuantía defraudada en el año natural superó la cifra marcada por la ley penal. Es preciso, pues, realizar una liquidación de todas las operaciones realizadas por el sujeto pasivo del impuesto en el periodo del año natural, determinando la cuantía que debería haber ingresado y la que ingresó efectivamente, constituyendo la diferencia la cuota tributaria defraudada en ese ejercicio fiscal. El hecho de que finalmente la Agencia Tributaria no resultara efectivamente perjudicada no excluye el delito pues, como hemos visto, el acusado con su acción puso en peligro el bien jurídico protegido por este delito (interés económico de la Hacienda Pública o los principios de solidaridad tributaria), dirigiendo su actuación a la obtención final de unas devoluciones superiores a 120.000 euros, las que no le correspondían.

STS 290/2018: La jurisprudencia de esta Sala es contraria, salvo excepciones, a la aplicación de la continuidad delictiva a los supuestos de delito fiscal. La exclusión no es tanto porque el delito contra la Hacienda Pública no participe de la naturaleza de delito patrimonial, pues podía ampararse en una interpretación analógica favorecedora. La exclusión se produce porque el art. 305 CP exige como condición objetiva una cuantía defraudada, los 120.000 euros en un periodo impositivo concreto, para cuya determinación el art. 305 CP prevé unas reglas especiales de determinación ajenas a la mera causalidad de la acción realizada. Y hacen que cada hecho típico sea estanco conformado por un periodo impositivo, el año, y una cuota, 120.000. El dolo global, genérico o de conjunto propio del delito continuado tiene que ponerse en relación con una base naturalística u ontológica de acciones delictivas que se engarcen con una mínima vinculación temporal. Y ello no puede decirse de un proyecto delictivo que ha de perpetrarse durante varios años, ensamblado mediante una decisión voluntaria anual de cometer una grave conducta fraudulenta contra la Hacienda Pública. Una conducta de esta naturaleza no puede enmarcarse en la unidad de acción continuada propia del art. 74 del C. Penal. Máxime cuando el extenso periodo de tiempo planificado con una compleja estrategia se fragmenta con un acto nuclear de voluntad defraudadora que se espacia de año en año, formalizándose la voluntad de cometer el delito en un momento puntual de cada anualidad. La jurisprudencia de la Sala ha sido contraria a la consideración del delito fiscal como continuado, con excepciones respecto a la infracción tributaria referida al IVA y otros supuestos con periodos tributarios cortos o referidos a actuaciones generadoras de la obligación específicos, dada la especial configuración de la infracción tributaria correspondiente a estos supuestos.

STS 305/2022: La posibilidad de la tentativa en este delito resulta de la jurisprudencia de esta Sala Casacional. El hecho de que finalmente la Agencia Tributaria no resultara efectivamente perjudicada no excluye el delito pues, como hemos visto, el acusado con su acción puso en peligro el bien jurídico protegido por este delito -interés económico de la Hacienda Pública o los principios de solidaridad tributaria-, dirigiendo su actuación a la obtención final de unas devoluciones superiores a 120.000 euros, las que no le correspondían.

STS 2486/2001: La fijación de la cuota defraudada, como elemento del tipo del art. 305 CP, constituye una cuestión prejudicial de naturaleza administrativo-tributario, que debe resolver el propio órgano jurisdiccional penal.

STS 357/2020 (Pleno): La determinación final de la cuota a partir de bases imponibles fijadas por el sistema de estimación directa, no implicó arbitrariedad alguna por parte de la AEAT. Fue la consecuencia de la disponibilidad de documentos aportados por el propio acusado en sus incompletas y defraudatorias declaraciones, así como de la documentación obtenida por los servicios de inspección en las entradas y registros judicialmente autorizadas. Otra de las razones sobre las que se sustenta la queja del recurrente está relacionada con la deducción del IVA en las facturas por ventas no declaradas. A su juicio, las facturas no declaradas no pueden considerarse íntegramente un rendimiento -como hizo la AEAT- y pasar como tal a la base imponible, ya que de la misma debe deducirse el IVA al tipo legal establecido, con la consiguiente reducción de la base imponible y de la cuota defraudada. No tiene razón la defensa. De lo que se trata, al fin y al cabo, es de respaldar la decisión de la administración tributaria, luego avalada por el Juzgado de lo Penal y la Audiencia Provincial, cuando entiende que en la determinación de las bases imponibles del impuesto sobre la renta de las personas físicas, debe tomarse como referencia el importe íntegro de lo cobrado, sin deducción referida a una cantidad -la retención del IVA- que nunca pensó pagarse y que, hasta el momento de su descubrimiento, había pasado a engrosar el patrimonio del defraudador. En definitiva, la sentencia del TJUE de 7 de noviembre de 2013, no acoge en su doctrina supuestos en los que el descubrimiento de maniobras elusivas del pago de tributos haga aflorar rendimientos del trabajo de los que nunca se pensó detraer una cantidad que fue también destinada a incrementar las irregulares ganancias del defraudador. La sentencia dictada en respuesta a la cuestión prejudicial suscitada por las autoridades judiciales rumanas no se refiere a operaciones fraudulentas que afloran como consecuencia de la labor inspectora. Los antecedentes de esa resolución -de tanta importancia para una interpretación uniforme del régimen jurídico del IVA- dan cuenta de una serie de contratos que no han sido presentados como una estrategia de ocultación urdida para evitar el pago del impuesto. Más bien se trata de negocios de transmisión de la propiedad inmobiliaria que no incluían previsión alguna sobre el pago de aquel impuesto. En el supuesto que nos ocupa, sin embargo, se trata de una venta generalizada de pescado cuya existencia misma fue ocultada a la inspección tributaria, con la consiguiente ruptura del principio de igualdad y de competencia en el mercado de la distribución de los productos de la pesca. (Tol 8000920)

STS 115/2021: La jurisprudencia de esta Sala muestra un precedente en el que se analizó la cuestión de manera tangencial; concretamente en la sentencia del Pleno de la Sala Segunda 357/2020, de 30 de junio. No resolvimos en aquella ocasión si el IVA soportado y no ingresado, había de descontarse a la hora de liquidar el IVA posteriormente devengado y defraudado. En esencia, el fraude del recurrente no solo se proyecta sobre el IVA que debió haber ingresado, sino también sobre aquel que debió soportar y no se devengó. De este modo, el IVA que debió soportarse no puede resultar deducible, en la medida en que su falta de ingreso es consecuencia directa e ineludible del específico fraude desplegado por el acusado, lo que, de conformidad con los artículos 6.2, 6.3 y 6.4 del CC, así como con el art. 11.2 de la LOPJ, determina excluir la minoración de su importe.

STS 426/2018: La regularización es un comportamiento activo del recurrente que supone de una parte, reconocer la deuda y, de otra, proceder a un comportamiento dirigido al pago de una deuda que se asume como debida, incorporando al hecho lo autodenuncia y la reparación. Por ella el obligado tributario reconoce la deuda y procede a su abono y lo realiza con un límite temporal preciso antes de que por la administración tributaria se haya notificado el inicio de actuaciones de comprobación o de investigación, debiendo proceder al reconocimiento de la deuda y al abono completo de la misma. Ese doble comportamiento, reconocimiento y reparación, es premiado por el Código penal con la exención de la responsabilidad penal, sin que quepa dentro de las regularizaciones, con los efectos penológicos que conlleva, el mero reconocimiento parcial.

STS 746/2018: No puede defenderse esa exégesis que resulta tan artificiosa y formalista como contraria al espíritu de la norma. El Legislador quiere fomentar mediante ese expediente (antes excusa absolutoria; ahora, tras su remodelación en 2012, de naturaleza controvertida) la regularización espontánea. Solo en ese caso se descubren razones para proceder a un *perdón* *legal* absoluto (nos movemos en esta argumentación usando términos y conceptos anteriores a la reforma de 2012). Si fuese de otra forma, se provocaría justamente el efecto inverso al perseguido: más defraudaciones, y menos recaudación. El contribuyente poco escrupuloso se vería invitado a defraudar en la confianza de que si su maniobra es detectada, mantendrá la posibilidad de eludir la pena abonando lo adeudado cuando la citación que le alerta de ello no ha sido lo suficientemente precisa; en muchas ocasiones porque todavía no puede serlo. Si la investigación que determina la citación del supuesto responsable se refiere precisamente a la conducta constitutiva de la defraudación y el acusado es notificado se produce el efecto de bloqueo automático; aunque la citación no sea totalmente precisa o no esté detallada en todos sus términos. No cabe refugiarse en una *ignorancia deliberada*, por utilizar una fórmula con raigambre en la penalística: *prefiero no enterarme de por qué hechos concretos me citan*. Con esa citación el recurrente, lógicamente conocedor de sus actuaciones previas, había de deducir de forma segura que sólo a esos hechos podía referirse. Será por tanto más *ignorancia fingida* que *ignorancia deliberada*. El Código Penal quiere premiar la espontaneidad. Este principio inspirador es herramienta exegética de primer orden para dar solución a problemas concretos de la regularización como el aquí planteado. Una regularización forzada por tomarse conciencia "oficial" de que ha sido detectada la defraudación no excluye la responsabilidad penal. La falta de espontaneidad se presume a través del establecimiento legislativo de diversas causas de bloqueo: a) notificación de actuaciones inspectoras por parte de la Administración; b) notificación de la interposición de querella o denuncia por parte del Ministerio Fiscal, el Abogado del Estado o el representante procesal de la Administración autonómica, foral o local que corresponda; y c) notificación de la iniciación de una investigación penal. Su denominador común es que desvelan al defraudador que su acción ilícita está siendo investigada y, por tanto, en vías de ser detectada.

STS 586/2020 (Pleno): El motivo tercero del escrito de formalización de los recurrentes, sostiene que si bien la jurisprudencia había considerado tradicionalmente que el inicio del plazo de prescripción en la defraudación por el impuesto del IVA era el de la fecha límite para presentar el resumen anual del impuesto, esto es, el mes siguiente a la finalización del último trimestre, que se concretaba en la presentación del formulario 390 correspondiente al resumen anual con posibilidad de regularizar los trimestres anteriores, esa fijación del plazo de inicio del plazo de prescripción ha sido modificado por la reforma del art. 305 tras la LO 7/2012 que introdujo en el art. 305.2.a), que determina la posibilidad de perseguir el delito fiscal cometido en el seno de una organización o grupo criminal con independencia del año natural correspondiente a la infracción tributaria. A tal efecto, el delito podrá ser perseguido tan pronto se alcance la cifra de la condición objetiva de punibilidad, los 120.000 euros, sin necesidad de esperar a la conclusión de la anualidad. A su juicio, esa posibilidad modifica el inicio del cómputo del plazo de prescripción, toda vez que en el caso fueron mas de dos personas las intervinientes en los hechos, por lo tanto, integrantes de un grupo criminal, aunque no fuera objeto de acusación. No procede modificar nuestra jurisprudencia en interpretación del precepto. La posibilidad de anticipar el mecanismo de reacción penal frente al delincuente fiscal no altera el carácter de impuesto periódico con posibilidades de actuar para evitar la continuación del hecho delictivo. Una cuestión es la naturaleza del delito, periódico y anual, y otra distinta es la posibilidad de su persecución. La modificación del Código no altera esa naturaleza, por lo tanto, el plazo de prescripción y su cómputo. Consecuentemente, se mantiene la doctrina jurisprudencial sobre el inicio del cómputo de la prescripción de un delito fiscal en el mes siguiente al de la anualidad correspondiente, coincidente con la elaboración del resumen anual.

La norma tributaria es clara: la administración tributaria, no puede liquidar impuestos prescritos, pero si puede realizar comprobaciones e investigaciones conforme al artículo 115 de esta Ley y las derivadas del art. 66 bis. Respecto al primero, el art. 115 permite a la administración tributaria comprobar e investigar los hechos, actos, elementos, actividades, explotaciones, negocios, valores y demás circunstancias determinantes de la obligación tributaria para verificar el correcto cumplimiento de las normas aplicables, comprobaciones e investigaciones incluso en el caso de que las mismas afecten a ejercicios o periodos y conceptos tributarios prescritos siempre que tal comprobación o investigación resulte precisa en relación con la de alguno de los derechos a los que se refiere el artículo 66 de esta Ley que no hubiesen prescrito. Es decir, la administración tributaria puede indagar actos y periodos prescritos para la investigación sobre impuestos no prescritos, como el de sociedades. Ahora bien, no basta con la mera expresión de la justificación del hecho que habilita la investigación, sino que esta debe ser relevante en la indagación del impuesto que se investiga para el que existe una expresa autorización legal. Además, conforme al art. 66 bis de la Ley General Tributaria, la previsión establecida en el artículo 66, cuatro años, no afectará al derecho de la Administración para realizar comprobaciones e investigaciones conforme al artículo 115 de esta Ley, de acuerdo al que el derecho de la Administración posibilita la comprobación de las bases o cuotas compensadas o pendientes de compensación o de deducciones aplicadas o pendientes de aplicación, que prescribirá a los diez años a contar desde el día siguiente a aquel en que finalice el plazo reglamentario establecido para presentar la declaración o autoliquidación correspondiente al ejercicio o periodo impositivo en que se generó el derecho a compensar dichas bases o cuotas o a aplicar dichas deducciones. En el caso de la presente casación, la actuación investigadora que se inicia fuera de plazo, no tenía por objeto las bases o cuotas compensadas o pendientes de compensación o de deducciones aplicadas, autorizadas por el art. 66 bis, y la mención a la indagación de un impuesto de sociedades no era sino el señuelo que se dispuso para reabrir la investigación sobre un hecho tributario prescrito de acuerdo al art. 66 de la Ley General Tributaria, pues el IVA es neutro en la determinación de los gastos e ingresos que fundan la base tributaria del impuesto de sociedades. Consecuentemente, la actuación de inspección sobre impuestos prescritos fue una actividad realizada sin el amparo legal preciso que autorizara la actuación administrativa de indagación tributaria. La actuación investigadora realizada por la administración tributaria excedió en sus facultades legalmente previstas y no puede surtir efectos en el orden penal de la jurisdicción de acuerdo al art. 11.1 de la Ley Orgánica del Poder Judicial. (Tol 8205153)

Art. 305 bis.

1. El delito contra la Hacienda Pública será castigado con la pena de prisión de dos a seis años y multa del doble al séxtuplo de la cuota defraudada cuando la defraudación se cometiere concurriendo alguna de las circunstancias siguientes:

a) Que la cuantía de la cuota defraudada exceda de seiscientos mil euros.

b) Que la defraudación se haya cometido en el seno de una organización o de un grupo criminal.

c) Que la utilización de personas físicas o jurídicas o entes sin personalidad jurídica interpuestos, negocios o instrumentos fiduciarios o paraísos fiscales o territorios de nula tributación oculte o dificulte la determinación de la identidad del obligado tributario o del responsable del delito, la determinación de la cuantía defraudada o del patrimonio del obligado tributario o del responsable del delito.

2. A los supuestos descritos en el presente artículo les serán de aplicación todas las restantes previsiones contenidas en el artículo 305.

En estos casos, además de las penas señaladas, se impondrá al responsable la pérdida de la posibilidad de obtener subvenciones o ayudas públicas y del derecho a gozar de los beneficios o incentivos fiscales o de la Seguridad Social durante el período de cuatro a ocho años.

STS 740/2018: La ratio de la agravación radica en la idea de castigar con mayor pena las conductas descritas, que denotan la existencia de una mayor gravedad o peligrosidad, así como una mayor facilidad comisiva, facilitando la impunidad de la conducta, tratando de conseguir a través de las mismas aumentar la eficacia preventiva y a la vez represiva del precepto. Por ello el subtipo exige que el sujeto infractor emplee en la comisión del delito una persona física o jurídica de modo que cree una estructura tendente a favorecer la impunidad de la conducta para dificultar su identificación. La conducta dolosa va implícita en este comportamiento, siendo suficiente que el sujeto se aprovecha conscientemente de esta situación.

Art. 307.

1. El que, por acción u omisión, defraude a la Seguridad Social eludiendo el pago de las cuotas de ésta y conceptos de recaudación conjunta, obteniendo indebidamente devoluciones de las mismas o disfrutando de deducciones por cualquier concepto asimismo de forma indebida, siempre que la cuantía de las cuotas defraudadas o de las devoluciones o deducciones indebidas exceda de cincuenta mil euros será castigado con la pena de prisión de uno a cinco años y multa del tanto al séxtuplo de la citada cuantía salvo que hubiere regularizado su situación ante la Seguridad Social en los términos del apartado 3 del presente artículo.

La mera presentación de los documentos de cotización no excluye la defraudación, cuando ésta se acredite por otros hechos.

Además de las penas señaladas, se impondrá al responsable la pérdida de la posibilidad de obtener subvenciones o ayudas públicas y del derecho a gozar de los beneficios o incentivos fiscales o de la Seguridad Social durante el período de tres a seis años.

2. A los efectos de determinar la cuantía mencionada en el apartado anterior se estará al importe total defraudado durante cuatro años naturales.

3. Se considerará regularizada la situación ante la Seguridad Social cuando se haya procedido por el obligado frente a la Seguridad Social al completo reconocimiento y pago de la deuda antes de que se le haya notificado la iniciación de actuaciones inspectoras dirigidas a la determinación de dichas deudas o, en caso de que tales actuaciones no se hubieran producido, antes de que el Ministerio Fiscal o el Letrado de la Seguridad Social interponga querella o denuncia contra aquél dirigida o antes de que el Ministerio Fiscal o el Juez de Instrucción

realicen actuaciones que le permitan tener conocimiento formal de la iniciación de diligencias.

Asimismo, los efectos de la regularización prevista en el párrafo anterior, resultarán aplicables cuando se satisfagan deudas ante la Seguridad Social una vez prescrito el derecho de la Administración a su determinación en vía administrativa.

La regularización de la situación ante la Seguridad Social impedirá que a dicho sujeto se le persiga por las posibles irregularidades contables u otras falsedades instrumentales que, exclusivamente en relación a la deuda objeto de regularización, el mismo pudiera haber cometido con carácter previo a la regularización de su situación.

4. La existencia de un procedimiento penal por delito contra la Seguridad Social no paralizará el procedimiento administrativo para la liquidación y cobro de la deuda contraída con la Seguridad Social, salvo que el Juez lo acuerde previa prestación de garantía. En el caso de que no se pudiese prestar garantía en todo o en parte, el Juez, con carácter excepcional, podrá acordar la suspensión con dispensa total o parcial de las garantías, en el caso de que apreciara que la ejecución pudiera ocasionar daños irreparables o de muy difícil reparación. La liquidación administrativa se ajustará finalmente a lo que se decida en el proceso penal.

5. Los Jueces y Tribunales podrán imponer al obligado frente a la Seguridad Social o al autor del delito la pena inferior en uno o dos grados, siempre que, antes de que transcurran dos meses desde la citación judicial como imputado, satisfaga la deuda con la Seguridad Social y reconozca judicialmente los hechos. Lo anterior será igualmente aplicable respecto de otros partícipes en el delito distintos del deudor a la Seguridad Social o del autor del delito, cuando colaboren activamente para la obtención de pruebas decisivas para la identificación o captura de otros responsables, para el completo esclarecimiento de los hechos delictivos o para la averiguación del patrimonio del obligado frente a la Seguridad Social o de otros responsables del delito.

6. En los procedimientos por el delito contemplado en este artículo, para la ejecución de la pena de multa y la responsabilidad civil, que comprenderá el importe de la deuda frente a la Seguridad Social que la Administración no haya liquidado por prescripción u otra causa legal, incluidos sus intereses de demora, los Jueces y Tribunales recabarán

el auxilio de los servicios de la Administración de la Seguridad Social que las exigirá por el procedimiento administrativo de apremio.

STS 564/2018: El delito de defraudación a la Seguridad Social es un delito especial de infracción de deber, que atenta contra los intereses económicos de la Seguridad Social, institución que tiene reconocimiento constitucional en el artículo 41 CE, que obliga "a los poderes públicos a mantener un régimen de seguridad social para todos los ciudadanos que garantice la asistencia y prestaciones suficientes ante situaciones de necesidad". La protección penal va encaminada a la tutela singular de la actividad recaudatoria de esta institución. Además de un delito de omisión, patrimonial y de resultado, es una norma penal en blanco que ha de completarse con las leyes administrativas correspondientes, que regulan el pago el pago de cuotas, la obtención de devoluciones o el disfrute de subvenciones. El deber cuya elusión constituye la defraudación a la que se refiere el precepto penal, está contemplado en la respectiva ley administrativa que establece el sistema de cotizaciones y que obliga al sujeto pasivo a poner en conocimiento de la Administración, con corrección, en forma completa y sin falsedad, los respectivos hechos imponibles ocurridos dentro del ejercicio fiscal correspondiente. Según reiterada jurisprudencia de esta Sala, no se sanciona la mera omisión de la declaración ni el simple impago, entendido este como omisión del ingreso material del dinero, cuando se ha hecho la declaración veraz. El tipo exige una conducta defraudatoria, mendaz, de ocultación de las bases de cotización o de ficción sobre devoluciones o gastos deducibles. Tanto el incumplimiento del pago de cotizaciones como la conducta defraudatoria son los requisitos típicos para la concurrencia del tipo de elusión del pago de las cuotas de la Seguridad Social. Por tanto, el concepto de defraudación está vinculado a actuaciones de ocultación o alteración de datos de obligatoria comunicación.

STS 551/2022 (Pleno): Si partimos de que la dicción literal del precepto establece que, a los efectos de determinar la cuantía "se estará al importe total defraudado durante cuatro años naturales", pues, en nuestra opinión, está haciendo referencia a una regla de cómputo natural de plazos, como regla general a todos los efectos, según resulta de lo dispuesto en el art. 5 C. Civil, que establece que "si los plazos estuviesen fijados por meses o años, se computarán de fecha a fecha". Con lo cual, si partimos de que la consumación es la plena realización del tipo en todos sus elementos, y la defraudación que se define en el art. 307 CP los reúne todos, cualquiera que sea la cuantía cuyo pago se eluda, el tipo, como tal, habrá quedado consumado desde el primer euro que no se haga efectivo dentro del plazo legal de ingreso, lo que tendrá lugar desde la primera cantidad no ingresada; ahora bien, como para que esa infracción alcance la categoría de delito habrá que añadirle ese elemento ajeno, como es la condición objetiva de punibilidad (que no deja de ser el impago de la propia cuota), será desde ese momento que no se realiza el primer ingreso cuando habrá de iniciarse el cómputo de los "cuatro años naturales", a contar de fecha a fecha, y cuando supere esos 50.000 euros, podremos, entonces, hablar de delito, en la medida que la penalidad es la nota propia que diferencia el delito de otro tipo de infracciones; pero la infracción existirá se supere o deje de superar esa cuantía. Tras las consideraciones realizadas, podemos resumir diciendo que no será necesario, en todo caso, esperar a que transcurran los cuatro años, porque, si en un periodo de tiempo inferior, desde la primera elusión hasta completar ese exceso de los 50.000 euros, no se ha llegado a ellos, habrá quedada cumplida la condición objetiva de punibilidad que permite acudir a la vía penal; de manera que, si con anterioridad se alcanza dicha cuantía y se incoa, por ello, proceso penal, las eventuales cantidades siguientes que se pudieran ir defraudando podrían abrir el paso, caso de mediar ruptura jurídica, a precisar en atención a las circunstancias concurrentes en cada caso, a un nuevo delito a enjuiciar con independencia del anterior. Lo fundamental, en lo que aquí nos ocupa, a efectos penales es que la cantidad defraudada supere los 50.000 euros en un tiempo máximo de cuatro años consecutivos, por lo que, si los supera en uno, en dos o en tres, no habrá necesidad de esperar más tiempo. Consecuencia de las consideraciones realizadas, es que, frente a la opinión del recurrente, no cabe la posibilidad de desistimiento del delito en cualquier momento anterior a que concurran esos cuatro años, según los computa él, y comprobar si el 31 de diciembre de ese cuarto año la cantidad total defraudada supera los 50.000 euros de perjuicio efectivo al patrimonio del sistema de la seguridad Social, porque dentro de ese periodo de cuatro años bien se pudo desistir o regularizar la deuda. (Tol 9009789)

Art. 307 ter.

1. Quien obtenga, para sí o para otro, el disfrute de prestaciones del Sistema de la Seguridad Social, la prolongación indebida del mismo, o facilite a otros su obtención, por medio del error provocado mediante la simulación o tergiversación de hechos, o la ocultación consciente de hechos de los que tenía el deber de informar, causando con ello un perjuicio a la Administración Pública, será castigado con la pena de seis meses a tres años de prisión.

Cuando los hechos, a la vista del importe defraudado, de los medios empleados y de las circunstancias personales del autor, no revistan especial gravedad, serán castigados con una pena de multa del tanto al séxtuplo.

Además de las penas señaladas, se impondrá al responsable la pérdida de la posibilidad de obtener subvenciones y del derecho a gozar de los beneficios o incentivos fiscales o de la Seguridad Social durante el período de tres a seis años.

2. Cuando el valor de las prestaciones fuera superior a cincuenta mil euros o hubiera concurrido cualquiera de las circunstancias a que se refieren las letras b) o c) del apartado 1 del artículo 307 bis, se impondrá una pena de prisión de dos a seis años y multa del tanto al séxtuplo.

En estos casos, además de las penas señaladas, se impondrá al responsable la pérdida de la posibilidad de obtener subvenciones y del derecho a gozar de los beneficios o incentivos fiscales o de la Seguridad Social durante el período de cuatro a ocho años.

3. Quedará exento de responsabilidad criminal en relación con las conductas descritas en los apartados anteriores el que reintegre una cantidad equivalente al valor de la prestación recibida incrementada

en un interés anual equivalente al interés legal del dinero aumentado en dos puntos porcentuales, desde el momento en que las percibió, antes de que se le haya notificado la iniciación de actuaciones de inspección y control en relación con las mismas o, en el caso de que tales actuaciones no se hubieran producido, antes de que el Ministerio Fiscal, el Abogado del Estado, el Letrado de la Seguridad Social, o el representante de la Administración autonómica o local de que se trate, interponga querella o denuncia contra aquél dirigida o antes de que el Ministerio Fiscal o el Juez de Instrucción realicen actuaciones que le permitan tener conocimiento formal de la iniciación de diligencias.

La exención de responsabilidad penal contemplada en el párrafo anterior alcanzará igualmente a dicho sujeto por las posibles falsedades instrumentales que, exclusivamente en relación a las prestaciones defraudadas objeto de reintegro, el mismo pudiera haber cometido con carácter previo a la regularización de su situación.

4. La existencia de un procedimiento penal por alguno de los delitos de los apartados 1 y 2 de este artículo, no impedirá que la Administración competente exija el reintegro por vía administrativa de las prestaciones indebidamente obtenidas. El importe que deba ser reintegrado se entenderá fijado provisionalmente por la Administración, y se ajustará después a lo que finalmente se resuelva en el proceso penal.

El procedimiento penal tampoco paralizará la acción de cobro de la Administración competente, que podrá iniciar las actuaciones dirigidas al cobro salvo que el Juez, de oficio o a instancia de parte, hubiere acordado la suspensión de las actuaciones de ejecución previa prestación de garantía. Si no se pudiere prestar garantía en todo o en parte, excepcionalmente el Juez podrá acordar la suspensión con dispensa total o parcial de garantías si apreciare que la ejecución pudiese ocasionar daños irreparables o de muy difícil reparación.

5. En los procedimientos por el delito contemplado en este artículo, para la ejecución de la pena de multa y de la responsabilidad civil, los Jueces y Tribunales recabarán el auxilio de los servicios de la Administración de la Seguridad Social que las exigirá por el procedimiento administrativo de apremio.

6. Resultará aplicable a los supuestos regulados en este artículo lo dispuesto en el apartado 5 del artículo 307 del Código Penal.

STS 425/2017: El nuevo artículo 307 ter se incorpora al panorama normativo como ley especial respecto al delito de estafa en las defraudaciones que afecten al patrimonio de la Seguridad Social a través de sus distintas prestaciones. Tratándose, como se trata en este caso, de una defraudación articulada a través de pagos mensuales, que se mantuvieron durante años, no existe motivo alguno para sustraer este supuesto, de inequívoco carácter patrimonial, del régimen general que la jurisprudencia de esta Sala ha marcado, a partir del Acuerdo del pleno de 30 de octubre de 2007, para la determinación penológica cuando de delitos patrimoniales se trata.

STS 146/2018: El tipo (art. 307 ter CP) describe, por tanto, una estrategia falsaria que, en algunos casos, no implicará, necesariamente, la comisión de un delito de falsedad en documento oficial. Piénsese, por ejemplo, en aquellos supuestos en los que el solicitante se limita a faltar a la verdad en la narración de los hechos que actúan como presupuestos habilitantes del cobro de la prestación fraudulenta. En tales casos, el desvalor de la conducta sería abarcado en su integridad por el art. 307 ter operando la regla de absorción prevista en el art. 8.3 del CP. Tratamiento distinto merecen aquellos otros supuestos en los que la simulación o tergiversación de hechos se ejecuta mediante la afectación del bien jurídico protegido por el delito de falsedad.

STS 355/2020 (Pleno): Establece el párrafo segundo del artículo 307 ter 1 CP "cuando los hechos, a la vista del importe defraudado, de los medios empleados y de las circunstancias personales del autor, no revistan especial gravedad, serán castigados con una pena de multa del tanto al séxtuplo". A partir de una interpretación literal del precepto, el uso de la conjunción copulativa "y" sugiere indefectiblemente que los distintos indicadores que la norma contempla deben de ser valorados conjuntamente. En cualquier caso, dado el contenido patrimonial del tipo, si bien esta modalidad atenuada debe conformarse con la valoración de los tres parámetros que el precepto contempla, goza de especial relevancia "el importe de la defraudación", que resulta básico en la fórmula, lo que aconseja perfilar en la medida de lo posible un límite cuantitativo que otorgue seguridad jurídica en su aplicación. Si ni por los medios empleados ni por las circunstancias personales del autor el hecho revistiera mayor gravedad, una defraudación inferior a los 10.000 euros abriría la aplicación al tipo atenuado. Dentro del parámetro de los "medios empleados", sin ánimo de exhaustividad, se valorarán como factores para apuntalar la especial gravedad que excluya el subtipo, aunque la cantidad no llegue a 10.000 euros, la constitución fraudulenta de empresas y sociedades, en las que sin actividad real se simulen y aparenten relaciones laborales inexistentes para obtener prestaciones sociales fraudulentas; el otorgamiento de escrituras instrumentales mendaces; y también aquellos en los que se hayan materializado acuerdos con trabajadores para, a cambio de dinero, generar a su favor periodos ficticios de cotización a la Seguridad Social. Todo ello sin perjuicio de que, en aquellos casos en que la concurrencia de falsedades instrumentales en documentos oficial, público o mercantil, que por afectar a bienes jurídicos distintos y no venir exigidas por el tipo aboquen al concurso de delitos, la ponderación sobre la aplicación o no de la modalidad atenuada que nos ocupa habrá de evitar el incurrir en doble sanción. En cuanto a las circunstancias personales del autor, en un paralelismo con la doctrina de esta Sala en relación a la modalidad atenuada que para el delito contra la salud pública prevé el artículo 368.2 CP que introdujo el mismo estándar, como circunstancias personales del delincuente habremos de considerar las situaciones, datos o elementos que configuran el entorno social y el componente individual de cada sujeto, la edad de la persona, su grado de formación intelectual y cultural, su madurez psicológica, su entorno familiar y social, sus actividades laborales, su comportamiento posterior al hecho delictivo y sus posibilidades de integración en el cuerpo social. En el parámetro se pueden valorar aspectos tales como los conciertos criminales, los planes urdidos y la utilización abusiva de personas vulnerables o de sus documentos para aparentar las relaciones laborales inexistentes. En definitiva, los criterios expuestos habrán de operar como pautas interpretativas en la aplicación de la modalidad prevista en el párrafo segundo del artículo 307 ter.1 CP, en todo caso dotados de la flexibilidad que deriva de la interacción entre ellos. (Tol 8001309)

Art. 308.

1. El que obtenga subvenciones o ayudas de las Administraciones Públicas, incluida la Unión Europea, en una cantidad o por un valor superior a cien mil euros falseando las condiciones requeridas para su concesión u ocultando las que la hubiesen impedido será castigado con la pena de prisión de uno a cinco años y multa del tanto al séxtuplo de su importe, salvo que lleve a cabo el reintegro a que se refiere el apartado 6.

2. Las mismas penas se impondrán al que, en el desarrollo de una actividad sufragada total o parcialmente con fondos de las Administraciones públicas, incluida la Unión Europea, los aplique en una cantidad superior a cien mil euros a fines distintos de aquéllos para los que la subvención o ayuda fue concedida, salvo que lleve a cabo el reintegro a que se refiere el apartado 6.

3. Además de las penas señaladas, se impondrá al responsable la pérdida de la posibilidad de obtener subvenciones o ayudas públicas y del derecho a gozar de beneficios o incentivos fiscales o de la Seguridad Social durante un período de tres a seis años.

4. Si la cuantía obtenida, defraudada o aplicada indebidamente no superase los cien mil euros pero excediere de diez mil, se impondrá una pena de prisión de tres meses a un año o multa del tanto al triplo de la citada cuantía y la pérdida de la posibilidad de obtener subvenciones o ayudas públicas y del derecho a gozar de los beneficios o incentivos fiscales o de la Seguridad Social durante el período de seis meses a dos años, salvo que lleve a cabo el reintegro a que se refiere el apartado 6.

5. A los efectos de determinar la cuantía a que se refiere este artículo, se atenderá al total de lo obtenido, defraudado o indebidamente aplicado, con independencia de si procede de una o de varias Administraciones Públicas conjuntamente.

6. Se entenderá realizado el reintegro al que se refieren los apartados 1, 2 y 4 cuando por el perceptor de la subvención o ayuda se proceda a devolver las subvenciones o ayudas indebidamente percibidas o aplicadas, incrementadas en el interés de demora aplicable en materia de subvenciones desde el momento en que las percibió, y se lleve a cabo antes de que se haya notificado la iniciación de actuaciones de

comprobación o control en relación con dichas subvenciones o ayudas o, en el caso de que tales actuaciones no se hubieran producido,
antes de que el Ministerio Fiscal, el Abogado del Estado o el representante de la Administración autonómica o local de que se trate,
interponga querella o denuncia contra aquél dirigida o antes de que
el Ministerio Fiscal o el juez de instrucción realicen actuaciones que
le permitan tener conocimiento formal de la iniciación de diligencias.
El reintegro impedirá que a dicho sujeto se le persiga por las posibles
falsedades instrumentales que, exclusivamente en relación a la deuda
objeto de regularización, el mismo pudiera haber cometido con carácter previo a la regularización de su situación.

7. La existencia de un procedimiento penal por alguno de los delitos de los apartados 1, 2 y 4 de este artículo, no impedirá que la
Administración competente exija el reintegro por vía administrativa
de las subvenciones o ayudas indebidamente aplicadas. El importe
que deba ser reintegrado se entenderá fijado provisionalmente por la
Administración, y se ajustará después a lo que finalmente se resuelva
en el proceso penal.

El procedimiento penal tampoco paralizará la acción de cobro de
la Administración, que podrá iniciar las actuaciones dirigidas al cobro
salvo que el juez, de oficio o a instancia de parte, hubiere acordado
la suspensión de las actuaciones de ejecución previa prestación de
garantía. Si no se pudiere prestar garantía en todo o en parte, excepcionalmente el juez podrá acordar la suspensión con dispensa total o
parcial de garantías si apreciare que la ejecución pudiese ocasionar
daños irreparables o de muy difícil reparación.

8. Los jueces y tribunales podrán imponer al responsable de este
delito la pena inferior en uno o dos grados, siempre que, antes de que
transcurran dos meses desde la citación judicial como investigado,
lleve a cabo el reintegro a que se refiere el apartado 6 y reconozca judicialmente los hechos. Lo anterior será igualmente aplicable respecto
de otros partícipes en el delito distintos del obligado al reintegro o
del autor del delito, cuando colaboren activamente para la obtención
de pruebas decisivas para la identificación o captura de otros responsables, para el completo esclarecimiento de los hechos delictivos o
para la averiguación del patrimonio del obligado o del responsable
del delito.

STS 736/2018: El art. 308 habla de falseamiento de las condiciones, pero eso no significa que pertenezca a la esencia del fraude de subvenciones la realización de falsedades documentales. Hacer constar datos inveraces en la solicitud de subvención no sería falsedad documental típica y punible autónomamente, sino manifestaciones inveraces documentadas. Si esas manifestaciones inveraces se avalan con documentos mendaces elaborados a tal fin, habrá concurso de delitos. Pero puede haber falseamiento de condiciones (aparentar condiciones que no se dan como sucede aquí (capital, contrataciones laborales) sin falsedades documentales y sin necesidad de que toda la actividad empresarial se considerase simulada. Cabe fraude de subvenciones sin necesidad de falsificar documentos. De producirse además esta conducta, surgirá un concurso real; en su caso, medial.

XII. DELITOS CONTRA LOS DERECHOS DE LOS TRABAJADORES

(Arts. 311 a 318)

Art. 311.[443]

Serán castigados con las penas de prisión de seis meses a seis años y multa de seis a doce meses:

1.º Los que, mediante engaño o abuso de situación de necesidad, impongan a los trabajadores a su servicio condiciones laborales o de Seguridad Social que perjudiquen, supriman o restrinjan los derechos que tengan reconocidos por disposiciones legales, convenios colectivos o contrato individual.

2.º Los que impongan condiciones ilegales a sus trabajadores mediante su contratación bajo fórmulas ajenas al contrato de

---

[443] Se modifica por la LO 14/2022, de 22 de diciembre.

trabajo, o las mantengan en contra de requerimiento o sanción administrativa.

3.º Los que den ocupación simultáneamente a una pluralidad de trabajadores sin comunicar su alta en el régimen de la Seguridad Social que corresponda o, en su caso, sin haber obtenido la correspondiente autorización de trabajo, siempre que el número de trabajadores afectados sea al menos de:

a) el veinticinco por ciento, en las empresas o centros de trabajo que ocupen a más de cien trabajadores,

b) el cincuenta por ciento, en las empresas o centros de trabajo que ocupen a más de diez trabajadores y no más de cien, o

c) la totalidad de los mismos, en las empresas o centros de trabajo que ocupen a más de cinco y no más de diez trabajadores.

4.º Los que en el supuesto de transmisión de empresas, con conocimiento de los procedimientos descritos en los apartados anteriores, mantengan las referidas condiciones impuestas por otro.

5.º Si las conductas reseñadas en los apartados anteriores se llevaren a cabo con violencia o intimidación se impondrán las penas superiores en grado.

STS 162/2019: No ofrece duda alguna que las actividades que se desarrollan en un club de alterne, según la doctrina jurisprudencial que acabamos de reseñar, constituyen una relación laboral por la que el empleador viene obligado a dar de alta en la Seguridad Social a sus trabajadoras. El incumplimiento de este deber en las proporciones establecidas en el artículo 311.2 CP[444] constituye delito, tal y como acontece en este supuesto.

Art. 312.

1. Serán castigados con las penas de prisión de dos a cinco años y multa de seis a doce meses, los que trafiquen de manera ilegal con mano de obra.

---

[444] Debe entenderse referido al artículo 311.3º CP, en su redacción posterior a la reforma operada por la LO 14/2022, de 22 de diciembre.

2. En la misma pena incurrirán quienes recluten personas o las determinen a abandonar su puesto de trabajo ofreciendo empleo o condiciones de trabajo engañosas o falsas, y quienes empleen a súbditos extranjeros sin permiso de trabajo en condiciones que perjudiquen, supriman o restrinjan los derechos que tuviesen reconocidos por disposiciones legales, convenios colectivos o contrato individual.

> STS 208/2010: El bien jurídico protegido del art. 312.2 está constituido por un conjunto de intereses concretos referidos a la indemnidad de la propia relación laboral, mediante la sanción de aquellas conductas de explotación que atenten contra los derechos laborales de los trabajadores, incluyendo a todos aquéllos que presten servicios remunerados por cuenta ajena, concepto en el que deben incluirse las mujeres que ejercen la prostitución por cuenta y encargo de otro; precisándose en la STS 293/2004 de 8.3, con respecto a la relación de alterne "que sí existió una prestación de servicios de naturaleza laboral. Así, las jóvenes trabajaban. Esa relación jurídica no precisaba de la plasmación en un documento, formalmente válido, para que se tuvieran por nacida la relación laboral. La situación creada implicaba una desprotección jurídica de las mujeres trabajadoras extranjeras, esto es, quedaba lesionado el bien jurídico protegido por el art. 312.2 C.P.

Art. 316.

Los que con infracción de las normas de prevención de riesgos laborales y estando legalmente obligados, no faciliten los medios necesarios para que los trabajadores desempeñen su actividad con las medidas de seguridad e higiene adecuadas, de forma que pongan así en peligro grave su vida, salud o integridad física, serán castigados con las penas de prisión de seis meses a tres años y multa de seis a doce meses.

STS 614/2021: El núcleo de la tipicidad en este delito exige trazar un nexo de antijuricidad entre la infracción de las normas de prevención a las que están obligados legalmente los responsables, facilitando los medios de seguridad necesarios, y el resultado del grave peligro prohibido. Y para ello resulta indispensable despejar cuatro planos que se nutren tanto de elementos factuales como normativos. Primero, las condiciones de seguridad exigibles tanto las objetivas -medios, disponibilidad, acceso, conservación, actualización, etc.- como las subjetivas -formación e información a y de los destinatarios, modo en que estos cumplían las condiciones, circunstancias situacionales que permitían cumplirlas-. Segundo, el grado de cumplimento de las medidas programadas y disponibles. Tercero, las personas normativamente responsables de que dichas condiciones existieran y se hicieran efectivas. Y si, además, en términos situacionales disponían de capacidad de actuación y de evitación del riesgo y de los resultados en el que aquel se proyecta. Cuarto, en el caso de que se produjeran resultados materiales de lesión, el grado de evitabilidad si se hubieran adoptado todas las normas de cuidado y de prevención relevantes. En relación al primero de los planos, el ordenamiento jurídico permite individualizar, como deberes de cuidado externo o de previsibilidad en la actividad laboral, los de suministrar y observar las medidas de seguridad e higiene que reglamentariamente se establezcan. Entre los que destacan, los deberes de evaluación de riesgos; de facilitación de equipos de protección individual; de garantía de seguridad de las máquinas, herramientas e instalaciones; de información y formación; de vigilancia de la salud; y de paralización de la actividad laboral en caso de identificación de un peligro específico; de mantenimiento de las medidas ya existentes. Por su parte, y como deberes de cuidado interno o de prevenibilidad aparece, con especial intensidad, el de advertir la presencia del riesgo propio de la acción concreta, actuando en consecuencia. Pero, como anticipábamos, para poder identificar un comportamiento penalmente relevante no basta el mero incumplimiento de uno o de algunos de tales deberes si, al tiempo, no puede trazarse un específico nexo de antijuricidad entre el resultado de peligro o de resultado exigido por el tipo y el comportamiento incumplidor por parte de quien está obligado a evitarlo. En términos normativos los deberes que contabilizan, los que han de tomarse en cuenta para detraer responsabilidad penal por su desatención, no son los que se sitúan en la esfera del comportamiento extremadamente diligente que excluye todo riesgo sino los que, desde una valoración situacional a la luz de las reglas de experiencia relacionadas con el sector del tráfico en el que se produce la actividad, generan un incremento socialmente inaceptable del riesgo de producción del resultado prohibido que se fija en el tipo -en los delitos contra la seguridad de los trabajadores, el riesgo grave contra la vida, salud o integridad física-.La fuente legal de los deberes de prevención y previsión, en los propios términos exigidos por el tipo del artículo 316 CP, la encontramos en los artículos 42.2 ET y 24.3 LPRL. Tanto el Estatuto de los Trabajadores como la Ley de Prevención de Riesgos laborales neutralizan toda posibilidad de elusión de los deberes de previsión por el simple hecho de que se subcontrate o externalice la "propia actividad" y esta, además, se desarrolle en el centro de trabajo destinado para ello. Debiéndose entender por "propia actividad" la que resulta inherente al propio ciclo productivo de la empresa contratista. Esto es, la que engloba las obras y servicios nucleares de la actividad sobre la que gira el objeto empresarial de la comitente. La existencia de una fuente legal de máximo rango normativo de obligaciones securitarias para la contratista en caso de subcontratación facilita su clara identificación, sin que, en ningún caso, puedan considerarse satisfechas por la mera exigencia contractual a la subcontratista de que cumpla con los deberes de seguridad. El contratista que subcontrata su "propia actividad" a desarrollar en el lugar de trabajo destinado para ello debe además garantizar que las condiciones en las que aquella se realiza son seguras para la salud y la vida de los trabajadores, poniendo a su disposición los medios adecuados o exigiendo su inexcusable puesta a disposición. Si bien no cabe duda que la subcontratista está obligada a cumplir con las normas de prevención que le resultan exigibles, ello no supone que la responsabilidad securitaria de la contratista respecto a los trabajadores que desarrollan su "propia actividad" en el seno de la empresa subcontratada tenga una naturaleza accesoria o vicaria. Los constitucionalmente imperiosos y relevantes fines de protección del tipo del artículo 316 CP, cuando se dan las condiciones legales de transferencia de responsabilidad fijadas en la normativa extrapenal, justifican la consideración de sujeto activo a todos aquellos -contratista y subcontratista- que, participando en la actividad propia en la que consiste el proceso productivo, desatienden sus específicos deberes de previsión y prevención, generando, en términos causales y normativos significativos, los resultados cualificados de peligro prohibidos por el tipo.

XIII. DELITOS CONTRA LOS DERECHOS DE LOS CIUDADANOS EXTRANJEROS

(Art. 318 bis)

Art. 318 bis.

1. El que intencionadamente ayude a una persona que no sea nacional de un Estado miembro de la Unión Europea a entrar en territorio español o a transitar a través del mismo de un modo que vulnere la legislación sobre entrada o tránsito de extranjeros, será castigado con una pena de multa de tres a doce meses o prisión de tres meses a un año.

Los hechos no serán punibles cuando el objetivo perseguido por el autor fuere únicamente prestar ayuda humanitaria a la persona de que se trate.

Si los hechos se hubieran cometido con ánimo de lucro se impondrá la pena en su mitad superior.

2. El que intencionadamente ayude, con ánimo de lucro, a una persona que no sea nacional de un Estado miembro de la Unión Europea a permanecer en España, vulnerando la legislación sobre estancia de extranjeros será castigado con una pena de multa de tres a doce meses o prisión de tres meses a un año.

3. Los hechos a que se refiere el apartado 1 de este artículo serán castigados con la pena de prisión de cuatro a ocho años cuando concurra alguna de las circunstancias siguientes:

a) Cuando los hechos se hubieran cometido en el seno de una organización que se dedicare a la realización de tales actividades. Cuando se trate de los jefes, administradores o encargados de dichas organizaciones o asociaciones, se les aplicará la pena en su mitad superior, que podrá elevarse a la inmediatamente superior en grado.

b) Cuando se hubiera puesto en peligro la vida de las personas objeto de la infracción, o se hubiera creado el peligro de causación de lesiones graves.

4. En las mismas penas del párrafo anterior y además en la de inhabilitación absoluta de seis a doce años, incurrirán los que realicen los hechos prevaliéndose de su condición de autoridad, agente de ésta o funcionario público.

5. Cuando de acuerdo con lo establecido en el artículo 31 bis una persona jurídica sea responsable de los delitos recogidos en este Título, se le impondrá la pena de multa de dos a cinco años, o la del triple al quíntuple del beneficio obtenido si la cantidad resultante fuese más elevada.

Atendidas las reglas establecidas en el artículo 66 bis, los jueces y tribunales podrán asimismo imponer las penas recogidas en las letras b) a g) del apartado 7 del artículo 33.

6. Los tribunales, teniendo en cuenta la gravedad del hecho y sus circunstancias, las condiciones del culpable y la finalidad perseguida por éste, podrán imponer la pena inferior en un grado a la respectivamente señalada.

STS 422/2020: En el Preámbulo de la Ley Orgánica 1/2015, de 30 de marzo, se expone que "resulta necesario revisar la regulación de los delitos de inmigración ilegal tipificados en el artículo 318 bis. Estos delitos se introdujeron con anterioridad a que fuera tipificada separadamente la trata de seres humanos para su explotación, de manera que ofrecían respuesta penal a las conductas más graves que actualmente sanciona el artículo 177 bis. Sin embargo, tras la tipificación separada del delito de tráfico de seres humanos se mantuvo la misma penalidad extraordinariamente agravada y, en muchos casos, desproporcionada, para todos los supuestos de delitos de inmigración ilegal. Por ello, se hacía necesario revisar la regulación del artículo 318 bis con una doble finalidad: de una parte, para definir con claridad las conductas constitutivas de inmigración ilegal conforme a los criterios de la normativa de la Unión Europea, es decir, de un modo diferenciado a la trata de seres humanos, como establece la Directiva 2002/90/CE; y, de otra, para ajustar las penas conforme a lo dispuesto en la Decisión Marco 2002/946/JAI, que únicamente prevé para los supuestos básicos la imposición de penas máximas de una duración mínima de un año de prisión, reservando las penas más graves para los supuestos de criminalidad organizada y de puesta en peligro de la vida o la integridad del inmigrante. De este modo, se delimita con precisión el ámbito de las conductas punibles, y la imposición obligatoria de penas de prisión queda reservada para los supuestos especialmente graves. En todo caso, se excluye la sanción penal en los casos de actuaciones orientadas por motivaciones humanitarias". Por consiguiente, a partir de las reformas penales de 2010 y 2015 todo apunta de forma clara a que el tipo penal del art. 318 bis protege el bien jurídico consistente en el interés del Estado -y de la Unión Europea- en el control de los flujos migratorios. Se reconoce así que el bien jurídico se centra actualmente en la legalidad de la entrada, ubicándose así su objetivo en la tutela de un bien colectivo o suprainvidual y quedando la tutela de los bienes personales individuales de los migrantes encomendada al nuevo tipo penal del art. 177 bis del texto punitivo, lo que explicaría la drástica reducción de pena que se percibe en la última redacción del art. 318 bis del C. Penal. Así pues, tras la tipificación del delito de trata de seres humanos en la LO 5/2010 como delito autónomo, la diferenciación entre el tráfico ilícito de migrantes (art 318 bis CP) y la trata de personas (art 177 bis CP) ha sido confusa en nuestro derecho positivo. Ambas conductas entrañan el movimiento de seres humanos, generalmente para obtener algún beneficio. Sin embargo, en el caso de la trata deben darse dos elementos adicionales con respecto a la inmigración ilegal (antes llamado tráfico ilícito, lo que incrementó la confusión): una forma de captación indebida, con violencia, intimidación, engaño, abuso de poder o pago de precio; y un propósito de explotación, principalmente sexual. En el supuesto de la trata de personas, la fuente principal de ingresos para los delincuentes y el motivo económico impulsor del delito es el producto obtenido con la explotación de las víctimas en la prostitución, trabajos forzados, extracción de órganos u otras formas de abuso; mientras que en el caso de la inmigración ilegal, el precio pagado por el inmigrante irregular, cuando se realiza en el subtipo agravado de ánimo de lucro, es el origen de los ingresos, y no suele mantenerse ninguna relación persistente entre el delincuente y el inmigrante una vez que éste ha llegado a su destino. La segunda gran diferencia básica entre la inmigración ilegal y la trata radica en que la primera siempre tiene un carácter transnacional, teniendo por objeto a un extranjero ajeno a la Unión Europea, aun cuando no exija necesariamente la cooperación en el traspaso de fronteras, mientras que la trata de seres humanos puede tener carácter trasnacional o no, ya que las víctimas pueden ser ciudadanos europeos, o españoles. Generalmente las víctimas de la trata de personas comienzan consintiendo en ser trasladadas ilícitamente de un Estado a otro exclusivamente para realizar un trabajo lícito (inmigración ilegal), para después ser forzadas a soportar situaciones de explotación, convirtiéndose así en víctimas del delito de trata de personas. Y una tercera diferencia -según la citada Sentencia 214/2017- se encuentra en la naturaleza del delito de inmigración ilegal como delito necesitado en todo caso de una hetero-integración administrativa. Conforme a lo dispuesto en el art 318 bis, este tipo delictivo, que en realidad tutela la política de inmigración, sin perjuicio de amparar también los derechos de los ciudadanos extranjeros de un modo más colateral, requiere en todo caso la vulneración de la legislación sobre entrada, estancia o tránsito de los extranjeros. Mientras que en el delito de trata de seres humanos esta vulneración no se configura como elemento típico, siendo los elementos relevantes la afectación del consentimiento y la finalidad de explotación. Nuestra STS 430/2019, de 27 de septiembre, ya estableció la posibilidad de concurso entre los delitos contra los derechos de los ciudadanos extranjeros por inmigración ilegal, en concurso real con un delito de trata de seres humanos con fines explotación sexual cometido por organización o asociación, y en concurso medial con un delito de prostitución coactiva. La STS 861/2015, de 20 de diciembre, declara que es relación habitual entre la trata de seres humanos y el delito de prostitución, la de encontrarse en concurso medial. Esto mismo resulta del apartado 9 del art. 177 bis del Código Penal, pues las penas previstas en dicho artículo se han de imponer "sin perjuicio de las que correspondan, en su caso, por el delito del artículo 318 bis de este Código y demás delitos efectivamente cometidos, incluidos los constitutivos de la correspondiente explotación".

STS 388/2018: En el supuesto de autos, el hecho probado no contiene una mención expresa del estado de los inmigrantes en el momento en que fueron extraídos de los habitáculos. Pero ya hemos indicado con anterioridad que el padecimiento o lesión de los mismos no es un elemento necesario para la concurrencia del tipo: basta con el peligro de que ello suceda y no es necesario que se produzca la lesión efectiva de la vida o la integridad física, al tratarse de un tipo de peligro. La existencia del mismo en el caso concreto fluye con naturalidad del hecho probado: las condiciones de los habitáculos en los que las personas deben introducirse y salir con ayuda de terceros; la cercanía, en el caso de uno de ellos, a los elementos del vehículo que desprenden calor e, incluso, con peligro de inhalar gases perjudiciales, y la duración del trayecto son elementos que permiten afirmar que la conducta típica cumple con las previsiones del tipo agravado aplicado (cuando "se hubiera puesto en peligro" la vida de las personas objeto de la infracción, o "se hubiera creado el peligro»" de causación de lesiones graves).

XIV. DELITOS RELATIVOS A LA ORDENACIÓN DEL TERRITORIO Y EL URBANISMO, LA PROTECCIÓN DEL PATRIMONIO HISTÓRICO Y EL MEDIO AMBIENTE (ARTS. 319 A 340)

Art. 319.

1. Se impondrán las penas de prisión de un año y seis meses a cuatro años, multa de doce a veinticuatro meses, salvo que el beneficio obtenido por el delito fuese superior a la cantidad resultante en cuyo caso la multa será del tanto al triplo del montante de dicho beneficio, e inhabilitación especial para profesión u oficio por tiempo de uno a cuatro años, a los promotores, constructores o técnicos directores que lleven a cabo obras de urbanización, construcción o edificación

no autorizables en suelos destinados a viales, zonas verdes, bienes de dominio público o lugares que tengan legal o administrativamente reconocido su valor paisajístico, ecológico, artístico, histórico o cultural, o por los mismos motivos hayan sido considerados de especial protección.

2. Se impondrá la pena de prisión de uno a tres años, multa de doce a veinticuatro meses, salvo que el beneficio obtenido por el delito fuese superior a la cantidad resultante en cuyo caso la multa será del tanto al triplo del montante de dicho beneficio, e inhabilitación especial para profesión u oficio por tiempo de uno a cuatro años, a los promotores, constructores o técnicos directores que lleven a cabo obras de urbanización, construcción o edificación no autorizables en el suelo no urbanizable.

3. En cualquier caso, los jueces o tribunales, motivadamente, podrán ordenar, a cargo del autor del hecho, la demolición de la obra y la reposición a su estado originario de la realidad física alterada, sin perjuicio de las indemnizaciones debidas a terceros de buena fe, y valorando las circunstancias, y oída la Administración competente, condicionarán temporalmente la demolición a la constitución de garantías que aseguren el pago de aquéllas. En todo caso se dispondrá el decomiso de las ganancias provenientes del delito cualesquiera que sean las transformaciones que hubieren podido experimentar.

4. En los supuestos previstos en este artículo, cuando fuere responsable una persona jurídica de acuerdo con lo establecido en el artículo 31 bis de este Código se le impondrá la pena de multa de uno a tres años, salvo que el beneficio obtenido por el delito fuese superior a la cantidad resultante en cuyo caso la multa será del doble al cuádruple del montante de dicho beneficio.

Atendidas las reglas establecidas en el artículo 66 bis, los jueces y tribunales podrán asimismo imponer las penas recogidas en las letras b) a g) del apartado 7 del artículo 33.

STS 691/2019: El término "no autorizable" significa que la obra, ya iniciada o realizada, no pueda ser reconocida posteriormente como ajustada a la legalidad, tal y como aquí acontece. Pretender que el contenido semántico de la expresión "no autorizable", permite sostener la atipicidad de los hechos cuando exista una posibilidad de autorización potencial y remota de la edificación, no es acogible. El tipo penal no contempla una remisión a cualquier hipotético tiempo futuro y a la posibilidad de que pueda llegar a modificarse la legalidad urbanística, o a que concurra un momento en el que ya no sea posible actuar por haberse cerrado la vía contencioso administrativa por falta de ejercicio de la acción o por defectos formales en su planteamiento. Tal consideración vaciaría de contenido el precepto sancionador por la siempre posible eventualidad de que llegue a alterarse la legalidad urbanística. El término "no autorizable" hace referencia al momento de la edificación y contempla la naturaleza de la ilegalidad material que rodea a la construcción, esto es, si se ajusta o no a la ordenación entonces vigente. Para la existencia del delito no basta que la edificación se levante sin licencia, sino que es necesario que sea contraria a la legalidad urbanística vigente en ese momento, supuesto en el que quedaría excluida toda autorización. Los hechos son por ello constitutivos del delito contra la ordenación del territorio que el Código Penal describe en el artículo 319.2, más allá de que el acusado pueda abonar, lógicamente, los suministros privados con los que cuenta su instalación; careciendo también de relevancia la tolerancia que parece querer esgrimirse al alegar que paga la contribución municipal inherente a la propiedad del terreno, pues ni ello elimina la antijuridicidad de quebrantar la normativa urbanística más elemental y primordial en orden a la distribución de los usos urbanísticos, ni puede eludirse que nuestro ordenamiento jurídico somete la autorización del uso del suelo no urbanizable a una doble autorización, autonómica y local.

STS 122/2022: Como hemos dicho, para la existencia del delito no basta que la edificación se levante sin licencia, sino que es necesario que sea contraria a la legalidad urbanística vigente en ese momento, supuesto en el que quedaría excluida toda autorización.

STS 403/2020: Como decíamos en nuestra sentencia 586/2017 conviene señalar que en la sentencia de esta Sala 443/2013, que a su vez se remite a la 901/2012, se argumenta que la demolición es una consecuencia civil, una obligación de hacer, derivada del delito, que conecta con los arts. 109 y ss. del Código Penal relativos a la reparación del daño, susceptible de realizarse personalmente por el culpable o culpables o a su costa. También se ha apuntado en la STS 529/2012, que la demolición de la obra o la reposición de la realidad física alterada a su estado originario son medidas que poseen un carácter más civil que penal. Se trata de restaurar la legalidad, de volver a la situación jurídica y fáctica anterior a la consumación del delito. Dice la STS 816/2014 que para la doctrina mayoritaria se trata de "una consecuencia jurídica del delito" en cuanto pudieran englobarse sus efectos en el art. 110 CP. Implica la restauración del orden jurídico conculcado y en el ámbito de la política criminal es una medida disuasoria de llevar a cabo construcciones ilegales que atenten contra la legalidad urbanística. No se trata de una pena, al no estar recogida en el catálogo de penas que contempla el C. Penal, pues debe evitarse la creación de penas en los delitos de la parte especial - Libro II- que no estén previstas como tales en el catálogo general de penas de la parte general -Libro I-; pero tampoco se puede considerar como mera responsabilidad civil derivada del delito, dado su carácter facultativo, aunque no arbitrario. Esta consideración de la demolición como consecuencia jurídica del delito permite dejar la misma sin efecto si, después de establecida en sentencia, se produce una modificación del planeamiento que la convierta en innecesaria, por lo que la posibilidad de una futura legalización no obsta a su ordenación en el ámbito penal. El texto literal del apartado 3 del art. 319 del C. Penal -señala la jurisprudencia referida-, en el que se dice que los jueces y tribunales "podrán" acordar, a cargo del autor del hecho, la demolición de la obra, ha hecho surgir dudas y respuestas discrepantes. Existen órganos judiciales que consideran que la expresión "podrán" lo que abre es una facultad excepcional, una posibilidad que además exige de una motivación específica, lo que redunda no solo en ese carácter discrecional sino incluso en lo excepcional de la adopción de la medida. Sin embargo, ni desde el punto de vista gramatical ni desde una perspectiva legal puede identificarse discrecionalidad con excepcionalidad. Es cierto que el precepto que analizamos no establece -según recuerda la jurisprudencia reseñada- la demolición de forma imperativa, por lo que no puede afirmarse que la demolición de lo construido sea la consecuencia obligada, necesaria e ineludible de la comisión de un ilícito de esta naturaleza. El "en cualquier caso..." con el que se inicia la redacción del artículo puesto en relación con la elección del verbo escogido en el predicado -"podrán"- sólo podemos interpretarlo en el sentido de que cuando el legislador dice "en cualquier caso" se está refiriendo a que tanto en los supuestos a los que se refiere el núm. 1° del precepto como en los del núm. 2°, cabe la posibilidad de la demolición. Esto es, con independencia de las calificaciones de los suelos sobre los que se hayan realizado las construcciones o edificaciones cabe la posibilidad de acordarla, siempre motivadamente. Si el texto insiste en exigir lo que de por sí es un mandato constitucional para cualquier decisión judicial, esto es, que se motive, lo hace porque estima que el automatismo no cabe en una decisión de esta naturaleza por el hecho de que exista el delito, siendo obvio que el tribunal penal deberá también motivar cuando deniegue la solicitud formulada en tal sentido por alguna de las partes del proceso. Por ello, como quiera que el art. 319.3 no señala criterio alguno, en la práctica se tienen en cuenta, según señala la jurisprudencia supra citada: la gravedad del hecho y la naturaleza de la construcción; la proporcionalidad de la medida en relación con el perjuicio que causaría al infractor en caso de implicarse sólo intereses económicos, o verse afectados también derechos fundamentales como el uso de la vivienda propia; y atendiendo asimismo a la naturaleza de los terrenos en que se lleva a cabo la construcción, tomando en distinta consideración los que sean de especial protección, los destinados a usos agrícolas, etc. Así, por regla general, la demolición deberá acordarse cuando conste patentemente que la construcción de la obra está completamente fuera de la ordenación y no sean legalizables o subsanables o en aquellos supuestos en que haya existido una voluntad rebelde del sujeto activo del delito a las órdenes o requerimientos de la Administración, y, en todo caso, cuando al delito contra la ordenación del territorio se añada un delito de desobediencia a la autoridad administrativa o judicial. De este modo, en principio podría estimarse bastante y suficiente la comisión de un delito contra la ordenación del territorio unido a la persistencia o permanencia de la obra infractora para acordar la restauración del orden quebrantado, pudiendo admitirse como excepciones las mínimas extralimitaciones o leves excesos respecto a la autorización administrativa, y aquellas otras en que ya se hayan modificado los instrumentos de planeamiento haciendo ajustada a la norma la edificación o construcción, esto en atención al tiempo que puede haber transcurrido entre la comisión del delito y la emisión de la sentencia firme.

STS 216/2020: Como señala el Fiscal podemos distinguir tres tipos de espacios en función de la naturaleza del suelo a efectos de su protección penal: a) Suelo no urbanizable (art. 319.2 CP). b) Suelo no urbanizable especialmente protegido por los valores expuestos en el precepto (art. 319.1). c) Suelo integrado en un Espacio Natural Protegido (art. 338). Aquí nos movemos en el ámbito c). El problema es determinar si la protección reforzada del art. 319.1 y la híper protección del art. 338 son compatibles. Es decir si constituyen dos escalones sucesivos de una misma y única escalinata -puntos sucesivos de un mismo tramo-; o, por el contrario, es una diversificación de la protección -un tramo inicial del que surgen dos escaleras o sendas diferentes: o uno u otro, según los casos-. Es decir, el tipo básico (art. 319.2) podría verse agravado por la afectación de factores medioambientales de dos formas: bien cuando, recae sobre un espacio natural protegido (art. 338), bien cuando, sin recaer en un espacio natural protegido, se refiere a una zona en la que la calificación urbanística le reconoce un especial valor ecológico. La doble agravación resulta desproporcionada. Ponderaría dos veces una misma circunstancia: el especial valor ecológico. Primero, por haber sido reconocido en el ámbito del planeamiento urbanístico y posteriormente por su proclamación a nivel general. Esa diversificación es un poco artificiosa si atendemos a que en el primer nivel lo habitual es guiarse por el segundo nivel. Este debe determinar una protección más intensa, pero no reduplicada. Estaríamos ante un juego de preceptos semejante al expresamente plasmado en los arts. 368, 369 y 370 CP en sede de delitos contra la salud pública: las agravaciones del art. 370 operan sobre el tipo básico (art. 368) y no sobre los subtipos agravados (art. 369). No son dos escalones sucesivos, sino dos agravaciones distintas y de intensidad diferenciada que se refieren ambas a un mismo tipo básico. Aquí tanto el art. 338 como el art. 319.1 se referirían, alternativamente (uno u otro, pero no los dos), al tipo básico: art. 319.2. Es verdad que hipotéticamente es factible la interpretación del Fiscal: puede ser, aunque no es frecuente, que sin ser espacio natural protegido se haya reconocido en el planeamiento ese valor ecológico. No es sin embargo imaginable la situación inversa, al menos en un horizonte de estricta legalidad. Agravar (art. 319.1) por ese especial valor ecológico reconocido urbanísticamente; y sobre esa agravación situar otra por virtud de tratarse de un espacio natural protegido es agravar dos veces con un único e idéntico fundamento: el valor ecológico. Llevar los hechos, sin embargo, tanto al art. 319.1 como al art. 338 no solo parece quebrar la prohibición de el bis in ídem sino que además conduce a resultados francamente desproporcionados. Ubicarlos en exclusiva en el art. 319.1 significa equiparar supuestos diversos y desactivar el art. 338 en contra de lo que se antoja la voluntad del legislador que quiere dotar de especial tutela a esos espacios. Negar la virtualidad del art. 338 CP en estos supuestos no solo contradice algún pronunciamiento anterior ya citado de esta Sala, sino que además, como razona el Fiscal, despojaría de su fuerza en este ámbito al art. 338 CP, desactivando esa protección reforzada. Cabe, una vía intermedia: en tal conflicto entre el art. 319.1 o 338, optar por este último pero contemplado como alternativa y no cumulativamente. Si bien se mira, en realidad estamos ante un concurso de normas penales (art. 8 CP). Los hechos pueden ser castigados con arreglo a los arts. 319.2 y 338; o con arreglo al art. 319.1. Ambas calificaciones tienen el mismo grado de especialidad (se agrava por el valor ecológico). En un caso, cuando el mismo ha sido reconocido exclusivamente a nivel de planeamiento urbanístico; en el otro, cuando ese reconocimiento es más general. Al ser inaplicable el principio de especialidad (art. 8.1) habrá que acudir a los criterios subsidiarios para solventar esta concurrencia de normas, lo que nos sitúa en el marco del principio de alternatividad. Ha de prevalecer la calificación que pivota sobre los arts. 319.2 y 338 por ser más grave. Así evitarnos el bis in ídem que llevó a la Audiencia a eludir la aplicación del art. 338; pero, al mismo tiempo, no arrinconamos ese precepto de forma improcedente haciéndolo inoperante en el ámbito urbanístico. El incremento penológico del art. 338 no ha de operar sobre el art. 319.1. en tanto éste se refiere a "la construcción no autorizada en lugares que tengan legal o administrativamente reconocido su valor ecológico", sino sobre el art. 319.2. Sucederá entre el art. 319.1 y el art. 338, algo semejante, aunque con una solución concursal distinta a lo que sucede con los arts. 330 y 338. Aquél establece un incremento de pena en los supuestos del Capítulo III, cuando en "un espacio natural protegido se dañare gravemente a algunos de los elementos que hayan servido para calificarlo". En el art. 330 la declaración de espacio natural protegido es un elemento normativo del tipo. Lógicamente, ese mismo elemento no puede ser posteriormente utilizado como factor determinante de una agravación. Si así se hiciera, se vulneraría el " non bis in idem". Al igual que el art. 330, el art. 319.1 en los casos en que opere por virtud de los valores ecológicos, no será compatible con el art. 338. Pero en el primer caso estaremos ante una relación de especialidad (prima el art. 330); en el segundo ante la alternatividad (el 338 desplaza al art. 319.1 CP).

Art. 320.

1. La autoridad o funcionario público que, a sabiendas de su injusticia, haya informado favorablemente instrumentos de planeamiento, proyectos de urbanización, parcelación, reparcelación, construcción o edificación o la concesión de licencias contrarias a las normas de ordenación territorial o urbanística vigentes, o que con motivo de inspecciones haya silenciado la infracción de dichas normas o que haya omitido la realización de inspecciones de carácter obligatorio será castigado con la pena establecida en el artículo 404 de este Código y, además, con la de prisión de un año y seis meses a cuatro años y la de multa de doce a veinticuatro meses.

2. Con las mismas penas se castigará a la autoridad o funcionario público que por sí mismo o como miembro de un organismo colegiado haya resuelto o votado a favor de la aprobación de los instrumentos de planeamiento, los proyectos de urbanización, parcelación, reparcelación, construcción o edificación o la concesión de las licencias a que se refiere el apartado anterior, a sabiendas de su injusticia.

STS 1/2018: En orden a integrar el concepto normativo de "injusticia", debemos recordar la jurisprudencia de esta Sala donde se reitera las coincidencias entre el delito de prevaricación del artículo 404 y esta llamada prevaricación urbanística del artículo 320, en consideraciones relativas al bien jurídico protegido, a la condición del autor, a la arbitrariedad de la actuación administrativa de que se trate y a la actuación "a sabiendas de la injusticia", ha señalado también la existencia de algunas diferencias, pues en el caso del art. 320 CP , nos encontramos ante una prevaricación especial por razón de la materia sobre la que se realiza (la normativa urbanística), y mientras que la modalidad genérica del art. 404 CP exige que la autoridad o funcionario, además de una actuación a sabiendas de su injusticia, produzca una resolución arbitraria, en la urbanística el contenido de la conducta consiste en informar o resolver favorablemente a sabiendas de su injusticia. Pero es obvio que el contenido de la acción es similar, pues la arbitrariedad es una forma de injusticia. De ahí que pueda ser aplicada a la prevaricación especial la jurisprudencia de esta Sala sobre la genérica, bien entendido que en la interpretación del tipo no debe olvidarse el análisis de la conducta desde la perspectiva de la antijuricidad material, aplicando, en su caso, los criterios de proporcionalidad, insignificancia e intervención mínima cuando no se aprecie afectación del bien jurídico tutelado. La coordinación de las medidas administrativas y penales para la tutela urbanística no debe interpretarse en el sentido de que al derecho penal le corresponde un papel inferior o meramente auxiliar respecto del derecho administrativo: ambos se complementan para mejorar la tutela de un interés colectivo de especial relevancia, ocupando cada uno de ellos su lugar específico, conforme a su naturaleza. El derecho administrativo realiza una función preventiva y también sancionadora de primer grado, reservándose el derecho penal para las infracciones más graves.

STS 649/2022: Los requisitos del delito de prevaricación específica del artículo 320.2 del Código Penal castiga a la autoridad o funcionario público que, a sabiendas de su injusticia, dictare una resolución arbitraria concediendo una licencia contraria la ordenación territorial u urbanística vigente. Se trata de una figura penal que constituye un delito especial propio, en cuanto solamente puede ser cometido por los funcionarios públicos (art. 24 CP) y cuyo bien jurídico protegido no es otro que el correcto funcionamiento de la Administración pública, en cuanto debe estar dirigida a la satisfacción de los intereses generales de los ciudadanos, con pleno sometimiento a la ley y al Derecho (arts. 9.1 y 103 CE), de modo que se respete la exigencia constitucional de garantía de los principios de legalidad, de seguridad jurídica y de interdicción de la arbitrariedad de los poderes públicos (art. 9.3 CE). Y, además, ha de haberse dictado la resolución administrativa que sea contraria a las normas en materia de ordenación del territorio o urbanística vigente. Con la regulación y aplicación de este delito de prevaricación especial, urbanística, como con el delito general del artículo 404 del Código Penal, no se pretende sustituir a la jurisdicción administrativa, en su labor de control de la legalidad de la actuación de la Administración Pública, por la jurisdicción penal, sino sancionar supuestos limite, en los que la actuación administrativa no solo es ilegal, sino además injusta y arbitraria. Ello implica, sin duda su contradicción con el Derecho, que puede manifestarse, según reiterada jurisprudencia, bien porque se haya dictado la resolución sin tener la competencia legalmente exigida, bien porque no se hayan respetado las normas esenciales de procedimiento, bien porque el fondo de la misma contravenga lo dispuesto en la legislación vigente o suponga una desviación de poder -esto es la desviación teleológica en la actividad administrativa desarrollada, una intención torcida en la voluntad administrativa que el acto exterioriza, en definitiva una distorsión entre el fin para el que se reconocen las facultades administrativas por el ordenamiento jurídico y el que resulta de su ejercicio concreto. La STS 259/2015, de 30 abril, recuerda cómo el Código Penal de 1995 ha clarificado el tipo objetivo del delito, recogiendo lo que ya expresaba la doctrina jurisprudencial, al calificar como "arbitrarias" las resoluciones que integran el delito de prevaricación, es decir aquellos actos contrarios a la Justicia, la razón y las leyes, dictados sólo por la voluntad o el capricho.

Art. 323.

1. Será castigado con la pena de prisión de seis meses a tres años o multa de doce a veinticuatro meses el que cause daños en bienes de valor histórico, artístico, científico, cultural o monumental, o en yacimientos arqueológicos, terrestres o subacuáticos. Con la misma pena se castigarán los actos de expolio en estos últimos.

2. Si se hubieran causado daños de especial gravedad o que hubieran afectado a bienes cuyo valor histórico, artístico, científico, cultural o monumental fuera especialmente relevante, podrá imponerse la pena superior en grado a la señalada en el apartado anterior.

3. En todos estos casos, los jueces o tribunales podrán ordenar, a cargo del autor del daño, la adopción de medidas encaminadas a restaurar, en lo posible, el bien dañado.

STS 273/2022: El precepto contiene dos conductas diferenciadas: dañar los bienes que se relacionan o expoliar los yacimientos arqueológicos. El objeto del delito son los bienes de valor histórico, artístico, científico, cultural o monumental, o en yacimientos arqueológicos, terrestres o subacuáticos. Como expresábamos en la sentencia núm. 641/2019, 20 de diciembre de 2019, "cuando establece como elemento típico que el daño recaiga sobre bienes de valor histórico, artístico, científico, cultural o monumental (o en yacimientos arqueológicos, terrestres o subacuáticos), remite a un elemento normativo cultural, para cuya valoración el juzgador debe atender a elementos o valores que configuran la normativa administrativa en esta materia; sin necesidad de que ese bien previamente haya sido administrativamente declarado, registrado y/o inventariado formalmente con ese carácter, pues no es exigencia prevista en la norma y no satisfaría adecuadamente el mandato del artículo 46 CE." Se trata de un delito doloso, bastando el dolo genérico, esto es, que el sujeto activo conozca que su acción va a ocasionar daños en estos objetos y ello no obstante actúe. Cuestión distinta es qué ha de entenderse por "daños" y si los grafitis, garabatos o manchas que se realizan en los bienes ajenos pueden calificarse como daños materiales propiamente dichos, o se trata de un mero deslucimiento del bien. Esta cuestión ha sido objeto de estudio y resolución en la sentencia de Pleno de esta Sala núm. 333/2021, de 22 de abril, en los siguientes términos: "Analizamos la tipicidad desde los clásicos criterios de interpretación. Desde una interpretación literal de los términos de la tipicidad del delito de daños abarca el comportamiento de destrucción, de deterioro, la inutilización y el menoscabo pues, conforme al diccionario de la lengua española, menoscabar "supone disminuir algo, quitándole una parte, acortarlo, reducirlo; deteriorar y deslustrar algo, quitándole parte de asignación o lucimiento que antes tenía". Por su parte, deteriorar equivale a "estropear, menoscabar, poner de inferior condición algo o empeorar, degenerar". De estas definiciones resulta que existen ámbitos en los que, no produciéndose una destrucción o una disminución física del objeto material, se produce, sin embargo, un menoscabo por deterioro del mismo, dado que se produce una alteración relevante de su apariencia externa. Por lo tanto, desde una interpretación literal del precepto la conducta probada causa un menoscabo al bien cuya reparación exige una actuación para la restitución a su estado anterior, que es económicamente evaluable. Desde una interpretación lógica, la acción de pintar la fachada , y la puerta, de una vivienda que produce un daño en el bien que lo recibe, se subsume el delito de daños que requiere un desembolso económico para su reparación. El bien ha sido dañado en su configuración física, estética y funcional. Por otra parte, difícilmente podría afirmarse que la puerta y fachada "embadurnada" no ha sido dañada y deteriorada, si es precisa una reparación evaluada económicamente para su recuperación en el estado en el que su propietario lo tenía. Desde una interpretación derivada de la evolución legislativa de la tipicidad del delito y la inclusión de las pintadas en el delito de daños, ha de tenerse en cuenta que el legislador penal, cuando promulga el Código de 1995, decidió diferenciar el delito de daños del deslucimiento de bienes (art. 626 CP). El primero, contempla los resultados dañosos que implican una pérdida de la sustancia, en tanto que el deslucimiento, incluía los actos de deslucir porque afeaba el bien, sin dañarlo físicamente, o si lo hacía lo realizaba de forma susceptible de ser reparada, sin afectar a la sustancia, por lo que no produciría menoscabo. Ahora bien, esta interpretación según la cual la conducta que en 1995 fue subsumida en la falta del art. 626 CP, no nos lleva, sin más, a la despenalización de la conducta por la desaparición de la figura típica. El deslucimiento de un bien que implique una pérdida de su valor o suponga una necesidad de reparación evaluable económicamente, ha de ser reconducido al delito de daños.

Art. 325.

1. Será castigado con las penas de prisión de seis meses a dos años, multa de diez a catorce meses e inhabilitación especial para profesión u oficio por tiempo de uno a dos años el que, contraviniendo las leyes u otras disposiciones de carácter general protectoras del medio ambiente, provoque o realice directa o indirectamente emisiones, vertidos, radiaciones, extracciones o excavaciones, aterramientos, ruidos, vibraciones, inyecciones o depósitos, en la atmósfera, el suelo, el subsuelo o las aguas terrestres, subterráneas o marítimas, incluido el alta mar, con incidencia incluso en los espacios transfronterizos, así como las captaciones de aguas que, por sí mismos o conjuntamente con otros, cause o pueda causar daños sustanciales a la calidad del aire, del suelo o de las aguas, o a animales o plantas.

2. Si las anteriores conductas, por sí mismas o conjuntamente con otras, pudieran perjudicar gravemente el equilibrio de los sistemas naturales, se impondrá una pena de prisión de dos a cinco años, multa de ocho a veinticuatro meses e inhabilitación especial para profesión u oficio por tiempo de uno a tres años.

Si se hubiera creado un riesgo de grave perjuicio para la salud de las personas, se impondrá la pena de prisión en su mitad superior, pudiéndose llegar hasta la superior en grado.

> **STS 682/2022:** Debemos recordar en lo que respecta a la estructura típica del art. 325.1 al que se remite el art. 326, tiene establecido esta Sala que se trata de lo que la doctrina considera como un delito de peligro hipotético, también denominado de peligro abstracto-concreto, de peligro potencial o delito de aptitud. De modo que no se tipifica en sentido propio un resultado concreto de peligro, sino un comportamiento idóneo para producir peligro para el bien jurídico protegido. En estos supuestos la situación de peligro no es elemento del tipo, pero sí lo es la idoneidad del comportamiento efectivamente realizado para producir dicho peligro. La categoría de los denominados delitos de peligro abstracto-concreto o de peligro hipotético no requiere la concreción del peligro como proximidad de amenaza inmediata para un bien determinado. Basta la producción de una situación de riesgo apreciada desde la perspectiva meramente ex ante. En cuanto a la gravedad del perjuicio que se requiere para que opere el tipo penal subraya la STS 152/2012, de 2 de marzo, que la exigencia de que el peligro sea grave atribuye a los Tribunales una labor de concreción típica, que un sector doctrinal considera que es función propia del legislador. Semánticamente grave es lo que produce o puede producir importantes consecuencias nocivas, lo que implica un juicio de valor. Para encontrar el tipo medio de gravedad a que se refiere el art. 325 del CP habrá que acudir a la medida en que son puestos en peligro, tanto el factor antropocéntrico, es decir, la salud de las personas, incluida la calidad de vida por exigencia constitucional, como a las condiciones naturales del ecosistema (suelo, aire, agua) que influyen por tanto, en la gea, la fauna y la flora puestas en peligro. Parece seguro referir el criterio de la

gravedad del perjuicio a la intensidad del acto contaminante, a la probabilidad de que el peligro se concrete en un resultado lesivo, en definitiva, a la magnitud de la lesión en relación con el espacio en el que se desarrolla, la prolongación en el tiempo, la afectación directa o indirecta, la reiteración de la conducta, de los vertidos, emisiones, etc., a la dificultad para el restablecimiento del equilibrio de los sistemas, y a la proximidad de las personas o de elementos de consumo. Y en lo que respecta al elemento subjetivo del tipo penal, tiene dicho esta Sala que el tipo subjetivo se integra por el conocimiento del grave riesgo originado por la conducta, activa u omisiva, en una gama que va desde la pura intencionalidad al dolo eventual, según el nivel de representación de la alta probabilidad de que se produjera esa grave situación de peligro. También se ha dicho que obra con dolo el que conociendo el peligro generado con su acción no adopta ninguna medida para evitar la realización del tipo.

STS 207/2021: La Sala concluye que en materia de contaminación acústica no existe un tipo básico alojado en el art. 325.1 del CP para aquellos casos -que siempre encontrarán mejor tratamiento en el derecho administrativo sancionador- en que la contaminación acústica sea susceptible de generar un riesgo para la salud de las personas que, sin embargo, no llega a ser grave o a tener significancia. Ello nos obliga a una reinterpretación sistemática de la desestructurada novedad con la que ha sido incorporada la alusión al riesgo grave para las personas en la reforma de 2015. Conforme a esta idea, el tipo básico del delito contra el medio ambiente por contaminación acústica que genera grave daño a la salud de las personas, exige como presupuesto del tipo objetivo, además de la infracción legal o reglamentaria de las normas protectoras, que se haya desarrollado una acción capaz de generar un riesgo potencial grave -no leve- para la salud de las personas. Sólo el potencial riesgo grave para la salud de las personas, no bastando para ello la mera constatación del incumplimiento formal de la normativa reguladora del ruido, puede legitimar el recurso al derecho penal como fórmula sancionadora. Lo contrario supondría erosionar el carácter fragmentario del derecho penal, su condición de última ratio, además del principio de proporcionalidad. La creación de un riesgo de grave perjuicio para la salud de las personas no es un tipo hiperagravado que exaspere la pena impuesta en el art. 325.2 del CP a aquellas conductas que "...pudieran perjudicar gravemente el equilibrio de los sistemas naturales". La generación de un riesgo grave para la salud de las personas representa un tipo autónomo que añade un potencial peligro a la estructura del tipo básico que, por su propia naturaleza, agrava la respuesta penal definida en el art. 325.1 del CP. Por consiguiente, la gravedad del riesgo es presupuesto sine qua non para el juicio de tipicidad. Y en la determinación del concepto de esa gravedad hemos destacado, en línea con la doctrina, que "...la inevitable valoración ha de tener en cuenta que integran el concepto de peligro dos elementos esenciales: probabilidad y carácter negativo de un eventual resultado. La gravedad se ha de deducir, pues, de ambos elementos conjuntamente lo que significa negar la tipicidad en los casos de resultados solo posibles o remotamente probables, así como de aquellos que, de llegar a producirse, afecten de manera insignificante al bien jurídico". En el ámbito propio de la contaminación acústica, la valoración de la gravedad, a la vista de los precedentes más destacados, ha de atender a la continuidad e intensidad del ruido, así como a la prolongación en el tiempo, reiteración, continuas visitas de inspección, levantamiento de los precintos y mecanismos empleados para sortear la limitaciones impuestas sobre la fuente de contaminación" o a la " intensidad e ilegalidad de las emisiones.

Art. 326.

1. Serán castigados con las penas previstas en el artículo anterior, en sus respectivos supuestos, quienes, contraviniendo las leyes u otras disposiciones de carácter general, recojan, transporten, valoricen, transformen, eliminen o aprovechen residuos, o no controlen o vigilen adecuadamente tales actividades, de modo que causen o puedan causar daños sustanciales a la calidad del aire, del suelo o de las aguas, o a animales o plantas, muerte o lesiones graves a personas, o puedan perjudicar gravemente el equilibrio de los sistemas naturales.

2. Quien, fuera del supuesto a que se refiere el apartado anterior, traslade una cantidad no desdeñable de residuos, tanto en el caso de uno como en el de varios traslados que aparezcan vinculados, en alguno de los supuestos a que se refiere el Derecho de la Unión Europea relativo a los traslados de residuos, será castigado con una pena de tres meses a un año de prisión, o multa de seis a dieciocho meses e inhabilitación especial para profesión u oficio por tiempo de tres meses a un año.

STS 682/2022: La consecuencia de la actividad ilegal, ilícita y contraria a las normas administrativas reguladoras ha podido ocasionar daños sustanciales a la calidad del aire, del suelo o de las aguas o ha podido afectar gravemente a la salud de las personas. Obsérvese, que el legislador no exige, evidentemente, la existencia de un daño sustancial en la calidad del aire, sino la posibilidad de que cause tal daño, es decir se configura como un delito de riesgo. No se exige, cumulativamente, riesgo para la calidad del aire, para la calidad de las aguas o del suelo o para animales o plantas o para las personas, sino que -y por ello emplea el legislador la conjunción "o"-, basta la mera constatación del riesgo sustancial, en este caso concreto, en la calidad del aire o de uno de los elementos citados.

Art. 327.

Los hechos a los que se refieren los tres artículos anteriores serán castigados con la pena superior en grado, sin perjuicio de las que puedan corresponder con arreglo a otros preceptos de este Código, cuando en la comisión de cualquiera de los hechos descritos en el artículo anterior concurra alguna de las circunstancias siguientes:

a) Que la industria o actividad funcione clandestinamente, sin haber obtenido la preceptiva autorización o aprobación administrativa de sus instalaciones.

b) Que se hayan desobedecido las órdenes expresas de la autoridad administrativa de corrección o suspensión de las actividades tipificadas en el artículo anterior.

c) Que se haya falseado u ocultado información sobre los aspectos ambientales de la misma.

d) Que se haya obstaculizado la actividad inspectora de la Administración.

e) Que se haya producido un riesgo de deterioro irreversible o catastrófico.

f) Que se produzca una extracción ilegal de aguas en período de restricciones.

STS 682/2022: En efecto, no parece dudoso que la vinculación entre las conductas del artículo 325 CP y las cláusulas de mayor merecimiento de pena previstas en el artículo 327 CP es producto de una expresa decisión político-criminal no solo del legislador histórico sino del legislador actual pues el precepto arranca precisando su ámbito aplicativo "a los hechos a los que se refieren los tres artículos anteriores", sin que dispongamos de ningún dato que nos permita dudar de la vigencia de esa fuerte conexión. Mantener la conexión entre las conductas del artículo 325 CP y las circunstancias de agravación del artículo 327 CP respeta, además, el núcleo y el sentido de la prohibición. Y no parece que pueda ser calificada de consecuencia imprevisible atendidas, precisamente, las intervenciones sucesivas del legislador. Lo que en el caso se traduce en interpretar que el inciso "hechos descritos en el artículo anterior", por responder a un simple error de composición, no afecta al ámbito aplicativo de la nueva norma que se precisa en el arranque del tipo y que se refiere a los "a los tres artículos anteriores". El "efecto alusión" derivado del tenor literal de la norma contenida en el artículo 327 CP, tomando en cuenta los fines de protección y el contexto de la sucesión normativa, permite, insistimos, preservar la conexión valorativa y aplicativa entre los artículos 327 y 325, ambos, CP sin infringir el principio de taxatividad.

Art. 335.

1. El que cace o pesque especies distintas de las indicadas en el artículo anterior, cuando esté expresamente prohibido por las normas específicas sobre su caza o pesca, será castigado con la pena de multa de ocho a doce meses e inhabilitación especial para el ejercicio del derecho de cazar o pescar por tiempo de dos a cinco años.

2. El que cace o pesque o realice actividades de marisqueo relevantes sobre especies distintas de las indicadas en el artículo anterior en

terrenos públicos o privados ajenos, sometidos a régimen cinegético especial, sin el debido permiso de su titular o sometidos a concesión o autorización marisquera o acuícola sin el debido título administrativo habilitante, será castigado con la pena de multa de cuatro a ocho meses e inhabilitación especial para el ejercicio del derecho de cazar, pescar o realizar actividades de marisqueo por tiempo de uno a tres años, además de las penas que pudieran corresponderle, en su caso, por la comisión del delito previsto en el apartado 1 de este artículo.

3. Si las conductas anteriores produjeran graves daños al patrimonio cinegético de un terreno sometido a régimen cinegético especial o a la sostenibilidad de los recursos en zonas de concesión o autorización marisquera o acuícola, se impondrá la pena de prisión de seis meses a dos años e inhabilitación especial para el ejercicio de los derechos de cazar, pescar, y realizar actividades de marisqueo por tiempo de dos a cinco años.

4. Se impondrá la pena en su mitad superior cuando las conductas tipificadas en este artículo se realicen en grupo de tres o más personas o utilizando artes o medios prohibidos legal o reglamentariamente.

STS 570/2020 (Pleno): Pese a la literalidad del art. 335 del CP, la Sala entiende que no todo incumplimiento de una prohibición administrativa de caza puede ser calificado como delito. Este precepto no puede ser degradado a la condición de delito puramente formal de desobediencia a la normativa administrativa. Lo prohíbe el principio de intervención mínima, esto es, la necesidad de reservar la respuesta penal para aquellas conductas socialmente más desvaloradas. Pero la claridad de esta idea, que define un punto de partida infranqueable, no impide reconocer que en el abanico de prohibiciones coexisten, junto a incumplimientos formales, insuficientes por sí solos para colmar la antijuridicidad material, otras infracciones que van mucho más allá de una simple vulneración formal. Entre estas últimas debemos incluir la caza de especies no protegidas en tiempo de veda. En efecto, la fijación de períodos de veda no responde a una distribución puramente convencional y caprichosa del tiempo de caza. Por el contrario, responde a razones de orden biológico para facilitar la reproducción de la especie. La veda está íntimamente conectada con la conservación de las especies y el aprovechamiento sostenible de la caza, preservando los ecosistemas de los que forman parte los animales objeto de estas actividades. La definición de períodos prohibitivos de carácter cíclico tiene un valor estratégico de primer orden para la protección de la vida animal. Nada de ello, pues, es ajeno a la protección de los recursos naturales renovables. El equilibrio en la conservación de las especies, en definitiva, la biodiversidad y la propia supervivencia de la fauna no pueden considerarse bienes jurídicos de ínfimo valor axiológico. Cuestión distinta es la irrenunciable necesidad de que los Jueces y Tribunales, en el momento de ponderar el juicio de tipicidad, asuman unos criterios hermenéuticos teleológicamente vinculados al respeto y a la conservación de la biodiversidad, impidiendo así que infracciones formales con encaje en la microliteralidad del art. 335 conviertan en delito lo que puede ser adecuadamente tratado en el ámbito de la sanción administrativa. Son muchas las prohibiciones expresas impuestas por las normas específicas sobre caza. Algunas de ellas relacionadas con las licencias o habilitaciones personales de los cazadores, otras con los límites geográficos naturales que separan el territorio de cada comunidad autónoma o con el número o el peso de ejemplares capturados. Para que una infracción de esta naturaleza sea susceptible de respuesta penal será indispensable exigir un plus de ofensividad, un mayor desvalor material del resultado. Sólo las conductas que vulneren o pongan en peligro el bien jurídico biodiversidad, son merecedoras de sanción penal. (Tol 8197614)

STS 612/2022 (Pleno): En este tipo penal del art. 335.2 CP lo que se trata de proteger es tanto el ejercicio de la caza en terrenos públicos o privados ajenos como aquellos que tienen la consideración de que estén sometidos a régimen cinegético especial, aunque también la doctrina apunta que en los delitos de caza, el contenido del injusto radica en el peligro que la fauna pueda sufrir a consecuencia de la actividad de caza, circunstancia que es cierto en situaciones probadas del aprovechamiento que utilizan los recurrentes de acudir en las condiciones instrumentales que señalan los hechos probados en un terreno cinegético de titularidad privada reconocida por la Administración de Extremadura. La ofensividad y el ataque a cualquier exigencia de control que el terreno donde acudieron exigía respetar conlleva el reproche penal que han tenido y que desborda las infracciones administrativas contempladas en los arts. 86 y 87 de la Ley 14/2010. La doctrina especializada en esta materia señala que "La caza es todo lo que se hace antes y después de la muerte del animal", con lo que no es preciso que se consiga cazar. El terreno donde se interviene a los recurrentes con todo el material e instrumental de caza y en esa actividad específica, que no exige que hubieran matado "todavía" a un animal es cinegético y coto privado de caza, encontrándose realizando esa actividad sin ser autorizada por el titular del terreno, ya que de contar con esa autorización no sería típico el hecho. Los recurrentes se fueron a cazar en terreno cinegético, que era coto privado de caza mayor, considerado cinegético de protección especial, pero sin autorización alguna de su titular. Quisieron aprovecharse de la zona para cazar sin derecho, permiso o autorización alguna. Quisieron hacerlo en zona cinegética en coto privado de caza. Existió un "aprovechamiento" del "aprovechamiento cinegético" que compete en exclusiva al titular del coto, permitiendo el ordenamiento jurídico otorgar a los titulares de estos terrenos de una especial protección ante situaciones como la descrita en los hechos probados, -aunque hemos referido que el bien jurídico protegido es más colectivo que privado, como es la biodivesidad y protección de las especies-, y al entrar los recurrentes con todo el instrumental para cazar, incluidos perros y armas, y desoír la expresa prohibición que sabían que tenían, porque eran cazadores a iban a cazar. Pero se aprovecharon del terreno calificado de una de las maneras que la normativa de la Ley de caza y la de Extremadura otorga a los terrenos protegidos frente a terceros que pretendan cazar "con aprovechamiento" del terreno y de su titular que tiene capacidad exclusiva y excluyente sobre el mismo. Queda clara la ofensividad y que la actuación excedió de la mera infracción administrativa y entrando de lleno en el reproche penal que fijó tanto el juez de lo penal como la Audiencia Provincial. (Tol 9111611)

Art. 336.

El que, sin estar legalmente autorizado, emplee para la caza o pesca veneno, medios explosivos u otros instrumentos o artes de similar eficacia destructiva o no selectiva para la fauna, será castigado con la pena de prisión de cuatro meses a dos años o multa de ocho a veinticuatro meses y, en cualquier caso, la de inhabilitación especial para profesión u oficio e inhabilitación especial para el ejercicio del derecho a cazar o pescar por tiempo de uno a tres años. Si el daño causado fuera de notoria importancia, se impondrá la pena de prisión antes mencionada en su mitad superior.

STS 562/2020 (Pleno): Es evidente que cuando hablamos de la utilización de medios de caza o pesca no selectivos, ni puede excluirse que vayan a proyectarse sobre especies distintas a las que son objeto de persecución por el sujeto activo (vg: liga o adhesivos, trampas, lazos, cepos, redes, garduñeras, humo etc), ni en muchas ocasiones podrá excluirse que su operatividad alcance a un número suficientemente importante de ejemplares, como ocurre con la liga, las redes o mallas verticales o el humo. En todo caso, para que pueda concluirse que hay un riesgo potencial para la fauna equivalente al descontrol lesivo que, de manera abstracta, se atribuye al veneno o a los explosivos, es necesario identificar en la actuación un marcado riesgo de poder perjudicar, de un modo equiparable, a la biodiversidad en que se introduce. Este plus de idoneidad a la hora de generar un riesgo de perjudicar a la fauna, se identifica como la capacidad intrínseca de generar un contexto de caza o de pesca presidido por la ausencia de control sobre el objeto que puede resultar afectado o sobre la extensión de sus efectos. La valoración de la idoneidad debe realizarse en abstracto, pero contemplando que el Código Penal hace referencia a la lesividad, no de un instrumento en concreto, sino también del arte-cinegético que se despliegue, esto es, que el plus de idoneidad deberá recoger el conjunto de mecanismos que en cada caso se aportan y su combinación en la secuencia de actuaciones de caza o pesca que se despliegan para obtener las capturas. Si la caza o la pesca de especies silvestres, contraviniendo leyes o disposiciones de carácter general (art. 335 del Código Penal), da lugar a una sanción de menor alcance punitivo que el que aquí contemplamos, y si es igualmente grave la sanción que se contempla para la caza o la pesca prohibida de ejemplares protegidos (art. 334 del Código Penal), no resulta aceptable que la sola puesta en riesgo de un número de ejemplares irrelevante para el crecimiento y la subsistencia de cualquier especie, integre la responsabilidad del art. 336 del Código Penal. Siendo el tipo penal que contemplamos un delito de riesgo, solo la introducción de un peligro relevante para la fauna, justifica una penalidad que puede superar la que se contempla para la efectiva muerte o aprehensión de algunos de sus ejemplares. Un plus en el riesgo de lesión al bien jurídico, que debe evaluarse en consideración a la capacidad destructiva de la biodiversidad y el ecosistema en cada caso concreto. (Tol 8197433)

STS 420/2022: La sentencia de Pleno 562/2020 estableció criterios específicos de medición de la antijuricidad específicamente penal no necesariamente coincidentes con los fijados por la normativa sectorial administrativa para sancionar o incluso para autorizar la actividad cinegética. Así, para evaluar el potencial de afectación a la biodiversidad del modo de caza no selectivo, se fijan dos parámetros principales: a) el riesgo de que el modo de caza perjudique a un número relevante de ejemplares de la especie b) el riesgo de afectación a otras especies. Así como otros subordinados o complementarios: a) las características del mecanismo de captura desplegado. En especial, si se busca mantener, o no, con vida a los animales b) las posibilidades situacionales de proceder a la inmediata liberación (vivos) de cuantos ejemplares se capturen de otras especies c) la fácil retirada o portabilidad de las técnicas o métodos de caza empleados que posibilite neutralizar riesgos de que sigan generando efectos de captura indiscriminada más allá del momento en que los cazadores abandonen el lugar. Criterios de valoración normativa de la lesividad del método no selectivo que aparecen sustancialmente refrendados en la STJUE de 17 de marzo de 2021. La sentencia del TJUE apuntala los criterios de esta Sala sobre la necesidad, como presupuesto del juicio de subsunción en el artículo 336 CP, de evaluar el nivel de lesividad que se deriva del uso del método no selectivo, tomando en cuenta, de forma particular, el potencial de capturas accesorias indiscriminadas y la letalidad que se deriva para los animales capturados. Ello no significa que la caza con liga o con sustancias adhesivas no pueda ser considerada conducta típica. Pero siempre que, en el caso concreto, se acredite que la conducta desplegada colma, en los términos antes precisados, la antijuridicidad reclamada por el tipo. Lo que, en lógica consecuencia, traslada a la acusación la carga de acreditar el riesgo y el grado de lesividad alcanzado por la concreta conducta de caza no autorizada. En particular, el potencial alcance de capturas indiscriminadas y de los riesgos situaciones de letalidad introducidos. La tipicidad no se colma, por tanto, con el simple dato de la no selectividad del método ni tampoco porque su uso aparezca prohibido por la normativa sectorial administrativa. Es obvio que el comportamiento que se describe, de franco incumplimiento de las normas que prohíben ese modo no selectivo de caza, puede ser merecedor de sanción administrativa pero no de sanción penal. Esta, reiteramos, debe reservarse a conductas que patenticen un suficiente nivel de antijuricidad, de intensa negación del bien jurídico protegido por el tipo penal.

Art. 337.

1. Será castigado con la pena de tres meses y un día a un año de prisión e inhabilitación especial de un año y un día a tres años para el ejercicio de profesión, oficio o comercio que tenga relación con los animales y para la tenencia de animales, el que por cualquier medio o procedimiento maltrate injustificadamente, causándole lesiones que menoscaben gravemente su salud o sometiéndole a explotación sexual, a

a) un animal doméstico o amansado,
b) un animal de los que habitualmente están domesticados,
c) un animal que temporal o permanentemente vive bajo control humano, o
d) cualquier animal que no viva en estado salvaje.

2. Las penas previstas en el apartado anterior se impondrán en su mitad superior cuando concurra alguna de las circunstancias siguientes:

a) Se hubieran utilizado armas, instrumentos, objetos, medios, métodos o formas concretamente peligrosas para la vida del animal.
b) Hubiera mediado ensañamiento.
c) Se hubiera causado al animal la pérdida o la inutilidad de un sentido, órgano o miembro principal.
d) Los hechos se hubieran ejecutado en presencia de un menor de edad.

3. Si se hubiera causado la muerte del animal se impondrá una pena de seis a dieciocho meses de prisión e inhabilitación especial de dos a cuatro años para el ejercicio de profesión, oficio o comercio que tenga relación con los animales y para la tenencia de animales.

4. Los que, fuera de los supuestos a que se refieren los apartados anteriores de este artículo, maltrataren cruelmente a los animales domésticos o a cualesquiera otros en espectáculos no autorizados legalmente, serán castigados con una pena de multa de uno a seis meses. Asimismo, el juez podrá imponer la pena de inhabilitación especial de tres meses a un año para el ejercicio de profesión, oficio o comercio que tenga relación con los animales y para la tenencia de animales.

STS 940/2021: La previsión de una categoría de delitos exclusivamente orientados a preservar el bienestar animal no descansa en que los animales sean titulares de derechos, sino en que la naturaleza humana comporta un deber de respeto al resto de seres vivos, estando modulada esta exigencia por el grupo social y por la específica formulación de los distintos tipos penales por el legislador. Una concepción que toma base en el artículo 13 de la versión consolidada del Tratado de Funcionamiento de la Unión Europea, y que en nuestro Código Penal se ha materializado en la particular defensa del bienestar de aquellos animales que no se encuentran en estado salvaje (art. 337 del Código Penal). Además de exigirse que el maltrato tenga como resultado la lesión, la muerte o la explotación sexual de un animal de los que normalmente quedan al cuidado y protección del hombre, el tipo penal requiere que el desprecio del bienestar animal carezca de justificación. Con ello no sólo se excluyen del tipo delictivo aquellas conductas que se encuentren legalmente autorizadas, como la experimentación con animales, los festejos taurinos, o un sacrificio en matadero vinculado a finalidades alimentarias o industriales y ajustado a la correspondiente regulación administrativa, sino cualquiera otra actuación en la que concurran razones objetivas que, pese a no estar legalmente previstas, hagan que el comportamiento que se enjuicia no desencadene un significado reproche social. Concretamente, el delito de maltrato animal del artículo 337 del Código Penal exige que esté injustificada la violencia que da lugar a las lesiones o la muerte del ser vivo, tratándose de una exigencia cuyo significado se adquiere a partir de una consideración normativa. Bien de carácter jurídico en aquellos supuestos en los que se ha desarrollado una regulación específica sobre la materia, como es el caso de la Ley 8/2003, de 24 de abril, de sanidad animal o la Ley 32/2007, de 7 de noviembre, para el cuidado de los animales, en su explotación, transporte, experimentación o sacrificio. Bien a partir de incontrovertidas y generalizadas convenciones sociales sobre el contenido ético que debe regir el comportamiento humano en lo que atañe a la protección del bienestar animal, pues existen numerosos supuestos en los que la moral pública no se resiente por actuaciones que, objetivamente, pueden perjudicar el bienestar animal y no están expresamente contempladas en una norma regulatoria, como sería el supuesto de dar muerte a un animal para poner término a su sufrimiento insoslayable o cuando su sacrificio busque evitar daños graves e irreparables. Por ello, el legislador ha dispuesto que para el reproche penal de la conducta es necesario que la acción enjuiciada se sitúe fuera de esos contornos y que la acusación acredite la concurrencia del elemento normativo que justifica la punición.

STS 229/2022: Establecer la línea separadora entre los menoscabos graves de la salud y los no graves admite soluciones muy diversas, y muchas de ellas igualmente racionales o razonables. Se puede ser más o menos exigente. Pero la delimitación de lo punible frente a lo no punible no debe quedar al albur de la mayor o menor sensibilidad ecológica o animalista del intérprete. En esta línea, a la hora de concretar lo que deba entenderse por menoscabo grave de la salud al que alude el artículo 337.1 CP, un primer enfoque nos proyectaría sobre el concepto de "grave enfermedad" que, cuando de humanos se trata, el artículo 149 equipara a la pérdida o inutilidad de un sentido, órgano, o miembro principal. Sin embargo, tal opción no puede acogerse linealmente porque "la pérdida o inutilidad de un sentido, órgano o miembro principal" están específicamente previstos como presupuestos de agravación en el apartado 2 del artículo 337 que, aun sin sustantividad independiente como ocurre en el delito de lesiones graves del artículo 149, elevan la pena a la mitad superior. Partiendo de tales premisas la lógica aconseja interpretar la modalidad básica del artículo 337.1 como proyección de su equivalente cuando del delito de lesiones se trata (artículo 147.1), con imprescindibles modulaciones. Tomando como referencia el que se erige como concepto normativo básico en el delito de lesiones, el tratamiento médico o quirúrgico, será necesario que el animal requiera para su curación tratamiento veterinario, más allá del que se agota en una primera asistencia. Ahora bien, ese único presupuesto abarcaría detrimentos de la salud que difícilmente soportarían el calificativo de graves, lo que exige un plus que dependerá de las circunstancias del caso. Este podrá venir determinado por diversos factores. Entre ellos, sin afán de fijar un catálogo exhaustivo, habrán de valorarse la intensidad de la intervención veterinaria requerida; si hubiera exigido o no hospitalización; el riesgo vital generado por la herida o su potencialidad para acelerar significativamente procesos degenerativos; el periodo de tiempo durante el cual el animal haya estado imposibilitado para el desempeño de la actividad propia de su especie; y las secuelas o padecimientos permanentes. Sin olvidar que, si éstos últimos conllevan la pérdida de un sentido, órgano o miembro principal, necesariamente determinaran la imposición de la pena en su mitad superior (artículo 337.2). Todo lo que por defecto no tenga encaje en el concepto así perfilado, quedará abarcado por el delito leve del artículo 337.4. CP, que ni siquiera exige que se haya llegado a causar lesión. La acción típica del delito previsto en el artículo 337.4 es maltratar cruelmente. El maltrato no solo comprende los ataques violentos, sino todos los comportamientos que, por acción u omisión, sean susceptibles de dañar la salud del animal. No requiere el tipo la habitualidad, pero el adverbio modal "cruelmente" añade una nota de dureza o perversidad, de gratuidad en la actuación que permita deducir una cierta complacencia con el sufrimiento provocado. Presupuesto que podrá cumplirse, bien con un proceder aislado de suficiente potencia, o con una reiteración de actos que precisamente por su persistencia en el tiempo impliquen un especial desprecio hacia el sufrimiento y dolor susceptibles de irrogar". Por lo demás, es criterio de enorme valor exegético la comparación con las penas señalada a las lesiones causadas a las personas: art. 147 CP. No sería tolerable que unas mismas lesiones ocasionadas a un animal (ser sintiente) mereciesen una penalidad superior que las producidas a un hombre. En este caso si proyectamos las mismas lesiones a una persona la pena podría ser una multa (art. 147.1 CP) cuando en un animal de los contemplados en el art. 337.1° no se podría eludir una pena privativa de libertad (salvo una atenuante cualificada como en este caso). Aunque la comparación penológica presenta dificultades en tanto el máximo del art. 147.1° CP es superior al máximo del art. 337.1 CP y hay un marco penal que se solapa, es evidente que esta apreciación empuja a una interpretación muy estricta de la gravedad de la lesión como elemento típico del art. 337.1°. Han de ser lesiones de especial entidad; tanta, como para que se capte como proporcionada una eventual equiparación penológica con las mismas lesiones causadas a otra persona.

STS 186/2020: El n° 4 del artículo 337 CP fue incorporado por la LO 1/2015, que suprimió el libro III dedicado a las faltas, si bien recuperó como delitos leves algunos de los comportamientos hasta entonces contenidos en aquel. Y así ocurrió con la antigua falta contra los intereses generales del artículo 632.2 CP, que con idéntica redacción pasó a conformar el citado apartado 4. Las dificultades interpretativas generadas por esta figura habían sido puestas de relieve por la jurisprudencia de las Audiencias, dando lugar a soluciones dispares. Si bien no existían importantes discrepancias en la delimitación de la acción típica "maltratar cruelmente", si respecto a las condiciones en que se dispensaba la tutela penal. La ambigua fórmula "a animales domésticos o a cuales quiera otros en espectáculos no autorizados legalmente", alimentó la polémica respecto a la existencia o no de un doble nivel de protección. Es decir, si se confería un tratamiento diferenciado a favor de los animales domésticos, cuyo cruel maltrato quedaría encuadrado en la órbita del precepto cualquiera que fuera el lugar donde se desarrollara, frente al que afectaba a los animales que no encajan en esa categoría, cuya tipicidad quedaba condicionada a que la desconsiderada agresión tuviera lugar en espectáculos no autorizados legalmente. O si, por el contrario, este último presupuesto locativo afectaba a unos y a otros, lo que relegaba al ámbito administrativo el maltrato de animales domésticos sin proyección a terceros. El grafema o es una conjunción disyuntiva que denota diferencia, separación o alternativa entre dos o más personas, cosas o ideas. Esta conjunción no siempre implica opciones excluyentes y de hecho a menudo alude a condiciones indistintas e incluso compatibles, siendo el contexto el que le asigna valor particular en cada caso. Y es precisamente ese contexto el que nos aboca a considerar que en este caso el legislador la utilizó para distinguir un supuesto de otro. Esto es, los animales domésticos de los que no lo son, pues de haber querido, como pretende el recurrente, sancionar el maltrato de animales domésticos y de cualesquiera otros solo cuando el de ambos se produjera en espectáculos públicos no autorizados, le hubiera bastado con redactar el precepto aludiendo al maltrato de cualquier animal en espectáculos públicos no autorizados legalmente, sin necesidad de redundar en dos categorías. La distinción es muy significativa y conduce a la interpretación diferenciada de las conductas, máxime si reparamos en que lo contrario obstaculizaría la protección penal de los animales domésticos, en cuanto relegaría a simple infracción administrativa el maltrato cruel en el ámbito privado, que resulta precisamente el más propicio para ello. Por último, no podemos olvidar que cuando la LO 1/2015 incorporó el apartado 4 del artículo 337 CP en el año 2015, las Audiencia Provinciales habían interpretado mayoritariamente la falta del artículo 632.2 en el sentido expuesto, que parte de un distinto nivel de protección penal a favor de los animales domésticos respecto a los que no lo son. Y así lo había refrendado esta Sala en las dos ocasiones, pese a que en la jurisdicción y en la doctrina se habían alzado algunas voces discrepantes. Si el legislador no zanjó entonces la polémica introduciendo mayor claridad en el enunciado, y mantuvo idéntica la redacción a sabiendas del alcance que la jurisprudencia le había otorgado, es porque esa línea argumental colmaba fielmente el objetivo de la norma, en un marco legal que ha desplazo la consideración patrimonial de los animales para focalizar el núcleo de la prohibición alrededor de conductas que generan su sufrimiento.

Art. 338.

Cuando las conductas definidas en este Título afecten a algún espacio natural protegido, se impondrán las penas superiores en grado a las respectivamente previstas.

STS 996/2021: La Ley estatal 42/2007 de Patrimonio Natural y Biodiversidad clasifica los Espacios Naturales Protegidos en su art. 30, y rellena de esta forma la ley penal en blanco contenida en el art. 338 del CP, siendo el primero de dichos espacios -apartado a)- los parques. Por tanto, sólo con este reconocimiento como Parque, ya concurriría, en tesis de principio, además del ámbito general del art. 319.1, el ámbito específico y adicional del art. 338 CP.

STS 124/2021: Una cosa es que no conste una afectación descrita con una mínima expresividad o que no haya quedado demostrada la incidencia en zona acreditadamente comprendida en el espacio natural protegido; y otra diferente que se entienda que la afectación ha de revestir cierta gravedad o intensidad. Esto significaría insertar interpretativamente un elemento no previsto legalmente en el art. 338 CP. El art. 330 sí contiene esa exigencia. No sucede así en el art. 338. Ciertamente el art. 330 y su difícil armonización con el art 338 si se quiere llegar a consecuencias penológicas proporcionadas comparativamente, impone algún condicionante en la exégesis del art. 338; pero no hasta el punto de introducir jurisprudencialmente un requisito que el legislador no quiso plasmar. El art. 338 habla de afectar; no de afectar gravemente. Aunque es evidente, por lógica, que ha de tratarse de una afectación negativa, perjudicial; aunque no especial o singularmente perjudicial. La mera construcción en el espacio catalogado ¿colma la antijuridicidad requerida por el subtipo?; ¿o se requiere una afectación real del espacio que habrá de quedar acreditada? Es correcto inclinarse por esta segunda alternativa. No estamos ante una circunstancia puramente locativa. Aunque en el caso de delitos urbanísticos en determinados espacios naturales la mera construcción implicará normalmente por sí misma esa afectación perjudicial o negativa. Afectar significa, según la acepción del Diccionario de la Real Academia de la Lengua Española a la que hay que vincular la dicción del art. 338 menoscabar, perjudicar, influir desfavorablemente o producir alteración o mudanza en algo. A ella hay que estar. Por tanto, ha de producirse una real y constatable degradación o devaluación del espacio protegido. Eso no implica que deba quedar destruido; o que se produzca un daño irrecuperable o que se requiera irreversibilidad o un estado ruinoso, o consecuencias especialmente intensas. Los términos en que la sentencia de instancia expresa la incidencia negativa operada en el espacio natural (paisajística, en su fauna y flora, etc..) suponen ya afectación y deterioran el valor medioambiental de esa zona de especial (¡máxima!) protección. Es verdad que si la afectación no se acredita o no se describe no puede apreciarse el tipo agravado. No basta con la referencia locativa.

El incremento penológico del art. 338 no ha de operar sobre el art. 319.1. en tanto éste se refiere a "la construcción no autorizada en lugares que tengan legal o administrativamente reconocido su valor ecológico", sino sobre el art. 319.2. Sucederá entre el art. 319.1 y el art. 338, algo semejante, aunque con una solución concursal distinta a lo que sucede con los arts. 330 y 338. Aquél establece un incremento de pena en los supuestos del Capítulo III, cuando en "un espacio natural protegido se dañare gravemente a algunos de los elementos que hayan servido para calificarlo". En el art. 330 la declaración de espacio natural protegido es un elemento normativo del tipo. Lógicamente, ese mismo elemento no puede ser posteriormente utilizado como factor determinante de una agravación. Si así se hiciera, se vulneraría el "non bis in idem". Al igual que el art. 330, el art. 319.1 en los casos en que opere por virtud de los valores ecológicos, no será compatible con el art. 338. Pero en el primer caso estaremos ante una relación de especialidad (prima el art. 330); en el segundo ante la alternatividad (el art. 338 desplaza al art. 319.1 CP).

XV. DELITOS DE RIESGO CATASTRÓFICO (ARTS. 341 A 350)

Art. 347.

El que por imprudencia grave provocare un delito de estragos será castigado con la pena de prisión de uno a cuatro años.

STS 623/2022: En el delito de estragos, desde la configuración proveniente de la LO 15/2003, lo significativo no es tanto la magnitud o la especial trascendencia de los daños causados, sino el peligro para la vida o la integridad de las personas, convertido en el eje central del tipo, que debe encontrarse ínsito en la acción ("comportaren necesariamente" especifica el precepto) lo que justifica su naturaleza como tipo mixto de resultado (daños materiales) y de peligro (de la vida o integridad física) generado éste precisamente por la acción destructiva y de acuerdo con esa naturaleza, su colocación dentro de los delitos de riesgo catastrófico. Como hemos dicho los estragos vienen definidos por tres notas: 1º) La gravedad de los medios utilizados de extraordinaria gravedad y peligro ("provocando explosivos o utilizando cualquier otro medio de similar potencia destructiva"). 2º) La gran magnitud de las consecuencias destructivas provocadas en elementos que se consideran de especial significación (aeropuertos, puertos, estaciones, edificios, locales públicos...etc). 3º) Como consecuencia de todo ello la necesaria causación de un riesgo para las personas, lo que supone que los estragos de exclusivo daño patrimonial no son típicos por este precepto, como aclara expresamente el apartado 2º remitiendo a los daños del art. 266. Lo que justifica, por otra parte, el señalamiento de una pena tan elevada. En el supuesto, se califican los hechos como delito de estragos causados por imprudencia grave del art. 347, como dice la sentencia "En el presente caso no se trata de que se haya aplicado fuego que haga arder, de un incendio, sino de una deflagración". Por otro lado, se configura la conducta como imprudencia grave, debido a la importancia del deber de cuidado infringido y la posibilidad concreta de la producción del resultado lesivo con la conducta llevada a cabo. La conducta de Eliseo es constitutiva, sin duda, de la imprudencia grave que se le imputa, ya que fue el quien encendió el mechero tras dirigir el proceso en el que vaciaron veinte botes de recarga de encendedores. En consecuencia, la explosión se produjo en un local sito en un edificio de viviendas, comportando un peligro evidente para la vida e integridad de las personas que allí se encontraban. Teniendo en cuenta que el recurrente con su acción omitió las cautelas más elementales al encender una llama en un local en el que se estaba manipulando una sustancia peligrosa como es el gas, lo que hacía de todo punto previsible que se produjera la explosión del gas acumulado y por ende la destrucción masiva del local con rotura del escaparate de la tienda que estaba en el primer piso, lo que se ha de calificar la imprudencia como grave.

XVI. DE LOS INCENDIOS
(ARTS. 351 A 358 BIS)

Art. 351.

Los que provocaren un incendio que comporte un peligro para la vida o integridad física de las personas, serán castigados con la pena de prisión de diez a veinte años. Los Jueces o Tribunales podrán imponer la pena inferior en grado atendidas la menor entidad del peligro causado y las demás circunstancias del hecho.

Cuando no concurra tal peligro para la vida o integridad física de las personas, los hechos se castigarán como daños previstos en el artículo 266 de este Código.

STS 53/2019: El artículo 351.1 del CP sanciona a los que "provocaren un incendio que comporte un peligro para la vida o integridad física de las personas", frente a un artículo 351.2 que indica que: "Cuando no concurra tal peligro para la vida o integridad física de las personas, los hechos se castigarán como daños previstos en el artículo 266 de este Código", esto es, como un delito agravado de daños, por haber sido causados mediante incendio, explosión u otro medio de similar potencia destructiva, o que genere un riesgo relevante de explosión o de causación de otros daños de especial gravedad. El artículo 266 del Código Penal contempla también como modalidad agravada, de manera alternativa a las anteriormente expresadas, cuando la causación de los daños, sea cual sea el instrumento empleado en su comisión, ponga en peligro la vida o la integridad de las personas, supuesto que en modo alguno resulta de aplicación por remisión del artículo 351.2, en la medida en que es precisamente la ausencia de este elemento la que activa la aplicación subordinada del tipo agravado de daños. La jurisprudencia de esta Sala describe que el delito de incendio con peligro para la vida o integridad física de las personas en el que se asienta la condena, es un delito que se caracteriza por dos elementos objetivos, consistentes en la acción de aplicar fuego a una zona espacial, siempre que comporte riesgo para la vida o la integridad física de las personas, así como por un elemento subjetivo, que estriba en el propósito de hacer arder dicho espacio, con consciencia del peligro para la vida o para la integridad física que se origina con ello. En lo que hace referencia a las exigencias objetivas del tipo penal, debe entenderse que el fuego es un conjunto de partículas o moléculas incandescentes de materia combustible, producto de una reacción química de oxidación violenta y que no debe ser identificado con las llamas, por ser estas una mera manifestación visible del fuego mediante emisión intensa de luz, pero no siempre concurrentes. Por tanto, lo que el tipo penal exige es la causación dolosa de la combustión y el deterioro de los objetos mediante ella, con la consciente puesta en peligro de la vida o la integridad física de las personas. Paralelamente, la concurrencia del riesgo personal que el tipo penal reclama, se entiende satisfecha desde su consideración hipotética o potencial, esto es, el delito de incendio del artículo 351 del Código Penal no contempla la existencia de una situación de peligro (abstracta o concreta), sino la idoneidad del comportamiento efectivamente realizado para generar dicho riesgo, aún cuando no llegue a producirse. Dicho de otro modo, al evaluarse la concurrencia del riesgo desde la idoneidad de la acción, y no desde el resultado finalmente impulsado, para la consumación del delito que contemplamos resulta irrelevante si llegó a materializarse un riesgo para la vida o la integridad de las personas que allí habitaban, o si éste riesgo, pese a surgir, decayó poco tiempo después de surgir el fuego, bien porque los habitantes del inmueble fueran desalojados, bien porque el fuego se extinguiera o fuera sofocado, por más que estas circunstancias puedan impulsar la rebaja de la pena en un grado, tal y como el propio precepto contempla, precisamente atendiendo a la menor entidad del peligro causado. Y siendo el riesgo un dato de naturaleza objetiva, sólo cuando no se aprecie la idoneidad del fuego para generar un peligro personal, esto es, cuando carezca de potencial de peligro para la vida o integridad de las personas, bien porque el medio incendiario empleado sea inhábil para su propagación, bien por la limitada capacidad de combustión de la sustancia utilizada, los hechos pueden derivar en el delito de daños del artículo 266 del Código Penal, cuya pena es más adecuada a la real gravedad de los hechos. En cuanto al elemento interno exigido por el tipo penal del artículo 351.1 del Código Penal, se circunscribe al propósito de hacer arder un espacio, con conocimiento y conciencia de que se crea un potencialidad de peligro para la vida e integridad física de las personas, aún cuando no exista voluntad de que estos daños personales sobrevengan, lo que esta Sala ha apreciado en todos aquellos supuestos en los que se provoca un incendio con capacidad de expansión en los bajos o en cualquier piso de un edificio, siempre que el sujeto activo conozca de la existencia de otros pisos, y tenga suficiente representación de que el edificio está habitado por personas cuyas vidas o cuya integridad física pueden entrar en peligro con su comportamiento. Consecuentemente, el elemento diferencial entre el delito de daños del artículo 266 del Código Penal y el delito de incendio del artículo 351 del Código Penal, al limitar-se aquel a los supuestos en los que únicamente concurre el objetivo dañino, reside en la concurrencia y percepción de que la potencial acción devastadora del fuego pueda comprometer, no sólo a los bienes a los que la combustión puede alcanzar, sino a la vida o la integridad física de los demás, sin perjuicio de que, en este último caso, el reproche punitivo al sujeto activo del delito pueda modularse en función del grado de riesgo introducido o de otras circunstancias concurrentes como elementos configuradores del desvalor de la acción y de su resultado.

Art. 352.

Los que incendiaren montes o masas forestales, serán castigados con las penas de prisión de uno a cinco años y multa de doce a dieciocho meses.

Si ha existido peligro para la vida o integridad física de las personas, se castigará el hecho conforme a lo dispuesto en el artículo 351, imponiéndose, en todo caso, la pena de multa de doce a veinticuatro meses.

STS 317/2021 (Pleno): De acuerdo con la jurisprudencia de esta Sala, la propagación excluye la aplicación del tipo previsto en el artículo 354 CP para proyectarse hacia el tipo básico del 352 CP. Lo que no significa que no existan casos límite en los que no resulte fácil determinar si esa propagación o dispersión del incendio ha llegado o no a producirse. Entre el momento en que el objeto incendiado combustiona autónomamente y aquel en el que puede claramente apreciarse su propagación, pueden surgir una serie de zonas difusas o fases intermedias. La pauta metodológica en esos casos, de cara a descartar la propagación que desplazaría la tipicidad hacia el artículo 352 CP no puede ser otra que la escasa significación del incendio producido. (Tol 8422353)

Art. 353.

1. Los hechos a que se refiere el artículo anterior serán castigados con una pena de prisión de tres a seis años y multa de dieciocho a veinticuatro meses cuando el incendio alcance especial gravedad, atendida la concurrencia de alguna de las circunstancias siguientes:

1.ª Que afecte a una superficie de considerable importancia.

2.ª Que se deriven grandes o graves efectos erosivos en los suelos.

3.ª Que altere significativamente las condiciones de vida animal o vegetal, o afecte a algún espacio natural protegido.

4.ª Que el incendio afecte a zonas próximas a núcleos de población o a lugares habitados.

5.ª Que el incendio sea provocado en un momento en el que las condiciones climatológicas o del terreno incrementen de forma relevante el riesgo de propagación del mismo.

6.ª En todo caso, cuando se ocasione grave deterioro o destrucción de los recursos afectados.

2. Se impondrá la misma pena cuando el autor actúe para obtener un beneficio económico con los efectos derivados del incendio.

STS 577/2021: No se deriva siempre y en cualquier caso de un incendio provocado esta agravación, sino que supone un plus de reproche penal por esa grave afectación de recursos, que lo sitúa como un "además" de la superficie afectada en este caso, sin vulnerar el non bis in idem, aunque puede haber supuestos en los que no se aplique la agravación del nº 1 por la extensión de la superficie afectada, pero sí la de afectación a los recursos. Con ello, no basta cualquier deterioro o destrucción de los mismos, sino que el legislador añade la gravedad de esa afectación, por lo que habrá que ir caso por caso para evaluar si la propagación del incendio ha provocado esa grave destrucción o deterioro de recursos.

Art. 354.

1. El que prendiere fuego a montes o masas forestales sin que llegue a propagarse el incendio de los mismos, será castigado con la pena de prisión de seis meses a un año y multa de seis a doce meses.

2. La conducta prevista en el apartado anterior quedará exenta de pena si el incendio no se propaga por la acción voluntaria y positiva de su autor.

STS 317/2021 (Pleno): El artículo 354 CP habla de prender fuego a montes o masas forestales. En principio son estos los que atribuyen a los incendios la consideración de forestales. Para delimitar el concepto de montes, contamos con la orientación que proporciona la vigente Ley de Montes, Ley 43/2003, de 21 de noviembre, que fue actualizada por última vez por la Ley 21/2015, de 20 de julio. A sus propios efectos, describe en el artículo 5 como montes "todo terreno en el que vegetan especies forestales arbóreas, arbustivas, de matorral o herbáceas, sea espontáneamente o procedan de siembra o plantación, que cumplan o puedan cumplir funciones ambientales, protectoras, productoras, culturales, paisajísticas o recreativas" al que se asimilan, entre otros, aquellos terrenos que, "sin reunir las características descritas anteriormente, se adscriban a la finalidad de ser repoblado o transformado al uso forestal, de conformidad con la normativa aplicable". No se considerarán monte, por mención expresa de la Ley, los terrenos dedicados al cultivo agrícola, los urbanos y aquellos otros que excluya la comunidad autónoma en su normativa forestal y urbanística. Dada la amplitud de tal definición podemos entender que con ese término el Código abarca los terrenos en los que vegetan especies forestales arbóreas, arbustivas, de matorral o herbáceas, sea espontáneamente o procedan de siembra o plantación, excluido el cultivo agrícola. Por otra parte, la Ley de Montes no define lo que deba entenderse por masa forestal pero atendiendo al significado de las palabras empleadas, habremos de considerar tales el conjunto de árboles y matas que conforman los bosques. (Tol 8422353)

Art. 358.

El que por imprudencia grave provocare alguno de los delitos de incendio penados en las secciones anteriores, será castigado con la pena inferior en grado, a las respectivamente previstas para cada supuesto.

STS 317/2021 (Pleno): La gravedad de la imprudencia se determina, desde una perspectiva objetiva o externa, con arreglo a la magnitud de la infracción del deber objetivo de cuidado o de diligencia en que incurre el autor, magnitud que se encuentra directamente vinculada al grado de riesgo no permitido generado por la conducta activa del imputado con respecto al bien que tutela la norma penal, o, en su caso, al grado de riesgo no controlado cuando tiene el deber de neutralizar los riesgos que afecten al bien jurídico debido a la conducta de terceras personas o a circunstancias meramente casuales. El nivel de permisión de riesgo se encuentra determinado, a su vez, por el grado de utilidad social de la conducta desarrollada por el autor (a mayor utilidad social mayores niveles de permisión de riesgo). Por último, ha de computarse también la importancia o el valor del bien jurídico amenazado por la conducta imprudente: cuanto mayor valor tenga el bien jurídico amenazado menor será el nivel de riesgo permitido y mayores las exigencias del deber de cuidado. De otra parte, y desde una perspectiva subjetiva o interna (relativa al deber subjetivo de cuidado), la gravedad de la imprudencia se dilucidará por el grado de previsibilidad o de cognoscibilidad de la situación de riesgo, atendiendo para ello a las circunstancias del caso concreto. De forma que cuanto mayor sea la previsibilidad o cognoscibilidad del peligro, mayor será el nivel de exigencia del deber subjetivo de cuidado y más grave resultará su vulneración". Ya hemos señalado los perfiles que la Jurisprudencia de esta Sala ha ido dibujando para delimitar la imprudencia grave. Ahora bien, las circunstancias concretas sobre las que se construye tal consideración, están estrechamente vinculadas al supuesto de hecho, sin que puedan extraerse una serie de premisas fácticas de vocación generalizadora. A modo de ejemplo, que en su caso el fuego, como ocurre en el que ahora nos incumbe, se encuentre autorizado por la autoridad competente, tendrá trascendencia de cara a conformar la legalidad administrativa de la actividad, pero no puede operar como elemento excluyente de una imprudencia grave, que quedará supeditada a la manera en que se desarrolla la actividad de quema. Podría sostenerse que la ausencia de la licencia, cuando fuera precisa, incrementa el quebranto del deber de cuidado en la medida que se han dejado de constatar determinados presupuestos de idoneidad que la autorización presupone, pero tampoco será por sí solo factor determinante de gravedad, pues puede que haya ido acompañado de exquisitas medidas de precaución. En definitiva, como ya avanzamos al concluir el anterior fundamento, nos enfrentamos a una conclusión valorativa dependiente de las circunstancias de índole objetivo y subjetivo que concurran. El que se cumplieran con los presupuestos de horario recomendado para la actividad y modo en la preparación del material para la quema, o incluso que las condiciones climatológicas adversas no fueran previsibles, no desvirtúan la fuerza acumulativa de los elementos tomados en consideración para conformar como grave la imprudencia. Incluso prescindiendo de que el relato fáctico habla de las condiciones climatológicas que concurrían en el momento de accionarse el fuego, y no de un cambio en las mismas que otorgara mayor relevancia a la imprevisibilidad. Tampoco es trascendente de cara a la configuración de la imprudencia que, tal y como expresamente admite el relato fáctico, la quema de restos procedentes de la actividad de tala de árboles que el recurrente acometía contara con la debida autorización, ya lo hemos dicho. Esta supone un inicial presupuesto de legalidad administrativa, que no neutraliza el riesgo inherente a la actividad que se desarrolla, que es el que impone el deber objetivo de cuidado que la imprudencia desprecia. Por su parte, los distintos pronunciamientos de las diferentes Audiencias no implican una discrepancia en cuanto al alcance de la tipicidad combatida, sobre cuyas pautas generales no subyacen discrepancias. (Tol 8422353)

XVII. DELITOS CONTRA LA SALUD PÚBLICA (ARTS. 359 A 378)

Art. 363.

Serán castigados con la pena de prisión de uno a cuatro años, multa de seis a doce meses e inhabilitación especial para profesión, oficio, industria o comercio por tiempo de tres a seis años los productores, distribuidores o comerciantes que pongan en peligro la salud de los consumidores:

1. Ofreciendo en el mercado productos alimentarios con omisión o alteración de los requisitos establecidos en las leyes o reglamentos sobre caducidad o composición.

2. Fabricando o vendiendo bebidas o comestibles destinados al consumo público y nocivos para la salud.

3. Traficando con géneros corrompidos.

4. Elaborando productos cuyo uso no se halle autorizado y sea perjudicial para la salud, o comerciando con ellos.

5. Ocultando o sustrayendo efectos destinados a ser inutilizados o desinfectados, para comerciar con ellos.

STS 770/2022 (Pleno): El artículo 363 CP se enuncia en principio como delito especial propio, en cuanto delimita la autoría en los "productores, distribuidores o comerciantes". Sin embargo es necesario superar el rigor formalista que implica ceñir la interpretación de esos términos a la estricta descripción de tales categorías en la legislación mercantil, con una injustificada reducción de su ámbito de aplicación y consecuente desprotección de la salud de los consumidores, bien jurídico que se pretende preservar, frente a quienes realizan este tipo de actividades fuera de los circuitos legales. Se impone una interpretación de la terminología legal desde una perspectiva material que abra el espectro aplicativo para abarcar a quienes realmente realizan tales labores, con independencia de su cualificación profesional o cualquier requisito formal. Se trata de un extremo sobre el que existe consenso en doctrina y la jurisprudencia. La autonomía del derecho penal así lo autoriza. Así será productor quien produce, la persona que ha obtenido o creado el alimento o sustancia objeto de la concreta modalidad delictiva. Cuando se trata de producción primaria, en sectores como el de la obtención de productos del mar, la misma necesariamente abarca la pesca. No puede tacharse de extensiva la identificación del término productor, no solo con quien fabrica o elabora los alimentos, sino también con quien los recoge de su hábitat natural con el fin de ponerlos en circulación, es decir, en este caso, quien obtiene el producto directamente del mar. El distribuidor, por su parte, será quien distribuye (importa, transporta o almacena) y comerciante quien vende, es decir, las personas que participan en la puesta a disposición del producto a los consumidores. Es la actividad desarrollada la que les otorga idoneidad como sujetos activos, sean o no profesionales, e independiente de que estén inscritos o consten como tales. El tipo que atrae nuestra atención está configurado como un delito de peligro. Se discute si de peligro abstracto o concreto. La doctrina científica mayoritariamente, aunque no sin excepciones, se decanta por considerarlo concreto. Esta Sala de casación siempre lo ha calificado de abstracto -hipotético o potencial-, y en algún caso se habla de la categoría abstracto concreto. En esa misma línea nos encontramos ante un delito de peligro abstracto, o encajable en la construcción dogmática de abstracto-concreto propio de los delitos de aptitud. No se tipifica en sentido propio un resultado concreto de peligro, sino un comportamiento idóneo para producir peligro para el bien jurídico protegido. En estos supuestos, y muy en particular en el 363.3 CP que ahora nos ocupa, la situación de concreto peligro no es elemento del tipo, pero sí lo es la idoneidad del comportamiento realizado para producir dicho peligro. Es posible su consumación sin la directa involucración del consumidor. La cadena de tráfico se puede poner en marcha a través de distintos eslabones generando peligro, antes de llegar a trabar contacto con el destinatario final del género corrompido. Tal categoría no impide adelantar las barreras de la punición a la culminación de la acción típica, dando cabida a la posibilidad de formas imperfectas de ejecución. El artículo 363.3 CP habla de traficar. Como tal vocablo podemos interpretar con arreglo al Diccionario de la RAE, la operación de "comerciar, negociar con el dinero y las mercancías". Perfilada de esta manera la configuración típica, habrá de entenderse producida la consumación cuando se alcance el momento de la comercialización o puesta en circulación (venta, permuta incluso donación) de los géneros. De acuerdo con ello, para la consumación de la modalidad que analizamos no basta el simple acopio, sino que requiere un acto de comercialización, dispensación, o cuanto menos de ofrecimiento a tales fines. Un acto que no tiene por qué involucrar directamente al consumidor, destinatario final de la sustancia, pero que implica la puesta en circulación del producto, con el consiguiente peligro. La cuestión radica en determinar si el desarrollo de la acción típica requiere antes de que se produzca la consumación, de actuaciones previas de por sí generadoras de peligro, sin la cuales aquella no pudiera alcanzarse, de modo que integren el comienzo de la ejecución. En este caso, los cuatro dieron comienzo a la ejecución, guiados por el propósito compartido de comercializar el material obtenido, deducción que fluye con naturalidad a la vista de la cantidad de vieras obtenidas, que supera la suma del acopio para consumo propio, aun contando que hubieran de distribuirse entre cuatro familias. Ciertamente los acusados dieron comienzo a la ejecución con la obtención del género peligroso que se proponían distribuir, si bien, habida cuenta de que los mismos fueron sorprendidos en el momento en el que iniciaban su descarga al vehículo que había de proporcionar su distribución, no llegaron no ya comercializarlo sino ni siquiera a tenerlo almacenado en condiciones de poder llegar a serlo. (Tol 9229737)

Art. 368.

Los que ejecuten actos de cultivo, elaboración o tráfico, o de otro modo promuevan, favorezcan o faciliten el consumo ilegal de drogas tóxicas, estupefacientes o sustancias psicotrópicas, o las posean con aquellos fines, serán castigados con las penas de prisión de tres a seis años y multa del tanto al triplo del valor de la droga objeto del delito si se tratare de sustancias o productos que causen grave daño a la salud, y de prisión de uno a tres años y multa del tanto al duplo en los demás casos.

No obstante lo dispuesto en el párrafo anterior, los tribunales po-drán imponer la pena inferior en grado a las señaladas en atención a la escasa entidad del hecho y a las circunstancias personales del culpable. No se podrá hacer uso de esta facultad si concurriere alguna de las circunstancias a que se hace referencia en los artículos 369 bis y 370.

> **STS 297/2016:** Podemos estar en presencia de muchas acciones y un solo delito (actos reiterados de venta de sustancias estu-pefacientes) o de una sola acción y varios delitos (persistencia en la posesión del arma o de la droga no incautada tras el en-juiciamiento). Son criterios de racionalidad jurídica los llama-dos a establecer qué dato es decisivo para cerrar una actividad plural o continuada, considerándola un único delito, abriendo así paso a otro delito diferente y reprochable de manera au-tónoma. El dato clave estriba en el momento en que el sujeto activo es objeto de detención o de una imputación o citación para defenderse de la investigación seguida por unos hechos. En ese instante se produce la ruptura desde el punto de vista jurídico, la solución de continuidad. Ya no habrá un punto y

seguido sino un punto y aparte. Quien vende droga todos los días y es sorprendido, detenido e ingresado en prisión, comete un solo delito contra la salud pública. Sin embargo, si quien ha sido sorprendido vendiendo una dosis de cocaína, es detenido y al ser puesto en libertad, vuelve a vender otra papelina, habrá cometido dos delitos contra la salud pública. Si, por el contrario, se descubriesen con posterioridad actos de venta de drogas efectuados antes de esa detención y que no han podido ser investigados, sí que toparíamos en principio ante el muro de la cosa juzgada.

STS 87/2019: En concreto respecto al delito de tráfico de drogas la jurisprudencia de esta Sala ha señalado que es un delito de mera actividad y de riesgo abstracto que se suele integrar por una pluralidad de acciones, por lo que tiene la naturaleza de tracto sucesivo. El artículo 368 CP sanciona como comportamiento típico el constituido por "actos", en plural, de cultivo, elaboración o tráfico. Por lo que el número de aquellos es indiferente para la consumación del delito y de su unidad. De ahí que, por un lado, las plurales entregas a sucesivos adquirentes de drogas no acarrean pluralidad de delitos, pero, por otro lado, la cantidad de la droga objeto de tráfico, aunque sea trasmitida en plurales actos, debe ser considerada en su conjunto dando lugar, en su caso, a la calificación del subtipo agravado por la notoria importancia de la cantidad. La repetición en un corto espacio de tiempo de una misma conducta es un caso de unidad típica y por tanto de delito único. No existen varios delitos por el hecho de que se hayan producido varios actos de venta. En general se niega la posibilidad de continuidad delictiva. Incluso cuando la actividad se ha desarrollado durante un largo lapso de tiempo; o, más aun, aunque haya habido interrupciones temporales. La variedad de sustancias tampoco tiene un efecto multiplicador del número de infracciones por cuanto el bien jurídico protegido es idéntico. Lo expuesto no significa que no sea posible establecer un corte temporal, de manera que los actos realizados desde ese momento vinieran a constituir un nuevo delito. El dato clave estriba en el momento en que el sujeto activo es objeto de detención o de una imputación o citación para defenderse en la investigación seguida por unos hechos. En ese instante se produce la ruptura desde el punto de vista jurídico; la solución de continuidad. Ya no habrá un punto y seguido; sino un punto y aparte. Quien vende droga todos los días y es sorprendido, detenido e ingresado en prisión solo habrá cometido un único delito contra la salud pública. Sin embargo si quien ha sido sorprendido vendiendo una dosis de cocaína, es detenido y al ser puesto en libertad vuelve a vender otra papelina, habrá cometido dos delitos contra la salud pública. Otra tesis llevaría a la paradoja de que quien ya conoce que contra él se sigue causa penal vea en ella una licencia para seguir la actividad delictiva, al menos hasta que recaiga sentencia. Lo mismo ocurre en relación a otros delitos que también la jurisprudencia ha definido como de tracto sucesivo, tales como el de colaboración con organización terrorista o tenencia ilícita de armas o de explosivos. También en estos casos, en orden a la determinación del momento a partir del cual puede considerarse cerrada o finalizada una actividad delictiva, la jurisprudencia de esta Sala ha concluido que existe solución de continuidad no solo cuando se ha dictado una sentencia sobre los hechos anteriores, sino también hasta cuando el sujeto activo es objeto de detención o de una imputación o citación para defenderse en la investigación seguida por unos hechos. En ese instante se produce la ruptura desde el punto de vista jurídico, de manera que toda la actividad posterior es susceptible de nuevo enjuiciamiento y puede ser considerada como constitutiva de un nuevo delito, independiente y distinto del anterior.

STS 29/2020: El metilfenidato no es un medicamento como el recurrente expresa, sino el principio activo de las presentaciones farmacéuticas denominadas Ritalina, Rubifen o Methylin. Se trata de una sustancia psicotrópica sometida a fiscalización por aparecer comprendida en la Lista II del Anexo del Convenio sobre Sustancias Psicotrópicas, hecho en Viena el 21 de febrero de 1971, al que se adhirió España el 2 de febrero de 1973 (BOE 218, de 10 de septiembre de 1976). Constituye, como todos los elementos recogidos en la Lista II, una sustancia con acción psicoestimulante del sistema nervioso central, con similitudes estructurales y efectos que se asemejan a la anfetamina, estando aprobado para el tratamiento del trastorno por déficit de atención con hiperactividad. Como las anfetaminas, el metilfenidato debe ser considerado como una sustancia de las que causan grave daño a la salud de las personas, pues es doctrina reiterada de esta Sala que las sustancias que contienen distintas variaciones anfetamínicas deben ser subsumidas en esta categoría del artículo 368 del Código Penal, por concurrir en ellas los cuatro criterios que los protocolos internaciones emplean para tal calificación: por ser en sí lesiva para la salud; por el nivel de dependencia que crea en el consumidor; por el número de fallecimientos que provoca su intoxicación; y por el grado de tolerancia.

STS 309/2016: Concurre la menor entidad a que se refiere el art. 368.2 CP cuando se trata de venta aislada de alguna o algunas papelinas de sustancias tóxicas. Cuando el tipo penal se refiere a las circunstancias personales del delincuente, está centrándose en los elementos que configuran un entorno social y su componente individual, la edad, el grado de formación intelectual y cultural, su madurez psicológica, su entorno familiar, sus actividades laborales, su comportamiento posterior al hecho delictivo, y sus posibilidades de integración en el cuerpo social, que son factores que permiten modular la pena ajustándola a las circunstancias personales del autor, debiendo jugar a su favor el hecho de que no consten circunstancias de carácter negativo.

STS 877/2016: Para la aplicación del subtipo atenuado del art. 368, utilizando el legislador la conjunción copulativa "y" respecto a los presupuestos (escasa entidad del hecho (menor antijuricidad) y circunstancias personales del autor (menor culpabilidad)), ha de entenderse que la ausencia manifiesta de cualquiera de los requisitos legales, sea la menor antijuricidad o la menor culpabilidad, impide la aplicación del subtipo atenuado, pero no cuando esté acreditada únicamente uno de esos dos criterios, pero no ambos a la vez, pues en tales casos puede bastar la concurrencia de uno de ellos y la inoperatividad del otro por ser inexpresivo o neutro para la aplicación del subtipo atenuado.

STS 390/2016: El principio de insignificancia de la droga ha de ser manejado con cautela, al ser una excepción al principio

general de punición de la transmisión de las sustancias estupefacientes. La determinación del porcentaje del principio activo
de las drogas objeto de tráfico, no necesita de modo imprescindible ser acreditado por prueba pericial analítica, pudiendo
serlo a través de un juicio de inferencia basado en la valoración
de elementos indiciarios especialmente sólidos, como ocurre
cuando la cantidad de droga excluye toda probabilidad de que
la cantidad del principio activo sea inferior a lo establecido por
esta Sala.

STS 363/2015: En lo que se refiere a la denominada insignificancia de la droga, si bien es cierto que de las diferentes sustancias incautadas ninguna de ellas supera, individualmente consideradas, el límite establecido por la jurisprudencia de esta Sala,
sin embargo la cuestión no tiene relevancia en cuanto al fallo
porque aunque no cabe contabilizar conjuntamente sustancias
distintas, sí cabe hacerlo con las mismas (de la misma clase),
como lo viene manteniendo la jurisprudencia de esta Sala, que
ha establecido que debe tenerse en cuenta la totalidad de la droga intervenida al imputado, sin parcelaciones ni divisiones. De
esta forma, la cantidad de cocaína intervenida supera el límite
antedicho.

STS 741/2016: La doctrina ha declarado que el ser consumidor no excluye de manera absoluta el propósito de traficar, por
lo que debe ponderarse si la droga aprehendida excede de las
previsiones de un consumo normal, considerando que la droga
está destinada al tráfico cuando la cuantía de la misma exceda
del acopio medio de un consumidor durante cinco días.

STS 211/2015: En el delito de tráfico de drogas, el margen de
error (5%) se refiere al porcentaje mismo de pureza, opera sobre él, y no sobre el 100% de la sustancia.

STS 355/2018: Admitido que se ha aplicado un desvió o corrección favorable al reo del 11,20%, no es posible aplicar un
nuevo margen de corrección del 5% sobre el resultado obtenido, basándose para ello en que "se realiza una interpretación
beneficiosa al reo dado que se trata de alcanzar la convicción
judicial en este proceso valorativo de la prueba"; decisión que,
además de no entenderse, se funda en una mero acto de liberalidad o voluntarismo del Tribunal, prescindiendo del contenido

de las pericias analíticas aportadas a las actuaciones y de la interpretación racional de su contenido. Si el coeficiente de variación ha sido ya aplicado por el laboratorio que hizo el análisis no puede serlo nuevamente por la Sala en sentencia.

STS 104/2015: Las hojas de coca para ser consumidas de forma tradicional, es decir, masticadas o en infusión, no es sustancia que cause grave daño a la salud, siendo de aplicación el párrafo 2º del art. 368 CP.

STS 352/2018: En primer lugar, hay que proclamar que la actividad desarrollada por los conocidos como clubs sociales de cannabis, asociaciones, grupos organizados o similares no será constitutiva de delito cuando consista en proporcionar información; elaborar o difundir estudios; realizar propuestas; expresar de cualquier forma opiniones sobre la materia; promover tertulias o reuniones o seminarios sobre esas cuestiones. Sí traspasa las fronteras penales la conducta concretada en organizar un sistema de cultivo, acopio, o adquisición de marihuana o cualquier otra droga tóxica o estupefaciente o sustancia psicotrópica con la finalidad de repartirla o entregarla a terceras personas, aunque a los adquirentes se les imponga el requisito de haberse incorporado previamente a una lista, a un club o a una asociación o grupo similar. También cuando la economía del ente se limite a cubrir costes. La filosofía que late tras la doctrina jurisprudencial que sostiene la atipicidad del consumo compartido de sustancias estupefacientes puede alcanzar a la decisión compartida de cultivo de la conocida como marihuana para suministro en exclusiva a un grupo reducido de consumidores en condiciones congruentes con sus principios inspiradores que hacen asimilable esa actividad no estrictamente individual al cultivo para el autoconsumo. Se distancia así esa conducta tolerable penalmente de una producción punible por estar puesta al servicio del consumo de un número de personas indeterminado *ab initio* y abierta a incorporaciones sucesivas de manera más o menos indiscriminada y espaciada, mediante la captación de nuevos socios a los que solo se exige la protesta de ser usuarios para incluirlos en ese reparto para un consumo no necesariamente compartido, inmediato o simultáneo. Evaluar cuándo aquélla filosofía que vertebra la atipicidad de la "compra compartida" puede proyectarse sobre supuestos de cultivo colectivo es una cuestión de caso concreto y no de establecimiento seriado de requisitos tasados que acabarían por desplazar la antijuricidad desde el bien jurídico -evitar el riesgo para la salud pública- a la fidelidad a unos protocolos cuasi administrativos pero fijados jurisprudencialmente. Pueden apuntarse indicadores, factores que iluminan a la hora de decidir en cada supuesto y que son orientadores; pero no es función de la jurisprudencia (como sí lo sería de una hipotética legislación administrativa de tolerancia) establecer una especie de listado como si se tratase de los requisitos de una licencia administrativa, de forma que la concurrencia, aunque fuese formal, de esas condiciones aboque a la inoperancia del art. 368; y la ausencia de una sola de ellas haga nacer el delito. Eso significaría desenfocar lo que se debate de fondo: perfilar la tipicidad del art. 368. Se castiga la promoción del consumo ajeno, pero no la del propio consumo. La actividad que, aun siendo colectiva, encaje naturalmente en este segundo ámbito, por ausencia de estructuras puestas al servicio del consumo de terceros, no son típicas. Desde esas premisas son indicadores que favorecerán la apreciación de la atipicidad el reducido número de personas que se agrupan informalmente con esa finalidad, el carácter cerrado del círculo; sus vínculos y relaciones que permiten conocerse entre sí y conocer sus hábitos de consumo y además alcanzar la certeza, más allá del mero compromiso formal exteriorizado, de que el producto se destina en exclusiva al consumo individual de quienes se han agrupado, con la razonable convicción de que nadie va a proceder a una redistribución o comercialización por su cuenta; los hábitos de consumo en recinto cerrado. Quedaría definitivamente ratificada esa estimación, aunque no sea este dato imprescindible, si el cultivo compartido va seguido de un consumo compartido. La ausencia de cualquier vestigio de espíritu comercial u obtención de ganancias por alguno o por varios; la absoluta espontaneidad y por supuesto voluntad libre e iniciativa propia de quienes se agrupan, (lo que permite excluir los supuestos en que se admite a un menor de edad que carecerá de madurez para que su consentimiento en materia perjudicial para la salud como ésta pueda considerarse absolutamente informado y por tanto libre) son otros factores de ponderación. No se trata tanto de definir unos requisitos estrictos más o menos razonables, como de examinar cada supuesto concreto para indagar si estamos ante una acción más o menos oficializada o institucionalizada al servicio del consumo de terceros (aunque se la presente como modelo autogestionario), o más bien ante un supuesto de real cultivo o consumo compartido, más o menos informal pero sin pretensión alguna de convertirse en estructura estable abierta a terceros. Algunas orientaciones al respecto pueden ofrecerse, pero en el bien entendido de que finalmente habrá que dilucidar caso a caso la presencia o no de esa condición de *alteridad,* aunque aparezca camuflada bajo una ficticia apariencia de autogestión. El número poco abultado de los ya consumidores de cannabis concertados que adoptan ese acuerdo de consumo; el encapsulamiento de la actividad en ese grupo (lo que no excluye una adhesión posterior individualizada y personalizada de alguno o algunos más nunca colectiva ni fruto de actuaciones de *proselitismo,* propaganda o captación de nuevos integrantes); así como la ausencia de toda publicidad, ostentación -consumo en lugares cerrados- o trivialización -tal conducta, siendo atípica, no dejará de ser ilícita-, ayudarán a afirmar la atipicidad por asimilación al cultivo al servicio exclusivo del propio consumo. **STS 564/2020:** Debemos tomar en consideración la STC 100/2018, del 19 de septiembre, del Pleno del Tribunal Constitucional, sobre inconstitucionalidad de la Ley del Parlamento de Cataluña 13/2017, de 6 de julio, de las asociaciones de consumidores de cannabis y dado que esta Ley -como en el caso de la Ley Navarra (STC 144/2017, de 14 de diciembre)- establece un régimen jurídico directamente dirigido a "articular el consumo y cultivo compartido de cannabis" o "el consumo, abastecimiento y dispensación" de esta sustancia "cuya disciplina normativa se reserva el Estado", el Tribunal declara la inconstitucionalidad y nulidad de la misma. Reconoce este corpus jurisprudencial, que la actividad desarrollada por los conocidos como clubs sociales de cannabis, asociaciones, grupos organizados o similares no será constitutiva de delito cuando consista en proporcionar información; elaborar o difundir estudios;

realizar propuestas; expresar de cualquier forma opiniones sobre la materia; promover tertulias o reuniones o seminarios sobre esas cuestiones. Pero no es válido que se pretenda incluir estos fines en los estatutos, y luego la realidad sea otra bien distinta como en este caso ocurre; se considera conducta típica, si traspasa las fronteras penales y entra en el art. 368 CP la conducta concretada en organizar un sistema de cultivo, acopio, o adquisición de marihuana o cualquier otra droga tóxica o estupefaciente o sustancia psicotrópica con la finalidad de repartirla o entregarla a terceras personas, aunque a los adquirentes se les imponga el requisito de haberse incorporado previamente a una lista, a un club o a una asociación o grupo similar.

STS 360/2015: La atipicidad del consumo compartido, doctrina de creación jurisprudencial, es consecuencia lógica de la atipicidad del autoconsumo, y exige la concurrencia de cuatro presupuestos: 1) Que se trate de consumidores habituales o adictos que se agrupan para consumir la sustancia; 2) El consumo de la misma debe llevarse a acabo en lugar cerrado; 3) Deberá circunscribirse a un grupo reducido de adictos o drogodependientes, y ser éstos identificables y determinados; y 4) No se incluyen en estos supuestos las cantidades que rebasen la droga necesaria para el consumo diario, y el consumo debe ser inmediato.

STS 270/2018: Especialmente esta Sala se ha pronunciado sobre la cuestión en supuestos de convivencia familiar, como el que aquí nos ocupa, para señalar que el acceso a la droga que tiene el cónyuge o conviviente, el progenitor o el hijo, no puede comportar por si solo la realización del tipo penal. Es preciso excluir la responsabilidad penal por hechos ajenos, lo que exige que se acrediten circunstancias adicionales que vayan más allá de la mera convivencia familiar y que permitan deducir la coautoría en el sentido de real coposesión de las drogas. El conocimiento de la acción realizada por otros no constituye una «activa participación» en el delito, dado que conocer no es actuar y que el conocimiento, sin la realización de la acción da lugar a una omisión de actuar, que solo sería relevante en el caso que el omitente fuera garante. Si bien, la suposición de una posición de garante de esta naturaleza, no cuenta con el menor respaldo legal, pues normalmente -en particular en los delitos de tráfico de drogas- el cumplimiento de este deber se superpondría con una obligación de denunciar que el ordenamiento jurídico vigente no quiere imponer a los familiares, exentos de la obligación de denunciar *ex* artículo 262 LECrim, a los que asiste el derecho a guardar silencio cuando intervienen como testigos (artículo 416 LECrim) y respecto a los que se excluye la aplicación del delito de encubrimiento del artículo 454 CP .

STS 402/2016: La complicidad en el delito contra la salud pública supone un auxilio secundario a los autores, es este caso a los vendedores. Ello exige un concierto, una confluencia de voluntades, aunque sea tácita y no pactada. La ayuda exclusiva al consumidor con actuaciones tan poco decisivas y determinantes como el transporte para adquirir la droga, la indicación de donde se adquirido reclamada por otro consumidor, la información desinteresada a requerimiento de un comprador-consumidor del lugar donde puede obtenerse, no son acciones constitutivas de delito. La complicidad exige auxiliar al vendedor (es una conducta accesoria de ésta) y no al comprador (cuya acción es atípica). La complicidad en los delitos contra la salud pública se admite, excepcionalmente, a través de lo que se ha denominado "actos de favorecimiento del favorecedor del tráfico". No se ayuda directamente al tráfico, pero sí a la persona que lo favorece, que es quien tiene el dominio del hecho mediante la efectiva disponibilidad de la droga, sin que los actos realizados por el auxiliador tengan la eficacia y trascendencia que exige el concepto de autoría.

STS 115/2015: Tratándose de envíos de droga por correo o por otro sistema de transporte, es doctrina consolidada que si el acusado hubiese participado en la solicitud u operación de importación, o bien figurase como destinatario de la misma, debe estimarse autor de un delito consumado por tener la posesión mediata de la droga remitida, aun cuando no alcance la detentación material de la droga por haber sido intervenido el paquete. Sin embargo, debe apreciarse el delito de tráfico de drogas en grado de tentativa, si la intervención tiene lugar después de que la sustancia se encuentre en el lugar de destino, habiéndose solicitado su colaboración por un tercero, y sin haber intervenido en la operación previa, sin ser destinatario de la mercancía y sin llegar a tener la disponibilidad de la droga intervenida.

STS 321/2022: En efecto, la previa interceptación de la sustancia tóxica en Portugal, no compromete la competencia de los tribunales españoles. Como esta sala ha establecido de manera reiterada, el lugar de comisión en estos supuestos viene marcado por el lugar donde se concierta el acuerdo de "importación", donde se encuentran los destinatarios finales, por lo que el tramo de iter extraterritorial de la acción no afecta el foro competencial en nuestro País. Y respecto a la afectación de territorios de varias Audiencias resulta obligado estar también a criterios funcionales que justifiquen, precisamente, la necesidad de atribución de competencia a la Audiencia Nacional. En el caso, el entramado operacional más relevante de la presunta actividad desplegada por los acusados se sitúa, tal como se decanta del escrito de acusación, en Pontevedra. De ahí que el mero almacenaje de la sustancia en Ourense no introduzca complejidad territorial ni para su adecuada investigación ni para su tramitación procesal hasta la fase de juicio oral.

Art. 369.

1. Se impondrán las penas superiores en grado a las señaladas en el artículo anterior y multa del tanto al cuádruplo cuando concurran alguna de las siguientes circunstancias:

1.ª El culpable fuere autoridad, funcionario público, facultativo, trabajador social, docente o educador y obrase en el ejercicio de su cargo, profesión u oficio.

2.ª El culpable participare en otras actividades organizadas o cuya ejecución se vea facilitada por la comisión del delito.

3.ª Los hechos fueren realizados en establecimientos abiertos al público por los responsables o empleados de los mismos.

4.ª Las sustancias a que se refiere el artículo anterior se faciliten a menores de 18 años, a disminuidos psíquicos o a personas sometidas a tratamiento de deshabituación o rehabilitación.

5.ª Fuere de notoria importancia la cantidad de las citadas sustancias objeto de las conductas a que se refiere el artículo anterior.

6.ª Las referidas sustancias se adulteren, manipulen o mezclen entre sí o con otras, incrementando el posible daño a la salud.

7.ª Las conductas descritas en el artículo anterior tengan lugar en centros docentes, en centros, establecimientos o unidades militares, en establecimientos penitenciarios o en centros de deshabituación o rehabilitación, o en sus proximidades.

8.ª El culpable empleare violencia o exhibiere o hiciese uso de armas para cometer el hecho.

STS 86/2018: En efecto el concepto de funcionario a efectos penales el más amplio que el que se utiliza en otras ramas del ordenamiento jurídico, y más concretamente en el ámbito del Derecho Administrativo, pues mientras que para este los funcionarios son personas incorporadas a la Administración Pública por una relación de servicios profesionales y retribuidas regulada por Derecho Administrativo. Por el contrario, el concepto penal de funcionario público no exige las notas de incorporación ni permanencia, sino fundamentalmente la participación en la función pública a la que debe accederse por cualquiera de las vías de designación que recoge el artículo 24. En lo que se refiere al acceso al ejercicio de funcionario público nada importante en este campo ni los requisitos de selección para el ingreso, ni la categoría por modesta que fuera, ni el sistema de retribución, ni el estatuto legal y reglamentario, ni el sistema de provisión, ni aún la estabilidad o temporalidad. La jurisprudencia de esta Sala no ofrece dudas al respecto, aceptando una equiparación funcional entre el funcionario titular y el funcionario sustituto, interino y, por tanto, carente de la estabilidad que proporciona la pertenencia a la carrera administrativa. Lo que define la condición de funcionario público es la participación en funciones públicas, siendo irrelevante que sea interino o de plantilla, pues los llamados funcionarios de hecho que desempeñan una función pública, aunque no reúnan las calificaciones o legitimaciones requerida, así como los interinos, sustitutos o funcionarios de empleo, en contraposición a los funcionarios de carrera, tienen similar cuadro de derechos y obligaciones que los recogidos en el propio Estatuto de los funcionarios de propiedad.

STS 389/2018: Aunque parece razonable la inaplicación del art. 369 bis por parte de la Audiencia y la consiguiente exclusión en el caso de la categoría de la organización, entendemos que no es correcta la aplicación del art. 369.2° del C. Penal, pues este precepto tipifica los supuestos en que el culpable participa en otras actividades organizadas o cuya ejecución se vea facilitada por la comisión del delito de tráfico de drogas. Es decir, aquel precepto se refiere a supuestos en los que, tal como interpreta la jurisprudencia, no cabe que opere el nuevo art. 370.2° en relación con el art. 369.2°, ya que éste contempla los supuestos relativos a otras actividades organizadas delictivas distintas al tráfico de drogas cuya ejecución se vea facilitada por el delito contra la salud pública, y no al supuesto específico que contempla el art. 369 bis, limitado a las organizaciones que tienen como objetivo el tráfico de drogas. Y como en el caso no concurren otras actividades ilícitas a mayores que justifiquen la aplicación del art. 369.2°, lo correcto es, una vez descartada la organización delictiva del art. 369 bis del C. Penal, aplicar el concurso de delitos del art. 369.5° con el art. 570 ter del mismo texto legal. Es decir, aplicar el precepto específico de la figura del grupo criminal sin acudir al art. 369.2° del C. Penal. Por lo tanto, al operar con la calificación correcta del tipo de grupo criminal debido a la forma en que se hallaba estructurado el conjunto de personas que actuaba en la zona, han de subsumirse los hechos en los arts. 368, párrafo primero, último inciso, en relación con los arts. 369.5 ° y 570 ter del C. Penal.

STS 664/2022: Este Tribunal Supremo, por ejemplo en nuestra sentencia número 528/2021, de 17 de junio, recordaba, efectivamente, que la agravación contenida en el artículo 369.1.3ª del Código Penal opera cuando los actos de tráfico de drogas realizados en el establecimiento abierto al público por el regente o empleado del mismo "revelen una cierta dedicación y pluralidad, por lo que no deberá apreciarse la agravante específica cuando solo conste un acto aislado de tráfico de poco entidad, en cuanto en tal supuesto no concurre la razón justificativa de la agravante, consistente en el aumento de peligro contra la salud pública, por el incremento de las transmisiones que facilita la apertura al público del bar". Deben quedar excluidos así los actos puramente esporádicos, aislados, meramente circunstanciales, al no revelarse en ellos un mayor peligro para el bien jurídico, pese al lugar en el que episódicamente se produjeron.

Hacemos nuestros los razonamientos que recoge la sentencia de instancia relativos a la compatibilidad de aplicar el subtipo atenuado del pf. II del art. 368 y los agravados del art. 369 CP, en particular la cita al pasaje de la misma STS 920/2013, de 11 de diciembre de 2013, en que se decía que "no es obstáculo que los hechos sucedan en establecimiento abierto al público por cuanto la Ley permite aplicar el subtipo atenuado a todos los casos en que concurran los supuestos del art. 369 CP, que constituyen auténticos subtipos agravados", y no lo es, porque así se construye la agravación en el art. 369, que contempla la imposición de las penas superiores en grado a las señaladas en el art. 368, por lo tanto, a todas las penas, entre las cuales se encuentran las correspondientes al subtipo atenuado de ese pf. II del art. 368, que, por su parte, no excluye de aplicación el art. 369, como, sin embargo, sí impide hacer uso de esa facultad atenuatoria si concurrieren las circunstancias del art. 369 bis y 370 CP. En lo que discrepamos con las sentencias de instancia y apelación es en la mecánica seguida para esa individualización, porque parten del subtipo agravado, al que luego aplican la reducción del privilegiado, lo que no consideramos correcto, por cuanto que, si lo que ha de ser objeto de agravación son las penas del art. 368, y entre ellas se encuentran las del privilegiado de su párrafo II, habrá de ser de estas de las que se parta, para, desde ellas, llegar a sus superiores de la agravación, lo que es importante tener en cuenta porque el resultado penológico puede ser distinto, como pasamos a ver, mínimamente más favorable en el caso de la recurrente, y bastante más en el del recurrente.

Acuerdo no jurisdiccional del pleno de la Sala 2ª del TS de 19 de octubre de 2001: 1.- La agravante específica de cantidad de notoria importancia de drogas tóxicas, estupefacientes o sustancias psicotrópicas, prevista en el número 3º del artículo 369 del Código Penal, se determina a partir de las quinientas dosis referidas al consumo diario que aparece actualizado en el informe del Instituto Nacional de Toxicología de 18 de octubre de 2001. 2.- Para la concreción de la agravante de cantidad de notoria importancia se mantendrá el criterio seguido por esta Sala de tener exclusivamente en cuenta la sustancia base o tóxica, esto es reducida a pureza, con la salvedad del hachís y de sus derivados. 3.- No procederá la revisión de las sentencias firmes, sin perjuicio de que se informen favorablemente las solicitudes de indulto para que las condenas se correspondan a lo que resulta del presente acuerdo. 4.- Para facilitar la aplicación de esta agravante específica, según lo acordado, se acompaña un cuadro -sobre la base del remitido por el Instituto Nacional de Toxicología- en el que se determinan las cantidades que resultan de las quinientas dosis, atendido el consumo diario estimado, de acuerdo con el informe de dicho Instituto.

CANTIDADES DE NOTORIA IMPORTANCIA

Sustancia	Nombres alternativos o comerciales	Fiscalización	Cantidad de notoria importancia
Opiáceos y sustancias farmacológicamente relacionadas			
HEROÍNA	CABALLO	LISTA I Y IV C.U. 1961	300 grs.
MORFINA	Cloruro mórfico andromaco Cloruro mórfico braun Morfina braun Morfina serra MST continus Sevedrol Skenan	LISTA I.C.U. 1961	1000 grs.
METADONA	METASEDIN	LISTA I C.U. 1961	120 grs.
BUPRENORFINA	BUPREX. PREFIN.	LISTA III C. Viena 1971	1,2 grs.

DEXTROPRO-POXIFENO	DARVON. DEPRANCOL.	LISTA II C.U. 1961	300 grs.
PENTAZOCINA	PENTAZOCINA FIDES. SOSEGON	LISTA III C. Viena 1971	180 grs.
FENTANILO	DUROGESIC FENTANEST	LISTA I C.U. 1961	50 mgs.
DIHIDROCO-DEINA	CONTUGESIC.	LISTA II C.U. 1961	180 grs.
LEVOACETIL-METADOL	LAAM. ORLAM.	LISTA I C.U. 1961	90 grs.
PETIDINA	MEPERIDINA DOLANTINA	LISTA I C.U. 1961	150 grs.
TRAMADOL	ADOLONTA TIONER TRADONAL TRALGIOL TRAMADOL ASTA MÉDICA		200 grs.
DERIVADOS DE COCAÍNA: CLORHIDRATO DE COCAÍNA	NIEVE PERICO SPEDBALL (junto con heroína)	LISTA I C.U. 1961	750 grs.
DERIVADOS DE CANNABIS: MARIHUANA HACHÍS ACEITE DE HACHÍS	HIERBA GRIFA COSTO MARÍA CHOCOLATE	LISTA I Y IV C.U. 1961 LISTA II C. Viena 1971 LISTA I Y IV C.U. 1961 LISTA II C. Viena 1971	10 kgs. 2,5 Kgs. 300 grs.
L.S.D. (DIETILAMINA DEL ÁCIDO ISÉRGICO)	TRIPI. ÁCIDO	LISTA I C. Viena 1971	300 mgs.
DERIVA-DOS DE LA FENILETILAMINA: SULFATO DE ANFETAMINA ANFEPRAMONA CLOBENZOREX FENPROPOREX D. METANFETAMINA	ANFETAS. SPEDD. CEN-TRAMINA (no comercia-lizado ya) DELGAMER FINEDAL ANTIOBES RETARD. GRASMIN TEGISEC. SPEED TRIPI (en ocasiones)	LISTA II C. Viena 1971 LISTA IV C. Viena 1971 ANEXO II R.D. 2829/77 LISTA IV C. Viena 1971 LISTA II C. Viena 1971	90 grs. 75 grs. 45 grs. 1,5 grs. 30 grs.

HIPNÓTICOS Y SEDANTES: ALPRAZOLAM TRIAZOLAM FLUNITRAZEPAM LORAZEPAM	ALPRAZOLAM EFARMES ALPRAZOLAM GEMINIS ALPRAZOLAM MERCK TRANKIMAZÍN HALCION ROHIPNOL DONIX. IDALPREM. LORAZEPAM MEDICAL ORFIDAL PLACINORAL SEDIZEPAN	LISTA IV C. Viena 1971 LISTA IV C. Viena 1971 LISTA III C. Viena 1971 LISTA IV C. Viena 1971	5 grs. 1,5 grs. 5 grs. 7,5 grs.
CLORAZEPATO DIPOTÁSICO	NANSIUS TRANSILIUM	LISTA IV C. Viena 1971	75 grs.
FENETILAMINAS DE ANILLO SUSTITUÍDO (DROGAS DE SÍNTESIS) MDA MDMA MDEA	PÍLDORA DEL AMOR ÉXTASIS EVA	LISTA I C. Viena 1971 LISTA I C. Viena 1971 LISTA I C. Viena 1971	240 grs. 240 grs. 240 grs.

DOSIS MÍNIMAS PSICOACTIVAS

Sustancia tóxica	Heroína	Cocaína	Hachís	LSD	MDMA	Morfina
Dosis mínima psicoactiva	0,66 mgs. ó 0,00066 grs.	50 mgs. ó 0,05 grs.	10 mgs. ó 0,01 grs.	20 mcgrs ó 0,000002 grs.	20 mgs. ó 0,02 grs.	2 mgs. ó 0,002 grs.

Acuerdo no jurisdiccional del pleno de la Sala 2ª del TS de 13 de diciembre de 2004: La sustancia GHB (gammahidroxibutirato y ácido gammahidroxibutirico) debe considerarse que causa grave daño a la salud. La cantidad de notoria importancia debe fijarse en 10.500 gramos de dicha sustancia en estado puro. Igual criterio debe seguirse para la sustancia denominada GBL, abreviatura de gammabutirolactona.

STS 719/2020: Recientes sentencias de esta Sala ya han advertido, desde la perspectiva de la fiscalización de la ketamina y de su inserción en el elemento normativo del tipo penal previsto en el art. 368 del C. Penal, que se trata de una sustancia que causa daño a la salud, figurando actualmente incluida en la lista de sustancias fiscalizadas, según consta en el Boletín Oficial del Estado de 21 de octubre de 2010, en el que se publicó la Orden SAS/2712/2010, de 13 de octubre, por la que se incluye la sustancia Ketamina en el Anexo I del Real Decreto 2819/1977, de 6 de octubre, que regula la fabricación, distribución, prescripción y dispensación de sustancias y preparados psicotrópicos. Si bien el Pleno de esta Sala no ha establecido, a diferencia de otros supuestos en que sí lo ha hecho, cuál es la dosis de consumo diario de esta sustancia psicotrópica [...] atendiendo a su elevada nocividad y a tenor del supuesto analizado en la sentencia citada, la dosis de abuso habitual pudiera ser de unos 200 miligramos.

STS 499/2014: En operaciones de notoria importancia, el volumen de la droga excluye la obtención de medios para satisfacer la propia adicción, pues junto a ello se superpondría un ánimo de lucro que excluiría la atenuación.

STS 587/2022: La Jurisprudencia de esta Sala ha fijado además que respecto del delito contra la salud pública, en su modalidad de cultivo o tráfico de marihuana, como sustancia que no causa grave daño a la salud, se entenderá por notoria importancia a los efectos de apreciación de la agravante del artículo 369.5.ª del Código Penal, cuando la acción delictiva se proyecte sobre al menos 500 dosis de consumo medio diario de un adicto ordinario de la sustancia. La referencia cuantitativa se concreta así en 10 kilogramos de sustancia de esta naturaleza, con independencia del porcentaje de tetrahidrocannabinol que presente. Y hemos dicho además que una toma de muestras significativa, adoptada de forma aleatoria, en una medida apta para el estudio del aspecto cualitativo de las sustancias intervenidas, sin que sea necesario el análisis de la totalidad de la droga. No cabe la aplicación del coeficiente de variación del +/- 5% sobre el peso de la sustancia. Conforme reconoce la propia recurrente, el acuerdo del Pleno no Jurisdiccional de esta Sala de fecha 19 de octubre 2001, se refiere únicamente al margen de error del +/- 5% sobre la pureza o principio activo, que además, solo debe ser tenido en cuenta respecto a aquéllas sustancias en cuya elaboración y obtención se debe acudir a procesos químicos.

STS 946/2002: En un supuesto en el que las cantidades de cocaína y heroína, aisladamente consideradas, no alcanzan la cantidad notoria, pero dado que la vigencia del subtipo cualificado lo es a partir de las quinientas dosis, en estos casos en los que se ocupan drogas de la misma gravedad pero de diferente composición, lo relevante a efectos de apreciar el tipo agravado será determinar si la suma de las dosis tóxica supera o no el indicador de las quinientas dosis.

STS 355/2018: En casos como el actual, en que se intervienen dos sustancias de las que causan grave daño a la salud, ello no impide la acumulación de las sumas intervenidas, previa la corrección proporcional correspondiente, puesto que la notoria importancia se refiere a la calificación así establecida por el Legislador, de forma que no es posible considerar fragmentariamente las distintas sustancias subsumibles en la misma, sino que deberán acumularse previa la operación aritmética oportuna, pues el bien jurídico protegido no se compadece con una alternativa distinta.

STS 336/2018: El nº 7 del artículo 369.1 CP contiene una modalidad agravada de carácter locativo, en atención a que las conductas que integran el tipo básico se desarrollen en determinados lugares. Es este nuestro caso en el que la actividad tuvo lugar en el interior de un centro penitenciario. La más reciente jurisprudencia ha delimitado los perfiles de esta modalidad agravada como delito de riesgo concreto, que se superpone sobre el meramente abstracto bastante para integrar el del tipo básico. De esta manera es necesario una amenaza específica de difusión o propagación de las sustancias entre los internos en la prisión. Y así se ha rechazado su aplicación, en los supuestos en los que no ha existido un peligro cierto de distribución entre los presos.

STS 257/2015: No se considera aplicable el subtipo agravado del art. 369.1.7º (droga en establecimiento penitenciario) a un supuesto en el que la acusada le entrega a su pareja sentimental una papelina de cocaína para su consumo inmediato en una entrevista de vis a vis; así, dado que la cantidad de droga era escasa, el destinatario estaba plenamente determinado y el consumo iba a ser inmediato y completo, no se aprecia peligro concreto para la salud del colectivo de personas del establecimiento penitenciario.

Art. 369 bis.

Cuando los hechos descritos en el artículo 368 se hayan realizado por quienes pertenecieren a una organización delictiva, se impondrán las penas de prisión de nueve a doce años y multa del tanto al cuádruplo del valor de la droga si se tratara de sustancias y productos que causen grave daño a la salud y de prisión de cuatro años y seis meses a diez años y la misma multa en los demás casos.

A los jefes, encargados o administradores de la organización se les impondrán las penas superiores en grado a las señaladas en el párrafo primero.

Cuando de acuerdo con lo establecido en el artículo 31 bis una persona jurídica sea responsable de los delitos recogidos en los dos artículos anteriores, se le impondrán las siguientes penas:

a) Multa de dos a cinco años, o del triple al quíntuple del valor de la droga cuando la cantidad resultante fuese más elevada, si el delito cometido por la persona física tiene prevista una pena de prisión de más de cinco años.

b) Multa de uno a tres años, o del doble al cuádruple del valor de la droga cuando la cantidad resultante fuese más elevada, si el delito cometido por la persona física tiene prevista una pena de prisión de más de dos años no incluida en el anterior inciso.

Atendidas las reglas establecidas en el artículo 66 bis, los jueces y tribunales podrán asimismo imponer las penas recogidas en las letras b) a g) del apartado 7 del artículo 33.

STS 145/2017: El artículo 369 bis prevé una agravación penológica para "quienes realizaren los hechos descritos en el artículo 368, y pertenecieren a una organización delictiva". Respecto a lo que deba considerarse como tal ha entendido esta Sala, a partir de una interpretación integrada del CP, que ha de acudirse a la definición legal que incorpora el artículo 570 bis redactado por la LO 5/2010. Lo que supone que ahora el subtipo previsto en el artículo 369 bis CP incorpora para la organización la exigencia de estabilidad que impone el artículo 570 bis, y se excluye de la agravación el consorcio meramente transitorio u ocasional. La jurisprudencia, al interpretar esta agravación, ha distinguido entre participación plural de personas, encuadrable en el ámbito de la coautoría, y aquella otra que se integra en la modalidad agravada. En su virtud ha afirmado que la mera presencia de varias personas con decisión común en la ejecución de unos hechos típicos del delito contra la salud pública, indica una pluralidad de autores o partícipes en el hecho delictivo, pero no tiene por qué suponer la aplicación de la agravación específica derivada de la organización. La pertenencia a una organización no puede confundirse con la situación de coautoría o coparticipación; la intervención de varias personas, aun coordinadas, no supone la existencia de una organización en cuanto un aliud y un plus, frente a la mera codelincuencia. La organización es algo más. Con arreglo a la doctrina de esta Sala, la organización criminal se caracteriza por la agrupación de más de dos personas, la finalidad de cometer delitos, el carácter estable o por tiempo indefinido y el reparto de tareas de manera concertada y coordinada, con aquella finalidad. Ello se deduce de la propia naturaleza y finalidad de la tipificación de las figuras de organización criminal, que no pueden excluir el tráfico de estupefacientes, y del hecho de que lo relevante para la concurrencia de las mismas es la vocación de realizar una pluralidad de actuaciones delictivas, con independencia de su calificación como delitos independientes, delitos continuados o delitos sancionados como una sola unidad típica.

Art. 370.

Se impondrá la pena superior en uno o dos grados a la señalada en el artículo 368 cuando:

1.º Se utilice a menores de 18 años o a disminuidos psíquicos para cometer estos delitos.

2.º Se trate de los jefes, administradores o encargados de las organizaciones a que se refiere la circunstancia 2.ª del apartado 1 del artículo 369.

3.º Las conductas descritas en el artículo 368 fuesen de extrema gravedad.

Se consideran de extrema gravedad los casos en que la cantidad de las sustancias a que se refiere el artículo 368 excediere notablemente de la considerada como de notoria importancia, o se hayan utilizado buques, embarcaciones o aeronaves como medio de transporte específico, o se hayan llevado a cabo las conductas indicadas simulando operaciones de comercio internacional entre empresas, o se trate de redes internacionales dedicadas a este tipo de actividades, o cuando concurrieren tres o más de las circunstancias previstas en el artículo 369.1.

En los supuestos de los anteriores números 2.º y 3.º se impondrá a los culpables, además, una multa del tanto al triplo del valor de la droga objeto del delito.

Acuerdo no jurisdiccional del pleno de la Sala 2ª del TS de 26 de febrero de 2009: El tipo agravado previsto en el art. 370.1º del CP resulta de aplicación cuando el autor se sirve de un menor de edad o disminuido psíquico de modo abusivo y en provecho propio o de un grupo, prevaliéndose de su situación de ascendencia o de cualquier forma de autoría mediata.

STS 459/2021: La interpretación del término utilizar, se orientó ahora hacia supuestos en que los menores, bien por el prevalimiento de la ascendencia sobre ellos a la hora de ser captados o porque se abusara de su inmadurez o vulnerabilidad, fueran empleados como meros instrumentos exentos de responsabilidad, incluida la propia de las personas menores de edad. Situaciones muy distintas de aquellas en la que los menores aceptan voluntariamente su intervención, propiciando relaciones que quedarían englobadas en la coautoría o en la participación de un menor en el delito de un mayor. La razón del acuerdo, desde un punto de vista negativo, es excluir la utilización de menores de edad en los hechos ex artículo 370.1 CP cuando actúan como socios, colaboradores o cooperadores de los autores mayores de edad en virtud no de relaciones de ascendencia o prevalencia de éstos sino como consecuencia de un concierto previo o situaciones en pie de igualdad. Es cierto que este precepto agravado justifica su existencia por la necesidad de preservar la formación integral del menor, apartándole del submundo de la droga y de las implicaciones negativas que éste conlleva para su adecuado desarrollo. La utilización interesada de un niño, además, no es ajena a la búsqueda de una facilidad comisiva que se derivaría de las menores sospechas que la presencia de un menor puede suscitar a los agentes encargados de la averiguación de los hechos relacionados con la distribución clandestina de drogas. Precisamente por ello, esta Sala ha estimado, en la búsqueda de un equilibrio entre el fundamento de la agravación y la necesidad de evitar una rígida aplicación del supuesto agravado, que no basta cualquier aportación. Es indispensable que ésta sea relevante.

Acuerdo no jurisdiccional del pleno de la Sala 2ª del TS de 25 de noviembre de 2008: La aplicación de la agravación del art. 370.3º CP, referida a la extrema gravedad de la cuantía de la sustancia estupefaciente procederá en todos aquellos casos en los que el objeto del delito esté representado por una cantidad que exceda de la resultante de multiplicar por mil, la cuantía aceptada por esta Sala como módulo para la apreciación de la agravación de notoria importancia.

STS 648/2016: Tras la reforma del art. 370 CP mediante la LO 5/2010, al sustituir el término "buque" por el de "embarcación", se incluyen supuestos anteriormente excluidos como el de las semirrígidas tipo zodiac, que utilizan motor fueraborda con potencia suficiente para sortear la persecución de los agentes de las fuerzas y cuerpos de seguridad del Estado.

STS 906/2021: La tenencia de la embarcación de las características del RDL 16/2018 determinan la reubicación en compartimentos estancos y separables entre sí del delito de contrabando respecto del delito contra la salud pública. No cabe la absorción del contrabando en el tráfico de drogas.

STS 746/2022: Compartimos con el tribunal a quo la interpretación, basada en la Circular 3/2011, de 11 de octubre, de la FGE, sobre que es diferente y compatible la agravación de red internacional dedicada al tráfico de drogas con la mera organización criminal del art. 369 bis CP, ya que la arriba analizada se refiere a organizaciones que actúan en más de un Estado, para que estemos ante una red internacional más allá de una organización criminal debe estar "enraizada en ámbitos geográficos supranacionales y ser apta para planificar y desarrollar las distintas fases del proyecto criminal en el territorio de más de un Estado". Ello supone que se puede producir concurso de normas entre el Art. 370 (red internacional) y los Arts. 570 bis (organización criminal) y 570 ter (grupo criminal), y aquí, el Art. 369 bis CP, arriba apreciado. Siendo de aplicación para la imposición de la pena en concreto el Art. 8.4 CP en favor del subtipo más penado, careciendo en este caso de efecto práctico alguno. Agravación de extrema gravedad prevista en el art. 370.3.º que aquí se cuestiona, que como hemos dicho en la reciente sentencia 115/2022, de 10 de febrero, no se hace depender de que el autor tenga una capacidad de dirección sobre todos los intervinientes en la actuación delictiva. La agravación es susceptible de apreciación respecto de todos los partícipes, lo que no impide que nuestra jurisprudencia, haya fijado como condición imprescindible para que concurra la especial reprochabilidad del artículo 370.3 del Código Penal, que confluyan siempre unas circunstancias subjetivas consistentes en que tengan conocimiento de la operación en su integridad y acepten favorecerla.

Acuerdo no jurisdiccional del pleno de la Sala 2ª del TS de 22 de julio de 2008: El art. 370, último párrafo, añade una segunda multa a lo que resulte de aplicar las reglas generales.

Art. 371.

1. El que fabrique, transporte, distribuya, comercie o tenga en su poder equipos, materiales o sustancias enumeradas en el cuadro I y cuadro II de la Convención de Naciones Unidas, hecha en Viena el 20 de diciembre de 1988, sobre el tráfico ilícito de estupefacientes y sustancias psicotrópicas, y cualesquiera otros productos adicionados al mismo Convenio o que se incluyan en otros futuros Convenios de la misma naturaleza, ratificados por España, a sabiendas de que van a utilizarse en el cultivo, la producción o la fabricación ilícitas de drogas tóxicas, estupefacientes o sustancias psicotrópicas, o para estos fines, será castigado con la pena de prisión de tres a seis años y multa del tanto al triplo del valor de los géneros o efectos.

2. Se impondrá la pena señalada en su mitad superior cuando las personas que realicen los hechos descritos en el apartado anterior pertenezcan a una organización dedicada a los fines en él señalados, y la pena superior en grado cuando se trate de los jefes, administradores o encargados de las referidas organizaciones o asociaciones.

En tales casos, los jueces o tribunales impondrán, además de las penas correspondientes, la de inhabilitación especial del reo para el ejercicio de su profesión o industria por tiempo de tres a seis años, y las demás medidas previstas en el artículo 369.2.

> **STS 534/2018:** La jurisprudencia ha entendido que se trata de un tipo delictivo de mera actividad, toda vez que el elemento objetivo se realiza por el mero hecho de tener en su poder los equipos, materiales y sustancias referidas, en el que el dolo no solo cubre la acción típica, sino otras a las que sirve de antesala o propósito; a esto se refiere el precepto cuando exige para la integración del tipo que el poseedor actúe a "sabiendas". El adelantamiento de la protección penal ha supuesto considerar como objeto del delito no solo las drogas ya elaboradas sino los productos que se denominan sus "precursores". La respuesta penal se anticipa así al momento de la realización de los actos meramente preparatorios, adelantando las barreras de intervención penal; de modo que así como la posesión de drogas es punible cuando va acompañada del propósito de difundirlas, la posesión de los precursores solo lo es cuando se tiene

conciencia de que van a ser ilícitamente utilizados en el cultivo, la producción o fabricación de drogas. Por otro lado, la exigencia de que el objeto de la acción esté enumerado en los cuadros I y II del Convenio de Naciones Unidas de 1988, se refiere solamente a las sustancias, y no a los equipos y a los materiales. No solo por la construcción de la frase, en la que el plural femenino solo puede referirse a aquellas, sino porque en el referido Convenio no se enumeran equipos ni materiales, sino solamente unas determinadas sustancias. En cualquier caso, las sustancias que constituyen el objeto del delito deben estar incluidas en los cuadros I y II de la citada Convención, quedando excluidas del tipo penal todas aquellas que no figuren en los mismos. El principio de legalidad penal impide considerar objeto del delito otras sustancias distintas a aquellas. Tampoco puede extenderse a otros compuestos químicos distintos, sustancias en definitiva, de los que aquellas, mencionadas en la Convención, formen parte. Pues, en realidad, constituyen sustancias diferentes, con composición molecular diversa. En este sentido, la Convención solo añade con carácter general a las sustancias expresamente mencionadas las sales de las mismas, cuando su existencia sea posible. Pero no cualquier otra sustancia no mencionada en los cuadros que contenga en su composición alguna de las que aparecen expresamente contempladas en ellos.

Art. 374.

En los delitos previstos en el párrafo segundo del apartado 1 del artículo 301 y en los artículos 368 a 372, además de las penas que corresponda imponer por el delito cometido, serán objeto de decomiso las drogas tóxicas, estupefacientes o sustancias psicotrópicas, los equipos, materiales y sustancias a que se refiere el artículo 371, así como los bienes, medios, instrumentos y ganancias con sujeción a lo dispuesto en los artículos 127 a 128 y a las siguientes normas especiales:

1.ª Una vez firme la sentencia, se procederá a la destrucción de las muestras que se hubieran apartado, o a la destrucción de la totalidad de lo incautado, en el caso de que el órgano judicial competente hubiera ordenado su conservación.

2.ª Los bienes, medios, instrumentos y ganancias definitivamente decomisados por sentencia, que no podrán ser aplicados a la satisfacción de las responsabilidades civiles derivadas del delito ni de las costas procesales, serán adjudicados íntegramente al Estado.

STS 405/2022: La jurisprudencia de esta Sala tiene declarada la exigencia de que entre los efectos decomisados y el delito contra la salud publica exista una determinada relación, concretamente que el efecto que se pretende requisar haya servido como medio marcadamente esencial o insustituible para la ejecución del delito, como acontece en supuestos en los que la aportación del responsable lo es como transportista o cuando se sirve del automóvil para la ocultación de la droga, así como en aquellos supuestos en los que su utilización para este fin sea específica, por obedecer el vehículo en cuestión a características o modificaciones especiales, pero no en aquellos supuestos en los que el vehículo se muestra como un elemento accesorio a su intervención material en los hechos. El artículo 374 es una norma especial y reforzada en relación con la regulación general del decomiso del artículo 127, referida al tráfico de drogas con un alcance omnicomprensivo que abarca las propias sustancias tóxicas, estupefacientes o psicotrópicas, los equipos, materiales y sustancias a que se refiere el artículo 371, vehículos, buques, aeronaves y cuantos bienes y efectos hayan servido de instrumento para la comisión de cualquiera de los delitos previstos en los artículos 301.1 párrafo 2 y 368 a 372 CP. El decomiso, a diferencia de las penas que tienen un carácter personalísimo, no está vinculado a la pertenencia del bien al responsable criminal (artículo 127 y 374 CP) sino a la demostración del origen ilícito del producto o las ganancias o, como es el caso, a su utilización para fines criminales, con el límite que supone su pertenencia a terceros de buena fe. La redacción del vigente artículo 127.1 CP omite esa mención excluyente del decomiso de los bienes pertenecientes al tercero de buena fe, sin embargo, la sombra que proyecta el artículo 7.1 CC y una lectura integrada de los distintos preceptos penales y procesales (artículo 803 ter y ss LECrim) concernidos en la regulación del decomiso, invitan necesariamente a entender que ese régimen subsiste.

Solo así puede concebirse en un sistema de represión penal respetuoso en todos sus efectos gravosos, aun cuando excedan el estricto ámbito de la pena, con el principio de culpabilidad. De tal manera ningún óbice existe para el decomiso de bienes que hayan sido empleados como instrumentos del delito, pertenecientes a un tercero que no lo fuera de buena fe. El régimen económico matrimonial que el CC llama "sociedad de gananciales", se estructura sobre una pormenorizada regulación en los artículos 1.344 a 1.410 CC. El recurrente esgrime la existencia de este complejo régimen matrimonial, sin adentrarse en su concreta regulación donde nos encontramos con preceptos como el 1373 CC en relación con el 1366 CC que vinculan el patrimonio ganancial a las "deudas propias" de cada cónyuge; del artículo 1384 CC que legitima los actos de administración de bienes realizados por el cónyuge en cuyo poder se encuentra el bien, del 1385 párrafo 2 que habilita a cualquiera de los cónyuges para ejercitar la defensa de los bienes y derechos comunes, sin perjuicio de los correspondientes ajustes que se habrán de producir cuando se liquida la sociedad de gananciales conforme a lo previsto en los artículos 1373 y 1390; así como a las disposiciones que integran la sección del CC "De la disolución de la sociedad de gananciales", artículos 1392 a 1410. Mediante el régimen de gananciales "se hacen comunes para los cónyuges las ganancias o beneficios obtenidos indistintamente por cualquiera de ellos, que les serán atribuidos por mitad al disolverse aquella", es decir, solo pueda hablarse de propiedad individualizada sobre el 50% una vez disuelta, liquidada y adjudicados los bienes de tal sociedad. Hasta entonces todos los bienes del caudal ganancial son de los dos. Sin perjuicio del derecho que confiere el artículo 1373 CC. El examen de la causa permite comprobar que, durante la fase de instrucción, la esposa del recurrente fue oída en relación el decomiso ya en aquel momento solicitado. Todo ello con independencia de los pronunciamientos que la sentencia recurrida contiene en relación a su conocimiento respecto a la utilización de la embarcación en los hechos enjuiciados, a los que el recurso ninguna referencia contiene.

Art. 377.

Para la determinación de la cuantía de las multas que se impongan en aplicación de los artículos 368 al 372, el valor de la droga objeto del delito o de los géneros o efectos intervenidos será el precio final del producto o, en su caso, la recompensa o ganancia obtenida por el reo, o que hubiera podido obtener.

> **STS 448/2018:** Desde la consideración del gravoso alcance que la multa proporcional puede llegar a tener sobre el patrimonio del penado, proclamábamos que en los delitos de los artículos 368 a 372 del Código Penal, la determinación de la cuantía de las multas había de regirse con sujeción al artículo 377, que al especificar que: "el valor de la droga objeto del delito será el precio final del producto o, en su caso, la recompensa o ganancia obtenida por el reo, o que hubiera podido obtener", introducía una fórmula alternativa para individualizar la multa, que permite optar al juzgador entre utilizar como valor de referencia el precio final del producto o recurrir al importe de la recompensa o ganancia obtenida o podida obtener. Se rechazaba así que la norma imponga que la valoración de la droga deba de hacerse recurriendo al precio final del producto como criterio de preferencia, de modo que el criterio del beneficio obtenido quedara limitado a una aplicación subsidiaria o subordinada, al entender la Sala que la ponderación que faculta la alternatividad de ambos criterios, resulta más conforme con el artículo 52 del Código Penal. Los dos parámetros ofrecen una alternativa al juzgador, el valor de la droga o la recompensa o ganancia obtenida. Las dos alternativas están dispuestas entre la conjunción "o", lo que indican una diferencia, separación o alternativa entre dos o más personas, cosas o ideas. Consecuentemente, las posibilidades son alternativas y no hay, entre ellas, preferencia alguna.

> **Acuerdo no jurisdiccional del pleno de la Sala 2ª del TS de 24 de mayo de 2017:** El valor de la droga es un elemento indispensable para la fijación de la consecuencia jurídica del delito contra la salud pública y, por lo tanto, debe declararse en el relato fáctico de la sentencia. Para su acreditación deberán valorarse los informes periciales o cualesquiera otros medios que reflejen el valor de la droga o el beneficio con que las mismas se ha obtenido o se pretendía obtener.

STS 903/2016: Es doctrina reiterada de esta Sala que cuando no consta acreditado (es decir, bien acreditado) el valor económico de la droga objeto del tráfico ilícito, no resulta legalmente posible cuantificar la multa, y en consecuencia debe prescindirse de esta pena.

XVIII. DELITOS CONTRA LA SEGURIDAD VIAL (ARTS. 379 A 385 TER)

STS 105/2022 (Pleno): Quien, pilotando un vehículo sin haber obtenido nunca el correspondiente permiso (sin vigencia por pérdida de puntos, o tras su retirada, cautelar o definitiva, por disposición judicial), conduce, además bajo los efectos de una previa ingesta de bebidas alcohólicas, no solamente pone en peligro la seguridad vial, desbordando el reproche ya contenido en el artículo 379, sino que enfrenta el principio de autoridad ínsito en el ejercicio de las potestades administrativas (conduce sin licencia o con ella caducada por la pérdida de todos los puntos) o contraviene el cumplimiento de las órdenes judiciales (privación, cautelar o definitiva, del derecho a conducir). Así pues, el reproche que se contiene en el artículo 379, precepto más grave por lo que se explicará, no contempla la totalidad del injusto efectivamente producido, lo que justifica la necesidad de acudir al concurso ideal de delitos. Una sola acción que lesiona varios bienes jurídicos de tal modo que ninguno de los preceptos concurrentes abarca en su totalidad el reproche que merece la conducta. Dicho panorama obliga a determinar cuál de los preceptos concurrentes resulta ser el más grave. Cierto que las penas alternativas contempladas en ambos preceptos (prisión, multa o trabajos en beneficio de la comunidad) resultan ser las mismas, por más que una de ellas, la multa, resulte ligeramente superior en el caso del artículo 384. Sin embargo, ha de reputarse más grave el delito contenido en el artículo 379.2 en la medida en que éste añade la imposición de una pena conjunta (privación del derecho a conducir vehículos a motor y ciclomotores), que el otro precepto omite. Por eso, con la aplicación del precepto más grave, artículo 379.2, no puede considerarse colmada la totalidad del injusto que la conducta protagonizada por el acusado comporta, en tanto aquél no contempla la desobediencia o el quebrantamiento que la conducción sin licencia representa. (Tol 8803690)

Dictamen 1/2016 del Fiscal de Sala Coordinador de Seguridad Vial: Entre los delitos contra la seguridad vial de los arts. 379 a 384 por una parte, y los del art. 384 por otra, no concurre la agravante de reincidencia.

Art. 379.

1. El que condujere un vehículo de motor o un ciclomotor a velocidad superior en sesenta kilómetros por hora en vía urbana o en ochenta kilómetros por hora en vía interurbana a la permitida reglamentariamente, será castigado con la pena de prisión de tres a seis meses o con la de multa de seis a doce meses o con la de trabajos en beneficio de la comunidad de treinta y uno a noventa días, y, en cualquier caso, con la de privación del derecho a conducir vehículos a motor y ciclomotores por tiempo superior a uno y hasta cuatro años.

2. Con las mismas penas será castigado el que condujere un vehículo de motor o ciclomotor bajo la influencia de drogas tóxicas, estupefacientes, sustancias psicotrópicas o de bebidas alcohólicas. En todo caso será condenado con dichas penas el que condujere con una tasa de alcohol en aire espirado superior a 0,60 miligramos por litro o con una tasa de alcohol en sangre superior a 1,2 gramos por litro.

STS 184/2018 (Pleno): Las Órdenes Ministeriales distinguen entre cinemómetros fijos o móviles, y éstos últimos, entre estáticos o en movimiento. A los fijos les señalan un margen de acción del 5%, y a los móviles, del 7%. Hasta aquí la norma es clara al señalar por el tipo de instrumento un margen de error. A continuación, equipara a los fijos la medición realizada en el modo estático, esto es, cuando un sistema móvil no realiza la medición en movimiento. Es obvio, y no es objeto de cuestionamiento. La consideración como móvil el sistema de detección colocado sobre un vehículo en movimiento, por la propia naturaleza del sistema de medición, y es fijo el que se coloca, de forma permanente, sobre un elemento inmueble, arco, edificio, poste o pórtico de carretera. El problema se plantea respecto a sistemas de detección, en principio móviles, colocados sobre trípodes o en un vehículo parado. La norma de aplicación son las órdenes ministeriales, anteriormente reseñadas, las cuales no clarifican la cuestión planteada. Los criterios que sustentan la diferenciación entre fijos, estáticos y móviles, son básicamente dos. Por el primero, la diferencia radica en el método de una medición. Así, el aparato de medición es fijo o estático, según que la medición se realice desde un aparato que no estaría en movimiento. Por el contrario es móvil, cuando la detección se realiza desde un soporte en movimiento. Siguiendo un segundo criterio, la diferencia resulta de la propia condición del aparato de medición, si es fijo o es trasladable, toda vez que esa consideración afecta a las condiciones de los aparatos y las necesidades de revisión. Las Órdenes Ministeriales distinguen entre instrumentos de medición fijos o móviles, a los que asigna un distinto margen de error en sus mediciones, derivadas de su distinta ubicación y función que realiza. Los primeros, instalados en elementos inmuebles con carácter permanente, y los segundos, son trasladados de un lugar a otro. Dentro de los contemplados como móviles, por su movilidad, se distingue entre móviles en sentido estricto, dispuestos para la medición en movimiento, y aquellos otros que además de la movilidad, por poder ser trasladados, desarrollan su función de medición en situación de parados. Estos últimos son denominados estáticos, a los que se atribuye el margen de error de los fijos. Consecuentemente, si el aparato de medición, cinemómetro es empleado desde una ubicación fija, esto es sin movimiento, ya sea fijo o estático, al margen de error es del 5%. Esa catalogación es lógica pues la medición de la velocidad, desde un radar fijo, o desde una instalación sin movimiento, supone un menor margen de error que la medición realizada desde un dispositivo en movimiento. (Tol 6586899)

STS 436/2017 (Pleno): La acción de conducir un vehículo a motor incorpora de esa forma unas mínimas coordenadas espacio-temporales, un desplazamiento, el traslado de un punto geográfico a otro. Sin movimiento no hay conducción. Pero no es necesaria una relevancia de esas coordenadas, ni una prolongación determinada del trayecto. Actos de aparcamiento desaparcamiento, o desplazamientos de pocos metros del vehículo colman ya las exigencias típicas, más allá de que algunos casos muy singulares y de poco frecuente aparición en la praxis de nuestros tribunales (el vehículo no consigue ser arrancado pues se cala tras el intento de ponerlo en marcha; desplazamiento nimio por un garaje particular...) puedan ser ajenos al tipo penal por razones diversas que no son del caso analizar ahora. En este supuesto, además, concurre otro dato especialmente relevante. La idea inicial del autor no era mover ligeramente el vehículo. Había intención de realizar un trayecto más largo, intención que revierte por la presencia policial. El art. 379.2 CP exige un movimiento locativo, cierto desplazamiento pero no una conducción durante determinado espacio de tiempo o recorriendo un mínimo de distancia. Un trayecto del automóvil, bajo la acción del sujeto activo, en una vía pública y en condiciones tales de poder, en abstracto, causar algún daño es conducción. La conducta será delictiva si concurren el resto de presupuestos del tipo objetivo: determinada tasa de alcohol en aire espirado o acreditación de que el conductor se hallaba bajo la efectiva influencia de las bebidas alcohólicas. En el supuesto ahora examinado se produce una conducción con una tasa superior a la objetivada pues se proclama un desplazamiento aunque sea escaso. Además también es detectable, aunque no sería elemento imprescindible al superarse la tasa objetivada, un peligro hipotético. Este no exige que el riesgo se haya concretado ni que se compruebe a posteriori; sino tan solo que sea imaginable en abstracto en un juicio *ex ante*. En conclusión, el desplazamiento de un vehículo a motor o ciclomotor en una vía pública bajo los efectos de bebidas alcohólicas integra el verbo típico previsto en el artículo 379 CP, aunque el trayecto recorrido no haya sobrepasado los 2 metros. (Tol 6185691)

STS 48/2020: Sobre la base anterior, y partiendo de que al Derecho Penal solo le compete la protección de los ataques más graves contra los intereses socialmente más relevantes, que los delitos de peligro abstracto del art. 379 del CP, suponen un nuevo marco penal, como instrumento preventivo que tipifica infracciones formales, que pueden entrar en fricción con principios básicos del Derechos Penal: lesividad, proporcionalidad, intervención mínima..., y que, especialmente el legislador ha convertido en delitos consumados de peligro conductas que pudieran ser punibles como tentativa, debemos concluir afirmando que en este tipo de delito no cabe la tentativa, sin que las teorías sobre la autonomía de los bienes jurídicos supraindividuales pueda llegar al extremo de permitir confeccionar una tentativa de un peligro abstracto cuando, como ocurre en el presente caso, la conducta peligrosa para el valor supraindividual sea inofensiva para el valor individual, nos encontraríamos, ausente la propia posibilidad de imputación objetiva, ante un supuesto de una tentativa irreal. En consecuencia, en el caso analizado, la conducta descrita en el relato fáctico es atípica, sin que quepa una punición del "riesgo del riesgo", entendemos que, supuestos como el analizado o similares, tales como entrar en un vehículo o subirse a un ciclomotor, sin llegar a accionarlo, sin llevar a cabo alguna conducta relativa al verbo típico "conducir", no puede considerarse como tentativa del delito de conducción bajo la influencia de bebidas alcohólicas, drogas tóxicas o estupefacientes, por muy alta que sea la tasa de alcoholemia en el sujeto, ya que lo decisivo sobre esta forma imperfecta es la realización de actos de conducción, no que el sujeto se encuentre bajo los efectos de estas sustancias.

STS 292/2020: La Sala estima que la enumeración que hace el art. 379 del CP de tres penas -prisión, multa y trabajos en beneficio de la comunidad-, enunciadas en términos alternativos, tiene una indudable naturaleza secuencial. Se trata de tres penas fijadas atendiendo a una gravedad descendente. Cuando el Fiscal opta por una u otra de esas opciones está definiendo los términos de la respuesta penal del Estado en el supuesto de que el proceso desemboque en una sentencia condenatoria. La exigida correlación entre la propuesta acusatoria del Fiscal y la sentencia del Juez, en supuestos de esta naturaleza, no puede ser quebrantada con la elección sobrevenida de una pena más grave que el órgano judicial considera.

STS 419/2017 (Pleno) y STS 794/2017 (Pleno): En el caso del art. 383 del CP el legislador ha entendido que era precisa la implantación de un delito específico de desobediencia con el fin de que no quedara desactivada o debilitada de forma sustancial la eficacia de otro tipo penal que ya de por sí es un delito de peligro abstracto, cual es el contemplado en el art. 379.2 del CP. El legislador ha sopesado que, de no reforzar con una amenaza penal la obligación de someterse a la pericia de alcoholemia, los conductores se negarían a realizarla y los bienes jurídicos que tutela el precepto principal se verían desprotegidos. El carácter meramente instrumental y formal del tipo penal recogido en el art. 383 y, además, su condición de precepto que a su vez tiene como fin garantizar y reforzar la aplicación de un tipo penal de peligro abstracto, así como la cuantía de la pena (superior a la del art. 379.2), son los factores que generan ciertas reservas o recelos a su aplicación, dado el vínculo lejano que muestra respecto a los bienes jurídicos materiales que de una forma muy mediata pretende tutelar (la vida y la salud de las personas). La función del art. 383 todavía alcanza un mayor realce tras la introducción mediante la reforma legal de 2007 del tipo de conducción etílica que se cumplimenta por el mero acto de conducir un vehículo de motor después de haber ingerido bebidas alcohólicas por encima de ciertas tasas legales, que se especifican en el nuevo inciso segundo del art. 379.2. A partir de esa reforma resulta imprescindible la práctica de la pericia de alcoholemia para constatar el elemento típico nuclear consistente en la tasa de alcoholemia. De modo que en el caso de que no operara el tipo penal del art. 383 la eficacia preventiva del nuevo supuesto todavía quedaría más debilitada que en los casos previstos en el primer inciso del art. 379.2 (conducción bajo la influencia de bebidas alcohólicas sin necesidad de que conste la tasa de alcoholemia). Dejando al margen el bien jurídico que tutela los tipos penales de desobediencia, ha de entenderse que aunque se considerara como único bien jurídico protegido la seguridad vial y, de forma indirecta, la vida y la integridad física o la salud de las personas, lo cierto es que tampoco tendría por qué hablarse necesariamente de un bis in ídem. Pues puede considerarse que se está atacando un mismo bien jurídico de dos modos y con hechos diferentes: una de forma más directa mediante la conducción bajo la influencia de bebidas alcohólicas, y la otra impidiendo que se haga una investigación policial con unas garantías de eficacia para que se acabe protegiendo mediante una pena el menoscabo de la seguridad vial. Al fin y al cabo, ello es lo que se hace normativamente cuando se establecen subtipos agravados que protegen el mismo bien jurídico. Todo indica, a tenor de lo que se ha venido argumentando, que el legislador ha considerado en el presente caso que la punición acumulada de ambos tipos penales era necesaria para reforzar con una mayor eficacia la tutela penal de los importantes bienes jurídicos personales que están detrás de los riesgos de la circulación vial,... Así pues, descartado que nos hallemos ante una desproporción punitiva que nos desplace desde el concurso real de delitos al concurso de normas. (Tol 6172049) (Tol 6461960) **STS 390/2017:** El art. 379 CP define un delito de riesgo abstracto, que se consuma exclusivamente por el peligro corrido, no exigiendo la realidad de daños o lesiones. Las barreras de protección están adelantadas. No obstante, en el caso de que se produzca un resultado dañoso, ya de daños materiales o corporales, el art. 382 CP, cuyo origen se encuentra en el CP de 1973, en concreto en el art. 340 bis c) se establece -y se establecía- el principio de absorción y mayor rango punitivo y en consecuencia solo se sancionaba la infracción más gravemente penada, condenando en todo caso –frase que se mantiene en el actual art. 382 CP- al pago de la indemnización civil que se hubiera originado. Ello es -y era- obligado por aplicación de la normativa existente en relación a tales pronunciamientos civiles. El art. 109.1º CP establece como criterio y norma general como se deriva de su ubicación sistemática en el Libro I del CP que "la ejecución de un hecho descrito por la ley como delito, obliga a reparar, en los términos previstos en la ley, los daños y perjuicios por él causados". Se trata, como se ha dicho, de un precepto general que impone tal causa indemnizatoria cuando se acredite el nexo causal entre el hecho constitutivo de delito y el resultado dañoso. En relación con el art. 382 CP, en el se establece una norma concursal cuando junto con el delito de riesgo abstracto, concurra otro delito de resultado. En tal caso, y por

el juego de tal norma solo se sanciona el más gravemente penado, pero -y esto es importante- en todo caso deben satisfacerse
los perjuicios causados, de suerte que si el delito más grave es el
de resultado, se sancionará este último, con los pronunciamientos civiles a que hubiese lugar, pero si el más grave de los delitos
siguiera siendo el de riesgo abstracto, solo se sancionará este,
pero además se indemnizarán los perjuicios causados, "en todo
caso". Por lo tanto la norma concursal del art. 382 CP no puede interpretarse en el sentido de que vacíe de contenido el deber
indemnizatorio ex art. 109.1° CP. El art. 116 CP abunda en la
misma idea de que "toda persona criminalmente responsable
de un delito, lo es también civilmente si del hecho se derivasen
daños o perjuicios. A notar que habla del "hecho" no del delito,
y en el presente caso, el hecho fue la conducción de la condenada lo que causó daños en una farola del Ayuntamiento.

Art. 380.

1. El que condujere un vehículo a motor o un ciclomotor con temeridad manifiesta y pusiere en concreto peligro la vida o la integridad
de las personas será castigado con las penas de prisión de seis meses
a dos años y privación del derecho a conducir vehículos a motor y
ciclomotores por tiempo superior a uno y hasta seis años.

2. A los efectos del presente precepto se reputará manifiestamente temeraria la conducción en la que concurrieren las circunstancias
previstas en el apartado primero y en el inciso segundo del apartado
segundo del artículo anterior.

STS 311/2021: No hace falta concretar la velocidad exacta a que
circulaba el acusado: basta con apreciar que hubo una persecución
que duró cuarenta y cinco minutos (lo que está acreditado por prueba
testifical). De ahí es fácil deducir que debió ser una velocidad alta.
En otro caso el alcance se hubiera producido en un tiempo inferior.
Además, circuló por dirección prohibida por algunas calles obligando
a desviarse a otros vehículos, lo que implica peligro de colisión (o de
accidente con motivo de la forzada maniobra) con riesgo para los
ocupantes de esos otros vehículos (que no podrían ir vacíos ¡claro!).

Las embestidas a vehículos policiales enriquecen ese ramillete de maniobras circulatorias gravemente imprudentes. Eso es conducción temeraria, tipicidad que no requiere constancia ni de la velocidad exacta ni la identidad de las personas cuya integridad fue puesta en riesgo.

Art. 382.

Cuando con los actos sancionados en los artículos 379, 380 y 381 se ocasionare, además del riesgo prevenido, un resultado lesivo constitutivo de delito, cualquiera que sea su gravedad, los Jueces o Tribunales apreciarán tan sólo la infracción más gravemente penada, aplicando la pena en su mitad superior y condenando, en todo caso, al resarcimiento de la responsabilidad civil que se hubiera originado.

Cuando el resultado lesivo concurra con un delito del artículo 381, se impondrá en todo caso la pena de privación del derecho a conducir vehículos a motor y ciclomotores prevista en este precepto en su mitad superior.

> **STS 64/2018:** El art. 382 CP supone una excepción al criterio general en el caso de concurrencia de un delito de peligro y otro de resultado, en cuya virtud el delito de resultado absorbe al de peligro, criterio que, en el caso, se sustituye por el del delito más grave en su mitad superior, combinando en la imposición de la pena las normas del concurso ideal y el principio de alternatividad. Se trata de una regla penológica que no excluye la consideración de pluralidad de delitos a los que aplicar la penalidad acumulada según el criterio expuesto en el art. 382 CP. Consecuentemente, unificamos la interpretación en los siguientes términos: la previsión del art. 382 CP contempla un concurso de delitos para el que el legislador prevé una regla penológica singular, similar al de concurso de normas, la correspondiente al delito más grave, más la previsión del concurso ideal, en su mitad superior.

> **STS 350/2020:** Es obvio que el nuevo texto consagra un concurso ideal específico, en cuanto contiene una previsión o régimen particular que lo separa del art. 77 CP ya que en el art. 382 CP no se prevé el castigo por separado de las distintas infracciones, aunque ello pudiera ser más favorable para el reo.

La norma concursal prevista en el art. 382 del Código Penal
está pensaba para conceder una respuesta penológica adecuada
a aquellos hechos delictivos que causan, además del peligro, un
resultado lesivo. El legislador no quiere que el delito de peligro
quede absorbido en el delito de resultado, sino que se aplique
un concurso delictivo, de manera que se imponga la pena del
delito más grave en su mitad superior. Pero esta norma concursal no puede ser aplicada cualquiera que sea el delito de lesión
causado. Ciertamente, la literalidad de la norma no lo impide,
porque únicamente se refiere a que se produzca "un resultado
lesivo constitutivo de delito, cualquiera que sea su gravedad".
Pero quien con su acción se dirige a causar individualmente
un resultado doloso frente a una persona en particular, utiliza
el automóvil como un instrumento, no resultando afectado el
riesgo causado para la circulación hacia ese concreto sujeto,
porque, respecto de él, lo que quiere el autor es herirlo o matar-
lo. Ahora bien, si con tal acción pone en peligro concreto, como
lo es en este caso, otros bienes jurídicos individuales, tal acción
no puede quedar impune, sino que se aplicará, frente a ellos, la
correspondiente sanción por la comisión de un delito de peligro
en el ámbito de la seguridad vial. Dicho de otro modo: cuando
el autor pretenda con una conducta (dolosa) utilizar el vehículo
como instrumento del delito para causar la muerte o lesionar
al sujeto pasivo del delito contra la vida o la integridad de las
personas, al no existir propiamente riesgo para la seguridad de
la vía, pues la acción queda concentrada en el sujeto pasivo,
tal acción quedará sancionada en el correspondiente delito cometido con dolo directo hacia tal víctima. Ahora bien, cuando
además del daño producido con dolo directo, se cometa un delito de peligro por afectar a la seguridad de la vía, peligro que
afectará a terceros, se aplicará el correspondiente concurso real
de infracciones, siendo sancionadas por separado. Para la aplicación de la norma concursal se requiere que el autor, además
del riesgo prevenido, origine un resultado lesivo constitutivo de
un delito imprudente, o eventualmente con dolo eventual. El
dolo directo de atentar contra la vida o causar una lesión a la
víctima perseguida por el autor, impide la aplicación de la cláusula concursal, porque lo querido es llevar a cabo tal resultado.

En ese supuesto, cuando se afecta la seguridad vial que incluya como bien jurídico a terceros, podrá dar lugar a un concurso real de delitos, a sancionar por separado.

Art. 382 bis.[445]

1. El conductor de un vehículo a motor o de un ciclomotor que, fuera de los casos contemplados en el artículo 195, voluntariamente y sin que concurra riesgo propio o de terceros, abandone el lugar de los hechos tras causar un accidente en el que fallecieren una o varias personas o en el que se les causare alguna de las lesiones a que se refieren los artículos 147.1, 149 y 150, será castigado como autor de un delito de abandono del lugar del accidente.

2. Los hechos contemplados en este artículo que tuvieran su origen en una acción imprudente del conductor, serán castigados con la pena de prisión de seis meses a cuatro años y privación del derecho a conducir vehículos a motor y ciclomotores de uno a cuatro años.

3. Si el origen de los hechos que dan lugar al abandono fuera fortuito le corresponderá una pena de tres a seis meses de prisión y privación del derecho a conducir vehículos a motor y ciclomotores de seis meses a dos años.

STS 167/2022: El preámbulo de la Ley Orgánica 2/2019, de 1 de marzo, expresa que se quiere sancionar con este nuevo tipo "la maldad intrínseca en el abandono de quien sabe que deja atrás a alguien que pudiera estar lesionado o incluso fallecido, la falta de solidaridad con las víctimas, penalmente relevante por la implicación directa en el accidente previo al abandono, y las legítimas expectativas de los peatones, ciclistas o conductores de cualquier vehículo a motor o ciclomotor, de ser atendidos en caso de accidente de tráfico". Y a continuación afirma la subsidiariedad de este tipo en relación con el art. 195.3 CP para los casos de lesiones a través de la previsión contenida en el texto, "refiriéndolo a los casos de personas que sufran lesiones graves pero en las que no concurran los requisitos del peligro manifiesto y grave que exige la omisión del deber de socorro". En definitiva, el

---

[445]   Se modifica el apartado 1 por la LO 11/2022, de 13 de septiembre.

citado precepto vendría a cubrir supuestos de difícil encaje en el delito de omisión del deber de socorro por faltar el elemento objetivo de la existencia de una persona desamparada y en peligro grave y manifiesto. Y ello puede ocurrir tanto porque el sujeto activo se ha cerciorado de que la víctima está siendo auxiliada como en el caso de que se haya producido su fallecimiento inmediato.

Art. 383.

El conductor que, requerido por un agente de la autoridad, se negare a someterse a las pruebas legalmente establecidas para la comprobación de las tasas de alcoholemia y la presencia de las drogas tóxicas, estupefacientes y sustancias psicotrópicas a que se refieren los artículos anteriores, será castigado con la penas de prisión de seis meses a un año y privación del derecho a conducir vehículos a motor y ciclomotores por tiempo superior a uno y hasta cuatro años.

STS 210/2017: Mediante el delito del art. 383, el legislador ha creado un delito de desobediencia especial con unos requisitos específicos y objetivados. Se tutela básicamente el principio de autoridad, reforzando con esa protección penal la efectividad de los requerimientos legítimos de los agentes de la autoridad para efectuar esas pruebas. Solo indirectamente (y no siempre que se da el delito) se protege además la seguridad vial. Eso explica que también nazca la infracción cuando el bien jurídico "seguridad vial" está ausente: negativa por contumacia o por simple enfado, a pesar de no haber consumido alcohol. Solo desde esa diferenciación entre los bienes jurídicos protegidos en este precepto y en el art. 379 son admisibles las generalizadas soluciones de concurso real entre ambas infracciones. Y por esta construcción, la negativa a someterse a la segunda medición es también constitutiva del delito del art. 383.

STS 291/2022: Que esta infracción además haya sido concebida como medio eficaz para lograr la efectividad del art. 379 promoviendo las pruebas que permiten acreditar sus elementos, no puede despistar haciendo pensar que el art. 383 es un delito instrumental respecto del delito del art. 379 de forma que solo tendría sentido la condena por tal infracción cuando mediante la negativa se quisiese eludir el descubrimiento de un delito del art. 379. El tipo penal no exige un móvil determinado en el autor. No es necesario que quien se niega lo haga con la finalidad de encubrir una infracción del art. 379 CP. Es delictiva y existe antijuricidad material (referida al bien jurídico principio de autoridad y respeto a las órdenes legítimas emanadas de los agentes de la autoridad) tanto si la negativa responde a ese intento de ocultar un delito del art. 379 como si obedece a otras circunstancias (v.gr., rechazo visceral; ira momentánea); y lo es tanto si, en efecto, existe previamente una conducta incardinable en el art. 379 (o, en su caso, en la infracción administrativa), como si queda plenamente acreditado que el sujeto se hallaba en perfectas condiciones para pilotar un vehículo de motor. Por estas razones en la exégesis concreta del tipo del art. 383 no puede exagerarse el parentesco con el bien jurídico seguridad vial que es solo mediato; ni con la efectividad de la condena por el delito del art. 379 (que es compatible, en principio). El art. 383 representa algo más que la sanción de un autoencubrimiento. La protección del principio de autoridad resulta evidente. Sin embargo, no es determinante el ataque a la seguridad vial que en el supuesto concreto puede estar presente o no.

Art. 384.

El que condujere un vehículo de motor o ciclomotor en los casos de pérdida de vigencia del permiso o licencia por pérdida total de los puntos asignados legalmente, será castigado con la pena de prisión de tres a seis meses o con la de multa de doce a veinticuatro meses o con la de trabajos en beneficio de la comunidad de treinta y uno a noventa días.

La misma pena se impondrá al que realizare la conducción tras haber sido privado cautelar o definitivamente del permiso o licencia por decisión judicial y al que condujere un vehículo de motor o ciclomotor sin haber obtenido nunca permiso o licencia de conducción.

STS 120/2022 (Pleno): Los VMP son una categoría autónoma, definida de forma independiente en el Anexo II RGV y separada de los vehículos a motor (la nueva definición de éstos dada por el RD 970/2020 excluye expresamente del concepto a los VMP como se dijo), ciclomotores, ciclos de motor y bicicletas de pedales con pedaleo asistido, por lo que carecen de consideración penal (otra cosa ocurrirá, como decíamos, con los vehículos mal llamados VMP que, en realidad, no lo son, y que, por tanto, podrían alcanzar la estimación hipotética "mínima" de ciclomotor, al amparo del Reglamento UE en relación con la LSV y RGV). Por ello, no es posible, hoy por hoy, incriminar la conducción de los VMP en las infracciones penales del Capítulo IV del Título XVII del Código Penal, pues no están incluidos en las correlativas fórmulas típicas. Todo ello salvo que se haga un uso fraudulento de estas categorías para camuflar, tras una aparente clasificación VMP, lo que es auténticamente, cuanto menos, un ciclomotor (incluso una motocicleta), intentando burlar de esa forma la reglamentación referida a la exigencia de licencia, que daría lugar al delito objeto de este recurso, y otras normas, como la obligatoriedad del casco o del seguro, de ámbito administrativo, incidiendo -y eso es lo peor- en la seguridad vial, al poner en peligro real la seguridad personal de los demás usuarios de la vía. Por todo ello, en el caso enjuiciado, si en los hechos probados constara que el vehículo conducido por la acusada, carece de sistema de autoequilibrado y cuenta con sillín, no podría en ningún caso conceptuarse como VMP en la definición del RGV y estaría sujeto como ciclomotor al encaje penal pretendido. En consecuencia, deben constar en los hechos probados de la Sentencia aquellos elementos configurativos del vehículo con el que circulaba la acusada, como lo es su potencia (tanto sea de motor de explosión como eléctrico), su velocidad máxima, si cuenta o no con sillín (y sus características), si tiene o no, sistema de autoequilibrado, y cuantas características sean necesarias para su clasificación, lo que llevará a exigir que, para su uso, sea necesario obtener el oportuno permiso o licencia de conducción, y, en suma, a falta de los elementos documentales que consten en autos, sea precisa su categorización mediante el oportuno dictamen pericial que sea necesario para su determinación. (Tol 8810203)

STS 670/2018 (Pleno): En el caso enjuiciado, conducir un vehículo de motor sin detenerlo, aunque se desarrolle esta acción durante un cierto espacio temporal, no puede ser conceptuado más que como una sola acción a efectos típicos. Incluso las detenciones ocasionales -semáforos, retenciones, paradas fugaces, etc.- no alterarían este concepto. La acción es única a efectos penales. El núcleo del tipo, como concepto legal que define su acción (el que condujere -art. 384 del Código Penal-), no puede decirse que ha variado: estamos en presencia de una sola acción, incluso aunque se produzcan paradas intermitentes motivadas por el tráfico. En el caso enjuiciado, la intervención del Estado a través de la Policía Foral de Navarra interrumpió el delito, por lo que mediante tal acción, la segunda integraba necesariamente un nuevo delito de conducción sin permiso. (Tol 6976840)

STS 55/2018: En el supuesto de autos, el acusado conducía la motocicleta en cuestión, y así se declara probado en el *factum* de la resolución recurrida, que refleja que aquél, con el citado vehículo, bajaba la rampa de entrada y salida al garaje situado en las dependencias de la Policía Local de Vitoria, echando el pie a tierra ya en el interior del garaje. El hecho de que el trayecto recorrido fuera corto y se hiciera en poco tiempo es, según lo expuesto, irrelevante a los efectos de aplicación del artículo 384 CP. Asimismo, el lugar en el que tuvo lugar la conducción -en el garaje situado en las dependencias de la Policía Local de Vitoria, al que sólo pueden acceder determinadas personas al ser el aparcamiento de los vehículos al servicio de la citada Policía Local- no impide la aplicación del tipo. También en estos lugares, la acción misma de conducir, careciendo de la habilitación necesaria para ello, supone la creación de ese riesgo abstracto, que no concreto, para la seguridad vial, que no se puede vincular, insistimos, al número de personas o vehículos potencialmente afectados por el mismo. El riesgo abstracto existe en cualquier caso y deriva del mero hecho de la conducción careciendo del permiso o licencia necesario para ello.

STS 647/2017: El delito consistente en conducir un vehículo de motor sin haber obtenido nunca la licencia administrativa, no requiere, por su naturaleza misma, la creación de un riesgo concreto para la seguridad vial; se comete por el propio riesgo generado para la circulación vial al carecer el acusado de las comprobaciones oportunas de las características físicas y la aptitud mental, así como los conocimientos teórico-prácticos que le habiliten para llevar a cabo tal conducción. Bajo la consideración de que se trata de un delito abstracto, la conducta se consuma cuando se conduce careciendo de la oportuna habilitación administrativa (permiso o licencia), sin que tenga incidencia el haber cometido infracción vial alguna, ni haber realizado maniobra antirreglamentaria.

STS 437/2017: En el delito del último inciso del art. 384 (conducir sin haber obtenido nunca el permiso o licencia), la expresión legal exige que pueda afirmarse con taxatividad que el autor jamás ha obtenido el permiso de conducir. Por eso ha de excluirse del radio de acción de dicho tipo penal a quien posee permiso extranjero y también a aquellas personas cuyo permiso ha caducado. Tanto aquellos correspondientes a otros países de la UE pero que no alcanzan validez en España por falta de reconocimientos médicos o finalización del período de vigencia de conformidad con el art. 24 del Reglamento General de Conductores, como permisos de países no comunitarios del art. 30 del citado Reglamento. El fundamento exegético para la exclusión es que el art. 384 del Código Penal habla de la obtención, no de la validez en nuestro derecho del permiso con el que se conduce. No se distingue si el permiso o licencia se ha obtenido dentro o fuera del territorio nacional.

STS 612/2017: Debe recordarse que lo que se le imputa al acusado no es conducir sin permiso, situación en la que la titularidad del permiso portugués haría la conducta atípica, sino que se le acusa de conducir en España cuando media resolución firme de pérdida de vigencia del permiso de conducción, conducta típica que concurre en el caso que nos ocupa. En suma, no puede pretenderse por el hecho de detentar el referido permiso portugués mediante canje, al ser residente en el extranjero, ser de mejor condición que el resto de ciudadanos nacionales que tienen únicamente el permiso de conducir español; si pierde, como perdió, la vigencia del permiso de conducir en España no puede su conducta quedar impune.

STS 385/2019: El artículo 21.3 del RGC impone canjear el permiso foráneo inicial por un permiso español a quienes mantengan una presencia en España superior a seis meses, fijando la norma que el incumplimiento de la exigencia determina la pérdida de la validez del permiso (art. 21.3 RGC). No obstante, la conducción en esta situación de invalidez es un supuesto ajeno al ámbito material de aplicación del artículo 384 del Código Penal, siempre que al conductor no se le haya además suspendido el permiso por haber perpetrado infracciones que le hayan supuesto la pérdida total de los puntos. En todo caso, los conductores con permisos otorgados por terceros países, aun cuando se trate de conductores que no hayan incumplido la obligación de canjear el permiso extranjero y mantengan por ello la validez del permiso original (esto es, aquellos conductores que transiten por España teniendo una residencia real en otro Estado, o quienes hayan adquirido la residencia española cuando no hayan transcurrido seis meses desde ello), son conductores sometidos en España al sistema de puntos fijado por nuestro ordenamiento jurídico y, por ello, cuando cometan en el territorio nacional infracciones que determinen pérdida de puntos y hayan ingresado en el Registro de Conductores e Infractores, no son ajenos al sistema de retirada del permiso. Pretender que los permisos otorgados por terceros países e inicialmente válidos, conserven una inmutable validez en España mientras no sobrevenga la caducidad que el país de emisión haya querido otorgarle, gozando además de una semi-inmunidad frente al régimen viario y de conducción vigente en España, es una conclusión jurídica carente de todo fundamento.

STS 314/2021 (Pleno): Se puede concluir que los actos probados del recurrente constituyen una contribución esencial al delito del art. 384.2 CP, porque supone la realización de un acto sin el cual el delito no se hubiera cometido, por lo que es obvio que si no le hubiera dejado el coche no lo hubiera podido conducir, al ser un acto necesario para la conducción el disponer del vehículo, y además le acompañó en dicha conducción, siendo autor del art. 28 CP, aun pese a la inimputabilidad del menor de edad que era el conductor. Ello no desnaturaliza la conducta típica, antijurídica, culpable y punible del recurrente, quien colabora activamente a que el hecho se cometa. Por su parte, y en cuanto afecta en términos generales para cuando el conductor es mayor y un tercero colabora o coadyuva de forma decisiva en que conduzca sin permiso, la Circular 10/2011, de 17 de diciembre, de la Fiscalía General del Estado, sobre Criterios para la Unidad de Actuación especializada en materia de seguridad vial reduce el reproche penal en el ámbito de la cooperación necesaria al supuesto en que exista una "acción positiva de ceder o prestar" el vehículo para su conducción inmediata o cercana en el tiempo a quien nunca ha obtenido permiso o licencia, con plena consciencia de dicha carencia. El recurrente no realiza, incluso, una conducta pasiva de permitir, sino activa al dejarle el vehículo y acompañarle grabando la conducción continuada del menor de 8 años de edad tan solo en la peligrosa conducción que un niño estaba realizando, de tal suerte que dichos actos deben ser calificados como de cooperación necesaria al delito objeto de condena, aunque el menor sea inimputable, porque no puede extenderse al cooperador necesario la inimputabilidad del menor. La cooperación necesaria que se aplica en estos casos cuando el conductor es mayor de edad está ubicada en las modalidades de autor ex art. 28 CP, y en este caso concreto de menor de edad en la autoría mediata. No existiría responsabilidad penal en la situación en la que un padre deja las llaves en la entrada de su inmueble y el menor, sin conocimiento del padre, y sin tener, obviamente, permiso de conducir coge las llaves y utiliza el vehículo de motor, o en la situación en la que una persona le deja la llave de su vehículo a otra sin el conocimiento de que esta persona no tiene el permiso de conducir, aun cuando vaya con ella de copiloto, o le dejara las llaves sin conocimiento de esta circunstancia y aquél condujera el citado vehículo, es decir en situaciones en donde concurre la falta del elemento subjetivo, o del objetivo, en la conducta desplegada, dado que hemos señalado que la cooperación necesaria exige la concurrencia de ambos elementos, subjetivo y objetivo. (Tol 8405886)

Art. 385 ter.

En los delitos previstos en los artículos 379, 383, 384 y 385, el Juez o Tribunal, razonándolo en sentencia, podrá rebajar en un grado la pena de prisión en atención a la menor entidad del riesgo causado y a las demás circunstancias del hecho.

STS 38/2020: En definitiva desde una interpretación apegada al sentido literal del precepto así como sistemática y también desde la voluntas legislatoris, es obligado concluir que la cláusula atenuatoria recogida en el artículo 385 ter del Código Penal debe ser aplicada únicamente a la pena de prisión.

XIX. DE LAS FALSEDADES

(Arts. 386 a 403)

STS 352/2016: La *mutatio veritatis* de la falsedad documental ha de recaer sobre elementos esenciales del documento y tener suficiente entidad para repercutir en los normales efectos de las relaciones jurídicas, con lo que se excluyen de la consideración de delito, los mudamientos de verdad inocuos e intrascendentes para la finalidad del documento.

STS 797/2015: La falsedad no constituye un delito de propia mano que exija la realización material de la alteración falsaria por el propio autor, sino que admite su realización a través de persona interpuesta que actúe a su instancia. Por lo que la responsabilidad en concepto de autor no precisa de la intervención corporal en la dinámica material de la falsificación, basta el concierto y el previo reparto de papeles para la realización y el aprovechamiento de la documentación falseada, de modo que es autor tanto quien falsifica materialmente, como quien en concierto con él, se aprovecha de la acción, con tal de que tenga el dominio funcional sobre la falsificación.

STS 622/2022: En reiterada jurisprudencia hemos sostenido que el delito de falsedad documental no es de propia mano y que, por lo tanto admite tanto la coautoría como la autoría mediata (a través de otro) y, naturalmente la inducción.

Art. 386.

1. Será castigado con la pena de prisión de ocho a doce años y multa del tanto al décuplo del valor aparente de la moneda:

1.º El que altere la moneda o fabrique moneda falsa.

2.º El que exporte moneda falsa o alterada o la importe a España o a cualquier otro Estado miembro de la Unión Europea.

3.º El que transporte, expenda o distribuya moneda falsa o alterada con conocimiento de su falsedad.

2. Si la moneda falsa fuera puesta en circulación se impondrá la pena en su mitad superior.

La tenencia, recepción u obtención de moneda falsa para su expedición o distribución o puesta en circulación será castigada con la pena inferior en uno o dos grados, atendiendo al valor de aquélla y al grado de connivencia con el falsificador, alterador, introductor o exportador.

3. El que habiendo recibido de buena fe moneda falsa la expenda o distribuya después de constarle su falsedad será castigado con la pena de prisión de tres a seis meses o multa de seis a veinticuatro meses. No obstante, si el valor aparente de la moneda no excediera de 400 euros, se impondrá la pena de multa de uno a tres meses.

4. Si el culpable perteneciere a una sociedad, organización o asociación, incluso de carácter transitorio, que se dedicare a la realización de estas actividades, el juez o tribunal podrá imponer alguna o algunas de las consecuencias previstas en el artículo 129 de este Código.

5. Cuando, de acuerdo con lo establecido en el artículo 31 bis, una persona jurídica sea responsable de los anteriores delitos, se le impondrá la pena de multa del triple al décuplo del valor aparente de la moneda. Atendidas las reglas establecidas en el artículo 66 bis, los jueces y tribunales podrán asimismo imponer las penas recogidas en las letras b) a g) del apartado 7 del artículo 33.

STS 77/2018: Si al recepcionar la moneda falsa el autor desconoce ese dato, la ulterior tenencia (cuando ya conoce esa falsedad) para la distribución no invade el Código Penal hasta que se produce una efectiva expedición como resulta de una interpretación sistemática de los números 2 y 3 del art. 386 CP . La recepción, obtención o tenencia de moneda falsa con fines de distribución se castiga con una pena comprendida entre dos y ocho años (según variemos uno o dos grados) siempre que existiese mala fe ab initio . Cuando la mala fe es sobrevenida solo se colmará la tipicidad si se procede a la efectiva distribución (pena de prisión de tres a seis meses o multa, si excede de 400 euros la moneda distribuida; o de multa de uno a tres meses si no alcanza ese monto). Esa previsión concretada en la obtención en un escenario de buena fe parece presuponer que el receptor ha sido a su vez objeto de una estafa (aunque no necesariamente: pueden imaginarse entregas de moneda falsa no seguidas de un correlativo acto de disposición; o no sinalagmáticas).

Art. 390.

1. Será castigado con las penas de prisión de tres a seis años, multa de seis a veinticuatro meses e inhabilitación especial por tiempo de dos a seis años, la autoridad o funcionario público que, en el ejercicio de sus funciones, cometa falsedad:

1.º Alterando un documento en alguno de sus elementos o requisitos de carácter esencial.

2.º Simulando un documento en todo o en parte, de manera que induzca a error sobre su autenticidad.

3.º Suponiendo en un acto la intervención de personas que no la han tenido, o atribuyendo a las que han intervenido en él declaraciones o manifestaciones diferentes de las que hubieran hecho.

4.º Faltando a la verdad en la narración de los hechos.

2. Será castigado con las mismas penas a las señaladas en el apartado anterior el responsable de cualquier confesión religiosa que incurra en alguna de las conductas descritas en los números anteriores, respecto de actos y documentos que puedan producir efecto en el estado de las personas o en el orden civil.

STS 26/2015: Cuando la falsedad se comete por autoridad o funcionario pero fuera del marco propio de la función específica del funcionario que lo confecciona, se aplica la falsedad cometida por particular del art. 392, pero con la agravante del art. 22.7ª (prevalerse del carácter público que tenga el culpable).

STS 65/2018: El verbo típico es «alterar» y el objeto alterado ha de ser alguno de los «elementos esenciales» de los que integran el contenido del documento alterado. Alterar significa según la RAE, en la acepción más atinente a la cuestión aquí examinada, Cambiar las características, la esencia o la forma de una cosa. A su vez cambiar significa ibídem modificar una cosa o a una persona de modo que pase a ser distinta de como era antes, o también reemplazar o sustituir una cosa por otra (altera). En la acepción de verbo intransitivo es definida alterar como pasar (una cosa o una persona) a ser diferente de como era antes. En conclusión, la modalidad típica que examinamos exige una comparación del contenido esencial del documento entre el antes y el después del acto falsificador. Si el documento se confecciona de una sola vez, sin que nunca haya sido variado, y lo único que cabe predicar es la falta de veracidad del contenido con el que se conforma desde el único momento de inicio y de conclusión de su configuración, es claro que resulta un inaceptable forzamiento del lenguaje hablar de alteración. Y ello porque su contenido habrá permanecido inalterado (no sustituido por un alter) en todo momento.

STS 402/2022: La doctrina de este Tribunal, desde una perspectiva decididamente funcionalista, ha insistido en que no basta para la existencia del delito de falsedad documental con que se dé una conducta objetivamente típica de mutación de los contenidos documentados o de alteración de las condiciones de autenticidad. Aquella, además, debe poner en riesgo los bienes o intereses protegidos por el delito de falsedad documental, por lo que debería negarse su existencia cuando haya constancia de que tales intereses no han sufrido riesgo significativo de lesión. La esencialidad debe medirse, por tanto, en atención a la capacidad de la mutación para superar el riesgo permitido alterando el sentido y las propias funciones del documento en el tráfico jurídico. Como afirmábamos "para la existencia de la falsedad documental, no basta una conducta objetivamente típica, sino que es preciso también que la mutatio veritatis, en la que consiste el tipo de falsedad en documento público u oficial, altere la esencia, la sustancia, o la autenticidad del documento en sus extremos esenciales como medio de prueba, por cuanto constituye presupuesto necesario de este tipo de delitos el daño real, o meramente potencial, en la vida del derecho a la que está destinado el documento, con cambio cierto de la eficacia que el mismo estaba llamado a cumplir en el tráfico jurídico". De tal modo, la falsedad podrá ser considerada inocua cuando la ausencia de ofensividad derive de la concreta valoración de su eficacia en relación con la situación a decidir. Así, deberá descartarse la idoneidad para afectar a la función probatoria cuando el documento falseado, por su naturaleza, no esté teleológicamente orientado a probar aquello que en el mismo se afirma contrariamente a la verdad o cuando carece de potencial actitud para producir un resultado jurídicamente evaluable.

STS 558/2018: El cheque y el pagaré constituyen modalidades de los llamados títulos de crédito y, más específicamente dentro de ellos, títulos de pago. El cheque constituye un mandato de pago caracterizado por incorporarse a un título de crédito formal y completo. El pagaré solamente recoge la manifestación de que el librador asume la obligación de pagar a la orden de otra una cantidad en cierta fecha. No describe pues nada. Solamente promete o se manifiesta una voluntad. El pagaré acredita la obligación asumida por el firmante: el compromiso puro de abonar la cantidad que se refleja. Pero no acredita que esa obligación que se asume obedezca a una deuda previa real. Ni acredita que sea sincera la voluntad reflejada en el documento. Si no hay voluntad de atenderlo, estaremos ante una mendacidad, pero no una falsedad punible. Por eso no cabe hablar de un documento falso en sí mismo en el sentido de que afirme falazmente algo discordante con la realidad. No estamos, pues, ante hechos subsumibles en el delito de falsedad. La sentencia no describe simulaciones de firmas, ni refiere que los pagarés estuviesen de alguna forma manipulados, la condena por falsedad se construye en exclusiva sobre los pagarés vacíos o no comerciales y esa conducta no es subsumible en los arts. 390 y

392 CP. Hemos de concluir, por tanto, que no se da el delito de falsedad en documento mercantil. La emisión de pagarés, que no obedece a una operación comercial, porque se hace como un mero instrumento de financiación, sólo recoge la manifestación de que el librador asume la obligación de pagar de otra una cantidad en fecha determinada.

STS 140/2018: Hemos dicho que es cierto que, quien conscientemente, autoriza a otro a firmar donde él debía hacerlo, sea con su propia firma, con una imitada o con una de realización arbitraria y, en consecuencia, reconoce el documento así extendido como si fuera propio, está excluyendo la afectación de cualquiera de las funciones del documento- probatoria del negocio jurídico que el documento refleja; de garantía, relacionada con la seguridad que brinda el documento respecto de la identidad del emisor de la declaración que contiene, y de perpetración de la declaración documentada para que pueda ser conocida por terceros- ya que por su propia decisión está asumiendo los efectos de la intervención del otro, como si fuera el mismo. Tal ausencia de afectación de las funciones del documento, sin perjuicio de tercero, excluye la falsedad documental, pues en estos casos, la sanción penal carece de justificación en un supuesto de imitación de firma del apoderado de empresa por quien no tiene poder de la misma, como práctica conocida y aceptada por éste y aquél, se ha estimado mendaz formalmente pero no falsedad, en el sentido típico del delito de falsedad documental. Esto constituirá una manera de operar connotada de irregularidad -en la medida que la firma es el modo de acreditar la intervención personal de un sujeto en un acto documentado- pero sólo de una irregularidad meramente formal y sin más trascendencia. Pues, al obrar así, el curso normal de la actividad en la que tal conducta se inscribe no experimenta ninguna alteración en sus efectos; de manera que la firma está operando realmente como si la hubiera estampado realmente su titular. Por tanto, la fe pública y la seguridad del tráfico mercantil, en general y en concreto, hubieran llegado a resentirse lo más mínimo.

STS 81/2022: Como afirmábamos en la STS 261/2017, de 6 de abril en un supuesto de simulación matrimonial, pero extensible al caso que nos ocupa, no cabe la posibilidad de subsumir la conducta en la modalidad de acción falsaria del artículo 390.1.2º CP "pues el acta matrimonial es genuina, su data correcta y recoge un acto objetivamente celebrado, el matrimonio in fieri, o ceremonia en forma reconocida. Su contenido tampoco trastoca ninguna de las funciones a que el documento debe responder: perpetuación de las declaraciones emitidas, identificación de sus autores y la estrictamente probatoria de los extremos que son trasladados al Registro Civil. En definitiva, el contenido del acta que autoriza el funcionario: hecho y circunstancias de la ceremonia, que es en definitiva sobre los extremos que despliega prueba la inscripción registral, no son falsos ni tampoco inauténticos. En efecto, la manifestación ante notario de la voluntad de constituir o revelar la existencia de una unión de hecho no resultaría tampoco conducta falsaria típica. El acta responde a la nota de la genuinidad y autenticidad sin que su contenido comprometa las funciones a las que el documento debe responder: perpetuación de las declaraciones emitidas, identificación de sus autores y la estrictamente probatoria de los extremos que se trasladan al correspondiente registro público. Por otro lado, y en términos político-criminales, carecería de sentido que se excluya la antijuricidad específicamente penal de los matrimonios simulados y se afirme respecto a la simulación convivencial. Como tampoco lo tendría que la consideración de la conducta simuladora como delito de falsedad del artículo 392 CP tuviera un reflejo punitivo mucho más grave que el previsto para las conductas contempladas en los artículos 217 y ss CP que castigan los matrimonios ilegales en sentido estricto. Lo anterior no supone que la conducta declarada probada deba ser considerada conforme a derecho o que no se identifique ningún fin de protección cuya lesión merezca la imposición de una sanción. Pero lo que acontece es que el Legislador ha optado por considerar ilícito administrativo la conducta consistente en "contraer matrimonio, simular relación afectiva análoga o constituirse en representante legal de un menor, cuando dichas conductas se realicen con ánimo de lucro o con el propósito de obtener indebidamente un derecho de residencia, siempre que tales hechos no constituyan delito"

-art. 53.2.b) LO 4/2000, sobre Derechos y Libertades de los Extranjeros en España y su integración social-, sancionado como infracción grave con multa de 501 hasta 10.000 euros -artículo. 55.1.b)-.

Art. 391.

La autoridad o funcionario público que por imprudencia grave incurriere en alguna de las falsedades previstas en el artículo anterior o diere lugar a que otro las cometa, será castigado con la pena de multa de seis a doce meses y suspensión de empleo o cargo público por tiempo de seis meses a un año.

STS 555/2020: Conforme señalábamos, "la modalidad falsaria por imprudencia exige en contraposición a la modalidad dolosa, que la autoridad o el funcionario público haya creado un riesgo previsible para el bien jurídico protegido que debería haber conocido si hubiera actuado con la debida diligencia, que este resultado esté fuera del riesgo permitido, que la omisión del deber de cuidado sea grave y que además la falsedad le sea objetivamente imputable en cuanto ha constituido la concreción de la conducta realizada." Asimismo, recordábamos que "la fe pública notarial es el más acreditado contraste de veracidad que existe en las relaciones jurídicas entre las personas físicas y jurídicas, singularmente en el campo de los contratos y de los negocios, por ello, la intervención del Notario en cualquier negocio jurídico es sinónimo de veracidad de lo ante él expresado, y por ello cuando quiebra tal presunción de veracidad, sufre y se quiebra la seguridad jurídica y la autenticidad del tráfico jurídico por este solo hecho. A tal efecto puede traerse a colación el artículo 1 de la Ley del Notariado de 28 de mayo de 1862 , según la cual "... El Notario es el funcionario público autorizado para dar fe, conforme a las leyes de los contratos y demás actos extrajudiciales...". Igualmente, el artículo 145 del Reglamento Notarial dispone: La autorización o intervención del instrumento público implica el deber del notario de dar fe de la identidad de los otorgantes, que a su juicio tienen capacidad y legitimación de que el consentimiento ha sido libremente prestado y de que el otorgamiento se adecua a la legalidad y a la voluntad debidamente informada de los otorgantes e intervinientes.

Dicha autorización e intervención tiene carácter obligatorio para el notario...Ello no obstante, el notario, en su función de control de la legalidad, no solo deberá excusar su ministerio, sino negar la autorización o intervención notarial cuando a su juicio:... todos o algunos de los otorgantes carezcan de la capacidad legal necesaria para el otorgamiento que pretendan...". En similar sentido el artículo 167 dispone: " El notario, en vista de la naturaleza del acto o contrato y de las prescripciones del Derecho sustantivo en orden a la capacidad de las personas, hará constar que, a su juicio, los otorgantes, en el concepto con que intervienen, tienen capacidad civil suficiente para otorgar el acto o contrato de que se trate". Resulta obvio que un quebrantamiento de este contraste que es la fe publica notarial, integra un ilícito penal que de acuerdo con los artículos 390 y siguientes puede serlo a título de dolo o de imprudencia. El notario autorizante de un instrumento público no es un especialista en la materia, lo que la Ley impone es la consignación de que, a su juicio, el compareciente tenga capacidad legal para otorgar el contrato de que se trata, es decir, debe llevar a cabo una comprobación personal al respecto, de modo que la mención no es baldía, y así se hace en los instrumentos públicos. Y ello comporta naturalmente una responsabilidad en su cometido profesional, de una gran importancia, siendo un hecho notorio que los fedatarios públicos conocen la trascendencia de tal afirmación, que la ley deja exclusivamente en sus manos. Y para ello, cuando tengan alguna duda, podrán bien negarse a autorizar la escritura, bien asesorarse de especialistas, que informen sobre el estado mental del compareciente. En lo que concierne a la gravedad de la imprudencia serán de aplicación los criterios generales que al respecto ha desarrollado la jurisprudencia: cuanto mayor sean los intereses que el agente debía tener en cuenta, mayor será la imprudencia y tendrá el carácter de grave cuando los bienes afectados sean importantes y la falta de cuidado del autor poco explicable en las circunstancias concretas de la acción. Como parámetros para determinar la gravedad de la imprudencia puede acudirse a ponderar los intereses en juego y al grado de posibilidad de impedir la lesión jurídica por parte del autor. En definitiva, lo que expresa el hecho probado es una ausencia de la más mínima indagación adecuada, lo que le hubiera llevado a denegar la autorización. Ello determinó una situación falsaria desencadenada por tener por capaz a quien no lo era, encuadrable en el artículo 391 del Código Penal, por imprudencia grave.

Art. 392.

1. El particular que cometiere en documento público, oficial o mercantil, alguna de las falsedades descritas en los tres primeros números del apartado 1 del artículo 390, será castigado con las penas de prisión de seis meses a tres años y multa de seis a doce meses.

2. Las mismas penas se impondrán al que, sin haber intervenido en la falsificación, traficare de cualquier modo con un documento de identidad falso. Se impondrá la pena de prisión de seis meses a un año y multa de tres a seis meses al que hiciere uso, a sabiendas, de un documento de identidad falso.

Esta disposición es aplicable aun cuando el documento de identidad falso aparezca como perteneciente a otro Estado de la Unión Europea o a un tercer Estado o haya sido falsificado o adquirido en otro Estado de la Unión Europea o en un tercer Estado si es utilizado o se trafica con él en España.

> **STS 674/2020:** La falsedad cometida en un documento privado no se convierte en falsedad en documento oficial solo porque posteriormente el documento sea incorporado a un expediente oficial. Después de su incorporación, el documento privado adquiere carácter oficial en tanto parte del propio expediente, y su falsificación o alteración supondría la de éste. Pero, cuando la maniobra falsaria se ha ejecutado antes de la incorporación, ésta no cambia el hecho de que la falsificación fue efectuada en un documento privado. Puede ocurrir, sin embargo, que el documento suscrito, confeccionado o rellenado por el particular, que contiene como tal solo manifestaciones particulares, tenga como destino único y como exclusiva razón de su existencia, el incorporarse a un expediente oficial, administrativo o de otra clase, con la finalidad de servir de base a una declaración o resolución oficial, que resulta así, una vez emitida, de contenido falsario a causa de la mendacidad del particular. En estos casos puede decirse que el particular actúa como autor mediato y utiliza al funcionario como instrumento de la

falsedad cometida en el documento, que al emanar de aquél en el ejercicio de sus funciones, resulta ser un documento oficial. Cuando esas manifestaciones se dirigen a provocar una resolución o declaración oficial, que resulta de contenido falsario al basarse exclusivamente en la declaración del particular, puede decirse que el resultado final es un documento oficial, en cuanto emitido por un funcionario, al cual utiliza el particular como instrumento irresponsable al actuar por error, que tiene su origen en la propia mecánica burocrática que excluye, en principio, la comprobación, y que tiene un contenido falsario como consecuencia de los datos proporcionados por el particular. Sin embargo, la anterior doctrina no puede extenderse a considerar documento oficial cualquier manifestación realizada por escrito por un particular y dirigida a la Administración Pública en la que quien la suscribe cometa alguna de las conductas previstas en el artículo 390.1 del Código Penal, concretamente la contemplada en el apartado 3, pues en definitiva se trata de la manifestación de un particular, real o supuesta. Cuando se trata del uso de documentos falsos, los artículos 393 y 396 castigan con diferentes penas, según se trate de documentos oficiales, públicos o mercantiles de un lado o privados del otro, a quienes, a sabiendas de su falsedad, los presentaren en juicio o, para perjudicar a otro, hicieren uso de los mismos. De ello se desprende que cuando se presenta en juicio un documento falso, ello no determina que la pena asignada sea igual a la de la presentación de un documento oficial, público o mercantil. En el supuesto de autos, la recurrente aportó el recibo de finiquito falso en el procedimiento laboral para aparentar haber satisfecho a la demandante la indemnización reclamada y obtener con ello una sentencia absolutoria. Se trata de un documento falso comprendido en el artículo 390.1.1º y 3º del Código Penal. Ahora bien, conforme a la doctrina de esta Sala expresada en el anterior apartado, se trata de un documento privado que no se ha transmutado en oficial por el hecho de ser incorporado a un procedimiento judicial.

STS 577/2020 (Pleno): En definitiva, la más reciente jurisprudencia respecto al valor de las fotocopias en relación con el delito de falsedad documental, distingue los siguientes supuestos:

1º Las fotocopias de documentos son sin duda documentos en cuanto escritos que reflejan una idea que plasma en el documento original, si bien la naturaleza oficial del documento original no se transmite a la fotocopia, salvo en el caso de que la misma fuese autenticada. Aunque no quepa descartar en abstracto que la fotocopia pueda ser usada en algún caso para cometer delito de falsedad, lo cierto es que tratándose de documentos oficiales esta caracterización no se transmite a aquélla de forma mecánica. Y, por tanto, textos reproducidos carecen en principio y por sí solos de aptitud para acreditar la existencia de una manipulación en el original, que podría existir o no como tal. 2º Por ello una falsedad, en cuanto alteración de la verdad del documento, realizada sobre una fotocopia no autenticada de un documento oficial, público o mercantil, no puede homologarse analógicamente a la falsedad de un documento de la naturaleza que tenga el original, por lo que sólo podrá considerarse como una falsedad en un documento privado. 3º La doctrina anteriormente expuesta es aplicable a los supuestos de falsedad material, es decir cuando la falsedad se lleva a efecto alterando el documento en alguno de sus elementos o requisitos de carácter esencial (artículo 390.1.1 del Código Penal). 4º En el caso de que la falsedad consista en simular un documento en todo o en parte, de manera que induzca a error sobre su autenticidad (artículo 390.1.2º del Código Penal), lo relevante a efectos de tipificación es la naturaleza del documento que se pretende simular, no la del medio utilizado para ello. Así cuando se utiliza una fotocopia o reproducción fotográfica para simular la autenticidad de un documento, y disimular la falsedad, la naturaleza a efectos de la tipificación es la del documento que se pretende simular -en este caso documento mercantil u oficial- no la del medio empleado, pues lo que se falsifica no es la fotocopia -mero instrumento- sino el propio documento que se pretende simular. Igualmente en los casos en que partiendo de un modelo original, se confecciona otro con propósito y finalidad de hacerlo pasar como si del verdadero documento oficial o mercantil se tratase. No se trata de una fotocopia que se quiere hacer como que responde al original, sino de crear un documento íntegramente falso para hacerlo pasar por uno original. Como hemos dicho la confección del documento falso, con vocación de pasar por auténtico, puede efectuarse mediante técnicas diversas, como puede ser, a título meramente enunciativo, no taxativo o cerrado, partiendo de soportes documentales auténticos, mediante confección por imprenta de soportes semejantes o mediante escaneado o digitalización. Medios que resultan indiferentes a los fines de apreciación de la falsedad, ninguna que el resultado induzca a error sobre autenticidad. En el supuesto sometido a consideración, partiendo de los hechos declarados probados, no nos encontramos ante la realización de una mera fotocopia de una tarjeta de estacionamiento. Tampoco el acusado se limitó a utilizar la tarjeta original expedida a nombre de su progenitor, con conocimiento y autorización de éste. Tales supuestos efectivamente serían atípicos. Por el contrario, el acusado lo que hizo fue, valiéndose de una fotocopia en color que había realizado de una tarjeta de estacionamiento para personas con discapacidad, simular un documento haciéndolo pasar por el original para su uso como si del propio original se tratara, tal y como llevó a cabo el día en que fue sorprendido por el funcionario de policía. Nos encontramos, por tanto, ante la realización de una fotocopia de una calidad extrema que era reproducción exacta y fiel del original a la que suplantó. La misma simulaba la autenticidad de una tarjeta de estacionamiento para personas con discapacidad y fue utilizada para estacionar el vehículo en una plaza de aparcamiento reservada para minusválidos por persona no autorizada. De hecho, el agente de policía no detectó inicialmente que no se trataba del documento original, dándolo por válido. Y únicamente cuando observó que la persona que se dirigía a coger el vehículo no parecía ser discapacitada e intervino para aclarar la situación, fue cuando detectó la simulación creada por el acusado. Es evidente pues, en contra de la consideración que efectúa la Audiencia Provincial, que no se ha empleado "una fotocopia que no contiene ninguna alteración del documento original", sino que se confeccionó íntegramente un documento falso con el fin de hacerlo pasar por el original. Conforme a la doctrina de esta Sala expresada en el anterior apartado, la naturaleza del documento que ha de operar a los efectos de la tipificación de la conducta es la del documento que se pretende simular, esto es, un documento oficial y no una mera fotocopia de un documento de esa índole, sin que se volatilice la naturaleza oficial del documento por el hecho de que se utilizara en su confección la técnica de la fotocopia. (Tol 8209102)

STS 554/2022 (Pleno): Aunque en la STS 432/2013, de 20 de mayo, decíamos que "No está de más añadir que el criterio diferenciador entre las falsedades en los certificados y los documentos oficiales no es tajante y sólo la gravedad y trascendencia de la alteración del instrumento documental puede ser un criterio determinante para señalar si se está ante una falsedad documental o de certificados", la Jurisprudencia de esta Sala ha concretado su criterio y ha establecido como criterio de diferenciación entre el delito de falsedad en documento oficial y los de certificación falsa de los artículos 397 y ss que, en los últimos, la información mendaz documentada solo cumple la función de adverar o acreditar hechos sin otras finalidades. Por el contrario, en el delito de falsedad en documento oficial, la alteración se muestra de especial gravedad, al poder constatarse una transcendencia en la alteración del instrumento documental por llegar a afectar bienes jurídicos de particular relevancia. Para el ejercicio de esa concreta actividad es preciso cumplir una serie de condiciones, y, además, obtener un certificado de haber superado unas determinadas pruebas que llevaba a cabo, hasta su desaparición, la Academia de Policía Local de la Comunidad de Madrid. En la regulación se distingue, pues, de un lado, el certificado, expedido por la Academia de Policía Local, que acredita haber superado las pruebas; y, de otro lado, la obligación que se impone al personal de control de acceso, según dispone el artículo 8 del Decreto, de llevar de forma visible y permanente un distintivo que le identifique y le acredite como tal. No fue el primero de los documentos el que se falsificó, sino el segundo, que, como se ha dicho, no es propiamente un certificado, sino un documento de identificación de la persona que puede operar como personal de control de acceso. No es inhabitual que la Administración opere de esta forma. Para adquirir la condición que permite el ejercicio de determinadas funciones, se exige la superación de unas pruebas. Y una vez superadas, se emite un documento que permite acreditar la identidad del portador como quien las ha superado. La falsificación de este último documento no puede confundirse con la falsificación de un certificado, y no es equiparable a la misma. En el caso, el certificado, cuya falsificación nadie afirma, como se ha dicho, solo acreditaba la superación de las pruebas, pero no el cumplimiento de las demás condiciones exigidas. (Tol 9010003)

STS 573/2020 (Pleno): En definitiva, toda esta abundante jurisprudencia, con múltiple citas a su vez de otras resoluciones anteriores, permite concluir: a) El permiso de conducir es un documento oficial que habilita para el ejercicio de la conducción de vehículos de motor con la consiguiente incidencia de su falsificación en la seguridad viaria; pero también posibilita, al margen de su concreta eficacia en diversos ámbitos administrativos, la identificación de su titular. b) En cuya consecuencia, de modo pacífico, ha sido constantemente considerado por la jurisprudencia, incluso con anterioridad a la vigencia del actual Código penal, además de documento oficial, documento de identidad. c) Entre sus diversas modalidades se encuentran los expedidos por las autoridades extranjeras o los delegados de estas, que por convenio internacional ya sea multilateral o bilateral, son reconocidos por nuestro ordenamiento. d) En orden a la competencia para su enjuiciamiento por los tribunales españoles, es indiferente que la falsificación se hubiese efectuado dentro o fuera de España. La línea jurisprudencial en contrario, consecuente al Acuerdo de Pleno no jurisdiccional de 27 de marzo de 1998, hace tiempo que fue definitivamente abandonada. e) La atribución jurisdiccional consecuencia del art. 23.3.f) se justifica en la actualidad, fundamentalmente, en los intereses estatales derivados de las exigencias del art. 6 del Convenio Schengen y en cualquier caso, derivado de la realidad social y sus múltiples connotaciones internacionales, no le puede ser indiferente a ningún país la identificación de personas provistas de documentos identificativos falsos, pues ello afecta a las políticas de visados, inmigración, o de seguridad. También desde la estricta consideración de la seguridad vial, afecta directamente a los intereses estatales españoles. f) El art. 23.3.f) señala que conocerá la jurisdicción española de los hechos cometidos fuera del territorio nacional que sean susceptibles de tipificarse, según la ley penal española en concreta referencia a las falsificaciones que perjudiquen directamente al crédito o intereses del Estado, e introducción o expedición de lo falsificado; por tanto, cuando el documento que tales intereses afecta, es utilizado en España por quien ha participado en su falsificación, se cumplimenta generalmente el nexo de atribución sea cual fuere el lugar de falsificación, pues conlleva cuando menos que ha sido "introducido" bajo su dominio funcional. (Tol 8213870)

STS 672/2019: El tacógrafo digital es un ordenador que registra la totalidad de la actividad del vehículo donde está instalado. La memoria interna (VU) del instrumento recibe el número de revoluciones del motor y mediante el correspondiente proceso informático, genera los datos de conducción relativos a tiempos de marcha y descanso así como velocidad del vehículo, siendo el ordenador el encargado de controlar todo el sistema y registrar, entre otras, toda la información relativa a la actividad de los conductores durante los últimos trescientos sesenta y cinco días. Además almacena información sobre fallos, intentos de manipulación del sistema, velocidad excesiva, calibración, así como los datos referentes al acceso de dicha información, ya sea por parte de un Inspector o los Cuerpos de Seguridad del Estado, quedando todo ello identificado en la correspondiente VU mediante la firma digital asignada. Todos esos datos se personalizan cuando se introduce una de las varias tarjetas inteligentes que de una u otra forma controlan al tacógrafo. Entendemos que la información almacenada en la memoria interna constituye un documento electrónico y los recibos o tickets que se expiden para obtener la información registrada son copias del citado documento. En efecto, un documento electrónico es información de cualquier naturaleza en forma electrónica, archivada en un soporte electrónico según un formato determinado y susceptible de identificación y tratamiento diferenciado. Su reconocimiento a efectos penales es admisible dada la amplia fórmula establecida en el artículo 26 del Código Penal que define a efectos penales el documento como "todo soporte material que exprese o incorpore datos, hechos o narraciones con eficacia probatoria o cualquier otra relevancia jurídica". No cabe duda que el tacógrafo puede cumplir otras funciones, como contribuir a un control empresarial interno sobre la actividad de los conductores, pero se trata de utilidades complementarias que no están en la génesis de las leyes y normas administrativas que han establecido la obligatoriedad del tacógrafo. Este instrumento y sus mediciones no tienen más finalidad que el control policial y administrativo de ahí que los documentos que genera deban ser reputados "documentos oficiales", a los efectos jurídico-penales. Por tanto, cuando la manipulación no tiene más finalidad que se registren datos incorrectos para sortear los controles administrativos, que será el supuesto más frecuente en la práctica, la naturaleza oficial del documento resulta indiscutible. En el caso que centra nuestra atención hay simulación documental punible. La instalación de un mecanismo (imán) en un tacógrafo tiene como efecto el que los datos de registro fundamentales del aparato sean necesariamente falsos en sus aspectos esenciales. Se produce la creación ex novo de un documento que induce a error sobre su autenticidad objetiva al reflejar unos datos de registro, precisamente aquellos que justifican la propia existencia del tacógrafo, absolutamente falsos y distintos de los reales. La previa manipulación del tacógrafo determina que todo el documento generado sea falso, porque expresa una realidad inexistente, con afectación directa de la función probatoria del documento en cuestión.

STS 835/2021: En primer lugar habrá que partir de que un boletín de denuncia es documento oficial. La denuncia es el acto iniciador del expediente sancionador y constituye un documento oficial. Tiene esas funciones, probatoria, de garantía y de perpetuación de voluntad que el acusado ha alterado sustancialmente. Para el valor probatorio del boletín de denuncia es indispensable que la fecha sea correcta, como lo es que resulte serlo el lugar y el tipo de infracción cometida.

STS 417/2021: Esta Sala, en la STS del Pleno de esta Sala número 343/2020, de 25 de junio de 2020, ha distinguido entre el "distintivo" de haber pasado favorablemente la ITV, que ha de colocarse en un lugar visible del vehículo para facilitar el control policial, y el "informe de inspección", del que se entrega una copia a la persona que haya presentado el vehículo a la inspección. Ambos documentos encuentran su regulación, respectivamente, en los artículos 10 y 12 del Real Decreto 920/2017, de 23 de octubre, y mientras el distintivo tiene la consideración jurídico-penal de certificación de escasa trascendencia en el tráfico jurídico (a los efectos del artículo 399 CP), el informe de inspección y su copia tiene la consideración de documento oficial a los efectos del artículo 392 CP.

STS 627/2016: Quien emite un cheque sin intención de pagarlo por no existir fondos, no incurre en falsedad; será delito de estafa si hay contraprestación simultánea, nunca una falsedad. El banco que acepta el descuento de pagarés, letras o cheques, está concediendo un crédito al descontante, avalado por esos documentos. Si con ellos se está fingiendo solvencia o una actividad comercial inexistente, creando la apariencia de un próspero negocio que no obedece a la realidad, podremos enfrentarnos a una estafa; pero si el banco admite el descuento conociendo el carácter de favor de tales instrumentos, no solo no hay falsedad sino que tampoco habrá estafa. El derecho emergente de la letra de cambio es totalmente independiente del negocio causal, porque la letra de cambio es por sí misma un negocio jurídico. Dado que los documentos son auténticos, no cabe apreciar falsedad; no obstante, la conducta, integrará un delito de estafa si las personas realmente intervinientes que figuran en el documento actuaron con el conocimiento y voluntad de que, llegado el momento de satisfacer el pago por la letra, previamente descontada, éste no tendrá lugar.

STS 232/2022 (Pleno): La observable coexistencia de una interpretación amplia y otra estricta del concepto normativo de documento mercantil a los efectos del artículo 392 CP, justifica retomar la cuestión de su alcance. La consideración del bien jurídico, como elemento rector tanto para la interpretación de los elementos del tipo como para la medición de la antijuricidad exigida, justifica reajustar el contorno aplicativo del tipo del artículo 392 CP. Limitando su aplicación a aquellas conductas falsarias que recaen sobre documentos mercantiles que, por el grado de confianza que generan para terceros, puedan afectar potencialmente al valor de la seguridad, en su dimensión colectiva, del tráfico jurídico-mercantil. De tal modo, resultará suficiente la protección penal mediante el tipo del artículo 395 CP frente a la falsedad de otros tipos de documentos que, si bien plasman operaciones mercantiles o han sido confeccionados por empresarios o comerciantes, carecen de dicha especial idoneidad lesiva colectiva -por ejemplo, contratos, presupuestos, tiques, albaranes, recibos y otros justificantes de pago que recaen sobre actos, negocios o relaciones jurídicas sin relevancia para terceros-. Por su parte, entre los documentos cuya falseamiento sí podría comprometer el bien jurídico protegido por el artículo 392 CP cabe encontrar, con fines meramente enunciativos, los que tienen el carácter legal de título-valor; los que obedezcan al cumplimiento de una obligación normativa de documentación mercantil que funcionalmente les acerca a los documentos emitidos por ciertos funcionarios con capacidad documentadora -por ejemplo, libros y documentos contables, actas de juntas de sociedades de capital, certificaciones con potencial acceso al Registro Mercantil, etc.-; los que documentan contratos-tipo, clausulados generales o particulares en relaciones de consumo -por ejemplo, contratos de seguro, bancarios, de financiación, transporte etc.-; aquellos contratos sometidos a condiciones normativas de forma o de supervisión o a algún tipo de intervención pública -por ejemplo, contratos de gestión financiera, de correduría de seguros, de inversión, etc.- y documentos que, bajo la apariencia de corresponder al giro mercantil de una empresa, tengan como finalidad la comisión de delitos contra la Hacienda Pública, la Seguridad Social, fraude de subvenciones o la obtención de financiación por entidades bancarias o de crédito, etc. Partiendo de lo anterior, surge, irremediablemente, una cuestión ¿Puede afirmarse que la falsificación de un documento en el ámbito de una relación contractual privada en la que una de las partes es un comerciante es susceptible, en todo caso y por sí, de afectar a la seguridad del tráfico mercantil? ¿El contrato de agencia simulado es documento mercantil a los efectos típicos del artículo 392 CP? La repuesta, en el caso que nos ocupa, ha de ser negativa. La simulación del clausulado de un contrato otorgado entre particulares, aunque estos puedan ostentar la condición de comerciantes y fijen una regla negocial de naturaleza mercantil, carece de eficacia más allá de la relación negocial entre aquellos y de potencialidad significativa para lesionar la seguridad del tráfico mercantil en un sentido colectivo. Por ello, la simulación habida debe reputarse recaída sobre documento privado a los efectos típicos del artículo 395 CP, cuyo elemento subjetivo, la intención de causar perjuicio a tercero, concurre. (Tol 8881213)

STS 642/2022: Un contrato de compraventa de un vehículo de motor no queda afectado por la novedosa doctrina, que ha quedado reflejada, y que descarga el contenido del concepto de documento mercantil a efectos de aplicación del art. 392 CP. Lo veda la indirecta, pero muy relevante, trascendencia probatoria que queda anudada a ese documento y los complementarios por virtud de las disposiciones de carácter administrativo que contiene el Reglamento General de Vehículos. El documento sirve de base, junto a otros, para las oportunas anotaciones en un Registro de carácter público, lo que tendrá repercusiones que desbordan las ligadas a un mero documento mercantil, aunque sea privado. Se constatan razones, así pues, para entender que la reciente doctrina no es trasladable a este supuesto. Es más, el carácter oficial del registro abre otras vías de incardinación en el art. 392, aplicado, por tanto, correctamente (incluso si negásemos la naturaleza mercantil del contrato).

Art. 393.

El que, a sabiendas de su falsedad, presentare en juicio o, para perjudicar a otro, hiciere uso de un documento falso de los comprendidos en los artículos precedentes, será castigado con la pena inferior en grado a la señalada a los falsificadores.

STS 174/2022: Ahora bien, el problema estriba en indagar si cuando el art. 393 (como hacen luego los arts. 395 y 396) exige que la acción vaya encaminada a perjudicar a otro, requiere que se identifique un perjuicio real y efectivo; o basta uno hipotético. Es decir, si el tipo queda colmado cuando en abstracto es posible que el uso ilegítimo del documento perjudique a un tercero, aunque no necesariamente haya de producirse ese perjuicio. Cuando se habla de perjudicar a otro no se está exigiendo que el tercero perjudicado sea alguien concreto e identificable: es apreciable el elemento intencional aunque ex ante no se pueda determinar quién sería el concreto perjudicado. El pronombre otro, por otra parte, no excluye que el perjuicio se cause a un colectivo. La jurisprudencia ha interpretado el término "perjuicio" en un sentido muy amplio; aunque siempre con cierta traducción material, aunque no sea estrictamente económica. Perjuicios meramente morales, simbólicos, inmateriales o espirituales son insuficientes para integrar el tipo. La tesis propugnada por el Ministerio Público se basa en que quien, simulando estar habilitado para ello, usa una tarjeta auténtica para estacionar un vehículo de motor en una zona de la vía pública reservada, asume la eventualidad de perjudicar a personas discapaces autorizadas para valerse de ese espacio. Al comprobar la ocupación del estacionamiento destinado a ellas, verán comprometida y muchas veces imposibilitada su necesidad de aparcar el vehículo en el que circulan, sufriendo así un incuestionable perjuicio. Ahora bien, estaremos normalmente ante un peligro hipotético, no real. Cubierto posiblemente por el dolo eventual, pero sin que se perciba como real el perjuicio, como efectivo (y no meramente hipotético), salvo supuestos insólitos (se estaciona adelantándose a otro vehículo que también tiene visible la tarjeta y que avanzaba hacia el hueco que finalmente ocupa la persona no legitimada). ¿Basta el perjuicio hipotético? Entendemos que no; que el perjuicio en que está pensando el art. 393 es un perjuicio real; efectivo. Esa interpretación restrictiva viene exigida por el principio de intervención mínima que invita a no extender desmesuradamente el ámbito de la norma penal o provocar la equiparación de conductas de gravedad muy distinta con afectación del principio de proporcionalidad. El art. 393 dice "para perjudicar a otro". No exige que el perjuicio llegue a consumarse; pero sí que lo buscado sea un perjuicio efectivo y no meramente eventual. No dice "sabiendo que podría llegar a perjudicar a otro"; sino "para perjudicar a otro". Se ha argumentado que la exigencia de "perjuicio de otro" podría quedar cubierta por una afectación del "interés general"; o venir referida a un "interés social" en tanto con las conductas que se analizan se atenta contra un interés del Estado, y, en definitiva, de la Sociedad. Si se asumiese ese discurso expansivo llegaríamos a castigar todo uso de documento oficial, publico o mercantil falso, en contradicción con la dicción del art. 393, en tanto que siempre podríamos identificar un interés social, colectivo o estatal en que no se utilicen documentos falsos. Cuando se exige perjuicio de otro se está requiriendo algo más concreto; que tampoco puede venir conformado por el interés de todo el colectivo de personas con movilidad reducida en que se respeten fiel y escrupulosamente esas normas.

Art. 395.

El que, para perjudicar a otro, cometiere en documento privado alguna de las falsedades previstas en los tres primeros números del apartado 1 del artículo 390, será castigado con la pena de prisión de seis meses a dos años.

> **STS 577/2020 (Pleno):** En definitiva, la más reciente jurisprudencia respecto al valor de las fotocopias en relación con el delito de falsedad documental, distingue los siguientes supuestos: 1° Las fotocopias de documentos son sin duda documentos en cuanto escritos que reflejan una idea que plasma en el documento original, si bien la naturaleza oficial del documento original no se transmite a la fotocopia, salvo en el caso de que la misma fuese autenticada. Aunque no quepa descartar en abstracto que la fotocopia pueda ser usada en algún caso para cometer delito de falsedad, lo cierto es que tratándose de documentos oficiales esta caracterización no se transmite a aquélla de forma mecánica. Y, por tanto, textos reproducidos carecen en principio y por sí solos de aptitud para acreditar la existencia de una manipulación en el original, que podría existir o no como tal. 2° Por ello una falsedad, en cuanto alteración de la verdad del documento, realizada sobre una fotocopia no autenticada de un documento oficial, público o mercantil, no puede homologarse analógicamente a la falsedad de un documento de la naturaleza que tenga el original, por lo que sólo podrá considerarse como una falsedad en un documento privado. 3° La doctrina anteriormente expuesta es aplicable a los supuestos de falsedad material, es decir cuando la falsedad se lleva a efecto alterando el documento en alguno de sus elementos o requisitos de carácter esencial (artículo 390.1.1 del Código Penal). 4° En el caso de que la falsedad consista en simular un documento

en todo o en parte, de manera que induzca a error sobre su autenticidad (artículo 390.1.2° del Código Penal), lo relevante a efectos de tipificación es la naturaleza del documento que se pretende simular, no la del medio utilizado para ello. Así cuando se utiliza una fotocopia o reproducción fotográfica para simular la autenticidad de un documento, y disimular la falsedad, la naturaleza a efectos de la tipificación es la del documento que se pretende simular -en este caso documento mercantil u oficial- no la del medio empleado, pues lo que se falsifica no es la fotocopia -mero instrumento- sino el propio documento que se pretende simular. Igualmente en los casos en que partiendo de un modelo original, se confecciona otro con propósito y finalidad de hacerlo pasar como si del verdadero documento oficial o mercantil se tratase. No se trata de una fotocopia que se quiere hacer como que responde al original, sino de crear un documento íntegramente falso para hacerlo pasar por uno original. Como hemos dicho la confección del documento falso, con vocación de pasar por auténtico, puede efectuarse mediante técnicas diversas, como puede ser, a título meramente enunciativo, no taxativo o cerrado, partiendo de soportes documentales auténticos, mediante confección por imprenta de soportes semejantes o mediante escaneado o digitalización. Medios que resultan indiferentes a los fines de apreciación de la falsedad, ninguna que el resultado induzca a error sobre autenticidad. En el supuesto sometido a consideración, partiendo de los hechos declarados probados, no nos encontramos ante la realización de una mera fotocopia de una tarjeta de estacionamiento. Tampoco el acusado se limitó a utilizar la tarjeta original expedida a nombre de su progenitor, con conocimiento y autorización de éste. Tales supuestos efectivamente serían atípicos. Por el contrario, el acusado lo que hizo fue, valiéndose de una fotocopia en color que había realizado de una tarjeta de estacionamiento para personas con discapacidad, simular un documento haciéndolo pasar por el original para su uso como si del propio original se tratara, tal y como llevó a cabo el día en que fue sorprendido por el funcionario de policía. Nos encontramos, por tanto, ante la realización de una fotocopia de una calidad extrema que era reproducción exacta y fiel del original a la que suplantó. La misma simulaba la autenticidad de una tarjeta de estacionamiento para personas con discapacidad y fue utilizada para estacionar el vehículo en una plaza de aparcamiento reservada para minusválidos por persona no autorizada. De hecho, el agente de policía no detectó inicialmente que no se trataba del documento original, dándolo por válido. Y únicamente cuando observó que la persona que se dirigía a coger el vehículo no parecía ser discapacitada e intervino para aclarar la situación, fue cuando detectó la simulación creada por el acusado. Es evidente pues, en contra de la consideración que efectúa la Audiencia Provincial, que no se ha empleado "una fotocopia que no contiene ninguna alteración del documento original", sino que se confeccionó íntegramente un documento falso con el fin de hacerlo pasar por el original. Conforme a la doctrina de esta Sala expresada en el anterior apartado, la naturaleza del documento que ha de operar a los efectos de la tipificación de la conducta es la del documento que se pretende simular, esto es, un documento oficial y no una mera fotocopia de un documento de esa índole, sin que se volatilice la naturaleza oficial del documento por el hecho de que se utilizara en su confección la técnica de la fotocopia. (Tol 8209102)

Art. 397.

El facultativo que librare certificado falso será castigado con la pena de multa de tres a doce meses.

STS 319/2022: Como hemos mantenido de forma reiterada, la conducta típica del artículo 397 CP se extiende a cuando se falta a la verdad en la narración de los hechos, expresando un relato que contenga un dato que sea incompatible con la realidad de los hechos constatados. No tendría mucho sentido sistemático que, precisamente, una conducta que sanciona elaborar un documento destinado a contener una declaración de conocimiento, una narración de hechos que deben ser conformes con la realidad, quede excluida por la aplicación de la cláusula de no punibilidad de las falsedades ideológicas cometidas por particulares. Pero ello no significa que cualquier desviación entre lo certificado y la realidad pueda justificar el reproche penal. Deben darse las exigencias objetivas y subjetivas reclamadas por el tipo. La desviación debe ser, además de mínimamente significativa, arbitraria, carente o lejana de las bases fácticas, irreductiblemente inexacta en términos objetivos, afectando la función documental que debe cumplir. Y, además, debe ser abarcada por el dolo del autor. La certificación debe emitirse con plena consciencia de su falsedad. Ha de patentizar la prestación intencionada de una declaración de conocimiento falsa. Un nimio error en la evaluación de la realidad que se certifica no permite activar la intervención penal.

Art. 398.

La autoridad o funcionario público que librare certificación falsa con escasa trascendencia en el tráfico jurídico será castigado con la pena de suspensión de seis meses a dos años.

Este precepto no será aplicable a los certificados relativos a la Seguridad Social y a la Hacienda Pública.

STS 626/2019: Tras la vigencia de la L.O. 7/2012, la falsificación de certificaciones de la Seguridad Social o Hacienda Pública debe ser sancionada cuando sea cometida por particular como constitutiva de un delito de falsedad en documento oficial, y por tanto con aplicación de los arts. 390.1-2° en relación con el art. 392 Código Penal, que prevé penas más graves y proporcionadas a la gravedad y trascendencia de tales falsificaciones. En definitiva, el certificado garantiza la autenticidad de una cosa por la que el funcionario que certifica compromete su responsabilidad asegurando que el certificado responde a una realidad que él conoce y que se refleja en el certificado. Por ello, dada la trascendencia de los certificados, el actual art. 398 C.P. solo reserva la penalidad privilegiada para aquellos certificados de escasa trascendencia y relevancia como se dice en el artículo.

Art. 399.

1. El particular que falsificare una certificación de las designadas en los artículos anteriores será castigado con la pena de multa de tres a seis meses.

2. La misma pena se impondrá al que hiciere uso, a sabiendas, de la certificación, así como al que, sin haber intervenido en su falsificación, traficare con ella de cualquier modo.

3. Esta disposición es aplicable aun cuando el certificado aparezca como perteneciente a otro Estado de la Unión Europea o a un tercer Estado o haya sido falsificado o adquirido en otro Estado de la Unión Europea o en un tercer Estado si es utilizado en España.

STS 343/2020 (Pleno): Aun cuando desde una consideración administrativa el informe de la inspección técnica de vehículos tiene la significación de certificado, y como tal debe ser conservado e incorporarse la numeración que individualiza el informe y su resultado al anverso de la tarjeta de ITV debidamente selladas, desde una consideración jurídico penal la manipulación de la tarjeta de la ITV que deje constancia de una irreal superación de la inspección técnica de vehículos es susceptible de integrar la consideración penal de falsedad en documento oficial en atención al nivel de detalle de la información que aporta y a los transcendentes efectos que le son atribuidos. No obstante, en el presente supuesto no se debate una manipulación de la tarjeta de la ITV que no se ha producido. Lo que el recurso plantea es si el distintivo V-19 del Reglamento General de Vehículos, representativo del hecho de haberse realizado favorablemente la inspección técnica de vehículos, puede tener la consideración de documento oficial o de certificación a los efectos de satisfacer las exigencias de los correspondientes tipos penales de falsedad descritos en los artículos 390 y ss del Código Penal, de modo que la utilización de un distintivo genuino en un vehículo que no se sometió a la revisión, o que haciéndolo no la superó, pueda integrar el comportamiento delictivo del artículo 400 bis del Código Penal. La prestación de servicios; la distinción de productos en el mercado; o cualquier actividad profesional o industrial; operan con innumerables distintivos que proclaman que cumplen unos parámetros reglados sobre su procedencia; sobre su calidad; sobre la seguridad del producto; o que atestiguan que han superado una supervisión técnica de mantenimiento o de adecuada operatividad del mecanismo; sin que falten tampoco las que hacen referencia a la sostenibilidad; a la naturaleza biológica del producto; a su eficiencia; o a su afectación al medio ambiente. Los supuestos de control reglado son incontables y, en todos estos supuestos, cuando el sello o el distintivo tiene asignada la función esencial de adverar o acreditar hechos específicamente previstos, su contenido sustantivo es equivalente a cualquier certificación. Por ello, si el proceso de certificación o su control corresponde a la Administración pública, cualquier reproducción o manipulación de estos marcadores, o la utilización no autorizada de los sellos legítimos, si se integra de manera definitiva en la ordinaria finalidad probatoria que se asigna al distintivo original y adquiere por ello su pleno significado, se integra plenamente en los dos primeros números del artículo 399 del Código Penal. Podemos así concluir que los distintivos gráficos tienen la consideración de certificado a los efectos del artículo 399 del Código Penal, cuando confluyen en ellos las siguientes características: 1) Una previsión normativa que identifique un conjunto de productos, de servicios o de situaciones, a los que se exige cumplir unas cláusulas específicas para poder ser merecedores de una consecuencia también prevista; 2) El establecimiento de un sistema cerrado para el control de los condicionamientos impuestos; 3) La previsión normativa de un sello, o de un distintivo, al que se atribuye el significado de acreditar que concurren esas previsiones específicas en el objeto al que se incorporen y 4) Que corresponda a la administración pública vigilar la satisfacción de las exigencias de ese proceso. (Tol 8007540)

Art. 399 bis.[446]

1. El que altere, copie, reproduzca o de cualquier otro modo falsifique tarjetas de crédito o débito, cheques de viaje o cualquier otro instrumento de pago distinto del efectivo, será castigado con la pena de prisión de cuatro a ocho años.

Se impondrá la pena en su mitad superior cuando los efectos falsificados afecten a una generalidad de personas o cuando los hechos se cometan en el marco de una organización criminal dedicada a estas actividades.

Cuando de acuerdo con lo establecido en el artículo 31 bis una persona jurídica sea responsable de los anteriores delitos, se le impondrá la pena de multa de dos a cinco años. Atendidas las reglas establecidas en el artículo 66 bis, los jueces y tribunales podrán asimismo

---

[446]   Se modifica por la LO 14/2022, de 22 de diciembre.

imponer las penas recogidas en las letras b) a g) del apartado 7 del artículo 33.

2. La tenencia de tarjetas de crédito o débito, cheques de viaje o cualesquiera otros instrumentos de pago distintos del efectivo falsificados, destinados a la distribución o tráfico será castigada con la pena señalada a la falsificación.

3. El que sin haber intervenido en la falsificación usare, en perjuicio de otro y a sabiendas de la falsedad, tarjetas de crédito o débito, cheques de viaje o cualesquiera otros instrumentos de pago distintos del efectivo falsificados, será castigado con la pena de prisión de dos a cinco años.

4. El que, para su utilización fraudulenta y a sabiendas de su falsedad, posea u obtenga, para sí o para un tercero, tarjetas de crédito o débito, cheques de viaje o cualquier otro instrumento de pago distinto del efectivo será castigado con pena de prisión de uno a dos años.

> STS 998/2016: La falsificación de tarjetas de crédito del art. 399 bis establece tres subtipos que deben diferenciarse correctamente. El párrafo primero sanciona la falsificación; el párrafo segundo sanciona la tenencia con destino a la distribución o tráfico, pero ha de entenderse que está referido a sujetos que no han tenido intervención en la falsificación. Si la hubiesen tenido, nos encontraríamos ante un concurso de normas, en el que la falsificación consume la tenencia, que constituye un acto posterior copenado; y el párrafo tercero sanciona el uso en perjuicio de otro y a sabiendas de la falsificación de la tarjeta, pero que solo es aplicable a quien no ha tenido participación en la falsificación. En los supuestos de tarjetas en las que figura el nombre del acusado, que son los más frecuentes, el tipo aplicable es el del párrafo primero y no el del párrafo tercero aunque se pretendan utilizar en perjuicio de terceros, porque dada la naturaleza de la falsificación como delito que no es de propia mano, ha de entenderse que el acusado, o bien falsificó personalmente la tarjeta o bien proporcionó una tarjeta plástica con su nombre al falsificador para que le añadiese otra banda magnética. En cualquier caso, tuvo que intervenir en la falsificación proporcionando sus datos, por lo que el párrafo tercero

no es aplicable y queda consumido en la sanción del primero, al tratarse de un concurso de leyes.

Art. 400 bis.

En los supuestos descritos en los artículos 392, 393, 394, 396 y 399 de este Código también se entenderá por uso de documento, despacho, certificación o documento de identidad falsos el uso de los correspondientes documentos, despachos, certificaciones o documentos de identidad auténticos realizado por quien no esté legitimado para ello.

STS 396/2021 (Pleno): Sin necesidad de realizar ninguna interpretación analógica constatado el uso de una plaza reservada a personas con discapacidad, por quien no está legitimado, ni autorizado, perjudica a quien tiene derecho a hacerlo, personas especialmente vulnerables, a las que se pretende facilitar su integración social, mediante la reserva de zonas de aparcamiento, que, en las grandes ciudades, son ciertamente escasas. El concepto de "perjuicio" ha sido interpretado de forma constante por la jurisprudencia de forma amplia, y así, por ejemplo, la STS 1698/1998, de 12 de marzo, indicaba que "el perjuicio puede consistir en la lesión de cualquier bien, incluidos los de índole no económica y especialmente los morales". En cuanto a la intención de perjudicar a otro, qué duda cabe que quien ilegítimamente utiliza la plaza de aparcamiento reservado debe ser consciente de que está impidiendo su uso a quien por su minusvalía está autorizado hacerlo, de modo que el elemento objetivo aludido queda perfectamente delimitado. Dos eventuales obstáculos hay que sortear para indagar si es aplicable el art. 400 bis en relación con el art. 393 CP: a) comprobar si se puede hablar de un documento oficial; b) en caso afirmativo, verificar si está presente la finalidad de causar un perjuicio a un tercero. Nótese que la alianza de los arts. 393 y 400 bis duplica el verbo típico -usar-. En ambos preceptos esa es la acción; acción que aquí no se discute: situar el distintivo en lugar visible del coche para estacionarlo en uno de los lugares habilitados es usar el documento. El objeto material será un documento oficial, público o mercantil. Pero solo podemos acudir al art. 393 si se identifica el elemento intencional señalado. El tema ha sido objeto de un reciente pronunciamiento del Pleno de esta Sala que zanja cualquier duda. Nos referimos a la STS 577/2020, de 4 de noviembre. Se trata de un documento expedido por la autoridad correspondiente de la respectiva Corporación Local. Acredita que la persona que lo usa está autorizada para estacionar en lugares especialmente acotados de la vía pública. Es documento oficial. ¿Se colma el elemento intencional con la conducta que se imputa a la investigada ahora recurrida? Se le achaca haber estacionado en un lugar reservado cuando no iba acompañada de la persona beneficiaria, única a la que se habilita para hacer uso de esos espacios urbanos acotados y señalizados de manera inconfundible. Cuando se habla de perjudicar a otro no se está exigiendo que el tercero perjudicado sea alguien concreto e identificable: es apreciable el elemento intencional aunque ex ante no se pueda determinar quién sería el concreto perjudicado. El uso ilegítimo de las tarjetas, en consecuencia, afectaría no sólo al 'tráfico jurídico' sino, de forma refleja a la acción falsaria, a un interés general cuya tutela ha asumido el Estado: la protección de las personas con discapacidad. Si se asumiese ese discurso expansivo llegaríamos a castigar todo uso de documento oficial, publico o mercantil falso, en contradicción con la dicción del art. 393, en tanto que siempre podríamos identificar un interés social, colectivo o estatal en que no se utilicen documentos falsos. Cuando se exige perjuicio de otro se está requiriendo algo más concreto; que tampoco puede venir conformado por el interés de todo el colectivo de personas con movilidad reducida en que se respeten fiel y escrupulosamente esas normas. No podemos asumir por ello la tesis que defiende el Fiscal. No es encajable la conducta en los arts. 393 y 400 bis. No se agota ahí la discusión jurídico penal. La tarjeta legitimadora que se analiza además de constituir un documento oficial es susceptible de ser acoplada en el concepto de certificación: documento que acredita, que da fe, de que el usuario del vehículo goza de habilitación para aparcar en esos lugares reservados. Se amolda esa caracterización a la perfección en la definición que ofrece el Diccionario de la RALE: certificación es un documento en que se asegura la verdad de un hecho; en este caso la concesión de una autorización especial por la autoridad municipal. La falsedad de uso de certificaciones no exige un elemento intencional particular a diferencia de la falsedad de uso de documentos oficiales. De ahí que las dificultades examinadas que impiden combinar en este supuesto el art. 400 bis con el art. 393 CP, no aparecen si fijamos la atención en el art. 399 y formamos con él el binomio punitivo (arts. 400 bis y 399). La STS (Pleno) 343/2020, de 25 de junio, refiriéndose a un supuesto con alguna analogía, afirmaba la correcta ubicación en el concepto de certificación del distintivo que acredita haber sometido el vehículo a la ITV: "Por ello, si el proceso de certificación o su control corresponde a la Administración pública, cualquier reproducción o manipulación de estos marcadores, o la utilización no autorizada de los sellos legítimos, si se integra de manera definitiva en la ordinaria finalidad probatoria que se asigna al distintivo original y adquiere por ello su pleno significado, se integra plenamente en los dos primeros números del artículo 399 del Código Penal. Podemos así concluir que los distintivos gráficos tienen la consideración de certificado a los efectos del artículo 399 del Código Penal, cuando confluyen en ellos las siguientes características: 1) Una previsión normativa que identifique un conjunto de productos, de servicios o de situaciones, a los que se exige cumplir unas cláusulas específicas para poder ser merecedores de una consecuencia también prevista; 2) El establecimiento de un sistema cerrado para el control de los condicionamientos impuestos; 3) La previsión normativa de un sello, o de un distintivo, al que se atribuye el significado de acreditar que concurren esas previsiones específicas en el objeto al que se incorporen y 4) Que corresponda a la administración pública vigilar la satisfacción de las exigencias de ese proceso". Las analogías con el supuesto ahora analizado son palmarias: la tarjeta acredita -"certifica"- que el usuario del vehículo está autorizado para ocupar unas plazas específicas de estacionamiento. En una primera aproximación no podemos descartar que su uso por persona diferente a su titular pueda tener acomodo en el art. 400 bis en relación con el art. 399 CP. Sin embargo, si, superando esa primera impresión intuitiva, diseccionamos el esquema con el bisturí de la técnica penal aparecerá un grave -insuperable- problema de tipicidad. Por azares del proceso legislativo y vaivenes en la interpretación de las leyes, el art. 398 CP en su redacción vigente, para evitar privilegios que resultaban incoherentes y que fueron puestos de manifiesto por la jurisprudencia, y tratando de incorporar esa un tanto forzada exégesis jurisprudencial, limita su tipicidad a las certificaciones con escasa trascendencia en el tráfico jurídico". De esa forma establece una clara línea de separación entre los documentos oficiales genuinos clásicos, cuya falsificación encontrará la respuesta penal adecuada en los arts. 392 y 393; y las certificaciones expedidas por autoridad o funcionario público (que, son también documentos oficiales o públicos) cuya trascendencia en el tráfico jurídico sea escasa. Es esta segunda nota la que justifica el privilegio penológico. Pues bien, resulta claro por el juego de tipicidades que en el art. 399 no pueden encajarse, más que retorciendo el principio de legalidad, certificaciones expedidas por funcionarios públicos o autoridad que sean encuadrables en el art. 392 por su relevancia. Si al documento que aquí estamos examinando se le ha otorgado la condición de documento oficial considerando que su falsificación ha de ser castigada a través del art. 392 CP (STS 577/2020, de 4 de noviembre), no podemos, ahora, a estos efectos rebajarlos a la categoría de certificaciones de escasa trascendencia en el tráfico jurídico a los únicos fines de solventar lo que algunos podrían considerar una laguna de punibilidad. En verdad algo de paradójico hay en esa conclusión, pero es anomalía provocada por una legislación no del todo meditada: la tipificación específica de las certificaciones de forma generalizada, suscitó desde el principio problemas que han querido ser atajados con fórmulas legislativas poco precisas, cuyas disfunciones se ponen de manifiesto ahora al completar el rompecabezas con el art. 400 bis. No encajan bien las piezas. Lo más grave (uso de una certificación oficial de trascendencia en el tráfico jurídico por quien no es su titular) resultará atípico; siendo punible, en cambio, lo menos grave (el mismo supuesto pero referido a certificaciones de importancia relativa en el que no habrá inconveniente para la sanción a través de los arts. 400 bis y 399). No es lógico; pero esa falta de lógica es predicable de la ley. Si esta no es coherente, su estricta aplicación (que es lo que nos corresponde: la interpretación tiene sus límites) no podrá arrojar muchas veces resultados coherentes. No puede considerarse esa tarjeta certificación de escasa trascendencia en el tráfico jurídico. Su falsificación es constitutiva del delito del art. 392. Eso desbarata una construcción típica que necesite como pieza legal del art. 399. (Tol 8431969)

Art. 402.

El que ilegítimamente ejerciere actos propios de una autoridad o funcionario público atribuyéndose carácter oficial, será castigado con la pena de prisión de uno a tres años.

STS 206/2022: El delito no consiste en aparentar con signos externos ostentar esa condición: esa otra conducta, menos grave, es la castigada en el art. 402 bis CP. El art. 402 sanciona al que, atribuyéndose carácter oficial (sea de palabra, por actos concluyentes, o -también es posible- mediante el porte de signos distintivos), despliega actos propios de esa condición de forma ilegítima. Hemos dicho respecto de este delito que, en el plano objetivo, requiere el ejercicio de actos propios de una autoridad o funcionario, ya sean los atribuidos por una disposición legal o reglamentaria, o los que estén en el contexto de las atribuciones cuyo carácter oficial se adjudica el sujeto activo del delito, de manera tal que el engaño que sufre el que se relaciona con el falso funcionario está sustentado sobre la actividad funcionarial que efectivamente realiza el sujeto activo del delito. En el ámbito subjetivo, exige la asunción por el agente de esa función pública, ya sea manifestando oralmente o dándolo a conocer por actos con capacidad bastante para engañar a una persona o a una colectividad, con conocimiento de la antijuridicidad de su conducta y con voluntad de realizar su irregular actuación. El agente, en fin, ha de actuar con el propósito de obrar suplantando o falseando la realidad administrativa que se deriva de la exigencia de un nombramiento ajustado a la normativa funcionarial para poder desarrollar unas determinadas funciones públicas.

Art. 403.

1. El que ejerciere actos propios de una profesión sin poseer el correspondiente título académico expedido o reconocido en España de acuerdo con la legislación vigente, incurrirá en la pena de multa de doce a veinticuatro meses. Si la actividad profesional desarrollada exigiere un título oficial que acredite la capacitación necesaria y habilite legalmente para su ejercicio, y no se estuviere en posesión de dicho título, se impondrá la pena de multa de seis a doce meses.

2. Se impondrá una pena de prisión de seis meses a dos años si concurriese alguna de las siguientes circunstancias:

a) Si el culpable, además, se atribuyese públicamente la cualidad de profesional amparada por el título referido.

b) Si el culpable ejerciere los actos a los que se refiere el apartado anterior en un local o establecimiento abierto al público en el que se anunciare la prestación de servicios propios de aquella profesión.

STS 324/2019: Con respecto a la mención de la expresión de actos propios de una profesión a la que se refiere el tipo penal en el inciso 1° del art. 403.1 CP hay que destacar los siguientes aspectos de relevancia: a) Han de ser los pertenecientes a una profesión reglamentada. Tanto de forma exclusiva como compartida. La doctrina refiere al respecto que se trata de un elemento normativo del tipo que ha de llenarse de contenido atendiendo a las atribuciones que corresponden de manera excluyente y exclusiva al ejercicio de una determinada profesión, lo que significa que hemos de acudir a la normativa específica de la profesión afectada, donde se determinan las atribuciones y los actos propios de ella. De esta forma, se hace necesario, en primer lugar, atender a la normativa administrativa, nacional e internacional, donde se determinan los actos propios de cada profesión y, en segundo lugar, a la reglamentación de los Colegios profesionales; b) En todo caso, es indiferente que tales actos sean onerosos o gratuitos; c) Y que sean uno o varios, porque el delito es único, sin que se admita la continuidad delictiva; d) "Acto propio de una profesión" es aquél que específicamente está atribuido a unos profesionales concretos con terminante exclusión de las demás personas; e) Si, además, se postula aplicar la agravante del art. 403.2 CP de acuerdo con la dicción literal del precepto, es necesario que se realice la conducta típica de cualquiera de las dos modalidades del tipo básico y, además , se produzca la atribución pública de la cualidad de profesional. Con respecto a esta "atribución" hay que apuntar que "atribuirse la cualidad de profesional" equivale a arrogarse tal cualidad en virtud de una actuación positiva capaz de determinar un error en la sociedad. Además, se incide por la doctrina en que la atribución sea pública significa que se haga de forma que pueda ser conocida por el público en general, y, en particular, por los potenciales usuarios del servicio profesional que usurpa el intruso. No es preciso que dicho anuncio consista en una referencia personal al sujeto activo, bastando con que contenga la indicación genérica de la profesión, si es conocida por el común de la sociedad lo que aquella significa u ofrece, o la asistencia que se presta; f) Solo las personas que por haber adquirido los conocimientos y superado ciertas pruebas obtuvieron un título de la clase exigida están autorizados por el ordenamiento jurídico para la realización de actos de esa profesión; g) La mencionada exclusividad no tiene que predicarse siempre de cada clase de titulación, por ejemplo, en el parentesco en algunas ciencias; h) El acto propio ha de estar en relación directa con el título académico que, a su vez, debe atribuir la exclusividad de su realización. Por ello, queda extramuros del derecho penal con respecto a actos para cuya ejecución no se requiere expresamente de título académico. Por último, señalar como características de este tipo penal que: 1.- El delito se consuma con la simple realización de un solo acto propio de la profesión, sin que sea necesaria la habitualidad o repetición de actos. 2.- Es un delito de mera actividad que no exige resultado alguno. 3.- No está prevista la comisión imprudente. Es un delito doloso que requiere el conocimiento de que el acto que realiza pertenece al ámbito de determinada profesión y de que carece del título que habilita para su ejercicio. 4.- Se trata de un precepto penal en blanco, en cuanto deberá acudirse a la normativa legal y reglamentaria que regule el ejercicio de cada profesión. Es decir, debe ser integrado con las normas extrapenales reguladoras de la actividad profesional de que se trate. 5.- El tipo penal no exige la habitualidad, entendiéndose como suficiente con un acto único y global de la profesión, y que la expresión "actos propios" no impide esta interpretación. 6.- No exonera de culpa que la prestación del servicio se haga correctamente. El tipo penal se comete por carecer de título habilitante, no por mala praxis profesional. 7.- El tipo parte de "la carencia de título", no de otras contravenciones relacionadas con la forma de su ejercicio si tiene título en base a la intervención mínima del derecho penal.

STS 125/2022: Como se ha expresado en otras ocasiones, sobre la boca de los pacientes, de forma terapéutica, solo pueden actuar el odontólogo o estomatólogo, pero no el protésico dental, por lo que, en el caso enjuiciado, a la vista de los hechos probados, es claro el delito cometido. Los actos propios que pueden desarrollar los profesionales titulados en Odontología o Estomatología están nítidamente diferenciados de los que corresponden a los protésicos dentales, sin que, en ningún caso, puedan estos profesionales actuar, por iniciativa propia, sobre la estructura dentaria de los pacientes, obteniendo módulos y llevando a cabo actos médicos que por regulación legal, no son de su incumbencia. Por lo demás, declara, por ejemplo, la STS 407/2005, de 23 de marzo, que es irrelevante que el recurrente no se arrogase públicamente el título de médico, pues de haberlo hecho hubiera incurrido en la figura agravada incluida en el art. 403.2 del Código Penal.

XX. DELITOS CONTRA LA ADMINISTRACIÓN PÚBLICA (ARTS. 404 A 445)

Art. 404.

A la autoridad o funcionario público que, a sabiendas de su injusticia, dictare una resolución arbitraria en un asunto administrativo se le castigará con la pena de inhabilitación especial para empleo o cargo público y para el ejercicio del derecho de sufragio pasivo por tiempo de nueve a quince años.

> STS 358/2016: Las resoluciones administrativas incurrirán en un delito de prevaricación cuando contradigan las normas de forma patente y grosera o desborden la legalidad de un modo evidente, flagrante y clamoroso o muestren una desviación o torcimiento del derecho de tal manera grosera, clara y evidente que sea de apreciar el plus de antijuricidad que requiere el tipo penal. Y también se ha establecido que se estará ante una resolución arbitraria y dictada a sabiendas cuando se incurra en un ejercicio arbitrario del poder proscrito en el art. 9.3 CE en

la medida en que el Ordenamiento lo ha puesto en manos de la autoridad o funcionario público, resolución que no es efecto de la Constitución y del resto del Ordenamiento Jurídico, sino pura y simplemente, producto de su voluntad, convertida irrazonablemente en aparente fuente de normatividad.

STS 797/2015: El delito de prevaricación exige una resolución expresa o tácita, escrita u oral, de carácter decisoria y arbitraria, entendida como ilegalidad manifiesta, grosera, esperpéntica, clamorosa, palmaria, llamativa o flagrante.

STS 244/2015: El delito de prevaricación administrativa puede cometerse por omisión, sin que el hecho de que se haya presentado un recurso contencioso administrativo tenga relevancia alguna en la comisión del delito.

STS 436/2016: Considera aplicable el delito continuado de prevaricación y no un único delito, por cuanto y si bien todas las adjudicaciones efectuadas dentro del año natural pudieron tener la conceptuación jurídica de un único injusto porque todas ellas tienden a dar una apariencia legal a un mismo objetivo, cuando este planteamiento se prolonga durante varios años (desde el 2004 al 2010) es claro que se está ante una pluralidad de objetivos que justificaría la continuidad delictiva.

Art. 408.

La autoridad o funcionario que, faltando a la obligación de su cargo, dejare intencionadamente de promover la persecución de los delitos de que tenga noticia o de sus responsables, incurrirá en la pena de inhabilitación especial para empleo o cargo público por tiempo de seis meses a dos años.

STS 143/2020: El art. 408 del CP incorpora en el tipo objetivo una conducta omisiva por parte de la autoridad o funcionario público que, faltando a los deberes impuestos por su cargo, se abstiene voluntariamente de promover la persecución de los delitos de que tenga noticia o de sus responsables. La porción de injusto abarcada por este precepto no puede obtenerse sin la referencia interpretativa que ofrece el vocablo "noticia" para aludir a aquellos delitos que no son intencionadamente objeto de persecución. Lo que se castiga no es -no puede serlo por razones ligadas al concepto mismo de proceso- la no persecución de un delito ya calificado, sino la abstención en el deber de todo funcionario de dar a la notitia criminis de cualquier delito el tratamiento profesional que exige nuestro sistema procesal. Y es que tratándose de funcionarios públicos afectados por la obligación de promover la persecución de un delito, lo que reciben aquéllos son precisamente noticias de la comisión de un hecho aparentemente delictivo, nunca un hecho subsumido en un juicio de tipicidad definitivamente cerrado.

STS 58/2018: Desde luego ese comportamiento omisivo, sea el de no incoar procedimiento sancionador o de reposición de orden o sea el de tolerar la construcción ilegal, en ningún caso es equiparable a la omisión sancionada en al artículo 408 del Código Penal. La cuestión sería, en primer lugar, determinar si es admisible la equiparación, a los efectos del artículo 408 del Código Penal, entre la omisión de perseguir un delito con la que consiste en no perseguir una infracción administrativa. No cabe duda que tal extensión de la tipicidad del artículo 408 es contraria al texto del precepto y perjudicial por ampliar el catálogo de lo penado. En segundo lugar, parece aún más inaceptable que esa omisión, que no merece la pena del artículo 408, pueda considerarse constitutiva de la omisión equiparable a acción prevaricadora del artículo 404 del mismo Código Penal. Sería absurdo que la no persecución de una infracción administrativa, como prevaricación del artículo 404, fuese sancionada con pena más grave que la de no persecución de delito del artículo 408. Tal asimetría en la sanción ya predica bien a las claras que el legislador no incluyó en el artículo 404 la omisión de persecución administrativa como equivalente a la de no perseguir delitos.

Art. 410.

1. Las autoridades o funcionarios públicos que se negaren abiertamente a dar el debido cumplimiento a resoluciones judiciales,

decisiones u órdenes de la autoridad superior, dictadas dentro del ámbito de su respectiva competencia y revestidas de las formalidades legales, incurrirán en la pena de multa de tres a doce meses e inhabilitación especial para empleo o cargo público por tiempo de seis meses a dos años.

2. No obstante lo dispuesto en el apartado anterior, no incurrirán en responsabilidad criminal las autoridades o funcionarios por no dar cumplimiento a un mandato que constituya una infracción manifiesta, clara y terminante de un precepto de Ley o de cualquier otra disposición general.

STS 477/2020: El delito de desobediencia cometido por autoridad o funcionario se integra por los siguientes elementos: a) La previsión, pronunciamiento o dictado de la sentencia o resolución procesal por un órgano judicial, o de una orden por autoridad o funcionario administrativo y que la sentencia, resolución u orden se haya dictado por órgano judicial o administrativo competente y con observancia de las normas procedimentales legales, y que la sentencia, resolución u orden conlleve una obligación de actuar de determinada forma o de no actuar, para ciertas autoridades o funcionarios, precisamente para que se logre la efectividad de la sentencia, resolución u orden. Este es el presupuesto jurídico administrativo del delito de desobediencia. b) Que la autoridad o funcionario no desarrolle la actuación a que le obligue la sentencia u orden o despliegue la actividad que le prohíben tales resoluciones. El Código actual, en el artículo 410, exige que la autoridad por funcionarios se nieguen abiertamente a dar cumplimiento al mandato obligatorio y la jurisprudencia de esta Sala ha equiparado a tal comportamiento la pasividad reiterada y actuación insistentemente obstaculizadora, y c) El elemento subjetivo, que requiere el conocimiento del presupuesto jurídico extrapenal, es decir, de la obligación de actuar generada por la resolución del tribunal o del superior administrativo y el propósito de incumplir, revelado ya por manifestaciones explícitas, o implícitamente por el reiterado actuar opuesto al acatamiento de la orden, sin que se admita la posibilidad de comisión culposa del delito de desobediencia. El tipo básico de desobediencia funcionarial en cuanto a la acción, consiste en negarse abiertamente a dar el debido cumplimiento a determinadas órdenes judiciales o administrativas (art. 410.1 CP) constituyendo un tipo de mera actividad (o inactividad) que no comporta la producción de un resultado material. Por ello no se anuda al mismo la realización de un acto concreto, positivo, sino que basta la omisión o pasividad propia de quien se niega a ejecutar una orden legítima dentro del marco competencial de su autor. Por ello se comprende dentro del tipo tanto la manifestación explícita y contundente contra la orden como la adopción de una actitud de reiterada y evidente pasividad a lo largo del tiempo sin dar cumplimiento a lo mandado, es decir, la de quien sin oponerse o negar la misma, tampoco realiza la mínima actividad exigible para su cumplimiento. Por eso hemos dicho en otros precedentes que cuando el autor del hecho, lejos de acatar la imperatividad del mandato, se limita a argumentar en contrario, pretendiendo así debilitar la realidad de ese requerimiento "la réplica se convierte en una camuflada retórica al servicio del incumplimiento". De no ser así, habríamos de reconocer la existencia de una singular forma de exclusión de la antijuridicidad en todos aquellos casos en los que la ejecución de lo resuelto es sustituida, a voluntad del requerido por un voluntarioso intercambio de argumentos con los que enmascarar la conducta desobediente. Y es que la concurrencia del delito de desobediencia, tal y como lo describe el art. 410.1 CP depende de que el sujeto activo ejecute la acción típica, no de las afirmaciones que aquél haga acerca de su supuesta voluntad de incurrir o no en responsabilidad. Cuando el art. 410 CP habla de autoridad superior no se está refiriendo necesariamente a una superioridad jerárquica, que es lo que aquí se pretende. La Junta Electoral Central es autoridad superior en el ámbito electoral, las elecciones generales son de ámbito nacional y competencia de la administración electoral, en la que el Presidente de la Comunidad Autónoma carece en absoluto de competencias.

STS 301/2021: Consecuentemente, sobre la naturaleza de autoridad y sobre la acomodación a la ley de las órdenes emanadas no hay duda, ni el acusado las expresa. Al contrario, reconoce la legitimidad y la actuación competente del Tribunal Constitucional. Sobre la claridad del contenido de lo prohibido basta con una lectura del hecho probado, en el que se detallan, al menos 10 mandatos de impedir o paralizar cualquier iniciativa que suponga ignorar o eludir la suspensión acordada, en referencia a la Resolución 1/y las posteriores, suspendidas y declaradas nulas. El mandato era claro, preciso y el acusado dispuso de fuentes de conocimiento altamente cualificadas para acomodar su conducta a las exigencias dispuestas. Su desobediencia fue, por lo tanto, consciente y voluntaria.

STS 722/2018: El calificativo "abierta" del que deriva el adverbio abiertamente que acota la tipicidad del art. 410, no remite a algo estrepitoso o hecho con escándalo, espectáculo o sin disimulo. Evoca más bien una oposición firme de fondo, decidida, sin paliativos, obstinada, lo que es compatible con que se tratase de una negativa con apariencia de amabilidad, respeto simulado o fingido acatamiento. Como sucede con la expresión "sin ánimo de ofender", tantas veces preámbulo de inequívocas ofensas que no quedan neutralizadas por esa apostilla, los recurrentes parecen querer exteriorizar un "sin ánimo de desobedecer" como coartada de su decidido desacato (no acatar), de su empecinamiento en que llegase a término lo que el Tribunal Constitucional quiso impedir. Pretender que un retórico y gestual " sin ánimo de desobedecer" sirva de coartada al incumplimiento del mandato es tanto como decir que quien golpea a otro queda excluido del delito de lesiones si alega que lo hizo " sin ánimo de lesionar". El vocablo abiertamente no hace referencia en el examinado tipo penal a las formas, sino al fondo; no es un problema externo o de revestimiento: sino de contenidos, material. El tipo no protege la apariencia, sino lo nuclear: castiga la rebeldía sin paliativos, aunque venga adornada de protestas de acatamiento acompañadas, como coartada, de una perplejidad más aparente o fingida que real. No es un problema de escenografía, sino de sustancia. Abiertamente significa que la negativa ha de ser indudable, lo que es compatible con el disimulo, o una ficticia y buscada apariencia de no querer desobedecer. Desde esta perspectiva lo que describen los hechos probados en una oposición contumaz, firme, resuelta, meditada, decidida; aunque exteriorizada de forma ladina; una negativa abierta aunque arteramente presentada como blanda, con paliativos, o motivada por una situación de duda. Deducir de ese adverbio la necesidad en todo caso de reiteración de la orden y reiteración del desacato, es ir más allá de la fórmula legislativa. En un supuesto como éste que la capacidad de desobedecer se agotaba en pocos días, sería tanto como una destipificación de facto de los mandatos cuya eficacia tiene un plazo exiguo por su propia naturaleza.

La tesis de que sin notificación y sin requerimiento personales el delito de desobediencia previsto en el art. 410 del CP no llega a cometerse obliga a importantes matices. En efecto, es entendible que en aquellas ocasiones en las que el delito de desobediencia se imputa a un particular (cfr. arts. 556, 348.4.c, 616 quáter CP), el carácter personal del requerimiento adquiera una relevancia singular. Sólo así se evita el sinsentido de que un ciudadano sea condenado penalmente por el simple hecho de desatender el mandato abstracto ínsito en una norma imperativa. De ahí que el juicio de subsunción exija que se constate el desprecio a una orden personalmente notificada, con el consiguiente apercibimiento legal que advierta de las consecuencias del incumplimiento. Sin embargo, en aquellas otras ocasiones en las que el mandato está incluido en una resolución judicial o en una decisión u orden de la autoridad superior (cfr. art. 410.1 CP) y se dirige, no a un particular, sino a una autoridad o funcionario público, la exigencia de notificación personal del requerimiento ha de ser necesariamente modulada. Lo decisivo en tales casos es que la falta de acatamiento, ya sea a título individual por el funcionario concernido, ya como integrante del órgano colegiado en el que aquél se integra, sea la expresión de una contumaz rebeldía frente a lo ordenado. Lo verdaderamente decisivo es que el funcionario o la autoridad a la que se dirige el mandato tenga conocimiento de su existencia y, sobre todo, del deber de acatamiento que le incumbe.

Art. 413.

La autoridad o funcionario público que, a sabiendas, sustrajere, destruyere, inutilizare u ocultare, total o parcialmente, documentos cuya custodia le esté encomendada por razón de su cargo, incurrirá en las penas de prisión de uno a cuatro años, multa de siete a veinticuatro meses, e inhabilitación especial para empleo o cargo público por tiempo de tres a seis años.

STS 167/2018: El artículo 413 CP se ubica en un capítulo correspondiente a los delitos contra la Administración pública. Es pues necesario, que dicho comportamiento afecte al bien jurídico protegido. Es decir, que la citada acción, del sujeto específico que hace del delito uno de los de la clase de especiales propios, sea destructiva, de inutilización o de ocultación, ha de interferir, cuando menos dificultándola, en la actividad administrativa a la que concierne el cargo desempeñado por el sujeto activo. Es decir, que no podrá entenderse realizado el tipo si el comportamiento del sujeto no está revestido de esa relevancia. Por su parte, la doctrina es coincidente en que excluir de la órbita del ámbito típico, las conductas de sustracción o destrucción de documentos sin trascendencia para el tráfico ordinario administrativo o para la función desempeñada por el empleado público, cuya custodia le estaba encomendada; y predica que la conducta es atípica cuando no hay afección a la causa pública en la contemplación de la acción típica en sí misma. Ciertamente, la jurisprudencia, indica que en la modalidad de "ocultación" han de incluirse los supuestos de " paralización del trámite obligado, no entregar o incluso dilatar indefinida y sensiblemente la presencia del documento, haya sido ocultado impidiendo que surta los efectos que resulten del mismo documento; que ocultar es tanto "esconder" como guardarlo o retirarlo de forma que se impida que surta el efecto que legalmente le corresponde.

STS 302/2018: En este sentido, es considerado como una modalidad delictiva que debe producir alguna mutación o modificación en el mundo exterior y, por ello, la más moderna jurisprudencia lo acerca a los delitos de resultado. Debe así exigirse que el documento haya sido ocultado, impidiendo que surta los efectos que resulten del mismo, no obstante lo cual para su consumación no es preciso que el autor obtenga alguna finalidad o que deriven ulteriores consecuencias, ya sean de índole lucrativa o de otro género. Se trata, además, de un delito doloso, con un dolo reforzado según se desprende de la expresión típica "a sabiendas".

Art. 417.

1. La autoridad o funcionario público que revelare secretos o informaciones de los que tenga conocimiento por razón de su oficio o cargo y que no deban ser divulgados, incurrirá en la pena de multa de doce a dieciocho meses e inhabilitación especial para empleo o cargo público por tiempo de uno a tres años.

Si de la revelación a que se refiere el párrafo anterior resultara grave daño para la causa pública o para tercero, la pena será de prisión de uno a tres años, e inhabilitación especial para empleo o cargo público por tiempo de tres a cinco años.

2. Si se tratara de secretos de un particular, las penas serán las de prisión de dos a cuatro años, multa de doce a dieciocho meses, y suspensión de empleo o cargo público por tiempo de uno a tres años.

STS 483/2022: En lógica consecuencia, vinculada al carácter fraccionario de la norma penal, el artículo 417 CP selecciona de entre todas las informaciones a las que puede acceder un funcionario por razón de su oficio o cargo, y respecto de las que puede exigírsele un deber genérico de reserva, solo a dos: las que constituyen secreto y las que no deban ser divulgadas. Respecto a la primera, su condición secreta dependerá de la naturaleza de la información. Así, si se trata de información relativa a particulares constituirá secreto si abarca informaciones sensibles o relevantes que afecten a la esfera íntima, en los términos a los que se refiere el artículo 197.7º CP. Por su parte, si la información es relativa a la Administración o a intereses públicos, para que pueda ser considerada secreta es necesario que tal calificación venga fijada por una norma jurídica o mediante su declaración de conformidad al correspondiente procedimiento que permita atribuir dicha calificación. Por lo que se refiere a las informaciones penalmente protegidas, esta Sala, ante la ausencia de una precisa definición normativa y la no posible traslación del concepto de información privilegiada que se contiene en el artículo 442 CP -"toda información de carácter concreto, que se tenga exclusivamente por razón del oficio o cargo público y que no haya sido notificada, publicada o divulgada"- ha exigido como indispensable una ponderación, a la luz de los valores en juego, de los bienes jurídicos que podrían verse afectados o comprometidos si la información se propagara. A diferencia del secreto, cuya calificación jurídica como tal delimita con claridad el ámbito de tutela, la determinación del nivel de protección penal de las simples informaciones requiere un esfuerzo ponderativo que asegure la aplicación del precepto dentro de los límites que son propios del derecho penal. Exigencia en la que se insiste en la STS 180/2018, de 13 de abril que, con cita de la STS 1114/2009, de 14 de noviembre, recuerda la necesidad de que la información cuya divulgación pueda ser castigada penalmente deba ser equiparable a la del secreto, al menos en la condición de no divulgable, "pues no en vano el legislador trata ambos objetos en pie de igualdad, lo que comporta la necesidad de no incriminar la mera infracción de un deber estatutario del funcionario público". Esta medición de la relevancia desde los fines de protección obliga a tomar en cuenta, entre otros, los riesgos de ineficacia que pueden derivarse de la divulgación indebida para el buen fin de una determinada actuación de particular relevancia, de afectación de la confianza pública en el buen funcionamiento de la Administración, de la preservación de los principios de neutralidad, igualdad y objetividad que deben determinar la actuación de los órganos administrativos, de lesión de los derechos a la reputación y a la vida privada y familiar de terceros. Lo anterior coliga, también, con la cuestión relativa al resultado de lesión que reclama el tipo. En efecto, la previsión de un tipo agravado si la revelación comportara un "grave daño" obliga, en lógica consecuencia, a identificar un nivel mínimo de lesividad en el tipo básico. Daño que, como ha mantenido esta Sala, no exige una frustración total o parcial de los fines a los que atañe la información revelada, pudiendo incluso considerarse ínsito a la propia revelación si afecta a materias relevantes en las que el mantenimiento de la confidencialidad constituye presupuesto imprescindible del correcto funcionamiento de la Administración. Complementariamente, nuestra sentencia 214/2020, de 22 de mayo, incide también en la necesidad de que el reproche penal se reserve, -con independencia de la posible infracción administrativa en que pudiera haberse incurrido-, para aquellos casos en que la revelación hubiera supuesto una efectiva afectación material del bien jurídico protegido.

STS 180/2018: El artículo 197 parte de la exigencia de que el autor no esté autorizado para el acceso, el apoderamiento, la utilización o la modificación en relación a los datos reservados de carácter personal o familiar, castigándose en el artículo 198 a la autoridad o funcionario público que, fuera de los casos permitidos por la ley, sin mediar causa legal por delito y prevaliéndose de su cargo, realizare cualquiera de las conductas descritas en el artículo anterior. Mientras que el artículo 417 castiga la revelación de secretos o informaciones que no deban ser divulgados, y de los que la autoridad o funcionario público haya tenido conocimiento por razón de su oficio o cargo. En efecto, partiendo de que el artículo 417.1 CP se refiere a secretos e informaciones que no necesitan ser de carácter personal. Por ello la cuestión sólo se puede plantear entre el artículo 197.2 y el 417.2, dado que este último hace referencia a "secretos de un particular". Sin embargo, mientras en el caso del artículo 197.2 se trata de un acceso indebido a la fuente de datos pues la ley dice "sin estar autorizado", en el caso del artículo 417.2 el autor tiene un conocimiento propio de su cargo y obtenido por una necesidad del procedimiento administrativo. En ambos casos se vulnera un deber funcionarial de secreto, pero en el supuesto del artículo 197.2, el funcionario, además, infringe otro deber, dado que él se "apodera" ilegalmente, abusando de su posición funcionarial, de datos que no debería conocer por su cargo. Esta doble infracción de deberes explica y justifica la diferencia de las penas previstas para ambos delitos. Retomando el delito del artículo 417 se trata de un delito especial que sólo puede ser cometido por autoridad o funcionario público (artículo 24 CP) en relación a secretos e informaciones conocidas en el ejercicio de su cargo-incluso aunque en el momento de cometerse la revelación ya haya dejado de ostentarlo- para evitar el fraude de Ley que en otro caso podría producirse-. Conocimiento por razón de su cargo que no exige una implicación directa del sujeto en la obtención de la información, bastando que haya llegado a aprehenderla por reuniones o comentarios aislados percibidas en el desempeño de su función. El núcleo del tipo viene constituido por la conducta de "revelar", esto es poner en conocimiento de un tercero ya sea en forma oral, escrita o de cualquier otro modo-también permitiendo el acceso ajeno al soporte que contiene la información-algo que el tercero no conocía previamente y que no estaba legitimado para conocer. La jurisprudencia ha precisado que la acción delictiva puede recaer tanto sobre secretos como sobre informaciones, esto es, hechos conocidos en atención al cargo u oficio que sin haber recibido la calificación formal de secretos son, por su propia naturaleza, reservados, protegiendo así la Ley el deber de sigilo de los funcionarios, impuesto en atención a la índole de los asuntos de que conocen, sean o no "secretos" en un sentido más estricto. Pero para discernir, entre las distintas informaciones de las que puede disponer un funcionario público, cuáles de aquéllas son merecedoras de protección penal frente a su injustificada difusión pública, resulta indispensable una ponderación de los valores en juego, en definitiva, de aquellos bienes jurídicos que podrían verse afectados o comprometidos si la información llegase o propagarse. A diferencia del secreto, cuya calificación jurídica como tal delimita con claridad el ámbito de tutela, la determinación del nivel de protección de las simples informaciones requiere un esfuerzo ponderativo que asegure la aplicación del precepto dentro de los límites que son propios del derecho penal. Así el análisis de este término típico y de cuando ingresamos respecto de el en el ámbito de lo penalmente relevante dependerá de dos consideraciones: 1) En primer lugar, ha de despejarse la cuestión de si la materia es o puede ser de conocimiento público o si por el contrario está sujeta a algún deber de reserva. 2) Segundo lugar, aun tratándose de una información susceptible de calificarse como reservada o confidencial, resulta necesario realizar un juicio de relevancia y rebasar el ámbito del ilícito administrativo; trascendencia de la información que debe ser equiparable a la del secreto, pues no en vano el legislador trata ambos objetos en pie de igualdad. En suma: la revelación de informaciones confidenciales, pero de escasa trascendencia no debería ser objeto de sanción penal.

Art. 418.

El particular que aprovechare para sí o para un tercero el secreto o la información privilegiada que obtuviere de un funcionario público o autoridad, será castigado con multa del tanto al triplo del beneficio obtenido o facilitado y la pérdida de la posibilidad de obtener subvenciones o ayudas públicas y del derecho a gozar de los beneficios o incentivos fiscales o de la Seguridad Social durante el período de uno a tres años. Si resultara grave daño para la causa pública o para tercero, la pena será de prisión de uno a seis años y la pérdida de la posibilidad de obtener subvenciones o ayudas públicas y del derecho a gozar de los beneficios o incentivos fiscales o de la Seguridad Social durante el periodo de seis a diez años.

> STS 138/2019: Se ha considerado en ocasiones como el reverso del delito previsto en el artículo anterior. Precisa de la conducta previa del funcionario o autoridad revelando un secreto o información de los que haya tenido conocimiento por razón de su cargo y que no deban ser divulgados, de forma que ese aspecto deberá ser abarcado también por el dolo del autor. En cualquier caso, como se ha dicho, respecto de los particulares no basta la recepción de la información, sino que es precisa su utilización, es decir, su aprovechamiento, entendido como la obtención de algún beneficio o ventaja. Dados los términos del precepto, en el que para el tipo básico solamente se prevé una pena de multa y que ésta viene referida exclusivamente al importe del beneficio obtenido o facilitado, la evaluación económica del mismo es la única forma de individualizar la pena, lo que implica la necesidad de aquella. La inexistencia, pues, de una evaluación económica del beneficio obtenido o facilitado conduciría a la imposibilidad de aplicar el precepto.

Art. 419.

La autoridad o funcionario público que, en provecho propio o de un tercero, recibiere o solicitare, por sí o por persona interpuesta, dádiva, favor o retribución de cualquier clase o aceptare ofrecimiento o promesa para realizar en el ejercicio de su cargo un acto contrario a los deberes inherentes al mismo o para no realizar o retrasar injustificadamente el que debiera practicar, incurrirá en la pena de prisión de tres a seis años, multa de doce a veinticuatro meses, e inhabilitación especial para empleo o cargo público y para el ejercicio del derecho de sufragio pasivo por tiempo de nueve a doce años, sin perjuicio de la pena correspondiente al acto realizado, omitido o retrasado en razón de la retribución o promesa, si fuera constitutivo de delito.

> **STS 887/2021:** El bien jurídico protegido se concreta en el prestigio y eficacia de la Administración pública, garantizando la probidad e imparcialidad de sus funcionarios y asimismo la eficacia del servicio público encomendado a éstos. Se trata pues de un delito con el que se pretende asegurar no solo la rectitud y eficacia de la función pública, sino también de garantizar la incolumidad del prestigio de esta función y de los funcionarios que la desempeñan, a quienes hay que mantener a salvo de cualquier injusta sospecha de actuación venal. La reforma operada en el CP por la LO 5/2010 supuso una ampliación en el concepto que inicialmente se describía con el término "dádiva o presente", al sustituirlo por "dádiva, favor o retribución de cualquier clase", con lo cual se hace referencia, no ya a la obtención de algo material, sino también a cualquier beneficio o ventaja, aun de naturaleza inmaterial. No se trataba simplemente de que el investigado cumpliera un requerimiento efectuado dentro de unas diligencias penales, sino de que aceptara la realización de una conducta ilícita a cambio de un eventual archivo de la causa. De esa conducta se obtenía por el recurrente un concreto provecho o beneficio indebido, consistente en la satisfacción de sus intenciones, que, como se dice en la sentencia impugnada, estaban orientadas a perjudicar a su antecesora en el cargo en la forma a la que ya se ha hecho referencia. Finalmente, en cuanto a la vulneración de la prohibición del bis in ídem, la relación concursal con el posible delito cometido al ejecutar el acto contrario a los deberes del cargo, viene resuelta en el propio precepto al disponer en su último inciso que la pena prevista para el delito de cohecho se impondrá "sin perjuicio de la pena correspondiente al acto realizado, omitido

o retrasado en razón de la retribución o promesa, si fuere constitutivo de delito".

STS 634/2019: El delito de cohecho no exige para su consumación que se cometa otro delito por parte del funcionario siendo suficiente su proyección en la intención del sujeto, por lo que si finalmente el delito se comete la relación entre ambos delitos no será medial sino real en la medida en que el tipo penal del cohecho no presente en su estructura típica la exigencia de realización efectiva de ese segundo delito.

STS 343/2019: Para la consumación del delito de cohecho previsto en el artículo 419 CP basta que el funcionario público o la autoridad reciba o solicite una dádiva, favor o retribución de cualquier clase o que acepte un ofrecimiento o una promesa, para realizar en el ejercicio de su cargo un acto contrario a los deberes inherentes al mismo o para no realizar o retrasar injustificadamente el que debiera practicar. La petición puede ser de manera expresa o tácita, oral o escrita, por sí o por persona interpuesta, y por el propio significado del verbo no se requiere un real acuerdo entre el funcionario o autoridad y el tercero, solo la manifestación externa de la voluntad por parte del sujeto. Pero debe estar dotada de una mínima seriedad, reveladora del propósito de aceptar la dádiva como contraprestación a lo que se pretende de la autoridad o funcionario. No se trata de que la dádiva tenga mayor o menor entidad, o de que el acto pretendido como contraprestación sea más o menos importante. Lo relevante en este aspecto es determinar si la solicitud que hace el funcionario es solo aparente, dentro de una conversación superficial, o si responde a un propósito real.

Art. 420.

La autoridad o funcionario público que, en provecho propio o de un tercero, recibiere o solicitare, por sí o por persona interpuesta, dádiva, favor o retribución de cualquier clase o aceptare ofrecimiento o promesa para realizar un acto propio de su cargo, incurrirá en la pena de prisión de dos a cuatro años, multa de doce a veinticuatro meses e inhabilitación especial para empleo o cargo público y para el ejercicio del derecho de sufragio pasivo por tiempo de cinco a nueve años.

STS 888/2021: El artículo 420 del Código Penal sanciona a la autoridad o funcionario público que, en provecho propio o de un tercero, recibiere o solicitare, por sí o por persona interpuesta, dádiva, favor o retribución de cualquier clase o aceptare ofrecimiento o promesa para realizar un acto propio de su cargo. El delito se consuma con la solicitud del autor, sin que sea necesario que lo solicitado por él se entregue efectivamente. De esta descripción fáctica, complementada en la fundamentación jurídica al decir que la solicitud se efectuó mediante una llamada telefónica, se desprenden los elementos del delito de cohecho del artículo 420 del Código Penal, pues existe una petición de la entrega de algo para que el expediente siguiera su curso normal, aunque no llegara a efectuarse la entrega de lo solicitado. El delito se consumaría con la mera solicitud de una dádiva, aunque no se tratara de dinero.

Art. 422.

La autoridad o funcionario público que, en provecho propio o de un tercero, admitiera, por sí o por persona interpuesta, dádiva o regalo que le fueren ofrecidos en consideración a su cargo o función, incurrirá en la pena de prisión de seis meses a un año y suspensión de empleo y cargo público de uno a tres años.

STS 14/2015: Lo relevante en el delito de cohecho pasivo impropio no es quién recibe la dádiva, sino quién se aprovecha de la misma.

Art. 424.

1. El particular que ofreciere o entregare dádiva o retribución de cualquier otra clase a una autoridad, funcionario público o persona que participe en el ejercicio de la función pública para que realice un acto contrario a los deberes inherentes a su cargo o un acto propio de su cargo, para que no realice o retrase el que debiera practicar, o en consideración a su cargo o función, será castigado en sus respectivos

casos, con las mismas penas de prisión y multa que la autoridad, funcionario o persona corrompida.

2. Cuando un particular entregare la dádiva o retribución atendiendo la solicitud de la autoridad, funcionario público o persona que participe en el ejercicio de la función pública, se le impondrán las mismas penas de prisión y multa que a ellos les correspondan.

3. Si la actuación conseguida o pretendida de la autoridad o funcionario tuviere relación con un procedimiento de contratación, de subvenciones o de subastas convocados por las Administraciones o entes públicos, se impondrá al particular y, en su caso, a la sociedad, asociación u organización a que representare la pena de inhabilitación para obtener subvenciones y ayudas públicas, para contratar con entes, organismos o entidades que formen parte del sector público y para gozar de beneficios o incentivos fiscales y de la Seguridad Social por un tiempo de cinco a diez años.

STS 499/2022: Nuestra jurisprudencia ha expresado que el término "en consideración a su función" debe interpretarse en el sentido de que la razón o el motivo del regalo ofrecido o entregado sea la condición de funcionario de la persona cohechada, esto es, que sólo se produzca por la especial posición y poder del cargo público desempeñado, de modo que si dicha función no fuese desplegada por el sujeto activo, el particular no se hubiera dirigido a él y no le hubiera ofertado o entregado el presente. En todo caso, hemos definido también que la previsión legal responde a lo que, de manera coloquial, se denomina como engrasar la relación, en el sentido de generar que el funcionamiento de la maquinaria administrativa opere con el sujeto activo bajo un clima bilateral de subrayada cordialidad, aún sin ningún objetivo concreto o específico, lo que se observa cuando el acto de liberalidad sobrepasa los módulos sociales que rigen de ordinario las relaciones personales que se desarrollan en un contexto de adecuada amabilidad y respeto con quienes desempeñan y gestionan un interés público y mantienen por esa razón una relación con los administrados. El tipo penal por el que se ha condenado al recurrente no exige que los regalos se entregaran para lograr, merecida o indebidamente, una contratación administrativa, lo que indudablemente hubiera determinado una responsabilidad penal de mayor rigor. Lo que se ha sancionado es precisamente el favorecimiento de una especial cordialidad con los gestores públicos a partir de donaciones materiales excesivas, lo que no se oculta que puede llevar a generar, aun de forma inconsciente o difusa, la potencialidad de un marco administrativo favorable o en cierta forma empático con los intereses del administrado que aporta el regalo.

Art. 428.

El funcionario público o autoridad que influyere en otro funcionario público o autoridad prevaliéndose del ejercicio de las facultades de su cargo o de cualquier otra situación derivada de su relación personal o jerárquica con éste o con otro funcionario o autoridad para conseguir una resolución que le pueda generar directa o indirectamente un beneficio económico para sí o para un tercero, incurrirá en las penas de prisión de seis meses a dos años, multa del tanto al duplo del beneficio perseguido u obtenido e inhabilitación especial para empleo o cargo público y para el ejercicio del derecho de sufragio pasivo por tiempo de cinco a nueve años. Si obtuviere el beneficio perseguido, estas penas se impondrán en su mitad superior.

STS 179/2021: El delito de tráfico de influencias exige una situación de prevalimiento que es aprovechada para la obtención de una resolución que le pueda beneficiar a él o a un tercero, de manera directa o indirecta. La utilización conjunta de los términos influir y prevalimiento es sugerente del contenido de la tipicidad: situación objetiva de prevalimiento, por razones de amistad, jerarquía, etc., a la que debe sumarse un acto de influencia. No basta la mera sugerencia y la conducta debe ser realizada por quien ostenta una posición de prevalencia que es aprovechada para la influencia. El bien jurídico protegido por la norma es la defensa de la objetividad e imparcialidad en el ejercicio de la función pública y la influencia debe consistir en una presión moral eficiente sobre la acción o la decisión de otra persona, derivada de la posición o status del sujeto actico. La jurisprudencia de esta Sala ha contemplado la tipicidad de esta conducta a partir de una diferenciación con conductas que, socialmente adecuadas o no, no merezcan sanción penal: Reproducimos la STS 485/2016, de 7 de junio: a) La influencia entendida como presión moral eficiente sobre la voluntad de quien ha de resolver para alterar el proceso motivador de aquél introduciendo en su motivación elementos ajenos a los intereses públicos, que debieran ser los únicos ingredientes de su análisis, previo a la decisión, de manera que su resolución o actuación sea debida a la presión ejercida. Siquiera no sea necesario que la influencia concluya con éxito, bastando su capacidad al efecto. b) La finalidad de conseguir de los funcionarios influidos una resolución que genere -directa o indirectamente- un beneficio económico, -para el sujeto activo o para un tercero- entendiendo el concepto de resolución en sentido técnico-jurídico. Avala esta conclusión la comparación de la descripción de los tipos de tráfico de influencia y los de cohecho. Si el Legislador hubiese querido incluir en el delito de tráfico de influencias cualquier acto de la Autoridad o funcionario inherente a los deberes del cargo, y no solo las resoluciones, habría utilizado la fórmula del cohecho u otra similar, en donde se hace referencia a cualquier acto contrario a los deberes inherentes a la función pública del influido. Quedan por ello fuera del ámbito de este tipo delictivo aquellas gestiones que, aunque ejerzan una presión moral indebida, no se dirijan a la obtención de una verdadera resolución, sino a actos de trámite, informes, consultas o dictámenes, aceleración de expedientes, información sobre datos, actos preparatorios, etc. que no constituyen resolución en sentido técnico (aun cuando se trate de conductas moralmente reprochables y que pueden constituir infracciones disciplinarias u otros tipos delictivos. c) En el caso del artículo 429 del Código Penal, que aquella influencia sea actuada en el contexto de una situación típica: la relación personal del sujeto activo con el funcionario. Lo que hace de éste un delito especial ya que solamente puede ser autor quien se encuentra en dicha situación. d) Tal tipificación busca proteger la objetividad e imparcialidad de la función pública, incluyendo tanto las funciones administrativas como las judiciales. Referencia al bien jurídico que es trascendente en la medida que sirve como un instrumento valorativo del comportamiento, ya que la indemnidad del bien protegido, por la inocuidad de aquél, debe llevar a la exclusión de su tipicidad. Si la finalidad se refiere a una resolución exigible y lícita podría considerarse socialmente adecuada como razón que excluyera la antijuridicidad, en la medida que, exenta de lo espurio, la resolución no vulneraría el bien jurídico protegido, ya que con la sanción se busca la imparcialidad en cuanto instrumental para la salvaguarda de la corrección jurídica de las decisiones. En lo que concierne al elemento de la influencia se excluye las meras solicitudes de información o gestiones amparadas en su adecuación social interesando el buen fin de un procedimiento que no pretendan alterar el proceso decisor objetivo e imparcial de la autoridad o funcionario que deba tomar la decisión procedente. De la misma manera que se excluye del artículo 428 la actuación de funcionarios que se dirigen al que ha de resolver incluso siendo superiores si no se abusa de la jerarquía, tampoco basta que un ciudadano trate de influir espuriamente en el funcionario que resuelve si no mantiene con él una relación que deba considerarse de naturaleza "personal" y, además, se prevale de la misma.

Art. 429.

El particular que influyere en un funcionario público o autoridad prevaliéndose de cualquier situación derivada de su relación personal con éste o con otro funcionario público o autoridad para conseguir una resolución que le pueda generar directa o indirectamente un beneficio económico para sí o para un tercero, será castigado con las penas de prisión de seis meses a dos años, multa del tanto al duplo del beneficio perseguido u obtenido, y prohibición de contratar con el sector público, así como la pérdida de la posibilidad de obtener subvenciones o ayudas públicas y del derecho a gozar de beneficios o incentivos fiscales y de la Seguridad Social por tiempo de seis a diez años. Si obtuviere el beneficio perseguido, estas penas se impondrán en su mitad superior.

STS 214/2018: En el tipo objetivo el verbo nuclear es influir con prevalencia. El influjo debe tener entidad suficiente para asegurar su eficiencia por la situación prevalente que ocupa quien influye, es decir presión moral eficiente sobre la decisión de otro funcionario. Sobre este elemento, que es esencial para diferenciar la conducta delictiva de la que no lo es, hay que insistir considerando que sólo podrá existir una conducta típica cuando sea idónea y con entidad para alterar el proceso de valoración y ponderación de intereses que debe tener en cuenta el que va a dictar una resolución, como dice nuestra jurisprudencia que sea eficaz para alterar el proceso motivador por razones ajenas al interés público. El delito exige, además, el prevalimiento, en una de las tres modalidades que el Código contempla: bien por el ejercicio abusivo de las facultades del cargo; bien por una situación derivada de una relación personal (de amistad, de parentesco etc.); bien por una situación derivada de relación jerárquica, que se utilizan de modo desviado, ejerciendo una presión moral sobre el funcionario influido. La acción tiene que estar dirigida a conseguir una resolución beneficiosa para el sujeto activo o para un tercero. Por resolución habrá que entender un acto administrativo que suponga una declaración de voluntad de contenido decisorio, que afecte a los derechos de los administrados. Quedan, pues, fuera del delito aquellas gestiones que, aunque ejerzan una presión moral indebida, no se dirijan a la obtención de una verdadera resolución, sino a actos de trámite, informes, consultas o dictámenes, aceleración de expedientes, información o conocimiento de datos, etc. No se exige que la resolución que se pretende sea injusta o arbitraria y el tipo básico tampoco exige que se hubiere dictado.

STS 792/2021: El tipo objetivo consiste en "influir"... es decir, la sugestión, inclinación, invitación o instigación que una persona lleva a cabo sobre otra para alterar el proceso motivador de ésta, que ha de ser una autoridad o funcionario, respecto de una decisión a tomar en un asunto relativo a su cargo abusando de una situación de superioridad, que, en el caso del artículo 429 debía venir derivada de la relación personal del autor con la autoridad o funcionario sobre el que se influye o sobre otra autoridad o funcionario público. No es suficiente con una conducta omisiva.

STS 411/2015: Para la aplicación del delito de tráfico de influencias (art. 429: particular que influye en funcionario público o autoridad) no es necesario que se llegue a dictar efectivamente la resolución, ni que obtenga un beneficio económico; si se llega a producir, será de aplicación el subtipo agravado.

Art. 432.[447]

1. La autoridad o funcionario público que, con ánimo de lucro, se apropiare o consintiere que un tercero, con igual ánimo, se apropie del patrimonio público que tenga a su cargo por razón de sus funciones o con ocasión de las mismas, será castigado con una pena de prisión de dos a seis años, inhabilitación especial para cargo o empleo público y para el ejercicio del derecho de sufragio pasivo por tiempo de seis a diez años.

2. Se impondrán las penas de prisión de cuatro a ocho años e inhabilitación absoluta por tiempo de diez a veinte años si en los hechos que se refieren en el apartado anterior hubiere concurrido alguna de las circunstancias siguientes:

a) se hubiera causado un daño o entorpecimiento graves al servicio público,

b) el valor del perjuicio causado o del patrimonio público apropiado excediere de 50.000 euros,

c) las cosas malversadas fueran de valor artístico, histórico, cultural o científico; o si se tratare de efectos destinados a aliviar alguna calamidad pública.

Si el valor del perjuicio causado o del patrimonio público apropiado excediere de 250.000 euros, se impondrá la pena de prisión en su mitad superior, pudiéndose llegar hasta la superior en grado.

3. Los hechos a que se refiere el presente artículo serán castigados con una pena de prisión de uno a dos años y multa de tres meses y un día a doce meses, y en todo caso inhabilitación especial para cargo o empleo público y derecho de sufragio pasivo por tiempo de uno a cinco años, cuando el perjuicio causado o el valor del patrimonio público sea inferior a 4.000 euros.

---

[447]   Modificado por la LO 14/2022, de 22 de diciembre.

Art. 432.[448]

1. La autoridad o funcionario público que cometiere el delito del artículo 252 sobre el patrimonio público, será castigado con una pena de prisión de dos a seis años, inhabilitación especial para cargo o empleo público y para el ejercicio del derecho de sufragio pasivo por tiempo de seis a diez años.

2. Se impondrá la misma pena a la autoridad o funcionario público que cometiere el delito del artículo 253 sobre el patrimonio público.

3. Se impondrán las penas de prisión de cuatro a ocho años e inhabilitación absoluta por tiempo de diez a veinte años si en los hechos a que se refieren los dos números anteriores hubiere concurrido alguna de las circunstancias siguientes:

> *a) se hubiera causado un grave daño o entorpecimiento al servicio público, o*
>
> *b) el valor del perjuicio causado o de los bienes o efectos apropiados excediere de 50.000 euros.*

Si el valor del perjuicio causado o de los bienes o efectos apropiados excediere de 250.000 euros, se impondrá la pena en su mitad superior, pudiéndose llegar hasta la superior en grado.

Acuerdo no jurisdiccional del pleno de la Sala 2ª del TS de 25 de mayo de 2017: 1.- Los bienes, efectos, caudales o cualesquiera otros de cualquier índole que integren el patrimonio de las sociedades mercantiles participadas por el Estado u otras Administraciones u Organismos Públicos, deben tener la consideración de patrimonio público y, por tanto, pueden ser objeto material del delito de malversación siempre que concurra alguno de los supuestos siguientes: 1.1.- Cuando la sociedad mercantil esté participada en su totalidad por las personas públicas referidas. 1.2.- Cuando esté participada mayoritariamente por las mismas. 1.3.- Siempre que la sociedad pueda ser considerada como pública en atención a las circunstancias concretas que concurran, pudiéndose valorar las siguientes o cualesquiera

---

otras de similar naturaleza: 1.3.1.- Que el objeto de la sociedad participada sea la prestación, directa o indirecta, de servicios públicos o participen del sector público. 1.3.2.- Que la sociedad mixta se encuentre sometida directa o indirectamente a órganos de control, inspección, intervención o fiscalización de Estado o de otras Administraciones Públicas. 1.3.3.- Que la sociedad participada haya percibido subvenciones públicas en cuantía relevante, cualquiera que fuera la Administración que las haya concedido, para desarrollar su objeto social y actividad.

STS 214/2018: El tipo de malversación de caudales públicos está integrado por los siguientes elementos configuradores de tal figura delictiva, conforme a la doctrina de esta Sala y que pueden resumirse en los siguientes: a) La cualidad de autoridad o funcionario público del agente, concepto suministrado por el CP, bastando a efectos penales con la participación legítima en una función pública; b) Una facultad decisoria pública o una detentación material de los caudales o efectos, ya sea de derecho o de hecho, con tal, en el primer caso, de que en aplicación de sus facultades, tenga el funcionario una efectiva disponibilidad material; c) Los caudales han de gozar de la consideración de públicos, carácter que les es reconocido por su pertenencia a los bienes propios de la Administración, adscripción producida a partir de la recepción de aquéllos por funcionario legitimado, sin que precise su efectiva incorporación al erario público; d) Sustrayendo -o consintiendo que otro sustraiga- lo que significa apropiación sin ánimo de reintegro, apartando los bienes propios de su destino o desviándolos del mismo. Se consuma con la sola realidad dispositiva de los caudales; e) Ánimo de lucro propio o de tercero a quien se desvía el beneficio lucrativo.

STS 442/2022: Es clara la condición de funcionario público del detentador de fondos públicos, también de los cooperadores en el hecho, y es clara la condición de caudales públicos de los fondos dispuestos por la empresa pública. La realización de una contratación por esa empresa pública disponiendo de fondos públicos para la realización de una actividad inexistente, como es la función de coordinador de brigadas forestales, realizado con completo conocimiento de que el destino final del contratado era ajeno a la empresa pública que le contrataba, se subsume en el tipo penal de la malversación de caudales públicos, máxime cuando esa conducta se realiza para obviar la aplicación de una ley que delimita el acceso a la función pública a través de personal eventual de asesoramiento.

STS 222/2022: Ha de considerarse preferible y, sobre todo, preponderante la doctrina a tenor de la cual basta con una relación entre la función pública y los caudales sin que sea necesario identificar una estricta facultad legal de disposición. La facilidad y capacidad efectiva para disponer de los fondos públicos precisamente por las funciones públicas encomendadas y desarrolladas basta para colmar esa exigencia típica. Hay dominio fáctico sobre esos fondos por sus funciones, aunque en un estricto análisis jurídico administrativo la decisión final correspondiese a otra funcionaria que por razones operativas, organizativas y de confianza refrendaba sin más las propuestas que efectuaba la recurrente, conocedora de esa mecánica de la que se aprovechó.

STS 606/2017: En lo que hace referencia a la conducta típica, nuestra jurisprudencia ha expresado que "sustraer" o "consentir que otro sustraiga", constituyen dos modalidades comisivas diferentes. La primera se configura por la apropiación de los caudales o efectos públicos, con separación de su destino y con ánimo de apoderamiento definitivo. La segunda, por el contrario, tiene una configuración de omisión impropia, puesto que por específica obligación legal, el funcionario está obligado a evitar el resultado lesivo contra el patrimonio público, pues el ordenamiento jurídico no sólo espera del funcionario el cumplimiento de sus deberes específicos, sino que lo coloca en posición de garante, forzado a la evitación del resultado. Todo ello conduce a que el artículo 432 del Código Penal contemple dos ánimos diferentes, en función de la modalidad comisiva de que se trate. Mientras la acción típica de sustraer exige de la concurrencia del ánimo de lucro en el sujeto activo de la conducta apropiatoria, la modalidad omisiva de consentir la sustracción por un tercero, requiere el ánimo de lucro de éste, no del que consiente, de manera que en estos supuestos el elemento subjetivo del injusto se satisface respecto al consentidor del ilícito apoderamiento, con el conocimiento del hecho y la libre decisión de tolerarlo.

STS 944/2016: Dentro de las entidades de derecho público en régimen de vinculación o dependencia de las Administraciones Públicas (y todo ello a efectos de los delitos cometidos en el seno de la Administración, tales como prevaricación, malversación, ...) se encuentran las corporaciones públicas de base privada (colegios profesionales, cámaras o cofradías) que actúan en ocasiones como Administración, con asignación de concretas potestades públicas con el objeto de que puedan gestionar algún preciso interés general (como pudiera ser el turno de oficio de los Abogados o el turno de guardia de las farmacias), pero que en otros supuestos operan como la pura reunión de particulares encaminada a la defensa de sus propios intereses, manteniéndose económicamente mediante las aportaciones de sus miembros. Una singularidad que es la base de esa dualidad de su régimen jurídico, pues cuando la agrupación de profesionales pretende satisfacer los intereses de todos ellos, el régimen jurídico será el de derecho privado (civil o mercantil) y, por el contrario, cuando pretende tutelar parcelas concretas de interés general (como los acuerdos referentes a la asistencia jurídica gratuita prestada por los Colegios de Abogados) el régimen jurídico que se les aplica es el del derecho público (derecho administrativo) reclamando por ello una serie de normas rectoras específicas. Las Cámaras (de Comercio, Agrarias o de la Propiedad) representan el ejemplo más paradigmático de Corporaciones Públicas.

Es pacífica la jurisprudencia de esta Sala que admite dos criterios para la conformación como públicos de los caudales: el de la incorporación y el del destino, de modo que no se exige que los fondos se hayan incorporado formalmente en los fondos públicos, sino que se considera suficiente que se encuentren destinados a ingresar en tales fondos y con ese fin hubieran sido recibidos por el funcionario.

STS 210/2015: Los fondos procedentes de la recaudación de la venta de décimos de lotería deben reputarse como fondos públicos a efectos del delito de malversación de caudales públicos, y a pesar de la privatización de servicio.

Art. 434.[449]

Si el culpable de cualquiera de los hechos tipificados en este capítulo hubiere reparado de modo efectivo e íntegro el perjuicio causado al patrimonio público antes del inicio del juicio oral, o hubiera colaborado activa y eficazmente con las autoridades o sus agentes para obtener pruebas decisivas para la identificación o captura de otros responsables o para el completo esclarecimiento de los hechos delictivos, los jueces y tribunales impondrán al responsable de este delito la pena inferior en uno o dos grados.

> **STS 568/2019:** Se trata de una atenuación cualificada, cuyos efectos sobre la pena se equiparan a los previstos para las que con carácter general se recogen el artículo 21 CP, cuando operan como muy cualificadas (artículo 66.2 CP). Nada nos dice la exposición de motivos de la L0 1/2015 sobre cual ha sido el fin perseguido por el legislador al introducir esta circunstancia con carácter específico. Pero por su propia configuración, similar a las atenuantes genéricas de los números 4 y 5 del artículo 21, aun con sus diferencias, orientan su finalidad hacia razones de política criminal. En lo que a la colaboración con el esclarecimiento de los hechos se refiere, al Estado le interesa que la investigación de los delitos se vea facilitada por las aportaciones voluntarias del autor del hecho. Con ello se simplifica el restablecimiento del orden jurídico por aquel que lo ha perturbado, se ahorra esfuerzos en la instrucción, a la vez que se refuerza el respaldo probatorio de la pretensión acusatoria. En definitiva, se agiliza el ejercicio del ius puniendi . Igualmente le interesa neutralizar el daño que la malversación conlleva para el patrimonio público, lo que se incentiva de esta manera. Integran esta atenuación cualificada dos conductas previstas de manera alternativa. De un lado, la reparación efectiva a íntegra del perjuicio causado; de otro la colaboración para el esclarecimiento de los hechos. Bastará para su apreciación con que concurra una de ellas, no siendo necesario el concurso de ambas. Respecto a la reparación del daño, las expresiones "efectivo e íntegro"

---

[449] Se modifica por la LO 14/2022, de 22 de diciembre.

descartan los supuestos de reparación parcial, quedando relegados al ámbito de la atenuante genérica los supuestos en que ésta implique contribución parcial pero relevante a la disminución del daño, que han sido admitidos por la jurisprudencia de esta Sala como suficientes para integrar la atenuante del artículo 21.5. Ha de ser "efectivo" lo que descarta la virtualidad a estos efectos de un compromiso de futura devolución. No exige el texto que un condicionante cronológico para la restitución, por lo que cabe incluso la restitución una vez iniciado el juicio oral, si bien, en todo caso, por razones obvias, antes del trámite de conclusiones definitivas. También premia el artículo 434 CP que analizamos, la activa colaboración con las autoridades o sus agentes bien "para obtener pruebas decisivas para la identificación o captura de otros responsables o para el completo esclarecimiento de los hechos delictivos". También en este caso prevé el texto comportamientos alternativos, bastando uno de ellos para colmar la base de esta atenuación. Si bien parece que el esclarecimiento de los hechos no será total si no se identifica a los intervinientes en los mismos, habremos de huir de interpretaciones restrictivas en perjuicio del reo. Tampoco se exige un condicionante temporal. Es decir, a diferencia de la confesión, no es necesario que la colaboración se realice de manera espontánea antes de conocer la existencia del procedimiento, ni siquiera que se materialice a modo de confesión, siendo admisible otras formas. Por último y con carácter genérico, respecto al sujeto activo, al hablar el texto del "culpable" es de aplicación tanto al funcionario como al *extraneus* que haya participado.

Art. 435.

Las disposiciones de este capítulo son extensivas:

1.º A los que se hallen encargados por cualquier concepto de fondos, rentas o efectos de las Administraciones públicas.
2.º A los particulares legalmente designados como depositarios de caudales o efectos públicos.

3.º A los administradores o depositarios de dinero o bienes embargados, secuestrados o depositados por autoridad pública, aunque pertenezcan a particulares.

4.º A los administradores concursales, con relación a la masa concursal o los intereses económicos de los acreedores. En particular, se considerarán afectados los intereses de los acreedores cuando de manera dolosa se alterara el orden de pagos de los créditos establecido en la ley

5.º A las personas jurídicas que de acuerdo con lo establecido en el artículo 31 bis sean responsables de los delitos recogidos en este Capítulo. En estos casos se impondrán las siguientes penas:

a) Multa de dos a cinco años, o del triple al quíntuple del valor del perjuicio causado o de los bienes o efectos apropiados cuando la cantidad resultante fuese más elevada, si el delito cometido por la persona física tiene prevista una pena de prisión de más de cinco años.

b) Multa de uno a tres años, o del doble al cuádruple del valor del perjuicio causado o de los bienes o efectos apropiados cuando la cantidad resultante fuese más elevada, si el delito cometido por la persona física tiene prevista una pena de más de dos años de privación de libertad no incluida en el anterior inciso.

c) Multa de seis meses a dos años, o del doble al triple del valor del perjuicio causado o de los bienes o efectos apropiados si la cantidad resultante fuese más elevada, en el resto de los casos.

Atendidas las reglas establecidas en el artículo 66 bis, los jueces y tribunales podrán asimismo imponer las penas recogidas en las letras b) a g) del apartado 7 del artículo 33.

STS 489/2021: Como ha declarado la doctrina de esta Sala, el delito de malversación impropia tipificado en el art. 435 C. Penal, se trata de un tipo delictivo construido sobre dos ficciones: a) La de que el administrador o depositario de los bienes embargados, secuestrados o depositados por autoridad pública se convierte por su nombramiento para dicho cargo en funcionario público. b) La de que dichos bienes se convierten en caudales públicos aunque pertenezcan a particulares. Precisamente porque ésta es la base del injusto típico, la interpretación que debe hacerse de los actos de la autoridad que perfeccionan la ficción debe ser muy rigurosa. La jurisprudencia ha insistido de forma reiterada en que la formal y expresa instrucción del cargo por la persona designada debe estar precedida de una instrucción suficiente sobre las obligaciones y responsabilidades que contrae, puesto que, en caso contrario, el eventual incumplimiento de los deberes del depositario no podrá integrar por sí solo el tipo en cuestión, la existencia de cuyo elemento subjetivo no puede ser supuesta o presumida. No puede ser equiparado, en efecto, un particular a un funcionario público, precisamente, al efecto de exigirle la misma responsabilidad penal que al segundo, sin instruirle del cambio cualitativo que supone en su status personal el nombramiento de administrador o depositario que ha recaído sobre él y de la mutación jurídica que han experimentado los bienes secuestrados, embargados o depositados al convertirse ficticiamente en caudales públicos.

Art. 436.

La autoridad o funcionario público que, interviniendo por razón de su cargo en cualesquiera de los actos de las modalidades de contratación pública o en liquidaciones de efectos o haberes públicos, se concertara con los interesados o usase de cualquier otro artificio para defraudar a cualquier ente público, incurrirá en las penas de prisión de dos a seis años e inhabilitación especial para empleo o cargo público y para el ejercicio del derecho de sufragio pasivo por tiempo de seis a diez años. Al particular que se haya concertado con la autoridad o funcionario público se le impondrá la misma pena de prisión que a éstos, así como la de inhabilitación para obtener subvenciones y ayudas públicas, para contratar con entes, organismos o entidades que formen parte del sector público y para gozar de beneficios o incentivos fiscales y de la Seguridad Social por un tiempo de dos a siete años.

> **STS 673/2016:** La jurisprudencia de esta Sala considera el delito de fraude a la Administración (art. 436 CP) como un delito tendencial de mera actividad, que en realidad incluye la represión penal de actos meramente preparatorios, ya que no necesita para la consumación, ni la producción del efectivo perjuicio patrimonial, ni tan siquiera el desarrollo ejecutivo del fraude, sino la simple elaboración concordada del plan criminal con la finalidad de llevarlo a cabo. La relación de este tipo penal y el

de malversación de caudales públicos, es de progresión cuantitativa, de modo que el delito de fraude es un delito que se ubica
en un estadio previo al de malversación, debiendo excluirse la
aplicación de aquel cuando la defraudación se materializa.

Art. 438.

La autoridad o funcionario público que, abusando de su cargo, cometiere algún delito de estafa o de fraude de prestaciones del Sistema
de Seguridad Social del artículo 307 ter, incurrirá en las penas respectivamente señaladas a éstos, en su mitad superior, pudiéndose llegar
hasta la superior en grado, e inhabilitación especial para empleo o
cargo público y para el ejercicio del derecho de sufragio pasivo por
tiempo de tres a nueve años, salvo que los hechos estén castigados con
una pena más grave en algún otro precepto de este Código.

STS 545/2018: El precepto sanciona a " la autoridad o funcionario público que, abusando de su cargo, cometiere algún
delito de estafa", precisando por ello que el comportamiento
derive del abuso del cargo por función, destino o por cualquier
otra relación que se conexione con la condición de autoridad
o de funcionario público que tuviera el culpable. Resulta así
irrelevante que el comportamiento que se enjuicie se desarrolle
en el ámbito estricto de las funciones que hayan sido específicamente atribuidas al sujeto activo con ocasión de su relación
jurídica funcionarial, bastando con que la condición de autoridad o funcionario permita o facilite la conducta prevista en el
tipo común de la estafa, y que el comportamiento reprochado
comprometa directa o indirectamente los intereses públicos.
En todo caso, el carácter público aparece ínsito en la norma
sustantiva, imposibilitando apreciar la agravante genérica por
proscripción del *bis in ídem*. Como dijimos, el tipo penal que
contemplamos ya contiene una agravación penal y que constituye la norma específica -ley especial-, que desplaza a la genérica.

Art. 439.

La autoridad o funcionario público que, debiendo intervenir por razón de su cargo en cualquier clase de contrato, asunto, operación o actividad, se aproveche de tal circunstancia para forzar o facilitarse cualquier forma de participación, directa o por persona interpuesta, en tales negocios o actuaciones, incurrirá en la pena de prisión de seis meses a dos años, multa de doce a veinticuatro meses e inhabilitación especial para empleo o cargo público y para el ejercicio del derecho de sufragio pasivo por tiempo de dos a siete años.

STS 89/2020: El delito previsto en el art. 439 del CP no es de fácil interpretación. En la determinación de su alcance confluyen principios que están en la base misma de la aplicación del derecho punitivo y que otorgan legitimidad democrática a la sanción penal. Hablamos del derecho penal como ultima ratio y del principio de intervención mínima, que aconsejan reservar las penas aflictivas para aquellas conductas singularmente desvaloradas por la sociedad. Las consecuencias que se derivan de este punto de partida son obvias: no toda infracción administrativa, no toda contravención de las normas que definen el régimen disciplinario del funcionariado, pueden traducirse en una sanción penal. El esfuerzo interpretativo de esta Sala no se ve precisamente aliviado cuando el mandato imperativo ínsito en la norma penal se construye con un agobiante casuismo que, por querer abarcarlo todo, entorpece la definición de los límites del tipo. Y ya no se trata solo de las dificultades asociadas a la necesidad de deslindar la infracción administrativa frente a la sanción penal, sino de los problemas de concurso normativo que de hecho se suscitan con otros preceptos penales que, en una primera lectura, abarcan similar porción de injusto (cfr. art. 428 CP). El bien jurídico protegido puede entenderse como un conglomerado de valores -la integridad, la rectitud, la imparcialidad en la actuación del funcionario- reconducibles a la objetividad con que la administración pública debe servir a los intereses generales. No podemos aferrarnos a una interpretación microliteral del art. 439, que lleve a la conclusión de que la realización de actividades prohibidas por un funcionario o la ejecución por su parte de actos abusivos, siempre y en todo caso, tienen alcance penal. En este precepto se castigan, no ya las actividades prohibidas, sino el abuso en el ejercicio de su función por parte de los funcionarios públicos. En el espacio funcional en el que se desarrollaba la actividad de Felicisimo como agente de la Guardia Civil convergían dos intereses de imposible armonización. De una parte, lo que la sociedad espera de los encargados de asegurar el tráfico vial, que incluye entre sus objetivos que el transporte por carretera de los vehículos del gran tonelaje se desarrolle, no ya conforme a las autorizaciones legalmente previstas -dato decisivo-, sino en un marco férreo de inspección que impida la relajación de esas exigencias y la puesta en peligro de otros conductores. De otra parte, el interés personal -de más que previsible signo lucrativo- a la hora de sustraer los camiones propiedad de su esposa, titular de una empresa de transportes, a esos controles. Es difícil imaginar una colisión de intereses, una actividad prohibida y un abuso de poder tan evidentes como el que refleja el hecho probado.

Art. 441.

La autoridad o funcionario público que, fuera de los casos admitidos en las leyes o reglamentos, realizare, por sí o por persona interpuesta, una actividad profesional o de asesoramiento permanente o accidental, bajo la dependencia o al servicio de entidades privadas o de particulares, en asunto en que deba intervenir o haya intervenido por razón de su cargo, o en los que se tramiten, informen o resuelvan en la oficina o centro directivo en que estuviere destinado o del que dependa, incurrirá en las penas de multa de seis a doce meses y suspensión de empleo o cargo público por tiempo de dos a cinco años.

STS 245/2022: El tipo penal protege el deber de imparcialidad del funcionario público cuando la misma es puesta en peligro por una actividad vulneradora no sólo de la legislación específica de compatibilidades de la función pública, sino cuando esa situación de incompatibilidad se vertebra sobre los propios asuntos que son competencia del funcionario público.

STS 697/2019: Los requisitos precisos para la consumación de este delito son: a) Que el sujeto activo sea un funcionario público que, con arreglo al régimen de incompatibilidad, no pueda desarrollar las actividades descritas en la norma penal; b) Que realice un asesoramiento permanente o accidental al servicio de entidades privadas en asuntos sobre los que deba resolver o informar y c) Basta con la conciencia de que se está comprometiendo la rectitud de imparcialidad de la función pública, sin necesidad de ningún móvil especial. Por ello, sólo en el supuesto en que el sujeto activo desempeñe una participación dual en la gestión de unos mismos intereses, interviniendo simultáneamente en el asesoramiento o la adopción de decisiones de la Administración pública, así como actuando profesionalmente, o asesorando, a personas, físicas o jurídicas, que contratan con la Administración en esa misma materia, puede entenderse cumplido el elemento objetivo que corresponde a esta figura delictiva. La acción típica en relación al primer inciso del artículo 441, vincula el asesoramiento con asunto en el que el funcionario "deba intervenir o haya intervenido". La carga de antijuridicidad es patente en el desempeño simultáneo de la actividad privada y el cometido público, en el caso en el que aquella precede en el tiempo adentrándose en asunto sobre el que el funcionario "deba intervenir". El comportamiento debido por la autoridad o funcionario una vez se ha producido el asesoramiento abocaría a la oportuna abstención respecto del pertinente cometido público. De no mediar esta abstención, la realización de la correspondiente actividad pública implicará que la conducta sea subsumible en el tipo analizado. Sin embargo, en la segunda hipótesis, es decir cuando el asesoramiento lo sea en un asunto en el que el funcionario haya intervenido previamente, cuando no se solape con el riesgo de futuras actuaciones que pudieran enfocar la tipicidad hacia a otras modalidades del mismo precepto, la antijuridicidad reclama un acotamiento temporal. Así en un caso como el presente, en el que el funcionario ya no se encuentra adscrito al órgano en el que desarrolló la actuación pública concernida, no es posible, por indeterminado, que la vinculación se mantenga por tiempo indefinido, aun después de haber cesado cualquier posibilidad de intervención en el asunto de referencia. El transcurso del tiempo desvanece la vulnerabilidad del bien jurídico e impide estirar la noción de simultaneidad que compromete la imparcialidad. La cuestión estriba en determinar cuanto ha de transcurrir, durante que periodo de tiempo el funcionario de que se trate queda inhabilitado para actuar en asuntos en los que intervino por razón de su cargo tras haber cesado en el mismo. Reconducir el mismo al periodo de prescripción, como propugnó la acusación particular al impugnar el recurso, resulta exagerado y falto de suficiente anclaje. La excepción de antijuridicidad que el propio artículo 441 reconoce a lo autorizado por las leyes y reglamentos, aconseja rellenar esa laguna con la regulación específica en materia de incompatibilidades. Y así, en coherencia con lo señalado en el artículo 12.1 a) de la Ley 53/1984, de 26 de diciembre, de Incompatibilidades del Personal al Servicio de las Administraciones Públicas, y en idéntico sentido por lo que se refiere a la regulación sobre conflictos de intereses, el artículo 8 de la Ley 5/2006 de 10 de abril, de regulación de los conflictos de intereses de los miembros del Gobierno y de los Altos Cargos de la Administración General del Estado, que fijan en dos años el cerco sanitario que brinda a la Administración frente a la actividad privada de quienes previamente actuaron como funcionario o autoridad, resulta lo razonable decantarnos por ese mismo lapso temporal. De suerte que rebasado el mismo, la antijuridicidad penal se diluye.

Art. 443.[450]

1. Será castigado con la pena de prisión de uno a dos años e inhabilitación absoluta por tiempo de seis a 12 años, la autoridad o funcionario público que solicitare sexualmente a una persona que, para sí misma o para su cónyuge u otra persona con la que se halle ligado de forma estable por análoga relación de afectividad, ascendiente, descendiente, hermano, por naturaleza, por adopción, o afín en los mismos grados, tenga pretensiones pendientes de la resolución de aquel o acerca de las cuales deba evacuar informe o elevar consulta a su superior.

2. El funcionario de Instituciones Penitenciarias, de centros de protección o reforma de menores, centro de internamiento de personas extranjeras, o cualquier otro centro de detención, o custodia, incluso de estancia temporal, que solicitara sexualmente a una persona sujeta a su guarda, será castigado con la pena de prisión de uno a cuatro años e inhabilitación absoluta por tiempo de seis a doce años.

3. En las mismas penas incurrirán cuando la persona solicitada fuera ascendiente, descendiente, hermano, por naturaleza, por adopción, o afines en los mismos grados de persona que tuviere bajo su guarda. Incurrirá, asimismo, en estas penas cuando la persona solicitada sea

---

[450]   Se modifica el apartado 2 por la LO 10/2022, de 6 de septiembre.

cónyuge de persona que tenga bajo su guarda o se halle ligada a ésta de forma estable por análoga relación de afectividad.

STS 354/2019: La conducta descrita en el tipo penal comentado consiste en solicitar sexualmente a una persona por parte del funcionario que, para sí o para alguna de las personas que relaciona el precepto, tenga pretensiones pendientes de la resolución de aquel o acerca de las cuales deba evacuar informe o elevar consulta a su superior. De acuerdo con tal descripción del tipo, el funcionario ostenta una situación prevalente respecto de su víctima, motivo por el cual se adelanta la protección penal al hecho de la mera solicitud, momento en que el tipo se cumple con independencia de que la proposición se traduzca o no en la realización concreta del acto solicitado, ya que se trata de un delito de mera actividad, no de resultado. La relación de interés, para ser penalmente relevante, no tiene por qué revestir un necesario carácter formal, cifrado en instancia o pedimento atenido a la normativa y rígidos cauces de un definido procedimiento judicial o administrativo, sino que bastará la realidad de cualquier aspiración o expectativa -obtención de un logro tangible o evitación de un mal, ligado a la actuación de servicio del funcionario- en cuyo resultado pudiera ejercer apreciable influjo la favorable o adversa disposición del agente. Por lo demás, el tipo contemplado en el artículo 443 del Código Penal ha sido calificado de acoso sexual específico limitado al funcionario público, que se castiga más que el artículo 184 del Código Penal, en la situación de prevalimiento del artículo 443. Sin embargo, a diferencia de lo requerido por el artículo 184, no es necesario aquí provocar a la víctima una situación objetiva y gravemente intimidatoria, hostil o humillante, por lo que, si se diera este elemento cabría sostener el concurso que el artículo 444 impone con los delitos contra la libertad sexual efectivamente cometidos.

XXI. DELITOS CONTRA LA ADMINISTRACIÓN DE JUSTICIA

(Arts. 446 a 471 bis)

Art. 446.

El juez o magistrado que, a sabiendas, dictare sentencia o resolución injusta será castigado:

1.º Con la pena de prisión de uno a cuatro años si se trata de sentencia injusta contra el reo en causa criminal por delito grave o menos grave y la sentencia no hubiera llegado a ejecutarse, y con la misma pena en su mitad superior y multa de doce a veinticuatro meses si se ha ejecutado. En ambos casos se impondrá, además, la pena de inhabilitación absoluta por tiempo de diez a veinte años.

2.º Con la pena de multa de seis a doce meses e inhabilitación especial para empleo o cargo público por tiempo de seis a diez años, si se tratara de una sentencia injusta contra el reo dictada en proceso por delito leve.

3.º Con la pena de multa de doce a veinticuatro meses e inhabilitación especial para empleo o cargo público por tiempo de diez a veinte años, cuando dictara cualquier otra sentencia o resolución injustas.

STS 585/2017: Con respecto al delito de prevaricación judicial del art. 446 del Código Penal, en el reproche que contiene al juez o magistrado que dicte -a sabiendas-, una sentencia o resolución injusta (sin exigir concierto o resultado ninguno), nuestra jurisprudencia recoge que el examen de la satisfacción de los elementos del tipo penal, debe realizarse sobre las concretas resoluciones judiciales, analizadas en sí mismas; recordando por ello que la prueba testifical, en estas causas, cede capacidad probatoria, pues el núcleo de la tipicidad es la resolución y ésta está documentada. La jurisprudencia de esta Sala, viene destacando también que el delito de prevaricación judicial es un delito de técnicos en derecho, y que, por ello, las adjetivaciones de que la desviación de la decisión respecto del derecho debe resultar "esperpéntica", "apreciable por cualquiera", u otras expresiones semejantes, resultarán oportunas para otros funcionarios públicos, per no para los jueces, que tienen la máxima cualificación jurídica y no pueden ser tratados como el resto de colaboradores de la Administración; previniendo incluso del subterfugio de acompañar la decisión, que se sabe injusta, de argumentos encubridores del carácter antijurídico del acto. Hemos indicado además que la injusticia de la resolución no debe ser contemplada desde un plano subjetivo, esto es, que requiera que el juez aplique el Derecho o dirija el procedimiento conscientemente en contra de su convicción respecto del Derecho aplicable, sino objetiva. Debe tratarse de una resolución injusta, lo que exige la aplicación del Derecho sustantivo o procesal de forma que no resulta objetivamente sostenible. En todo caso, destacando que la falta de acierto en la legalidad no es equivalente a injusticia. La legalidad la marca la ley y la interpretación que de la misma realice el órgano dispuesto en la organización de tribunales como superior en el orden jurisdiccional de que se trate, pero la injusticia supone un plus, esto es, una acción a sabiendas de la arbitrariedad de la decisión judicial adoptada. En todo caso, hemos matizado que la imprecisión que en esa objetivización pueden introducir algunas normas inconcretas del ordenamiento jurídico, desde la que se ha denominado teoría de los deberes; es decir, cuando se contempla el ejercicio de facultades discrecionales del juez, la decisión prevaricadora surge si el juzgador sobrepasa el contenido de su autorización y decide desde consideraciones ajenas a la Ley, o apartándose del método de interpretación y valoración previsto en el ordenamiento o que resulta usual en la práctica jurídica. En la interpretación de la injusticia de la resolución esta Sala ha acudido a una formulación objetiva de manera que puede decirse que tal condición aparece cuando la resolución, en el aspecto en que se manifiesta su contradicción con el derecho, no es sostenible mediante ningún método aceptable de interpretación de la Ley, o cuando falta una fundamentación jurídica razonable distinta de la voluntad de su autor o cuando la resolución adoptada -desde el punto de vista objetivo- no resulta cubierta por ninguna interpretación de la ley basada en cánones interpretativos admitidos. Cuando así ocurre, se pone de manifiesto que el sujeto activo del delito no aplica la norma dirigida a la resolución del conflicto, sino que hace efectiva su voluntad, sin fundamento técnico-jurídico aceptable. En cuanto al elemento subjetivo del tipo, concretado en la expresión típica "a sabiendas", nuestra jurisprudencia proclama la exigencia de que el sujeto activo tenga conciencia del total apartamiento de la legalidad y de las interpretaciones usuales y admisibles en derecho, lo que debe ser evaluado desde la consideración de que el Juez es técnico en derecho y un profundo conocedor del ordenamiento jurídico.

STS 887/2021: El delito de prevaricación judicial, tanto en su modalidad dolosa (artículo 446 CP) o en su modalidad culposa (artículo 447 CP) requiere el dictado de una resolución "injusta". La jurisprudencia, en orden a la conceptuación de lo que debe entenderse por resolución injusta, ha abandonado posiciones subjetivas, que hacían depender de la subjetividad del juez lo justo de lo injusto. La injusticia no debe ser contemplada desde un plano subjetivo, esto es, que requiera que el juez aplique el Derecho o dirija el procedimiento conscientemente en contra de su convicción respecto del Derecho aplicable. La injusticia debe ser apreciada desde una perspectiva objetiva y se produce cuando la aplicación del derecho no resulta objetivamente sostenible, según los métodos generalmente admitidos en la interpretación. Se exige, por lo tanto, una indudable infracción del derecho, y, además, una arbitrariedad en el ejercicio de la jurisdicción. La concepción objetiva ha sido complementada por la teoría de la infracción de deber, que resulta útil para determinar la injusticia cuando se aplican normas de contenido impreciso. Según esta posición doctrinal en decisiones de contenido discrecional la decisión prevaricadora se produce cuando el juez decide motivado por consideraciones ajenas al ordenamiento jurídico y cuando se aparta del método de interpretación o aplicación previsto en el ordenamiento jurídico. Un elemento del tipo objetivo es el dictado de una resolución, que puede revestir cualquier forma, a la que se califica como injusta, en la medida en que no resulta sostenible por medio de cualquier interpretación o argumentación que, siguiendo los cauces generalmente aceptados, resulte defendible en Derecho. De manera que "el examen de la satisfacción de los elementos del tipo penal, debe realizarse sobre las concretas resoluciones judiciales".

Art. 447.

El Juez o Magistrado que por imprudencia grave o ignorancia inexcusable dictara sentencia o resolución manifiestamente injusta incurrirá en la pena de inhabilitación especial para empleo o cargo público por tiempo de dos a seis años.

STS 367/2020: La prevaricación admite la forma dolosa, cuando la resolución injusta ha sido dictada "a sabiendas", según la terminología empleada por el artículo 446 CP, o la culposa. Así, en el artículo 447 CP sanciona también al "Juez o Magistrado que por imprudencia grave o ignorancia inexcusable dictara sentencia o resolución manifiestamente injusta". Este tipo penal comprende dos supuestos, la negligencia propiamente dicha y la ignorancia inexcusable. La negligencia grave hace referencia a supuestos de desatención, ligereza o falta de cuidado graves, mientras que la ignorancia inexcusable significa no rebasar el umbral mínimo del conocimiento exigible, en este caso a un juez o magistrado, es decir, se trata de un error provocado por la propia falta de conocimiento o información del sujeto del delito, imputable al mismo, lo que es causa de la sentencia o resolución manifiestamente injusta. La configuración del mentado tipo del art. 447 CP requiere dos elementos: uno subjetivo, o sea, la imprudencia grave o ignorancia inexcusable, y uno objetivo, la manifiesta injusticia de la resolución. Con relación al primero, la Ley se refiere a la desatención en el desempeño de las labores jurisdiccionales, y no de cualquier entidad, sino de la mayor dosificación jurídica, pues tanto la imprudencia como la ignorancia se encuentran calificadas con los adjetivos "grave" e "inexcusable", "grave en la terminología del Código Penal se contrapone, obviamente, con leve (imprudencia leve apostilla dicho texto legal en varios preceptos cuando valora la conducta culposa del agente), y significa una desatención intensa, sustancial, perceptible fácilmente, de una gran entidad, siendo tal modulo subjetivo, el que debe ser apreciado judicialmente, por tratarse de un concepto jurídico indeterminado, la que conduce a que solo será admisible la imprudencia temeraria quedando fuera cualquier otra imprudencia, aunque la doctrina especializada resalta como el concepto de imprudencia grave o ignorancia inexcusable en el delito de prevaricación no es absolutamente homogéneo con el tradicional concepto de imprudencia temeraria. Con relación al segundo, el delito de prevaricación culposa solo resultará aplicable en relación con las resoluciones que entrañan una infracción del ordenamiento jurídico grosera, patente, evidente, notoria o esperpéntica. No basta la mera ilegalidad, sino que debe concurrir una contradicción clara y palmaria con la norma, debiendo ser aquella tan patente que resulte evidente por sí misma, sin necesidad de ningún esfuerzo interpretativo o justificativo de su existencia.

Art. 451.

Será castigado con la pena de prisión de seis meses a tres años el que, con conocimiento de la comisión de un delito y sin haber intervenido en el mismo como autor o cómplice, interviniere con posterioridad a su ejecución, de alguno de los modos siguientes:

1.º Auxiliando a los autores o cómplices para que se beneficien del provecho, producto o precio del delito, sin ánimo de lucro propio.

2.º Ocultando, alterando o inutilizando el cuerpo, los efectos o los instrumentos de un delito, para impedir su descubrimiento.

3.º Ayudando a los presuntos responsables de un delito a eludir la investigación de la autoridad o de sus agentes, o a sustraerse a su busca o captura, siempre que concurra alguna de las circunstancias siguientes:

a) Que el hecho encubierto sea constitutivo de traición, homicidio del Rey o de la Reina o de cualquiera de sus ascendientes o descendientes, de la Reina consorte o del consorte de la Reina, del Regente o de algún miembro de la Regencia, o del Príncipe o de la Princesa de Asturias, genocidio, delito de lesa humanidad, delito contra las personas y bienes protegidos en caso de conflicto armado, rebelión, terrorismo, homicidio, piratería, trata de seres humanos o tráfico ilegal de órganos.

b) Que el favorecedor haya obrado con abuso de funciones públicas. En este caso se impondrá, además de la pena de privación de libertad, la de inhabilitación especial para empleo o cargo público por tiempo de dos a cuatro años si el delito encubierto fuere menos grave, y la de inhabilitación absoluta por tiempo de seis a doce años si aquél fuera grave.

STS 162/2022: El artículo 451 CP exige como elementos del tipo objetivo la comisión de un delito previo; la no participación en el mismo como autor o cómplice; y una de las modalidades de conducta previstas en el precepto, entre las que se encuentran: "1.º Auxiliando a los autores o cómplices para que se beneficien del provecho, producto o precio del delito, sin ánimo de lucro propio" y "2.º Ocultando, alterando o inutilizando el cuerpo, los efectos o los instrumentos de un delito, para impedir su descubrimiento". El fundamento esencial del tratamiento del encubrimiento como delito autónomo a partir del CP 1995, y no con la consideración de forma de participación le atribuía el texto precedente, se encuentra en la consideración de que no es posible participar en la ejecución de un delito cuando ya se ha consumado. Por ello la tipificación autónoma del encubrimiento exige que se trate de comportamientos realizados con posterioridad a la ejecución, mientras que la ayuda prestada al autor durante la fase ejecutiva integra complicidad o cooperación necesaria. Esa característica, vinculada con la amplitud con la que aparece tipificado el al tráfico de drogas como delito de carácter permanente que atrae hacia la coautoría la mayoría de las conductas de colaboración en los propósitos de traficar o difundir, reconduce a lo excepcional la apreciación del encubrimiento en relación al mismo. Y así encontramos pronunciamientos que aplican el encubrimiento del artículo 451.2° a comportamientos encaminados a deshacerse de la droga cuando ello pretenda dificultar la investigación, pero no cuando simplemente la ocultación persiga preservarla para seguir traficando, supuestos estos que se reconducen a la autoría. Cuando de delito de tráfico de drogas se trata, la droga, es decir, la sustancia tóxica con la que se opera, es el objeto del delito. De ahí que, tal y como hemos indicado, los episodios de ocultación o destrucción de la misma considerados como encubrimiento, se canalicen a través del n° 2 del artículo 451 CP. Sin embargo el dinero obtenido a resultas de tal actividad, aun cuando en un sentido amplio pudiera considerarse efecto del delito en cuanto derivado del mismo, es, en su consideración más específica el producto o ganancia que el mismo ha proporcionado. En algunos supuestos tal disquisición carecerá de efectos prácticos, pero cuando de encubrimiento se trata, los tiene, y así, por razón de especialidad habremos de decantarnos por el sentido que se ajusta de manera más aquilatada a su naturaleza en el caso concreto. Podríamos afrontar la cuestión como un concurso de normas, a resolver por razones de especificidad, a favor del número 1 del artículo 451 (artículo 8.1 CP); aunque a la misma conclusión llegaríamos aplicando el criterio de alternatividad (artículo 8.4° CP), tomando en consideración el juego del artículo 454 CP. La jurisprudencia de esta Sala, se ha decantado por la aplicación de la modalidad de encubrimiento prevista en el artículo 451. 1°, en aquellos supuestos en que se ha tratado de preservar el dinero procedente del tráfico de drogas frente a una actuación policial.

STS 967/2016: El tipo que define el delito de encubrimiento no requiere necesariamente la destrucción de aquello que compromete al autor, sino su ocultamiento; en efecto, tal tipo penal se refiere específicamente al ocultamiento del cuerpo, los efectos o los instrumentos del delito, "para impedir du descubrimiento". No existe en los hechos probados ningún aserto que permita suponer que el ocultamiento se realiza para beneficiarse en el futuro con el producto de las sustancias o el dinero producto de su venta, sino que, como se dice en el *factum*, lo era "para ocultar la sustancia estupefaciente que había en su interior".

STS 418/2017: Hemos dicho que pueden existir supuestos de hechos muy concretos en los que cabría construir la figura del encubrimiento en la modalidad de ocultar o inutilizar los efectos o instrumentos del delito para impedir su descubrimiento, relegando a esta modalidad aquellas conductas consistentes en destruir la droga con el fin de frustrar o dificultar la intervención de las autoridades encargadas de la investigación. Y ello siempre que el delito principal se hubiera ya consumado. Conviene tener presente que el encubrimiento implica, por definición, una actuación a posteriori, esto es, cuando la acción encubierta ha sido ya ejecutada. Cuando la actuación de la imputada no está encaminada a la destrucción de la droga y así dificultar la investigación, sino a salvar la sustancia estupefaciente con el fin de poder seguir negociando con ella, no existe actuación sobrevenida contraria al interés de la administración de justicia en esclarecer los hechos relativos al tráfico de drogas (art. 451 CP), sino un acto de ocultación de importantes cantidades de estupefacientes con el fin de sustraerlas al conocimiento policial y poder seguir distribuyéndolas en el mercado. Y eso es autoría, no encubrimiento. Es controvertida, si no rechazable, la admisibilidad de formas imperfectas de ejecución en los delitos de encubrimiento. Su configuración como delitos de mera actividad ha servido a algún precedente jurisprudencial para negar la tentativa de encubrimiento. No obstante algún cualificado monografista y cierto sector doctrinal con argumentos atendibles defienden la posibilidad de formas imperfectas en los delitos de encubrimiento.

STS 534/2016: (Autoencubrimiento impune) En relación al incumplimiento de las órdenes de los agentes que se producen en la huida por quien previamente ha cometido una infracción con el fin de evitar su punición, es doctrina de esta Sala que tal incumplimiento no constituye delito de desobediencia, salvo que en la huida se despliegue una conducta activa, o empleo de fuerza o se ponga en peligro al agente.

Art. 455.

1. El que, para realizar un derecho propio, actuando fuera de las vías legales, empleare violencia, intimidación o fuerza en las cosas, será castigado con la pena de multa de seis a doce meses.

2. Se impondrá la pena superior en grado si para la intimidación o violencia se hiciera uso de armas u objetos peligrosos.

STS 833/2022: En efecto, lo que el tipo del artículo 455 CP reclama es que el sujeto activo pretenda realizar un derecho propio, no que esté realizando un derecho propio. Lo que se exige es que el derecho sea abstractamente configurable como tal en nuestro ordenamiento y que el sujeto crea, además, razonablemente que le corresponde. Esto es, que actúe para realizar un derecho subjetivo del que cree, en términos racionales, ser titular. La exigencia de que el derecho propio haya sido previamente declarado o configurado por una decisión dotada de autoridad que despeje, en casos de controversia, toda incerteza sobre su contenido y alcance, como se sugiere en la sentencia recurrida, resulta difícilmente mantenible a la luz de la redacción actual de la figura de realización arbitraria del propio derecho. El delito del artículo 455 CP rompe, significativamente, con el antecedente contenido en el artículo 337 CP, texto de 1973, en el que la titularidad del derecho de crédito vencido y exigible se concebía como un elemento objetivo del tipo. El texto vigente, por el contrario, no requiere objetivamente más que el empleo, fuera de las vías legales, de violencia, intimidación o fuerza en las cosas, mientras que el "derecho" del sujeto activo se desplaza, como elemento nuclear, al elemento subjetivo del tipo: la finalidad de su realización como derecho propio. Como afirmábamos, en el tipo del artículo 455 CP "tampoco se exige rigurosamente que ese derecho propio tenga que encontrarse absolutamente liquidado, en cuanto a su cuantificación, pues basta con que se tenga un derecho propio, y para realizarlo se acuda a vías no legales. Es evidente que el vencimiento y exigibilidad se predica más bien de los créditos obligacionales, y vemos que ahora no es exactamente necesario. Y de otro lado, sería absurdo hacer depender tal consideración de la previa existencia y determinación en sentencia judicial, pues ésta ya supone haber acudido a los cauces legales. De modo que este "derecho propio" que exige el tipo, ha de ponerse en relación con su misma existencia jurídica, antes de ser reclamado, y la creencia errónea del mismo podría hacer entrar en juego la teoría del error". Los supuestos de evidente inexistencia del derecho o de inviabilidad del mismo -piénsese, por ejemplo, cuando una sentencia judicial ha declarado el derecho reclamado inexistente o prescrito- no carecen de relevancia. Pero no en cuanto circunstancias objetivas del tipo, sino porque pueden indicar la falta del elemento subjetivo: la creencia fundada de estar ejerciendo un derecho propio. La conducta de quien quiere lograr algo a lo que sabe que no tiene derecho cae manifiestamente fuera del espacio del artículo 455 CP. Sin embargo, la creencia de que se está ejerciendo un derecho al menos abstractamente configurable y juridificable es lo que presta sentido político-criminal al delito del artículo 455 CP como una respuesta penal específica a las vías de hecho.

Art. 456.

1. Los que, con conocimiento de su falsedad o temerario desprecio hacia la verdad, imputaren a alguna persona hechos que, de ser ciertos, constituirían infracción penal, si esta imputación se hiciera ante funcionario judicial o administrativo que tenga el deber de proceder a su averiguación, serán sancionados:

1.º Con la pena de prisión de seis meses a dos años y multa de doce a veinticuatro meses, si se imputara un delito grave.

2.º Con la pena de multa de doce a veinticuatro meses, si se imputara un delito menos grave.

3.º Con la pena de multa de tres a seis meses, si se imputara un delito leve.

2. No podrá procederse contra el denunciante o acusador sino tras sentencia firme o auto también firme, de sobreseimiento o archivo del Juez o Tribunal que haya conocido de la infracción imputada. Estos mandarán proceder de oficio contra el denunciante o acusador siempre que de la causa principal resulten indicios bastantes de la falsedad de la imputación, sin perjuicio de que el hecho pueda también perseguirse previa denuncia del ofendido.

STS 890/2021: Cuando una persona cree ver en una ejecución contra él dirigida una forma de realización irregular (aunque esté equivocado, como en este caso), y lo denuncia ante el Juzgado correspondiente, está ejercitando un derecho y solicitando la adecuada tutela judicial efectiva lo que es correcto desde el punto de vista de la Constitución y del resto del Ordenamiento jurídico, salvo que su actuación esté movida por la mala fe, tratándose así de una conducta dolosa. Pero este elemento ha de quedar acreditado e incorporado inequívocamente a la sentencia condenatoria y si no aparece probado no puede entenderse cometido el delito, ni siquiera en su forma culposa, rechazada por la jurisprudencia, basándose, sin duda, en la propia redacción del precepto y en el principio de mínima intervención y de interpretación restrictiva que gobierna el derecho penal, dada la literalidad con que viene expresado el precepto penal.

STS 35/2021: En todo caso, ni el art. 456 CP ni la jurisprudencia que lo interpreta, vienen exigiendo para la afirmación del tipo que a la falsa imputación siga, de manera indefectible, un acto procesal de citación como imputado de la persona a la que con mendacidad se atribuye la autoría de un hecho delictivo. Esa llamada al proceso del falsamente imputado puede producirse. De hecho, normalmente se producirá. Sin embargo, su exigencia no forma parte del tipo. El art. 456 CP en modo alguno impone una determinada extensión de las actuaciones jurisdiccionales en cuyo ámbito ha de producirse la resolución de cierre. Lo que se pretende con este precepto es que la mentira de la imputación se haya proclamado por un Juez, gozando la conclusión judicial de la solidez que aporta estar revestida de los efectos de la cosa juzgada formal, además de provenir de un procedimiento contradictorio. Quien presenta una denuncia falsa que da lugar a la apertura del procedimiento penal y después comparece al acto del juicio oral, declarando falsamente como testigo no hace sino progresar en la lesión o puesta en peligro de los mismos o semejantes bienes jurídicos ya iniciada, completando o agravando la intensidad del ataque, circunstancias por las cuales únicamente debe ser penado como autor de un delito de falso testimonio en causa penal contra el reo, sin perjuicio de que a la hora de individualizar la pena puede tenerse en cuenta la denuncia falsa inicialmente presentada. Criterio este recogido en la más reciente jurisprudencia de esta Sala, que en supuestos de concurrir sucesivamente un primer delito de acusación o denuncia falsa y posteriormente otro de falso testimonio, considera que "en realidad se trata de un caso de progresión delictiva, presidido por el mismo dolo del sujeto que debe dar lugar a la calificación conforme al delito que sanciona más gravemente la conducta desplegada por el mismo, que es el falso testimonio.

Art. 457.

El que, ante alguno de los funcionarios señalados en el artículo anterior, simulare ser responsable o víctima de una infracción penal o denunciare una inexistente, provocando actuaciones procesales, será castigado con la multa de seis a doce meses.

STS 347/2020 (Pleno): En el Título destinado a su tutela se ubica el precepto; un título que agrupa una variada miscelánea de morfologías, pero unidas todas por un denominador común: su incidencia en la Administración de Justicia, cuyo correcto funcionamiento tienden a perturbar. Las conductas castigadas en el art. 457 CP afectan a ese bien jurídico en tanto distraen, inútilmente y para nada, medios y esfuerzos de la Administración de Justicia penal emplazándola a investigar hechos irreales. Normalmente la actuación del autor no estará guiada por ese móvil específico, que, por lo demás, no es requerido por el tipo. Cuando el propósito real consista en otra finalidad delictiva (v. gr., estafa de seguro, o encubrimiento de una apropiación indebida o hurto, o aborto fuera de los supuestos exentos de pena) estaremos ante un concurso de delitos. Pero subsistirá la tipicidad del art. 457 por la dualidad de bienes jurídicos afectados. Sea cual sea la posición que se adopte sobre la posibilidad de encajar estos supuestos (denuncia genérica en la policía sin identificar autor con móviles defraudatorios, u otros delictivos) en el art. 457, es obvio que subsistirá la otra tipicidad (estafa, apropiación indebida, hurto...). En esos casos la disyuntiva no es impunidad o sanción; sino sanción por un solo delito (el propósito delictivo final: hurto, estafa...), o dos sanciones (además, la simulación de delito como conducta instrumental). A partir de la reforma procesal de 2015 esa perturbación de la administración de justicia que parece ser el bien jurídico protegido por el art. 457 CP, queda, en principio, excluida de raíz en casos como el que contemplamos: denuncias de hechos delictivos sin asignar autoría, en tanto son diligencias condenadas a no hacer aparición en un Juzgado de instrucción y, por tanto, incapaces de provocar actuación procesal directamente vinculada al hecho falso denunciado. Y, además, esa perspectiva necesariamente ha de ser captada por el denunciante, sea cual sea su grado de ignorancia procesal: el precepto obliga a comunicarle que la denuncia no será remitida al Juzgado más que en algunos casos que el simulador será consciente que no sobrevendrán ordinariamente. No puede excluirse que en algunos supuestos excepcionales por circunstancias especiales pueda entenderse como resultado no descartable desde el principio que esa denuncia llegue a la oficina judicial. Esos supuestos insólitos merecerán un tratamiento diferenciado en cuanto el dolo del autor, al menos por vía eventual, admitirá ese resultado actuando con indiferencia frente a él. Pero cuando ese final de la denuncia es absolutamente imprevisible, la conducta en sí carecerá de idoneidad para lo que constituye, según la actual doctrina, el resultado prohibido núcleo de su desvalor y antijuricidad penal. En esos casos no habrá delito, así pues. Puede haberlo, en cambio, cuando se simula ser víctima de un delito real, en tanto que en ese supuesto sí se abrirá una investigación con vocación de llegar al Juzgado. La simulación o denuncia ha de hacerse ante "funcionario judicial o administrativo" con deber de perseguir la infracción. La denuncia ante la policía reúne esa condición, pero no alcanza a colmar el otro exigible elemento objetivo: provocar una actuación procesal. Desde siempre, y esto es interesante recordarlo ahora, la doctrina ha apuntado que la simulación o denuncia ha de ser ex ante idónea para provocar actuaciones procesales, cualidad ausente cuando se denuncian hechos increíbles o de todo punto inverosímiles, o cuando se denuncien hechos que no son perseguibles más que mediante querella. La nueva disciplina procesal hace que casos como el aquí analizado (denuncia de hechos delictivos no sucedidos sin señalar posibles autores: si se designasen nos moveríamos en el delito de acusación y denuncia falsa) carezcan de esa idoneidad: no provocarán salvo supuestos o excepcionales o anómalos actuaciones procesales. La actual línea jurisprudencial, así pues, conceptúa esta figura como delito de resultado, constituido éste por la actuación procesal subsiguiente, de suerte que en el ámbito de la ejecución se admite la tentativa en aquellos casos en los que la "notitia criminis" o denuncia simulada no llega a producir una actuación procesal. Es actuación procesal el auto de incoación de las diligencias previas que acuerda simultáneamente el sobreseimiento al no resultar identificada persona alguna como autor del delito falsamente denunciado. Por ello el supuesto de no haberse llegado a producir actividad procesal alguna como consecuencia de la denuncia de un delito que se sabía inexistente, venía siendo tratado como delito intentado. Si la actuación procesal provocada es el resultado del delito, hay tentativa cuando los funcionarios policiales que tramitan el atestado descubren la falacia antes de la remisión de las actuaciones a la autoridad judicial. La incoación del atestado no equivale a "actuaciones procesales". Y si la retractación del denunciante impide que llegue a incoarse un procedimiento penal, tendrá lugar la exención de responsabilidad penal por desistimiento activo. Si antes de la reforma procesal no habría más que tentativa si el atestado no llegaba al Juzgado; ahora, si el atestado no tiene por qué llegar, salvo el caso que será insólito de reclamación de oficio, al Juzgado por disposición legal, no habrá acción punible. No afecta a la consumación del delito el hecho de que se archiven las diligencias penales incoadas a raíz de la denuncia; pero sí que ese archivo se produzca en la misma sede policial. La policía, según se deduce, aunque el itinerario seguido no es claro, no remitió el atestado al Juzgado para la investigación del robo, cuando ya lo suponía fingido pues estaba indagando sobre una posible simulación de delito a la que apuntaban varios indicios. Esa dación de cuenta al juzgado no era regular en tanto no venía justificada por la previsión de haber obtenido algún resultado en investigaciones posteriores: se piensa en resultados respecto a la identificación de posibles autores. Esto es obvio. En rigor esa remisión constituía una anomalía. Por eso no podemos identificar en el sobreseimiento la actuación procesal exigida por el art. 457 CP. Si se produjo es por una iniciativa alegal y no como consecuencia de una actividad tendente a esclarecer los hechos denunciados. Lo que la policía debió trasladar directamente el Juzgado es la notitia criminis de la simulación del delito, no la del robo cuyo carácter fingido ya había aparecido como posible en sede policial. Otro entendimiento llevaría al absurdo de que siempre, cuando se esclareciesen los hechos presuntamente incardinables en el art. 457 CP, estaríamos ante un delito consumado, en tanto que la policía habría de dar cuenta al Juzgado de la denuncia supuestamente delictiva para perseguir el delito de simulación de delito. (Tol 8012965)

STS 485/2022: Por tanto, a partir de la reforma procesal de 2015 la perturbación de la administración de justicia, como resultado típico del artículo 457 CP, queda, en principio, excluida de raíz en casos como el que contemplamos: denuncias de hechos delictivos sin asignar autoría y que, por ello, y salvo las excepciones contempladas en la norma, no se remitirán al Juzgado de instrucción. Por lo que, en términos generales, no provocarán, ni podrán provocar, actuación procesal directamente vinculada al hecho falso denunciado.

Art. 458.

1. El testigo que faltare a la verdad en su testimonio en causa judicial, será castigado con las penas de prisión de seis meses a dos años y multa de tres a seis meses.

2. Si el falso testimonio se diera en contra del reo en causa criminal por delito, las penas serán de prisión de uno a tres años y multa de seis a doce meses. Si a consecuencia del testimonio hubiera recaído sentencia condenatoria, se impondrán las penas superiores en grado.

3. Las mismas penas se impondrán si el falso testimonio tuviera lugar ante Tribunales Internacionales que, en virtud de Tratados debidamente ratificados conforme a la Constitución Española, ejerzan competencias derivadas de ella, o se realizara en España al declarar en virtud de comisión rogatoria remitida por un Tribunal extranjero.

> STS 107/2021: Se trata el delito de falso testimonio de un delito especial propio, que solo puede cometer quien tenga la cualidad de testigo, y en el que el tipo objetivo se concreta en el hecho de prestar declaración en juicio contraria a la verdad, declaración que, por lo demás, ha de afectar a algún extremo esencial para la resolución del proceso, esto es, debe tener una significación probatoria, porque, en definitiva, estamos hablando de un medio de prueba, de ahí que la falsedad de lo declarado sea un dato objetivo, que se constata contrastando eso que se declare con la realidad. Ahora bien, junto a este juicio sobre la veracidad, que se asienta en un criterio objetivo, ha de concurrir un elemento subjetivo, concretándose el tipo subjetivo en ser el testigo consciente de la falsedad de lo que declara, de manera que en caso de que la declaración, aunque sea objetivamente falsa, si no se tiene conciencia de ello, incluso si emite de manera negligente, al no tener cobertura en la norma penal, la conducta no será punible. En cuanto a la falsedad de las declaraciones, ha de recaer sobre aspectos esenciales a efectos del enjuiciamiento, y no sobre cuestiones intrascendentes, debiendo referirse a hechos y no a opiniones o simples juicios de valor. No se trata de la credibilidad mayor o menor del testigo, sino de que falte sustancialmente a la verdad; dicho de otra manera: que mienta en aquello que le es preguntado.

> STS 35/2021: Es cierto que se ha mantenido minoritariamente que solo podría cometerse en la fase de juicio oral que es donde se practican las verdaderas pruebas del proceso, mientras que en la de instrucción lo es la investigación, excepto en aquellos casos en los que se lleve a cabo prueba anticipada o

preconstituida, pero es más conforme con el bien jurídico protegido por este delito, -que mayoritariamente se considera el correcto funcionamiento de la Administración de Justicia como valor abstracto y supraindividual, preservando los riesgos que comporta el falso testimonio y las posibles desviaciones de las decisiones judiciales-, que es un tipo de peligro abstracto bastando para su consumación que la falsedad potencialmente pueda incidir en aquéllas y por ello el legislador fija el ámbito procesal de su posible comisión en la causa judicial o criminal comprensiva de ambas fases procesales. También en la de investigación o instrucción es necesario preservar el bien jurídico mencionado, y no solo en los casos de prueba preconstituida o anticipada, porque en dicha fase de la causa judicial no solo se constatan hechos o manifestaciones que pueden determinar el curso de la misma globalmente considerada sino que se adoptan por el Juez resoluciones que afectan directamente a los derechos de las personas como puede ser el de la libertad o los patrimoniales. Por ello la jurisprudencia se ha ocupado de definir el alcance de causa judicial o causa criminal sin olvidar, como no puede ser de otra forma, el artículo 715 LECrim y la necesidad de entenderlo armónicamente en relación con el artículo 458 CP. De este modo, siguiendo el precepto procesal, cuando el autor ha declarado falsamente en la fase de instrucción y en el juicio oral sobre los mismos hechos, "solo habrá lugar a mandar proceder contra ellos (los testigos) como presuntos autores del delito de falso testimonio cuando éste se ha dado en dicho juicio"; sin embargo el párrafo segundo prevé expresamente que fuera del caso previsto en el anterior, es decir, cuando el testigo haya declarado solamente en el sumario, "podrá exigirse a los testigos la responsabilidad en que incurran, con arreglo a las disposiciones del Código Penal", y estas no son otras que las contenidas en los artículos 458 a 466 del mismo.

STS 252/2018: Es cierto que el tipo penal de denuncia falsa no precisa para su consumación el posterior falso testimonio, de tal forma que si aplicáramos sólo aquel precepto estaríamos dejando fuera una parte del hecho histórico. Igualmente, el tipo penal de falso testimonio no precisa la consumación de previa presentación a una denuncia falsa, con los mismos resultados indeseables. Por tanto, cualquiera de las normas que se escogiera no permitiría subsumir en ellas enteramente el supuesto en conflicto. Pero quien presenta una denuncia falsa que da lugar a la apertura del procedimiento penal y después comparece al acto del juicio oral, declarando falsamente como testigo no hace sino progresar en la lesión o puesta en peligro de los mismos o semejantes bienes jurídicos ya iniciada, completando o agravando la intensidad del ataque, circunstancias por las cuales únicamente debe ser penado como autor de un delito de falso testimonio en causa penal contra el reo, sin perjuicio de que a la hora de individualizar la pena puede tenerse en cuenta la denuncia falsa inicialmente presentada. Criterio este recogido en la más reciente jurisprudencia de esta Sala, que en supuestos de concurrir sucesivamente un primer delito de acusación o denuncia falsa y posteriormente otro de falso testimonio, considera que "en realidad se trata de un caso de progresión delictiva, presidido por el mismo dolo del sujeto que debe dar lugar a la calificación conforme al delito que sanciona más gravemente la conducta desplegada por el mismo que, es el falso testimonio previsto en el artículo 458.2 CP, primer inciso, darse en contra del reo en causa criminal por delito. La solución es equivalente a la de un concurso de normas.

Art. 464.

1. El que con violencia o intimidación intentare influir directa o indirectamente en quien sea denunciante, parte o imputado, abogado, procurador, perito, intérprete o testigo en un procedimiento para que modifique su actuación procesal, será castigado con la pena de prisión de uno a cuatro años y multa de seis a veinticuatro meses.

Si el autor del hecho alcanzara su objetivo se impondrá la pena en su mitad superior.

2. Iguales penas se impondrán a quien realizare cualquier acto atentatorio contra la vida, integridad, libertad, libertad sexual o bienes, como represalia contra las personas citadas en el apartado anterior,

por su actuación en procedimiento judicial, sin perjuicio de la pena correspondiente a la infracción de que tales hechos sean constitutivos.

STS 333/2021 (Pleno): El delito de obstrucción de la justicia protege el correcto funcionamiento del servicio público de la justicia sancionando a quien trata de influir a los sujetos que relacionan que han realizado, o van a realizar, una actuación procesal en prosecución de su legítima demanda de tutela judicial o a quien es llamado a colaborar o en la realización de la justicia. El autor persigue la venganza realizando actos que atentan a la vida, integridad, libertad o bienes- como represalia contra las personas -demandante- imputado o testigo etc, en un procedimiento. La acción consiste en realizar "cualquier acto atentatorio" y el hecho probado refiere un acto atentatorio contra los bienes que no requiere su consideración de hecho delictivo, sino de acto que agrede los bienes jurídicos recogidos en el art. 464.2 CP. El relato fáctico es claro en la determinación de los elementos fácticos que presenta la subsunción del art. 464.2 CP. Hubo un atentado a los bienes de la víctima, expresando el hecho que el acusado actuó "en represalia por la anterior denuncia y demanda", extremos fácticos que permiten la subsunción del delito 464.2 CP que concurre, como sucede en el art. 464 CP, bajo las reglas del concurso real con el delito de daños. (Tol 8422293)

STS 345/2022: Es verdad, desde luego, que los actos atentatorios contra los referidos bienes jurídicos a los que se refiere el artículo 464.2, han de tener lugar con el propósito de castigar o vengar, represaliar, la actuación de quien ha tenido o va a tener determinada participación en un procedimiento judicial. Sin embargo, el precepto no exige ni que dicha participación se produzca, precisamente, en el acto del juicio oral, ni tampoco que se acompañe de una mayor o menor relevancia en relación con el resultado final del proceso. Por eso, este Tribunal ha tenido repetidas oportunidades de subrayar que la mencionada finalidad, el propósito de represaliar al denunciante o testigo (entre otros), constituye un elemento subjetivo del injusto. En cualquier caso, y más allá de la categoría dogmática en la que deba encuadrarse esta concreta exigencia, de lo que no cabe duda alguna es de que, en efecto, resulta exigible que el sujeto activo del delito conozca la existencia del proceso y la posición en él de aquel contra quien se dirigen los actos atentatorios, así como que aquél conocimiento constituya, precisamente, la razón de su conducta, animada por la finalidad específica de represaliarle, de castigarle, por ello.

STS 118/2022: Es obvio que todo procedimiento penal puede empezar bien por una denuncia o querella efectuada directamente ante la autoridad judicial, o, lo que suele ser más frecuente, tiene por inicio una denuncia o una investigación efectuada ante la policía, a tal respecto es oportuno recordar el art. 282 de la Ley de Enjuiciamiento Criminal que especifica las funciones de la Policía Judicial y el art. 297 que se refiere al valor del atestado policial, por lo que el intento de excluir del concepto de procedimiento judicial a las diligencias policiales está condenado al fracaso. Es cierto que en el delito de represalia del párrafo 2º se cita expresamente "procedimiento judicial", en tanto que en el delito del párrafo 1º solo se dice "procedimiento", pero de esta diferente dicción no se puede derivar conclusión en favor de la tesis del recurrente que supondría una reducción del ámbito de protección del correcto funcionamiento de la justicia. Milita en favor de esa doctrina consolidada no solo la lógica (las diligencias policiales en las que se denuncian hechos constitutivos de delito a persona o personas determinadas están abocadas a la inminente incoación de un procedimiento judicial del que puede considerarse su preludio), sino también una interpretación finalística o teleológica: se abriría un flanco de desprotección no tolerable. En verdad era deseable una redacción más precisa; pero la dicción del precepto, aclarada por la jurisprudencia, es suficiente para afirmar el juicio positivo de tipicidad.

Art. 467.

1. El abogado o procurador que, habiendo asesorado o tomado la defensa o representación de alguna persona, sin el consentimiento de ésta defienda o represente en el mismo asunto a quien tenga intereses contrarios, será castigado con la pena de multa de seis a doce meses e inhabilitación especial para su profesión de dos a cuatro años.

2. El abogado o procurador que, por acción u omisión, perjudique de forma manifiesta los intereses que le fueren encomendados será castigado con las penas de multa de doce a veinticuatro meses e inhabilitación especial para empleo, cargo público, profesión u oficio de uno a cuatro años.

Si los hechos fueran realizados por imprudencia grave, se impondrán las penas de multa de seis a doce meses e inhabilitación especial para su profesión de seis meses a dos años.

STS 59/2020: El tipo penal del art. 467.2 requiere, como elementos integradores: a) que el sujeto activo sea un abogado o un procurador, esto es, se trata de un delito especial; b) desde el punto de vista de la dinámica comisiva, que se despliegue una acción u omisión, que en ambos casos derivará en un resultado; c) como elemento objetivo, que se perjudique de forma manifiesta los intereses que le fueren encomendados; y d) desde el plano de culpabilidad, un comportamiento doloso, en el que debe incluirse el dolo eventual, o bien un comportamiento culposo, en el que concurra "imprudencia grave". Es evidente que la razón de la incorporación del precepto en la ley penal es la incriminación de aquellas conductas más intolerables, desde el plano del ejercicio de las profesiones jurídicas indicadas, ya que, si así no fuera, por el carácter subsidiario y de intervención mínima del Derecho penal, los comportamientos ilícitos en el desempeño de tales profesiones integrarán una conculcación de las normas colegiales de actuación profesional. De esta doctrina resulta que debe acreditarse la existencia de un perjuicio manifiesto de los intereses encomendados al acusado, y que ese perjuicio se deriva de su acción u omisión.

STS 973/2022: La determinación del concepto de Abogado a efectos penales, esto es, como sujeto de la acción prevista en el tipo descrito en el art. 467.2 del CP, ha de obtenerse a partir de una premisa analítica. Y es que estamos en presencia, como en tantas otras ocasiones sucede en la definición de los tipos penales, de un concepto normativo cuyo alcance no puede determinarse prescindiendo de lo que nuestro ordenamiento jurídico entiende por Abogado. El recurso a la interpretación gramatical o sistemática -de tanta utilidad como pauta hermenéutica interdisciplinar proclamada en el art. 3.1 del Código Civil- no puede imponerse de forma decisiva en aquellos casos en los que el precepto incorpora elementos normativos cuya concreción la proporciona de modo inequívoco un texto jurídico que define lo que el ordenamiento jurídico entiende como "Abogado". Pues bien, en el art. 4.1 del Estatuto General de la Abogacía que hemos transcrito supra, bajo el epígrafe "Los profesionales de la Abogacía" se puntualiza que han de considerarse como tales a aquellos que "...estando en posesión del título oficial que habilita para el ejercicio de esta profesión, se encuentran incorporados a un Colegio de la Abogacía en calidad de ejercientes y se dedican de forma profesional al asesoramiento jurídico, a la solución de disputas y a la defensa de derechos e intereses ajenos, tanto públicos como privados, en la vía extrajudicial, judicial o arbitral". Como puede apreciarse, la incorporación al Colegio en calidad de ejerciente constituye un presupuesto sine qua non para que el licenciado en derecho pueda reivindicar la condición de profesional de la Abogacía que le adjudica su norma reguladora. Por si hubiera alguna duda, el apartado 2 del mismo precepto añade que "...corresponde en exclusiva la denominación de abogada y abogado a quienes se encuentren incorporados a un Colegio de la Abogacía como ejercientes". Si opta por la colegiación como no ejerciente, no podrá ser reputado como Abogado. Se tratará de un colegiado no ejerciente, mas no un Abogado no ejerciente con capacidad para ensanchar los límites de la frontera típica del art. 467.2 del CP. Estas consideraciones conducen de forma inexorable a negar que cuando este precepto castiga como autor de un delito de deslealtad al Abogado que perjudique de forma manifiesta los intereses que le fueren encomendados, pueda incluirse al colegiado no ejerciente entre los sujetos activos de este delito. Es cierto y son perfectamente imaginables supuestos en los que el perjuicio puede ser ajeno a una actividad intraprocesal propiamente dicha. Pero para que la deslealtad que origina ese perjuicio alcance significado penal será indispensable una visible proximidad al proceso jurisdiccional, de suerte que la actuación profesional del Abogado, aun cuando no se haya desarrollado en el proceso lo sea para el proceso. Es la proximidad a ese espacio de jurisdiccionalidad en el que los derechos a la tutela judicial efectiva y a un proceso con todas las garantías -cuya defensa instrumental ostenta el profesional de la Abogacía- se manifiestan en su plenitud. Esta forma de definir el ámbito del injusto comprendido en el art. 467.2 del CP hace entendible, por ejemplo, que los perjuicios derivados de la tardía y extemporánea redacción de una demanda o las consecuencias procesales asociadas a la prescripción originada por el indolente paso del tiempo que impide el acceso a la jurisdicción o la ejecución de lo resuelto, puedan tener, como regla general, pleno encaje en aquel precepto. Aplicando lo ya expuesto al caso sometido a nuestra consideración, descartada la existencia de un engaño antecedente encaminado a la obtención de un lucro, los daños causados como consecuencia de la asunción del encargo de gestiones jurídicas por parte de un colegiado no habilitado para el ejercicio profesional de la Abogacía han de ser reparados por una vía distinta a la que ofrece el derecho penal. El incumplimiento contractual (art. 1544 del Código Civil) o la exigencia de responsabilidad disciplinaria como colegiado no ejerciente (art. 140 del Estatuto) representan las vías para hacer realidad cualquier pretensión reparatoria de esos daños.

STS 649/2020: En nuestra jurisprudencia hemos interpretado la exigencia del perjuicio manifiesto que exige el tipo no sólo por la acción u omisión del abogado o del procurador sino en que el perjuicio sea manifiesto, realmente producido e imputable al profesional, aunque no se precisa sea económico. Nada obsta a la apreciación del perjuicio el que su evaluación económica solo sea posible a través del concepto del daño moral, apreciable en tanto se defraudaron las legítimas expectativas de la cliente, previamente incrementadas por el propio recurrente, sobre la base de la aportación de informes médicos en apoyo de sus pretensiones.

Art. 468.

1. Los que quebrantaren su condena, medida de seguridad, prisión, medida cautelar, conducción o custodia serán castigados con la pena de prisión de seis meses a un año si estuvieran privados de libertad, y con la pena de multa de doce a veinticuatro meses en los demás casos.

2. Se impondrá en todo caso la pena de prisión de seis meses a un año a los que quebrantaren una pena de las contempladas en el artículo 48 de este Código o una medida cautelar o de seguridad de la misma naturaleza impuesta en procesos criminales en los que el ofendido sea alguna de las personas a las que se refiere el artículo 173.2, así como a aquellos que quebrantaren la medida de libertad vigilada.

3. Los que inutilicen o perturben el funcionamiento normal de los dispositivos técnicos que hubieran sido dispuestos para controlar el cumplimiento de penas, medidas de seguridad o medidas cautelares, no los lleven consigo u omitan las medidas exigibles para mantener su correcto estado de funcionamiento, serán castigados con una pena de multa de seis a doce meses.

STS 567/2020 (Pleno): En la jurisprudencia de la Sala no se exige como elemento del delito la existencia de un requerimiento previo con apercibimiento de incurrir en responsabilidad criminal, ni tampoco una comunicación de la fecha en la que comienza a ser efectiva la prohibición, lo cual resulta lógico si se entiende que, tratándose de una media cautelar, debe entrar en vigor desde el mismo momento en que se notifica, al obligado por la misma, la resolución en la que se acuerda. El tipo objetivo, en relación con el caso examinado, solo exige la existencia de una medida cautelar debidamente acordada, en la que se imponga una prohibición, así como la ejecución de un hecho que suponga un incumplimiento de la misma. El tipo subjetivo, es decir, el dolo, no requiere más que el conocimiento del mandato judicial que incumbe al sujeto y que éste sepa que con su conducta lo incumple. (Tol 8209030)

STS 561/2020 (Pleno): La situación jurídica de la libertad condicional guarda una estrecha relación con los permisos penitenciarios. Ambos forman parte de la ejecución y del régimen penitenciario. Dijimos en la Sentencia 50/2020, de 14 de febrero, respecto a los permisos penitenciarios y que traemos a colación en la medida en que, al igual que la libertad condicional, se trata de institutos, beneficios penitenciarios, que forman parte del tratamiento penitenciario, que "los permisos penitenciarios, regulados en el artículo 47 de la Ley Orgánica General penitenciaria, y 154 y siguientes del Reglamento Penitenciario, forman parte del régimen de cumplimiento y se integran dentro de la función resocializadora que informa el sistema de ejecución de penas privativas de libertad y constituye un elemento clave para asegurar el tratamiento penitenciario y la reinserción y resocialización del condenado. Desde esa perspectiva el permiso se integra en el cumplimiento y ejecución de la pena privativa de libertad impuesta". Si la libertad condicional forma parte del régimen penitenciario en los términos de la ejecutoria, el incumplimiento de la normativa dispuesta supone la realización del tipo penal del quebrantamiento de condena cuando, sabedor de la obligación asumida por la libertad condicional, como se declara en el relato fáctico, incumple la obligación de reintegrarse al centro penitenciario. (Tol 8209500)

STS 634/2022: En el caso, explica la resolución recurrida que el acusado fue condenado a una pena de multa de ocho meses de extensión, con la correspondiente responsabilidad personal subsidiaria en caso de impago. Por auto de 25 de mayo de 2018, se impuso al recurrente, naturalmente con su consentimiento (artículo 49.1 del Código Penal), ante el impago de la multa, la pena de cientos veinte días de trabajos en beneficio de la comunidad, que es la que posteriormente ha incumplido, dando lugar al pronunciamiento que aquí se impugna (quebrantamiento de condena). Desde luego, tienen razón tanto el Tribunal Provincial como el Ministerio Público en que, deteniéndonos en esa sucesión de episodios, lo sustituido no fue aquí una pena de prisión (único supuesto al que se refería el antiguo artículo 88) sino una pena de multa. No se trata, en consecuencia, de una sustitución discrecional de las contempladas en el precepto últimamente citado, sino imperativa ante la imposibilidad de cumplimiento de la pena impuesta (responsabilidad personal subsidiaria del artículo 53.1). Siendo ello así, resulta claro que, habiendo decidido el legislador que cuando la pena impuesta no puede, legal o materialmente, ser ejecutada, deberá ser sustituida de forma preceptiva. Siendo ello así, el eventual incumplimiento de esta última, la pena sustitutiva, no podrá tener asociado como efecto la reversión a la pena originalmente impuesta (en tanto de imposible ejecución). Es decir, si la pena de prisión originariamente impuesta, por inferior a tres meses, deberá ser sustituida en todo caso (por multa, trabajos en beneficio de la comunidad o localización permanente), es claro que la eventual inobservancia o quebrantamiento de las penas sustitutivas no podrá determinar el regreso a la pena inicial (de ejecución legalmente imposible), no quedando, en tal caso, más alternativa que la de contemplar en dicho supuesto la comisión de un delito de quebrantamiento de condena. Sucede lo mismo con la responsabilidad personal subsidiaria con relación al impago de la multa (supuesto también de sustitución preceptiva). Si el penado, no satisficiere la pena de multa impuesta, voluntariamente o por vía de apremio, quedará sujeto a una responsabilidad personal subsidiaria. Quebrantada ésta, no resultará factible, frente a lo que el recurrente persigue aquí, la reversión a la pena primeramente impuesta (multa), en tanto la misma resulta de imposible cumplimiento, provocándose de ese modo la generación de un interminable círculo vicioso: no siendo posible el cumplimiento de la multa, nuevamente habría de ser sustituida, siendo que el eventual quebrantamiento de la pena sustitutiva nos conduciría de nuevo a la "casilla de salida". Es obligado reparar aquí en que la responsabilidad personal subsidiaria no se determina en absoluto por la elección del condenado. La imposición de la misma (en tanto se trata de penas sustitutivas de contenido más aflictivo, por trascender a meras consideraciones patrimoniales) no es un derecho o una facultad del condenado, que así podría optar entre satisfacer el pago de la multa o arrostrar la responsabilidad personal subsidiaria que derivaría de su incumplimiento voluntario. De forma inequívoca, el artículo 53 del Código Penal determina que solo se abrirá paso la responsabilidad personal subsidiaria cuando el condenado no hubiere satisfecho, voluntariamente o por vía de apremio, la multa impuesta, es decir, cuando quede constancia de que su ejecución no resulta posible, verificada la insolvencia del condenado para ello. Tal fue aquí el caso, condenado por la comisión de un hecho delictivo y siéndole impuesta una pena de ocho meses de multa, la ejecución de la misma devino imposible. Y haciendo uso de las previsiones contenidas en el artículo 53.1, párrafo segundo, del Código Penal, se resolvió imponerle, en sustitución de aquella, en términos de responsabilidad personal subsidiaria y naturalmente con su expreso consentimiento, la pena de ciento veinte días de trabajos en beneficio de la comunidad, que después incumplió, conforme determina del relato de hechos probados. No resultaban, por tanto, de aplicación las prevenciones contenidas en el artículo 88.2 del Código Penal (en su redacción entonces vigente), por cuanto no se trataba aquí de la discrecional sustitución de una pena de prisión, sino de la imposición, ante la imposibilidad de impago de la multa, de una responsabilidad personal subsidiaria, ante cuyo eventual incumplimiento la reversión no resulta posible, por las razones ya explicadas, no existiendo otro efecto asociable al mismo, cuando aquel se produce en términos subjetivamente imputables al condenado, que el delito de quebrantamiento de condena.

STS 448/2022: Sostiene el recurrente que no podríamos estar aquí ante un quebrantamiento de condena, en la medida en que la impuesta no lo fue con carácter principal sino en sustitución de la pena de multa que resultó establecida en la sentencia que puso término a un juicio por delito leve, y que no pudo ser cumplida ante la insolvencia del condenado. Hemos analizado ya las dificultades que presentaría, incluso en términos puramente lógicos, acudir, cuando la sustitución se realiza por ser (material o legalmente) imposible la ejecución de la pena principal, a la reversión; y la insatisfacción que produciría una mera prolongación del cumplimiento de la pena sustitutiva durante un período equivalente a aquel durante el cual se hubiera incumplido. Ante la existencia de resoluciones contradictorias entre las Audiencias Provinciales en este punto, fue dictada la nuestra 683/2019, por un número reforzado de magistrados (siete), "que dará mayor solidez a la resolución del asunto, consolidando la jurisprudencia sobre la materia". En dicha reciente sentencia se establece que: "Abordando otros problemas colaterales que el quebrantamiento de la localización permanente plantea, es necesario analizar qué tratamiento dar a los supuestos en los que su ejecución deriva de una sustitución conforme al art. 71.2 CP o de una forma de cumplimiento de la responsabilidad personal subsidiaria conforme al art. 53 CP. Así, cuando la pena de localización permanente se impusiera como sustitutiva de la prisión inferior a tres meses (art. 71.2 CP), el quebrantamiento dará también lugar a la deducción de testimonio y a la incoación de nueva causa por el tipo atenuado del art. 468 CP, no siendo procedente el retorno a la pena original, pues la prisión inferior a tres meses se sustituye "en todo caso". En estos supuestos la pena de prisión queda definitiva e irreversiblemente sustituida por la pena de localización permanente". Se entendió, no obstante, por las razones que en esta resolución se expresan, que el incumplimiento de la localización permanente, impuesta como sustitutiva de la multa, colmaba las exigencias del delito de quebrantamiento de condena del artículo 468.1, pero no en su primer inciso ("si estuvieran privados de libertad"), sino en el segundo ("en los demás casos"), sancionado éste con una pena menor que aquél.

STS 662/2019: Cuestiona el recurrente la aplicabilidad a una persona mayor de edad penal del artículo 468.1 del C. Penal, en caso de quebrantamiento de una medida (en este caso de internamiento en régimen semiabierto) que se encontraba cumpliendo y que le fue impuesta siendo menor de edad, conforme al artículo 7 de la Ley Orgánica 5/2000, reguladora de la Responsabilidad Penal de los Menores. En consecuencia, debe entenderse que esta infracción por mayores de edad de condenas impuestas por juzgados de menores, que es lo que es la medida de internamiento, tienen encaje típico en el art. 468 CP.

STS 664/2018 (Pleno): Para apreciar el dolo en el delito de quebrantamiento del artículo 468.2 CP, a falta de otra explícita mención en el tipo, bastará con acreditar el conocimiento de la vigencia de la medida o pena que pesa sobre el acusado y de que se produce su vulneración mediante cualquier comunicación con la víctima o el acercamiento a ella más allá de los límites espaciales fijados. Incluir las razones que determinan la actuación del sujeto como elemento subjetivo del tipo, exige que el precepto así lo consigne. Fuera de tales supuestos tal posibilidad queda descartada.

Se excluye que el ejercicio de la patria potestad pueda operar como causa de justificación respecto al delito de quebrantamiento con base en la circunstancia que analizamos. Más allá de los pronunciamientos que puedan afectar directamente a su contenido en el marco de la orden de protección del artículo 544 ter de la LECrim, las prohibiciones de comunicación y acercamiento, tanto operen como medias cautelares o como penas, son limitativas de la libertad de deambulación y de otros derechos que a consecuencia de las mismas se ven restringidos. De ahí que su imposición conlleve la ponderación de los derechos y deberes en conflicto. Si la resolución que fija las mismas en relación a parejas con descendencia se decanta por otorgar primacía a la protección de la víctima, que es su principal fundamento, la afectación que ello pueda implicar respecto del contenido que integra la patria potestad, no ofrece una órbita de ejercicio capaz de justificar el incumplimiento en relación a un tipo cuyo bien jurídico protegido es fundamentalmente la efectividad de las resoluciones judiciales. (Tol 6976844)

STS 171/2022: En efecto, esa falta de mención explícita al mantenimiento de las medidas cautelares durante la tramitación del recurso no es que generara un error con relevancia excluyente del dolo, sino que determinaba la pérdida de vigencia de las medidas de protección. Está fuera de cualquier duda que la ultra-vigencia de las medidas cautelares de protección de la víctima en los delitos de violencia de género ofrece un instrumento jurídico de singular valor para evitar que la mujer que ha sufrido las vejaciones impuestas por una relación de dominación quede expuesta al riesgo de verse de nuevo violentada en su integridad física y en su propia dignidad personal. En aquellas ocasiones en que la orden de protección haya sido acordada durante la fase de investigación de un proceso en el que, sin embargo, la sentencia no haya adquirido firmeza, el legislador ha previsto la posibilidad de prolongar la vigencia de ese cuadro de protección. Sin embargo, para que el mensaje imperativo llegue sin distorsiones a su destinatario es indispensable que la sentencia -absolutoria o condenatoria- haga explícita, sin margen para la duda, la vigencia del requerimiento formulado en su día. Así se desprende con nitidez del art. 69 de la LO 1/2004, según el cual "las medidas de este capítulo podrán mantenerse tras la sentencia definitiva y durante la tramitación de los eventuales recursos que correspondiesen. En este caso, deberá hacerse constar en la sentencia el mantenimiento de tales medidas". La aplicación de esta idea al supuesto que nos ocupa da toda la razón a la Audiencia Provincial cuando desestima el recurso de apelación promovido. Así lo proclama la sentencia dictada por el órgano de apelación: ...consecuentemente, al no haberse acordado expresamente en la repetida sentencia que las medidas cautelares se mantenían vigentes durante la tramitación de los eventuales recursos, perdieron vigencia el mismo día del dictado de aquella resolución.

STS 691/2018 (Pleno): Esta Sala entiende que la distancia establecida en la prohibición de aproximación debe medirse en la forma en que determine la resolución que acuerda la medida y, en su defecto, en línea recta. Dadas las innumerables posibilidades que presenta la realidad, las características concretas de la medida podrán depender de las peculiaridades de cada caso, de forma que el Juez o Tribunal que la acuerde deberá, en lo posible, determinar las condiciones en las que la misma deberá cumplirse, de modo que se obtenga la seguridad de la víctima, sin desconocer las exigencias de proporcionalidad de la reacción penal frente a unos determinados hechos. La corrección de los supuestos límite, será posible, en general, acudiendo a dos vías. En primer lugar, mediante el análisis de la concurrencia del elemento subjetivo. Y, en segundo lugar, incluso del objetivo, especialmente en los casos en los que, aunque la distancia prohibida haya sido rebasada, las características del lugar excluyen de forma absoluta la posibilidad de que la presencia en el mismo del sujeto obligado pueda perturbar de forma alguna la seguridad o la tranquilidad actuales o futuras de la víctima. (Tol 6978597)

STS 303/2018: No se precisa una comunicación directa del acusado con la denunciante para que se infrinja la orden de incomunicación, ya que ésta puede también vulnerarse valiéndose de medios indirectos que operen como instrumentos de la comunicación.

STS 553/2022 (Pleno): La estructura típica, pues, no incluye ningún añadido vinculado al propósito de menoscabar la intimidad de la persona favorecida por la medida de protección dictada con carácter cautelar. Pero tampoco se resiente el juicio de tipicidad por el hecho de que el mensaje que quebranta la prohibición de comunicarse con la expareja se incorpore a una red social que desborda la comunicación bidireccional entre el denunciado y la víctima. Las redes sociales -Google+ o cualquiera otra más activa y extendida- no pueden servir de escudo para incorporar mensajes que, amparados en la generalidad de una u otra reflexión, escondan un recordatorio a una persona protegida por decisión jurisdiccional. Lo verdaderamente determinante no es que los "pensamientos o reflexiones" deban entenderse como simples enunciados que no están dirigidos a una persona concreta, sino que esas palabras, una vez contextualizadas, tengan un destinatario respecto del que existe una prohibición judicial de comunicación y que su contenido llegue a su conocimiento. Es evidente que ese destinatario ha de dibujarse de forma inequívoca, sin necesidad de un esfuerzo interpretativo que convierta artificialmente un enunciado general en un mensaje concebido como vehículo para una comunicación proscrita por el órgano jurisdiccional. Y para que el quebranto de esa prohibición adquiera relevancia penal es suficiente con que, de una u otra forma, el mensaje incorporado a una red social alcance su objetivo y tope con su verdadero destinatario. El carácter multitudinario del uso de las redes sociales y la multiplicación exponencial de su difusión, lejos de ser un obstáculo que debilite el tipo subjetivo -esto es, el conocimiento de que esas palabras van a llegar a la persona protegida- refuerza la concurrencia del dolo. El autor sabe o se representa que ese mensaje que quebranta la prohibición puede alcanzar, por una u otra vía, a su destinatario. De ahí que la Sala no comparta el velado reproche que se formula a la denunciante por el hecho de no "...haber bloqueado la comunicación con el acusado". La persona en cuyo favor se ha dictado una medida cautelar que incluye la prohibición de comunicarse no asume la obligación de desconectarse de canales telemáticos o redes sociales anteriormente activos, de suerte que la omisión de esta medida pudiera influir en el juicio de subsunción. Es, por el contrario, el investigado el verdadero y único destinatario de la prohibición y el que ha de adoptar todas las medidas indispensables para que esa comunicación bidireccional no vuelva a repetirse. (Tol 9045064)

STS 650/2019: El mero hecho de llamar, cuando es posible identificar la procedencia, ya supone en esos casos un acto consumado de comunicación. No puede descartarse que se presentan supuestos en los que, bien por cancelación de la línea, o por otras razones, resultaría imposible que la persona protegida pudiera conocer la existencia de la llamada efectuada por quien tiene prohibida la comunicación. La cuestión se podría trasladar entonces al examen de la tentativa, y en algunos casos imaginables a la tentativa relativamente inidónea, cuya relevancia penal ha admitido esta Sala. Pero es una cuestión que no es necesario abordar aquí en detalle, dados los hechos que se han declarado probados. Ha de concluirse por lo dicho que, en los casos en los que se efectúe una llamada al teléfono de la persona protegida por la medida o la pena, y esta no la atienda, el delito quedará consumado si ha sido efectiva la comunicación de la existencia de esa misma llamada efectuada por quien tiene prohibida la comunicación. En esos casos habrá existido un acto de comunicación consumado.

STS 42/2021: La cuestión sobre la aplicación del instituto de la continuidad delictiva al delito de quebrantamiento de la condena de prohibición de comunicación o de aproximación, es efectivamente analizado en la sentencia de esta Sala 846/2017, donde se describen en primer lugar los contornos generales del delito de quebrantamiento de condena en cuanto de una parte, de un acto inicial por el que se quebranta las medidas dictadas en las tres variantes de los tres párrafos del art. 468 CP, y, de otra, una situación que conforma la permanencia en la antijuricidad, de manera que la situación antijurídica generada por el quebrantamiento se prolonga en el tiempo hasta la reposición de la situación jurídica dispuesta por la orden. En cuya consecuencia, para que pueda existir un nuevo acto, por lo tanto un nuevo hecho delictivo por quebrantamiento, es preciso que nuevamente se haya repuesto la situación jurídica susceptible de ser quebrantada (por ejemplo, reiteración de actos de escapismo tras sucesivas detenciones). En otros términos, es preciso que se haya repuesto la situación jurídica dispuesta por la orden de privación de libertad para que se pueda calificar típica una nueva conducta de quebrantamiento de condena, medida de seguridad, prisión medida cautelar, conducción o custodia, pues la mera perpetuación de la situación generada por el quebrantamiento es la propia que se deriva de la nota de permanencia en la situación antijurídica. Sin embargo, advierte esta resolución que la referida construcción presenta determinadas singularidades respecto de las medidas contempladas en el art. 48 del Código penal, a las que se refiere el art. 468 también del Código penal como medidas susceptibles de ser quebrantadas (art. 468.2 CP); y ello desde una doble consideración: i) En primer lugar, tiene un contenido claro de pena de carácter aflictivo que dispone una restricción de derechos a la persona a la que se impone. ii) Además, se integra como una medida especialmente dispuesta para la protección de la víctima en atención a los hechos por los que ha sido condenado o, en su caso, imputado, por el peligro que puede suponer. Se justifica de en el aseguramiento de la concordia social y la evitación de futuros males adicionales. Por lo tanto, es una consecuencia jurídica del delito, objeto de la condena o de la imputación, con una doble dimensión, como pena y como medida de aseguramiento para prevenir el peligro a la víctima. Así considerando, la situación jurídica creada por la prohibición de acercamiento y comunicación dispuesta, prohíbe al condenado el acercamiento a la víctima, pena aflictiva, y protege a la víctima evitando situaciones de peligro. Esta doble dimensión de la medida permite individualizar cada acto de aproximación a la víctima como acto típico del delito de quebrantamiento pues en cada acto se reproduce el ataque a la seguridad dispuesta por la prohibición de acercamiento. Esa singularidad del quebrantamiento de las medidas del art. 48 CP hace posible la continuidad delictiva cuando los actos de incumplimiento de la prohibición dispuesta supone no sólo ese incumplimiento de la pena sino también la perturbación de las condiciones de seguridad dispuestas y que son perturbadas en su situación jurídica con cada concreto acto de acercamiento (o de comunicación, añadimos ahora), con reiterado incumplimiento de la orden dispuesta para seguridad de la víctima. La pluralidad de conductas hace plausible la continuidad en la conducta típica al tratarse de una conducta plural agresora del bien jurídico protegido por la norma realizada desde el conocimiento de la condena impuesta y de su significado.

Acuerdo no jurisdiccional del pleno de la Sala 2ª del TS de 25 de noviembre de 2008: El consentimiento de la mujer no excluye la punibilidad a efectos del art. 468 del CP.

STS 667/2019: El cumplimiento de una pena o medida cautelar impuesta por un Tribunal como consecuencia de la comisión de un delito público no puede quedar al arbitrio del condenado o de la víctima, ni siquiera en los casos en los que las mismas se orienten a la protección de aquella. La necesidad de proteger de manera efectiva a quienes son víctimas de la violencia de género emerge hoy como un interés colectivo indisponible, que ha desembocado en todo un esquema legal orientado a tal fin, y que desde esta perspectiva ha sido interpretado por esta Sala. En línea con ello, claudica cualquier posibilidad de anclar en el consentimiento de la persona que, además de la condenada, se ve afectada por alguna de las prohibiciones del artículo 48 CP en su condición del víctimas del delito generador de las mismas, la "análoga significación" que faculta la construcción de una atenuante a través de la vía que abre el artículo 21.7 CP.

STS 39/2020: Un solo hecho, cometido en un solo día, consistente en verter amenazas a través de whatsapp, durante la vigencia de una medida cautelar de prohibición de comunicación, no puede calificarse a la vez, ese solo hecho, como constitutivo de un delito de quebrantamiento del art. 468.2 y de otro de amenazas del art. 171.4 y 5 CP, lo que efectivamente vulneraría el non bis in ídem, procediendo aplicar exclusivamente y por el principio de especialidad, el precepto especial, es decir, el art. 171.4 y 5 CP (amenazar quebrantando la medida cautelar). Así, dijo esta Sala que "por tanto, el concurso de normas ha de resolverse en este caso por la vía de la especialidad prevista en el artículo 8.1.1º del CP, a favor del subtipo agravado de amenazas (art. 171. 4 y 5 CP), subtipo especial que resulta preferente al más genérico del art. 468.2 del mismo texto legal, dada la prioridad con que suelen aplicarse generalmente los subtipos agravados sobre los genéricos". Pero no es el caso que se trata en este supuesto objeto de recurso, en el que no se trata de un solo hecho, sino de una sola amenaza con quebrantamiento, y, además, un volumen de 63 quebrantamientos adicionales. No hay ni tan siquiera unas amenazas continuadas, sino una sola con quebrantamiento, a penar aisladamente, y, aquí si fuera sola, por el principio de especialidad, pero en este caso existen, aparte, los restantes delitos de quebrantamiento que no pueden quedar integrados en la amenaza porque quedarían técnicamente impunes. En este caso hay concurso de delitos y no concurso de normas. Hay multitud de acciones de quebrantamiento y una comunicación en la que se amenaza quebrantando.

XXII. DELITOS CONTRA LA CONSTITUCIÓN
(ARTS. 472 A 484)

Art. 472.

Son reos del delito de rebelión los que se alzaren violenta y públicamente para cualquiera de los fines siguientes:

1.º Derogar, suspender o modificar total o parcialmente la Constitución.

2.º Destituir o despojar en todo o en parte de sus prerrogativas y facultades al Rey o a la Reina, al Regente o miembros de la Regencia, u obligarles a ejecutar un acto contrario a su voluntad.

3.º Impedir la libre celebración de elecciones para cargos públicos.

4.º Disolver las Cortes Generales, el Congreso de los Diputados, el Senado o cualquier Asamblea Legislativa de una Comunidad Autónoma, impedir que se reúnan, deliberen o resuelvan, arrancarles alguna resolución o sustraerles alguna de sus atribuciones o competencias.

5.º Declarar la independencia de una parte del territorio nacional.

6.º Sustituir por otro el Gobierno de la Nación o el Consejo de Gobierno de una Comunidad Autónoma, o usar o ejercer por sí o despojar al Gobierno o Consejo de Gobierno de una Comunidad Autónoma, o a cualquiera de sus miembros de sus facultades, o impedirles o coartarles su libre ejercicio, u obligar a cualquiera de ellos a ejecutar actos contrarios a su voluntad.

7.º Sustraer cualquier clase de fuerza armada a la obediencia del Gobierno.

STS 459/2019: En el ámbito del tipo objetivo, el alzamiento tendencialmente dirigido a la comisión del delito de rebelión exige como presupuesto que éste sea público y violento. La violencia constituye, por tanto, un elemento esencial del tipo. El legislador emplea un adjetivo -violento- para describir la acción típica que integra el alzamiento del art. 472 del CP. Sin embargo, sin necesidad de recurrir a interpretaciones

jurisprudenciales históricas que han espiritualizado al máximo
esa expresión -hasta identificarla con la violencia sobre las cosas, *vis in rebus*-, lo cierto es que en el código penal, el uso ordinario del adjetivo "violento" comprende, no solo acciones que
se proyectan sobre la personas, con exigencia de un contacto
físico, sino también la violencia compulsiva, equivalente a la intimidación grave. El empleo de violencia psíquica no puede descartarse como elemento integrante del delito de rebelión. No
postulamos una interpretación analógica llamada a subsanar
deficiencias de técnica legislativa que pueden alentar la crítica
por una hipotética infracción del principio de taxatividad. Se
trata, simplemente, de atender al fin de protección del tipo penal, que autoriza una conclusión que abarque en la incriminación sublevaciones planeadas de forma incruenta pero intimidatoria o alzamientos que no llegan a consumar su objetivo y
que no realizan actos de violencia física de cierta entidad. Pero
no basta la constatación de indiscutibles episodios de violencia
para proclamar que los hechos integran un delito de rebelión.
Resolver el juicio de tipicidad respondiendo con un monosíla-
bo a la pregunta de si hubo o no violencia, supone incurrir en
un reduccionismo analítico que esta Sala -por más que se haya
extendido ese discurso en otros ámbitos- no puede suscribir. La
violencia tiene que ser una violencia instrumental, funcional,
preordenada de forma directa, sin pasos intermedios, a los fines que animan la acción de los rebeldes. Referencia obligada
para calibrar la verdadera existencia del delito de rebelión es
el bien jurídico protegido por el art. 472 del CP. Se trata de un
delito contra la Constitución. No bastará, por tanto, cualquier
tipo de vulneración de la previsión constitucional para que el
comportamiento alcance el grado de ofensividad adecuado a
las exigencias de proporcionalidad que reclama la pena prevista. El riesgo proscrito ha de concernir al núcleo esencial del
sistema democrático que la Constitución instaura y garantiza.
Desde luego, la secesión territorial, sin la previa reforma del
texto constitucional alcanzaría ese rango de relevancia penal típica. Es, por tanto, con la referencia a dicho bien jurídico como
ha de valorarse si el comportamiento es efectivamente funcional para crear potencialmente un riesgo para ese bien jurídico.

La efectiva potencialidad de los actos del autor es la línea que diferencia el comportamiento penalmente relevante de la mera difusión de un discurso que postule una opción política integrada por cualquiera de las finalidades del artículo 472 del Código Penal y, en particular, con la secesión territorial del Estado. El delito surge cuando se pasa de la expresión política del deseo de aquellas metas o, si se quiere, de la defensa teórica de su excelencia, a la procura activa de su consecución. Pero de tal manera que sea inequívoca la objetiva adecuación ex ante entre los actos y el objetivo penalmente relevante. Y el plus de ilicitud de ese objetivo deriva de los modos de comportamiento típicos: alzamiento público y violento. Hemos apuntado supra que, conforme a su significado estrictamente gramatical, " violento" equivale, según el diccionario de la RAE, a uso de la fuerza para conseguir un fin, especialmente para dominar a alguien o imponer algo. Incluso en la sistemática del Código Penal la voz " violencia" se usa en sentido más amplio que el acotado como agresión o fuerza física (cfr. arts. 170 , 173.2 o 515.2). El tipo exige que ese comportamiento tumultuario y violento se vincule directamente con la obtención de la finalidad típica. Desde la perspectiva de la dogmática penal, el delito de rebelión es calificado como delito de consumación anticipada. La previsión de la especificidad típica de una concreta finalidad en los actos llevados a cabo por el autor permite construir el tipo penal de tal suerte que se adelanta con el mismo la barrera protectora que supone la sanción penal. El momento de la consumación se anticipa respecto de la eventual obtención de lo que era finalidad del autor. Ciertamente el de rebelión no constituye un delito que exija la lesión del bien jurídico que el tipo busca proteger, a saber, la Constitución española como garantía de valores y principios democráticos, o la integridad territorial del Estado español. La tipicidad surge desde la puesta en peligro de tales bienes jurídicos. Pero ese riesgo -insistimos- ha de ser real y no una mera ensoñación del autor o un artificio engañoso creado para movilizar a unos ciudadanos que creyeron estar asistiendo al acto histórico de fundación de la república catalana y, en realidad, habían sido llamados como parte tácticamente esencial de la verdadera finalidad de los autores. El acto participativo presentado por los acusados a la ciudadanía como el vehículo para el ejercicio del "derecho a decidir" -fórmula jurídica adaptada del derecho de autodeterminación- no era otra cosa que la estratégica fórmula de presión política que los acusados pretendían ejercer sobre el Gobierno del Estado. Es claro que los alzados no disponían de los más elementales medios para, si eso fuera lo que pretendían, doblegar al Estado pertrechado con instrumentos jurídicos y materiales suficientes para, sin especiales esfuerzos, convertir en inocuas las asonadas que se describen en el hecho probado. Y lo sabían. El tipo penal de rebelión, como delito de peligro, no puede circunscribirse al mero voluntarismo del autor. Un sistema jurídico democrático solamente puede dar una respuesta penal a comportamientos efectivamente dañosos de los bienes jurídicos mecedores de una tutela de esa naturaleza o, cuando menos, que impliquen un riesgo efectivo para su lesión. Así lo exige de forma irrenunciable el principio de ofensividad.

XXIII. DELITOS RELATIVOS AL EJERCICIO DE LOS DERECHOS FUNDAMENTALES Y LIBERTADES PÚBLICAS (ARTS. 510 A 526)

Art. 510.[451]

1. Serán castigados con una pena de prisión de uno a cuatro años y multa de seis a doce meses:

a) Quienes públicamente fomenten, promuevan o inciten directa o indirectamente al odio, hostilidad, discriminación o violencia contra un grupo, una parte del mismo o contra una persona determinada por razón de su pertenencia a aquel, por motivos

---

[451] Se modifican los apartados 1 y 2 por la LO 6/2022, de 12 de julio.

racistas, antisemitas, antigitanos u otros referentes a la ideología, religión o creencias, situación familiar, la pertenencia de sus miembros a una etnia, raza o nación, su origen nacional, su sexo, orientación o identidad sexual, por razones de género, aporofobia, enfermedad o discapacidad.

b) Quienes produzcan, elaboren, posean con la finalidad de distribuir, faciliten a terceras personas el acceso, distribuyan, difundan o vendan escritos o cualquier otra clase de material o soportes que por su contenido sean idóneos para fomentar, promover, o incitar directa o indirectamente al odio, hostilidad, discriminación o violencia contra un grupo, una parte del mismo, o contra una persona determinada por razón de su pertenencia a aquel, por motivos racistas, antisemitas, antigitanos u otros referentes a la ideología, religión o creencias, situación familiar, la pertenencia de sus miembros a una etnia, raza o nación, su origen nacional, su sexo, orientación o identidad sexual, por razones de género, aporofobia, enfermedad o discapacidad.

c) Quienes públicamente nieguen, trivialicen gravemente o enaltezcan los delitos de genocidio, de lesa humanidad o contra las personas y bienes protegidos en caso de conflicto armado, o enaltezcan a sus autores, cuando se hubieran cometido contra un grupo o una parte del mismo, o contra una persona determinada por razón de su pertenencia al mismo, por motivos racistas, antisemitas, antigitanos, u otros referentes a la ideología, religión o creencias, la situación familiar o la pertenencia de sus miembros a una etnia, raza o nación, su origen nacional, su sexo, orientación o identidad sexual, por razones de género, aporofobia, enfermedad o discapacidad, cuando de este modo se promueva o favorezca un clima de violencia, hostilidad, odio o discriminación contra los mismos.

2. Serán castigados con la pena de prisión de seis meses a dos años y multa de seis a doce meses:

a) Quienes lesionen la dignidad de las personas mediante acciones que entrañen humillación, menosprecio o descrédito de alguno de los grupos a que se refiere el apartado anterior, o de una parte de los mismos, o de cualquier persona determinada por razón de su pertenencia a ellos por motivos racistas, antisemitas, antigitanos u otros referentes a la ideología, religión o creencias, situación familiar, la pertenencia de sus miembros a una etnia, raza o nación, su origen nacional, su sexo, orientación o identidad sexual, por razones de género, aporofobia, enfermedad o discapacidad, o produzcan, elaboren, posean con la finalidad de distribuir, faciliten a terceras personas el acceso, distribuyan, difundan o vendan escritos o cualquier otra clase de material o soportes que por su contenido sean idóneos para lesionar la dignidad de las personas por representar una grave humillación, menosprecio o descrédito de alguno de los grupos mencionados, de una parte de ellos, o de cualquier persona determinada por razón de su pertenencia a los mismos.

b) Quienes enaltezcan o justifiquen por cualquier medio de expresión pública o de difusión los delitos que hubieran sido cometidos contra un grupo, una parte del mismo, o contra una persona determinada por razón de su pertenencia a aquel por motivos racistas, antisemitas, antigitanos u otros referentes a la ideología, religión o creencias, situación familiar, la pertenencia de sus miembros a una etnia, raza o nación, su origen nacional, su sexo, orientación o identidad sexual, por razones de género, aporofobia, enfermedad o discapacidad, o a quienes hayan participado en su ejecución.

Los hechos serán castigados con una pena de uno a cuatro años de prisión y multa de seis a doce meses cuando de ese modo se promueva o favorezca un clima de violencia, hostilidad, odio o discriminación contra los mencionados grupos.

3. Las penas previstas en los apartados anteriores se impondrán en su mitad superior cuando los hechos se hubieran llevado a cabo a través de un medio de comunicación social, por medio de internet o mediante el uso de tecnologías de la información, de modo que, aquel se hiciera accesible a un elevado número de personas.

4. Cuando los hechos, a la vista de sus circunstancias, resulten idóneos para alterar la paz pública o crear un grave sentimiento de inseguridad o temor entre los integrantes del grupo, se impondrá la pena en su mitad superior, que podrá elevarse hasta la superior en grado.

5. En todos los casos, se impondrá además la pena de inhabilitación especial para profesión u oficio educativos, en el ámbito docente,

deportivo y de tiempo libre, por un tiempo superior entre tres y diez años al de la duración de la pena de privación de libertad impuesta en su caso en la sentencia, atendiendo proporcionalmente a la gravedad del delito, el número de los cometidos y a las circunstancias que concurran en el delincuente.

6. El juez o tribunal acordará la destrucción, borrado o inutilización de los libros, archivos, documentos, artículos y cualquier clase de soporte objeto del delito a que se refieren los apartados anteriores o por medio de los cuales se hubiera cometido. Cuando el delito se hubiera cometido a través de tecnologías de la información y la comunicación, se acordará la retirada de los contenidos.

En los casos en los que, a través de un portal de acceso a internet o servicio de la sociedad de la información, se difundan exclusiva o preponderantemente los contenidos a que se refiere el apartado anterior, se ordenará el bloqueo del acceso o la interrupción de la prestación del mismo.

> **STS 72/2018:** El art. 510 CP sanciona a quienes fomentan promueven la discriminación, el odio o la violencia contra grupos o asociaciones por distintos motivos que son recogidos, en el precepto. El elemento nuclear del hecho delictivo consiste en la expresión de epítetos, calificativos, o expresiones, que contienen un mensaje de odio que se transmite de forma genérica. Se trata de un tipo penal estructurado bajo la forma de delito de peligro, bastando para su realización, la generación de un peligro que se concreta en el mensaje con un contenido propio del "discurso del odio", que lleva implícito el peligro al que se refieren los Convenios Internacionales de los que surge la tipicidad. Estos refieren la antijuricidad del discurso del odio sin necesidad de una exigencia que vaya más allá del propio discurso que contiene el mensaje de odio y que por sí mismo es contrario a la convivencia por eso considerado lesivo. El tipo penal requiere para su aplicación la constatación de la realización de unas ofensas incluidas en el discurso del odio pues esa inclusión ya supone la realización de una conducta que provoca, directa o indirectamente, sentimientos de odio, violencia, o de discriminación. De alguna manera son expresiones que por

su gravedad, por herir los sentimientos comunes a la ciudadanía, se integran en la tipicidad.

STS 437/2022: La mejor doctrina señala, así, que la amplitud de los móviles que se recogen en el art. 510.1.º CP, permite confirmar la tesis de la doctrina mayoritaria que sostiene que el objeto de tutela es el derecho a la no discriminación. Pero sin mayores aditamentos, porque el tipo penal no lo exige, por lo que los ataques y ofensas a personas de estos grupos se enraízan en el discurso del odio, sin exigir un concepto no incluido en el tipo de "vulnerabilidad" del sujeto que está integrado en uno de los grupos citados en el art. 510 CP. Por ello, se indica que su bien jurídico protegido no sea sólo la no discriminación o la protección de la igualdad o de la diferencia, según la perspectiva que se aborde, sino los propios valores superiores del ordenamiento jurídico y los fundamentos del orden político y social. Resulta, así, evidente, que en este último caso el odio al género no lo es a las mujeres que sean vulnerables, sino en el ataque a la mujer por ser mujer, y al llevar a cabo actos de humillación a la misma con sentimiento de dominación o menosprecio, pero sin que pueda entender que si se llevan a cabo estos actos contra mujer no vulnerable pueda entenderse que la discriminación no se ha producido. Por ello, los preceptos citados y el art. 22.4 CP protegen a toda la ciudadanía siempre que la persona o personas afectadas encajen en uno de los motivos de discriminación taxativamente establecidos por el legislador, sean o no minoritarios, sean o no vulnerables, o sean, o no, desfavorecidos. Lo relevante y exigente es que participen de la razón del ataque en alguno de los conceptos y/o grupos que se integran en el precepto ya antes citado, pero sin aplicación excluyente a los no vulnerables o que no pertenezcan a colectivos desfavorecidos por entenderse que estos "no pueden ser odiados", o que si se les odia esta conducta no es antijurídica, típica, culpable y punible. Hay que recordar que las conductas discriminatorias por el menosprecio implícito que conllevan hacia la persona discriminada, están vinculadas per se no sólo con la igualdad sino también con la dignidad humana, y, por ello, no solo se protege con la tipicidad del odio a la dignidad y derecho a la igualdad de quien tiene el concepto de "vulnerable", sino a quien esté ubicado en uno de los grupos del art. 510 CP. Es la igualdad y dignidad de todos, no de algunos, lo que se protege ante el discurso del odio, ya que no puede dejar de ser típica la conducta cuando se odia a un "no vulnerable" pero que está en uno de los grupos identificados en el tipo penal. También destaca la Circular 7/2019, de 14 de mayo, de la Fiscalía General del Estado, sobre pautas para interpretar los delitos de odio tipificados en el artículo 510 CP que se otorga a los Fiscales la siguiente recomendación: "defenderán que este tipo penal, salvo en el caso de la infracción de resultado tipificada en el primer inciso del art. 510.2.a) CP, se estructura bajo la forma de peligro abstracto, que no requiere el fomento de un acto concreto sino la aptitud o idoneidad para generar un clima de odio o discriminación que, en su caso, sea susceptible de provocar acciones frente a un grupo o sus integrantes, como expresión de una intolerancia excluyente ante los que son diferentes. En esta línea hay que considerar que nos encontramos ante un delito de peligro abstracto al que ya se refiere la Sentencia de esta Sala del Tribunal Supremo 675/2020.

STS 488/2022: No es, desde luego, tarea fácil la fijación del espacio de tipicidad de un precepto como el art. 510 del CP. La dificultad se deriva, no sólo de la necesidad de delimitar, en cada caso concreto, qué afirmaciones están amparadas por la libertad de expresión, sino de cuestionarse en qué medida el derecho penal puede ser utilizado como un instrumento para evitar un sentimiento que forma parte de la propia condición humana. La tendencia al odio, la aversión hacia alguien cuyo mal se desea puede definir el estado de ánimo en cualquier persona. Desde esta perspectiva, es obvio que el derecho penal no puede impedir que el ciudadano odie. El mandato imperativo ínsito en la norma penal no puede concebirse con tal elasticidad que conduzca a prohibir sentimientos. Pero la claridad de esta idea, que ha de operar como inderogable premisa, es perfectamente compatible con la necesidad de criminalizar, no sentimientos, sino acciones ejecutadas con el filtro de esa aversión que desborda la reflexión personal para convertirse en el impulso que da vida a conductas que ponen en peligro las bases de una convivencia pacífica. con el filtro de esa aversión que desborda la reflexión personal para convertirse en el impulso que da vida a acciones ejecutadas como genuina expresión de esa animadversión que pone en peligro las bases de una convivencia pacífica. A estas dificultades ligadas a la punición de lo que se ha llamado en plástico epigrama "discurso del odio" ya nos hemos referido en otras ocasiones. Hemos apuntado que la necesidad de ponderar en nuestro análisis los límites a la libertad de expresión y de hacerlo a partir de esa equívoca locución con la que pretende justificarse la punición, no hacen sino añadir obstáculos a la labor interpretativa. Las dificultades se multiplican cuando de lo que se trata es de determinar, como en tantas otras ocasiones, el alcance de lo intolerable. El significado de principios como el carácter fragmentario del derecho penal o su consideración como ultima ratio, avalan la necesidad de reservar la sanción penal para las acciones más graves. No todo mensaje inaceptable o que ocasiona el normal rechazo de la inmensa mayoría de la ciudadanía ha de ser tratado como delictivo por el hecho de no hallar cobertura bajo la libertad de expresión. Entre el odio que incita a la comisión de delitos, el odio que siembra la semilla del enfrentamiento y que erosiona los valores esenciales de la convivencia y el odio que se identifica con la animadversión o el resentimiento, existen matices que no pueden ser orillados por el juez penal con el argumento de que todo lo que no es acogible en la libertad de expresión resulta intolerable y, por ello, necesariamente delictivo. Tampoco ayuda a la labor exegética la extendida invocación de los nocivos efectos del discurso del odio como razón justificadora de su punición. De nuevo hemos de apartarnos de la tentación de construir el juicio de tipicidad trazando una convencional y artificiosa línea entre el discurso del odio y la ética del discurso. El derecho penal no puede prohibir el odio, no puede castigar al ciudadano que odia. Por si fuera poco, el vocablo discurso, incluso en su simple acepción gramatical, evoca un acto racional de comunicación cuya punición no debería hacerse depender del sentimiento que anima quien lo pronuncia. Tampoco puede afirmarse un único significado a una locución -discurso del odio- cuyo contenido está directamente condicionado por la experiencia histórica de cada Estado. El discurso del odio puede analizarse en relación con problemas étnicos, religiosos, sexuales o ligados a la utilización del terrorismo como instrumento para la consecución de fines políticos. Frente a las alegaciones del recurrente que, en el legítimo ejercicio del derecho de defensa, ve en esos mensajes la genuina plasmación de su libertad de expresión, la Sala no puede interpretar esas frases como la exteriorización de un sentimiento no punible de aversión frente a otros. Antes al contrario, el discurso del acusado tiene un potencial efecto erosivo de los pilares de la tolerancia que hacen posible la convivencia. No se trata ya de afirmaciones sólo censurables por la corteza de sus vocablos, capaz de herir la sensibilidad de sus hipotéticos destinatarios. El acusado, al menos en dos ocasiones, se ofrece a aquél que pueda proporcionarle armas. No hablamos, por tanto, del uso de una red social como simple vehículo para exteriorizar una opinión más o menos hiriente, ofensiva o vejatoria. Algunos de los pasajes subrayados -por sí solos o interrelacionados con el resto- reflejan que el mensaje que se difunde, filtrado por el odio, invita a la acción, a la violencia, a la lucha armada. El acusado no sólo incita a otros, sino que se ofrece como primer agresor de aquellos a los que desprecia por su ideología, su género, su orientación sexual o su origen nacional. La Sala no puede amparar ese discurso de odio encadenado, que invita a los usuarios de la red a sumarse a la violencia y que sugiere golpear a las mujeres como modelo de convivencia. El delito previsto en el art. 510 del CP, y por el que ha sido condenado, no es un delito de resultado. No exige, desde luego, que ese mensaje desencadene de forma efectiva acciones ejecutadas por terceros estimulados por el mensaje destructivo del agente. Estamos ante un delito en el que, desde luego, "... debe exigirse para considerar legítima la sanción penal, además de la difusión de ideas, que ello implique una incitación o una provocación al odio a determinados grupos que se detallan en el precepto, de manera que represente un peligro cierto de generar un clima de violencia y hostilidad que puede concretarse en actos específicos de violencia, odio o discriminación contra aquellos grupos o sus integrantes como tales. Por lo tanto, los actos de difusión de esta clase de ideas o doctrinas son perseguidos penalmente en cuanto que suponen, en la forma antes dichas, un peligro real para los bienes jurídicos protegidos. No es preciso un peligro concreto, siendo suficiente el peligro abstracto, si bien puede entenderse que es suficiente el peligro potencial o hipotético a medio camino entre aquellos, según el cual lo que importa es la capacidad de la conducta para crear el peligro relevante".

En principio, la aplicación del tipo agravado no puede hacerse depender de la simple constatación objetiva del medio empleado para la difusión del mensaje. De hecho, el inciso final del precepto exige que se haya realizado de un modo tal que ese discurso "...se hiciera accesible a un elevado número de personas". La agravación prevista en el apartado 3º del art. 510 del CP no puede concebirse conforme a parámetros objetivos, de suerte que su aplicación resultara obligada, siempre y en todo caso, por la utilización de Internet o cualquier otra tecnología de la información. No es eso lo que dice el precepto, que se incorpora como elemento del tipo que esos mensajes hubieran sido accesibles a "...un elevado número de personas". Por consiguiente, se opone a esa visión, tanto la literalidad del tipo agravado como las exigencias inherentes al principio de culpabilidad. Es cierto que la extensión actual de las nuevas tecnologías al servicio de la comunicación intensifica de forma exponencial el daño de afirmaciones o mensajes que, en otro momento, podían haber limitado sus perniciosos efectos a un reducido y seleccionado grupo de destinatarios. Quien hoy incita a la violencia en una red social sabe que su mensaje se incorpora a las redes telemáticas con vocación de perpetuidad. Además, carece de control sobre su zigzagueante difusión, pues desde que ese mensaje llega a manos de su destinatario éste puede multiplicar su impacto mediante sucesivos y renovados actos de transmisión. Los modelos comunicativos clásicos implicaban una limitación en los efectos nocivos de todo delito que hoy, sin embargo, está ausente. Este dato, ligado al inevitable recorrido transnacional de esos mensajes, ha de ser tenido en cuenta en el momento de ponderar el impacto de los enunciados y mensajes que han de ser sometidos a valoración jurídico-penal.

Art. 514.

1. Los promotores o directores de cualquier reunión o manifestación comprendida en el número 1.º del artículo anterior y los que, en relación con el número 2.º del mismo, no hayan tratado de impedir por todos los medios a su alcance las circunstancias en ellos mencionadas, incurrirán en las penas de prisión de uno a tres años y multa de doce a veinticuatro meses. A estos efectos, se reputarán directores o promotores de la reunión o manifestación los que las convoquen o presidan.

2. Los asistentes a una reunión o manifestación que porten armas u otros medios igualmente peligrosos serán castigados con la pena de prisión de uno a dos años y multa de seis a doce meses. Los Jueces o Tribunales, atendiendo a los antecedentes del sujeto, circunstancias del caso y características del arma o instrumento portado, podrán rebajar en un grado la pena señalada.

3. Las personas que, con ocasión de la celebración de una reunión o manifestación, realicen actos de violencia contra la autoridad, sus agentes, personas o propiedades públicas o privadas, serán castigadas con la pena que a su delito corresponda, en su mitad superior.

4. Los que impidieren el legítimo ejercicio de las libertades de reunión o manifestación, o perturbaren gravemente el desarrollo de una reunión o manifestación lícita serán castigados con la pena de prisión de dos a tres años si los hechos se realizaran con violencia, y con la pena de prisión de tres a seis meses o multa de seis a 12 meses si se cometieren mediante vías de hecho o cualquier otro procedimiento ilegítimo.

5. Los promotores o directores de cualquier reunión o manifestación que convocaren, celebraren o intentaren celebrar de nuevo una reunión o manifestación que hubiese sido previamente suspendida o prohibida, y siempre que con ello pretendieran subvertir el orden constitucional o alterar gravemente la paz pública, serán castigados con las penas de prisión de seis meses a un año y multa de seis a doce meses, sin perjuicio de la pena que pudiera corresponder, en su caso, conforme a los apartados precedentes.

STS 386/2020: Para la operatividad del principio "non bis in idem" es preciso que se produzca no sólo la identidad de hechos y sujeto sino identidad de fundamento para castigar; es decir que la norma proteja idénticos intereses o bienes jurídicos y éste no es el caso, ya que el bien jurídico protegido en el artículo 557. 1° es la paz pública o el orden público, en su manifestación de pacífica convivencia social con posibilidad de ejercer en plenitud los derechos fundamentales de los que gozan, mientras que el bien jurídico protegido por el artículo 514. 4 es el ejercicio legítimo del derecho fundamental de reunión. En los hechos probados se dice que al acto asistieron 200 personas y los acusados "con la finalidad de protestar frente al acto e impedir su celebración conjunta y el mismo...". En el segundo fundamento se manifiesta que la acción enjuiciada produjo "como efecto directo la imposibilidad de la celebración del acto". Los argumentos tanto de los recurrentes como del Fiscal son plenamente acogibles por las propias razones que lo sostienen, sin que las razones que justifican la absolución por este delito puedan prevalecer. Dicha conducta, a diferencia de lo que manifiesta la Audiencia, no estaría absorbida por el delito de desórdenes públicos, ni se infringiría el principio non bis in idem. Sin perjuicio de aplicar un solo tipo delictivo en su mitad superior (la que asigne pena más grave), el concurso ideal es evidente, en tanto en cuanto se puede impedir una reunión, sin cometer desórdenes públicos, o producirse una situación de desórdenes públicos sin que existan personas reunidas en el ejercicio de ese derecho fundamental.

Art. 523.

El que con violencia, amenaza, tumulto o vías de hecho, impidiere, interrumpiere o perturbare los actos, funciones, ceremonias o manifestaciones de las confesiones religiosas inscritas en el correspondiente registro público del Ministerio de Justicia e Interior, será castigado con la pena de prisión de seis meses a seis años, si el hecho se ha cometido en lugar destinado al culto, y con la de multa de cuatro a diez meses si se realiza en cualquier otro lugar.

> STS 835/2017: En el artículo 523 se sanciona a quienes con violencia, amenaza, tumulto o vías de hecho, impidiere, interrumpiere o perturbare los actos, funciones, ceremonias o manifestaciones de las confesiones religiosas inscritas en el correspondiente registro público, que en la actualidad corresponde al

Ministerio de Justicia. La pena prevista se extiende entre seis meses y seis años si el hecho se ha cometido en lugar destinado al culto, y con la de multa de cuatro a diez meses si se realiza en cualquier otro lugar. En el primer caso, la pena es muy superior no solo a los supuestos del último inciso, sino también a otros actos previstos en los artículos 522 y 524. La conducta descrita en el tipo objetivo consiste en impedir, interrumpir o perturbar los actos, funciones, ceremonias o manifestaciones de la confesión religiosa de que se trate. La identificación de éstos no presenta dificultades, aunque en cada caso haya de relacionarse con las particularidades de la confesión religiosa afectada. En definitiva se trata de expresiones colectivas de cada forma de entender la religiosidad. Lo que podría ser una desmesurada extensión de la conducta típica, según la literalidad del texto, se corrige por dos vías. De un lado, la propia ley exige que se actúe con violencia, amenaza, tumulto o vías de hecho, de manera que el impedimento, la interrupción o la perturbación ocasionada de cualquier otra forma no sería delictiva. Y, de otro lado, la doctrina ha exigido con buen criterio que cualquiera de esos resultados presente cierta relevancia, que debe establecerse teniendo en cuenta las características del caso, especialmente, el tiempo de duración, la forma en la que se ha causado y la forma en la que cesó. Ello permite excluir del tipo los supuestos en que por breves instantes se causa una pequeña interrupción o una perturbación, que cesa inmediatamente y que pueda considerarse menor. Incluso algunas conductas que, formalmente, pudieran calificarse como impeditivas, por momentos muy breves, del acto religioso, si cesan inmediatamente, podrían entenderse no delictivas. En cuanto al tipo subjetivo, el precepto no exige una especial intención en el sujeto. A diferencia del artículo 524, en el 523 no se exige que la actuación se ejecute "en ofensa" de los sentimientos religiosos, por lo que bastará el dolo genérico. Es decir, es exigible que el sujeto sepa que con su proceder está impidiendo, interrumpiendo o perturbando, de forma relevante, un acto, función, ceremonia o manifestación de esa confesión religiosa, y que a pesar de ese conocimiento ejecute la acción. Igualmente es preciso que conozca las características del lugar en el que se ejecuta la conducta como lugar de culto, a los efectos de la primera parte del último inciso del precepto.

Art. 526.

El que, faltando al respeto debido a la memoria de los muertos, violare los sepulcros o sepulturas, profanare un cadáver o sus cenizas o, con ánimo de ultraje, destruyere, alterare o dañare las urnas funerarias, panteones, lápidas o nichos será castigado con la pena de prisión de tres a cinco meses o multa de seis a 10 meses.

STS 934/2022: En efecto, el bien jurídico común a todo el art. 526 CP es la ofensa al sentimiento de respeto que inspira en la comunidad social el cuerpo de las personas fallecidas, por lo que presenta un marcado carácter sociológico-social. Sujeto pasivo es, bajo este punto de vista, la propia sociedad, en tanto que titular de ese sentimiento colectivo. Consecuentemente, si a pesar de realizar la conducta típica no se produce dicho efecto, el hecho no será punible. Pero en todo caso, nuestro legislador, lejos de acoger un criterio cerrado que delimite "a priori" lo que debemos entender por profanación penalmente punible, opta en todos estos casos -también en el del art. 526 CP- por ofrecer un concepto más amplio o difuso, cuya concreción deja en manos del juzgador, que será quien a través de los perfiles que presente el supuesto enjuiciado, es decir, atendidas las circunstancias concurrentes, determine si ha existido un acto de profanación que lesiona el respeto debido a la memoria de los muertos. En todo caso, deberán describirse en el hecho histórico aquellas acciones determinantes del acto de profanación. El estudio de la cuestión requiere, pues, del análisis caso a caso. Sólo en función de sus concretas características podrá determinarse si existió un acto de profanación.

XXIV. DELITOS COMETIDOS POR LOS FUNCIONARIOS PÚBLICOS CONTRA LAS GARANTÍAS

CONSTITUCIONALES
(ARTS. 529 A 542)

Art. 530.

La autoridad o funcionario público que, mediando causa por delito, acordare, practicare o prolongare cualquier privación de libertad de un detenido, preso o sentenciado, con violación de los plazos o demás garantías constitucionales o legales, será castigado con la pena de inhabilitación especial para empleo o cargo público por tiempo de cuatro a ocho años.

STS 602/2022: Hemos dicho que en el ámbito jurisprudencial, la diferencia entre los tipos previstos en los arts. 167 y 530 del CP, ya ha sido abordada por esta Sala. En efecto, la STS 231/2009, 9 de marzo, analiza los requisitos necesarios para la existencia del delito descrito en el art. 530 del CP. Son los siguientes: a) un sujeto agente que sea autoridad o funcionario público, según definición del art. 24 del Código Penal, en el ejercicio de sus funciones, lo que permite entender que se trata de un delito especial propio; b) que la actuación de dicho sujeto agente se realice en una causa por delito, como dice el texto legal: "mediando" causa penal por delito; c) que la acción consista en acordar, practicar o prolongar una privación de libertad; d) que esa conducta se refiera a un detenido, preso o sentenciado; e) que la privación de libertad viole plazos u otras garantías constitucionales o legales; y f) que el agente obre dolosamente, teniendo conciencia plena que la privación de libertad que acuerde, practique o prolongue es ilegal, ya que en caso de imprudencia grave se aplicará el art. 532 del propio Código. También se señala como nota distintiva, que el artículo 530 requiere que medie causa por delito, lo que permite una privación de libertad inicialmente lícita, lo que no sucede en el supuesto del artículo 167, en el que se dice expresamente "sin mediar causa por delito". Esta Sala se refiere a esta distinción declarando que mientras la detención ilegal por falta de causa legítima que la justifique pertenece al tipo penal del artículo 167, referido así a las privaciones de libertad irregulares en el fondo, la del artículo 530 exige que medie causa por delito, estando su ilicitud determinada por el hecho de incumplirse las garantías institucionales de carácter constitucional y legal. Garantías de las que a su vez debe excluirse el supuesto del incumplimiento del deber de informar de sus derechos al detenido, ya que es objeto de específica tipificación en el artículo 537 del Código Penal. En consecuencia, con esta excepción, el tipo del artículo 530 queda reservado a los casos de detención justificada pero en la que se produce luego el incumplimiento de los plazos legales, como expresamente prevé el tipo penal, o la inobservancia de las restantes exigencias, como la de no poder exceder la detención del tiempo estrictamente necesario (arts. 17.2 CE y 520 LECrim), o de las garantías del artículo 520, a salvo lo relativo a la información de derechos cuyo incumplimiento origina el delito del artículo 537 y no el del 530 del Código Penal.

XXV. DE LOS ULTRAJES A ESPAÑA (ART. 543)

Art. 543.

Las ofensas o ultrajes de palabra, por escrito o de hecho a España, a sus Comunidades Autónomas o a sus símbolos o emblemas, efectuados con publicidad, se castigarán con la pena de multa de siete a doce meses.

STS 311/2022: La acción típica consiste en "ofender o ultrajar", lo que significa tanto como injuriar o despreciar, ya sea mediante la palabra, por escrito, o mediante hechos, siendo indispensable que se ejecuten con publicidad, toda vez en caso contrario, es decir, la ofensa o ultraje cometida sin publicidad, no tiene reproche penal alguno. El objeto de tales ofensas deberá ser tanto España, como sus comunidades autónomas, o los símbolos o emblemas de una u otras, tales como banderas, escudos, himnos nacionales entre otros. Como elemento subjetivo, se requiere actuar con ánimo de injuriar, de ofender, de ultrajar, de modo que la conducta no será punible si se enmarca en una crítica; ahora bien, determinados actos son de tal modo insultantes o agraviantes que el ánimo de injuriar se encuentra implícito en ellas. El art. 543 CP tipifica un delito de naturaleza pública y perseguible de oficio, que protege el mantenimiento del propio orden político que sanciona la Constitución, en atención a la función de representación que los símbolos y emblemas identificadores de España y sus comunidades autónomas desempeñan. Esa acción de rasgar la bandera española lo consideramos como una ofensa, pues trocear la enseña nacional nos parece un acto de clara ofensa y repulsa, de ultraje, ante lo que representa tal símbolo de España, dejándolo, en condiciones de ser pisoteado, al hallarse en el suelo. Dicho con otras palabras, esa acción violenta, lejos de significar una manifestación que fluye del derecho a la libertad de expresión (derecho a la crítica), atenta, por el contrario, frontalmente contra el símbolo que enarbola una asociación que concurre pacíficamente a tal encuentro cívico, en una plaza universitaria, donde los valores democráticos tienen, como símbolo de convivencia, el valor añadido que le proporciona tal institución. Es, pues, un gesto violento, coactivo, de imposición, representativo de un talante que no puede considerarse amparado por la libertad de expresión, porque lo que expresa es la intolerancia, de manera que intolerancia violenta y derecho a la crítica no pueden ser la misma cosa. Por eso efectivamente creemos que la acción que llevan a cabo los acusados no está amparada por la libertad de expresión, que tiene un límite expreso en el respeto a la libertad de expresión del contrario y teniendo en cuenta que el Tribunal Europeo de Derechos Humanos niega ese amparo a los que entienden como discurso el odio, término que abarca todas las formas de expresión que propaguen, inciten, promuevan o justifiquen el odio racial, la xenofobia, el antisemitismo u otras formas de odio basadas en la intolerancia.

XXVI. DELITOS CONTRA EL ORDEN PÚBLICO (ARTS. 550 A 580)

Art. 544.[452]

Son reos de sedición los que, sin estar comprendidos en el delito de rebelión, se alcen pública y tumultuariamente para impedir, por la

---

[452]   Suprimido por la LO 14/2022, de 22 de diciembre.

fuerza o fuera de las vías legales, la aplicación de las Leyes o a cualquier autoridad, corporación oficial o funcionario público, el legítimo ejercicio de sus funciones o el cumplimiento de sus acuerdos, o de las resoluciones administrativas o judiciales.

STS 459/2019: Este Tribunal ya ha puesto de relieve la similitud entre la estructura típica de este delito y el de rebelión (cfr. STS 3 de julio de 1991). Sin embargo, la doctrina, pese a antiguas consideraciones de la sedición como una rebelión en pequeño, advirtió pronto de que la sedición no es sin más una rebelión en pequeño. Aunque en ambas ha de estar presente tanto la colectividad de la autoría como una cierta hostilidad en el medio para los respectivos fines de los autores. En el delito de rebelión, los rebeldes persiguen los fines descritos en el artículo 472, que atañen a elementos esenciales del sistema constitucional -la Constitución, la Corona, las Cámaras legislativas, la unidad territorial, el Gobierno o la obediencia a éste de las fuerzas armadas-. Los sediciosos, por el contrario, limitan su afán al impedimento u obstrucción de la legítima voluntad legislativa, gubernativa o jurisdiccional -la aplicación de leyes, el ejercicio de funciones por autoridad, corporación oficial o funcionario público, o el cumplimiento de sus acuerdos, resoluciones administrativas o judiciales-. Desde la perspectiva de la actividad delictiva, la sedición, como la rebelión, se caracteriza por no ser cometida mediante un solo acto sino por la sucesión o acumulación de varios. Son delitos plurisubjetivos de convergencia, en la medida en que su comisión exige una unión o concierto de voluntades para el logro de un fin compartido. No son delitos simples sino compuestos. No necesariamente complejos, es decir integrados por actos cada uno de ellos delictivo. Los actos cuya conjunción constituye el tipo penal pueden aisladamente no ser delictivos. Y si lo son, como en el caso del mero desorden, no impide la punición separada, a salvo cuando venga absorbido por el alzamiento sedicioso. Más allá de la mera actuación en grupo, la sedición exige como medio comisivo el alzamiento tumultuario y tiene la finalidad de derogar de hecho la efectividad de leyes o el cumplimiento de órdenes o resoluciones de funcionarios en el ejercicio legítimo de sus funciones. No faltan propuestas doctrinales que propugnan una interpretación actualizada de ese alzamiento público, que abarque la interconexión, de miles de personas que pueden actuar de forma convergente, sin presencia física, a través de cualquiera de los medios que ofrece la actual sociedad de la información. La mera reunión de una colectividad de sujetos no es, sin más, delictiva. El delito surge cuando, además de ser tumultuaria y pública, acude como medios comisivos a actos de fuerza o fuera de las vías legales, para dirigirse con potencial funcionalidad a lograr que las leyes no se cumplan o que se obstruya la efectividad de las órdenes o resoluciones jurisdiccionales o administrativas. Resulta obligado subrayar que la descripción típica no anuda al alzamiento público, presupuesto compartido con el delito de rebelión, su expresa caracterización como violento. La descripción del tipo previsto en el art. 544 del CP -si se descartan otras interpretaciones voluntaristas- incluye una alternativa en la descripción del alzamiento público y tumultuario. En efecto, éste puede ejecutarse "por la fuerza o fuera de las vías legales". Quienes entienden que, pese a esa redacción en términos alternativos, la exigencia de violencia en el delito de sedición es inherente al vocablo "alzamiento", se apartan del significado gramatical de esa palabra. En las veinticuatro acepciones que el diccionario de la RAE asocia a la voz "alzar" o "alzarse", ninguna de ellas se vincula de modo exclusivo al empleo de violencia. Tampoco respalda esa tesis el significado gramatical del vocablo "tumultuario". El alzamiento, por tanto, se caracteriza por esas finalidades que connotan una insurrección o una actitud de abierta oposición al normal funcionamiento del sistema jurídico, constituido por la aplicación efectiva de las leyes y la no obstrucción a la efectividad de las decisiones de las instituciones. Pero no es una exigencia que la actuación de grupo sea ajena a patrones organizativos, pudiendo desenvolverse conforme a concretas especificaciones estratégicas prediseñadas. La consumación debe establecerse atendiendo a la naturaleza del tipo penal como de resultado cortado, en similares términos a los expuestos en relación con la rebelión. Lo que exige una funcionalidad objetiva, además de subjetivamente procurada, respecto de la obstaculización del cumplimiento de las leyes o de la efectividad de las resoluciones adoptadas por la administración o el poder judicial. El impedimento tipificado no tiene pues que ser logrado efectivamente por los autores. Eso entraría ya en la fase de agotamiento, más allá de la consumación. Pero, ni siquiera en cuanto finalidad de los autores tiene que ser pretendido por todos ellos de manera absoluta. Basta que se busque obstruir o dificultar en términos tales que resulte funcional para el objetivo de disuadir de la persistencia en la aplicación de las leyes, en la legítima actuación de la autoridad, corporación pública o funcionarios para el cumplimiento de sus resoluciones administrativas o judiciales. Porque esa pretensión disuasoria implica en sí misma una voluntad de impedir definitivamente, siquiera aplazada en el tiempo.

Art. 550.

1. Son reos de atentado los que agredieren o, con intimidación grave o violencia, opusieren resistencia grave a la autoridad, a sus agentes o funcionarios públicos, o los acometieren, cuando se hallen en el ejercicio de las funciones de sus cargos o con ocasión de ellas.

En todo caso, se considerarán actos de atentado los cometidos contra los funcionarios docentes o sanitarios que se hallen en el ejercicio de las funciones propias de su cargo, o con ocasión de ellas.

2. Los atentados serán castigados con las penas de prisión de uno a cuatro años y multa de tres a seis meses si el atentado fuera contra autoridad y de prisión de seis meses a tres años en los demás casos.

3. No obstante lo previsto en el apartado anterior, si la autoridad contra la que se atentare fuera miembro del Gobierno, de los Consejos de Gobierno de las Comunidades Autónomas, del Congreso de los Diputados, del Senado o de las Asambleas Legislativas de las Comunidades Autónomas, de las Corporaciones locales, del Consejo General del Poder Judicial, Magistrado del Tribunal Constitucional, juez, magistrado o miembro del Ministerio Fiscal, se impondrá la pena de prisión de uno a seis años y multa de seis a doce meses.

STS 235/2022: Los elementos objetivos y subjetivos del delito de atentado perfilados por la Sala son los siguientes: a) El carácter de autoridad, agente de la misma o funcionario público en el sujeto pasivo, conforme aparecen definidos estos conceptos en el artículo 24 del Código Penal. b) Que el sujeto pasivo se halle en el ejercicio de las funciones de su cargo o con ocasión de ellas. Esto es que tal sujeto pasivo se encuentre en el ejercicio de las funciones propias del cargo que desempeña o que el hecho haya sido motivado por una actuación anterior en el ejercicio de tales funciones. c) Un acto típico constituido por el acometimiento, empleo de fuerza, intimidación grave o resistencia activa también grave. Acometer equivale a agredir y basta con que tal conducta se de con una acción directamente dirigida a atacar a la autoridad, a sus agentes o a los funcionarios, advirtiendo la jurisprudencia que el atentado se perfecciona incluso cuando el acto de acometimiento no llegar a consumarse. La resistencia activa grave consiste en el ejercicio de una fuerza eminentemente física y contraria a lo pretendido por la autoridad o sus agentes, es decir, que no se limita a no cumplir lo ordenado, sino que impide de modo resuelto y activo que se ejecute lo que la autoridad o sus agentes pretenden, contemplándose jurisprudencialmente como grave cuando la reacción consista en un acometimiento físico o el empleo de una fuerza lesiva lo suficientemente intensa. d) Entre los elementos subjetivos del delito de atentado, hemos indicado que debe concurrir el conocimiento por parte del sujeto activo de la cualidad y actividad del sujeto pasivo, además del elemento subjetivo del injusto, integrado por el dolo de ofender, denigrar o desconocer el principio de autoridad, que comprende el conocimiento de la significación antijurídica de la acción y el conocimiento del resultado de la acción, si bien nuestra jurisprudencia destaca que el elemento subjetivo del injusto integrado por el dolo de ofender, denigrar o desconocer el principio de autoridad, "va ínsito en los actos desplegados cuando no constan circunstancias concurrentes que permitan inferir otra motivación ajena a las funciones públicas del ofendido", entendiéndose que quien agrede, resiste o desobedece conociendo la condición del sujeto pasivo "acepta la ofensa de dicho principio como consecuencia necesaria cubierta por dolo directo de segundo grado".

STS 945/2021: La actual jurisprudencia ha atenuado la radicalidad del criterio anterior en la distinción entre los delitos de atentado (art. 550) y resistencia y desobediencia grave (art. 556) y que entendía que la resistencia se caracterizaba por un elemento de naturaleza obstativa, de no hacer, de pasividad, contrario al delito de atentado que exigía, por el contrario, una conducta activa, hostil y violenta, dando entrada en el tipo de resistencia no grave "a comportamientos activos al lado del pasivo que no comporten acometimiento propiamente dicho". Se refiere a la resistencia típica como aquella consistente en el ejercicio de una fuerza eminentemente física (...) de forma que si dicha resistencia se manifiesta de forma activa, alcanza los caracteres de grave, integra la figura del artículo 550 CP. Queda claro que la desobediencia tipificada en el nuevo artículo 556.1 es la de carácter grave. Sin embargo, para identificar la resistencia que el nuevo precepto no adjetiva, hemos de acudir a su techo, integrado por el artículo 550 CP. Este precepto, en su nueva redacción, incluye como modalidad de atentado la resistencia grave, entendida como aquella que se realiza con intimidación grave o violencia. El hecho de que de esta última no se califique de grave no implica que se incorporen en la nueva tipificación del atentado los supuestos de resistencia activa menos grave, que con arreglo a la jurisprudencia de esta Sala quedaban hasta ahora relegados al artículo 556 CP. En resumen, la violencia es una actitud susceptible de presentar distintas magnitudes, y la intensidad de la que prevé el nuevo artículo 550 no puede desvincularse de la entidad que se exige a la resistencia calificada en este contexto de grave. Pero no podemos llegar a la desproporcionada conclusión de que cualquier resistencia con un componente violento, por mínimo que éste sea, integre un atentado. El tipo, desde luego, no exige lesión, sino acometimiento, si bien de una cierta gravedad, la que se corresponda con el contexto en el que se desarrollan los acontecimientos.

STS 750/2021: Se ha reiterado por este tribunal que "acometer" equivale a agredir y basta con que tal conducta se dé con una acción directamente dirigida a atacar a la autoridad (a sus agentes o a los funcionarios) advirtiendo la jurisprudencia que el atentado se perfecciona, incluso cuando el acto de acometimiento no llega a consumarse. Lo esencial es la embestida o ataque violento. Por ello se ha señalado que este delito no exige un resultado lesivo del sujeto pasivo, que si concurre se penará independientemente, calificando el atentado como delito de pura actividad, de forma que aunque no se llegue a golpear o agredir materialmente al sujeto pasivo, tal delito se consuma con el ataque o acometimiento, con independencia de que tal acometimiento se parifica con la grave intimidación, que puede consistir en un mero acto formal de iniciación del ataque o en un movimiento revelador del propósito agresivo.

STS 96/2020: Según hemos indicado, el tipo objetivo del delito de atentado precisa inexcusablemente que el sujeto pasivo actúe en el ejercicio de las funciones de su cargo o con ocasión de ellas. El artículo 5.4 de Ley Orgánica 2/1986, de 13 de marzo, de Fuerzas y Cuerpos dispone que los agentes policiales "deberán llevar a cabo sus funciones con total dedicación, debiendo intervenir siempre, en cualquier tiempo y lugar, se hallaren o no de servicio, en defensa de la Ley y de la seguridad ciudadana". Este precepto sugiere en una primera aproximación que el hecho de que un agente sea agredido fuera de su horario de servicio no es un elemento determinante para excluir el delito de atentado, ya que el agente está obligado a intervenir en cualquier momento en defensa de la ley y de la seguridad ciudadana, lo que obliga a determinar si esa circunstancia concurre cuando actúa en un conflicto particular. La obligación de los agentes policiales de intervenir siempre, en cualquier tiempo y lugar, se hallaren o no de servicio, únicamente se proclama respecto de la defensa de la ley y de la seguridad ciudadana. Esa obligación debe ser interpretada en conexión con las funciones que corresponden a los Cuerpos y Fuerzas de Seguridad. En ninguno de estos textos se indica que la defensa de intereses particulares justifique el ejercicio de la función policial, salvo que en ese contexto se produzca una violación de la ley que pueda originar un perjuicio grave e irreparable. En estos casos estaría justificada una actuación urgente e inmediata. Los agentes de policía están obligados, incluso fuera de horas de servicio, a auxiliar y proteger a las personas, a mantener o restablecer el orden y la seguridad ciudadana y a prevenir la comisión de actos delictivos, pero en ese elenco de funciones no se menciona ni se integra la mera defensa de intereses privados, respecto de los cuales el agente policial no está en mejor situación que cualquier otro ciudadano, por más que se identifique con su placa. En el presente caso, no se menciona que la actuación del agente se hubiera producido "en defensa de la ley o de la seguridad ciudadana", ya que lo único que se dice es que el agente se dirigió al grupo "ante las increpaciones de que estaba siendo objeto". No puede afirmarse a partir de ese exiguo relato que se estuviera produciendo una grave alteración del orden o de la seguridad ciudadana ni tampoco que existiera una situación de grave e irreparable perjuicio. El agente intervino en el contexto de una discusión o enfrentamiento estrictamente privado por lo que su actuación quedó al margen de su función policial. Por tanto, no se cumplen las exigencias del tipo objetivo del delito de atentado.

STS 544/2018: En principio, no existe una imposibilidad conceptual de aplicar la continuidad delictiva en delitos de atentado y resistencia.

STS 764/2014: Los delitos contra las personas que se puedan perpetrar con ocasión de un atentado a agentes de la autoridad, no pueden ser consumidos por éste (o viceversa), dando lugar a un concurso ideal de delitos, al afectar a bienes jurídicos distintos.

Art. 551.

Se impondrán las penas superiores en grado a las respectivamente previstas en el artículo anterior siempre que el atentado se cometa:

1.º Haciendo uso de armas u otros objetos peligrosos.

2.º Cuando el acto de violencia ejecutado resulte potencialmente peligroso para la vida de las personas o pueda causar lesiones graves. En particular, están incluidos los supuestos de lanzamiento de objetos contundentes o líquidos inflamables, el incendio y la utilización de explosivos.

3.º Acometiendo a la autoridad, a su agente o al funcionario público haciendo uso de un vehículo de motor.

4.º Cuando los hechos se lleven a cabo con ocasión de un motín, plante o incidente colectivo en el interior de un centro penitenciario.

STS 342/2020: La expresión "uso de armas" del nº 1 del art. 551 tras su reforma por LO 1/2015 debe entender y englobar la mera exhibición del arma apuntando al sujeto pasivo del delito del art. 550 CP en cualquiera de las modalidades del atentado sin ser preciso el empleo directo del arma, o circunscribirlo solo al acometimiento o agresión, sino, también, al atentado intimidatorio o resistencia grave. En el caso concreto, sin embargo, debemos entender que el subtipo agravado del art. 551 CP que aplica la Audiencia no es posible llevarlo a cabo por la inconcreción del hecho probado respecto al arma empleada y su potencialidad como creación de riesgo y/o como instrumento peligroso, lo que exige que en la redacción de los hechos probados se exprese con claridad la suficiente descripción del arma para conllevar la convicción que era real, y, por ello, anudar la consideración de instrumento peligroso.

Art. 556.

1. Serán castigados con la pena de prisión de tres meses a un año o multa de seis a dieciocho meses, los que, sin estar comprendidos en el artículo 550, resistieren o desobedecieren gravemente a la autoridad o sus agentes en el ejercicio de sus funciones, o al personal de seguridad privada, debidamente identificado, que desarrolle actividades de seguridad privada en cooperación y bajo el mando de las Fuerzas y Cuerpos de Seguridad.

2. Los que faltaren al respeto y consideración debida a la autoridad, en el ejercicio de sus funciones, serán castigados con la pena de multa de uno a tres meses.

STS 220/2022: Este Tribunal ha tenido oportunidad de perfilar los elementos que conforman el delito de desobediencia grave al que se refiere el artículo 556 del Código Penal. Así, puede leerse, por todas, en nuestra reciente sentencia número 560/2020, de 29 de octubre: "Respecto al delito de desobediencia previsto en el art. 556 CP supone una conducta, decidida y terminante, dirigida a impedir el cumplimiento de lo dispuesto de manera clara y tajante por la autoridad competente. Son, por tanto, sus requisitos: a) un mandato expreso, concreto y terminante de hacer o no hacer una específica conducta, emanada de la autoridad y sus agentes en el marco de sus competencias legales. b) que la orden, revestida de todas las formalidades legales haya sido claramente notificada al obligado a cumplirla, de manera que éste haya podido tomar pleno conocimiento de su contenido, sin que sea preciso que conlleve, en todos los casos, el expreso apercibimiento de incurrir en delito de desobediencia, caso de incumplimiento. c) la resistencia, negativa u oposición a cumplimentar aquello que se le ordena, que implica que frente al mandato persistente y reiterado, se alce el obligado a acatarlo y cumplirlo con una negativa franca, clara, patente, indudable, indisimulada, evidente o inequívoca, si bien aclarando que ello ...también puede existir cuando se adopte una reiterada y evidente pasividad a lo largo del tiempo sin dar cumplimiento al mandato, es decir, cuando sin oponerse o negar el mismo tampoco realice la actividad mínima necesaria para llevarlo a cabo, máxime cuando la orden es reiterada por la autoridad competente para ello, o lo que es igual, cuando la pertinaz postura de pasividad se traduzca necesariamente en una palpable y reiterada negativa a obedecer. O lo que es lo mismo, este delito se caracteriza no solo porque la desobediencia adopte en apariencia una forma abierta, terminante y clara, sino también es punible "la que resulta de pasividad reiterada o presentación de dificultades y trabas que en el fondo demuestran su voluntad rebelde". Conviene tener presente que una negativa no expresa, que sea tácita o mediante actos concluyentes, puede ser tan antijurídica como aquella que el tribunal a quo denomina expresa y directa. El carácter abierto o no de una negativa no se identifica con la proclamación expresa, por parte del acusado, de su contumacia en la negativa a acatar el mandato judicial. Esa voluntad puede deducirse, tanto de comportamientos activos como omisivos expresos o tácitos.

STS 481/2022: No puede caber la menor duda de que el delito de desobediencia puede ser cometido no solo por acción sino también por omisión. Incluso, cuando la orden desatendida tuviera por objeto una obligación de hacer, la modalidad omisiva será, sin duda, la de más frecuente presentación. Es claro, sin embargo, que la comisión omisiva presupone la capacidad de acción. Solo puede delinquir por omisión, si se prefiere expresar de esta manera, quien, disponiendo de la posibilidad de actuar y siéndole exigible hacerlo, se inhibe voluntariamente de desplegar la conducta debida.

STS 837/2017 (Pleno): El elemento subjetivo integrado por el dolo de ofender, denigrar o desconocer el principio de autoridad, va ínsito en los actos desplegados cuando no constan circunstancias concurrentes que permitan inferir otra motivación ajena a las funciones públicas del ofendido. Y así reiteradamente ha entendido esta Sala que quien, aun persiguiendo otras finalidades, agrede, resiste o desobedece conociendo la condición de agente de la autoridad o funcionario del sujeto pasivo, acepta la ofensa al principio de autoridad que representan como consecuencia necesaria cuando éste quede vulnerado por causa de su proceder. (Tol 6462784)

STS 234/2018: Queda claro que la desobediencia tipificada en el nuevo artículo 556.1 CP es la de carácter grave. Sin embargo, para identificar la resistencia que el nuevo precepto no adjetiva, hemos de acudir a su techo, integrado por el artículo 550 CP. Este precepto, en su nueva redacción, incluye como modalidad de atentado la resistencia grave, entendida como aquella que se realiza por intimidación grave o violencia. El hecho de que de esta última no se califique de grave no implica que se incorporen en la nueva tipificación del atentado los supuestos de resistencia activa menos grave, que con arreglo a la jurisprudencia de esta Sala quedaban hasta ahora relegados al artículo 556 CP. La violencia es una actitud susceptible de presentar distintas magnitudes, y la intensidad de la que prevé el nuevo artículo 550 CP no puede desvincularse de la entidad que se exige a la resistencia calificada en este contexto de grave. De otro modo llegaríamos a la desproporcionada conclusión de que cualquier resistencia con un componente violento, por mínimo que éste sea, integraría un atentado. En concreto en lo que a la resistencia se refiere, siguen incorporados al artículo 556.1 CP los supuestos de resistencia pasiva grave y los de resistencia activa que no alcancen tal intensidad. En consecuencia, cabe concluir lo siguiente: 1) La resistencia activa grave sigue constituyendo delito de atentado del art. 550 CP. En la nueva redacción del precepto se incluye como modalidad de atentado la resistencia grave, entendido como aquella que se realiza con intimidación grave o violencia. 2) La resistencia activa no grave (o simple) y la resistencia pasiva grave siguen siendo subsumibles en el delito de resistencia art. 556 CP. Aunque la resistencia del art. 556 CP es de carácter pasivo, puede concurrir alguna manifestación de violencia o intimidación, de tono moderado y características más bien defensivas y neutralizadoras, cual sucede, por ejemplo, en el supuesto del forcejeo del sujeto con los agentes de la autoridad. 3) La resistencia pasiva no grave (o leve) contra la autoridad supone un delito leve de resistencia. 4) La resistencia pasiva no grave (o leve) contra agentes de la autoridad ha quedado despenalizada (y puede ser aplicable la LO. 4/2015 de 30.3 de Protección a la Seguridad Ciudadana).

STS 236/2021: En concreto en lo que a la resistencia se refiere, siguen incorporados al artículo 556.1 CP los supuestos de resistencia pasiva grave y los de resistencia activa que no alcancen tal intensidad. En consecuencia, cabe concluir lo siguiente: 1) La resistencia activa grave sigue constituyendo delito atentado del art. 550 CP. En la nueva redacción del precepto se incluye como modalidad de atentado la resistencia grave, entendido como aquella que se realiza con intimidación grave o violencia. 2) La resistencia activa no grave (o simple) y la resistencia pasiva grave siguen siendo subsumibles en el delito de resistencia art. 556 CP. Aunque la resistencia del art. 556 CP, es de carácter pasivo, puede concurrir alguna manifestación de violencia o intimidación, de tono moderado y características más bien defensivas y neutralizadoras, cual sucede, por ejemplo en el supuesto del forcejeo del sujeto con los agentes de la autoridad. 3) La resistencia pasiva no grave (o leve) contra la autoridad supone un delito leve de resistencia. 4) La resistencia pasiva no grave (o leve) contra agentes de la autoridad ha quedado despenalizada (y puede ser aplicable la LO. 4/2015 de 30.3, de Protección a la Seguridad Ciudadana). La referencia a la Ley de Seguridad ciudadana hay que entenderla hecha a su art. 36.6 que recoge, entre las infracciones graves, la resistencia no constitutiva de delito.

STS 45/2016: El nuevo artículo 556 CP castiga como delito leve, la falta de respeto y consideración debida a la autoridad en el ejercicio de sus funciones, sin que pueda extenderse a la desobediencia leve, ni a la resistencia leve; ni tampoco puede extenderse a aquellos casos en los que la conducta se dirija contra los agentes de la autoridad (y no solo contra la autoridad); de modo que, tras la reforma por la LO 1/2015, la desobediencia y resistencia que no revistan el carácter de grave cuando se cometan contra los agentes de la autoridad, no serán constitutivas de delito.

Art. 557.[453]

1. Serán castigados con la pena de prisión de seis meses a tres años los que, actuando en grupo y con el fin de atentar contra la paz pública, ejecuten actos de violencia o intimidación:

a) Sobre las personas o las cosas; u

b) obstaculizando las vías públicas ocasionando un peligro para la vida o salud de las personas; o

c) invadiendo instalaciones o edificios alterando gravemente el funcionamiento efectivo de servicios esenciales en esos lugares.

2. Los hechos descritos en el apartado anterior serán castigados con la pena de prisión de tres a cinco años e inhabilitación especial para empleo o cargo público por el mismo tiempo cuando se cometan por una multitud cuyo número, organización y propósito sean idóneos para afectar gravemente el orden público. En caso de hallarse

---

[453] Modificado por la LO 14/2022, de 22 de diciembre.

los autores constituidos en autoridad, la pena de inhabilitación será absoluta por tiempo de seis a ocho años.

3. Las penas de los apartados anteriores se impondrán en su mitad superior a los intervinientes que portaran instrumentos peligrosos o a los que llevaran a cabo actos de pillaje.

Estas penas se aplicarán en un grado superior cuando se portaran armas de fuego.

4. La provocación, la conspiración y la proposición para las conductas previstas en los apartados 2 y 3 del presente artículo serán castigadas con las penas inferiores en uno o dos grados a las respectivamente previstas.

5. Será castigado con pena de prisión de seis meses a dos años quien en lugar concurrido provocara avalancha, estampida u otra reacción análoga en el público que pongan en situación de peligro la vida o la salud de las personas.

6. Las penas señaladas en este artículo se impondrán sin perjuicio de las que les puedan corresponder a los actos concretos de lesiones, amenazas, coacciones o daños que se hubieran llevado a cabo.

Art. 557 bis.[454]

Los que, actuando en grupo, invadan u ocupen, contra la voluntad de su titular, el domicilio de una persona jurídica pública o privada, un despacho, oficina, establecimiento o local, aunque se encuentre abierto al público, y causen con ello una perturbación relevante de la paz pública y de su actividad normal, serán castigados con una pena de prisión de tres a seis meses o multa de seis a doce meses, salvo que los hechos ya estuvieran castigados con una pena más grave en otro precepto de este Código.

---

[454]   Modificado por la LO 14/2022, de 22 de diciembre.

Art. 557.[455]

1. *Quienes actuando en grupo o individualmente pero amparados en él, alteraren la paz pública ejecutando actos de violencia sobre las personas o sobre las cosas, o amenazando a otros con llevarlos a cabo, serán castigados con una pena de seis meses a tres años de prisión.*

Estas penas serán impuestas sin perjuicio de las que pudieran corresponder a los actos concretos de violencia o de amenazas que se hubieran llevado a cabo.

2. *Con las mismas penas se castigará a quienes actuaren sobre el grupo o sus individuos incitándoles a realizar las acciones descritas en el apartado anterior o reforzando su disposición a llevarlas a cabo.*

STS 386/2020: Para la operatividad del principio "non bis in idem" es preciso que se produzca no sólo la identidad de hechos y sujeto sino identidad de fundamento para castigar; es decir que la norma proteja idénticos intereses o bienes jurídicos y éste no es el caso, ya que el bien jurídico protegido en el artículo 557. 1° es la paz pública o el orden público, en su manifestación de pacífica convivencia social con posibilidad de ejercer en plenitud los derechos fundamentales de los que gozan, mientras que el bien jurídico protegido por el artículo 514. 4 es el ejercicio legítimo del derecho fundamental de reunión. En los hechos probados se dice que al acto asistieron 200 personas y los acusados "con la finalidad de protestar frente al acto e impedir su celebración conjunta y el mismo...". En el segundo fundamento se manifiesta que la acción enjuiciada produjo "como efecto directo la imposibilidad de la celebración del acto". Los argumentos tanto de los recurrentes como del Fiscal son plenamente acogibles por las propias razones que lo sostienen, sin que las razones que justifican la absolución por este delito puedan prevalecer. Dicha conducta, a diferencia de lo que manifiesta la Audiencia, no estaría absorbida por el delito de desórdenes públicos, ni se infringiría el principio non bis in idem. Sin perjuicio de aplicar un solo tipo delictivo en su mitad superior (la que asigne pena más grave), el concurso ideal es evidente, en tanto en cuanto se puede impedir una reunión, sin cometer desórdenes públicos, o producirse

---

[455] Redacción anterior a la reforma operada por la LO 14/2022, de 22 de diciembre.

una situación de desórdenes públicos sin que existan personas reunidas en el ejercicio de ese derecho fundamental.

Art. 557 ter.[456]

1. *Los que, actuando en grupo o individualmente pero amparados en él, invadan u ocupen, contra la voluntad de su titular, el domicilio de una persona jurídica pública o privada, un despacho, oficina, establecimiento o local, aunque se encuentre abierto al público, y causen con ello una perturbación relevante de la paz pública y de su actividad normal, serán castigados con una pena de prisión de tres a seis meses o multa de seis a doce meses, salvo que los hechos ya estuvieran castigados con una pena más grave en otro precepto de este Código.*

2. *Los hechos serán castigados con la pena superior en grado cuando concurran las circunstancias 1.ª, 3.ª, 4.ª ó 5.ª del artículo 557 bis.*

STS 495/2022: Esta tipología del art. 557 ter, se caracteriza por: i) la invasión u ocupación del domicilio de una persona jurídica pública o privada, un despacho, oficina, establecimiento o local; que no requiere la existencia de violencias o amenazas; ii) actuación en grupo o individualmente pero amparado en el grupo; que no precisa una finalidad determinada; iii) la causación de una perturbación relevante de la paz pública; iv) la causación de una perturbación en la actividad normal de persona jurídica, establecimiento, oficina, despacho o local; y v) existencia de dolo, que implica el conocimiento y voluntad, o al menos aceptación, de esas perturbaciones. Tanto la doctrina científica como la jurisprudencia de esta Sala distinguen entre orden público y paz pública, en el sentido de que aquel es el simple orden en la calle, en tanto que la paz pública, concepto más amplio se integraría por el conjunto de condiciones externas que permiten el normal desarrollo de la convivencia ciudadana, el orden de la comunidad y en definitiva la observancia de las reglas que facilitan esa convivencia. El concepto de paz pública trasciende al de orden público, centrado en el normal funcionamiento de instituciones y servicios, para proyectarse hacia el conjunto de condiciones externas que permiten el normal desarrollo de la convivencia ciudadana y la efectividad en el ejercicio

---

[456]   Suprimido por la LO 14/2022, de 22 de diciembre.

de los derechos fundamentales de la persona en un clima de libertad y respeto mutuo. Y aunque se entendiera que en alguna medida el "altercado" (intercambio de pedradas entre los menores y algunos vecinos), afecta a la paz pública, aún restaría sin cumplimentar la exigencia de que la perturbación de la paz pública fuera "relevante"; lo que no resulta de la narración, donde no se explicita detalle adicional alguno que no fuere el resultado, daños materiales en dos vehículos allí aparcados, que al margen del importe de la mano de obra en la reparación, lo daños en sí no superan la categoría de leves. Relevancia, que precisamente permite diferenciar la conducta típica del lícito administrativo sancionado en la Ley Orgánica de protección de la seguridad ciudadana como infracción leve: "la ocupación de cualquier inmueble, vivienda o edificio ajenos, o la permanencia en ellos, en ambos casos contra la voluntad de su propietario, arrendatario o titular de otro derecho sobre el mismo, cuando no sean constitutivas de infracción penal" (art. 37.7). Por otra parte, aunque ya no se exija la finalidad de alterar la paz social, como elemento teleológico, de modo que dicha alteración pasa a ser un elemento objetivo del tipo, ello conlleva para la concurrencia del dolo, el conocimiento y voluntad (o aceptación) de la producción de dicha alteración de la paz pública. Para la constitución de un grupo no basta la simple presencia conjunta de varias personas en el momento de la comisión de los hechos, sino que entre ellas debe existir algún tipo de acuerdo, ya sea expreso o tácito; que no tiene que estar necesariamente guiado por la finalidad de alterar la paz pública, como sucedía en la regulación anterior, siendo suficiente con que los miembros del grupo acepten o asuman la dinámica comisiva típica. Pero la conducta típica no consiste en la participación en un acto del grupo, sino en la ejecución, "actuando en grupo". No es el grupo quien realiza la acción típica, sino sujetos individuales integrantes del grupo que deben cumplir personalmente el resto de los elementos del tipo, aunque lógicamente, ello no implica que cada uno de ellos deba llevar a cabo por sí solo todos los actos materiales que sean necesarios para que se produzca una alteración de la paz pública.

Art. 558.

Serán castigados con la pena de prisión de tres a seis meses o multa de seis a 12 meses, los que perturben gravemente el orden en la audiencia de un tribunal o juzgado, en los actos públicos propios de cualquier autoridad o corporación, en colegio electoral, oficina o establecimiento público, centro docente o con motivo de la celebración de espectáculos deportivos o culturales. En estos casos se podrá imponer también la pena de privación de acudir a los lugares, eventos o espectáculos de la misma naturaleza por un tiempo superior hasta tres años a la pena de prisión impuesta.

STS 228/2018: El núcleo de la conducta típica lo integra la alteración del orden en lugares en los que el mismo es especialmente necesario para el desenvolvimiento normal de las actividades que allí se desarrollan, o bien para la prevención de eventuales situaciones de peligro para las personas intervinientes en espectáculos de masas. El orden al que se refiere el texto legal, más que como orden público, calificativo este último que el precepto no recoge, ha de entenderse referido al que exige al funcionamiento normal y pacífico de las actividades llevadas a cabo en los específicos lugares que se mencionan. La determinación de las actividades que originan desorden integrador de la figura del artículo 558 del CP de 1995, tiene que verificarse en relación con cada tipo de actividad o lugar afectados, y teniendo en cuenta las valoraciones ético-sociales vigentes. En relación a las audiencias de Juzgados y Tribunales, a los actos públicos propios de una autoridad o Corporación y a los Colegios electorales, el desorden consistirá en la transgresión de las reglas o normas de disciplina y respeto a que se sujetan las audiencias, los actos de las autoridades o corporaciones y las actividades electorales. En relación a Centros docentes y oficinas o establecimientos públicos, el desorden estribará en la inobservancia de las normas que rigen el funcionamiento de tales lugares. En relación a los espectáculos culturales o deportivos, la actividad alteradora del orden consistirá en la que pueda determinar perturbación o inquietud en los espectadores asistentes, y originar fricciones y choques físicos entre las personas. Por último, la gravedad de la perturbación es un elemento normativo que solo puede determinarse en atención a las particulares circunstancias concurrentes.

Art. 559.[457]

La distribución o difusión pública, a través de cualquier medio, de mensajes o consignas que inciten a la comisión de alguno de los delitos de alteración del orden público del artículo 557 bis del Código Penal, o que sirvan para reforzar la decisión de llevarlos a cabo, será castigado con una pena de multa de tres a doce meses o prisión de tres meses a un año.

STS 618/2022 (Pleno): El modo de comunicación del mensaje que se describe en el hecho probado no responde al modo exigido por el tipo. Tanto la distribución como la difusión pública reclaman una intención final de propagación del contenido comunicado que trascienda del simple acto concertado de comunicación intersubjetiva entre dos o más personas. El alcance de la difusión, como propagación, coliga con la exigencia típica de que sea pública, de que el acto comunicativo, por el medio escogido, reúna "ex ante" dicha idoneidad propagadora. La transmisión mediante la aplicación WhatsApp de un mensaje a un grupo determinado y cerrado de interlocutores -los "amigos de la acusada" se precisa en la sentencia- no es un equivalente a difusión pública de lo transmitido. No responde a las características comunicacionales antes indicadas. Es un acto de comunicación intersubjetivamente delimitado. El hecho de que mediante dicho aplicativo la comunicación se entable entre varios interlocutores no anula la expectativa de privacidad que corresponde a toda persona que participa de un acto comunicativo concertado con otras personas mediante un canal al que no pueden acceder terceros no autorizados. Cuestión distinta es que alguno de los interlocutores, desconociendo la expectativa de privacidad de los otros interlocutores, distribuya o difunda lo comunicado. Pero ello no se transmite al acto comunicativo original. Es cierto que el tenor del artículo 559 CP no fija que la incitación deba ser directa, como sí se precisa en el artículo 18 CP,

---

[457] Suprimido por la LO 14/2022, de 22 de diciembre.

pero tampoco establece que pueda ser indirecta. La falta de referencia a la naturaleza de la incitación no permite suplirla trazando, como una suerte de fórmula integrativa, una relación de "hermanamiento" con el tipo del artículo 510 CP en el que sí se previene expresamente la modalidad indirecta de incitación. Para interpretar y delimitar el alcance del tipo objetivo del artículo 559 CP parece razonable acudir antes a la categoría matriz de la provocación que contempla la incitación directa como fórmula de acción. Lo que arroja un resultado más ajustado a los estrictos límites que impone el principio de taxatividad, neutralizando efectos extensivos. La incitación indirecta debe limitarse a aquellos tipos en los que legislador de forma expresa la ha previsto como fórmula de acción. Lo que posibilita, además, establecer límites de tipicidad que dejen fuera del espacio del artículo 559 CP a mensajes que solo pretendan generar un malestar colectivo pues, además de riesgos de colisión con el derecho a la libertad de expresión, no cabría trazar una relación de imputación objetiva con el impulso para la acción del tercero. Si atendemos al tipo desde el canon de la totalidad, tomando en cuenta que la incitación debe ir dirigida a la comisión de desórdenes públicos agravados del artículo 557 bis y que se parifica en cuanto al reproche con la conducta de reforzamiento de la decisión ya tomada de terceros de llevarlos a cabo, resulta exigible que el mensaje o la consigna contenga un mínimo de precisión respecto a las circunstancias espaciotemporales de producción del hecho delictivo que se incita a cometer. La acción debe incorporar un incremento apreciable del riesgo de que la incitación pueda resultar eficaz. (Tol 9140705)

Art. 563.

La tenencia de armas prohibidas y la de aquellas que sean resultado de la modificación sustancial de las características de fabricación de armas reglamentadas, será castigada con la pena de prisión de uno a tres años.

STS 903/2021: La interpretación constitucionalmente conforme ha de partir de que el art. 563 CP en su primer inciso no consagra una remisión ciega a la normativa administrativa, cualquiera que sea el contenido de ésta, sino que el ámbito de la tipicidad penal es distinto y más estrecho que el de las prohibiciones administrativas. Tal reducción del tipo se alcanza, en primer lugar, en el plano de la interpretación literal o gramatical, a partir del concepto de armas, excluyendo del ámbito de lo punible todos aquellos instrumentos u objetos que no lo sean (aunque su tenencia esté reglamentariamente prohibida) y que no tengan inequívocamente tal carácter en el caso concreto. Y, según el Diccionario de la Real Academia, son armas aquellos "instrumentos, medios o máquinas destinados a ofender o a defenderse", por lo que en ningún caso será punible la tenencia de instrumentos que, aunque en abstracto y con carácter general puedan estar incluidos en los catálogos de prohibiciones administrativas, en el caso concreto no se configuren como instrumentos de ataque o defensa, sino otros, como el uso en actividades domésticas o profesionales o el coleccionismo. En segundo lugar, y acudiendo ahora a los principios generales limitadores del ejercicio del ius puniendi, la prohibición penal de tener armas no puede suponer la creación de un ilícito meramente formal que penalice el incumplimiento de una prohibición administrativa, sino que ha de atender a la protección de un bien jurídico (la seguridad ciudadana y mediatamente la vida y la integridad de las personas, como anteriormente señalamos) frente a conductas que revelen una especial potencialidad lesiva para el mismo. Esa especial peligrosidad del arma y de las circunstancias de su tenencia deben valorarse con criterios objetivos y en atención a las múltiples circunstancias concurrentes en cada caso. En el caso examinado concurren los requisitos necesarios para que la conducta que se imputa a X y a Y sea integrada en el artículo 563 del Código Penal, al concurrir los requisitos exigidos al efecto por esta Sala Casacional; así, las defensas extensibles que les fueron intervenidas deben tener la consideración de arma ya que es evidente que se trata de instrumentos destinados a atacar o defenderse. Lo mismo hemos de decir de las navajas automáticas y de las llaves de pugilato. Su tenencia está prohibida directamente en el Reglamento de armas al que la Ley se remite (Real Decreto 137/1993, de 29 de enero). Se trata de armas que tienen una especial potencialidad lesiva, habiéndose producido su tenencia en condiciones o circunstancias que las convierten, en el caso concreto, en especialmente peligrosas para la seguridad ciudadana, como lo atestigua las actividades que llevaban a cabo los recurrentes y que son descritas en los hechos probados.

STS 355/2018: La doctrina científica y jurisprudencial considera el delito de tenencia ilícita de armas como un delito permanente, en cuanto la situación antijurídica se inicia desde que el sujeto tiene el arma en su poder y se mantiene hasta que se desprende de ella; como un delito formal, en cuanto no requiere para su consumación resultado material alguno, ni producción de daño, siquiera algún sector doctrinal prefiere hablar al respecto de un delito de peligro comunitario y abstracto, en cuanto el mismo crea un riesgo para un número indeterminado de personas, que exige como elemento objetivo una acción de tenencia (y por ello es calificado también como tipo de tenencia) que consiste en el acto positivo de tener o portar el arma. Como elemento subjetivo atinente a la culpabilidad se exige el *animus possidendi*, esto es, el dolo o conocimiento de que se tiene el arma, pese a la prohibición de la norma. Por tanto, es un delito de amplio espectro porque se consuma con distinta gravedad (siempre por la simple detentación independientemente de que se haga o no uso del arma) desde la posesión más o menos intrascendente, sin mayor proyección, hasta constituir un acto de suma gravedad para la paz social dado el número o calidad de las armas, la personalidad del agente o la presumible finalidad que con ella se persigue. La tenencia se integra de un "corpus" consistente en la relación física con el arma (*corpus rem attingere*) que no precisa ser material y constante, pues tal elemento radica en la disponibilidad de la misma por el agente o sujeción a su voluntad, por lo que el "corpus" se da tanto portando o llevando consigo el agente el arma, como manteniéndola guardada en su domicilio u ocultándola en otro lugar, con tal que mantenga aquella disponibilidad o dominio de hecho sobre la misma, y un "animus", que no precisa consistir en el "animus rei sibi habendi" en cuanto la tenencia del arma puede ocurrir en situaciones en que el agente no pretenda adquirir su propiedad o incorporarla a su patrimonio, sino que la posea o detente aun reconociendo la propiedad de un tercero sobre tal arma, por lo que la jurisprudencia viene declarando que son suficiente soporte anímico de la tenencia, tanto el "animus possidendi", como el más inferior "animus detinendi", siempre que se dé la detentación y disponibilidad propias del "corpus", excluyendo solamente de la conducta típica los supuestos llamados de "tenencia fugaz" como serían los de mera detentación a efectos de contemplación o examen, reparación del arma o de simple transmisión a terceros.

STS 245/2016: El delito de tenencia ilícita de armas es un delito de propia mano que comete aquel que, de forma exclusiva y excluyente, goza de la posesión del arma, aunque a veces pueda pertenecer a distintas personas o, en último caso, pueda estar a disposición de varios con distinta utilización, razón por la cual extiende sus efectos, en concepto de tenencia compartida, a todos aquellos que conociendo su existencia en la dinámica comisiva, la tuvieron indistintamente a su libre disposición.

STS 532/2016: La intervención penal en el delito de tenencia ilícita de armas solo resultará justificada en los supuestos en los que el arma objeto de la tenencia posea una especial potencialidad lesiva y además la tenencia se produzca en condiciones o circunstancias tales que la conviertan, en el caso concreto, en especialmente peligrosa para la seguridad ciudadana. Esa especial peligrosidad del arma y de las circunstancias de su tenencia deben valorarse con criterios objetivos y en atención a las múltiples circunstancias concurrentes en cada caso.

Art. 564.

1. La tenencia de armas de fuego reglamentadas, careciendo de las licencias o permisos necesarios, será castigada:

1.º Con la pena de prisión de uno a dos años, si se trata de armas cortas.
2.º Con la pena de prisión de seis meses a un año, si se trata de armas largas.

2. Los delitos previstos en el número anterior se castigarán, respectivamente, con las penas de prisión de dos a tres años y de uno a dos años, cuando concurra alguna de las circunstancias siguientes:

1.ª Que las armas carezcan de marcas de fábrica o de número, o los tengan alterados o borrados.
2.ª Que hayan sido introducidas ilegalmente en territorio español.
3.ª Que hayan sido transformadas, modificando sus características originales.

STS 879/2021: Como es bien sabido, la acción de tenencia si bien se integra por un "corpus" consistente en la relación física con el arma, no precisa que sea material, constante o continuada. El elemento posesorio se nutre de la disponibilidad del arma por el agente o por la sujeción a su voluntad. De tal modo, la tenencia típicamente relevante se da tanto cuando se porta el arma como cuando se domina la disponibilidad sobre la misma. Lo que resulta también compatible con supuestos en los que dicha disponibilidad es compartida con varias personas por una tácita unión de voluntades o, incluso, cuando, acreditado el hecho posesorio de un arma de fuego, esta no es, sin embargo, localizada en poder del autor. El no hallazgo del arma puede dificultar la acreditación de características o modificaciones sobre las que se funda la apreciación de los subtipos agravados del artículo 564.2 CP. Pero si la prueba permite acreditar que la persona acusada tuvo a su disposición un arma de fuego idónea para realizar disparos de proyectiles reales, como acontece, sin duda alguna, en el caso, dicha tenencia, sin guía ni licencia, constituye, al menos, el tipo básico del artículo 564.1 1º y 2º CP.

Acuerdo no jurisdiccional del pleno de la Sala 2ª del TS de 25 de noviembre de 2008: La falta de guía de pertenencia, cuando se dispone de licencia o permiso de armas, no integra el delito de art. 564 CP.

Art. 566.

1. Los que fabriquen, comercialicen o establezcan depósitos de armas o municiones no autorizados por las leyes o la autoridad competente serán castigados:

1.º Si se trata de armas o municiones de guerra o de armas químicas, biológicas, nucleares o radiológicas o de minas antipersonas o municiones en racimo, con la pena de prisión de cinco a diez años los promotores y organizadores, y con la de prisión de tres a cinco años los que hayan cooperado a su formación.

2.º Si se trata de armas de fuego reglamentadas o municiones para las mismas, con la pena de prisión de dos a cuatro años los promotores y organizadores, y con la de prisión de seis meses a dos años los que hayan cooperado a su formación.

3.º Con las mismas penas será castigado, en sus respectivos casos, el tráfico de armas o municiones de guerra o de defensa, o de armas químicas, biológicas, nucleares o radiológicas o de minas antipersonas o municiones en racimo.

2. Las penas contempladas en el punto 1.º del apartado anterior se impondrán a los que desarrollen o empleen armas químicas, biológicas, nucleares o radiológicas o minas antipersonas o municiones en racimo, o inicien preparativos militares para su empleo o no las destruyan con infracción de los tratados o convenios internacionales en los que España sea parte.

STS 604/2021: No cabe duda, tampoco aquí, de la consustancial peligrosidad de la reunión de armas (una de ellas, de guerra) que fueron halladas en el domicilio del acusado, junto a una cantidad importante de munición, y en las condiciones de guarda o localización ya tan comentadas. Como tampoco de que cuando se trata de un depósito de armas vinculado probablemente a una sola persona, el agente único ha de ser equiparado al promotor u organizador, aunque solo fuera porque, en otro caso, la solución alternativa llevaría necesariamente a la absolución, habida cuenta de que, en tales supuestos, la cooperación resultaría intrínsecamente imposible.

STS 519/2021: No es dudoso que, estando las armas a disposición de todos los integrantes de la asociación delictiva y habiéndolas utilizado el grupo en los dos robos descritos en el relato fáctico, todos ellos son responsables del depósito. Pero para ser considerado promotor u organizador del mismo es preciso algo más, que, generalmente, se traduce en la asunción de la iniciativa o de la responsabilidad en su formación o en su utilización. Son promotores quienes dan vida con su iniciativa a la reunión finalista de las armas y puede serlo una persona que actúe por si sola, sin coordinación con otras.

Art. 568.

La tenencia o el depósito de sustancias o aparatos explosivos, inflamables, incendiarios o asfixiantes, o sus componentes, así como su fabricación, tráfico o transporte, o suministro de cualquier forma, no autorizado por las Leyes o la autoridad competente, serán castigados con la pena de prisión de cuatro a ocho años, si se trata de sus promotores y organizadores, y con la pena de prisión de tres a cinco años para los que hayan cooperado a su formación.

> **STS 137/2019:** El artículo 568 CP castiga la tenencia o el depósito de sustancias o aparatos explosivos, inflamables, incendiarios o asfixiantes, o sus componentes, así como su fabricación, tráfico o transporte, o suministro de cualquier forma, no autorizado por las leyes o la autoridad competente. La jurisprudencia de esta Sala, ha señalado que se trata de un delito de peligro, de mera actividad, que sanciona las conductas iniciales por el riesgo que llevan consigo las sustancias utilizadas y que se consuma por la mera tenencia, careciendo de autorización por las leyes o la autoridad competente y respecto de la cual el legislador ha eliminado cualquier referencia o exigencia de un ulterior destino; y que, en cualquier caso, no requiere de un resultado dañoso para su comisión, siendo, en consecuencia, suficiente su mera tenencia para la consumación delictiva. Pese a todo, se destacan en la jurisprudencia casos en los que el delito de tenencia de explosivos del art. 568 del CP no llegará a adquirir autonomía típica, siendo consumido por el delito de resultado de daños. Así serán aquellos casos, en que partiendo de que el delito de tenencia de explosivos es un delito de simple actividad y peligro abstracto y consumación anticipada, porque no exige

la deflagración del artefacto, bastando la tenencia con tal finalidad, de suerte que la explosión de los mismos podría dar lugar a un delito de estragos, art. 346 CP, o de incendio, art. 351 CP, infracciones más gravemente penadas que el delito de tenencia explosivos. En estos casos, la posesión de una sustancia o aparato explosivo que luego se utiliza totalmente, produciéndose la correspondiente explosión y los consiguientes daños, entonces el delito consumado de estragos o incendio aparece como una progresión en la acción criminal iniciada por la tenencia de explosivos y vendría, de este modo a constituir la última fase en la progresión delictiva.

STS 813/2017: El delito de tenencia de sustancias explosivas requiere de esa tenencia careciendo de autorización por las leyes o la autoridad competente, habiéndose eliminado cualquier referencia o exigencia de un ulterior propósito delictivo, y por tratarse de un delito de mera actividad o peligro abstracto no requiere un resultado dañoso para la seguridad pública, siendo suficiente esa mera tenencia para la consumación delictiva y como elementos subjetivo el conocimiento de esa tenencia y la voluntad de esa posesión. Desde ahí concluye que no es exigible un ánimo adicional de atentar.

Art. 570 bis.

1. Quienes promovieren, constituyeren, organizaren, coordinaren o dirigieren una organización criminal serán castigados con la pena de prisión de cuatro a ocho años si aquélla tuviere por finalidad u objeto la comisión de delitos graves, y con la pena de prisión de tres a seis años en los demás casos; y quienes participaren activamente en la organización, formaren parte de ella o cooperaren económicamente o de cualquier otro modo con la misma serán castigados con las penas de prisión de dos a cinco años si tuviere como fin la comisión de delitos graves, y con la pena de prisión de uno a tres años en los demás casos.

A los efectos de este Código se entiende por organización criminal la agrupación formada por más de dos personas con carácter estable o por tiempo indefinido, que de manera concertada y coordinada se repartan diversas tareas o funciones con el fin de cometer delitos.

2. Las penas previstas en el número anterior se impondrán en su mitad superior cuando la organización:

a) esté formada por un elevado número de personas.

b) disponga de armas o instrumentos peligrosos.

c) disponga de medios tecnológicos avanzados de comunicación o transporte que por sus características resulten especialmente aptos para facilitar la ejecución de los delitos o la impunidad de los culpables.

Si concurrieran dos o más de dichas circunstancias se impondrán las penas superiores en grado.

3. Se impondrán en su mitad superior las penas respectivamente previstas en este artículo si los delitos fueren contra la vida o la integridad de las personas, la libertad, la libertad e indemnidad sexuales o la trata de seres humanos.

> STS 277/2016: La organización y el grupo criminal tienen en común la unión o agrupación de más de dos personas y la finalidad de cometer delitos concertadamente. Pero mientras que la organización criminal requiere además la estabilidad o constitución por tiempo indefinido y que se repartan las tareas o funciones de manera concertada y coordinada (necesariamente ambos requisitos conjuntamente: estabilidad y reparto de tareas), el grupo criminal puede apreciarse cuando no concurra ninguno de estos requisitos o cuando concurra uno solo. No obstante, tanto la organización como el grupo criminal están predeterminados a la comisión de una pluralidad de hechos delictivos. Por ello, cuando se forme una agrupación de personas para la comisión de un delito específico, nos encontramos ante un supuesto de codelincuencia, en el que no procede aplicar las figuras de grupo ni de organización criminal. De igual forma que los distintos actos de tráfico de drogas integran un solo delito (unidad típica de acción), ello no impide su consideración como grupo u organización criminal.

STS 8/2015: En el grupo criminal existe una intencionalidad delictiva conjunta a corto plazo, mientras que en la organización criminal la intencionalidad se proyecta a largo plazo o por tiempo indefinido.

STS 879/2022: para optar por una u otra de los dos modalidades que contempla el art. 570 bis 1° CP (comisión de delitos graves; comisión de delitos no graves), hay que valorar las acciones aisladamente; y no el conjunto, globalmente considerado como delito único. Aquí el concierto se estableció para cometer una pluralidad de delitos no graves (defraudaciones encuadrables en el art. 248 CP) que acaban reunidos en un único delito continuado grave (art. 250). No podemos estar al resultado de la aplicación del art. 74 CP, sino a las acciones individualmente consideradas. Cada una de ellas constituía un delito no grave; o, al menos, del hecho probado no puede deducirse otra cosa. Ni siquiera sería admisible el artificio de separar diversos grupos para formar varios delitos continuados del art. 250 CP y poder hablar así de "delitos" (en plural) graves. Retomando el ejemplo del tráfico de drogas: quienes convienen traficar con haschís y, además, en una única ocasión aislada, venden una partida de cocaína, no se han constituido para cometer delitos graves. O, si en las operaciones con haschís que van realizando secuenciadamente, acaban alcanzando mediante la suma de toda la sustancia vendida en ocasiones sucesivas la agravación por notoria importancia, deberán ser sancionados en virtud del art. 369; pero no por el delito de organización criminal para la comisión de delitos graves si las acciones plurales por sí solas no constituían un delito grave.

STS 852/2016: Tras la reforma operada por la LO 5/2010 que introduce los tipos penales de organización y grupo criminal (arts. 570 bis y ter), el tipo penal de asociación ilícita (art. 515) queda relegado como tipo residual, debiendo reconducirse su interpretación a su ámbito propio, es decir, como contrapartida al derecho de asociación, por lo que las características del mismo condicionan la aplicación de dicho tipo penal, exigiéndose pluralidad de partícipes, estructura definida, distribución de funciones, órgano directivo y vocación de permanencia, en concordancia con el propio concepto constitucional de asociación.

Art. 570 ter.

1. Quienes constituyeren, financiaren o integraren un grupo criminal serán castigados:

a) Si la finalidad del grupo es cometer delitos de los mencionados en el apartado 3 del artículo anterior, con la pena de dos a cuatro años de prisión si se trata de uno o más delitos graves y con la de uno a tres años de prisión si se trata de delitos menos graves.

b) Con la pena de seis meses a dos años de prisión si la finalidad del grupo es cometer cualquier otro delito grave.

c) Con la pena de tres meses a un año de prisión cuando se trate de cometer uno o varios delitos menos graves no incluidos en el apartado a) o de la perpetración reiterada de delitos leves.

A los efectos de este Código se entiende por grupo criminal la unión de más de dos personas que, sin reunir alguna o algunas de las características de la organización criminal definida en el artículo anterior, tenga por finalidad o por objeto la perpetración concertada de delitos.

2. Las penas previstas en el número anterior se impondrán en su mitad superior cuando el grupo:

a) esté formado por un elevado número de personas.

b) disponga de armas o instrumentos peligrosos.

c) disponga de medios tecnológicos avanzados de comunicación o transporte que por sus características resulten especialmente aptos para facilitar la ejecución de los delitos o la impunidad de los culpables.

Si concurrieran dos o más de dichas circunstancias se impondrán las penas superiores en grado.

> **STS 244/2021:** El grupo criminal del art. 570 ter del Código Penal, únicamente precisa de la unión de más de dos personas que, sin reunir alguna o algunas de las características de la organización criminal definida en el artículo anterior (esto es, sin reclamar un carácter estable, ni un formal reparto de

tareas entre sus miembros), tenga por finalidad o por objeto la perpetración concertada de delitos. Se trata de un delito en el que la antijuridicidad se integra por una determinación de transgredir, reiteradamente y de manera conjunta, las normas prohibitivas, lesionando bienes jurídicos que el derecho penal protege. Un delito que adelanta su consumación al momento en el que se materializa el propósito de una manera definitiva y terminante, por más que tal decisión no haya cuajado todavía en la comisión de ningún delito. Como decíamos, no es preciso para la consumación y apreciación del tipo penal que el miembro participe en los actos punibles del grupo, ni tampoco que haya un principio de ejecución, ni siquiera que sea inmediata la ejecución de los mismos. Basta a estos efectos, como indica también la Circular de la FGE, 2/2011, "con que se acredite alguna clase de actuación de la que pueda deducirse que los integrantes de la asociación han pasado del mero pensamiento a la acción. Traducida en actos externos tal actividad puede referirse a múltiples aspectos relacionados con la finalidad delictiva, tanto a la captación de nuevos miembros, como su formación o el aprovisionamiento de medios materiales para sus fines, o la preparación y ejecución de acciones o a la ayuda a quienes las preparan o ejecutan". Y recordábamos que "la codelincuencia viene a ser un simple consorcio ocasional para la comisión de un delito, en tanto que la organización y el grupo criminal constituyen un aliud en el que no concurre una mera ocasionalidad, sino la finalidad de realización concertada de una pluralidad de delitos". Es evidente que, conforme a este concepto, la mera participación en la diversidad de delitos perpetrados en una misma noche, por sí sola no aporta una realidad fáctica que requiere la asentada y decidida voluntad de apandillarse para reiterar actuaciones delictivas. Pero una cosa es que no exista prueba de que los acusados intervinieran en los robos acaecidos en otras dos fechas concretas y otra que no pueda percibirse que entre los acusados confluía un concierto de coactuación delictiva no contingente o esporádica, sino con voluntad de redundancia.

STS 378/2016: Se traspasa el concepto de codelincuencia para integrar el grupo criminal, cuando existen unas vinculaciones entre las personas que participan en los delitos enjuiciados que van mucho más lejos de lo ocasional, esporádico o episódico, destacándose la nota de cierta estabilidad.

STS 369/2018: Esa idea de conjunción -unión dice el artículo 570 ter- aunque sea compatible con la ausencia de estabilidad o jerarquía y diversidad funcional entre los integrantes, requiere que la participación de los agrupados se constituya con la finalidad de "perpetrar de manera concertada" plurales delitos. De tal suerte que no es solamente esta pluralidad de delitos lo que marca la diferencia con la mera codelincuencia. Ésta se satisface por participar en el delito. El grupo exige, además , que se participe del agrupamiento. Por ello la reiterada codelincuencia en plurales delitos no implica que esos codelincuentes se integren en el grupo. Y no participa en el grupo quien es ajeno a las decisiones del mismo. Y, por ello, también a las resultas de la actuación concertada del grupo. Ajenidad que no se excluye por más que la participación como ajeno al grupo sea esperada y efectiva en plurales ocasiones. Porque ello no conlleva necesariamente integración en el grupo.

Art. 570 quáter.

1. Los jueces o tribunales, en los supuestos previstos en este Capítulo y el siguiente, acordarán la disolución de la organización o grupo y, en su caso, cualquier otra de las consecuencias de los artículos 33.7 y 129 de este Código.

2. Asimismo se impondrá a los responsables de las conductas descritas en los dos artículos anteriores, además de las penas en ellos previstas, la de inhabilitación especial para todas aquellas actividades económicas o negocios jurídicos relacionados con la actividad de la organización o grupo criminal o con su actuación en el seno de los mismos, por un tiempo superior entre seis y veinte años al de la duración de la pena de privación de libertad impuesta en su caso, atendiendo proporcionalmente a la gravedad del delito, al número de los cometidos y a las circunstancias que concurran en el delincuente.

En todo caso, cuando las conductas previstas en dichos artículos estuvieren comprendidas en otro precepto de este Código, será de aplicación lo dispuesto en la regla 4.ª del artículo 8.

3. Las disposiciones de este Capítulo serán aplicables a toda organización o grupo criminal que lleve a cabo cualquier acto penalmente relevante en España, aunque se hayan constituido, estén asentados o desarrollen su actividad en el extranjero.

4. Los jueces o tribunales, razonándolo en la sentencia, podrán imponer al responsable de cualquiera de los delitos previstos en este Capítulo la pena inferior en uno o dos grados, siempre que el sujeto haya abandonado de forma voluntaria sus actividades delictivas y haya colaborado activamente con las autoridades o sus agentes, bien para obtener pruebas decisivas para la identificación o captura de otros responsables o para impedir la actuación o el desarrollo de las organizaciones o grupos a que haya pertenecido, bien para evitar la perpetración de un delito que se tratara de cometer en el seno o a través de dichas organizaciones o grupos.

> **STS 35/2019:** La actividad económica o negocio jurídico a que se refiere el artículo 570 quáter 2 CP debe tener las mismas características que las actividades a que se refiere el artículo 45 CP. Entre estas características queremos destacar que ciertamente, según la Jurisprudencia, dicha profesión ha de estar conectada con el oficio, sin que pueda apreciarse cuando no se emplean conocimientos profesionales para cometer el delito, ni cuando no hay relación con la actividad profesional. Se deriva de todo ello que la actividad económica o el negocio jurídico deberá ser real y habitualmente practicado.

Art. 575.

1. Será castigado con la pena de prisión de dos a cinco años quien, con la finalidad de capacitarse para llevar a cabo cualquiera de los delitos tipificados en este Capítulo, reciba adoctrinamiento o adiestramiento militar o de combate, o en técnicas de desarrollo de armas químicas o biológicas, de elaboración o preparación de sustancias o aparatos explosivos, inflamables, incendiarios o asfixiantes, o

específicamente destinados a facilitar la comisión de alguna de tales infracciones.

2. Con la misma pena se castigará a quien, con la misma finalidad de capacitarse para cometer alguno de los delitos tipificados en este Capítulo, lleve a cabo por sí mismo cualquiera de las actividades previstas en el apartado anterior.

Se entenderá que comete este delito quien, con tal finalidad, acceda de manera habitual a uno o varios servicios de comunicación accesibles al público en línea o contenidos accesibles a través de internet o de un servicio de comunicaciones electrónicas cuyos contenidos estén dirigidos o resulten idóneos para incitar a la incorporación a una organización o grupo terrorista, o a colaborar con cualquiera de ellos o en sus fines. Los hechos se entenderán cometidos en España cuando se acceda a los contenidos desde el territorio español.

Asimismo se entenderá que comete este delito quien, con la misma finalidad, adquiera o tenga en su poder documentos que estén dirigidos o, por su contenido, resulten idóneos para incitar a la incorporación a una organización o grupo terrorista o a colaborar con cualquiera de ellos o en sus fines.

3. La misma pena se impondrá a quien, para ese mismo fin, o para colaborar con una organización o grupo terrorista, o para cometer cualquiera de los delitos comprendidos en este Capítulo, se traslade o establezca en un territorio extranjero.

STS 13/2018: La nueva redacción del artículo 575 del Código Penal, dada por LO 2/2015, adelantando las barreras de protección al bien jurídico antes contemplado, ha añadido la sanción del adoctrinamiento o adiestramiento pasivo, esto es, más allá de sancionarse a quien hace proselitismo respecto de la actuación terrorista, se ha venido a condenar también a quienes se coloquen como destinatarios de actividades dirigidas a expandir los postulados violentos del grupo terrorista o concebidas para adiestrar a cualquiera en métodos que faciliten la comisión de atentados, siempre que la participación como receptor en estas enseñanzas responda a una voluntad consciente de facilitar el terrorismo, y con independencia de que la instrucción sea directamente buscada o adquirida por el sujeto activo, o haya sido dispuesta y le sea pertrechado por otros.

No puede acogerse que el delito de colaboración con organización terrorista pueda operar en concurso real con el delito intentado de desplazamiento a territorio extranjero controlado por organización terrorista. El artículo 575.3 del Código Penal sanciona al que "para ese mismo fin [capacitarse para llevar a cabo cualquiera de los delitos relativos a organizaciones y grupos terroristas, o delito de terrorismo], o para colaborar con una organización o grupo terrorista, o para cometer cualquiera de los delitos comprendidos en este Capítulo, se traslade o establezca en un territorio extranjero controlado por un grupo u organización terrorista". El precepto supone un nuevo adelantamiento del ámbito de protección penal, sancionándose una actuación que resulta preparatoria del adoctrinamiento pasivo, de la colaboración con una organización terrorista, o de la integración de sus filas, siempre que el comportamiento iniciador consista en ubicarse en el lugar donde ese comportamiento es alcanzable, al fijarse como elemento descriptivo del tipo penal que el sujeto activo se traslade o establezca en un territorio extranjero controlado por un grupo u organización terrorista. En todo caso, como acto preparatorio que es, el comportamiento ha de tener relevancia respecto del bien jurídico que se protege, lo que entraña que el desplazamiento y asentamiento del sujeto activo, lo sea con la intención de prestar una colaboración a la organización terrorista que se ubique dentro del ámbito de actuación del derecho penal, esto es, para prestar una colaboración que facilite o posibilite que la organización terrorista pueda realizar, mejorar o potenciar su actividad delictiva, favoreciendo sus acciones con actos de información, de vigilancia, de ejecución de atentados, de ocultación de sus miembros, de entrenamiento o, incluso, sosteniendo económicamente su actividad.

Art. 577.

1. Será castigado con las penas de prisión de cinco a diez años y multa de dieciocho a veinticuatro meses el que lleve a cabo, recabe o facilite cualquier acto de colaboración con las actividades o las

finalidades de una organización, grupo o elemento terrorista, o para cometer cualquiera de los delitos comprendidos en este Capítulo.

En particular son actos de colaboración la información o vigilancia de personas, bienes o instalaciones, la construcción, acondicionamiento, cesión o utilización de alojamientos o depósitos, la ocultación, acogimiento o traslado de personas, la organización de prácticas de entrenamiento o la asistencia a ellas, la prestación de servicios tecnológicos, y cualquier otra forma equivalente de cooperación o ayuda a las actividades de las organizaciones o grupos terroristas, grupos o personas a que se refiere el párrafo anterior.

Cuando la información o vigilancia de personas mencionada en el párrafo anterior ponga en peligro la vida, la integridad física, la libertad o el patrimonio de las mismas se impondrá la pena prevista en este apartado en su mitad superior. Si se produjera la lesión de cualquiera de estos bienes jurídicos se castigará el hecho como coautoría o complicidad, según los casos.

2. Las penas previstas en el apartado anterior se impondrán a quienes lleven a cabo cualquier actividad de captación, adoctrinamiento o adiestramiento, que esté dirigida o que, por su contenido, resulte idónea para incitar a incorporarse a una organización o grupo terrorista, o para cometer cualquiera de los delitos comprendidos en este Capítulo.

Asimismo se impondrán estas penas a los que faciliten adiestramiento o instrucción sobre la fabricación o uso de explosivos, armas de fuego u otras armas o sustancias nocivas o peligrosas, o sobre métodos o técnicas especialmente adecuados para la comisión de alguno de los delitos del artículo 573, con la intención o conocimiento de que van a ser utilizados para ello.

Las penas se impondrán en su mitad superior, pudiéndose llegar a la superior en grado, cuando los actos previstos en este apartado se hubieran dirigido a menores de edad o personas con discapacidad necesitadas de especial protección o a mujeres víctimas de trata con el fin de convertirlas en cónyuges, compañeras o esclavas sexuales de los autores del delito, sin perjuicio de imponer las que además procedan por los delitos contra la libertad sexual cometidos.

3. Si la colaboración con las actividades o las finalidades de una organización o grupo terrorista, o en la comisión de cualquiera de

los delitos comprendidos en este Capítulo, se hubiera producido por imprudencia grave se impondrá la pena de prisión de seis a dieciocho meses y multa de seis a doce meses.

STS 267/2019: El artículo trata de evitar que las organizaciones terroristas puedan servirse de individuos que, sin estar incardinados en ellas, coincidan en facilitar el propósito de aquellas de subvertir el orden constitucional o de alterar gravemente la paz pública. No se exige, por ello, una adhesión ideológica del colaborante con los postulados de la organización a la que presta soporte, ni tampoco que persiga determinados objetivos políticos o ideológicos, o que el sujeto pasivo de la acción se configure de una manera determinada, limitándose el precepto a proteger que la agrupación terrorista pueda verse aventajada o asistida en el desarrollo de sus métodos violentos, de suerte que el solo conocimiento de que la acción desplegada puede posibilitar, favorecer o contribuir a alterar gravemente la paz pública, atemorizando a los habitantes de una población o a un colectivo social, satisface la esencia de la protección penal, siempre que el sujeto activo -como se ha dicho- no pertenezca a la banda armada, a la organización, o al grupo terrorista que resulta beneficiado en su objetivo. La protección penal que brinda el precepto se materializa sancionando cualquier comportamiento que intencionadamente favorezca de una manera significativa las graves acciones con las que el terrorismo golpea al grupo social. Las personas no integradas en la organización que realizan esporádicamente actos de colaboración definidos en el art. 577 del Código Penal , son autores de un delito de esta clase; pero los que perteneciendo a la organización, como miembros de la misma, realizan tales acciones, deben ser sancionados conforme al art. 572.2 del Código Penal , salvo que tales actos sean "per se" constitutivos de otro ilícito penal, lo que producirá un concurso delictivo.

STS 65/2019: La colaboración precisamente consiste en desplegar un comportamiento idóneo para captar o adoctrinar a terceros, incitándoles a incorporarse a la organización o grupo terrorista, o en adiestrarles para cometer cualquiera de los delitos de terrorismo comprendidos en el Capítulo VII, del Título

XXII, del Libro II, del Código Penal, resulta obligado que el sujeto activo del delito, cuente con el conocimiento de los postulados o de la técnica que se transmite. Tras la reforma operada en el código penal por la LO 2/2015, se ha producido un corrimiento del umbral en el que arranca la protección penal respecto de las actuaciones terroristas, englobándose en el espacio de punición a cualquier comportamiento que esté destinado a obtener un conocimiento que pueda transmitirse después, siempre que concurra el elemento tendencial antes expuesto. Tradicionalmente, la actividad de adoctrinamiento y adiestramiento de nuevos miembros de organizaciones terroristas, se había combatido sancionando a los sujetos que adoctrinaban o adiestraban a terceros, pero el legislador, saliendo al paso de las nuevas formas de captación o de aprendizaje que facilitan las redes de comunicación y que son frecuentemente utilizadas por organizaciones terroristas de corte yihadista, ha pasado a sancionar el adoctrinamiento o adiestramiento pasivo, esto es, a quienes reciben la formación, con independencia de que lo hagan o no por sí mismos. La opción del legislador pasa así a dar respuesta penal ante cualquier acto que se integre en la secuencia de capacitación, si bien reservando un marco penológico de mayor rigor para aquellos supuestos en los que el sujeto activo, lejos de limitarse a su propia formación, inicia la propagación de lo sabido, replicando el conocimiento para su expansión a terceros". Hay que destacar que, como apunta la mayoría de la doctrina, en el tratamiento del denominado "terrorismo individual" en el que está inmerso el art. 577 CP en sus actividades de "recabar o facilitar cualquier acto de colaboración con actividades de una organización terrorista", hay que subrayar que en la concepción del terrorismo se margina el elemento estructural u organizativo para configurar los delitos terroristas como aquellos que con una determinada finalidad -elemento teleológico- se cometen por cualquier persona de manera individual o mediante coautoría, es decir, al margen de una organización o grupo terrorista. Ello evidencia la persecución y castigo del terrorismo individual de internet, como podríamos denominar a esta forma de actuación del recurrente que por medio de la informática perpetra actos que están inmersos en la subsunción en el tipo penal del art. 577 CP. Este terrorismo de internet hace y permite que la "eficacia expansiva" del mensaje propagandístico terrorista tenga un resultado multiplicador y permita alcanzar nuevos adeptos de una forma eficaz y con el poco esfuerzo que supone que una vez haya conseguido el autor los videos y la propaganda elaborada para tal fin pueda subirlo a sus redes sociales de una forma encubierta , pero sí en un circuito cerrado, aunque proclive a su difusión rápida entre quienes saben que pueden seguir la doctrina marcada como pauta, y que provoca un efecto positivo en los fines de la propia organización que elabora ese material para que sea distribuido por "el terrorismo individual del art. 577 CP", u otras modalidades delictivas que se caracterizan por la no necesidad de estar integrados sus autores en una propia organización, sino que se ejerce su ilícito penal de forma individual, pero con el firme propósito de conseguir el fin divulgativo.

Art. 578.

1. El enaltecimiento o la justificación públicos de los delitos comprendidos en los artículos 572 a 577 o de quienes hayan participado en su ejecución, o la realización de actos que entrañen descrédito, menosprecio o humillación de las víctimas de los delitos terroristas o de sus familiares, se castigará con la pena de prisión de uno a tres años y multa de doce a dieciocho meses. El juez también podrá acordar en la sentencia, durante el período de tiempo que él mismo señale, alguna o algunas de las prohibiciones previstas en el artículo 57.

2. Las penas previstas en el apartado anterior se impondrán en su mitad superior cuando los hechos se hubieran llevado a cabo mediante la difusión de servicios o contenidos accesibles al público a través de medios de comunicación, internet, o por medio de servicios de comunicaciones electrónicas o mediante el uso de tecnologías de la información.

3. Cuando los hechos, a la vista de sus circunstancias, resulten idóneos para alterar gravemente la paz pública o crear un grave sentimiento de inseguridad o temor a la sociedad o parte de ella se

impondrá la pena en su mitad superior, que podrá elevarse hasta la superior en grado.

4. El juez o tribunal acordará la destrucción, borrado o inutilización de los libros, archivos, documentos, artículos o cualquier otro soporte por medio del que se hubiera cometido el delito. Cuando el delito se hubiera cometido a través de tecnologías de la información y la comunicación se acordará la retirada de los contenidos.

Si los hechos se hubieran cometido a través de servicios o contenidos accesibles a través de internet o de servicios de comunicaciones electrónicas, el juez o tribunal podrá ordenar la retirada de los contenidos o servicios ilícitos. Subsidiariamente, podrá ordenar a los prestadores de servicios de alojamiento que retiren los contenidos ilícitos, a los motores de búsqueda que supriman los enlaces que apunten a ellos y a los proveedores de servicios de comunicaciones electrónicas que impidan el acceso a los contenidos o servicios ilícitos siempre que concurra alguno de los siguientes supuestos:

a) Cuando la medida resulte proporcionada a la gravedad de los hechos y a la relevancia de la información y necesaria para evitar su difusión.

b) Cuando se difundan exclusiva o preponderantemente los contenidos a los que se refieren los apartados anteriores.

5. Las medidas previstas en el apartado anterior podrán también ser acordadas por el juez instructor con carácter cautelar durante la instrucción de la causa.

> STS 846/2015: El art. 578 CP encierra dos tipos penales: de enaltecimiento del terrorismo, y de humillación y desprecio a las víctimas. El delito de enaltecimiento exige publicidad, no así el de humillación y desprecio a las víctimas.
>
> STS 90/2016: El tipo penal de enaltecimiento del terrorismo (art. 578 CP) no exige ni un grado determinado de difusión ni un mínimo de personas que puedan llegar a conocer el mensaje; el mensaje debe ser susceptible de ser conocido por una pluralidad de personas, con independencia de que efectivamente lo sea o no. Es necesario distinguir el dolo (ensalzar a los miembros de una organización terrorista con consciencia y en circunstancias

que iban a llegar al conocimiento de un gran número de personas) y el móvil del delito. Es un delito de simple actividad por lo que no cabe la tentativa.

STS 4/2017: El hecho de que el autor no persiga los postulados de una organización terrorista y que tampoco busque despreciar a las víctimas, es absolutamente irrelevante en términos de tipicidad. La estructura típica del delito del art. 578 CP, no precisa la acreditación de con qué finalidad se ejecutan los actos de enaltecimiento o humillación. Las afirmaciones del autor alimentan el discurso del odio, legitiman el terrorismo como fórmula de solución de los conflictos sociales y, lo que es más importante, obligan a la víctima al recuerdo de la lacerante vivencia de la amenaza, el secuestro o el asesinato de un familiar cercano. La Sala no aprecia la continuidad delictiva, por cuanto ni cada una de aquellas expresiones integra un delito autónomo, ni su conjunto puede recibir el tratamiento que el art. 74 CP dispensa al delito continuado. El propósito es el mismo, y las distintas frases no son sino secuencias naturales, cronológicamente no coincidentes, de idéntico discurso.

STC 112/2016: Las manifestaciones del discurso del odio que incitan a la violencia, a través del enaltecimiento del autor de actividades terroristas, no pueden quedar amparadas dentro del contenido constitucionalmente protegido del derecho a la libertad de expresión (art. 20.1 CE), el cual no es un derecho ilimitado. No obstante, los órganos judiciales penales, dentro de su función de protección de los derechos fundamentales, deben valorar, como cuestión previa a la aplicación del tipo penal, y atendiendo siempre a las circunstancias concurrentes en el caso concreto, si la conducta que se enjuicia constituye un ejercicio lícito del derecho fundamental a la libertad de expresión. De modo que la ausencia de ese examen previo al que está obligado el Juez penal o su realización sin incluir en él la conexión de los comportamientos enjuiciados con el contenido de los derechos fundamentales y de las libertades públicas, no es constitucionalmente admisible, y constituye en sí misma una vulneración de los derechos fundamentales no tomados en consideración.

STS 95/2018: El propio transcurso del tiempo y la oxidación o agotamiento del tema en clave de humor negro permiten considerar que ya no estamos ante acciones especialmente perversas que tienen como objetivo específico la humillación o el descrédito de las víctimas, incrementando su padecimiento moral o el de sus familiares y ahondando en la herida que en su día abrió el atentado terrorista. De tal forma que aun cuando la conducta del acusado es reprobable y reprochable tanto desde un prisma social como incluso moral, al hacer mofa de una gravísima tragedia humana atribuible a actos terroristas injustificables, no parece que estemos ante un caso que requiera una respuesta del sistema penal, al no estimarla aquí como una reacción adecuada y proporcionada para solventar una situación controvertida como la suscitada, que presenta unos matices muy peculiares en el marco contextual y temporal en que emerge. Todo lo cual impone y exige sopesar y aquilatar con un exquisito tino y cautela la necesidad de operar con la norma penal. Pues bien, en el caso enjuiciado entendemos que no se da ninguna de las circunstancias referidas en los criterios señalados en la jurisprudencia del TC, dado que el acusado ni dio muestras con su conducta de que estaba pretendiendo incitar a la violencia abusando de un ejercicio ilícito de la libertad de expresión, ni provocaba al odio hacia grupos determinados, ni tampoco se valía de mofarse del atentado contra un expresidente de Gobierno ocurrido hace más de cuarenta años con intención de justificarlo o de incitar a nuevos atentados. Y en cuanto al menoscabo de los valores personales de los familiares directos y descendientes de la víctima, ya dijimos en su momento que la forma de enfocar la burla, el contexto en que lo hizo y el hecho de que no la centrara en las circunstancias personales privadas y públicas del acusado sino en el chiste fácil y de mal gusto relacionado con la forma en que se produjo el atentado terrorista, excluye que se trate de un supuesto subsumible en la norma penal.

Art. 579 bis.

1. El responsable de los delitos previstos en este Capítulo, sin perjuicio de las penas que correspondan con arreglo a los artículos precedentes, será también castigado, atendiendo proporcionalmente a la gravedad del delito, el número de los cometidos y a las circunstancias que concurran en el delincuente, con las penas de inhabilitación absoluta, inhabilitación especial para profesión u oficio educativos, en los ámbitos docente, deportivo y de tiempo libre, por un tiempo superior entre seis y veinte años al de la duración de la pena de privación de libertad impuesta en su caso en la sentencia.

2. Al condenado a pena grave privativa de libertad por uno o más delitos comprendidos en este Capítulo se le impondrá además la medida de libertad vigilada de cinco a diez años, y de uno a cinco años si la pena privativa de libertad fuera menos grave. No obstante lo anterior, cuando se trate de un solo delito que no sea grave, y su autor hubiere delinquido por primera vez, el tribunal podrá imponer o no la medida de libertad vigilada, en atención a su menor peligrosidad.

3. En los delitos previstos en este Capítulo, los jueces y tribunales, razonándolo en sentencia, podrán imponer la pena inferior en uno o dos grados a la señalada para el delito de que se trate, cuando el sujeto haya abandonado voluntariamente sus actividades delictivas, se presente a las autoridades confesando los hechos en que haya participado y colabore activamente con éstas para impedir la producción del delito, o coadyuve eficazmente a la obtención de pruebas decisivas para la identificación o captura de otros responsables o para impedir la actuación o el desarrollo de organizaciones, grupos u otros elementos terroristas a los que haya pertenecido o con los que haya colaborado.

4. Los jueces y tribunales, motivadamente, atendiendo a las circunstancias concretas, podrán imponer también la pena inferior en uno o dos grados a la señalada en este Capítulo para el delito de que se trate, cuando el hecho sea objetivamente de menor gravedad, atendidos el medio empleado o el resultado producido.

Acuerdo no jurisdiccional del pleno de la Sala 2ª del TS de 24 de noviembre de 2016: 1º) El nuevo párrafo 4º del art. 579 bis CP introducido por la reforma operada por la LO 2/2015 de 30 de marzo, constituye una norma penal más favorable aplicable tanto a los hechos enjuiciados tras su entrada en vigor, como a los ya sentenciados, bien por la vía de la casación o bien mediante la revisión de sentencias cuando las condenas sean firmes, y estén ejecutándose. 2º) Como establece expresamente en el texto de la misma, esta atenuación es aplicable a todos los delitos previstos en el Capítulo VII, referido a las organizaciones y grupos terroristas y a los delitos de terrorismo, incluidos los delitos de promoción o participación en organización o grupo terrorista sancionados en el art. 572. 3º) Para la aplicación de esta atenuación podrá tomarse en consideración el dato de si la rama de la organización terrorista en la que se integra el acusado o condenado es precisamente aquella que realiza de modo efectivo la acción armada o atentados violentos, o una de las organizaciones dependientes que se integran en el entramado de la organización armada para cooperar con sus fines. En este último caso habrá de valorarse tanto la actividad que realiza el acusado o condenado dentro de la organización, grupo o sector en el que se integra, como la relevancia o entidad de las funciones o misiones que desarrolla este sector de la organización dentro del conjunto del entramado terrorista. 4º) Sin que en ningún caso pueda estimarse que el mero hecho de que el sector de la organización en que se integra el acusado no utilice armas o explosivos ni realice atentados terroristas, determine por sí solo la aplicación de la atenuación, siendo necesario evaluar caso por caso los criterios anteriormente señalados.

XXVII. DELITO DE CONTRABANDO

STS 303/2020: El delito de contrabando, consistente en la importación ilegal en territorio español de tabaco o cualquier otro género estancado, no es un delito contra la propiedad, del que pueda afirmarse que, mientras no haya una efectiva disponibilidad del objeto, el delito no se consuma. La acción típica agota el daño al bien jurídico en el momento mismo en que entra en territorio español sin la declaración fiscal correspondiente.

Por consiguiente, debe considerarse que han sido objeto de una "introducción irregular" en ese territorio en el sentido del artículo 202 del Código aduanero las mercancías que, habiendo cruzado la frontera terrestre exterior de la Comunidad, se encuentran en dicho territorio más allá de la primera oficina aduanera, sin haber sido conducidas hasta allí y sin que hayan sido presentadas en aduana, con el resultado de que las autoridades aduaneras no han recibido comunicación del hecho de la introducción de esas mercancías por parte de las personas responsables de la ejecución de esa obligación". Pasaron cuatro días en los que la mercancía clandestina -ya en territorio español- estuvo a disposición del acusado, sin control de los agentes de Vigilancia Aduanera. Mal se puede hablar, por tanto, de tentativa de delito.

STS 88/2020: La conducta típica sancionada es la importación de mercancías de lícito comercio sin prestarlas para su despacho en las oficinas de Aduanas y la tenencia de dichas mercancías, conforme al artículo 2.1 a), b) y d) de la ley 12/1995, de 12 de diciembre, de Represión del Contrabando y como señala la STS 248/2006, de 27 de febrero, el criterio de la consumación del delito cuando se pasa el control aduanero tiene su justificación en que la existencia del dispositivo aduanero tiene como función evitar la difusión irregular en el mercado interior de determinadas mercancías, para las que normativamente se ha previsto un único procedimiento legal de ingreso, por lo que cuando éste sistema de control es burlado, se produce la consumación. Al tratarse de un delito de mera actividad no es fácil reconocer supuestos de tentativa. Sin embargo, la doctrina de esta Sala ha reconocido esta forma de ejecución cuando la mercancía no llega a cruzar la aduana y no entra en el territorio español o cuando la entrada es meramente aparente como cuando la mercancía entra por tolerancia policial, a efectos de investigación, porque los hechos eran conocidos por los funcionarios quienes permitieron la entrada para profundizar en la investigación e identificar a otros culpables.

STS 860/2021: Se trata aquí de determinar si las hojas de tabaco que los acusados comercializaban, en los términos referidos en el relato de hechos probados de la resolución impugnada,

puede, siempre naturalmente a los efectos penales que aquí nos
convocan, encuadrarse en la categoría de "labores de tabaco" y,
por tanto, si resulta objeto típico del delito de contrabando. Y
es que, en efecto, el artículo 1.11 de la ley orgánica de represión
del contrabando, norma penal sustantiva, aunque contenida en
legislación especial (no en el propio Código Penal), define como
"Géneros o efectos estancados" los artículos, productos o sustancias cuya producción, adquisición, distribución o cualquiera
otra actividad concerniente a los mismos sea atribuida por ley
al Estado con carácter de monopolio, así como las labores del
tabaco y todos aquellos a los que por ley se otorgue dicha condición. A su vez, el artículo 2.2, de ese mismo texto legal señala
que "Cometen delito de contrabando, siempre que el valor de
los bienes, mercancías, géneros o efectos sea igual o superior a
50.000 euros, los que realicen alguno de los siguientes hechos
... b) Realicen operaciones de importación, exportación, comercio, tenencia, circulación de... géneros estancados o prohibidos,
incluyendo su producción o rehabilitación, sin cumplir los requisitos establecidos en las leyes.". Y el número 3 de este mismo
artículo añade que: "Cometen, asimismo, delito de contrabando quienes realicen alguno de los hechos descritos en los apartados 1 y 2 de este artículo, si concurre alguna de las circunstancias siguientes: b) Cuando se trate de labores de tabaco cuyo
valor sea igual o superior a 15.000 euros.". No es, sin embargo,
en esta norma penal en la que se precisa qué debe ser entendido
por "labores del tabaco", limitándose la misma a señalar que
aquéllas se considerarán géneros estancados y que cometerá delito de contrabando quien realice con ellas las operaciones descritas sin cumplir los requisitos establecidos en las leyes cuando
su valor resulte igual o superior a 15.000 euros. Emplea el legislador la técnica conocida como de normas penales en blanco, reenviando a un texto complementario, de naturaleza no
penal, para completar la descripción de la conducta delictiva.
Sin embargo, antes de adentrarnos en el contenido de esa legislación complementaria a la que la norma penal reenvía, resulta
pertinente realizar una consideración general que sirve aquí de
ineludible contexto. La ley 38/1985 vino a suprimir, entre nosotros, el monopolio de la importación y distribución de tabaco

al por mayor, aunque las "labores de tabaco" no perdieron su consideración de "género estancado". A su vez, la Ley Orgánica 10/1992, de ratificación por España del Tratado de la Unión Europea mantuvo el monopolio de la venta, al por menor, de "labores de tabaco", ya fueran comunitarias o extracomunitarias. De hecho, la propia exposición de motivos de la Ley de 4 de mayo de 1998, de ordenación del mercado de tabaco, observa que: "la nueva Ley suprime los actuales monopolios de fabricación, de importación o de comercio al por mayor para las labores de tabaco, no procedentes de los Estados miembros de la Unión Europea", para luego concluir en el párrafo siguiente que: "la nueva normativa mantiene .... el monopolio del comercio al por menor de labores de tabaco a favor del Estado a través de la Red de Expendiciones de Tabaco y Timbre". Y añade en su justificación que "el mantenimiento de la titularidad del Estado en el monopolio del comercio al por menor de labores de tabaco, que continúa revistiendo el carácter de servicio público, constituye un instrumento fundamental e irrenunciable del Estado para el control de un producto estancado como es el tabaco, con notable repercusión aduanera y tributaria". En suma, la incorporación de España a la Comunidad Económica Europea y la prohibición de monopolios establecida en los artículos 37 y 90 del Tratado de Roma, determinaron la promulgación de la vigente Ley 13/1998, de 4 de mayo, de ordenación del mercado de tabaco y normativa tributaria. Dicha norma suprimió el carácter monopolístico de toda actividad industrial o comercial mayorista relativa al tabaco (sin importar su procedencia), manteniéndose únicamente el monopolio estatal para su venta al por menor. En todo caso, la liberación comercial que introdujo la reforma, no modificó la consideración de las labores de tabaco como género estancado. Así las cosas, este Tribunal, y no solo en nuestra citada sentencia de 26 de febrero de 2019, se ha pronunciado respecto a la idoneidad de las labores del tabaco, tanto cuando las operaciones se realizan al por mayor como al por menor, para integrar el objeto típico del delito de contrabando, siempre que su importación, tenencia o distribución, se realice fuera de los cauces legalmente habilitados (así, por ejemplo, también nuestra sentencia número 619/2016, de 12 de julio). La compleja cuestión que se somete aquí a debate no es, por tanto, determinar si las "labores del tabaco" constituyen objeto típico del delito de contrabando. Así lo afirma expresamente la ley, --penal sustantiva--, que regula dicho ilícito penal. Lo que importa aquí es establecer si las hojas de tabaco que los acusados importaban y comercializaban después, pueden ser incluidas, a efectos penales, en dichas categorías. Se trataba, conforme se determina en el relato de hechos probados de la sentencia impugnada, de "hoja de tabaco natural (que) era obtenida de proveedores radicados en la India, Grecia, Italia y Polonia, materia que, luego, vendían, envasada, a diversas personas, después de la limpieza y desvenado de las hojas". Igualmente, el factum de la sentencia impugnada, añade: "La mayor parte del tabaco aprehendido, salvo veintiocho bolsitas de muestras que no estaban destinadas a ser comercializadas, correspondía a hojas de tabaco "strip" o "scrap" que podían ser fumadas tan solo con una sencilla operación de picado a cargo del consumidor final sin exigencia de proceso industrial". Dicho de otra manera: lo sustantivo aquí es determinar si el objeto, importado y comercializado por algunos de los acusados en este procedimiento, debe considerarse como simples "hojas de tabaco" (conducta atípica) o si, en cambio, merece la consideración de "labores del tabaco" (en cuyo supuesto sí nos hallaríamos ante uno de los objetos típicos del delito de contrabando). Más precisamente: se trata de determinar si la norma a la que la ley penal (en blanco) nos reenvía, permite conocer con una razonable certeza la calificación más adecuada para estos concretos supuestos y, por ende, satisface las exigencias impuestas por el principio de legalidad (artículo 25 de la Constitución española). Plásticamente, nuestra tan citada sentencia de fecha 26 de febrero de 2019, lo expresaba del siguiente modo: "¿Constituyen labores de tabaco, las hojas que preparaba, empaquetaba y comercializaba el recurrente?" En este trance resulta ya el momento de analizar el contenido de la norma complementaria. Se trata, en este caso, de la Ley 38/1992, de 28 de diciembre, de impuestos especiales. Su artículo 56 determina que "a efectos de este impuesto, tienen la consideración de labores del tabaco: 1.- Los cigarros y los cigarritos; 2.- Los cigarrillos; 3.- La picadura para liar; y 4.- Los demás tabacos para fumar". Resulta meridianamente claro que las hojas de tabaco que importaban y comercializaban alguno de los acusados aquí no se hallan en ninguna de las tres primeras categorías. Y así, la cuestión se concentra en determinar si podrían ser incluidas, como las acusaciones recurrentes postulan, en la última de ellas: los demás tabacos para fumar. El artículo 59 de la mencionada ley, en su número 4, trata de ofrecer una respuesta al respecto, señalando que "a efectos de este impuesto, tendrá la consideración de tabaco para fumar: a) El tabaco cortado o fraccionado de otro modo, hilado o prensado en plancha, no incluido en los apartados anteriores y que sea susceptible de ser fumado sin transformación industrial ulterior; b) Los desechos de tabaco acondicionado para la venta al por menor que no sean cigarros, cigarritos ni cigarrillos y que sean susceptibles de ser fumados. A estos efectos, se considerarán desechos de tabaco los restos de hojas de tabaco y los subproductos derivados del tratamiento del tabaco o de la fabricación de labores de tabaco". En el apartado 7 de ese mismo artículo se añade que, nuevamente a los efectos de este impuesto, tendrá la consideración de fabricante la persona que trasforma el tabaco en labores de tabaco acondicionadas para su venta al público. Esta legislación nacional, por otro lado y como de consuno señalan los recurrentes, resulta trasunto, incluso literal, de lo establecido en la Directiva 2011/64/UE, en cuyo artículo 2.1, se definen las labores de tabaco en términos idénticos a los ya analizados. Dado que el tipo se configura esencialmente en torno a un elemento normativo, por definición ello implica la referencia a normas cuyo posible conocimiento resulta indispensable para poder precisar el significado y alcance de dicho elemento y cuyo contenido pasa a integrar el tipo penal, contribuyendo a la configuración del hecho punible. Ahora bien, para que la utilización de elementos de tal índole sea constitucionalmente admisible las normas extrapenales han de ser fácilmente identificables de acuerdo con los criterios de integración del propio Ordenamiento jurídico... La única cuestión controvertida es, en realidad, si la norma penal define el núcleo esencial de la prohibición, de modo que la norma remitida se limite a completar con carácter instrumental y de forma subordinada a la ley el contenido de la misma, quedando salvaguardada la función de garantía del tipo penal(...)".... Sentado lo anterior debemos seguidamente señalar que, conforme a doctrina reiterada de este Tribunal, la reserva de ley que opera en materia penal no impide la existencia de posibles "leyes penales en blanco", esto es, de normas penales incompletas en las que la conducta jurídicopenal no se encuentre exhaustivamente prevista en ellas y que remiten para su integración a otras normas distintas, que pueden tener incluso carácter reglamentario. Al respecto lo que resulta exigible es la concurrencia de los tres siguientes requisitos: en primer lugar, que el reenvío normativo sea expreso; en segundo término, que esté justificado en razón del bien jurídico protegido por la norma penal; y, finalmente, que la Ley, además de señalar la pena, dé certeza, es decir, sea de la suficiente concreción para que la conducta calificada de delictiva quede suficientemente precisada con el complemento indispensable de la norma a la que la ley penal se remite, resultando, de esta manera, salvaguardada la función de garantía del tipo con la posibilidad de conocimiento de la actuación penalmente conminada. Observan, en síntesis, los recurrentes que, en el caso, la norma penal (ley para la represión del contrabando), considera las "labores del tabaco" como género estancado y, en consecuencia, sanciona penalmente su importación y distribución sin observar las exigencias legalmente previstas. Cierto que no se ofrece una definición, mínimamente precisa, de lo que debe entenderse por "labores del tabaco". Dicha definición se halla en la norma de reenvío, en este caso, la Ley 38/1992, de 28 de diciembre, de impuestos especiales en la que, por lo que ahora importa, se reputan "labores del tabaco", los "demás tabacos para fumar" (artículo 56); y en el artículo 59.4 se declara que se considerarán "demás tabacos para fumar", entre otros, "el tabaco cortado o fraccionado de otro modo, hilado o prensado en plancha, no incluido en los apartados anteriores, y que sea susceptible de ser fumado sin trasformación industrial ulterior". Como quiera que, conforme al relato de hechos probados de la sentencia impugnada, algunos de los acusados importaban hoja de tabaco natural, que después limpiaban, desvenaban y empaquetaban para su venta, de tal modo que se trataba de hojas de tabaco "strip" o "scrap" que podían ser fumadas tan solo con una sencilla operación de picado a cargo del consumidor final, nos hallamos en el trance de determinar, si ello puede considerarse "susceptible de ser fumado sin trasformación industrial ulterior". Importa comenzar recordando, como ya lo hiciéramos en nuestra sentencia de fecha 26 de febrero de 2019, que el Tribunal Constitucional, en particular en su sentencia 24/2004, de 24 de febrero, afirmó: "la interpretación por un órgano judicial penal de la norma extrapenal complementadora del tipo penal goza de cierta autonomía; no es absolutamente vicaria del alcance que se le dé en otros ámbitos". En tal sentido, ni entonces (ni ahora) cuestionaba (cuestiona) este Tribunal que la conducta descrita en el relato de hechos probados de la sentencia aquí impugnada se alcance para conformar el hecho imponible sujeto a la correspondiente tributación especial. Cierto, sin duda, que la cuestión ha sido definitivamente resuelta, "a efectos de las disposiciones tributarias" por el TJUE. Y cierto también, desde luego, que su doctrina vincula a los órganos jurisdiccionales de cada uno de los países de la Unión, --entre ellos, por descontado, este Tribunal Supremo--, tal y como lo determina el artículo 4 bis de la Ley Orgánica del Poder Judicial, cuando señala, en número primero, que los Jueces y Tribunales aplicarán el Derecho de la Unión Europea de conformidad con la jurisprudencia del Tribunal de Justicia de la Unión Europea, como una de las indispensables manifestaciones del referido principio de primacía. Es obvio, que, si unas mismas conductas resultaran constitutivas del hecho imponible de un tributo en unos países de la Unión y no lo fueran en otros, pese a su regulación normativa en la correspondiente Directiva (en este caso en la 2011/64/UE), conforme a la divergente interpretación de sus respectivos Tribunales nacionales, el futuro y funcionalidad mismas de la Unión Europea quedaría comprometido. Pero no es eso lo que afirmábamos entonces. Ni es tampoco lo que mantendremos ahora. Ni se afirmó ni se afirma que las conductas protagonizadas por algunos de los que fueron acusados en este procedimiento, no quedaran sujetas, conforme a la normativa que les resulta aplicable, a uno u otro tributo. Lo que sí señalábamos entonces, y sostenemos aquí, es que la forma en que aparece construido, en el caso, el tipo penal compuesto (a través de la técnica de las normas penales en blanco, ya glosada), no colma las exigencias irrenunciables del principio de legalidad, en la medida en que no permite conocer a sus destinatarios, al conjunto de la comunidad, los concretos contornos de la conducta punible, a cuya observancia deben acomodar su comportamiento, bajo apercibimiento de sanción penal. No permiten "conocer de antemano el ámbito de lo prohibido y prever así las consecuencias de sus acciones, al construirse normativamente un supuesto de hecho tan imprecisamente delimitado que no permite colegir siquiera qué clase de conductas pueden llegar a ser sancionadas". Así, en nuestra sentencia, tan citada, de 26 de febrero de 2019, señalábamos: "Realiza de esa forma (el TJUE) una interpretación de la norma comunitaria que -somos conscientes- resulta vinculante para los estados miembros y para los jueces nacionales. Pero esa vinculatoriedad no puede extenderse a la eficacia penal indirecta (a través de una norma penal en blanco) en cuanto no deja de ser una interpretación extensiva vedada en derecho penal. Tal y como aparece legalmente delimitado el concepto de labores de tabaco en la normativa, solo mediante una interpretación extensiva puede abarcar las hojas de tabaco en la forma en que se presentaban por el acusado. Ese entendimiento no puede ser acríticamente aceptado cuando estamos delimitando el perímetro de un tipo penal, lo que no obsta a que en otros campos (tributario, administrativo) sí pueda desplegar toda su virtualidad. Pero no puede trasplantarse sin más al ámbito penal sin padecimiento del principio de legalidad en su vertiente de exigencia de lex certa".Es claro que las hojas de tabaco natural que los acusados importaban y que comercializaban después de limpiarlas, desvenarlas y empaquetarlas, no podían ser fumadas por los consumidores finales sin someterlas previamente a un cierto proceso trasformador (debían picar las hojas, lo que podía realizarse con los básicos instrumentos que los propios distribuidores o terceros proporcionaban). La cuestión, naturalmente, radica en determinar si ese proceso de trasformación, aun básico, podía ser o no reputado como "industrial". Sin embargo, como se ha señalado ya, lo que aquí nos convoca no es determinar si la conducta de alguno de los acusados colmaba el hecho imponible del correspondiente tributo; sino si la descripción típica empleada, a través de la técnica de las normas penales en blanco, permitía a los destinatarios de la misma conocer de antemano el ámbito de lo prohibido y prever así las consecuencias de sus acciones, dando satisfacción con ello, en el caso, a las exigencias propias del principio de legalidad. Sin necesidad de profundizar en la cuestión referida a si el estándar de exigencia en este aspecto ha de resultar más, menos o igual de intenso, en atención a las diferentes cualidades de las figuras típicas de que se trate (delitos de los denominados formales o materiales, por ejemplo), lo cierto es que, llegamos entonces, en nuestra sentencia precedente, y también ahora, a una conclusión negativa al respecto. Incluso, a mayor abundamiento, la circunstancia misma de que el Ministerio Público y la Abogacía del Estado hayan tenido que realizar un encomiable trabajo, con invocación de diferentes normas legales (ley de represión del contrabando; de impuestos especiales; directiva comunitaria) y aún tras ellas, no despejada todavía definitivamente la cuestión relativa a si los hechos enjuiciados recayeron sobre un objeto típico del delito de contrabando, acudir a la doctrina del Tribunal de Justicia de la Unión Europea en interpretación de la mencionada disposición comunitaria; como también el hecho mismo de que nuestra primera sentencia al respecto, de 26 de febrero de 2019, estuviera acompañada de dos votos particulares, contribuye a concluir, en términos meramente argumentativos, que dichos esfuerzos de valoración e interpretación de tan diferentes fuentes normativas vienen a poner de manifiesto, paradójicamente si se quiere, la falta de concreción y precisión del precepto penal y de la norma de reenvío por lo que respecta a la descripción del objeto típico del delito, cuyo contenido trata, tan esforzadamente, de "desvelarse", desbordando, a nuestro parecer, los razonables límites que resultan impuestos por el principio de legalidad.

STS 435/2022: Desde el plano normativo, el concepto tributario de "labores de tabaco" se encuentra en el artículo 56 de la Ley de impuestos especiales, que establece el ámbito objetivo de las mismas a efectos de este impuesto, enunciando, como formas que adoptan, las siguientes: 1. Los cigarros y los cigarritos. 2. Los cigarrillos. 3. La picadura para liar. 4. Los demás tabacos para fumar. Y más adelante, en el artículo 59, apartado cuarto, de la misma norma jurídica se define lo que ha de considerarse "demás tabacos para fumar", haciendo expresa referencia a: a) El tabaco cortado o fraccionado de otro modo, hilado o prensado en plancha, no incluido en los apartados anteriores y que sea susceptible de ser fumado sin transformación industrial ulterior. b) Los desechos de tabaco acondicionado para la venta al por menor que no sean cigarros, cigarritos ni cigarrillos y que sean susceptibles de ser fumados. A estos efectos, se considerarán desechos de tabaco los restos de hojas de tabaco y los subproductos derivados del tratamiento del tabaco o de la fabricación de labores de tabaco. Así, el art. 2.1 de la Directiva dispone lo que ha de entenderse por labores del tabaco, en el mismo sentido en que lo recoge después el art. 56 de la Ley de Impuestos especiales, transcrito ut supra. Finalmente, su art. 5 explica que: 1. A efectos de la presente Directiva se entenderá por tabaco para fumar: a) el tabaco collado o fraccionado de otra forma, hilado o prensado en placas, que pueda fumarse sin transformación industrial ulterior. En relación con esta cuestión, ya hemos dicho la Sentencia del Tribunal de Justicia de la UE de 6 de abril de 2017, asunto EKO-TABAC (C-638/15), resuelve la petición de decisión. prejudicial elevada por el Tribunal Supremo de lo Contencioso- Administrativo de la República Checa, respondiendo a una cuestión prejudicial. Considera el TJUE que, a efecto de las disposiciones tributarias, "las hojas de tabaco irregulares, secadas, alisadas y parcialmente desvenadas que han sufrido un secado primario y una humectación controlada, que contienen glicerina y que pueden fumarse tras una sencilla preparación, triturándolas o picándolas a mano, están comprendidas en el concepto de los demás "tabaco para fumar". De lo que llevamos expuesto, podemos concluir que la cuestión había sido resuelta por el Tribunal de la Unión Europea, en el sentido de que es labor de tabaco, tanto la confeccionada por una tabacalera como las hojas de tabaco, mediante un proceso simple que pueda ser fumado inmediatamente, sin necesidad de ningún proceso industrial de transformación, lo que se ha considerado por nuestra jurisprudencia que tal interpretación dictada para los efectos administrativos, esto es, el ámbito de decisión del TUE es el fiscal de tributación, es decir, el de la base imponible, y ese es el ámbito en donde debe moverse. Todo ello desborda el principio de taxatividad (art. 4.1 del Código Penal), por lo que no puede ser, en consecuencia, interpretada contra reo. En definitiva, el tema traído por el Ministerio Fiscal, aun siendo de mucho interés, expuesto con la técnica que define a tal institución pública, ya está resuelto por esta Sala Casacional, al menos, en las dos sentencias citadas, razón por la cual, el principio de seguridad jurídica aconseja mantener el sentido de los fallos precedentes, al no concurrir elementos novedosos, por lo que el recurso debe ser desestimado.

STS 906/2021: Señala el Artículo único. 1, in fine RDL 16/2018 que: "El carácter de género prohibido se extenderá a la fabricación, reparación, reforma, circulación, tenencia o comercio de las embarcaciones citadas en el presente apartado, así como a la navegación por cualquier punto de las aguas interiores, mar territorial español o zona contigua". En efecto, se castiga la tenencia de la embarcación de las características fijadas en el RDL 16/2018. Resulta importante destacar que esta debe ser la interpretación del alcance del RDL 16/2018. Si no fuera así se desnaturalizaría el objeto del citado Real Decreto ley y los objetivos plasmados en la Exposición de Motivos tendentes a reprimir y evitar el uso y disposición o tenencia de esas embarcaciones que se preparan ad hoc para el posterior destino al tráfico de drogas, siendo esto último un plus de antijuridicidad a la actividad previa concretada en la embarcación, que es lo que hace emerger luego el concurso medial del art. 77.3 CP que marca la pauta para la individualización judicial de la pena. Las conclusiones que pueden obtenerse en este caso serían: La embarcación intervenida está incluida como género prohibido a los efectos de lo dispuesto en el apartado 12 del artículo 1 de la Ley Orgánica 12/1995, de 12 de diciembre, de Represión del Contrabando, en relación con el RDL 16/2018. Es irrelevante que quienes se encuentran en la embarcación navegando con droga con las características que se citan tengan que serlo con

labores de patroneo, orientación, comunicaciones, asistencia
técnica u otras, ya que en este caso utilizan la embarcación para
hacerla navegar, bien personalmente o bien por persona intermedia, llevando a cabo o impulsando su periplo a las costas pe-
ninsulares. Ello determina que la embarcación es género prohibido. Artículo único. 1, in fine RDL 16/2018. Y se castiga a los
que tengan a su disponibilidad la posesión y uso de la misma;
es decir, quienes sean interceptados en la embarcación con la
droga. No puede existir una exoneración por contrabando bajo
el alegato de que no son patrones. La condición de usuarios de
la navegación de la embarcación en el momento del transporte
de la droga les hace responsables sin poder apelar a la teoría del
dominio del hecho. Se trataría de un concurso medial de delitos
cuando nos encontramos con la tenencia para el contrabando
con la embarcación y, luego, y, además, la tenencia de la droga
para el destino del tráfico. Existe desconexión que impide el
concurso de normas y admite el medial cuando es otro el delito
de contrabando en el que ya no coincide el objeto sobre el que
recae la acción delictiva con el objeto del artículo 368 y 370.3
CP; es decir, cuando el objeto del delito de contrabando es la
tenencia de una embarcación semirrígida extraordinariamente
veloz, carente de titularidad y registro, desvinculada de cualquier actividad legal y destinada a la comisión de delitos varios contra la salud pública. Esta utilidad y utilización permite
que opere en relación medial para cometer y llevar a cabo el
delito contra la salud pública. La tenencia de la embarcación
de las características del RDL 16/2018 determinan la reubicación en compartimentos estancos y separables entre sí del delito de contrabando respecto del delito contra la salud pública.
No cabe la absorción del contrabando en el tráfico de drogas.
La embarcación ocupada era género prohibido, en virtud de
lo dispuesto en el artículo único del RDL 16/2018, de 27 de
octubre. a.- Que el valor del género sea superior a 50.000 euros
y realicen operaciones de importación, exportación, comercio,
tenencia, circulación de: Géneros estancados o prohibidos (art.
2.2 b) Ley 12/1995). b.- Tendrán la consideración de género
prohibido, a los efectos de lo dispuesto en el apartado 12 del
artículo 1 de la Ley Orgánica 12/1995, de 12 de diciembre, de

Represión del Contrabando, sin perjuicio de lo dispuesto en el apartado 3 de este artículo, las siguientes embarcaciones: a) Las embarcaciones neumáticas y semirrígidas susceptibles de ser utilizadas para la navegación marítima que cumplan alguna de las siguientes características: i. Todas aquellas cuyo casco, incluida en su caso la estructura neumática, sea menor o igual a 8 metros de eslora total, que dispongan de una potencia máxima, independientemente del número de motores, igual o superior a 150 kilovatios. ii. Todas aquellas cuyo casco, incluida en su caso la estructura neumática, sea mayor de 8 metros de eslora total. (art. 1 RDL 16/2018).

PARTE TERCERA
CUESTIONES PROCESALES

I. DERECHOS FUNDAMENTALES PROCESALES

1. Derecho de defensa

STC 5/2004 - STS 307/2016: Solo tiene relevancia constitucional la indefensión real y efectiva, y debe ser imputable al órgano judicial, y no a la pasividad, desinterés, impericia, negligencia o error técnico de la parte o de los profesionales que le asisten o representan.

STC 20/2003: La imputación hace surgir el derecho de defensa.

STC 170/2002: Admitida una denuncia o incoado un procedimiento por la comisión de un hecho delictivo, tal imputación ha de hacérsela saber al investigado.

STS 617/2018: En los casos en los que el investigado ya está personado en las actuaciones, la notificación al mismo de la adopción del secreto puede plantear algunos inconvenientes, en la medida en que pueda afectar a la misma razón de la medida. Podría ser conveniente entonces reconocer la posibilidad de incluir la fundamentación del Auto en las actuaciones comprendidas en el secreto, notificando solamente la parte cuyo conocimiento sea posible desde aquella perspectiva, permitiendo de esta forma el control posterior sobre la racionalidad de la resolución. En cualquier caso, de la regulación legal se desprende, en primer lugar, que no es posible desarrollar la fase de investigación a espaldas del investigado; en segundo lugar que la excepción a esta regla, mediante la adopción del secreto sumarial, solamente es posible si está justificada en las razones previstas en la ley; y en tercer lugar, que esa justificación debe ser expresada en la resolución que acuerde el secreto, con la finalidad de conocer, en el momento preciso, si la restricción de los derechos del investigado estaba suficientemente justificada. La prolongación excesiva del secreto más allá de su estricta necesidad; o la inobservancia, como sucede en este caso, de esa prescripción legal (levantamiento con una antelación de diez días al auto de conclusión de las diligencias previas del art. 779) pueden vulnerar el derecho de defensa. Aquí ambas resoluciones -levantamiento del secreto y auto de conclusión de las diligencias- llevan la misma fecha. No se ajusta esa práctica a la legalidad pues supone en contra de la voluntad del legislador haber expulsado totalmente de la fase de investigación la publicidad interna y toda dosis de contradicción.

STS 246/2021: De la jurisprudencia del Tribunal de Estrasburgo se desprende que para que se aprecie vulneración de la garantía de no autoincriminación no resulta imprescindible que la declaración coactiva se haya obtenido ni en el seno de un proceso penal en curso ni que la persona indagada ya tenga la condición de imputada. La clave radica en los efectos incriminatorios que pueden derivarse en un proceso penal. Lo relevante para la garantía de no autoincriminación sería, primero, el carácter coactivo de la aportación de la información, independientemente del contexto procedimental en que se obtuviera, y, segundo, el efecto incriminatorio que produjese o pudiese producir en un proceso de naturaleza penal o sancionadora contra la persona que la aporta. Partiendo de lo anterior, pocas dudas ofrece que la declaración como testigo constituye una aportación coactiva de información pues se presta bajo la conminación de que en caso de no decir la verdad o negarse a responder la persona será sancionada. Como se afirma en la reciente STC 21/2021, el carácter coactivo de dicha declaración "resulta avalado por la jurisprudencia del Tribunal Europeo de Derechos Humanos que enuncia entre las situaciones en que cabe pensar que hay una compulsión lesiva del art. 6 CEDH la obligación de declarar bajo amenaza de sanciones". En lógica consecuencia, el requerimiento de aportación de documentación al testigo también podría calificarse de coactiva a los efectos de valorar si procede, o no, activar la garantía de no autoincriminación para neutralizar el uso incriminatorio de dicha información contra el testigo que después deviene acusado. Ahora bien, la aplicación al caso del test de evaluación confeccionado por el TEDH exige entender a las concretas circunstancias del caso, y este arroja tres resultados significativos: primero, el material documentado potencialmente incriminatorio tenía existencia independiente de la voluntad de quien se recabó; segundo, no se identifica la intensidad de los elementos de coerción que acompañaron al requerimiento; la sentencia de instancia no identifica que respecto al recurrente se haya utilizado dicho material para fundar la condena.

STC 95/2019: Reiteramos en este punto el canon establecido en la reciente STC 83/2019, de 17 de junio, FJ 6, al perfilar el contenido del derecho que incumbe al investigado o encausado para acceder al expediente penal, en garantía de su libertad personal, con el fin de rehuir un contexto de indefensión asociado a la comparecencia del art. 505 LECrim (art. 17.1 CE, en relación con el art. 24.1 CE). Como dijimos entonces, el sentido constitucional de estos derechos lleva a interpretar que, desde el momento en que el órgano judicial haya informado de que se va a celebrar esta comparecencia, estará habilitado el investigado para expresar, por sí o a través de su abogado, su voluntad de acceder al expediente con la finalidad de tomar conocimiento de lo necesario para rebatir la procedencia de las medidas cautelares privativas de libertad que puedan interesar las acusaciones. Dado que es precisamente esta su finalidad, el uso del derecho que le asiste no podrá posponerse más allá del momento en que, durante la propia comparecencia, una vez expuestas sus alegaciones por las acusaciones, llegue el turno de intervención de la defensa del interesado. Y ello porque ha de ser con anterioridad a que el órgano judicial adopte una decisión sobre la libertad del investigado cuando este, potencialmente afectado por la medida cautelar que vaya a interesarse, tenga la oportunidad de requerir, por sí o a través de su representante en el proceso, ese acceso al expediente que le permita disponer de aquellos datos que, como consecuencia de las diligencias practicadas, puedan atraer una valoración judicial última de pertinencia de la medida cautelar privativa de libertad que se solicite, conforme a los fines que la justifican. Mostrada por el justiciable o por su defensa la voluntad de hacer uso del derecho reconocido en el art. 520.2 d) LECrim, compete al órgano judicial darle efectividad del modo más inmediato y efectivo posible, interrumpiendo, si fuere preciso, la comparecencia ya iniciada, sin perjuicio de su reiteración en fase posterior. Aplicándose lo hasta aquí expuesto al común de supuestos del art. 505 LECrim, debemos detenernos ahora en aquella situación en la que los derechos de información y de acceso al expediente con fines de impugnar la privación de libertad se promueven, al tiempo de la comparecencia, en el seno de una causa declarada total o parcialmente secreta (art. 302 LECrim). Confluyen entonces el interés de defensa vinculado a la libertad personal (art. 17.1 CE) y el interés en no perjudicar los fines con relevancia constitucional de los que es tributario el secreto, consecuencia de la interpretación de la justicia como valor superior del ordenamiento jurídico (art. 1.1 CE), debiendo conciliar ambos. No hay duda de que el secreto sumarial incide, siquiera temporalmente, en las capacidades de defensa del investigado, limitando sus posibilidades de conocer e intervenir en el desarrollo de la investigación penal. El sacrificio del pleno disfrute por el justiciable de sus derechos y garantías que ello implica no exime, sin embargo, de la obligación de informarle debidamente sobre los hechos que se le imputan y sobre las razones motivadoras de su privación de libertad. Tampoco puede privarle, en términos absolutos, de su derecho de acceder a las actuaciones para cuestionar e impugnar la legalidad de la privación de libertad, cercenando con ello toda posibilidad de defensa frente a la medida cautelar. Del otro lado, los fines a los que legal y constitucionalmente sirve el secreto sumarial no pueden desvanecerse como consecuencia del ejercicio efectivo de los indicados derechos del justiciable, pues en tal caso el secreto perdería su razón de ser. Así se desprende de la doctrina constitucional a la que venimos haciendo referencia (entre muchas, SSTC 176/1988, de 4 de octubre, FJ 2, y 18/1999, de 22 de febrero, FJ 4), y así se infiere también de la Directiva 2012/13/UE cuando admite que el acceso al expediente penal pueda ser denegado ante el riesgo de perjudicar una investigación en curso (art. 7.4) siempre, eso sí, desde una interpretación restrictiva de esta limitación y respetuosa con el principio de equidad. En este sentido, el Tribunal Europeo de Derechos Humanos viene apreciando que, de conformidad con el art. 6 CEDH, resulta necesario proporcionar un grado de acceso al expediente que permita al interesado disfrutar de una efectiva oportunidad de conocer en lo esencial los elementos en que se sustenta su privación de libertad, sin perjuicio de lo cual está justificada la denegación del acceso al expediente penal en determinados casos, como cuando estamos ante una investigación compleja que afecta a la actividad criminal de un conjunto de individuos o bien cuando incluye determinados documentos, como sucede con los clasificados; en cualquier caso, el eficiente desarrollo de la investigación, siendo un objetivo legítimo, no puede conseguirse a expensas de restricciones sustanciales de los derechos de la defensa que se dilaten en el tiempo mientras el investigado permanece en situación de prisión provisional: en estos supuestos, caso de solicitarlo el interesado, deberá ponderarse aquello que resulte necesario para poder ejercitar una defensa eficaz frente a la privación de libertad (STEDH de 18 de septiembre de 2012, asunto Dochnal c. Polonia, §§ 87 y 88). La expresión "en todo caso" incorporada al art. 505.3 LECrim para referirse a esta situación no comporta, en su entendimiento constitucional, una suerte de alzamiento del secreto sumarial que abra ilimitadamente la causa o alguna de sus piezas, declaradas secretas, al conocimiento de las partes en situación, efectiva o potencial, de privación de libertad, a resultas de lo que suceda en la comparecencia del art. 505 LECrim. Muy al contrario, subordina la toma de conocimiento de lo actuado a lo estrictamente necesario en orden a comprobar la regularidad de la medida privativa de libertad, debiendo facilitarse tan solo lo imprescindible para, dado el caso, cuestionar su pertinencia y promover su impugnación. En consecuencia, el secreto sumarial habrá de convivir en estos casos con una accesibilidad al sumario que constriña el nivel de conocimiento por el investigado del resultado de la investigación a aquello que resulte esencial -en el sentido de sustancial, fundamental o elemental- para un adecuado ejercicio de su defensa frente a la privación de libertad, siempre previa solicitud expresa por su parte en tal sentido. Determinados por el instructor los elementos fundamentales del caso en clave de privación de libertad, la efectividad de la garantía requiere que la información se suministre al interesado por el mecanismo que resulte más idóneo, a criterio del órgano judicial: extracto de materiales que obren en las actuaciones, exhibición de documentos u otras fuentes de prueba, entrega de copias o de cualquier otro soporte o formato, siempre que garantice el ajuste con los datos obrantes en el expediente y permita un adecuado uso en términos de defensa (STC 21/2018, de 5 de marzo, FJ 6). No basta, por tanto, con la información que verbal y genéricamente pueda proporcionarse en tal sentido. La idoneidad de la decisión judicial de entrega de datos y materiales en ejercicio de estos derechos será, en cualquier caso, susceptible de supervisión a través del régimen de recursos legalmente establecido. Corresponde al órgano judicial que conozca del recurso revisar la ponderación efectuada por el instructor de la adecuación de los materiales facilitados a los fines y derechos concernidos, lo que valorará a la luz de las específicas circunstancias del caso, atendiendo a la naturaleza de los datos y documentos puestos a disposición del interesado y a su importancia en relación con las circunstancias que propiciaron la privación de libertad (STEDH de 25 de junio de 2002, asunto Migońc. Polonia, § 81), sin olvidar los propósitos del secreto decretado en el caso, igualmente dignos de atención.

STS 312/2021: Esta Sala ya ha expresado que la salvaguardia de la equidad del proceso y de la preparación de la defensa, que la Directiva 2012/13/UE garantiza al reconocer el derecho de todo encausado a acceder a la totalidad de las pruebas materiales que estén en posesión de las autoridades competentes (art. 7.2 de la Directiva), se proyecta sobre la totalidad de las pruebas materiales, a favor o en contra; si bien el derecho no abarca al conocimiento de las fuentes o el origen de la investigación estrictamente policial. En modo alguno el derecho abarca a conocer el contenido de la investigación preprocesal, cuyo resultado final, al tener valor de denuncia o de mero objeto de la prueba (art. 297 LECRIM), sólo sirve para el arranque del proceso penal y se materializa como referencia inaugural para el ejercicio del derecho de defensa en la forma procesalmente prevista. No existe un derecho a que el encausado pueda desvelar el contenido y alcance de las colaboraciones policiales internacionales. Pero tampoco existe un derecho a conocer o desvelar los métodos y las técnicas de investigación policial desarrolladas en nuestros límites territoriales, como no lo hay tampoco a conocer la identidad de los agentes que hayan intervenido en la investigación, cuando no tiene una repercusión legal sobre el material probatorio en el que pueda fundarse una eventual acusación. Los investigados sometidos a proceso penal carecen de un derecho que les ampare a desvelar los puntos de apostamiento policial, o la identidad de los confidentes, o la información recabada mediante técnicas de criminalística que perderían su eficacia si se divulgaran masivamente. No existe un derecho a conocer los instrumentos y materiales concretos de los que se dispuso la policía para la investigación y que podrían quedar desprovistos de eficacia para intervenciones futuras. Tampoco hay un derecho a conocer las indagaciones de otros delitos que puedan atribuirse a los mismos sospechosos pero que estén todavía en proceso de confirmación policial, menos aún si consideramos que, en su caso, deberán ser objeto de un procedimiento de persecución penal independiente (art. 17.1 LECRIM). Como no resulta tampoco asumible que se conozcan aquellas investigaciones que ni siquiera afectan a los sometidos a proceso y que pueden arruinar otras actuaciones policiales de obligada persecución de la criminalidad. Sólo cuando una de las partes presente indicios fundados de que la actuación policial o preprocesal puede haber quebrantado sus derechos fundamentales, incurrido en irregularidades, o discurrido de un modo que pueda afectar a la validez de la prueba o del procedimiento penal, así como cuando aporte indicios de coexistir circunstancias en la investigación que puedan afectar a la fuerza incriminatoria del material probatorio, se justifica, por los principios de equilibrio y defensa, autorizar tal prospección, siempre limitada a los estrictamente necesario y bajo control judicial.

STS 51/2020: La asistencia letrada sólo es constitucionalmente imprescindible en la detención y en la prueba sumarial anticipada (...) en los demás actos procesales y con independencia de que se le haya de proveer de Abogado al preso y de que el Abogado defensor pueda libremente participar en las diligencias sumariales, con las únicas limitaciones derivadas del secreto instructorio, la intervención del defensor no deviene obligatoria hasta el punto de que hayan de estimarse nulas, por infracción del derecho de defensa, tales diligencias por la sola circunstancia de la inasistencia del Abogado defensor.

STS 33/2022: Si bien, precisábamos que la jurisprudencia constitucional, ha señalado que la confianza que al asistido le inspiren las condiciones profesionales y humanas de su Letrado ocupa un lugar destacado en el ejercicio del derecho de asistencia letrada cuando se trata de la defensa de un acusado en un proceso penal. Si bien ha subrayado también que este derecho no es absoluto, dado que la necesidad de contar con la confianza del acusado no permite al Letrado disponer a su antojo el desarrollo del proceso, ni elegir, sin restricción alguna, cuándo se retira o se mantiene la misma, pues el ejercicio del derecho de asistencia letrada entra en ocasiones en tensión o conflicto con los intereses protegidos por el derecho fundamental que el art. 24.2 CE reconoce en relación con el proceso sin dilaciones indebidas. De esta forma, es posible imponer limitaciones en el ejercicio de la posibilidad de designar Letrado de libre elección en protección de otros intereses constitucionalmente relevantes, siempre y cuando dichas limitaciones no produzcan una real y efectiva vulneración del derecho de asistencia letrada, de manera que queden a salvo los intereses jurídicamente protegibles que dan vida al derecho.

Nuestra jurisprudencia otorga efectiva relevancia a la ubicación de la persona acusada en la Sala, en seguimiento de la establecida por el TEDH, de sentencia Gran Sala, en el caso Correia de Matos, de 4 de abril de 2018, que indica que el derecho del acusado a defenderse comporta el de poder dirigir realmente su defensa, dar instrucciones a sus abogados, sugerir el interrogatorio de determinadas preguntas a los testigos y ejercer las demás facultades que le son inherentes. Y es ese contexto el que explica las varias resoluciones del Tribunal Europeo de Derechos Humanos que ponen el acento en la importancia capital que ha de darse a las condiciones en las que debe comparecer la persona acusada en el juicio para garantizarle un marco de relación fluida, confidencial e inmediata con su abogado defensor -vid. SSTEDH, caso Zagaria c. Italia, de 27 de noviembre de 2007; caso Svinarenko y Slyadnev c. Rusia, de 17 de abril de 2014. No obstante, resulta necesario identificar, concretar en cada caso, más allá de la deslocalización defensiva del recurrente respecto a su abogado cómo ello comprometió su derecho a una defensa eficaz.

STC 798/2013: El derecho a la revocación del nombramiento de abogado no es incondicional.

STS 821/2016: Los supuestos en los que la solicitud de cambio de abogado designado puede ser desatendida por el Tribunal sobre la base del abuso de derecho son aquellos en los que la petición es arbitraria, es decir, inmotivada o motivada de forma irrazonable: a) bien porque la defensa de oficio en autos no manifieste ninguna carencia en su tarea ante el Tribunal; b) bien porque las carencias o desacuerdos alegados por el propio acusado respecto de la defensa realizada por su abogado, aparecen como irrelevantes o manifiestamente injustificadas; c) bien porque se ponga de manifiesto una estrategia dilatoria al demorar injustificadamente la solicitud hasta el propio momento del juicio; o d) bien porque se aprecia una calculada desidia a la hora de hacer valer el propio derecho de defensa. En todo caso, al Tribunal le corresponde explicitar en sentencia la motivación de esa denegación si se ha realizado en el juicio oral. En definitiva, el canon de valoración relevante para determinar si se ha producido o no vulneración del derecho constitucional de defensa, es la valoración de si el acusado ha dispuesto o no de una defensa efectiva.

STS 584/2018: No es el nombramiento o no de interprete para un acusado extranjero la cuestión que pueda suscitar y dar la medida de la indefensión, sino el de conocimiento real por el interesado de la lengua en que el proceso se siga de tal modo que está imposibilitado de conocer de lo que se le acusa, de comprender lo que se diga, y de expresarse él mismo en forma que pueda ser comprendido sin dudas, bien entendido que la mera condición de extranjero no conlleva la necesidad de interprete si el acusado comprende y maneja con fluidez y soltura más que suficiente nuestro idioma.

STS 589/2022: La exigencia de un intérprete en el proceso penal para todos aquellos que desconozcan el idioma castellano deriva directamente de la Constitución, que reconoce y garantiza los derechos a no sufrir indefensión (art. 24.1) y a la defensa (art. 24.2). Igualmente reconocida en el art. 6.3 c) Convenio para la Protección de los Derechos Humanos y Libertades Fundamentales, y en el art. 14.3 f) del Pacto Internacional de los Derechos Civiles y Políticos, que garantizan el derecho de toda persona a ser asistida gratuitamente de un intérprete si no comprende o no habla la lengua empleada en la Audiencia o en el Tribunal. Asimismo, el art. 398 LECrim en relación con los arts. 440, 441 y 442 de la misma, establece que si el procesado no conociere el idioma español se nombrará un intérprete que prestará a su presencia juramento de conducirse bien y fielmente. La actuación del intérprete, la eficacia del derecho, no sólo se refiere a las actuaciones directas del imputado, o acusado, para con los elementos de la investigación o en el desarrollo del juicio oral, sino que se extiende a todo el enjuiciamiento ya que el derecho a la utilización de un intérprete en persona acusada que desconoce la lengua española, tiene por evidente objeto el de permitirle comunicar con las partes y con el órgano jurisdiccional, pero también, muy esencialmente, que el acusado pueda venir en conocimiento del desarrollo de las actuaciones y, de manera muy especial, de lo acontecido en el acto del juicio oral. Por eso, la actuación del intérprete no debe limitarse a intervenir en los procesos de comunicación directos entre la persona que lo precisa y el Tribunal sino que debe dar contenido a la exigencia del art. 6 del Convenio Europeo de Derechos Humanos, el derecho a oír los testimonios en su contra, lo que abarca el desarrollo del juicio oral. En este sentido señalábamos que la finalidad de este derecho es evitar la situación de desventaja en que se encuentra un acusado que no comprende la lengua y es un complemento de la garantía de un proceso justo y de una audiencia pública, así como de "una buena administración de justicia". Es razonable que el derecho a ser asistido gratuitamente por un intérprete ha de ser incluido sin violencia conceptual alguna en el perímetro de este derecho fundamental (derecho a la defensa), aun cuando la norma constitucional no lo invoque por su nombre. El remedio a su ausencia es la declaración nulidad del enjuiciamiento por afectación del derecho de defensa. Constatamos que la intérprete no se relacionaba con el acusado durante el juicio, por lo que no podría comunicarle el devenir del juicio y los testimonios en su contra o a favor de su interés. Incluso la intérprete se ausenta del juicio, con autorización del Presidente, durante la celebración de la testifical, en el espacio temporal del que el acusado, que necesitaba al servicio de traducción, no pudo enterarse de nada de lo que sucedía en el juicio. No estamos ante una situación de afectación puntual del derecho a la traducción, como manifestación del derecho de defensa, o una afectación referida a aspectos no sustanciales del enjuiciamiento, sino ante un incumplimiento de los deberes de vigilancia y control de la efectividad del derecho que han propiciado una efectiva indefensión del acusado en el juicio oral. La vigencia del derecho exige de los intervinientes en el juicio, y de su dirección, la observancia del contenido esencial del derecho, constatando su actuación efectiva, sin limitarse a expresar la incomodidad que ha supuesto y comprobar que no se dieron las oportunas traducciones a las respuestas dadas por el acusado. En este sentido, las quejas de nulidad de la defensa del acusado debieron ser atendidas, procediendo a la nulidad del enjuiciamiento retrotrayéndose las actuaciones al señalamiento de su celebración para que en su repetición se observen las reglas referidas a la asistencia de un intérprete haciendo efectivo el derecho a conocer los hechos del juicio y a oír su desarrollo.

STS 1000/2016: La imposibilidad de visionar e incluso oír la grabación de la vista, no altera los márgenes de un recurso de casación, que viene marcado por la necesidad de respetar la valoración de la prueba efectuada en la instancia, con las garantías que proporciona el principio de inmediación. Resulta también evidente que la sentencia se construye sobre el conocimiento que el Tribunal obtiene con ocasión de la prueba practicada a su presencia, sin que deba dar traslado a las partes de las notas que haya considerado conveniente recoger durante el plenario para ayudar a su reflexión o memoria. Hemos declarado además que solo en aquellos casos en los que se revelen en el acta hechos absolutamente incompatibles con lo expresado por los Magistrados en su sentencia, podrá suscitarse en rigor cuestión acerca de la veracidad de aquella, sin que el acta pueda reemplazar la percepción de las pruebas de los jueces, que es la única que puede determinar los hechos probados. Y desde luego, es constante la doctrina que fija que la indefensión constitucionalmente prohibida es aquella que supone una privación real, efectiva y actual, no potencial, abstracta o hipotética de los medios de alegación y prueba.

Acuerdo no jurisdiccional del pleno de la Sala 2ª del TS de 24 de mayo de 2017: 1.) El actual sistema de documentación de los juicios orales es altamente insatisfactorio y debería ser complementado por un sistema de estenotipia. Dada la naturaleza de las deficiencias observadas en numerosos casos, habrá de garantizarse, en relación con lo dispuesto en el artículo 743 de la LECrim, la autenticidad, integridad y accesibilidad del contenido del soporte que se entregue a las partes y del que se remita a los Tribunales competentes para la resolución del recurso. 2.) Cuando la documentación relativa al juicio oral sea imprescindible para la resolución del recurso, su ausencia en relación con los aspectos controvertidos, que genere indefensión material, determinará la nulidad del juicio oral o, en su caso, la absolución.

STS 659/2021: La doctrina del TC ha oscilado en cuanto a las consecuencias de la omisión o menoscabo no procedente del derecho a la última palabra. La necesidad de acreditar una indefensión material que exigió la STC 258/2007, de 18 de diciembre, sentencia que iba acompañada de tres votos particulares y rectificaba posiciones anteriores más exigentes, ha sido abandonada muy recientemente. La STC 35/2021, de 18 de febrero, tras hacer una muy completa recopilación de la doctrina constitucional sobre ese emblemático trámite, ofrece argumentos que le llevan a precisar que no es exigible la prueba por el afectado de una indefensión material que esté ligada a ese menoscabo. En conclusión, la vulneración del derecho a la última palabra, en tanto que manifestación del derecho a la autodefensa, como una de las garantías contenidas en el derecho a la defensa previsto en el art. 24.2 CE, no se debe configurar como una mera infracción formal desvinculada de la comprobación de que se ha generado una indefensión material, cuya argumentación es una carga procesal del recurrente en amparo. La última palabra por su naturaleza deviene de por sí pertinente siempre, existiendo en todo caso la facultad del juez de dirigirse al acusado si este abusa de su derecho, sea por referirse a hechos ajenos a los que se enjuician, o por el empleo de palabras o expresiones ofensivas o carentes de sentido. El derecho a la última palabra del acusado no lo es a verbalizar al tribunal los hechos relevantes para asegurar su mejor posición en la sentencia, sino el derecho a transmitir al tribunal aquello que a su criterio este último debe conocer para dictar una resolución justa, sea o no decisivo para su absolución o menor condena. En atención a todo ello, la doctrina de la STC 258/2007, de 18 de diciembre, debe matizarse en el sentido de que ha de considerarse vulnerado el derecho a la defensa del art. 24.2 CE en todos los casos en los que, no habiendo renunciado expresamente a su ejercicio, se haya privado al acusado del derecho a la última palabra, sin que para ello deba este acreditar en vía de impugnación contra la sentencia, la repercusión o relevancia hipotética de cómo lo que hubiera podido expresar al tribunal, habría supuesto la emisión de un fallo distinto. Si en algún momento pudo ser cuestión controvertida (vid STS 843/2001 que declaró la procedencia de la nulidad de la sentencia dictada con devolución de la causa al mismo Tribunal sentenciador, para que constituido en Sala y a presencia de los recurrentes, sus letrados y resto de las partes, materializara el derecho a la última palabra mediante la invitación a su uso a ambos recurrentes, recogiéndose en acta su contestación y seguidamente dictara nueva sentencia), hoy es claro que la declaración de nulidad como consecuencia de defectos en el reconocimiento y respeto pleno de ese derecho a la última palabra ha de conducir a la repetición del juicio sin que puedan salvarse los trámites anteriores del plenario al no ser escindible ese mecanismo de defensa. Queda contaminada toda la decisión y, por tanto, habrá de celebrarse el juicio nuevamente ante un Tribunal distinto.

2. Presunción de inocencia

STC 33/2015: Es doctrina clásica de este Tribunal que la presunción de inocencia, además de ser un criterio informador del ordenamiento procesal penal, es ante todo un derecho fundamental en cuya virtud una persona acusada de una infracción no puede ser considerada culpable hasta que así se declare en sentencia condenatoria, siendo solo admisible y lícita esta condena cuando haya mediado una actividad probatoria que, practicada con la observancia de las garantías procesales y libremente valorada por los Tribunales penales, pueda entenderse de cargo.

STS 388/2019: La presunción de inocencia es un derecho fundamental reconocido en el Convenio Europeo para la Protección de los Derechos Humanos y de las Libertades Fundamentales (CEDH) y en la Carta de los Derechos Fundamentales de la Unión Europea. El artículo 6 del Tratado de la Unión Europea (TUE) dispone que la Unión respetará los derechos fundamentales, tal y como se garantizan en el CEDH y tal y como resultan de las tradiciones constitucionales comunes a los Estados miembros. Conforme se expone en el Considerando 22 de la Directiva (UE) 2016/343 del Parlamento Europeo y del Consejo, de 9 de marzo de 2016, por la que se refuerzan en el proceso penal determinados aspectos de la presunción de inocencia y el derecho a estar presente en el juicio, la carga de la prueba para determinar la culpabilidad de los sospechosos y acusados recae en la acusación, y toda duda debe beneficiar al sospechoso o acusado. Se vulneraría la presunción de inocencia si la carga de la prueba se trasladase de la acusación a la defensa, sin perjuicio de las posibles potestades de proposición de prueba de oficio del órgano jurisdiccional, ni de la independencia judicial a la hora de apreciar la culpabilidad del sospechoso o acusado, ni tampoco de la utilización de presunciones de facto o de iure relativas a la responsabilidad penal de un sospechoso o acusado. Dichas presunciones deben mantenerse dentro de unos límites razonables, teniendo en cuenta la importancia de los intereses en conflicto y preservando el derecho de defensa, y los medios empleados deben guardar una proporción razonable con el objetivo legítimo que se pretende alcanzar. Además, aquéllas deben ser iuris tantum y, en cualquier caso, solo deben poder utilizarse respetando el derecho de defensa. En consonancia con ello, el artículo. 6.1 de la referida Directiva establece que los Estados miembros garantizarán que la carga de la prueba para determinar la culpabilidad de los sospechosos y acusados recaiga en la acusación. Esta disposición se entiende sin perjuicio de cualquier obligación del juez o tribunal competente de buscar pruebas tanto de cargo como de descargo, y del derecho de la defensa a proponer pruebas con arreglo al Derecho nacional aplicable.

STS 10/2017: Conforme a una reiterada doctrina de esta Sala la invocación del derecho fundamental a la presunción de inocencia permite a este Tribunal constatar si la sentencia de instancia se fundamenta en: a) una prueba de cargo suficiente, referida a todos los elementos esenciales del delito; b) una prueba constitucionalmente obtenida, es decir que no sea lesiva de otros derechos fundamentales, requisito que nos permite analizar aquellas impugnaciones que cuestionan la validez de las pruebas obtenidas directa o indirectamente mediante vulneraciones constitucionales y la cuestión de la conexión de antijuricidad entre ellas; c) una prueba legalmente practicada, lo que implica analizar si se ha respetado el derecho al proceso con todas las garantías en la práctica de la prueba; y d) una prueba racionalmente valorada, lo que implica que de la prueba practicada debe inferirse racionalmente la comisión del hecho y la participación del acusado, sin que pueda calificarse de ilógico, irrazonable o insuficiente el iter discursivo que conduce desde la prueba al hecho probado.

STS 501/2022: Titular de la presunción de inocencia es el sujeto pasivo del proceso penal. Las partes acusadoras no gozan de un derecho fundamental, basado en la misma norma, consistente en que no se confiera a la presunción de inocencia una amplitud desmesurada; o en un derecho a que se condene siempre que exista prueba de cargo practicada con todas las garantías susceptible de ser considerada "suficiente" para lograr la convicción de culpabilidad. Por definición las partes acusadoras carecen de legitimación para invocar la presunción de inocencia. No existe un reverso de ese derecho fundamental. Las discrepancias de las acusaciones con una indebida aplicación de la presunción de inocencia habrán de buscar otro agarradero casacional. No siempre se encontrará. En la jurisprudencia constitucional es tópico tal entendimiento del derecho a la presunción de inocencia, beneficia únicamente al acusado. Al igual que no existe "un principio de legalidad invertido", que otorgue al acusador un derecho a la condena penal cuando concurran sus presupuestos legales, tampoco existe una especie de "derecho a la presunción de inocencia invertido", de titularidad del acusador, que exija la constatación de una conducta delictiva cuando la misma sea la consecuencia más razonable de las pruebas practicadas o que demande la nulidad del relato fáctico de signo absolutorio porque el mismo sea consecuente a una valoración judicial carente de inmediación. Que el debate procesal deba desarrollarse en condiciones de igualdad, de modo que todos los intervinientes tengan plena capacidad de alegación y prueba, y que por ello tanto acusador como acusado ostenten esta misma garantía, no comporta, en fin, por lo ya señalado, que sean iguales en garantías, pues si son iguales los intereses que arriesgan en el proceso penal ni el mismo es prioritariamente un mecanismo de solución de un conflicto entre ambos, sino un mecanismo para la administración del ius puniendi del Estado, en el que "el ejercicio de la potestad punitiva constituye el objeto mismo del proceso".

STS 277/2018: En materia de responsabilidad civil dimanante del delito no rige la presunción de inocencia, sino otros estándares probatorios enlazados con un alto grado de probabilidad, superior en todo caso a la hipótesis contraria, pero sin exigirse certeza más allá de toda duda razonable. En ese territorio ha de estarse a otros estándares de prueba: lo más probable. Las dudas -si las hubiera- no han de resolverse necesariamente en favor del supuesto responsable civil.

STS 474/2016 - STEDH de 8 de febrero de 1996, as. MURRAY c. REINO UNIDO: El silencio del acusado no solventa la insuficiencia probatoria; una vez que concurre prueba de cargo para desvirtuar la presunción de inocencia, es cuando puede utilizarse el silencio como un argumento a mayores, como dato corroborador de su culpabilidad, no como medio para suplir o complementar la insuficiencia probatoria.

STS 403/2022: El silencio de la persona acusada o la explicación inverosímil ofrecida por esta no pueden aprovecharse para suplir la insuficiencia probatoria de la hipótesis acusatoria. Pero ni lo uno ni lo otro resulta inocuo para argumentar, de contrario, sobre la solidez de los resultados inferenciales que arroja la prueba de la acusación. Como se afirma en la Decisión del Tribunal Europeo de Derechos Humanos, caso Zschüschev c. Bélgica, de 2 de mayo de 2017, reiterando la doctrina Murray, el Convenio no prohíbe que se tenga en cuenta el silencio de un acusado para declararlo culpable, a menos que su condena se base exclusiva o principalmente en su silencio (...), lo que claramente no es el caso. Los tribunales nacionales establecieron de forma convincente un conjunto de pruebas que corroboraban la culpabilidad del demandante y su negativa a dar explicaciones sobre el origen del dinero, cuando la situación exigía una explicación por su parte, solo sirvió para reforzar esas pruebas (...). De tal modo, teniendo en cuenta el peso de las pruebas contra el demandante, las conclusiones extraídas de su negativa a dar una explicación convincente sobre el origen del dinero responden al sentido común y no pueden considerarse injustas o irrazonables. (...) Ni comportan el efecto de desplazar la carga de la prueba de la acusación a la defensa, en contra del principio de presunción de inocencia garantizado por el artículo 6.§.2 del Convenio.

STS 618/2021: El silencio no siempre es neutro desde el punto de vista valorativo. Eso no significa que quien guarda silencio se convierte en sospechoso o que el silencio es un indicio de culpabilidad. No. Eso significa que el carácter concluyente de un cuadro indiciario robusto queda fortalecido y reforzado si frente al mismo no se contrapone una hipótesis posible por quien debería tenerla. Deducir que si no se ofrece es porque no se cuenta con ella es una regla de puro sentido común.

STS 514/2017: La declaración de la víctima, según ha reconocido en numerosas ocasiones la jurisprudencia de este Tribunal Supremo y la del Tribunal Constitucional, puede ser considerada prueba de cargo suficiente para enervar la presunción de inocencia, incluso aunque fuese la única prueba disponible, lo que es frecuente que suceda en casos de delitos contra la libertad sexual, porque al producirse generalmente los hechos delictivos en un lugar oculto, se dificulta la concurrencia de otra prueba diferenciada. Para verificar la estructura racional del proceso valorativo de la declaración testifical de la víctima, el Tribunal Supremo viene estableciendo ciertas notas o parámetros que, sin constituir cada una de ellas un requisito o exigencia necesaria para la validez del testimonio, coadyuvan a su valoración, pues la lógica, la ciencia y la experiencia nos indican que la ausencia de estos requisitos determina la insuficiencia probatoria del testimonio, privándole de la aptitud necesaria para generar certidumbre. Estos parámetros consisten en el análisis del testimonio desde la perspectiva de su credibilidad subjetiva, de su credibilidad objetiva y de la persistencia en la incriminación. Es claro que estos parámetros de valoración constituyen una garantía del derecho constitucional a la presunción de inocencia, en el sentido de que frente a una prueba única, que procede además de la parte denunciante, dicha presunción esencial solo puede quedar desvirtuada cuando la referida declaración supera los criterios racionales de valoración que le otorguen la consistencia necesaria para proporcionar, desde el punto de vista objetivo, una convicción ausente de toda duda racional sobre la responsabilidad del acusado. La deficiencia en uno de los parámetros no invalida la declaración, y puede compensarse con un reforzamiento en otro, pero cuando la declaración constituye la única prueba de cargo, una deficiente superación de los tres parámetros de contraste impide que la declaración inculpatoria pueda ser apta por sí misma para desvirtuar la presunción de inocencia, como sucede con la declaración de un coimputado sin elementos de corroboración, pues carece de la aptitud necesaria para generar certidumbre. En concurrente criterio la STS 29/2017 expone que la testifical de la víctima, puede ser prueba suficiente para condenar si va revestida de una motivación fáctica reforzada que muestre la ausencia de fisuras de fuste en la credibilidad del testimonio. En ese contexto encaja bien el aludido triple test que establece la jurisprudencia para valorar la fiabilidad del testigo víctima. No se está definiendo con ello un presupuesto de validez o de utilizabilidad. Son orientaciones que ayudan a acertar en el juicio, puntos de contraste que no se pueden soslayar. Eso no significa que cuando se cubran las tres condiciones haya que otorgar crédito al testimonio por imperativo legal. Ni, tampoco, en sentido inverso, que cuando

Cuestiones Procesales

falte una o varias, la prueba ya no pueda ser valorada y, *ex lege*, por ministerio de la ley –o de la doctrina legal en este caso-, se considere insuficiente para fundar una condena. De similar manera, se precisaba que estos parámetros no pueden ser considerados como reglas de apreciación tenidas como obligatorias, pues no ha de olvidarse que la valoración de la prueba ha de obtenerse en conciencia (art. 741) y ha de ser racional (art. 717). Se trata de criterios orientativos a tener en cuenta por el tribunal y que posibilitan la motivación de la convicción que, se reitera, la ley exige sea racional; es decir, esos tres elementos, que viene examinando la doctrina de esta Sala para medir la idoneidad, como prueba de cargo, de la declaración de la víctima de un hecho delictivo (ausencia de incredibilidad subjetiva, corroboración por datos periféricos objetivos y persistencia en la incriminación), no son requisitos de validez de tal medio probatorio, no son elementos imprescindibles para que pueda utilizarse esta prueba para condenar.

STS 140/2018: El principio in dubio pro reo se diferencia de la presunción de inocencia en que se dirige al juzgador como norma de interpretación para establecerse que en aquellos casos en los que, a pesar de haberse realizado una actividad probatoria normal, tales pruebas dejasen duda en el ánimo del juzgador, se incline a favor de la tesis que beneficie al acusado, no solo en cuanto a su participación en los hechos, sino en relación a la concurrencia de alguno de los elementos del tipo penal.

STS 297/2021: La "determinación optativa" es figura perteneciente más al derecho procesal que al material. Fue acuñada en la doctrina alemana (Wahfeststellung): cuando se duda si el acusado cometió un hecho u otro, pero se tiene la certeza de que ha cometido uno de los dos, siendo ambos típicos, habrá que condenar por el menos grave. Uno de los ejemplos clásicos y tópicos se ha elaborado precisamente con los delitos de receptación y robo: se sabe que el sujeto, en cuyo poder se han encontrado los objetos robados, o es receptador o es autor del robo; pero se duda si intervino en la sustracción o se limitó a recibir los efectos con conocimiento de su origen. Si se proyecta el principio in dubio pro reo aisladamente sobre cada uno de los hechos que entran en consideración, se llegaría a una salida inasumible desde la lógica y totalmente insatisfactoria: la absolución pese a que concurre la certeza más allá de toda duda razonable de que cometió una infracción penal.

3. Derecho a un proceso justo con todas las garantías

STC 66/1989: Dentro del derecho a un proceso justo con todas las garantías se incluye el principio de contradicción, el principio de inmediación y el principio acusatorio.

STC 41/2008: La *reformatio in peius*, aunque no esté expresamente enunciada en el art. 24 CE, tiene una evidente dimensión constitucional. Tiene lugar cuando la parte recurrente, en virtud de su propio recurso, ve empeorada o agravada la situación jurídica creada o declarada en la resolución impugnada, de modo que lo obtenido con la resolución judicial que resuelve el recurso es un efecto contrario al perseguido por el recurrente, que era precisamente eliminar o aminorar el gravamen sufrido por la resolución objeto de impugnación.

STS 308/2018: El plazo de 30 días que señala el artículo 788 de la Ley procesal es un plazo que sólo rige para el proceso abreviado, no para enjuiciamiento ordinario, que tiene previstas una competencia de enjuiciamiento de delitos más graves por la consecuencia jurídica que las del proceso abreviado. Lo que la ley pretende es que se observe el principio de concentración de manera que la prueba, que ha de ser valorada en forma conjunta y racionalmente, se desarrolle en un espacio temporal cercano. En el caso, se ha procurado que esa cercanía del enjuiciamiento y el juicio se ha desarrollado tan pronto ha sido posible documentándose las declaraciones y valorándose por el tribunal en los términos que refleja la fundamentación de la sentencia sin lesión alguna el principio de concentración que, como hemos señalado, en ningún momento ha sido puesto manifiesto por el recurrente. La irregularidad en la inobservancia del plazo no se traduce en la causación de indefensión del recurrente que no la expresa y que él mismo contribuye al solicitar la suspensión para asegurar la comparecencia de los testigos.

STS 568/2022: Como hemos dicho, la ley procesal dispone en el art. 704, la incomunicación de los testigos, evitando el contacto entre los que ya hayan declarado con los que todavía no lo han hecho. Y el artículo 705 prevé que el presidente los haga comparecer de uno en uno. Como ha señalado la jurisprudencia, la razón de la incomunicación se centra en evitar que un testigo preste su declaración condicionado o influido por lo que ha oído declarar a otro. En consecuencia, la forma correcta de proceder es la que señala la ley, es decir, que los testigos permanezcan incomunicados y que declaren de uno en uno, evitando riesgos innecesarios que, de concretarse, pudieran restar valor a las pruebas disponibles. Sin perjuicio de lo anterior, la jurisprudencia también ha señalado que esta forma de proceder no es condición de la validez de la declaración ni, consecuentemente, impide su valoración, sino que sus efectos se han de determinar en cada caso en función de la posibilidad de que la declaración haya sido verdaderamente influida o condicionada y haya afectado a aspectos relevantes para el fallo. La tesis de supeditar la validez de la prueba testifical a la incomunicación, tendría la absurda consecuencia de provocar una insólita y generalizada retención/detención de los testigos, incluso durante varios días, y precisamente por orden del Tribunal sentenciador... Para esta Sala estaríamos en este caso ante una garantía en el más amplio sentido de la expresión. Pero dentro de esa noción cabe una graduación que el propio Tribunal Constitucional ha establecido, al señalar insistentemente que el derecho fundamental a un proceso con todas las garantías no comporta la constitucionalización de todo el derecho procesal. Hay garantías básicas irrenunciables, estructurales, esenciales (derecho a no declarar contra sí mismo, principio de contradicción, exigencias derivadas del derecho a ser informado de la acusación que respecto de la defensa llevan todavía más lejos el principio de contradicción) cuya afectación inutilizaría toda la actividad procesal contaminada, mientras que otras garantías se mueven en un plano legal y no constitucional. Entre estas segundas el alcance de sus repercusiones es también dispar, pues sería no solo contrario a la legalidad, sino también ilógico, que de esas irregularidades normativas se diera un acrobático salto a la nulidad radical, atribuyendo efectos sustantivos (al modo de una eximente) por el camino de la presunción de inocencia (privación de valor a la actividad probatoria, a lo que es una contravención de una norma que ocupa un nivel inferior en la escala de garantías). La consecuencia no invalidante de la prueba ha sido proclamada reiteradamente por esta Sala en relación a la previsión del art. 704 LECrim cuando se trate de cuestiones como esta que afectan a la regularidad de actividad probatoria es exigible que se evalúe en cada caso cómo ha podido afectar a la fiabilidad la concreta deficiencia. En este terreno es donde hay que situar las repercusiones que en el caso concreto pueden anudarse a las eventuales comunicaciones entre testigos. No deshabilitan los testimonios, en esto la jurisprudencia es pacífica, contundente, lineal. Es factor a sopesar a la hora de valorar los testimonios.

STS 236/2018: Debemos recordar que la vulneración de las normas de conexión procesal no conduce de forma inexorable a la infracción del derecho a un proceso con todas las garantías. Conviene tener presente que la conexión justifica su significado excepcional, frente a la regla que proclama el art. 300 de la LECrim, en atención a la necesidad de preservar el principio de economía procesal, evitando así la duplicidad de trámites procesales que se repetirían de forma innecesaria si se siguieran varios procesos paralelos para la investigación y enjuiciamiento de hechos conexos, ya sea de forma subjetiva -en atención a la relación entre los imputados- u objetiva -determinada por la naturaleza del hecho-. Bien es cierto que la conexión procesal también se pone al servicio de la necesidad de evitar pronunciamientos contradictorios, con la consiguiente ruptura de la continencia de la causa. La conexidad es, prima facie, una aplicación del principio de indivisibilidad de los procedimientos, pero no implica -a diferencia de cuando se trata de un hecho único- la necesariedad de esa indivisibilidad. La indivisibilidad obliga a reunir en el enjuiciamiento todos los elementos de un mismo hecho, de forma que responda aquélla a la existencia de una única pretensión punitiva cuya resolución no puede fraccionarse. La conexidad, por el contrario, agrupa hechos distintos -al menos desde el punto de vista normativo, al ser susceptibles de calificación separada- que por tener entre sí un nexo común, es aconsejable se persigan en un proceso único, por razones de eficacia del enjuiciamiento y de economía procesal. Ese nexo puede resultar de la unidad de responsables, de una relación de temporalidad (simultaneidad en la comisión) o de un enlace objetivo de los hechos. Pero la fuerza unificadora del nexo no es la misma en todos los casos, especialmente en el de coetaneidad de la ejecución, en el que la simple coincidencia temporal de delitos individualizados y diferentes puede permitir su enjuiciamiento en causas separadas, mientras no lo permite, en cambio, la comisión conjunta por varios partícipes, obrando de acuerdo, de unos mismos hechos simultáneos. Esta distinción entre conexidad necesaria y conexidad por razones de conveniencia o economía procesal aparece reconocida en la actual regla 7.ª art. 784 -vigente art. 762.6- de la LECrim , que permite que para juzgar delitos conexos "cuando existan elementos para hacerlo con independencia ..... podrá acordar el Juez la formación de las piezas separadas que resulten convenientes para simplificar y activar el procedimiento". Con lo que viene a reconocer que hay casos en los que la regla del enjuiciamiento conjunto de los delitos conexos no es una regla imperativa y de orden público y hasta debe ceder ante razones de simplificación o rapidez del proceso. En definitiva, la conexión procesal no confiere al imputado un derecho fundamental a la investigación y enjuiciamiento individual y excluyente.

STS 315/2021 (Pleno): La rebaja del tercio de la pena por conformidad en el servicio de guardia del art. 801 LECrim debe alcanzar a todas las penas, principales y accesorias, incluidas las prohibiciones de residencia, aproximación y comunicación del art. 48 del CP y la privación del derecho de tenencia y uso de armas, pero no a la cuota de la multa, porque no es propiamente pena, dado que este concepto solo se predica de la multa. (Tol 8409628)

STS 291/2016: El límite de la conformidad son seis años de prisión. Se declara la nulidad de la sentencia (por conformidad encubierta) y del juicio por vulneración del principio de legalidad penal y del derecho a un proceso justo con todas las garantías.

STS 522/2008: Es inválida la conformidad prestada por uno solo de los acusados.

STS 298/2020: Un auto no firmado no equivale a inexistencia de una decisión judicial. Una cosa es incumplir el mandato del inciso final del art. 248.2 LOPJ o del inciso final del párrafo penúltimo del art. 141 LECrim; y otra, muy diferente, que no exista una decisión adoptada por el Juez competente. No atender a ese mandato imperativo y omitir por inadvertencia la firma es un grave defecto y no puede merecer más que el reproche. Es obvio - casi sonroja afirmarlo- que no es lo mismo firmar que no firmar: hay una obligación legal nítida e importante de plasmar la firma en cada resolución como garantía de su autenticidad. No hacerlo por olvido o descontrol o injustificada actitud de desdén hacia esos trámites por considerarlos más rutinarios o burocráticos pone de manifiesto una desidia o descuido que desmerecen de la función que se desarrolla en un órgano jurisdiccional. Ahora bien, lo realmente determinante no es que la intervención telefónica (o cualquier otra decisión jurisdiccional) aparezca en un escrito rubricado por un juez, sino que lo haya decidido un Juez de forma racional y motivada. La firma no es lo que confiere vida jurídica a la decisión. Eso no significa que no sea importante; y que no se deba extremar el cuidado para que no se produzcan situaciones que hay que lamentar como la aquí denunciada. Pero no puede convertirse ese trámite de firma en lo esencial, ni se puede confundir con lo material transformándose en una especie de rito sacramental sin el cual no existiría actuación jurisdiccional. Precisamente por eso no puede considerarse, ni siquiera irregular, que se expida el mandamiento de prisión momentos antes de que en la causa se rubrique el auto ya dictado acordándola, como consecuencia de la distinta rutina de cada oficina para fijar una metodología laboral para el trámite obligado de firma. Cuando estamos ante lo que de forma evidente y sin lugar a dudas alguna aparece como un mero descuido, no podemos otorgarle mayor alcance procesal. Conviene distinguir en cualquier caso entre la firma del letrado de la Administración de Justicia y la del Instructor. Aquélla no es exigible en los autos según se deduce del art. 248.2 LOPJ y 141 LECrim aunque sí, obviamente, en la diligencia posterior que da cuenta de la ejecución de lo ordenado, y por más que la práctica no sea totalmente uniforme en las oficinas judiciales. Dictar una resolución es concepto diferente de firmarla. Así se desprende inequívocamente tanto de la LPOJ como de la LECrim. Los arts. 154, 156 y 158 LECrim ponen de manifiesto esa realidad que todavía aparece de manera más cristalina en los arts. 259 y 261 LOPJ, aunque pensando en las sentencias. También para los autos extraemos la misma elemental idea de los artículos equivalentes. Si existiese alguna duda con un mínimo de razonabilidad de que esas intervenciones o medidas, o la incoación de la causa, no fueron fruto de la decisión meditada y razonada de un juez, el resultado no podría ser otro que decretar la nulidad de todas las actuaciones afectadas (y, por supuesto, iniciar una investigación para depurar unas responsabilidades que serían muy graves). Pero siendo eso una hipótesis tan rocambolesca como de todo punto incompatible con la secuencia de actuaciones en que aparecen esas resoluciones, las consecuencias no pueden ser las añoradas por los recurrentes. Lo relevante es la falta de una decisión; no la falta de una firma cuando de esa omisión no puede desprenderse la más mínima duda sobre la realidad procesal. No es esto minusvalorar la importancia del mandato legal (los jueces y magistrados dictarán los autos que dicten), pero sí darle su justa relevancia. El ciudadano tiene derecho a que sea un juez quien adopte esas decisiones. Su realidad queda autentificada por la firma. Pero el derecho fundamental no consiste en que los documentos donde plasman las decisiones estén firmados; sino en la materialidad.

STS 152/2020: Acierta el recurrente al descartar que los jurados suplentes puedan estar presentes en las sesiones del Tribunal del Jurado destinadas a la deliberación y votación de los puntos objeto de veredicto. La sesión deliberatoria es secreta de conformidad con el artículo 55.3 LOTJ, no permitiendo la ley que los miembros titulares del Jurado mantengan comunicación con persona alguna hasta que hayan emitido el veredicto (art 56.1 LOTJ), y puntualizando expresamente que hasta que se lea el veredicto, los jurados suplentes deben permanecer a disposición del Tribunal en el lugar que se les indique (art. 66 2 LOTJ), que indudablemente no debe ser la Sala donde deliberan los jurados titulares. Consecuentemente, la presencia de los jurados suplentes durante la deliberación constituye una irregularidad procesal por contravención legal. Sin embargo, para que pueda calificarse como una vulneración constitucional del derecho a un juicio con todas las garantías, con la drástica consecuencia de la anulación y repetición del juicio por otro Tribunal distinto, es necesario que esta irregularidad formal materialmente menoscabe la posición del recurrente respecto de su derecho a obtener un pronunciamiento imparcial.

a) Principio de contradicción

STS 1002/2016 - STS 686/2016: La ausencia de contradicción carece de trascendencia si es imputable en exclusiva a las partes pasivas. Así sucede, por ejemplo, cuando el acusado se ha situado conscientemente en rebeldía o cuando, debidamente citado, no ha asistido al interrogatorio efectuado en fase de instrucción. En esos casos hubo posibilidad de contradicción; otra cosa es que no fuera aprovechada por la defensa. El principio de contradicción se respeta, no solo cuando el demandante goza de la posibilidad de intervenir en el interrogatorio de quien declara en su contra, sino también cuando tal efectiva intervención no llega a tener lugar por motivos o circunstancias que se deben a una actuación judicial constitucionalmente censurable. Es suficiente haber contado con la posibilidad de interrogar. No es indispensable un interrogatorio efectivo. Solo si la ausencia de contradicción es achacable a una actuación incorrecta del órgano jurisdiccional o de los poderes públicos la diligencia en principio no sería convalidable. El problema de la falta de contradicción no se resuelve mediante rígidas reglas de prohibición de valoración sino sopesando si las exigencias de equidad justifican el aprovechamiento mayor o menor de la información testifical obtenida en las fases previas. Los déficits contradictorios en la producción de la fuente de prueba se pueden compensar aplicando estándares más cautelosos en la valoración de la prueba. El problema se desplaza de la admisión del medio de prueba a su valoración.

STEDH de 19 de febrero de 2013, as. GANI c. ESPAÑA: Se aparta de la doctrina sentada por el TEDH en las SSTEDH de 26 de marzo de 1996, as. DOORSON c. HOLANDA y de 27 de febrero de 2001, as. LUCA c. ITALIA, que consideraban los principios generales relativos al principio de contradicción, axiomas pétreos e impermeables a matizaciones.

STC 64/1994: La declaración del testigo oculto (aquel que declara con mayor grado de opacidad a la visión o control de las partes), conociendo su identidad las partes (o solamente la defensa), no lesiona el principio de contradicción.

STS 384/2016: (Se aparta de la imperatividad del art. 4.3 LO 19/1994 de Protección de testigos y peritos en causas criminales, respecto a la obligatoriedad de desvelar su identidad para el plenario. El Tribunal debe controlar que la solicitud supera el canon de motivación, así como la suficiencia y razonabilidad de la petición, ponderando los intereses en presencia).

Acuerdo no jurisdiccional del pleno de la Sala 2ª del TS de 6 de octubre de 2000: a) Para adoptar la medida de impedir la visualización del testimonio de un testigo en el acto del juicio oral por parte del acusado, a que hace referencia el apartado b) del art. 2º de la Ley Orgánica 19/1994 de Protección de Testigos y Peritos en Causas Criminales, es necesario que el Tribunal motive razonablemente su decisión. Y ello tanto vengan dispuestas medidas protectoras adoptadas ya en la instrucción (art. 4º), como si tal medida se acuerda en el momento de la celebración del juicio oral; b) En este segundo caso, tal motivación es bastante con que se refleje en el propio acta del juicio oral, con la amplitud que requiera la situación de peligro, dejando expuesto también lo que las partes consideren en relación con tal restricción a la publicidad del debate, así como el acatamiento o respetuosa protesta a la decisión adoptada por el Tribunal; c) La consecuencia de la inexistencia o insuficiencia de tal motivación puede ser controlada casacionalmente, originando la nulidad del juicio oral con retroacción de actuaciones, para la celebración del mismo de nuevo con Tribunal formado por diferentes Magistrados.

b) Principio de inmediación

STC 105/2016 - STEDH de 29 de marzo de 2016, as. GÓMEZ OLMEDA c. ESPAÑA: Es consolidada la doctrina constitucional que considera la vulneración del derecho a un proceso con todas las garantías cuando un órgano judicial, conociendo en vía de recurso, condena a quién había sido absuelto en la instancia o empeora su situación a partir de una nueva valoración de pruebas personales o de una reconsideración de los hechos declarados probados para establecer su culpabilidad, siempre que no se haya celebrado una audiencia pública en que se desarrolle la necesaria actividad probatoria, con las garantías de publicidad, inmediación y contradicción que le son propias, y se dé al acusado la posibilidad de defenderse, exponiendo su testimonio personal. Esta evolución de la doctrina constitucional reduce la posibilidad de condenar o agravar la condena sin vista, a los supuestos en que el debate planteado en segunda instancia versa sobre estrictas cuestiones jurídicas. Ha de significarse al respecto, que el enjuiciamiento sobre la concurrencia de los elementos subjetivos del tipo, forma parte, a estos efectos, de la vertiente fáctica del juicio que corresponde efectuar a los órganos judiciales, debiendo distinguirse del mismo, el relativo a la estricta calificación jurídica que deba asignarse a los hechos una vez acreditada su existencia. La intervención del acusado en la segunda instancia colma las exigencias derivadas del derecho de audiencia, con una intervención al final de la vista para pronunciarse sobre los motivos del recurso, sin que resulta preciso que exista un interrogatorio stricto sensu, ya que aquella intervención da la oportunidad al acusado de exponer todo aquello que estime pertinente para su mejor defensa, sirviendo a su derecho a ser oído personalmente y al derecho de defensa contradictoria, máxime ante la ausencia de una previsión legal al respecto.

STS 892/2016: No obstante, una audiencia de este tipo es incompatible con la naturaleza de la Casación; el camino innovador (audiencia del acusado o reproducción de la prueba personal, que en algún momento ha sugerido la jurisprudencia constitucional (STEDH de 20 de septiembre de 2016, as.

HERNÁNDEZ ROYO c. ESPAÑA)) solo cabe implantarlo en la apelación, no en la casación. Por tanto, las posibilidades de revisión de sentencias absolutorias en casación se limitan a la infracción de ley (cuestiones estrictamente jurídicas). Por su parte, solo en aquellos casos en los que la valoración probatoria asumida en la instancia resulte absolutamente arbitraria, ajena a las máximas de la experiencia, las reglas de la lógica y, en fin, alejada del canon constitucional de valoración racional de la prueba, el pronunciamiento absolutorio podrá ser impugnado con fundamento en el derecho a la tutela judicial efectiva, logrando así el reconocimiento de la vulneración de un derecho constitucional y la reparación adecuada mediante la anulación del pronunciamiento absolutorio.

STS 618/2022 (Pleno): A modo de contexto decisional, cabe recordar que la doctrina que arranca con la STC 167/2002 y que trae causa y fundamento de la doctrina del Tribunal Europeo de Derechos Humanos -vid. SSTEDH, caso Spinu c. Rumanía, de 29 de abril de 2008; caso García Hernández c. España, de 16 de noviembre de 2010; caso Lacadena c. España de 22 de noviembre de 2011; caso Sánchez Contreras c. España, de 20.3.2012; caso Niculescu DellaKeza c. Rumanía, de 26 de marzo de 2013; caso Pardo Campoy y Lozano Rodríguez c. España, de 14 de enero de 2020; y, la más reciente, caso Centelles Mas y otros c. España, de 7 de junio de 2022- reconfiguró el espacio revisorio que el efecto devolutivo atribuye al recurso cuando de lo que se trata es de la pretendida modificación de pronunciamientos absolutorios basados en una valoración directa y plenaria de las llamadas pruebas personales. En estos casos, para la doctrina constitucional, la inmediación de la que goza el juez de instancia constituiría una suerte de precondición valorativa, cuya ausencia impide a los tribunales superiores subrogarse en la labor determinativa de la eficacia probatoria de tales medios. El legislador se hizo eco de la doctrina constitucional estableciendo mediante la reforma de 2015 -Ley 41/2015- un modelo fuertemente restrictivo de revisión -incluso llegando más allá que lo que las exigencias convencionales imponían- hasta el punto de privar al tribunal superior de toda facultad de revalorar la prueba sobre la que el tribunal inferior funda su decisión absolutoria para revocar y condenar al absuelto. De tal modo, el alcance de la facultad revisora de las decisiones absolutorias o que declaran menor responsabilidad que la pretendida basada en la valoración de la prueba, debe limitarse a identificar si la decisión del tribunal de instancia se funda en bases cognitivas irracionales o incompletas, ordenando, en estos casos, el reenvió de la causa para que el tribunal a quo reelabore la sentencia racional o informativamente inconsistente o, excepcionalmente, se repita de nuevo el juicio. La revocación pretendida, con la condena del absuelto, mediante el recurso de casación solo resulta posible si el gravamen en que se basa adquiere una sustancial dimensión normativa. Esto es, que de los hechos que se declaran probados, sin ningún elemento fáctico aditivo ni revalorización de las informaciones probatorias, se identifiquen todos los elementos normativos y descriptivos que permitan el juicio de subsunción en el tipo que ha sido objeto de acusación. Condición que adquiere, en puridad, el valor de presupuesto de admisión del propio recurso formulado. Es, por tanto, el hecho declarado probado y solo este, el que delimita el campo de juego en el que puede operar el motivo, constituyendo, a la postre, el fundamental elemento de la precomprensión necesaria para la identificación e interpretación de la norma aplicable al caso. Debiéndose recordar que el hecho declarado probado a estos efectos se extiende también a las circunstancias fácticas que, pudiendo beneficiar a la persona acusada, aparezcan insertas en la fundamentación jurídica. Es, por tanto, el hecho global fijado respecto del que puede operar el motivo por infracción de ley. (Tol 9140705)

Acuerdo no jurisdiccional del pleno de la Sala 2ª del TS de 19 de diciembre de 2012: La citación del acusado recurrido a una vista para ser oído personalmente antes de la decisión del recurso ni es compatible con la naturaleza de la casación, ni está prevista en la ley.

STS 216/2019: En concreto, el Tribunal Superior de Justicia, como órgano de apelación, ha llevado a cabo una valoración probatoria que le incumbe, pues, como antes dijimos, no es lo mismo el ámbito del recurso de apelación que el recurso de casación. La falta de inmediación, que tiene sus consecuencias, no puede producir, que tras la Ley 41/2015, de 5 de octubre, coexistan dos recursos de casación consecutivos. Cada una de las impugnaciones que permite la ley procesal tiene un ámbito jurídico distinto. En la apelación, si no es como consecuencia de la proscripción de la reforma peyorativa, el juez de la segunda instancia se encuentra en el mismo lugar que el de la primera, pudiendo incluso valorar prueba que se haya practicado en su presencia, pues la regulación permite un segundo turno de práctica de prueba, lo que no es posible en el ámbito del recurso de casación, conforme al Acuerdo Plenario de fecha 19 de diciembre de 2012.

STC 170/2005: En efecto, tanto la STC 167/2002 como las Sentencias posteriores que han apreciado la vulneración del derecho al proceso con todas las garantías (art. 24.2 CE) en aplicación de esta doctrina y que la han ido perfilando, resuelven supuestos en los que, tras una Sentencia penal absolutoria en primera instancia, la misma es revocada en apelación y sustituida por una Sentencia condenatoria, después de realizar una diferente valoración de la credibilidad de testimonios (declaraciones de los acusados o declaraciones testificales) en la que se fundamenta la modificación del relato de hechos probados y la conclusión condenatoria, medios de prueba que, por su carácter personal, no podían ser valorados de nuevo sin inmediación, contradicción y publicidad, esto es, sin el examen directo y personal de los acusados o los testigos, en un debate público en el que se respete la posibilidad de contradicción. Sin embargo, este Tribunal también ha afirmado expresamente que existen otras pruebas, y en concreto la documental, cuya valoración sí es posible en segunda instancia sin necesidad de reproducción del debate procesal, porque, dada su naturaleza, no precisan de inmediación.

STC 2/2010: No es suficiente el visionado de la grabación videográfica para condenar a quien ha sido absuelto en la instancia siendo precisa la presencia del acusado a fin de ser oído.

STS 678/2005: Al no poder afirmarse la integridad del respeto a las garantías procesales habituales, la decisión acerca de la celebración de un juicio con la presencia mediante videoconferencia de los acusados requiere prestar inexcusable atención a criterios de proporcionalidad que relacionen el sacrificio de tales derechos con la relevancia de las causas que aconsejan semejante medida. Quedando, por supuesto, fuera de esa ponderación cualesquiera alusiones a planteamientos de índole funcional, como el ahorro de gastos o de las dificultades y molestias derivadas de traslados y comparecencias, pues es obligación del Estado, dentro del correcto ejercicio de su *"ius puniendi"*, facilitar los medios necesarios para respetar los principios rectores de nuestro sistema de enjuiciamiento, siempre que fuere posible. De modo que solo motivos de absoluta imposibilidad de asistencia personal del acusado servirían para justificar, válidamente, el empleo en estos casos de los novedosos métodos contemplados en nuestra legislación, en especial cuando de la presencia del propio acusado se trate. Amén de aquellos otros supuestos como en los que el Tribunal se haya visto obligado a replicar a una conducta perturbadora con la expulsión del desobediente, en los que precisamente, la posibilidad de que siga su juicio a través de medios electrónicos desde un lugar externo a la Sala, como acontece en procedimientos de los que conocen ciertos Tribunales supranacionales, se erige en el más eficaz y garantista sucedáneo de la presencia física de quien ha forzado, de manera inevitable, esa situación.

c) Principio acusatorio

STS 5/2015: El principio acusatorio exige que no se puedan introducir hechos nuevos que no hayan sido objeto de acusación, pero sí permite introducir y valorar hechos accesorios enlazados con el hecho nuclear, todavía provisionalmente delimitado. **STS 745/2017:** Lo exigible es que se respete el hecho en su esencialidad, que no se altere su identidad básica, que no se introduzca por el Juzgador material fáctico (en el sentido de conductas relevantes penalmente) distinto del aportado por la acusación. Eso no significa que el Tribunal no pueda añadir matices y datos complementarios u ofrecer una versión distinta de los hechos invocados por la acusación, así como especificarlos o concretarlos. Cabe insistir en que el marco acusatorio no es inflexible, ya que puede traspasarse con la introducción de elementos episódicos, periféricos y de mero detalle no afectantes al derecho de defensa.

STS 381/2018: En todo caso la concreción de la fecha del hecho es sin duda un elemento que enriquece las posibilidades de diseñar estrategias defensivas. Pero su relativa (sí se señala un periodo de tiempo) inconcreción no las anula. Y es que además del elemento tiempo, se suministran otras múltiples circunstancias, -lugar, ocasión, actos de ejecución, etc.- que hacen posible abordar una actividad de refutación.

STS 382/2016: El principio acusatorio no rige con relación a las medidas de seguridad (no es necesario para imponerlas que lo pida la parte), ni siquiera en los casos de conformidad. Cuestión distinta es la necesidad de que haya sido debidamente sometida a debate contradictorio y concurran sus presupuestos.

STS 577/2016: Abandona los criterios apriorísticos o generalizables para resolver la homogeneidad o heterogeneidad de delitos a efectos del principio acusatorio. Ha de estarse al caso concreto para dilucidar si el cambio de título condenatorio causa indefensión, es decir, si se ha privado a la parte de alguna posibilidad de defensa; en concreto, si hubo elementos de hecho que no fueron ni pudieron ser debatidos plenamente por la defensa (debate contradictorio).

STS 58/2018: El Fiscal en el trámite de conclusiones definitivas sin apartarse del objeto de la causa (los hechos punibles que resulten del sumario) puede extender, con ciertos límites, la acusación a hechos distintos pero conectados, así como ampliarla subjetivamente frente a quienes ya están imputados y acusados. Y también puede introducir nuevas alternativas de subsunción jurídica siempre que no comporte alteraciones competenciales o procedimentales (en cuyo caso habrían de hacerse algunas matizaciones) o no haya sido ya definitivamente excluida (v.gr. por haberse estimado un recurso contra el procesamiento). No sería posible mas que con condiciones muy estrictas la introducción de unos hechos nuevos ajenos a la fase de investigación. Pero si se trata de conductas investigadas, objeto del proceso y no excluidas del mismo, no hay obstáculo para modificar el título de imputación o efectuar otras alteraciones de esa índole. Cosa diferente es que ante esa novación o mutación de la pretensión acusatoria la defensa disponga de un mecanismo, que el legislador pone en sus manos, para evitar incluso el menor atisbo de indefensión: puede solicitar la suspensión para plantear alguna prueba no articulada pues se presentaba como innecesaria ante la acusación inicial pero se hace conveniente ante la definitiva; o para disponer de un tiempo para preparar la contestación a esa novedosa imputación. Hacer uso o no de esa posibilidad entra dentro de las facultades de la defensa. En este caso se intuye que la decisión de la dirección letrada de prescindir de ese trámite era completamente adecuada desde el punto de vista de la estrategia procesal.

STS 823/2022: Esta Sala en acuerdo del Pleno no jurisdiccional de 20 de diciembre de 2006 (STS 440/2015, de 29 de junio) proclamó que conforme al principio acusatorio no puede imponerse pena superior a la más grave de las pedidas en concreto por las acusaciones. Sin embargo, en un Pleno posterior de 27 de febrero de 2007, se matizó esa doctrina estableciendo que "(...) el Tribunal no puede imponer pena superior a la más grave de las pedidas por las acusaciones, siempre que la pena solicitada se corresponda con las previsiones legales al respecto, de modo que cuando la pena se omite o no alcanza el mínimo previsto en la ley, la sentencia debe imponer, en todo caso, la pena mínima establecida para el delito objeto de condena (...)". La vigencia de dicha doctrina ha sido declarada en resoluciones posteriores como la STS 330/2014, de 23 de abril, en la que se cita la STC 155/2009, de 25 de junio, que avaló la tesis de esta Sala, o las SSTS 492/2016, de 8 de junio o 634/2017, de 26 de septiembre. No obstante lo anterior, el Tribunal Constitucional ha corregido esta doctrina, declarando que el principio acusatorio obliga a no imponer pena superior a la solicitada por las acusaciones, incluso en el caso de que la pena impuesta sea inferior a la pena que legalmente corresponda. En efecto, en la STC 47/2020, de 15 de junio, después de señalar que el principio acusatorio, por más que no aparezca expresamente mencionado en el artículo 24 CE, es un elemento estructural del proceso penal protegido por el citado precepto, precisa que ese principio comprende un haz de garantías entre las que se encuentra la exigencia de correlación o congruencia entre acusación y fallo, que tiene su razón de ser en el derecho de defensa y el derecho a estar informado de la acusación. Si el juez se extralimita en el fallo, apreciando unos hechos o una calificación jurídica diferentes de los pretendidos por las acusaciones, se priva a la defensa de la necesaria contradicción. Ese deber de congruencia, dice el alto intérprete constitucional, está sujeto a un doble condicionamiento, fáctico y jurídico: "El condicionamiento fáctico viene determinado por los hechos objeto de acusación, de modo que ningún hecho o acontecimiento que no haya sido delimitado por la acusación, como objeto para el ejercicio de la pretensión punitiva, podrá ser utilizado para ser subsumido como elemento constitutivo de la responsabilidad penal; el órgano judicial, en última instancia, no podrá incluir en el relato de hechos probados elementos fácticos que varíen sustancialmente la acusación, ni realizar la subsunción con ellos. El condicionamiento jurídico queda constituido, a su vez, por la calificación que de esos hechos realice la acusación y la consiguiente petición sancionadora. Ahora bien, atendiendo a las propias facultades de pronunciamiento de oficio que tiene el juzgador penal, por las cuestiones de orden público implicadas en el ejercicio del ius puniendi, el juez podrá condenar por un delito distinto del solicitado por la acusación siempre que sea homogéneo con él y no implique una pena de superior gravedad, de manera que la sujeción de la condena a la acusación no puede ir tan lejos como para impedir que, el órgano judicial, modifique la calificación de los hechos enjuiciados en el ámbito de los elementos que han sido o han podido ser objeto de debate contradictorio (STC 155/2009, FJ 4) , y jurisprudencia allí citada). En lo que respecta a la pena y como aplicación del deber de congruencia señala el Tribunal Constitucional: "con cita de la doctrina establecida en la STC 155/2009, de 25 de junio, "que el órgano judicial no puede imponer pena que exceda, por su gravedad, naturaleza o cuantía, de la pedida por las acusaciones, cualquiera que sea el tipo de procedimiento por el que se sustancia la causa, aunque la pena en cuestión no transgreda los márgenes de la legalmente prevista para el tipo penal que resulte de la calificación de los hechos formulada en la acusación y debatida en el proceso".

STS 600/2022: La pregunta sería: ¿la consideración de un concurso como real o ideal es un tema de calificación regido por los arts. 733 y 851.4 LECrim o un problema de penalidad regido por el 789.3º LECrim y el acuerdo citado? La ubicación sistemática del art. 77 CP podría llevar a pensar que es una cuestión puramente penológica. Pero no sería correcto. Es un problema también de calificación. Un Tribunal, sin plantear la tesis, que ha de ser asumida por alguna acusación, no puede convertir un concurso ideal en real en contra de la petición del Fiscal; o deshacer o formar un delito continuado en perjuicio del reo y contrariando, a la vez, la posición más benigna de la acusación.

STS 285/2018: Dijimos que, sin duda, la vigencia del principio acusatorio impone un órgano jurisdiccional imparcial ante un conflicto entre la acusación y la defensa, de manera que el órgano judicial no puede sustituir a las partes, sino presidir el debate y recepcionar la prueba que éstas han presentado. De ahí que la jurisprudencia de esta Sala, en interpretación de las exigencias del principio acusatorio, haya propiciado una interpretación muy restringida de instituciones como el planteamiento de la tesis del art. 733, o la aportación de testigos por el tribunal del art. 729, con la finalidad de apuntalar la imparcialidad del tribunal, y al tiempo asegurar la efectividad del derecho de defensa frente a imputaciones, o acreditaciones que el tribunal enjuiciador realice de hechos no sometidos a su enjuiciamiento y respecto a los que se forma una convicción de la que no puede defenderse, al haber sido aportada al tribunal por el propio órgano de enjuiciar. Es por ello que el art. 708 de la Ley procesal ha de ser interpretado de manera armónica con el principio acusatorio, esto es, su utilización ha de ser excepcional y referida a extremos sobre los que los testigos, peritos o imputados hayan declarado a las preguntas de las partes en el proceso, en relación con hechos aportados por ellas. Esta manera de entender el art. 708 de la Ley procesal resulta de las exigencias del principio acusatorio y del tenor literal del art. 708 de la Ley procesal al referir la posibilidad de interrogatorio del Presidente a "los hechos sobre los que declaren", es decir, como complemento a lo ya declarado (no a hechos nuevos no aportados por las acusaciones). Desde luego a estas exigencias debe sujetarse todo tribunal en un Estado de derecho.

STS 438/2018: En el caso se han mantenido los mismos hechos variando solamente la calificación jurídica de la participación del recurrente, sin que ello haya supuesto valorarla más gravemente atribuyéndole consecuencias más gravosas, dada la equiparación total existente, y no solo a efectos penológicos, entre la autoría o coautoría y la cooperación necesaria, que tiene su origen en la misma literalidad del Código Penal cuando dice que "También serán considerados autores: b) los que cooperan a su ejecución [a la del hecho] con un acto sin el cual no se habría efectuado".

d) Derecho a los recursos del condenado

STS 503/2022: Conforme al precepto 954. 1 d) de la LECRIM, modificado por la Ley 41/2015, de 5 de octubre, es requisito para la revisión de una sentencia firme "Cuando después de la sentencia sobrevenga el conocimiento de hechos o elementos de prueba, que, de haber sido aportados, hubieran determinado la absolución o una condena menos grave". La supresión del requisito de que los hechos o los elementos de prueba sean nuevos ya se venía aplicando de facto en la práctica, pues en algunas resoluciones se admitía a trámite el procedimiento de revisión de las sentencias en casos en que los hechos alegados o los elementos probatorios no eran nuevos pero sí eran totalmente desconocidos para el penado. De modo que operaba una nueva prueba si resultaba determinante para modificar de forma sustancial el resultado probatorio en los casos en que el penado ignorara el elemento probatorio por haber accedido a su conocimiento con posterioridad a la firmeza de la sentencia. Y otro tanto debe decirse de hechos preexistentes que, por diferentes circunstancias, fueran desconocidos para el acusado/penado. El nuevo artículo 954.1.d) LECRIM exige: "a) Un elemento de prueba de conocimiento sobrevenido. Esto presupone que fuese ignorado durante el curso del procedimiento; o sea, que haya aparecido o haya sido conocido después de la fecha de la sentencia cuya revisión se pretende, revisar. b) Ha de tratarse de una prueba de la que pueda afirmarse en un juicio hipotético que su consideración hubiese variado el sentido de la sentencia; habiendo podido determinar la absolución o una condena inferior. Ya no se trata como antes de la reforma de evidenciar, es decir, acreditar la inocencia (la aparición de pruebas que hiciesen dudar de la culpabilidad afirmada, pero no acreditasen la inocencia en rigor no eran suficientes para la prosperabilidad del recurso de revisión). Bastan pruebas que presumible o probablemente hubiesen determinado un pronunciamiento absolutorio (no solo por acreditar la inocencia, sino también por generar dudas sobre la culpabilidad) o una condena más benévola como consecuencia de dejar sin sostén probatorio una agravante o un elemento de agravación. Esta nueva fórmula resulta más respetuosa con la fuerza irradiante de la presunción de inocencia. c) Sigue siendo exigible que las pruebas no hubiesen podido proponerse con anterioridad a la celebración del juicio oral, por causas que resulten de razonable apreciación, lo que aparece aquí suficientemente justificado.

STS 550/2020: El llamado recurso de revisión es un proceso extraordinario, excepcional, con el que se pretende encontrar el necesario equilibrio entre la seguridad jurídica que reclama el respeto a la cosa juzgada y la exigencia de la justicia en que sean anuladas aquellas Sentencias condenatorias de quienes resulte posteriormente acreditado que fueron indebidamente condenados. Esta Sala en supuestos similares, se ha inclinado por acordar la nulidad de la sentencia posterior, manteniendo la dictada en primer lugar. Ahora bien, se trata de supuestos en los que el condenado no ha sido condenado además por otros hechos diferentes como es el caso sometido a examen. Aun cuando los hechos relativos a la sustracción del vehículo que conducía se recogen también en la primera de las sentencias, la dictada por el Juzgado de lo Penal núm. 1 de Langreo, en la misma se dejó este hecho imprejuzgado, precisamente por seguirse otro procedimiento por este hecho en los Juzgados de Oviedo, tal y como se recoge expresamente en el apartado de hechos probados.

Igualmente, la primera sentencia fijó una indemnización que el condenado debería abonar por vía de responsabilidad civil al Consorcio de Compensación de Seguros por los daños ocasionados en una valla de señalización. La segunda sentencia fijó indemnización a favor de Catalana Occidente S.A. por los daños ocasionados en el vehículo sustraído que igualmente debía abonar el condenado por vía de responsabilidad civil. En consecuencia, siguiendo el criterio de esta Sala, procede anular parcialmente la sentencia núm. 30/2019, de 1 de marzo, dictada por el Juzgado de lo Penal núm. 1 de Langreo, por ser la opción más beneficiosa al recurrente, en cuanto que la cuota de la pena de multa impuesta es superior, manteniendo subsistente la responsabilidad civil declarada en la misma pues su anulación perjudicaría objetivamente a terceros.

STS 236/2022: Resultaría contrario a los principios constitucionales distinguir entre injusticias dignas de ser reparadas y otras, nimias, que no merece la pena reparar. Ha de afirmarse rotundamente que el recurso de revisión, herramienta exigida por la justicia material, es también utilizable en juicios por delitos leves.

STS 52/2016: El recurso extraordinario de revisión cabe frente a las sentencias de conformidad.

STS 307/2013: El recurso de revisión cabrá cuando un sujeto haya sido condenado por el mismo hecho mediante dos sentencias firmes, pero no cuando lo haya sido penal y administrativamente, en cuyo caso debió el Tribunal compensar las sanciones; si no lo hizo, cabrá recurso de amparo por vulneración del art. 25 CE.

Acuerdo no jurisdiccional del pleno de la Sala 2ª del TS de 30 de abril de 1999: La doctrina jurisprudencial que consagra una nueva línea interpretativa que despenaliza una conducta anteriormente considerada como delictiva, no tiene la consideración de hecho nuevo a efectos del recurso extraordinario de revisión.

STS 330/2015: La estimación de una demanda ante el TEDH, no conlleva de forma necesaria la absolución o nulidad de la sentencia objeto del recurso de revisión, pues la vulneración del derecho fundamental declarado en la STEDH no siempre alcanzará tal virtualidad o efecto.

STS 667/2021: Cuando se trata del supuesto previsto en el artículo 954.3 de la LECrim, es preciso que el TEDH haya declarado que la resolución judicial cuya revisión se pretende, en este caso la sentencia condenatoria, fue dictada en violación de alguno de los derechos reconocidos en el Convenio, siempre que la violación, por su naturaleza y gravedad, entrañe efectos que persistan y no puedan cesar de ningún otro modo que no sea mediante la revisión. En segundo lugar, es preciso que sea solicitada por quien esté legitimado para interponer este recurso y que además fuera demandante ante el TEDH. Y, en tercer lugar, es necesario que la solicitud se formule en el plazo de un año desde que adquiera firmeza la sentencia del referido Tribunal.

STS 71/2018: Si el auto, aun recaído en fase de ejecución de sentencia, tiene naturaleza decisoria por incidir en su fallo o en la ejecución de la pena a cumplir, debe entenderse sujeto a los mismos recursos que la propia sentencia y, por ello, también al de casación.

STS 565/2022: La decisión del Tribunal Superior por la que rechazó, por irrecurrible, la pretensión de que se revisara la denegación de la suspensión de pena solicitada en la instancia, carece de justificación suficiente. La inadmisión responde a una interpretación reductora del espectro apelativo que difícilmente encuentra encaje en el propio texto de la norma procesal invocada, arrojando, además, un resultado de lesión iusfundamental manifiestamente desproporcionado. No puede obviarse la naturaleza del gravamen que sustentaba el recurso de apelación: la denegación de la suspensión de la ejecución de la pena, lo que comportaba la privación de libertad de la persona condenada en la instancia. Efecto que compelía a apurar, aún más si cabe, el estándar de interpretación favorable a la admisión del recurso de apelación contra dichas decisiones, como garantía institucional específica del derecho fundamental del artículo 17 CE a la libertad personal. El hecho de que la decisión sobre suspensión de la pena no encaje en los contenidos de la sentencia enunciados en el artículo 142 LECrim no la convierte en contenido extravagante a la misma. Como tampoco pueden calificarse así los pronunciamientos en sentencia sobre expulsión sustitutiva de la pena -artículo 89 CP-; sobre límites temporales para el acceso a beneficios penitenciarios, tercer grado o libertad condicional -artículo 78 CP-; sobre modalización del contenido y alcance de las prohibiciones de aproximación cuando la persona condenada sufre discapacidad mental o intelectual -artículo 48 CP-; sobre abono de prisión provisional o compensación de medidas cautelares no privativas de libertad -artículos 58 y 59, ambos, CP-; etc. El estándar pro actione a la hora de interpretar las reglas de admisibilidad de los recursos en materia penal impide reducir, en contra del tenor literal de la norma, los contenidos de la sentencia susceptibles de generar gravámenes sobre los que fundar el recurso de apelación. La apuntada necesidad de garantizar el derecho a la libertad ambulatoria mediante un recurso devolutivo frente a todas las decisiones limitativas adoptadas en primera instancia en el curso del proceso obliga a una interpretación favorable y adaptada del marco regulativo del recurso de apelación ante el Tribunal Superior de Justicia. Lo que también coliga con exigencias elementales de sistematicidad del modelo de control pues carecería de todo sentido que las decisiones sobre suspensión de penas [de concesión, denegación o revocación] adoptadas por los Juzgados de lo Penal puedan ser recurridas en apelación y que esas mismas decisiones con un alto impacto sobre la libertad personal adoptadas en primera instancia por la Audiencia Provincial sean irrecurribles.

STS 107/2018: La resolución que se pronuncia a consecuencia de la revisión por aplicación retroactiva de legislación más favorable en caso de sucesión de normas, se encuentra sometida al mismo régimen de recursos que la sentencia respecto a la que se pronuncia.

STS 188/2015: Si el Tribunal, considerando incorrecta la calificación, no requiere a la acusación para que la modifique y cambiara aquel unilateralmente la calificación consensuada, contra la sentencia de conformidad que se dictara cabría recurso de casación.

STS 327/2020: Esta regla general de inadmisibilidad del recurso de casación frente a las sentencias dictadas de conformidad está condicionada a una doble exigencia: a) que se hayan respetado los requisitos formales, materiales y subjetivos legalmente necesarios para la validez de la sentencia dictada de conformidad; y b) que se cumplan en ésta los términos del acuerdo de las partes. Dentro de la primera de tales perspectivas, resulta admisible el recurso de casación interpuesto contra una sentencia de conformidad cuando se dicte en un supuesto no permitido por la Ley, como es el que afecte a una pena superior a la legalmente establecida. Desde la segunda de dichas perspectivas, resulta admisible el recurso interpuesto contra sentencias que no respeten los términos de la conformidad de las partes, bien en el relato fáctico, bien en la calificación jurídica o bien en la penalidad impuesta, debiendo recordarse que la admisibilidad del recurso no determina la decisión que en su momento haya de adoptarse sobre su estimación, pues el Tribunal sentenciador, por ejemplo, no pierde sus facultades de individualizar la pena en cuantía inferior a la solicitada.

Acuerdo no jurisdiccional del pleno de la Sala 2ª del TS de 19 de diciembre de 2013: Los autos que resuelven una declinatoria de jurisdicción planteada como artículo de previo pronunciamiento son recurribles en casación siempre cualquiera que sea su sentido; es decir, tanto si estiman como si desestiman la cuestión.

STS 44/2016: Es doctrina reiterada aquella que exige como presupuesto necesario para interponer recurso de casación por incongruencia omisiva, interponer previamente el expediente del art. 161 LECrim en relación con el art. 267.5 LOPJ.

STS 321/2018: No puede ser discutida la legitimidad del acusado absuelto para impugnar los hechos declarados probados en una sentencia en la que se le absuelve no porque los hechos no se hayan probado, sino porque ha quedado prescrito el delito en que podían subsumirse. A este respecto, son varias las sentencias de esta Sala que en casos similares en que se describen como probados unos hechos que incriminan al acusado y que resultan subsumibles en un tipo penal, se dicta un fallo absolutorio debido a que se declara la prescripción del delito. Pese a lo cual, se acaba considerando que el mero de hecho de considerar fácticamente autor del delito al acusado contiene base suficiente para integrar un gravamen legitimador de la interposición del recurso de casación con el fin de impugnar la premisa fáctica en la que se describe la autoría del acusado con respecto a los hechos que se le imputaban.

STS 509/2020: Cuenta con raigambre la jurisprudencia que indica que el recurso de casación está previsto para accionar en defensa de derechos propios, no ajenos. Menos aún, sin ostentar la condición de parte acusadora para cuestionar la estimación de la atenuante estimada a otro acusado. Son dos los requisitos que viene exigiendo esta Sala para poder recurrir en casación: i) en primer lugar, que se recurra en defensa de derechos propios y ii) en segundo término, que la resolución que se pretende casar o modificar le sea perjudicial en algún extremo al recurrente.

STS 606/2018: En el presente caso se ha intentado previamente la modificación mediante una súplica. Era improcedente desde el momento en que se declara admisible la casación (art. 237 LECrim). Esa situación, en otros supuestos, podría ser determinante de la extemporaneidad y consiguiente inadmisibilidad del recurso devolutivo. Súplica y casación son incompatibles por expresa dicción legal. No obstante, la doctrina de esta Sala ha dulcificado esa rígida respuesta cuando nos encontramos en zonas de penumbra. Si, como en este caso, el recurrente se ha limitado a seguir las indicaciones que sobre el régimen de recursos le proporcionaba el órgano jurisdiccional y, además, como se deduce del fundamento anterior, nos movemos en un espectro de relativa oscuridad legislativa, ningún óbice ha de derivarse para la admisibilidad del recurso de casación interpuesto contra el auto que desestimó la súplica e, indirectamente, contra el que denegó la revisión.

STS 187/2018: Incurre en el motivo de inadmisión del art. 884.2 de la Ley de Enjuiciamiento Criminal, "cuando se interponga contra resoluciones distintas de las comprendidas en los artículos 847 y 848". A ello no es óbice, la errónea notificación que se realiza en la instancia sobre los recursos procedentes, pues por una parte, en principio, como establece una reiterada jurisprudencia constitucional, "si bien los errores de los órganos judiciales no deben producir efectos negativos en la esfera jurídica del ciudadano, esos efectos carecerán de relevancia desde el punto de vista del amparo constitucional cuando el error sea también imputable a la negligencia de la parte, cuya apreciación habrá de tomar en consideración la muy diferente situación en la que se encuentra quien interviene en un proceso sin especiales conocimientos jurídicos y sin asistencia letrada y quien, por el contrario, acude a él a través de peritos en Derecho capaces, por ello, de percibir el error en que se ha incurrido al formular la instrucción de recursos". En segundo lugar, si se entendiera en autos, que la instrucción o información errónea acerca de los recursos facilitada por los órganos judiciales, dada la *auctoritas* que corresponde a quien la hizo constar, era susceptible de inducir a un error a la parte litigante, de modo que hubiera considerarla en todo caso excusable "dada la autoridad que necesariamente ha de merecer la decisión judicial", la consecuencia, sería la inviabilidad de la extemporaneidad cuando interpusiera el que efectivamente correspondía, por cómputo del plazo desde la notificación de la sentencia de instancia y no desde la información acertada de cuál era el adecuado. En todo caso, como expresa la STC 43/1995, de 13 de febrero, serán las circunstancias concretas que concurren en el supuesto planteado las que deberán analizarse para determinar si, partiendo de aquella indicación errónea judicial, la parte pudo razonablemente salvar la equivocación y actuar correctamente desde la perspectiva procesal o, por el contrario, aquel error era insalvable y a él no contribuyó su propia negligencia.

Acuerdo no jurisdiccional del pleno de la Sala 2ª del TS de 9 de junio de 2016: Primero.- a) El art. 847 1º letra b) de la LECrim debe ser interpretado en sus propios términos. Las sentencias dictadas en apelación por las Audiencias Provinciales y la Sala de lo Penal de la Audiencia Nacional solo podrán ser recurridas en casación por el motivo de infracción de ley previsto en el número primero del art. 849 de la LECrim, debiendo ser inadmitidos los recursos de casación que se formulen por los arts. 849.2º, 850, 851 y 852; b) Los recursos articulados por el art. 849.1º deberán fundarse necesariamente en la infracción de un precepto penal de carácter sustantivo u otra norma jurídica del mismo carácter (sustantivo) que deba ser observada en la aplicación de la Ley Penal (normas determinantes de subsunción), debiendo ser inadmitidos los recursos de casación que aleguen infracciones procesales o constitucionales. Sin perjuicio de ello, podrán invocarse normas constitucionales para reforzar la alegación de infracción de una norma penal sustantiva; c) Los recursos deberán respetar los hechos probados, debiendo ser inadmitidos los que no los respeten, o efectúen alegaciones en notoria contradicción con ellos pretendiendo reproducir el debate probatorio (art. 884 LECrim); d) Los recursos deben tener interés casacional. Deberán ser inadmitidos los que carezcan de dicho interés (art. 889.2º), entendiéndose que el recurso tiene interés casacional, conforme a la exposición de motivos: a) si la sentencia recurrida se opone abiertamente a la doctrina jurisprudencial emanada del Tribunal Supremo, b) si resuelve cuestiones sobre las que exista jurisprudencia contradictoria de las Audiencias Provinciales, c) si aplica normas que no lleven más de cinco años en vigor, siempre que, en este último caso, no existiese una doctrina jurisprudencial del Tribunal Supremo ya consolidada relativa a normas anteriores de igual o similar contenido; e) La providencia de inadmisión es irrecurrible (art. 892 LECrim). Segundo.- El art. 847 b) LECrim debe ser interpretado en relación con los arts. 792.4º y 977, que establecen respectivamente los recursos prevenidos para las sentencias dictadas en apelación respecto de delitos menos graves y respecto de los delitos leves (antiguas faltas). Mientras el art. 792 establece que contra la sentencia de apelación corresponde el recurso de casación previsto en el art. 847, en el art. 977 se establece taxativamente que contra la sentencia de segunda instancia no procede recurso alguno. En consecuencia el recurso de casación no se extiende a las sentencias de apelación dictadas en el procedimiento por delitos leves.

STS 213/2022: El art. 848 LECrim en su nueva redacción señala que "Podrán ser recurridos en casación, únicamente por infracción de ley, los autos para los que la ley autorice dicho recurso de modo expreso y los autos definitivos dictados en primera instancia y en apelación por las Audiencias Provinciales o por la Sala de lo Penal de la Audiencia Nacional cuando supongan la finalización del proceso por falta de jurisdicción o sobreseimiento libre y la causa se haya dirigido contra el encausado mediante una resolución judicial que suponga una imputación fundada". En la sentencia de Pleno de este Tribunal núm. 396/2021, de 6 de mayo, interpretando este precepto, expusimos que "Según este precepto es posible acudir en casación: a) Cuando la Audiencia dicta en primera instancia un auto de sobreseimiento libre (art. 636 LECrim) (o de archivo por falta de jurisdicción) en causa de la que viene conociendo. Puede hacerlo, tratándose de un procedimiento ordinario, en la fase intermedia cuando los hechos no son constitutivos de delito (art. 637.2) según se desprende del art. 645 LECrim. Esos autos no obstante habrán de ser recurridos primeramente en apelación ante el Tribunal Superior de Justicia. Solo si son confirmados en esa sede accederán a la casación. Así se desprende del art. 846 ter antes transcrito. b) Cuando la Audiencia al resolver una apelación adopta ex novo, estimando el recurso, una de esas decisiones (archivo por falta de jurisdicción o sobreseimiento libre) o confirma, desestimando el recurso, el acuerdo de idéntico sentido adoptado por el instructor. Esto puede suceder en procedimientos abreviados competencia tanto del Juzgado de lo Penal como de la Audiencia Provincial. Se han ampliado de esa forma las posibilidades de casación, lo que resulta congruente con la introducción de un recurso de casación por infracción de ley del art. 849.1º contra las sentencias dictadas en apelación por las Audiencias Provinciales frente a decisiones del Juez de lo Penal". En nuestro caso, nos encontramos ante un auto dictado por la Audiencia resolviendo un recurso de apelación contra un auto dictado por un Juzgado de Violencia sobre la Mujer acordando la inhibición de la causa en favor de un juzgado de instrucción que, desde luego, no es ninguna de las resoluciones a que se refiere el art. 848 LECrim vigente. No se trata de un auto de archivo por falta de jurisdicción o sobreseimiento libre. Tampoco el auto dictado por la Audiencia pone fin al procedimiento. Ni siquiera la decisión adoptada tiene carácter definitivo ya que las decisiones sobre competencia territorial, cuando se suscitan en la fase instructora o preparatoria, tienen un carácter provisional puesto que se adoptan sin perjuicio de lo que pueda resolverse sobre la misma cuestión en momentos posteriores de la tramitación en función del posible acopio de otros elementos que puedan incidir sobre la decisión. Además, no procede plantear anticipadamente en casación una cuestión que todavía puede ser planteada para que sea resuelta en la instancia, ante y por el Tribunal correspondiente y con los recursos que en su caso procedan.

STS 104/2020: Las sentencias que se limitan a declarar la nulidad de las recaídas en primera instancia, no son susceptibles de ser recurridas en casación.

STS 738/2018: Jurisprudencia consolidada de esta Sala ha afirmado que el recurso de casación por infracción de ley se circunscribe a los errores legales que pudo haber cometido el juzgador al enjuiciar los temas sometidos a su consideración por las partes. Lo que implica que no puedan formularse, *ex novo* y *per saltum* alegaciones relativas a otros no suscitados con anterioridad, que obligarían al Tribunal de casación a abordar asuntos no sometidos a contradicción en el juicio oral, y a decidir sobre ellos por primera vez y no en vía de recurso. Es decir, como si actuase en instancia, sin posibilidad de ulterior recurso sobre lo resuelto en relación con estas cuestiones nuevas. No obstante, la doctrina jurisprudencial admite dos clases de excepciones a este criterio. En primer lugar, cuando se trate de infracciones de preceptos penales sustantivos, cuya subsanación beneficie al reo (por ejemplo la apreciación de una circunstancia atenuante) y que puedan ser apreciadas sin dificultad en el trámite casacional porque la concurrencia de todos los requisitos exigibles para la estimación de las mismas conste claramente en el propio relato fáctico de la sentencia impugnada, independientemente de que se haya aducido o no por la defensa. En segundo lugar, cuando se trate de infracciones constitucionales que puedan ocasionar materialmente indefensión.

4. Derecho al juez ordinario predeterminado por la ley

STS 519/2020: La jurisprudencia de esta Sala, acorde con la del TEDH, tiene establecido que la participación de un magistrado decidiendo la fase procesal anterior al juicio oral, particularmente en la fase de instrucción, es motivo de recusación, si esa participación implica un pronunciamiento sobre los hechos, sobre el autor de los mismos y sobre su culpabilidad, que no deja margen para una nueva decisión sin un prejuicio sobre el fondo de la causa. Por lo tanto, es necesario comprobar la intensidad del juicio emitido sobre el objeto del proceso.

STS 53/2016: Con carácter general la doctrina del Tribunal Supremo ha venido entendiendo que no constituye motivo bastante para cuestionar la imparcialidad de los miembros de un Tribunal colegiado, el hecho de que hayan resuelto recursos de apelación interpuestos contra resoluciones del Juez Instructor. Así, no puede apreciarse, generalmente, prejuicio alguno cuando el Tribunal se limita a comprobar la racionalidad de la argumentación y la corrección legal de la decisión de la que conoce por vía de recurso. Por el contrario, su imparcialidad puede verse comprometida cuando adopta decisiones que suponen una valoración provisional de la culpabilidad que no ha sido previamente adoptada por el Juez de Instrucción, pues ello implica una toma de contacto con el material instructorio y una valoración del mismo desde esta perspectiva.

STS 724/2020: La ley prevé en ocasiones, aunque no como algo inexcusable, que un previo enjuiciamiento aconseje variar el Tribunal llamado a enjuiciar (art. 792.2.2° LECrim modificada en 2015). Pero, por el contrario, no encuentra motivo de apartamiento, antes bien quiere atribuir la competencia de manera expresa, al Tribunal que dictó la sentencia para resolver la nulidad blandida frente a ella (art. 241.1 LOPJ); al Tribunal que enjuició a algunos acusados, para celebrar el juicio pendiente frente al rebelde aparecido (arts. 842 y 846 LECrim); así como al Tribunal Supremo para resolver los diferentes recursos de casación a que pueda dar lugar una misma causa (bien después de una anulación previa, bien por situaciones especiales -piezas separadas, archivo parcial por rebeldía...- que pueden originar varias sentencias en un mismo proceso); a la misma Audiencia Provincial para dictar la nueva sentencia consecuencia de la anulación en casación de una suya anterior (art. 901 bis a); o al Juzgado, Audiencia o Letrado de la Administración de Justicia que dictaron la resolución o decreto para resolver los recursos de reforma, súplica o reposición planteados (arts. 220, 238 y 238 bis LECrim); o al propio Tribunal para enjuiciar, cuando se ha desestimado un artículo de previo pronunciamiento (art. 666 LECrim) o se ha rechazado la nulidad de una prueba (bien en el incidente de cuestiones previas o en fase de instrucción al conocer de un recurso). Se distorsionaría la voluntad legislativa si en todos y cada uno de esos casos se alegase falta de imparcialidad. Es más, en el caso de tribunales únicos (Tribunal Constitucional resolviendo un problema de afectación de derechos fundamentales, Tribunal Supremo...) se podría llegar a inhabilitar a todo el Tribunal para resolver colapsando el sistema. La ausencia de una recusación o denuncia tempestiva, sobre lo que se ha disertado en los primeros tramos de este fundamento, se erige también en un argumento vinculable al fondo. El hecho de que la parte no exteriorizase ningún recelo frente al Tribunal por la integración en el mismo de un magistrado que había formado parte del que juzgó a los coacusados es manifestación de que no se había perdido ni siquiera la apariencia de imparcialidad, al menos a los ojos de la parte.

STS 692/2020 (Pleno): Desde el punto de vista formal, la anulación de la sentencia de casación exige el dictado de una nueva que resuelva adecuadamente el recurso de conformidad con la doctrina del TEDH aplicada al caso. Es decir, estimando el motivo en el que se alegaba vulneración del derecho a un juez imparcial y acordando, consecuentemente, la nulidad de la sentencia de instancia. La anulación de esta sentencia supone que las acusaciones, que, en principio, subsisten, no han obtenido una respuesta válida a sus pretensiones. Lo cual enlaza con el aspecto material de la cuestión. Los acusados han sido privados de libertad en ejecución de una pena impuesta en una sentencia que ha sido declarada nula, y tienen derecho a una respuesta en Derecho acerca de la vigencia de su presunción de inocencia respecto de los hechos que les fueron imputados, así como respecto al carácter no delictivo de los mismos. Y las acusaciones, asistidas del derecho a la tutela judicial efectiva, tienen igualmente derecho a que sus pretensiones, debida y oportunamente formuladas, sean resueltas por una resolución motivada. Sostienen los recurrentes que, de conformidad con la doctrina del

TEDH la reapertura del proceso solo puede acordarse a instancia de los propios acusados. Pero no puede aceptarse su tesis. La estimación de la vulneración de su derecho al juez imparcial no puede extender sus efectos a conceder al acusado una disponibilidad sobre el proceso que el derecho interno no le reconoce, dados los bienes jurídicos afectados por el delito del que se le acusaba. Por todo lo expuesto, el primer motivo del recurso de casación interpuesto por los recurrentes Casiano y Cecilio se estima, declarando la vulneración de su derecho a un tribunal imparcial, lo que determina la anulación del juicio celebrado en la instancia y la anulación de la sentencia recurrida, acordando la retroacción de las actuaciones al momento anterior al juicio oral, debiendo celebrarse un nuevo juicio contra los acusados que resultaron entonces condenados, por un Tribunal compuesto por Magistrados diferentes de los que dictaron la sentencia que se anula. (Tol 8233941)

STS 574/2018: Lo trascendente es que, quien entienda que su derecho al Juez imparcial puede verse comprometido, lo haga saber de forma que pueda ser resuelta la cuestión antes de avanzar en la tramitación de la causa. En este sentido, el artículo 786.2 de la LECrim prevé la apertura de un turno de intervenciones al inicio del juicio oral en el ámbito del procedimiento abreviado, con la finalidad de permitir el tratamiento previo de algunas cuestiones, entre las cuales se refiere expresamente a la posible vulneración de algún derecho fundamental. Una vez constituido el Tribunal responsable del enjuiciamiento, e incluso ya iniciado el juicio oral, aunque no se haya hecho uso del mecanismo de la recusación en la forma prevenida por la ley, nada debe impedir que la parte que lo considere oportuno ponga de manifiesto su criterio acerca de la vulneración del derecho al juez imparcial, poniendo de relieve la existencia de una causa de abstención o recusación. Es cierto que si no ha hecho uso de la recusación en el momento procesal pertinente, no es posible que el Tribunal proceda a dar cumplimiento a las previsiones legales relativas a su tramitación, pues en esos casos de alegación tardía, la ley prevé la inadmisión a trámite. Pero, aunque ello impide acudir a la tramitación del incidente de recusación, no es óbice para que el Tribunal examine la pertinencia de la abstención, en atención a los argumentos desarrollados por la parte, dando a la cuestión propuesta una respuesta motivada. Es claro que, aunque los Magistrados concernidos pudieran no haberse percatado de la existencia de la posible causa de abstención, desde el momento en el que la cuestión se plantea por una de las partes, debe tenerse en cuenta lo dispuesto en el artículo 217 de la LOPJ, que impone al Juez o Magistrado la obligación de abstenerse sin esperar a ser recusado, cuando concurra alguna de las causas establecidas legalmente. En definitiva, aun cuando la cuestión no haya sido planteada a través del mecanismo de la recusación, y, por lo tanto, no se hayan seguido los trámites legales previstos para la tramitación de aquella, si la parte hace uso de las posibilidades que el citado artículo 786.2 de la ley procesal le concede en orden a denunciar la vulneración de algún derecho fundamental, debemos entender que la cuestión ha sido propuesta en la instancia en condiciones de ser resuelta adecuadamente, y que, por lo tanto, es posible plantearla nuevamente en el recurso que se interponga contra la sentencia.

STS 263/2018: Durante el Juicio, el Juez o Presidente del Tribunal debe adoptar una actitud neutra respecto de las posiciones de las partes en el proceso, como un tercero ajeno a los intereses en litigio y, por tanto, a sus titulares y a las funciones que desempeñan, situándose por encima de las partes acusadoras e imputadas. Pero neutralidad no equivale a pasividad, por lo que el Juzgador puede, y debe, desempeñar funciones de ordenación del proceso, dirigiendo los debates y cuidando de evitar las discusiones impertinentes y que no conduzcan al esclarecimiento de la verdad (art. 683 LECrim), así como de garante de la equidad, el "fair play" y la buena fe entre las partes, evitando durante los interrogatorios las preguntas capciosas, sugestivas o impertinentes. Asimismo, la propia norma procesal faculta al Presidente, por sí o a excitación de los demás componentes del Tribunal, para dirigir a los testigos preguntas que estime conducentes para depurar los hechos sobre los que declaren (art. 708 LECrim). Dilucidar sobre una pérdida de imparcialidad objetiva por virtud de las preguntas efectuadas desde la Presidencia no es un tema puramente cuantitativo, o aritmético como si hubiese un cupo de preguntas que no se pudiese rebasar. Esa valoración ha de efectuarse ponderando la totalidad de las sesiones del juicio oral y no examinando aisladamente un pasaje u otro. Dos preguntas pueden ser demasiadas cuando eran innecesarias y revelaban un evidente prejuicio. Veinte pueden ser pocas en un interrogatorio en que las partes han superado en mucho el centenar. Se tratará de comprobar si son preguntas que eran pertinentes y se revelaban como necesarias y útiles para esclarecer los hechos y no revelaban prejuicios infundados, sino afán de enjuiciar con fundamento sin dejar flecos sueltos. En el conjunto de intervenciones o preguntas efectuadas por el Tribunal en el curso de un juicio oral no es exigible que todos y cada uno de los comentarios e interrogantes fuesen adecuados y suscribibles por cualquier tercer observador que diseccione posteriormente el juicio en un laboratorio. Que se deslice algún comentario menos afortunado, o alguna expresión o pregunta que en un examen ex post pueda tildarse de innecesaria no es señal de parcialidad, ni desde luego determinará la nulidad de un juicio. No es fácil dirigir un debate. Hay que resolver muchas incidencias sobre la marcha y mantener cierta tensión para que no queden sin cerrar cuestiones que luego pueden echarse en falta en trance de resolver. Y no puede pretenderse al frente de un juicio un Presidente asimilable a un robot, sin carácter, sin sentimientos, inhumano, vacunado frente a toda posible equivocación. Sí, en cambio, alguien que desde la neutralidad ponga toda su capacidad al servicio de la función de juzgar una función que desde que comienza el juicio ya está en acto y no solo en potencia; que ya se está ejerciendo.

STS 358/2018: El juez llamado a resolver una situación de conflicto que le ha sido planteado por una acusación y de la que se ha dado traslado a la defensa debe ser, además del juez predeterminado por la ley y un juez imparcial, también un juez no prevenido, un juez que no tenga elementos propios de convicción que conformen la acreditación del hecho, de manera que cuando se enfrenta a la resolución del conflicto no aparezca prevenido en su contenido fáctico, que le inhabilite para conformar un hecho probado con las garantías de imparcialidad que el ordenamiento jurídico exige. Si el juez conoce por causas extrañas al enjuiciamiento una realidad fáctica aparece prevenido respecto a la conformación del hecho probado sobre el que va a aplicar la norma jurídica. En el caso, tanto la resolución dictada, y el contenido documentado del desarrollo el juicio oral, ponen en evidencia el magistrado ponente tenía un juicio prevenido sobre la realidad fáctica y, concretamente, sobre la efectiva percepción de una cantidad de dinero que aparecía documentada. De esta manera declara la no acreditación de la recepción real del dinero incorporado documentalmente al contrato sobre la base de que en un juicio anterior contra los mismos acusados y en el que intervinieron como testigos los asesores del acusado, estos habían reconocido que tenían documentos firmados en blanco y los sellos de la empresa. Ese contenido de la argumentación, y el propio desarrollo el juicio oral incorporando elementos de otro juicio que son desconocidos para las partes del proceso, ponen de manifiesto la existencia de un juez prevenido en la medida en que sobre la valoración de la prueba ya se tenía un prejuicio derivado de un hecho anterior sólo conocido por el magistrado ponente. Se trae a esta causa una actividad probatoria practicada en otro proceso y respecto a la cual quien ejercita la acción penal no ha conocido, sino en el propio juicio oral, aportada por el tribunal, e incorporada a la fundamentación de la sentencia, lesiona su derecho pues no ha podido contradecir el contenido de ese elemento de convicción relevante para la resolución del conflicto que había sido planteada al tribunal.

STS 769/2022: El instructor actuante ejercía su jurisdicción sobre esta causa precisamente por designación legal en los términos expresados en el artículo 326 y concordantes de la LOPJ, sin que su legitimidad constitucional -que es lo que el recurrente cuestiona- venga alterada por una licencia de vacaciones que, como derecho y con una repercusión temporal meramente administrativa, regula el artículo 371 de la LOPJ. Por más que en atención a la correcta operatividad del poder público, la LOPJ prevea un mecanismo para que las decisiones jurisdiccionales no queden imposibilitadas en supuestos de licencia del titular y contemple la incorporación de suplentes que de otro modo no hubieran podido intervenir en un determinado asunto, habilitándoles para que puedan asumir las actuaciones jurisdiccionales precisas (arts. 207 y 214 de la LOPJ), eso no comporta un apartamiento de la legitimidad constitucional para el titular del órgano, menos aun cuando no se denuncia un conflicto decisorio con quien supla temporalmente su ausencia y cuando la función judicial que se cuestiona consistía en realizar un control de la legitimidad constitucional para restringir un derecho fundamental a partir del material recogido durante una larga y compleja investigación.

STC 105/2016: La mera omisión de notificar al recurrente los cambios en la composición de los Tribunales y el consecuente desconocimiento acerca de la composición exacta del órgano judicial, podrán considerarse una irregularidad de orden legal pero no alcanzan relevancia constitucional (garantía del Juez imparcial), vinculada con el derecho al Juez ordinario predeterminado por la ley (art. 24.2 CE). Para apreciar la lesión constitucional aducida, es preciso que la irregularidad procesal tenga una incidencia material concreta, consistente en privar al justiciable del ejercicio efectivo de su derecho a recusar en garantía de la imparcialidad del Juez; y esa privación solo podrá ser apreciada cuando el recurrente hubiera puesto de manifiesto, al menos indiciariamente, que el nuevo Magistrado que completó la Sala que resolvió la apelación, incurría en una concreta causa legal de recusación que no pudo ser puesta de manifiesto por la omisión imputable al órgano judicial.

STS 235/2016: La competencia objetiva para conocer de un determinado asunto se concreta en el escrito de conclusiones provisionales de las partes acusadoras, debiendo estarse a la más grave de las acusaciones (teniendo en cuenta los subtipos agravados incluidos en la más grave) para determinar la competencia del órgano de enjuiciamiento. No obstante, nada afectaría a la competencia de la Audiencia Provincial que posteriormente no se solicitase en conclusiones definitivas o no se aceptara por el Tribunal el subtipo agravado que tuvo por consecuencia determinar en abstracto su competencia; sin embargo, a la inversa, si la competencia del Juez de lo Penal quedase desbordada por alguna de las acusaciones, se deberá proceder de la forma prevista en el art. 788.5 LECrim.

STS 502/2018: Tal consideración de la pena en abstracto, para delimitar las competencias entre la Audiencia Provincial y el Juzgado de lo Penal, es un criterio arraigado en la jurisprudencia de esta Sala, y de él parten en sus razonamiento tanto el auto recurrido y la representación del acusado, que se opone al recurso, como el Ministerio Fiscal al argumentar en contra. El problema radica en cuál sea esta pena abstracta en los casos de delito continuado. Conforme al sistema de punición que para estos supuestos prevé el art. 74 del Código penal, excluyendo los casos excepcionales de notoria gravedad y perjuicio a una generalidad de personas, la penalidad resulta de la pena señalada para la infracción más grave, que se impondrá en su mitad superior, pudiendo llegar hasta la mitad inferior de la pena superior en grado. Si hay facultad de imponer penas superiores a las que determinan la competencia objetiva de los Juzgados de lo Penal, aunque las acusaciones no hayan hecho uso de esa facultad en sus calificaciones, la competencia ha de reconocerse en favor de la Audiencia provincial.

STS 611/2019: En el momento de dilucidar qué órgano ha de reputarse competente -Juzgado de lo Penal o Audiencia Provincial-, hemos de estar al contenido de las pretensiones que han traspasado el filtro del juicio de acusación que realiza en el procedimiento abreviado el Juez de Instrucción (sin perjuicio de la posibilidad de impugnación del auto de transformación). No es posible volver a sopesar la razonabilidad de esas pretensiones a los únicos efectos de afirmar la competencia de uno u otro órgano. Si la acusación no está bien fundada procederá en su momento la absolución (que en principio -y sin perjuicio de algún matiz- ha de decretar el órgano con competencia objetiva para conocer de la acusación así perfilada). No cabe examinar anticipadamente el fondo de la pretensión que ha merecido homologación del Instructor, a los únicos efectos de ventilar la competencia objetiva descartando su viabilidad mediante una especie de absolución sin juicio.

STS 247/2021: Ha de plantearse si cabe un control por el órgano de enjuiciamiento de la decisión competencial adoptada por el juez de instrucción en el auto por el que se ordena la apertura del juicio oral. O dicho de otra manera, si es posible que el tribunal destinatario de la decisión pueda realizar un control material de los presupuestos decisionales por los que se atribuyó su competencia por el juez de instancia. La tensión entre el principio general de adecuación de la competencia en garantía del proceso justo y el efecto vinculatorio, prima facie, que genera la decisión de apertura obliga a buscar una fórmula de compatibilidad basada en un estándar de máxima prudencia. Así, cabrá el control cuando la decisión competencial adoptada en el auto de apertura carezca de todo sustento fáctico y normativo razonable, sea consecuencia de un clamoroso error material o, en el caso de que las acusaciones formularan pretensiones heterogéneas que comportaran consecuencias competenciales diferentes, el juez de instrucción no se hubiera pronunciado expresamente en el auto de apertura sobre cuál de las calificaciones justifica la decisión -si bien en este caso lo procedente sería el reenvío para que el juez de instrucción motive adecuadamente su decisión, optando por la calificación que a su parecer mejor justifique la apertura y el efecto competencial-. En lógica consecuencia, por la naturaleza excepcional del control, el tribunal de enjuiciamiento no podrá declinar su competencia objetiva revalorando los términos de la acusación que han determinado la decisión competencial del juez de instrucción en consideración a fórmulas concursales alternativas o a criterios normativos de mejor adecuación. Sentado lo anterior, en el caso, la decisión de instancia adoptada por la Audiencia resulta impropia tanto por el momento en que se adopta como por las razones ofrecidas para ello. La Audiencia descarta su competencia porque considera más ajustada calificar los hechos punibles como un concurso medial entre el delito de estafa básica y el delito de deslealtad profesional y no como un delito de estafa agravada del artículo 250.1. 6º CP, como pretende en su calificación provisional la acusación particular. Pero este anticipado juicio normativo no responde a ninguna de las razones excepcionales antes apuntadas que justifican el control por el tribunal de enjuiciamiento de su propia competencia. En esa medida, la decisión ha lesionado la regla de atribución prevista en el artículo 14 LECrim y, con ella, también, el derecho fundamental al juez predeterminado por la ley.

Acuerdo no jurisdiccional del pleno de la Sala 2ª del TS de 12 de diciembre de 2017: En caso de concurso medial, cuando las penas de prisión señaladas en abstracto en cada uno de los delitos que integran el concurso no superen los cinco años de duración, aunque la suma de las previstas en una y otras infracciones excedan de esa cifra, la competencia para su enjuiciamiento corresponde al Juez de lo Penal.

STS 35/2019: La doctrina de esta Sala tiene invariablemente declarado que cuando se ha procedido a la apertura del juicio oral -recuérdese que su dictado corresponde en el Procedimiento Abreviado al Juez de Instrucción-, no cabe modificación de la competencia objetiva declarada y hay que estar necesariamente a la doctrina de la *perpetuatio iurisdiccionis*, en cuanto ello supone el mantenimiento de una competencia declarada abierto el juicio oral, incluso en los casos en los que la acusación desistiera de la calificación más grave que dio lugar a la atribución de la competencia. Dicho de otro modo, abierto el juicio oral ante un órgano judicial -en el presente caso ante la Audiencia Provincial-, el proceso solo puede terminar por sentencia o por similar resolución.

Acuerdo no jurisdiccional del pleno de la Sala 2ª del TS de 9 de marzo de 2017: 1.- De los delitos que se enumeran en el art. 1.2 de la ley reguladora, siempre y sólo conocerá el Tribunal del Jurado. Si se ha de conocer de varios delitos que todos sean competencia del Tribunal del Jurado, como regla general se seguirá un procedimiento para cada uno de ellos sin acumulación de causas. Será excepción la prevista en el nuevo art. 17 de la LECrim: serán investigados y enjuiciados en la misma causa cuando la investigación y la prueba en conjunto de los hechos resulten convenientes para su esclarecimiento y para la determinación de las responsabilidades procedentes salvo que suponga excesiva complejidad o dilación para el proceso. 2.- También conocerá de las causas que pudieran seguirse por otros delitos cuya competencia no le esté en principio atribuida en los casos en que resulte ineludiblemente impuesta la acumulación pero que sean conexos. 3.- La procedencia de tal acumulación derivará de la necesidad de evitar la ruptura de la continencia de la causa. Se entiende que no existe tal ruptura si es posible que respecto de alguno o algunos de los delitos pueda recaer sentencia de fallo condenatorio o absolutorio y respecto de otro u otros pueda recaer sentencia de sentido diferente. 4.- Existirá conexión determinante de la acumulación de los supuestos del art. 5 de la LOTJ. 5.- Que en el supuesto del art. 5.2 a, se entenderá que también concurre la conexión conforme al actual art. 17.6º cuando se trate de delitos cometidos por diversas personas cuando se ocasionen lesiones o daños recíprocos. Cuando se atribuyan a una sola persona varios hechos delictivos cometidos simultáneamente en unidad temporo-espacial y uno de ellos sea competencia del Tribunal del Jurado, se considerarán delitos conexos por analogía con lo dispuesto en el art. 5.2 de la LOTJ, por lo que, si deben enjuiciarse un único procedimiento, el Tribunal del Jurado mantendrá su competencia sobre el conjunto. 6.- En los casos de relación funcional entre dos delitos (para perpetrar, facilitar ejecución o procurar impunidad) si uno de ellos es competencia del Tribunal del Jurado y otro no, conforme al art. 5.2.c de la Ley del Tribunal del Jurado, se estimará que existe conexión conociendo el Tribunal del Jurado de los delitos conexos. 7.- No obstante en tales supuestos de conexión por relación funcional, la acumulación debe subordinarse a una estricta interpretación del requisito de evitación de la ruptura de la continencia, especialmente cuando el delito atribuido al Jurado es de escasa gravedad y el que no es en principio de su competencia resulta notoriamente más grave o de los excluidos de su competencia precisamente por la naturaleza del delito. 8.- Tampoco conocerá el Tribunal del Jurado del delito de prevaricación aunque resulte conexo a otro competencia de aquél. Pero sí podrá conocer, de mediar tal conexión, del delito de homicidio no consumado. 9.- Cuando un solo hecho pueda constituir dos o más delitos será competente el Tribunal del Jurado para su enjuiciamiento si alguno de ellos fuera de los atribuidos a su conocimiento. Así mismo, cuando diversas acciones y omisiones constituyan un delito continuado será competente el Tribunal del Jurado si éste fuere de los atribuidos a su conocimiento. 10.- A los efectos del art. 17.2.3 de la LECrim se consideran conexos los diversos delitos atribuidos a la misma persona en los que concurra, además de analogía entre ellos, una relación temporal y espacial determinante de la ineludible necesidad de su investigación y prueba en conjunto, aunque la competencia objetiva venga atribuida a órganos diferentes. En tales casos, si uno de los delitos debiera conocer el Tribunal del Jurado, se estará a lo establecido en el apartado 5 párrafo segundo de este acuerdo.

Acuerdo no jurisdiccional del pleno de la Sala 2ª del TS de 23 de febrero de 2010: Cuando se imputen varios delitos y alguno de ellos sea de los enumerados en el artículo 1.2 de la LOTJ: 1.) La regla general es el enjuiciamiento separado, siempre que no lo impida la continencia de la causa: a) Se entenderá que pueden juzgarse separadamente distintos delitos si es posible que respecto de alguno o algunos pueda recaer sentencia de fallo condenatorio o absolutorio y respecto de otro u otros pueda recaer otra sentencia de sentido diferente; b) La analogía o relación entre varios hechos constitutivos de varios delitos, en ningún caso exige, por sí misma, el enjuiciamiento conjunto si uno o todos ellos son competencia del Tribunal del Jurado (artículo 1.2 LOTJ). 2.) La aplicación del artículo 5.2.a) no exige que entre los diversos imputados exista acuerdo. Se incluyen los casos de daño recíproco. 3.) La aplicación del artículo 5.2.c) requiere que la relación funcional a la que se refiere se aprecie por el órgano jurisdiccional en atención a la descripción externa u objetiva de los hechos contenidos en la imputación. La imputación se extenderá al delito conexo siempre que se haya cometido teniendo como objetivo principal perpetrar un delito que sea de la competencia del Tribunal del Jurado, es decir, que ha de ser de la competencia del Jurado aquel cuya comisión se facilita o cuya impunidad se procura. Por el contrario, si el objetivo perseguido fuese cometer un delito que no es competencia del Tribunal del Jurado y el que se comete para facilitar aquel o lograr su impunidad fuese alguno de los incluidos en el artículo 1.2, en estos casos la competencia será del Juzgado de lo Penal o de la Audiencia Provincial, salvo que, conforme al apartado 1 de este acuerdo, puedan enjuiciarse separadamente. Cuando existieren dudas acerca de cuál es el objetivo principal perseguido por el autor de los hechos objeto de las actuaciones y uno de ellos, al menos, constituya delito de los atribuidos al

Tribunal del Jurado (art. 1.2 LOTJ), la competencia se determinará de acuerdo con la que corresponda al delito más gravemente penado de entre los imputados. 4.) El artículo 5.3, al mencionar un solo hecho que pueda constituir dos o más delitos, incluye los casos de unidad de acción que causaren varios resultados punibles. 5.) Se excluye el caso de la prevaricación, que nunca será competencia del Tribunal del Jurado. 6.) En consecuencia, cuando no se aprecie alguna de las finalidades previstas en el artículo 5.2.c) o el delito fin no sea de los enumerados en el artículo 1.2 (cuando hubiere dudas sobre cuál es el delito fin se atenderá al criterio de la gravedad); no concurran las circunstancias de los apartados a) o b) del artículo 5.2; no se trate de un caso de concurso ideal o de unidad de acción; o, en cualquier caso, siempre que uno de los delitos sea el de prevaricación, y no pueda procederse al enjuiciamiento separado sin romper la continencia de la causa, la competencia será del Juzgado de lo Penal o de la Audiencia Provincial.

STS 672/2018: Estos acuerdos de 2010 fueron sustituidos en algunos aspectos por el de 9 de marzo de 2017, en el que se mantiene la idea del enjuiciamiento separado, de forma que la procedencia de la acumulación derivará de la necesidad de evitar la ruptura de la continencia de la causa, recogiendo nuevamente que no existirá tal ruptura si es posible que respecto de alguno o algunos de los delitos pueda recaer sentencia de fallo condenatorio o absolutorio y respecto de otro u otros pueda recaer otra sentencia de sentido diferente. Sin embargo, acogiendo una interpretación más apegada al texto de la ley, y más ajustada al estado actual de su aplicación real, se acordaba que en los casos de relación funcional entre dos delitos (para perpetrar, facilitar ejecución o procurar impunidad), si uno de ellos es competencia del Tribunal del Jurado y otro no, conforme al artículo 5.2.c) de la LOTJ, se estimará que existe conexión, conociendo el Tribunal del Jurado de los delitos conexos. Se modificaba así el acuerdo anterior, en el sentido de que en los casos del artículo 5.2.c) de la LOTJ, bastaría la existencia de la relación funcional para determinar la competencia del Tribunal del Jurado sobre el conjunto de los delitos imputados, siempre que no fuera posible el enjuiciamiento separado sin romper la continencia de la causa.

Acuerdo no jurisdiccional del pleno de la Sala 2ª del TS de 5 de febrero de 1999: En los problemas de determinación de la competencia entre el Tribunal del Jurado y la Audiencia Provincial en aquellos casos en los que se imputa a una persona dos delitos contra las personas, uno consumado y otro intentado, con el riesgo de romper la continencia de la causa, el enjuiciamiento corresponderá a la Audiencia Provincial.

STC 55/1990: (Declara inconstitucional la previsión contenida en el artículo 8 de la Ley de Fuerzas y Cuerpos de Seguridad del Estado en cuanto a la atribución a la Audiencia Provincial de la competencia para la instrucción, manteniéndose la vigencia del resto del precepto (competencia de la Audiencia Provincial para el enjuiciamiento de los delitos cometidos por las Fuerzas y Cuerpos de Seguridad del Estado en el ejercicio de sus cargos).

Acuerdo no jurisdiccional del pleno de la Sala 2ª del TS de 2 de diciembre de 2014: En las causas con aforados la resolución judicial que acuerda la apertura del juicio oral constituye el momento en el que queda definitivamente fijada la competencia del Tribunal de enjuiciamiento aunque con posterioridad a dicha fecha se haya perdido la condición de aforado (*Perpetuatio iurisdictionis*).

STS 459/2019: La doctrina de esta Sala, con inspiración en los precedentes del Tribunal Europeo de Derechos Humanos, ha proclamado que la extensión de la competencia a hechos cometidos por personas no aforadas ante el Tribunal Supremo solamente será procedente cuando se aprecie una conexión material inescindible con los imputados a las personas aforadas.

Acuerdo no jurisdiccional del pleno de la Sala 2ª del TS de 15 de diciembre de 2000: No es necesaria la petición de suplicatorio para decidir un recurso de casación de quien adquiere la condición de aforado después de haberse dictado la sentencia definitiva de primer grado.

STS 210/2016: Los vicios de competencia territorial de los juzgados actuantes nunca producen ilegalidad constitucional de la diligencia practicada; y ciertamente la ilegalidad de la actuación (ilegalidad ordinaria) no da lugar a expulsar del acervo probatorio aquellos elementos obtenidos sin violación constitucional. **STS 307/2016:** La teoría de la ubicuidad en materia de competencia territorial se ha convertido en doctrina dominante. De acuerdo con ella, el delito se reputará cometido tanto en todos los lugares en los que se haya llevado a cabo la acción como en el que se haya producido el resultado (el delito de tráfico de drogas se comete en cualquier lugar donde se verifica parte de la acción que implica la operación proyectada).

Acuerdo no jurisdiccional del pleno de la Sala 2ª del TS de 3 de febrero de 2005: El delito se comete en todas las jurisdicciones en las que se haya realizado algún elemento del tipo. En consecuencia, el Juez de cualquiera de ellas que primero haya iniciado las actuaciones procesales será en principio competente para la instrucción de la causa.

STS 244/2022: Resulta que, como hemos dicho, el criterio de ubicuidad puede no ser funcional y que debe atribuirse la competencia al Juzgado que esté en mejores condiciones para desarrollar la investigación. El criterio de la ubicuidad no se impone cuando los datos son relevantes para la determinación a limine de la competencia. Por ello, se atribuye al criterio de eficacia en la instrucción, lo que sin duda en este caso era Madrid, donde tuvieron lugar las primeras detenciones, y donde se encontraron los primeros indicios de delito.

Acuerdo no jurisdiccional del pleno de la Sala 2ª del TS de 8 de julio de 2015: La competencia para conocer de los recursos interpuestos contra las resoluciones administrativas relativas a la clasificación de los penados que implican cambio de destino, corresponde al Juzgado de Vigilancia Penitenciaria del territorio en que radica el Centro Penitenciario que realizó la propuesta.

STS 730/2016: En los casos de tráfico ilícito de drogas tóxicas cometidos en medios marinos, el apartado d) del art. 23.4 LOPJ confiere jurisdicción a las autoridades españolas para el abordaje, inspección, incautación de sustancias y detención de los tripulantes de cualquier embarcación que enarbole el pabellón de otro Estado, siempre que obtenga la autorización del Estado de abanderamiento del barco (art. 17 Convención de Viena).

Esta competencia supone lógicamente la del enjuiciamiento de los imputados en el caso de que se trate de buques sin pabellón o resultando éste ficticio. Cuando se trate de naves con pabellón legítimo, la competencia para el enjuiciamiento será la del país de bandera preferentemente, y solamente de forma subsidiaria la del país que llevó a cabo el abordaje y la inspección. Dado que la Convención sobre el Derecho del Mar (Montego Bay, 1982), faculta la intervención o derecho de visita a cualquier Estado sobre los buques carentes de nacionalidad, derivado de que no pueden acogerse a la protección de ningún Estado concreto, de conformidad con lo expresado anteriormente, al no existir jurisdicción preferente del pabellón, cobra efectividad la subsidiariedad, consecuente al derecho de visita.

STS 238/2021: Una ya pacífica y reiterada jurisprudencia de esta Sala viene sosteniendo que a partir de la entrada en vigor del art. 10 LOPJ, como premisa, no son admisibles cuestiones prejudiciales devolutivas en el proceso penal. Se considera que ha perdido plena vigencia el art. 4 LECrim que debe ser reinterpretado a la luz del art. 10 LOPJ. Como ya ha recordado esta Sala en relación con el tema de las cuestiones prejudiciales en el proceso penal, el art. 3.1º de la LOPJ de 1985 dispone que "La Jurisdicción es única y se ejerce por los Juzgados y Tribunales previstos en esta Ley, sin perjuicio de las potestades jurisdiccionales reconocidas por la Constitución a otros órganos". Como consecuencia de este principio de "unidad de jurisdicción", que no permite hablar de distintas jurisdicciones sino de distribución de la jurisdicción única entre diversos "órdenes" jurisdiccionales, el art. 10.1 de la citada LOPJ establece el principio general de que "a los solos efectos prejudiciales, cada orden jurisdiccional podrá conocer de asuntos que no le estén atribuidos privativamente". En definitiva, el Tribunal penal, a los efectos de determinar la concurrencia de los elementos integrantes del delito de apropiación indebida, puede analizar y resolver previamente las cuestiones civiles necesariamente implicadas en dicha valoración, sin necesidad de deferir la cuestión al orden jurisdiccional civil". Esa doctrina no significa que sean implanteables cuestiones prejudiciales civiles en el proceso penal; sino que será el Tribunal Penal el llamado a resolverlas "a los solos

efectos" penales, es decir en la medida en que sea necesario para
decidir sobre la pretensión penal y con eficacia exclusiva en ese
orden, sin perjuicio de las acciones civiles que también se venti-
lan y deciden en el proceso penal (responsabilidad civil nacida
del delito). Que exista una cuestión civil implicada no excluye
la responsabilidad penal. Y esa cuestión civil ha sido abordada
por la sentencia de forma inequívoca, aunque se ha dilucidado
(como corresponde a la jurisdicción llamada a conocer) desde
la orilla penal. Como dice el art. 10 LOPJ, la cuestión prejudicial ha de resolverse a los únicos efectos prejudiciales, esto es, al
fin exclusivo de decidir si los hechos son constitutivos de delito
y, en su caso, declarar las correspondientes responsabilidades
penales. Cuando se suscita una cuestión prejudicial civil en el
proceso penal -así como cualesquiera propias de otros órdenes
(tributario en delitos contra la Hacienda Pública; administrativo en delitos de prevaricación, etc)-, el Tribunal debe decidir
dos cosas: a) Primeramente, si ha de conferirse a la cuestión
carácter devolutivo o no: según se ha dicho, esta problemática hoy está solventada jurisprudencialmente. En principio no
son admisibles cuestiones devolutivas en el proceso penal (con
alguna excepción: cuestión prejudicial constitucional, v.gr.). b)
Decidido que no es devolutiva, ha de resolverse la cuestión prejudicial. Pero el fondo de la cuestión prejudicial es necesariamente parte del fondo de la cuestión penal. A veces se confunde
con el mismo núcleo de la controversia penal. No es necesaria
una resolución diferenciada y acotada. Si se discute en un hurto
la ajenidad de la cosa, el Tribunal ha de razonar sobre ello pues
es un elemento de la tipicidad. Como en los delitos societarios
debe examinar si ha existido perjuicio o no. Y al decidir sobre
ese elemento típico o sobre la intencionalidad de los acusados
está resolviendo también la cuestión prejudicial implicada. El
órgano penal al ventilar la cuestión penal de fondo, ineludiblemente ha de pronunciarse también sobre la cuestión prejudicial
en lo que ésta condiciona aquélla.

STS 277/2018: Nuestro ordenamiento empodera al juez penal
para resolver determinadas consecuencias civiles derivadas de
un delito; aunque no todas. Solo aquellas que están ligadas directamente a la comisión del delito, que son consecuencia de

él; y siempre que exista un título legal habilitante que atribuya esa competencia al juez penal. No cualquier efecto extrapenal conectado con el delito se puede ventilar en el proceso penal. Las pretensiones no penales (civiles, laborales, administrativas) vinculadas al delito tienen cabida en el proceso penal tan solo cuando una ley confíe su conocimiento al orden jurisdiccional penal. Lo hacen así con carácter general los arts. 100 y 108 LECrim puestos en relación con el art. 110 CP, y, sensu contrario, art. 109.2 CP. Pero no es así siempre. Hay acciones civiles enlazables con el hecho delictivo que no pueden ejercitarse en el proceso penal bien por faltar título legal habilitante para que la jurisdicción penal atraiga esa competencia (v. gr., la declaración de nulidad de un matrimonio); bien por existir una previsión legal que lo excepcione. Un ejemplo claro de ello que ilustra sobre este argumento viene representado por: la responsabilidad patrimonial del Estado derivada de mal funcionamiento de la Administración cuando se ha cometido un delito. No puede canalizarse una reclamación de esa naturaleza a través del proceso penal. Es dable ciertamente dirigir una petición resarcitoria al Estado por hechos delictivos dolosos cometidos por un tercero ajeno a la Administración cuando se detecta en ella una acción u omisión relevante causalmente respecto del resultado. Son prototípicos los supuestos de delito cometido por un interno mientras disfruta de un permiso penitenciario (concedido bien por la Administración Penitenciaria, bien por el Juzgado de Vigilancia o la Audiencia -esta última resolviendo un recurso-); o de penado que ha sido progresado a tercer grado o al último de libertad condicional. Pero tal responsabilidad patrimonial, cuando estamos ante hechos que por ser constitutivos de delito dan lugar a un procedimiento penal, no puede reclamarse en tal marco procesal. En el proceso penal es exigible la responsabilidad penal del Estado cuando está basada en supuestos previstos en el CP (art. 121 singularmente); pero no cuando se trate de otras causas (v. gr., reclamación apoyada en la Ley de Ayudas a las víctimas de delitos dolosos). En el proceso penal no son ejercitables reclamaciones patrimoniales, resarcitorias, o restauradoras basadas en legislación extrapenal. Así se infiere del art. 615 LECrim. El proceso penal, solo es idóneo para decidir las acciones civiles dimanantes de delito que aparecen regidas por el Código Penal. Por tanto, solo cuando se trata de responsabilidad civil nacida directamente del delito y reglamentada en el Código Penal (art. 1092 del Código Civil) se ventila en el proceso penal. Cuando la reclamación se fundamenta en legislación extrapenal, aunque surja de hechos delictivos, no es ejercitable en principio en el proceso penal, salvo previsiones expresas, que no faltan, y supuestos en que se imponga una aplicación analógica prudente y fundada. Con estas ideas preliminares, incluido el excurso realizado destinado a ejemplificar, estamos en condiciones de encarar la otra línea argumentativa seguida en el recurso: habría una nulidad basada en la legislación administrativa. Puede admitirse esa nulidad como posibilidad en abstracto, sin prejuzgar ahora sobre ello. Son actuaciones administrativas, al menos en alguna vertiente, que han sido calificadas de delictivas por la jurisdicción competente: la penal. Pero de ahí no se deriva inexorablemente que la jurisdicción penal esté habilitada para extraer de su decisión consecuencias en el orden administrativo. Y, mucho menos, que pueda hacerlo a instancia de la propia Administración que frente a esa petición goza de legitimación pasiva, pero no activa. Hay supuestos en que la legislación confía a la jurisdicción penal ese tipo de pronunciamientos. Un ejemplo significado es la demolición en los delitos contra la ordenación del territorio (art. 319 CP). Otras veces, aun no existiendo una norma específica, esta Sala ha entrado a declarar la nulidad. Sin embargo, cuando se han hecho pronunciamientos en ese sentido ha sido a instancia del administrado perjudicado por el acto; nunca a remolque de la propia Administración que cuenta con mecanismos de auto tutela que solo a ella corresponde activar. La Administración no puede acudir al proceso penal a impetrar la nulidad de un acto dictado por ella misma. Será parte pasiva cuando esa nulidad sea reclamada por el administrado. De cualquier forma, no es del todo pacífico que la competencia del orden jurisdiccional penal pueda extenderse a esa cuestión. No siempre podrá afirmarse. Lo revela alguna jurisprudencia clásica y el debate doctrinal mantenido al respecto, que pervive. No siempre podrá anular el acto, como no puede una sentencia penal condenatoria por estafa procesal anular la sentencia que sirvió de instrumento al estafador, sentencia que puede provenir de un órgano superior en la escala judicial al llamado a conocer de la estafa. Cabrá luego -eso sí- un recurso de revisión (art. 954 LECrim). Y es premisa que no admite excepciones la falta de legitimación en el proceso penal de la propia Administración para enarbolar esa reclamación camuflada bajo el anómalo rótulo de responsabilidad civil nacida de delito en el que ella, quien jurídicamente dictó el acto, sería la perjudicada. El examen de algunas de las causales del recurso extraordinario de revisión (art. 125.1.d) Ley 39/2015) muestra que lo ordinario será que tras la decisión de la jurisdicción penal se activen los correspondientes mecanismos para extraer las consecuencias que procedan a nivel administrativo, consecuencias que ordinariamente -a veces sí- no pueden ser zanjadas por la jurisdicción penal. Las excepciones -que existen como se ha visto- exigen como presupuesto la instancia de parte legitimada activamente en relación con ese concreto delito. Cuando se trata de la nulidad de un acto administrativo la legitimación corresponde en este ámbito penal no a la Administración sino al administrado afectado.

5. Derecho a la tutela judicial efectiva

STC 62/2012: El derecho a la tutela judicial efectiva, en su vertiente de intangibilidad de las resoluciones judiciales firmes, impide a los Jueces y Tribunales, fuera de los casos expresamente previstos en la ley, revisar el juicio efectuado en un caso concreto.

STS 407/2018: Abierto el juicio oral ante un órgano judicial el proceso el proceso solo puede terminar por sentencia o por similar resolución; y así lo dirimido en la Audiencia Preliminar prevista el art. 786.2 LECr, aunque hubiera sido por Auto dictado al inicio, se encuentra estructuralmente ensamblado en la que ha de ser la sentencia definitiva; concorde a la previsión in fine de la norma: contra la decisión adoptada no cabrá recurso alguno, sin perjuicio de la pertinente protesta y de que la cuestión pueda ser reproducida, en su caso, en el recurso frente a la sentencia. Y a ello se une que es doctrina consolidada de esta Sala que las cuestiones planteadas como previas pueden dejarse para su decisión en la sentencia si se estima que para su resolución es necesario o conveniente el conocimiento del fondo del asunto, y la valoración del conjunto de la prueba practicada. De donde ninguna irregularidad, deriva de su resolución en sentencia.

STS 118/2016: La equivocación del Juzgador en la determinación de la pena (cuando el error no es meramente material, sino de juicio, intelectual, valorativo o decisorio), no puede rectificarse mediante un auto aclaratorio del art. 161 LECrim.

STS 187/2015: La respuesta motivada del Tribunal en la Sentencia debe referirse a cuestiones de naturaleza jurídica planteadas por las partes en las calificaciones definitivas, no en su informe oral.

STS 234/2018: La llamada "incongruencia omisiva" o "fallo corto" constituye un "vicio in iudicando" que tiene como esencia la vulneración por parte del Tribunal del deber de atendimiento y resolución de aquellas pretensiones que se hayan traído al proceso oportuna y temporalmente, frustrando con ello el derecho de la parte -integrado en el de tutela judicial efectiva- a obtener una respuesta fundada en derecho sobre la cuestión formalmente planteada. La doctrina jurisprudencial estima que son condiciones necesarias para la casación de una sentencia por la apreciación de este "vicio in iudicando", las siguientes: 1) que la omisión o silencio verse sobre cuestiones jurídicas y no sobre extremos de hecho; 2) que las pretensiones ignoradas se hayan formulado claramente y en el momento procesal oportuno; 3) que se trate efectivamente de pretensiones y no de meros argumentos o alegaciones que apoyen una pretensión; 4) que no consten resueltas en la sentencia, ya de modo directo o expreso, ya de modo indirecto o implícito, siendo admisible este último únicamente cuando la decisión se deduzca manifiestamente de la resolución adoptada respecto de una pretensión incompatible, siempre que el conjunto de la resolución permita conocer sin dificultad la motivación de la decisión implícita, pues en todo caso ha de mantenerse el imperativo de la razonabilidad de la resolución.

STS 865/2021: Quizás sea tarea pendiente acotar, homogeneizar y perfilar la tesis jurisprudencial que ha sustituido a la doctrina clásica, felizmente abandonada, a tenor de la cual las indubitadas aseveraciones fácticas contenidas en los fundamentos de derecho no pueden utilizarse para integrar el hecho probado en tanto, podría situar al condenado en una posición de indefensión. Esa doctrina es singularmente procedente en los casos en que tampoco el fundamento de derecho de la sentencia contiene datos fácticos suficientes y solo acudiendo a las actuaciones se puede subsanar el déficit factual por mucho que conste de forma indubitada. Más dudosa puede ser esa conclusión en los supuestos en que es la sentencia de instancia la que introduce esos elementos en la fundamentación jurídica. Esta Sala en los últimos años tiende a ser especialmente exigente y rigurosa en ese punto. Hay dos territorios en que no debe regir esa doctrina. No hay inconveniente en mantener en esos dos campos la tesis tradicional que admite complementos del hecho probado en la fundamentación jurídica, siempre que no haya dudas: a) los temas de responsabilidad civil. No estamos en materia penal: el régimen de las pretensiones estrictamente civiles ha de ser diferente: por ej., la existencia de un seguro; la tasación; la determinación de quiénes son los hijos y, como consecuencia de ellos, los beneficiarios de la indemnización... son cuestiones que, aunque en estricta técnica debieran formar parte del hecho probado; su aparición solo en la fundamentación jurídica no puede tener mayor trascendencia. En este campo no hay problemas de derecho a ser informado de la acusación -terminología que remite a cuestiones estrictamente penales-, o incluso el diferente tratamiento que se les da en el art. 650 LECrim: en último término la doctrina esbozada se ancla en tal derecho: conocimiento cabal de los hechos que determinan la condena para poder combatirlos con eficacia en vía de recurso. b) elementos favorables al reo (por ejemplo, la base fáctica de una atenuación, que, con frecuencia y aunque sea incorrecto, viene reflejada solo en la fundamentación jurídica -dependencia de las drogas, padecimientos psíquicos; dilaciones en la tramitación; fechas que determinan la prescripción, confesión,....-): la descolocación sistemática y el silencio sobre esos puntos del hecho probado no debe llevar a escamotear la atenuante o la exención. Tampoco aquí está concernido el derecho a ser informado de la acusación que se sitúa un escalón por encima del genérico derecho de todas las partes, también las acusaciones, a no sufrir indefensión. No existe un correlativo derecho de las partes acusadoras a ser informado de las estrategias defensivas, aunque sí a conocer, para poder refutar en su caso, los argumentos y la posición de la defensa como exigencia del principio de contradicción. Esas dos excepciones son claras e indiscutible. Otras pueden necesitar mayores matizaciones o prestarse a controversia (por ejemplo, lo que son hechos intraprocesales como los periodos de paralización del proceso; o actos procesales interruptivos de la prescripción interna).

STS 172/2018: El Tribunal Constitucional interpretando los arts. 24 y 120 CE ha señalado que una motivación escueta y concisa no deja, por ello, de ser tal motivación, así como una fundamentación por remisión no deja tampoco de serlo, ni de satisfacer la indicada exigencia constitucional, no exigiéndose que las resoluciones judiciales tengan un determinado alcance o intensidad en el razonamiento empleado, pero también lo es que esta Sala ha dicho que la sentencia impugnada no individualiza la pena impuesta en los términos que exige el art. 120 de la Constitución y 66 y 72 del Código Penal cuando el Tribunal tan sólo alude a la gravedad del hecho y a la proporcionalidad, sin explicar, de forma racional, el concreto ejercicio de la penalidad impuesta. Y, en otras ocasiones, se ha precisado que aun habiéndose hecho genéricamente referencia a la gravedad del hecho, sin embargo, debió justificarse su individualización en cuanto no se impuso la mínima legal.

STS 180/2022: El art. 788.6 LECrim regula el acta del juicio oral en el Procedimiento Abreviado. Tras la Ley 13/2009, de 3 de noviembre, de reforma de la legislación procesal para la implantación de la nueva Oficina judicial el precepto se remite íntegramente al procedimiento ordinario: "En cuanto se refiere a la grabación de las sesiones del juicio oral y a su documentación, serán aplicables las disposiciones contenidas en el artículo

743 de la presente Ley". Así pues, la documentación de las vistas ha de efectuarse de una forma u otra dependiendo de los medios técnicos de que disponga el órgano judicial: "en cascada" o con carácter subsidiario. La regla general es la grabación del juicio oral que constituye el acta a todos los efectos. En un segundo escalón se admite la combinación de grabación con acta cuando no existen mecanismos para garantizar autenticidad e integridad (art. 743.3). En tercer lugar, se encuentra el supuesto previsto en el art. 743.4: cuando no es posible el uso de medios técnicos de grabación, será suficiente el acta extendida por el Secretario judicial elaborada por medios informáticos. Por fin la ausencia de ese tipo de medios habilita para la tradicional redacción manuscrita. El acta deberá recoger, con la extensión y detalle necesario, todo lo actuado.

STS 522/2017: Las conclusiones provisionales y luego las definitivas son el lugar y momento oportunos para plantear pretensiones al Tribunal; conforme al artículo 737 de la LECrim, los informes de las partes se han de acomodar al contenido de sus conclusiones definitivas por lo que no es posible introducir en los informes nuevas conclusiones; como consecuencia de lo anterior, el planteamiento de una pretensión en los informes finales implica que las partes que ya han intervenido carecen no solo de la oportunidad de proponer prueba sobre el particular, sino incluso, de la posibilidad de contra argumentar y defenderse frente a las pretensiones de la otra parte.

STS 586/2016: (Doctrina de la subsunción alternativa de condena) Se alude así a aquellos supuestos en los que el órgano jurisdiccional tiene la plena certeza de que el acusado cometió uno entre varios tipos penales o el Tribunal acoge en el relato fáctico una descripción basada en disyunciones, todas ellas con encaje en el mismo tipo penal; en este último caso, la alternatividad es impropia. La duda recae no sobre el delito cometido sino sobre cuál de los comportamientos imputados debe servir de base para confirmar el tipo penal. La incertidumbre gira, en definitiva, en torno a qué modalidad de ejecución, entre las distintas posibles, ha tenido efectivamente lugar. En virtud de la determinación optativa, el Tribunal ha de efectuar esa declaración de hechos probados alternativa y elegir la calificación menos gravosa para el reo. Por el contrario, no estamos ante un problema de subsunción alternativa cuando ninguna de las disyuntivas fácticas es subsumible en el tipo penal por el que se ha formulado condena.

STC 119/2019: En efecto, con la denegación de la asistencia jurídica gratuita, se hurtó al recurrente de la posibilidad de un pronunciamiento por el tribunal al que correspondía en última instancia adoptar una decisión sobre la admisión y, en su caso, estimación o desestimación del recurso; aunque dicha decisión ya estuviera, en principio, adoptada en otros supuestos y conformara la jurisprudencia de la audiencia provincial, limitándose el órgano judicial inferior a aplicarla. Una denegación de la asistencia jurídica gratuita solicitada por el recurrente, que no se fundó, además, en la cuestión relativa a la "insuficiencia de recursos económicos para litigar", sino por mor de la jurisprudencia dictada por la citada audiencia provincial. Lo cierto es que el motivo por el que se denegó la asistencia jurídica gratuita vulnera per se el derecho a la tutela judicial efectiva (art. 24.1 CE), al excluir al recurrente de su derecho de acceso a la revisión por la instancia superior, en un caso, como el presente, en el que no se puede afirmar que nos encontremos ante un recurso manifiestamente improcedente, como así lo hemos estimado en las sentencias ya referidas y lo demuestran las diferentes interpretaciones dadas por las audiencias provinciales. Por este motivo, la denegación del citado beneficio no puede encontrar justificación en dicho argumento sin vulnerar con ello el derecho de acceso al recurso.

STC 124/2019: En todo caso, y esto es lo decisivo, el razonamiento de la sentencia no atiende al contenido del art. 790.1 LECrim antes referido, precepto que ordena la suspensión automática y sin necesidad de rogación con tal de que se cumpla el presupuesto de que la petición de copia de los soportes se produzca dentro de los tres días siguientes a la notificación de la sentencia, como sucedió en el caso. Al desatender la letra del precepto, el razonamiento de la sentencia impugnada se aparta también de la lógica del mandato contenido en el mismo y que responde a la necesidad de hacer posible que la parte procesal que se sienta perjudicada por la sentencia de primera instancia cuente con todo el material preciso para formular su recurso de apelación. Lógicamente, la parte debe poder disponer de dicho material con anterioridad a la interposición del recurso a fin de fundar adecuadamente el escrito correspondiente, de donde se sigue la necesaria suspensión del cómputo del plazo hasta la entrega por parte del órgano judicial. Por lo anterior, la argumentación contenida en la sentencia impugnada, según la cual el computo del plazo para interponer el recurso de apelación opera independientemente de que el órgano judicial lleve o no a efecto la prestación que le incumbe, se estima irrazonable, pues es evidente que mientras que no se entregue a la parte la copia del soporte de grabación solicitado no estará la misma, según la Ley de Enjuiciamiento Criminal, en condiciones de formalizar el recurso. De cuanto llevamos dicho se desprende que la demanda de amparo debe ser estimada por haber vulnerado la sentencia que inadmitió el recurso de apelación el derecho del demandante a la tutela judicial efectiva en su vertiente de derecho de acceso a los recursos legalmente establecidos (art. 24.1 CE).

STS 161/2018: El Tribunal Constitucional declara que, como regla general, los institutos públicos no son titulares del derecho fundamental a la tutela judicial efectiva. Solo excepcionalmente, y en ámbitos procesales delimitados, cabe admitir la atribución a las personas públicas del derecho fundamental a la tutela judicial efectiva y señala como tales supuestos los siguientes: a) litigios en los que la persona pública se encuentra en una situación análoga a la de los particulares; b) cuando las personas públicas sean titulares del derecho al acceso al proceso, lo que implica tanto el respeto al principio "pro actione" -acceso a la jurisdicción- y el principio de interdicción de la arbitrariedad, de la irrazonabilidad y subsanación de errores patentes; y c) también en los supuestos de interdicción de indefensión de la persona pública, de acuerdo al proceso debido. Lo anterior no es sino colorario de lo que el Tribunal Constitucional dijo en su Sentencia 86/1985, de 10 de julio "El Ministerio fiscal defiende, ciertamente, derechos fundamentales pero lo hace, y en eso reside la peculiar naturaleza de su actuación, no porque ostente su titularidad, sino como portador del interés público en la integridad y efectividad de tales derechos...". Esta Sala ha recogido en su jurisprudencia una argumentación similar distinguiendo, desde el caso concreto objeto de la casación, los supuestos en los que la sentencia absolutoria es objeto de una pretensión revisora desde la acusación. Al efecto, la distinción que hemos seguido es la de delimitar si la pretensión insta una revisión de la sentencia propiciando una especie de inversión del derecho a la presunción de inocencia, o, por el contrario, la pretensión afecta a la tutela judicial efectiva con los tres contenidos anteriormente señalados, básicamente, arbitrariedad o irracionalidad de la motivación, e indefensión de la parte acusadora. Bien entendido que no existe un derecho de la acusación a la condena de una persona sino a actuar el "ius puniendi" ante los tribunales de justicia de acuerdo al proceso dispuesto en el ordenamiento informado por la Constitución.

STC 190/2011: El derecho de acceso a la jurisdicción penal que ostenta la víctima para el ejercicio de la acusación particular, así como el ejercicio de la acción popular, se integran en el derecho fundamental a la tutela judicial efectiva en su concreta dimensión de acceso a la jurisdicción, y la interpretación de los requisitos consignados en el art. 109 LECrim debe hacerse por el órgano jurisdiccional en la forma que sea más favorable a la efectividad del derecho consagrado en el art. 24.1 CE.

STS 251/2021: La doctrina de esta Sala viene distinguiendo entre el trámite de formular acusación, que tiene un momento preclusivo (artículo 110 de la LECrim), y el trámite de personación de la víctima, que puede hacerse posteriormente, incluso iniciado el juicio.

STS 665/2016: Sin retroceder en el procedimiento que no puede paralizarse ni interrumpirse por dejación del ejercicio de derechos por la víctima, no hay obstáculo para que si ésta comparece en el juicio acompañada de su abogado, se permita su personación "*apud acta*", incorporándose al juicio con plenitud de derechos y con posibilidad de presentar conclusiones, si las lleva preparadas, adherirse al ministerio Fiscal o a otra acusación y cumplir el trámite de conclusiones definitivas. Todo ello sin perjudicar el derecho de defenderse de acusaciones sorpresivas o que se aparten del contenido estricto del proceso.

En todo caso, la defensa podrá solicitar el aplazamiento de la sesión previsto en el art. 788.4 LECrim, cuya aplicación se hará por analogía cuando las conclusiones se presenten al principio de las sesiones y no sean homogéneas con las del resto de acusaciones.

STS 513/2021: En primer lugar, y aunque la parte quejosa parece sugerir lo contrario, el escrito de acusación del Ministerio Fiscal fue presentado dentro del plazo de diez días que se establece en el artículo 780 de la Ley de Enjuiciamiento Criminal, en el bien entendido de que, conforme este Tribunal ha tenido oportunidad de destacar, de dicho plazo, en tanto ya no ínsito en la fase de instrucción, deben ser excluidos los días inhábiles. La resolución del instructor confiriendo ese traslado (arts. 779.1.4ª y 780.1 LECrim) clausura la fase de instrucción. No en vano el art. 780 encabeza un capítulo que se intitula "De la preparación del juicio oral". Pese a no estar abierto el juicio oral, no se puede hablar ya en rigor de fase de instrucción. Decae con ello la eficacia del art. 201 LECrim, incluso en la más rígida de sus lecturas. En todo caso, las quejas del recurrente se centran en el escrito presentado por la acusación particular, este sí, inequívocamente aportado cuando el plazo para hacerlo había transcurrido ya con creces. Al respecto, este Tribunal, ha tenido oportunidad de recordar, sin embargo, que el mero transcurso del plazo no determina la expulsión de la causa de la acusación particular ni tampoco que el escrito extemporáneo presentado por ésta carezca de efectos jurídicos, decisión que el propio Tribunal Constitucional ha reputado desproporcionada. Para que ello se produzca es necesaria la existencia de un requerimiento explícito por parte del órgano instructor con apercibimiento de que la causa seguirá su curso, sin posibilidad de retracción, para el caso de que el escrito de acusación no fuera presentado en el nuevo término fijado con ese fin. La presentación fuera de plazo de un escrito de acusación no acarrea sin más su ineficacia. Si se trata del Fiscal, exceptuado el caso contemplado en el art. 800.5 LECrim, estaremos ante una irregularidad que podrá influir, si el retraso fuese insólito o desmesurado, en la apreciación de una atenuante de dilaciones indebidas; o, eventualmente, desencadenar consecuencias en el ámbito interno de la Institución aunque sin repercusiones en el proceso. Tampoco en el caso de una acusación no pública podría llegarse automáticamente a su apartamiento del proceso, si no es previo requerimiento judicial. Anudar al mero incumplimiento del plazo la expulsión del proceso de la acusación, sería desproporcionado.

STS 143/2022: Aceptar que, residualmente, la sociedad ya extinguida, conserva personalidad jurídica para soportar las acciones civiles que pudieran ejercitarse frente a ella por obligaciones pendientes (con objeto de proteger a terceros) y negarla, en cambio, para el ejercicio de aquellas acciones que, preteridas también en las operaciones liquidatorias, pudieran subsistir, tanto sería como frustrar, aunque solo fuese por esta vía indirecta, esa protección de terceros que de manera solemne se acaba de reconocer (ya fueran esos terceros los propios socios de la mercantil extinguida; ya otros acreedores, con créditos aún no satisfechos que, evidentemente, se beneficiarían del acopio de nuevos fondos sociales como consecuencia de esas acciones). Tal vez por esto, acepta la recurrente que, en el ámbito estrictamente privado y en los términos dichos, pudiera la sociedad extinguida ejercitar también las acciones civiles pendientes. Y admite quien recurre igualmente que pudiera, incluso, participar en el procedimiento penal, como actora civil, en tanto "perjudicada". Sin embargo, esa misma condición de perjudicada, por razones que carecen, a nuestro juicio, de suficiencia, le es negada para el ejercicio de la acción penal (más precisamente: para sostener el ejercicio de la acción penal, iniciada con anterioridad a la disolución, liquidación y extinción de la mercantil). Sin embargo, es cabalmente la condición de perjudicada por la posible comisión de un hecho delictivo, lo que habilita a la persona, ya sea física o jurídica, para el ejercicio de la acción penal (artículo 109 de la Ley de Enjuiciamiento Criminal). Y tanto más esa legitimación para el ejercicio de las acciones penales debe ser predicada aquí cuando, nuevamente como observa el Ministerio Público al tiempo de oponerse al recurso, este entendimiento favorece "los intereses económicos, no tanto de la propia sociedad, como de la masa del concurso que, de hacerse efectiva la responsabilidad civil establecida en la sentencia, verá incrementado el crédito con el importe de lo defraudado por el autor del delito".

STS 508/2015: Se permite el ejercicio de la acción popular por una persona jurídica privada, pero no se permite por una persona jurídica pública, salvo que haya una disposición legal habilitante (p. ej.: Ley de la Comunidad Autónoma).

STS 631/2018: Las exigencias de la nomológica procesal muestran que no es asumible entender que el sujeto pasivo de un delito tenga posibilidad de excluir -no autorizando- que ejerzan acciones penales las asociaciones de víctimas y las personas jurídicas a las que la ley reconoce legitimación para defender los derechos de las víctimas, y que, sin embargo, cualquiera de los integrantes de estos colectivos pueda individualmente sustentar el ejercicio de la acción penal como acusación popular, a partir de la habilitación general del artículo 101 de la LECrim. No se aprecia ninguna razón que pueda llevar al legislador a fijar que la víctima solo pueda excluir del ejercicio de la acción penal a las asociaciones de víctimas, habiendo de pasar por el ejercicio de la acción popular respecto de otros individuos o colectivos. Y tampoco puede asumirse la tesis contraria, esto es, que la exteriorización en el artículo 109 Bis 3 de que la víctima puede no autorizar que se ejerza la acción penal por estas asociaciones, suponga un reconocimiento de su soberanía para excluir del ejercicio de la acción popular, además de a estos colectivos, a cualquier otra persona jurídica o individuo. Un eventual reconocimiento de la potestad para desactivar la acción popular en cualquier delito que genere una víctima, esto es, una damnificación personal y directa por la acción delictiva, supone una extensión incompatible con la interpretación restrictiva que impone el reconocimiento constitucional del derecho, sin que pueda asumirse que la nueva regulación suponga la fijación de unos nuevos marcos de ejercicio de la acusación popular. El artículo 109 Bis 1 hace referencia al ejercicio directo de la acción penal por la víctima o por los perjudicados por su muerte (acusación particular), en parecidos términos a como lo hacía el artículo 281 de la LECrim hasta su modificación por Ley 4/2015. No obstante, el apartado 3 del mismo artículo introduce una previsión relativa a las asociaciones de víctimas y personas jurídicas a las que la ley reconoce legitimación para defender los derechos de las víctimas, que responde a la generalización en la sociedad de este tipo de agrupaciones y cuyo contenido regulativo sólo se completa en conjunción con el nuevo redactado del artículo 281.3.º. Contrariamente a lo que sugiere el recurso, el apartado 3 del artículo 109 Bis no crea una nueva categoría de acusación particular, puesto que las asociaciones concernidas no son titulares del bien jurídico transgredido por la acción delictiva. Este tipo de asociaciones necesariamente actuarán en el ejercicio de la acción popular y, consecuentemente, sin la posibilidad de ejercitar una pretensión indemnizatoria que les resulta ajena. En todo caso, consciente el legislador de que las agrupaciones de esta naturaleza pueden coadyuvar a la defensa de los intereses de la propia víctima, en una posición más próxima a los intereses de esta que quienes ejercitan normalmente la acción popular, aún sin llegar a alcanzar una representación legal de la víctima, privilegia la posición de estas asociaciones, solo cuando actúen con el beneplácito de la víctima, en el sentido de liberarles -como a los propios perjudicados- de la obligación de prestar fianza para el ejercicio de la acción penal. Si los elementos de los que se hace depender el ejercicio de la acción penal por los Servicios Jurídicos de la Comunidad Autónoma, es que la víctima así lo solicite, además de que se cumplan las exigencias de ejercicio establecidas en la ley, es evidente que la expresa manifestación de la víctima de aceptar su intervención, no sólo posibilitaba la personación rechazada, sino que liberaba su ejercicio de la prestación de fianza en los términos del artículo 281.3.º de la LECrim, sin que pueda ser calificada la aceptación de extemporánea.

STS 1045/2007 (doctrina Botín) - STS 54/2008 (doctrina Atutxa): En los supuestos en los que por la naturaleza del delito (delitos que afectan a bienes jurídicos de titularidad colectiva, de naturaleza difusa o de carácter meta individual), o por la ausencia de personación no hay acusación particular en la causa, la acción popular sí puede instar la apertura del juicio oral en solitario.

STS 288/2018: El cierre representado por la doctrina Botín, resultado de la coincidente voluntad de archivo asumida por los defensores de los intereses que laten en el proceso penal, no se tornó en frívola decisión de apertura en la doctrina Atucha. En el primero de los casos, la celebración del juicio oral para reparar un daño que el Ministerio Fiscal y la Abogacía del Estado declaraban inexistente, habría implicado un retroceso en la evolución histórica que explica los fines del proceso penal. Habríamos contribuido a resucitar una concepción trasnochada del orden jurisdiccional penal, ocasionalmente convertido en un artificial y frívolo campo de batalla en el que una asociación se arroga la defensa de intereses que ni el Fiscal ni el defensor institucional del patrimonio público reputan dañados. En el segundo de los casos, por el contrario, admitir la posibilidad de que, mediando una petición de archivo por parte del Fiscal, el delito de desobediencia pueda ser interpretado conforme al prisma enriquecido de una asociación, permite reforzar el significado constitucional de la acción popular como instrumento de participación popular en la administración de justicia, de modo especial, en aquellos casos en los que la asociación querellante presenta una visible proximidad con el objeto del proceso. La línea argumental que late en ambas resoluciones no puede ser abordada con el reduccionismo que se aferra a la obviedad de que un delito contra la hacienda pública, por ejemplo, no puede ser indiferente al interés colectivo. Desde luego, no lo es. Tienen razón quienes reivindican la dimensión social de aquel delito, ligada al deber constitucional que alcanza a todos los ciudadanos de contribuir al sostenimiento de los gastos públicos de acuerdo con su capacidad económica (cfr. art. 31 CE). Sin embargo, ese mandato constitucional no agota el bien jurídico protegido en los delitos contra la hacienda pública. Antes al contrario, se aproxima más a la razón de política criminal que justifica el castigo con penas privativas de libertad a todo aquel que, mediante la elusión fraudulenta del pago de los impuestos, menoscabe el patrimonio y las expectativas de ingreso en el erario público. Con todos los matices sugeridos por su tratamiento sistemático, estamos ante un delito de naturaleza patrimonial, por más que su existencia entronque de una manera tan directa con la llamada constitucional a la irrenunciable vigencia del principio de igualdad en el sostenimiento de las cargas públicas. Pero más allá del resbaladizo debate ligado a la determinación del bien jurídico y a sus efectos en el ámbito de la persecución penal de un delito, lo cierto es que la representación procesal del Estado y la defensa del erario público corresponden a la Abogacía del Estado o al funcionario que asuma la defensa oficial de cualquier otro órgano de la Administración Pública. Es evidente, por tanto, que la defensa de los intereses patrimoniales del Estado, con todos los añadidos con los que quiera enriquecerse el bien jurídico, es una defensa profesionalizada, que se hace recaer en la Abogacía del Estado o en aquellos funcionarios que en el ámbito autonómico asumen legalmente ese cometido. Y, como tal, no admite su delegación a cualquier ciudadano que quiera suplir lo que interpreta como censurable inacción de los poderes públicos. No cabe, en consecuencia, oponer a la defensa profesional del erario público una entusiasta defensa amateur, ejercida por todo aquel que considere que debe empeñar sus esfuerzos en neutralizar la desidia del representante y defensor legal del patrimonio del Estado. La lectura constitucional del proceso penal no es conciliable con la admisión de un *amicus fisci* dispuesto a asumir, sin más apoderamiento que su personal iniciativa, la representación y defensa del erario público en aquellos casos en los que su defensor institucional considera que no ha existido un daño penalmente reclamable. Admitir lo contrario puede conducir a situaciones paradójicas, tanto en lo afectante a la declaración de responsabilidades civiles, incompatibles con el ejercicio de la acción popular, como al efectivo reintegro de esos importes en las arcas públicas sin que ni siquiera exista un acto administrativo de requerimiento de pago al finalmente condenado. Cuanto antecede hace explicable la conclusión alcanzada por esta Sala en los precedentes citados por la defensa en su recurso. En efecto, cuando el Ministerio Fiscal y el defensor del patrimonio -privado o público- menoscabado por el delito interesan el sobreseimiento de la causa, el Juez debe acordarlo. Así lo impone el art. 782.1 de la LECrim, en congruente mandato con la cobertura constitucional de la acción popular -que admite limitaciones legales a su ejercicio- y con el actual estado del proceso penal, entre cuyos fines no se encuentra la simple persecución de un hecho que ni el Fiscal ni la acusación particular consideran delictivo. El daño o la puesta en peligro de un bien jurídico -sin adentrarnos en los matices funcionalistas que esta afirmación sugiere- está en la base de todo hecho susceptible de dar lugar a la incoación de un proceso penal. Y así ha quedado expuesto en nuestra jurisprudencia. Como hemos apuntado supra, el Ministerio Fiscal había interesado el sobreseimiento provisional de la causa incoada por un delito de estafa contra los ahora recurrentes y la acusación particular ejercida por el Letrado de la Comunidad Autónoma de Aragón, después de una activa participación en el proceso había desistido del ejercicio de la acusación particular. En este contexto, pues, la posibilidad de apertura del juicio oral para el enjuiciamiento de un delito de estafa respecto del que ni el Fiscal ni la acusación particular habían interesado su castigo, vulneró la literalidad del art. 782.1 de la LECrim y se apartó del entendimiento jurisprudencial de su mandato. Ninguna objeción puede formular esta Sala a la apertura del juicio oral para el enjuiciamiento de un delito de falsedad, en los términos en los que fue también promovida la acusación por la Asociación de Ambulancias del País Vasco. Como ya hemos expresado en los fundamentos jurídicos precedentes, el delito de falsedad protege bienes jurídicos colectivos, metaindividuales, difusos, cuya defensa no puede ser monopolizada ni por el Ministerio Fiscal ni por el Letrado de la Comunidad Autónoma de Aragón.

STS 842/2021: Es preciso poner el énfasis en que, como señala la doctrina más autorizada, resultaba evidente que tal y como declara la STS 54/2008: 1.- En el caso contemplado por la STS 1045/2007 (Caso Botín) instaron el sobreseimiento, tanto el Ministerio Público (como defensor del "interés público") cuanto el Abogado del Estado (en su calidad de ofendido/perjudicado y defensor, por tanto, del "interés privado"). 2.- En el caso de la STS 54/2008 "... en esta causa (en la del Sr. Javier) no existió personada, ni podía haberla, ninguna acusación particular ejercitada por ofendido o perjudicado". La existencia, pues, de un perjudicado personado en la causa Botín y su ausencia en la de Javier establece la referida diferencia fáctica. 3.- La esencia de la STS 54/2008 (Javier) radica en que: "Es precisamente en este ámbito (en el de la persecución de los delitos que afectan de modo especial a intereses supraindividuales) en el que se propugna el efecto excluyente, donde la acción popular puede desplegar su función más genuina. Tratándose de delitos que afectan a bienes de titularidad colectiva, de naturaleza difusa o de carácter metaindividual, es entendible que el criterio del Ministerio Fiscal pueda no ser compartido por cualquier persona física o jurídica que esté dispuesta a accionar en nombre de una visión de los intereses sociales que no tiene por qué monopolizar el Ministerio Público". Este es el presente caso donde también debe admitirse esa protección social y colectiva de la infancia y los menores en un contexto como el presente, ya que la admisibilidad presente es adaptada al caso concreto ahora sometido a examen en razón a los delitos ya citados objeto de investigación. 4.- En la STS 1045/2007 se hace constar que la STS 1045/2007, de conformidad con la legislación a la sazón vigente, al poner coto a una acusación abusiva, inicia una nueva etapa, en materia de acusación popular en la cual deben los tribunales comprobar que el ejercicio de este derecho cívico y activo se realiza con plena observancia a "las exigencias de la buena fe" (art. 7.1 CC). 5.- Con ello: a.- Si existen intereses supraindividuales dignos de protección la acción popular es eficaz pese a la postulación de archivo del Fiscal. b.- En el caso de no ser así, la petición de archivo del Fiscal y la acusación particular veda a la acción popular su continuación. En consecuencia, ante el alegato del recurrente que pone el énfasis en el bien jurídico protegido en los delitos objeto de acusación es preciso destacar: Los elementos sustanciales del caso son: 1.- El Auto del Juzgado Central de Instrucción n° 5 de fecha 22 de marzo de 2019, decreta la apertura del Juicio Oral por unos hechos que han sido considerados por dicha resolución como posiblemente constitutivos de un delito de prostitución de menores previsto en el artículo 187.1 CP, o, eventualmente, un delito de inducción a la prostitución a persona menor de edad en situación de necesidad o vulnerabilidad de la víctima (tipificado en el artículo 188.1 y 4 CP), o, subsidiariamente podrían subsumirse en un delito de corrupción de menores (previsto en el artículo 189 CP. 2.- El Auto dictado por la Sección Tercera de la Sala de lo Penal de la Audiencia Nacional recurrido, considera que el auto de apertura del juicio oral no fue debidamente dictado tal y como plantea la Defensa, con adhesión del Ministerio Fiscal, habida cuenta que no existe un interés público o particular que haya merecido el ejercicio de la acción penal por las personas que pudieron haber sido víctimas del delito de favorecimiento/ inducción a la prostitución de menores o de su corrupción, habida cuenta que en el escrito de calificación fue solicitado por la Fiscalía el sobreseimiento definitivo por prescripción de los hechos. Considera que el ejercicio de la acción popular está vedado con arreglo a la doctrina legal en vigor. Pues bien, ya hemos expuesto que la acusación popular tendría "campo de juego procesal" de legitimación para intervenir en estos casos en aquellos en los que por la naturaleza colectiva de los bienes jurídicos protegidos en el delito, fuera factible su admisibilidad en su postulada legitimación. En el presente caso los delitos investigados eran el de inducción a la prostitución a persona menor de edad en situación de necesidad o vulnerabilidad previsto en el artículo 188.1 y 4 CP, y subsidiariamente un delito de corrupción de menores previsto en el artículo 189 CP. En la sentencia de esta Sala 110/2020, de 11 de Marzo se recordaba, porque era parte de la clave del recurso que cabría admitir la legitimación de una acusación popular en caso de: "a.- Intereses colectivos: La determinación o fácil determinabilidad de los miembros del grupo deriva precisamente de su cualidad de intereses "individuales homogéneos" que se encuentran en la base de derechos subjetivos individuales. Por ello, podrían perfectamente tutelarse individualmente pero, al resultar referibles a una pluralidad de personas, más o menos numerosa, tienen dicha entidad colectiva. b.- Intereses difusos: Son referibles al sujeto, no como individuo sino como miembro de una colectividad más o menos amplia, coincidente en el límite con la generalidad de los ciudadanos, dando así lugar a una pluralidad de situaciones jurídicas análogas. No lesionan ningún derecho subjetivo individual o particular, sino determinados bienes comunes; por eso, se dice que "el interés difuso, como tal, no tiene titular, pero al mismo tiempo pertenece a todos y cada uno de los miembros del grupo". Y esa es la razón por la que,

externamente, los miembros del grupo resultan indetermina-
dos o de difícil determinación." También podemos añadir que
sería posible actuar, pero en casos de interés supraindividual
que sería el presente supuesto, en donde se trata de actuaciones
objeto de investigación en materia de personas que pudieron
haber sido víctimas del delito de favorecimiento/inducción a la
prostitución de menores o de su corrupción. Y sobre los delitos de estas características que afectan a menores puede y debe
entenderse que existe ese interés supraindividual o colectivo en
aras a proteger a la infancia de la ejecución de conductas dirigidas a llevar a cabo en este caso actuaciones centradas en
la prostitución de menores, y que deben entenderse desde un
prisma elevado de interés colectivo o supraindividual digno de
protección.

**Acuerdo no jurisdiccional del pleno de la Sala 2ª del TS de 25
de mayo de 2005:** En las causas especiales y ejercicio de la acción popular por persona no ofendida por el hecho delictivo, no
puede ésta recurrir en súplica si no se constituye en querellante.

a) Derecho a los recursos de las partes acusadoras y civiles

STS 39/2015: No se pueden aplicar, para la valoración de la
supuesta arbitrariedad en los supuestos absolutorios, los mismos parámetros que en los condenatorios; el derecho a la tutela judicial efectiva invocado por el Estado para revocar una
sentencia absolutoria solo alcanza a supuestos excepcionales.

STS 527/2020: Ninguna duda existe sobre la legitimación del
Ministerio Fiscal para entablar esta demanda de revisión. Tal
institución, por otra parte, está dispensada del trámite previo
de la autorización para recurso: goza de legitimación directa
para la interposición como ha venido entendiéndose con sustento en la distinta terminología usada por los arts. 961 y 955
LECrim. Frente a la necesidad de promover e interponer el recurso (dos momentos), al referirse al Ministerio Público la ley
habla solo de interponer. No es necesaria la personación directa
del Fiscal General del Estado pese a la literalidad del art. 961

LECrim. A diferencia de lo que sucede con algunos recursos y trámites en los procesos constitucionales, la representación de la institución ante esta Sala la ostenta el Fiscal del Tribunal Supremo y no necesaria e indefectiblemente el Fiscal General del Estado.

Acuerdo no jurisdiccional del pleno de la Sala 2ª del TS de 9 de febrero de 2005: Los autos de sobreseimiento dictados en apelación en un procedimiento abreviado solo son recurribles en casación cuando concurran estas tres condiciones: 1) Se trate de un auto de sobreseimiento libre; 2) Haya recaído imputación judicial equivalente a procesamiento, entendiéndose por tal resolución judicial en la que se describa el hecho, se consigne el derecho aplicable y se indiquen las personas responsables; 3) El auto haya sido dictado en procedimiento cuya sentencia sea recurrible en casación.

Acuerdo no jurisdiccional del pleno de la Sala 2ª del TS de 4 de marzo de 2015: En interpretación del Acuerdo del Pleno de 9 de febrero de 2005, contra la decisión en apelación que revoca el Auto del Instructor transformando las Diligencias Previas en Procedimiento Abreviado y ordena el Sobreseimiento Libre, cabe casación.

STS 548/2018: En la actualidad, por tanto, cabe también casación contra un auto de sobreseimiento libre recaído en un procedimiento abreviado competencia del Juzgado de lo Penal, y dictado por la Audiencia Provincial, sin necesidad de previa apelación. Estamos ante la cristalización legislativa, con ese lógico correctivo, de lo que era criterio jurisprudencial: Acuerdo no jurisdiccional de 9 de febrero de 2005.

Acuerdo no jurisdiccional del pleno de la Sala 2ª del TS de 28 de febrero de 2018: Conforme a lo establecido en el art. 848 LECrim solo cabe recurso de casación contra autos que acuerden el sobreseimiento por falta de jurisdicción; y no contra los que la afirmen.

STS 842/2016: (Recurso supeditado de Casación) La amplitud de este medio extraordinario de adhesión ha sido cuestión controvertida. El alcance de su contenido no siempre ha sido objeto de un tratamiento uniforme por la jurisprudencia de esta Sala. La posición más tradicional de esta Sala Segunda rechazaba las adhesiones a un recurso que no consistiesen estrictamente en la asunción total o parcial de alguna de las pretensiones del recurrente principal. Esta rígida visión ha variado sustancialmente en los últimos años como consecuencia tanto de nuevas tendencias jurisprudenciales como de reformas legislativas, que han llevado a reinterpretar los escasos preceptos no alterados que disciplinan la adhesión en casación. No obstante, la elasticidad que la jurisprudencia de esta Sala ha concedido al recurso adhesivo, se resiente de forma irreparable cuando quien hace valer esa impugnación se aparta de la calificación jurídica que defendió en la instancia y pretende resucitar otras calificaciones alternativas formuladas por distintas partes y que han sido rechazadas por el Tribunal de instancia.

STS 776/2021: El auto de apertura del juicio oral desempeña una labor de control sobre las acusaciones, operando en la cristalización progresiva del objeto del proceso. De manera que las partes acusadoras no pueden mantener sus acusaciones basadas en hechos respecto de los cuales se haya acordado el sobreseimiento. Esa determinación del objeto del proceso admite correcciones por vía de recurso contra las decisiones que deniegan total o parcialmente la apertura del juicio oral. Así lo ha entendido esta Sala en la STS 629/2019, en la que se decía que "En los particulares relativos a un sobreseimiento parcial contenidos en un auto de apertura del juicio oral, la resolución es susceptible de recurso; recurso que la ahora impugnante omitió. Alcanzó, por tanto, firmeza ese pronunciamiento, que se apoyaba también en cuestiones procesales. Es verdad que la acusación pudo quedar confundida por la proclamada, burocrática y rutinariamente, irrecurribilidad del auto de apertura del juicio oral. Pero cualquier profesional avezado y mínimamente familiarizado con el proceso penal sabe que eso rige solo respecto de los particulares relativos a la apertura; no respecto de otras decisiones que puede contener tal auto como es un sobreseimiento parcial (aunque no fuese expreso), esto es la denegación de apertura del juicio oral respecto de algunos hechos o algunos acusados. Si ha habido indefensión sería achacable a la parte al no impugnar en su momento esa decisión que tenía que conocer".

6. Principio de legalidad penal

STC 57/2010: El derecho a la legalidad penal supone que nadie puede ser condenado por acciones u omisiones que no constituyan delito o falta según la legislación vigente en el momento de la comisión del hecho, quebrándose este derecho cuando la conducta enjuiciada, la ya delimitada como probada, es subsumida de un modo irrazonable en el tipo penal que resulta aplicado. Y en el examen de la razonabilidad de la subsunción de los hechos probados en la norma penal el primero de los criterios a utilizar está constituido por el respeto al tenor literal de la norma y la consiguiente prohibición de la analogía *in malam partem.* Este criterio inicial debe complementarse con el recurso a un doble parámetro de razonabilidad: metodológico, de una parte, enjuiciando si la exégesis de la norma y subsunción en ella de las conductas contempladas no incurre en quiebras lógicas y resultan acordes con modelos de argumentación aceptados por la comunidad jurídica; y axiológico, de otra, verificando la correspondencia de la aplicación del precepto con las pautas valorativas que informan el ordenamiento constitucional. Pues bien, aunque es cierto que este Tribunal viene señalando que no es posible alcanzar la máxima irradiación de los contenidos constitucionales en todos y cada uno de los supuestos de interpretación de la legalidad, incluso cuando es posible encontrar una interpretación más favorable a los intereses del recurrente, también lo es que una determinada interpretación de la legalidad alcanza relevancia constitucional cuando es irrazonable o arbitraria, representando una mera apariencia de Justicia, una negación radical de la tutela judicial al ser la resolución fruto del mero voluntarismo judicial o consecuencia de un proceso deductivo irracional o absurdo.

STS 752/2018: El Tribunal Constitucional no ha puesto tacha a la técnica de las normas penales en blanco desde una óptica constitucional. La legislación penal (que debe tener rango orgánico si incide en derechos fundamentales como la libertad) puede legítimamente remitirse a normativa extrapenal para integrar sus tipos. Esa normativa no necesariamente ha de respetar ese rango. Incluso puede ser de nivel puramente reglamentario.

Igualmente puede venir constituida por normativa comunitaria. Ahora bien, concurren algunos condicionantes para la legitimidad constitucional de esa técnica legislativa. El primero, no convertir esa técnica en coartada para abandonar al poder ejecutivo lo que es la conformación de lo esencial de la prohibición penal. Tampoco puede acabar degradando el principio de taxatividad hasta desvirtuarlo. La necesidad de una *lex certa* es irrenunciable a la hora de fijar el perímetro de lo penalmente prohibido. Se precisan claras y nítidas líneas rojas entre lo punible y lo no punible; y no difusas zonas de penumbra.

STC 91/2009: No solo vulneran el principio de legalidad las resoluciones sancionadoras que se sustenten en una subsunción de los hechos ajena al significado posible de los términos de la norma aplicada; son también constitucionalmente rechazables aquellas aplicaciones que por su soporte metodológico -una argumentación ilógica o indiscutiblemente extravagante- o axiológico -una base valorativa ajena a los criterios que informan nuestro ordenamiento constitucional- conduzcan a soluciones esencialmente opuestas a la orientación material de la norma y, por ello, imprevisibles para sus destinatarios.

STEDH de 21 de octubre de 2013, as. DEL RÍO PRADA c. ESPAÑA: La función de decisión confiada a los órganos jurisdiccionales sirve precisamente para disipar las dudas que podrían subsistir en cuanto a la interpretación de las normas. Es más, está firmemente establecido en la tradición jurídica de los Estados parte del Convenio que la jurisprudencia, como fuente de derecho, contribuye necesariamente a la evolución progresiva del derecho penal (Kruslin c. Francia, 24 de abril de 1990). El artículo 7 no podría interpretarse como una prohibición de la aclaración gradual de las normas de la responsabilidad penal por la interpretación judicial de un caso a otro, a condición de que el resultado sea coherente con la sustancia del delito y razonablemente previsible (S.W. y C.R. c. Reino Unido, antes citados, Streletz, Kessler y Krenz c. Alemania, antes citado, K.-H.W. c. Alemania, y Kononov c. Letonia). La ausencia de una interpretación jurisprudencial accesible y razonablemente previsible puede incluso conducir a una constatación de violación del artículo 7 respecto de un acusado (ver, en relación con los elementos constitutivos del delito, Pessino c. Francia, nº 40403/02, 10 de octubre de 2006 y Dragotoniu y Militaru-Pidhorni c. Rumanía, nº 77193/01 y 77196/01, 24 de mayo de 2007; ver en relación con la pena, Alimuçaj c. Albania, nº 20134/05, 7 de febrero de 2012). Si fuese de otra forma, no se atendería al objeto y el objetivo de esta disposición -que pretende que nadie sea sometido a actuaciones judiciales, condenas o sanciones arbitrarias-.

STS 563/2019: En nuestro ordenamiento jurídico la prohibición de irretroactividad se predica sólo de las normas ya que sólo éstas pueden definir el delito y establecer las penas. La jurisprudencia no tiene esa naturaleza y cumple una función de complemento (artículo 1.6 del Código Civil). La ley es la garantía democrática de la sanción penal y a diferencia de lo que ocurre en otros sistemas, los jueces y tribunales no pueden definir lo que es delito ni establecer las penas. Ciertamente la jurisprudencia complementa la definición legislativa y es posible que un cambio jurisprudencial dé origen a la sanción de conductas que antes no eran sancionadas pero ello no supone la aplicación retroactiva de la norma. Por tal motivo el Tribunal Constitucional ha señalado que los cambios de criterio jurisprudencial no afectan al principio de legalidad penal y su conformidad con la Constitución, en general, han de ser analizados desde otras perspectivas, como puede ser la del principio de igualdad en la aplicación de la ley proclamado en el artículo 14 de la Constitución (STC 39/2012, de 29 de marzo). Sin embargo, el Tribunal Europeo de Derechos Humanos no sigue este criterio tan estricto probablemente porque debe establecer su doctrina para sistemas nacionales que responden a principios diferentes. En algunas de sus resoluciones en que ha analizado el principio de legalidad penal incluye a la jurisprudencia como integrante de la norma o derecho. En efecto, el Tribunal Europeo de Derechos Humanos entiende que el principio de legalidad penal, establecido en el artículo 7 del Convenio Europeo de Derechos Humanos, exige que el delito y la pena estén claramente definidos en la ley y dentro de esa definición incluye la interpretación que hagan los tribunales. Se señala la función interpretativa de la jurisprudencia es esencial para conocer el sentido y alcance de las acciones y omisiones constitutivas de delito y de las consecuencias que se derivan de su infracción. Por muy clara o precisa que sea la redacción de una ley a la hora de definir las infracciones penales y las consecuencias derivadas de las mismas la labor exegética de la jurisprudencia resulta esencial para que el ciudadano pueda saber con claridad qué es lo prohibido y qué consecuencias se derivan de realizar lo prohibido (STEDH Kokkinakis, §§ 40-41, Cantoni, § 29, Coëme y otros, § 145, y E.K. contra Turquía, n° 28496/95, § 51, 7 de febrero de 2002 y Kafkaris contra Chipre, de 12 de febrero de 2008). Parece que la doctrina del TEDH se orienta a garantizar los aspectos materiales del principio de legalidad como accesibilidad, previsibilidad, irretroactividad, precisión, taxatividad o prohibición de la analogía, desechando como límite la exigencia de ley formal, propia de los sistemas del derecho continental europeo. De ahí que en algunas de sus resoluciones, no siempre, al analizar la aplicación del principio de irretroactividad de las leyes penales perjudiciales, haya considerado que para determinar si una norma es o no favorable haya de valorarse no sólo su contenido formal sino su aplicación jurisprudencial. Así ocurrió en la trascendental STEDH, Gran Sala de 21 de octubre de 2013, en el asunto del Río Prada.

a) Non bis in idem

STC 2/1981: El principio *non bis in ídem* no encuentra un reconocimiento constitucional expreso, si bien la doctrina constitucional lo ha considerado implícito al principio de legalidad.

STC 234/1991: La duplicidad de sanciones penal y administrativa evita la vulneración del principio *non bis in ídem*, mediante la relación de sujeción especial del funcionario con la Administración.

STS 507/2016: En relación al *non bis in ídem*, la doctrina afirma la preferencia del proceso penal frente al administrativo en caso de coincidencia de hechos y persona investigada, de manera que el procedimiento administrativo debe suspenderse hasta que finalice el proceso penal. En el caso de que el proceso penal culmine con un pronunciamiento definitivo de condena, con ésta culmina el reproche a la acción antijurídica. En el caso de que ya se haya declarado la responsabilidad administrativa, ésta no impide la apertura del proceso penal, aunque se tendrá en cuenta en ésta el reproche realizado por la Administración en la determinación de la pena, de manera que no se supere el máximo de la consecuencia prevista a la conducta típica.

STS 434/2021: El Tribunal de Luxemburgo reafirma la compatibilidad de esta nueva interpretación del artículo 50 de la Carta con la jurisprudencia interpretativa del TEDH sobre el artículo 4 del Protocolo nº 7 CEDH. Sobre esta cuestión, recuérdese que el Tribunal de Estrasburgo estableció, tras la STEDH A y B. c. Noruega, que la acumulación de sanciones tributarias y penales sobre la misma infracción tributaria no viola el principio ne bis in idem garantizado por el CEDH, siempre y cuando exista un vínculo material y temporal suficiente entre ambos procedimientos. De tal modo, para el TJUE el artículo 50 CDFUE debe interpretarse en el sentido de que no se opone a una normativa nacional que permita incoar un proceso penal por impago del IVA luego de haber impuesto a esa misma persona una sanción administrativa firme de carácter penal, siempre y cuando: exista una conexión temporal y material entre ambas sanciones; se persiga un objetivo de interés general que pueda justificar la referida acumulación de procedimientos y sanciones, esto es, la lucha contra las infracciones en materia de IVA, y esos procedimientos y sanciones tengan finalidades complementarias; se contemplen normas que garanticen una coordinación que limite a lo estrictamente necesario la carga adicional que esa acumulación de procedimientos supone para las personas afectadas; y se establezcan normas que permitan garantizar que la gravedad del conjunto de las sanciones impuestas se limite a lo estrictamente necesario con respecto a la gravedad de la infracción de que se trate. Para la jurisprudencia del Tribunal Europeo de Derechos Humanos, en el caso de las infracciones sancionadas tanto por el Derecho penal como por el Derecho administrativo, "la forma más segura de garantizar el cumplimiento del artículo 4 del Protocolo nº 7 consiste en

prever, en una fase adecuada, un procedimiento de instancia
única que unifique los respectivos procedimientos que se hayan
iniciado. Sin embargo, el artículo 4 del Protocolo n° 7 no impide la tramitación de procedimientos mixtos, incluso hasta su
conclusión, siempre que se cumplan determinadas condiciones.
En particular, que los procedimientos mixtos en cuestión estaban vinculados por una conexión material y temporal suficientemente estrecha". En otras palabras, debe demostrarse que se
combinaron de tal manera que forman un conjunto coherente.
Esto significa no sólo que los objetivos perseguidos y los medios utilizados para alcanzarlos deben ser sustancialmente
complementarios y estar vinculados temporalmente, sino también "que las posibles consecuencias derivadas de dicha organización del tratamiento jurídico de la conducta en cuestión deben ser proporcionadas y previsibles para el litigante". Con
relación a cuándo puede identificarse conexión material, el TE-
DH ofrece también una operativa guía de criterios, en particular: "si los diferentes procedimientos tienen objetivos complementarios y, por tanto, se refieren, no solo in abstracto sino
también in concreto, a diferentes aspectos del acto perjudicial
para la sociedad en cuestión; si el carácter mixto de los procedimientos en cuestión es una consecuencia previsible, tanto en
la ley como en la práctica, de la misma conducta sancionada
(ídem); si los procedimientos de que se trata se llevaron a cabo
de manera que se evitara, en la medida de lo posible, cualquier
duplicación en la recogida y valoración de las pruebas, en particular mediante una interacción adecuada entre las distintas
autoridades competentes, de manera que se demuestre que la
comprobación de los hechos realizada en uno de los procedimientos se repitió en el otro; y, lo que es más importante, si la
sanción impuesta en el primer procedimiento concluido se tuvo
en cuenta en el último procedimiento concluido, para no imponer al final una carga excesiva al interesado, lo que es menos
probable que ocurra si existe un mecanismo compensatorio
destinado a garantizar que el importe global de todas las penas
impuestas sea proporcionado". Y por lo que se refiere al vínculo temporal precisa: "este no exige que los dos procedimientos
deban desarrollarse simultáneamente de principio a fin, pero sí

debe ser lo suficientemente estrecho como para garantizar que la persona afectada no se vea acosada por la incertidumbre y los retrasos, y que el procedimiento no se prolongue demasiado". Pues bien, partiendo de lo anterior, y como anticipábamos, debe descartarse, en el caso, lesión del principio ne bis in idem. Sin perjuicio de la tramitación acumulada sucesiva de un procedimiento administrativo sancionatorio y otro penal por los mismos hechos y sin perjuicio, también, de que la sanción impuesta en el primero pueda calificarse de "penal", a la luz los criterios Bonda y Engel, la sanción específicamente penal que ahora se recurre resulta respetuosa con las exigencias de los artículos 50 CDFUE y 4 del protocolo 7° al CEDH, en los términos interpretados tanto por el TJUE -sentencia de 20 de marzo de 2018, caso Luca Menci- como por el TEDH -sentencia de 15 de noviembre de 2016, caso A y B c. Noruega- que, en lógica correspondencia atendida su fuerza vinculatoria vertical, hacemos nuestros. En efecto, no solo cabe apreciar vínculo material y temporal entre ambos mecanismos, sino que, además, el propio sistema sancionatorio mixto o acumulado previene suficientes instrumentos de coordinación interna para impedir que la respuesta sancionatoria resulte desproporcionada por superar el desvalor total de la conducta y los fines de retribución y prevención en el caso concreto. La regulación contenida en el artículo 305 CP lo confirma. El establecimiento de fórmulas de regularización que neutralizan la apertura del proceso penal, dadas determinadas circunstancias; el establecimiento de mecanismos liquidatorios autónomos de las deudas tributarias por parte de la Hacienda Pública sin perjuicio de la apertura y prosecución del proceso penal por delito fiscal; el establecimiento de fórmulas punitivas premiales en caso de que la persona investigada reconozca los hechos, pague la deuda tributaria o colabore eficazmente en el descubrimiento de los hechos delictivos, la identificación o captura de otros responsables o para la averiguación del patrimonio del obligado tributario o de otros responsables del delito, son buenas muestras de un sistema de acumulación coherente y entrelazado. Pero, además y en todo caso, en aquellos supuestos de identidad de sujeto, hechos y fundamento en los que la tramitación previa del procedimiento administrativo haya concluido en una sanción firme y ejecutada, la jurisprudencia del Tribunal Constitucional y, a su estela, la de esta propia Sala de Casación, ha establecido la obligación de descontar de la sanción penal que se imponga, la impuesta y ejecutada en el previo procedimiento administrativo, evitando todos los efectos negativos anudados a la previa resolución sancionadora, "ya que, desde la estricta dimensión material, el descontar dichos efectos provoca que en el caso concreto no concurra una sanción desproporcionada". Por otro lado, en el caso, la recurrente no podía ignorar, pese a su conformidad con la sanción administrativa recaída en el expediente tributario tramitado durante el desarrollo del propio proceso penal, la posibilidad de que pudiera imponérsele una pena por los delitos contra la Hacienda Pública, que integraban su objeto. Como advierte el TEDH en la Sentencia, caso A y B c. Noruega, en supuestos de tramitación paralela de procedimientos sancionatorios, debe evitarse que el principio ne bis in idem pueda instrumentarse "con fines de manipulación e impunidad". Para concluir, no identificamos ningún dato que nos permita apreciar que la recurrente haya sufrido perjuicios desproporcionados o una pena injusta como consecuencia de la previa incoación del expediente tributario sancionatorio. Por lo que, reiteramos, no ha existido vulneración del derecho a no ser sancionado doblemente en los términos garantizados por los artículos 50 CDFUE, 4 del Protocolo 7º al CEDH y 25 CE.

STS 833/2021: El art. 307.4 del CP, según el cual, "la existencia de un procedimiento penal por delito contra la Seguridad Social no paralizará el procedimiento administrativo para la liquidación y cobro de la deuda con la Seguridad Social, salvo que el Juez lo acuerde previa prestación de garantía". Este precepto, como es obvio, no afecta al fundamento constitucional del principio non bis in idem, que impide quebrantar la medida de la culpabilidad en los supuestos de convergencia de los órdenes sancionadores penal y administrativo, pero autoriza la coexistencia de ambos expedientes.

STS 327/2016: No existe una solución legal al supuesto en el que el acusado ya condenado por unos hechos cometidos en un lapso temporal, es condenado posteriormente por hechos distintos pero cometidos en el mismo espacio temporal y que hubiera permitido calificarlos todos en conjunto como delito continuado. La jurisprudencia, que no ha negado la posibilidad de enjuiciar los hechos posteriormente y distintos de los anteriores, ha tendido a recomendar el examen de la pena máxima imponible al conjunto de los hechos a través de la hipotética sanción al delito continuado para tratar de evitar que al imponer la pena correspondiente al último enjuiciamiento, aquella sea superada por la suma de las penas impuestas en los distintos procesos.

STS 910/2016: Lo relevante a efectos de la cosa juzgada es la identidad de los hechos, objetiva y subjetiva: imputación de los mismos hechos a la misma persona, entendiendo los hechos con un sentido no puramente naturalista, sino matizado por la óptica jurídico-penal. Eso es lo que está vedado por la eficacia de la cosa juzgada. El tema implicado de fondo es la definición del objeto procesal. La singularidad de la cosa juzgada se explica por el hecho de que el objeto del proceso penal es un *factum*, no un crimen. Y ese objeto se identifica por la persona del acusado y por el hecho delictivo que se le imputa; de ahí que si el hecho y la persona que lo ha ejecutado permanecen invariables, el efecto de la cosa juzgada desplegará toda su eficacia. No obstante, resulta esencial que en el esfuerzo ponderativo de esa pretendida identidad, de cuyo desenlace va a depender la viabilidad o inviabilidad constitucional de un segundo proceso, se tome en consideración el hecho, no en su dimensión puramente histórica, naturalista, entendida como una sucesión encadenada de acontecimientos, sino en su genuina dimensión jurídica, esto es, como hecho susceptible de ser subsumido en un tipo penal. El hecho que integra el proceso no es otra cosa que una hipótesis fáctica con algún tipo de significado jurídico, y su adecuado entendimiento no permite transmutar ese objeto, así explicado, en una suerte de objeto normativo, en el que un cambio de calificación jurídica, autorizaría un nuevo proceso. La eficacia negativa de la cosa juzgada no se agota en la imposibilidad constitucional de someter a un segundo juicio a quien ya ha sido condenado (o absuelto) por unos hechos calificados; también protege frente a toda ulterior pretensión punitiva que, una vez dictada la primera de las sentencias, reformatee la secuencia fáctica tal y como fue inicialmente ofrecida a la consideración del órgano decisorio. El juicio de subsunción jurídicopenal de los hechos inicialmente sometidos a la consideración del Juzgado de lo penal, no puede ahora fragmentarse en sucesivos procesos hasta su agotamiento.

STS 413/2016: Es doctrina reiterada que para que opere la cosa juzgada se requiere la concurrencia de tres requisitos: a) identidad sustancial entre los hechos motivadores de la sentencia firme y del segundo proceso; b) identidad de sujetos pasivos, de personas sentenciadas y acusadas; y c) resolución firme y definitiva en que haya recaído un pronunciamiento condenatorio o excluyente de la condena.

STS 438/2018: No es posible separar las dos modalidades de cooperación en el mismo delito para sancionarlas independientemente sin vulnerar la prohibición del bis in ídem. Por lo tanto, la complicidad apreciada por la Audiencia en el desarrollo de la operativa de las tarjetas debe considerarse englobada con la cooperación en los actos de apropiación en una sola cooperación necesaria.

STS 472/2014: El sobreseimiento libre goza de todos los efectos de la cosa juzgada, razón por la cual debe estar minuciosamente motivado.

II. MEDIDAS CAUTELARES

1. Detención

STC 288/2000: En la detención preventiva operan dos plazos, uno relativo y consistente en el tiempo estrictamente necesario para la realización de las averiguaciones tendentes al esclarecimiento de los hechos, y otro absoluto y fijado en las setenta y dos horas computadas desde el inicio de la detención. En atención a tales plazos, la vulneración del derecho a la libertad puede producirse no solo por rebasar el plazo máximo absoluto sino también cuando se traspasa el relativo.

STC 98/1986: No pueden encontrarse zonas intermedias entre la detención y la libertad.

STC 22/1988: No se consideran por su fugacidad detenciones, las interrupciones momentáneas de la libertad deambulatoria, tales como las derivadas de los controles de alcoholemia, los cacheos o las resultantes de las inmovilizaciones de vehículos.

STC 21/1996: El habeas corpus no es ni un recurso ni un proceso sumario, sino un procedimiento especial por razón de la materia. Las resoluciones estimatorias producen en su totalidad los efectos de la cosa juzgada.

STC 21/2014: No es posible fundamentar la improcedencia de la admisión *a limine* del procedimiento de habeas corpus, basándose para ello en la afirmación de que el detenido no se encuentra ilícitamente privado de libertad.

2. *Prisión provisional*

STC 79/2007: La insuficiencia o falta de motivación del auto acordando la prisión provisional, no solo infringe el derecho a la tutela judicial efectiva, sino el derecho a la libertad. Tal falta de motivación en las resoluciones que restringen derechos fundamentales igualmente no solo afectan al derecho a la tutela judicial efectiva sino también al derecho fundamental sustantivo restringido.

STC 30/2019: El presupuesto necesario para que la adopción de la medida cautelar sea constitucionalmente admisible, es la existencia de indicios racionales de la comisión de un hecho delictivo, independientemente del sentido ulterior de la sentencia de fondo. La jurisprudencia constitucional sostiene que "la presunción de inocencia exige que la prisión provisional no recaiga sino en supuestos donde la pretensión acusatoria tiene un fundamento razonable, esto es, allí donde existan indicios racionales de criminalidad; pues de lo contrario, vendría a garantizarse nada menos que a costa de la libertad, un proceso cuyo objeto pudiera desvanecerse". En términos similares, pero siempre con idéntico sentido, exigiendo la concurrencia de indicios o datos que sustenten la verosimilitud de la comisión de un hecho delictivo y de la participación en el mismo del afectado por la medida, se ha venido pronunciando el Tribunal en otras resoluciones. Se precisa, asimismo, que la medida cautelar satisfaga una finalidad plausible desde la perspectiva constitucional, es decir, que se dirija a la consecución de cualquiera de los fines que la doctrina constitucional asocia a la prisión provisional. Descartando como fines constitucionalmente admisibles los punitivos o de anticipación de pena, los de impulso de la instrucción sumarial, el fin primordial de la prisión provisional se vincula a la necesidad "de garantizar el normal desarrollo del proceso penal en el que se adopta la medida, especialmente el de asegurar la presencia del imputado en el juicio y de evitar posibles obstrucciones a su normal desarrollo". Y, junto a este objetivo principal, se contemplan también los siguientes: (i) Asegurar el sometimiento del investigado al proceso, mediante la evitación del riesgo de fuga o sustracción de la acción de la administración de justicia. Para calibrar la concurrencia *ad casum* de ese riesgo es preciso tener en cuenta los siguientes factores, expuestos en la STC 128/1995, FJ 4 b): 1) la gravedad del delito y de la pena a él asociada, para la evaluación de los riesgos de fuga —y, con ello, de la frustración de la acción de la administración de justicia—; 2) las características personales del inculpado -como el arraigo familiar, profesional y social, las conexiones en otros países, los medios económicos de los que dispone, etc...-. Ahora bien, el propio Tribunal reconoce que la valoración de estos factores puede variar durante el tiempo de mantenimiento de la prisión provisional, aconsejando su revisión. Se dice literalmente, "incluso el criterio de la necesidad de ponderar, junto a la gravedad de la pena y la naturaleza del delito, las circunstancias personales y del caso, puede operar de forma distinta en el momento inicial de la adopción de la medida, que cuando se trata de decidir el mantenimiento de la misma al cabo de unos meses. En efecto, en un primer momento, la necesidad de preservar los fines constitucionalmente legítimos de la prisión provisional —p.e. evitar la desaparición de pruebas—, así como los datos de los que en ese instante cuenta el instructor, pueden justificar que el decreto de la prisión se lleve a cabo atendiendo solamente al tipo de delito y a la gravedad de la pena; no obstante, el transcurso del tiempo modifica estas circunstancias y, por ello, en la decisión del mantenimiento de la medida deben ponderarse inexcusablemente los datos personales así como los del caso concreto". (ii) Prevenir el riesgo de obstrucción en la instrucción del proceso, tal y como reconoce el propio art. 503.1.3 b) LECrim, y contemplan, entre otras, las SSTC 128/1995 de 26 de julio, FJ 3; 333/2006, de 20 de noviembre, FJ 3, y 27/2008, de 11 de febrero, FJ 4. (iii) Conjurar el peligro de reiteración delictiva, en la línea de lo dispuesto en el art. 5.1 CEDH, y con la cautela de considerar esta finalidad de modo compatible con la garantía del derecho a la presunción de inocencia del que goza el investigado o encausado. Conforme a la jurisprudencia del Tribunal Europeo de Derechos Humanos, dicha previsión no da cobertura a decisiones de prevención general dirigidas contra un individuo o una categoría de individuos que se estime constituyan un peligro debido a su continua tendencia al crimen; sino que, más limitadamente, en el contexto de la persecución de un delito, los arts. 5.1 c) y 5.3 del Convenio, interpretados conjuntamente, permiten a los Estados contratantes imponer y mantener en el tiempo una privación cautelar de libertad previa al juicio como medio de prevención de una concreta y específica infracción penal, finalidad que ha de venir fundamentada en hechos o informaciones concretas basadas en datos objetivos (SSTEDH de 6 de noviembre de 1980, caso Guzzardi c. Italia, § 102; de 27 de mayo de 1997, caso Eriksen c. Noruega, § 86; de 17 de diciembre de 2009, caso M. contra Alemania, §§ 89 y 102; de 13 de enero de 2011, caso Haidn c. Alemania, §§ 89 y 90; de 7 de marzo de 2013, caso Ostendorf c. Alemania, §§ 67 a 69, y 28 de octubre de 2014, caso Urtans c. Letonia, § 33). Desde los presupuestos anteriores, nuestra doctrina ha determinado que concurre un deber reforzado de motivación exigible al órgano judicial para acordar la prisión provisional, por la estrecha conexión existente entre la motivación judicial y las circunstancias fácticas que legitiman la privación preventiva de libertad, pues solo una adecuada motivación hace conocibles y supervisables aquellas circunstancias fácticas. Además, la falta de motivación "concierne directamente a la lesión del propio derecho fundamental sustantivo y no, autónomamente, al derecho a la tutela judicial efectiva". La motivación constitucionalmente exigible, en estos supuestos, debe contener: 1) Una argumentación que ha de ser 'suficiente y razonable', entendiendo por tal no la que colma meramente las exigencias del derecho a la tutela judicial efectiva, sino aquélla que respeta el contenido constitucionalmente garantizado del derecho a la libertad afectado; 2) la justificación de la legitimidad constitucional de la privación de libertad o, más concretamente, el presupuesto de la medida y el fin constitucionalmente legítimo perseguido; y 3) la ponderación de las circunstancias concretas que, de acuerdo con el presupuesto legal y la finalidad constitucionalmente legítima, permitan la adopción de dicha decisión. En este marco, al órgano jurisdiccional de la instancia, le corresponde acordar sobre la situación personal de las personas sujetas al proceso penal con observancia de la ley y a la luz de los principios y normas constitucionales, es decir "la constatación y valoración de los antecedentes fácticos justificativos de la medida cautelar, ya se refieran a las sospechas de responsabilidad criminal, ya a los riesgos de fuga, a la obstrucción de la investigación, a la reincidencia o a otros requisitos constitucionalmente legítimos que pueda exigir la ley".

STC 143/2010: La motivación sustancial del auto de prisión provisional, debe notificarse al preso aun cuando subsista el secreto de sumario.

STC 121/2003: La prórroga o ampliación del plazo inicial de la prisión provisional ha de adoptarse, previa comparecencia, antes de que el plazo inicial haya expirado, pues la lesión en que consiste el incumplimiento del plazo no se subsana con el intempestivo acuerdo de prórroga adoptado una vez superado éste.

STC 92/2018: En cualquier caso, el insistente argumento utilizado en las resoluciones judiciales impugnadas de que la sentencia de primera instancia constituye un título ejecutivo que habilita al Tribunal sentenciador a acordar su inmediata efectividad cuando se detecte un elevado riesgo de fuga como argumento para justificar no convocar una audiencia para someter a contradicción la concurrencia de los supuestos legitimadores de la medida, como ya se ha expuesto, resulta contrario (i) a la propia previsión legal española que determina que la ejecutividad de una condena penal queda necesariamente vinculada a su firmeza [arts. 861 bis.a) y b) LECrim] y (ii) a la jurisprudencia constitucional que, en interpretación del artículo 17.1 CE, ha establecido que la sentencia condenatoria solo constituye una confirmación temporal de los indicios de culpabilidad apreciados ab initio que resulta todavía inhábil para enervar la presunción de inocencia del acusado y que no es base suficiente para adoptar ninguna decisión sobre reformas peyorativas de la situación personal de los afectado que siguen vinculada única y exclusivamente a la consecución de alguno de los fines legítimos asignados a la prisión provisional. En ese contexto en que el automatismo de la existencia de la condena en primera instancia está constitucionalmente vedado y que lo único que justificaría, en su caso, es la urgencia en la adopción de la decisión, no se compadece con las exigencias del artículo 17.1 CE que, tras adoptarse con carácter urgente la prisión y provisional y llevarse a efecto, se optara por una interpretación de la legalidad que llevara a negar a los recurrentes el derecho a debatir contradictoriamente con las partes acusadoras en una audiencia pública la concurrencia de alguno de los fines legítimos asignados a la prisión provisional. Debe concluirse que la decisión judicial impugnada de considerar innecesaria la celebración sobrevenida de una audiencia con el objeto de poder someter a debate la concurrencia de los presupuestos necesarios para acordar la medida de prisión provisional revirtiendo la situación de libertad de la que gozaban hasta el momento de su condena los recurrentes ha vulnerado su derecho a la libertad personal (art. 17.1 CE).

STC 217/2015: La prórroga de la prisión preventiva durante la tramitación de un recurso de casación contra sentencia absolutoria que impone medida de seguridad de internamiento psiquiátrico a inimputable, carece de cobertura legal.

STC 261/2015: Para la aplicación del régimen previsto en el art. 58 CP tras la reforma por la LO 5/2010, o el anterior que permitía el doble cómputo del tiempo privado de libertad como preventivo al tiempo que penado, el Tribunal Constitucional fija como referente temporal para la aplicación de estos regímenes, el momento en el que se adopta la medida de prisión provisional.

3. Fianza

STC 14/2000: La fianza carcelaria, a diferencia de la fianza de responsabilidad civil, tiene como única finalidad la de garantizar la comparecencia del imputado, por ello ha de ser adecuada a las circunstancias de arraigo y proporcionada a su patrimonio real; de lo contrario, y de justificarse la libertad provisional, dicha fianza se convertiría en un obstáculo discriminatorio al ejercicio del derecho a la libertad, produciendo su lesión.

III. DILIGENCIAS Y MEDIOS DE PRUEBA

1. Diligencias de investigación

a) Fuentes y diligencias policiales - atestado

STS 496/2021: El recurrente no distingue lo que es la labor de una fuerza policial previa a su actuación en un proceso, y a la que se ve sometida una vez incoado; y es que esta, no ya por razones de celo profesional, sino porque, de conformidad con las obligaciones propias de su función, está obligada a poner en marcha los mecanismos de investigación que tenga a su alcance, cuando es conocedora de una eventual notitia criminis, desde el momento que reciba la información, incluso la que se pueda considerar confidencial o anónima, y lo que haga en este marco en nada enturbia su posterior actuación en el proceso, en cuanto que estamos hablando de una investigación policial, y no es ahí donde ha de ponerse el acento, sino en que esa información es el punto de arranque de una investigación, que se ve obligada a realizar, en razón a la normativa antes mencionada, en particular, lo dispuesto en el art. 262 LECrim. Dicha información quedará relegada a un segundo plano y no negamos que esté en el origen de la investigación policial, pero carece de cualquier valor probatorio, lo que no es incompatible con que esté en ese origen, en la medida que puede ser fuente de una notitia criminis, que, como tal, ha de dar lugar a su inicio, con la incoación del correspondiente atestado policial, en el que se vayan acopiando elementos indiciarios de unos hechos con presumible relevancia penal y los índices de verosimilitud sobre su participación en los mismos de unas determinadas personas, que es lo que se traslada al proceso.

STS 259/2016: No es preciso acreditar la forma de obtención del número de teléfono de un sospechoso por parte de la policía cuando no hay indicios de ilegitimidad en el proceso de obtención. No puede admitirse una presunción de ilegitimidad en la actuación policial cuando no aparecen vestigios serios o rigurosos en tal sentido (principio de confianza).

STS 795/2014: No se vulnera la ley por el hecho de mantener oculta en el atestado la identidad de los confidentes policiales. La fase previa a la investigación que no se vierte sobre el proceso y que, por ende, carece de virtualidad como fuente de prueba, no integra el expediente preciso para el efectivo ejercicio de defensa.

STS 714/2018: En relación a las llamadas anónimas o noticias confidenciales, esta Sala tiene declarado que en la fase preliminar de las investigaciones, la Policía utiliza múltiples fuentes de información: la colaboración ciudadana, sus propias investigaciones e, incluso, datos suministrados por colaboradores o confidentes policiales. La doctrina jurisprudencial del T.E.D.H. ha admitido la legalidad de la utilización de estas fuentes confidenciales de información, siempre que se utilicen exclusivamente como medios de investigación y no tengan acceso al proceso como prueba de cargo (Sentencia Kostovski, de 20 de Noviembre de 1989, Sentencia Windisch, de 27 de Septiembre de 1990). Habría, sin embargo, que establecer una limitación adicional. En efecto no basta con excluir la utilización de la "confidencia" como prueba de cargo, para garantizar una adecuada tutela de los derechos fundamentales. Es necesario excluirla también como indicio directo y único para la adopción de medidas restrictivas de los derechos fundamentales. Es por ello por lo que la mera referencia a informaciones "confidenciales" no puede servir de fundamento único a una solicitud de medidas limitadoras de derechos fundamentales (entradas y registros, intervenciones telefónicas, detenciones, etc.), y, en consecuencia, a decisiones judiciales que adoptan dichas medidas, salvo supuestos excepcionalísimos de estado de necesidad (peligro inminente y grave para la vida de una persona secuestrada, por ejemplo). La supuesta información debe dar lugar a gestiones policiales para comprobar su veracidad, y sólo si se confirma por otros medios menos dudosos, pueden entonces solicitarse las referidas medidas.

STS 54/2019: Aunque se tratara de una denuncia anónima, nuestra jurisprudencia le atribuye virtualidad para iniciar una investigación. El art. 308 de la LECrim referido al sumario ordinario, obliga a la práctica de las primeras diligencias "inmediatamente que los Jueces de instrucción (...) tuvieren conocimiento de la perpetración de un delito". Es indudable que ese conocimiento puede serle proporcionado por una denuncia en la que no consta la identidad del denunciante. Cuestión distinta es que ese carácter anónimo de la denuncia refuerce el deber del Juez instructor de realizar un examen anticipado, provisional y, por tanto, en el plano puramente indiciario, de la verosimilitud de los hechos delictivos puestos en su conocimiento. Ante cualquier denuncia -sea anónima o no-, el Juez instructor puede acordar su archivo inmediato si el hecho denunciado "... no revistiere carácter de delito" o cuando la denuncia... fuera manifiestamente falsa" (art. 269 LECrim). Nuestro sistema no conoce, por tanto, un mecanismo jurídico que habilite formalmente la denuncia anónima como vehículo de incoación del proceso penal, pero sí permite, reforzadas todas las cautelas jurisdiccionales, convertir ese documento en la fuente de conocimiento que, conforme al art. 308 de la LECrim , hace posible el inicio de la fase de investigación.

STS 1094/2010: Los actos generados por la actividad del servicio de inteligencia, sometida al control previo del Magistrado autorizante, no son verdaderos actos de prueba; no fueron concebidos como medios de prueba, ni siquiera como diligencias de prueba en el proceso penal.

STS 290/2018: No es fácil determinar cuál es el momento concreto en el que la investigación realizada en esa fase previa a la incoación de un procedimiento formal con la intervención del obligado tributario está ya madura y debe cesar por tanto la fase de investigación soterrada para entrar ya en la fase procedimental sancionadora fiscal o penal. Sin embargo, en el presente caso no se aprecia, en contra de lo que alegan las partes recurrentes, una conducta fraudulenta de los funcionarios ni una forma de actuar que permita hablar de ilegalidades por el mero de hecho de no dar cuenta con anterioridad, ya sea a la acusación pública o ya a un juzgado, del estado en que se hallaba la investigación que llevaban a cabo. Pues en situaciones de esa índole ha de operarse siempre con criterios que presentan un grado importante de relativización, que no puede utilizarse en perjuicio de los órganos investigadores, máxime si se pondera la dificultad que presenta el hallazgo de responsabilidades y la ventaja con que juegan los presuntos delincuentes que llevan en muchas ocasiones años planificando y ejecutando tramas delictivas como las que aquí se investigan.

STS 251/2014: Cuando servicios de información extranjeros proporcionan datos a las Fuerzas y Cuerpos de Seguridad españoles, la exigencia de que la fuente de conocimiento precise también sus propias fuentes de conocimiento, no se integra en el derecho a un proceso con todas las garantías; lo decisivo, además de la constancia oficial, no necesariamente documentada, de que esa comunicación se produjo, es que el intercambio de datos sirva para lo que puede servir, esto es, para desencadenar una investigación llamada a proporcionar a los Tribunales españoles los medios de prueba precisos para el enjuiciamiento de los hechos.

STC 31/1981 - STC 53/2013: El atestado policial tiene el mero valor de denuncia, no es un medio sino el objeto de la prueba.

STS 78/2021: Aunque debería ser una obviedad proclamarlo, lo cierto es que no existe vinculación alguna respecto de las valoraciones que la Policía Judicial pueda realizar en relación con la hipotética tipicidad de los hechos reflejados en un atestado. El art. 297 de la LECrim atribuye al atestado el valor de denuncia. De ahí que la inclusión de valoraciones jurídicas sobre los hechos incluidos en esa denuncia supone una extralimitación funcional que, por más extendida que esté su práctica, nunca podrá ser aceptada por esta Sala. No es la primera vez que tenemos ocasión de pronunciarnos sobre esta materia. Hemos dicho, por ejemplo, que la afirmación del instructor de unas diligencias que valoró la credibilidad de una menor que denunciaba haber sido agredida sexualmente, encierra una extralimitación funcional carente de toda cobertura jurídica. Ya hemos apuntado cómo el atestado no es sino el vehículo formal de una denuncia hecha valer ante las fuerzas y cuerpos de seguridad del Estado. Precisamente por ello el atestado no es el lugar adecuado para que el agente instructor deslice valoraciones personales acerca de la fundamentación de la denuncia, su viabilidad o el crédito que merezca el denunciante. Al hacerlo, desborda el espacio funcional que nuestro sistema reserva a los agentes de la autoridad que intervienen en la confección de la denuncia. Ésta, por su propia naturaleza, sólo debe acoger hechos, no valoraciones personales acerca de la credibilidad o las contradicciones del denunciante. Cuestión distinta es que el atestado recoja informes de los órganos científicos de Policía Judicial que exijan para el respaldo de sus conclusiones la exposición de valoraciones técnicas que, como es lógico, estarán filtradas por la metodología suscrita en la elaboración de ese dictamen. En definitiva, las valoraciones subjetivas sobre el respaldo probatorio de los hechos denunciados en un atestado, sobre la credibilidad del denunciante o acerca de sus contradicciones, no son sino reflexiones extravagantes perfectamente prescindibles. No son los agentes de la autoridad -cuyo decisivo papel en la fase de investigación es incuestionable- los llamados a dejar constancia de su personal opinión acerca de los hechos denunciados. Incorporar a la rutina del proceso penal una práctica en la que la Policía filtra una denuncia a partir de su personal perspectiva valorativa, contribuye a desdibujar las respectivas parcelas funcionales de los órganos del Estado llamados al esclarecimiento de los hechos delictivos.

Acuerdo no jurisdiccional del pleno de la Sala 2ª del TS de 3 de junio de 2015: Las declaraciones ante los funcionarios policiales no tienen valor probatorio. No pueden operar como corroboración de los medios de prueba. Ni ser contrastadas por la vía del art. 714 de la LECrim. Ni cabe su utilización como prueba preconstituida en los términos del art. 730 de la LECrim. Tampoco pueden ser incorporadas al acervo probatorio mediante la llamada como testigos de los agentes policiales que las recogieron. Sin embargo, cuando los datos objetivos contenidos en la autoinculpación son acreditados como veraces por verdaderos medios de prueba, el conocimiento de aquellos datos por el declarante evidenciado en la autoinculpación puede constituir un hecho base para legítimas y lógicas inferencias. Para constatar, a estos exclusivos efectos, la validez y el contenido de la declaración policial, deberán prestar testimonio en el juicio los agentes policiales que la presenciaron. Este acuerdo sustituye al que sobre la materia se había adoptado el 28/11/06.

STS 19/2022: Respecto a las manifestaciones espontáneas a la policía debemos recordar la reciente sentencia de esta Sala, Sentencia 418/2020, donde se recoge que: sobre las declaraciones espontáneas que imputados y testigos pueden aportar a los agentes policiales, fuera del escenario de una declaración oficial protocolizada, existe una amplia jurisprudencia relativamente consolidada. Una primera puntualización resulta obligada. De lo contrario, se corre el riesgo de tratar como similares supuestos netamente diferenciados. No nos movemos en el marco que analizaba el acuerdo del Pleno no jurisdiccional de esta Sala de 3 de junio de 2015 al que se refiere el recurrente. Este acuerdo, relacionado con el valor probatorio de la autoincriminación en la declaración oficial incorporada al atestado, no fue concebido para dar respuesta a las manifestaciones espontáneas u oficiosas. Respecto de éstas es otra la doctrina que hay que manejar para aclarar su virtualidad probatoria. Se diferencia entre las manifestaciones espontáneas de un sospechoso a terceros o ante los agentes policiales; y una declaración oficial efectuada en sede policial, con asistencia de Letrado y previa lectura de derechos. No existe inconveniente en admitir como medio probatorio el testimonio de referencia de los terceros o de los funcionarios policiales receptores de esos comentarios espontáneos, siempre que no sean inducidos. Se enfatiza, sin embargo, que en cualquier caso, se trata de un testimonio de referencia -auditio alieno- y así debe ser tratado en cuanto al contenido de la manifestación. No aporta fehaciencia en cuanto a la realidad o veracidad de lo manifestado, lo que es ajeno al conocimiento del testigo. Es directo -auditio propio- en cuanto al hecho en sí de haberse producido esa manifestación y de las circunstancias que la rodearon. El derecho a no declarar del imputado no impide las declaraciones libres y espontáneas que quiera realizar. Lo prohibido es la indagación antes de la información de derechos o cuando ya se ha ejercido el derecho a guardar silencio, pero no la audición de manifestaciones del detenido. Las manifestaciones que fuera del atestado efectúa el detenido, voluntaria y espontáneamente, no pueden considerarse contrarias al ordenamiento jurídico. Gozan, por tanto, de aptitud para ser valoradas y confluir con los fines de la justicia y, en definitiva, del interés social.

b) Agentes de vigilancia aduanera

Acuerdo no jurisdiccional del pleno de la Sala 2ª del TS de 14 de noviembre de 2003: 1º) El artículo 283 de la LECrim no se encuentra derogado, si bien debe ser actualizado en su interpretación. 2º) El servicio de vigilancia aduanera no constituye policía judicial en sentido estricto, pero sí en sentido genérico del art. 283.1 de la LECrim, que sigue vigente conforme establece la disposición adicional primera de la LO 12/1995, de 12 de diciembre, sobre represión del contrabando. En el ámbito de los delitos contemplados en el mismo tiene encomendadas funciones propias de policía judicial, que debe ejercer en coordinación con otros cuerpos policiales y bajo la dependencia de los jueces de instrucción y del ministerio fiscal. 3º) Las actuaciones realizadas por el servicio de vigilancia aduanera en el referido ámbito de competencia son procesalmente válidas.

STS 362/2014: Es reiterada la doctrina que atribuye a los funcionarios del servicio de vigilancia aduanera la condición de policía judicial, no solo para investigar los delitos de contrabando o conexos, sino también para aquellos otros que estén directamente vinculados a la actuación inspectora de este servicio, integrado en la agencia tributaria.

c) Agente encubierto

STS 277/2016: El acercamiento, contacto y diálogo por parte del agente encubierto para ganarse la confianza, no son gestiones que precisen de autorización judicial; no se traspasa el umbral de la investigación previa admisible.

STS 575/2013: No es ilícita la actuación del agente encubierto autorizado para actuar en el seno de una organización o grupo criminal, si finalmente no deviene la aplicación de los tipos penales de pertenencia a organización o grupo criminal.

STEDH de 5 de febrero de 2008, as. RAMANAUSKAS c. LITUANIA: Se considera que ha tenido lugar una incitación por parte de la policía, cuando los agentes implicados no se limitan a investigar actividades delictivas de una manera pasiva, sino que ejercen una influencia tal sobre el sujeto que le incitan a cometer un delito que, sin esa influencia, no hubiera cometido, con el objeto de averiguar el delito, esto es, aportar pruebas y poder iniciar un proceso.

d) Inspecciones corporales

Acuerdo no jurisdiccional del pleno de la Sala 2ª del TS de 24 de septiembre de 2014: La toma biológica de muestras para la práctica de la prueba de ADN con el consentimiento del imputado, necesita la asistencia de letrado, cuando el imputado se encuentre detenido y en su defecto autorización judicial. Sin embargo es válido el contraste de muestras obtenidas en la causa objeto de enjuiciamiento con los datos obrantes en la base de datos policial procedentes de una causa distinta, aunque en la prestación del consentimiento no conste la asistencia de letrado, cuando el acusado no ha cuestionado la licitud y validez de esos datos en fase de instrucción.

STS 120/2018: La lectura del renovado art. 520.6º de la LECrim permite afirmar que el Legislador ha considerado oportuno, en línea también con la jurisprudencia constitucional, someter a un juicio de proporcionalidad amparado en la garantía jurisdiccional, el sometimiento del investigado a los actos mínimos e indispensables de compulsión personal para la obtención de las muestras salivales que permitan la identificación genética. El mismo criterio ha inspirado la toma de muestras del ya condenado, en los términos previstos en el art. 129 bis del CP. De ahí que cobre especial importancia que la negativa del investigado o condenado a prestarse voluntariamente a esa diligencia, se exteriorice de tal forma que no admita interpretaciones sobrevenidas -cuando ya es inviable el contraste- basadas en la falta de aceptación de lo que, sin embargo, resultó finalmente aceptado. Sobre todo, si lo fue ante Letrado que, en el legítimo ejercicio del derecho de asistencia letrada, no consideró oportuno reflejar una protesta formal en el acta mediante el que se documentó esa diligencia de investigación. Ahora bien la doctrina de esta Sala parte de una presunción de legalidad en la obtención de la muestra y del perfil genético anterior inscrito en la base de datos que desplaza la carga probatoria a aquel que pone en cuestión la licitud de dicha actuación invocando el origen irregular de las muestras.

STC 43/2014: La recogida de ADN por la policía no infringe derecho fundamental alguno cuando no existe afectación corporal.

STS 175/2018: Si bien el Tratado de Prüm, nace con naturaleza intergubernamental, donde tanto España como Francia forman parte de los siete miembros originarios, su vocación a integrar el acervo de la Unión, se manifiesta ya en el inicio de su preámbulo y se desarrolla con las Decisiones 208/615/JAI y 2008/616/

JAI, de 23 de junio. Aun cuando el principio de disponibilidad (plasmado en la Decisión Marco del Consejo 2006/960/JAI, de 18 de diciembre, también conocida como "iniciativa sueca" adaptada a nuestro ordenamiento por La Ley 31/2010, de 27 de julio) no se recoge de forma explícita, la consecución de este objetivo de máxima cooperación, en especial en las tres áreas mencionadas, con especial atención al ámbito terrorista, el Tratado se vincula, desde los primeros párrafos introductorios, al instrumento de un "mejor intercambio de información". En esa normativa convencional, en relación con los perfiles de ADN, los Estados parte: a) Se comprometen a la creación y mantenimiento de ficheros nacionales de ADN para los fines de la persecución de los delitos, si bien el tratamiento de los datos almacenados en los ficheros en virtud del Tratado se llevará a cabo con arreglo al derecho interno vigente; también garantizan la disposición de los índices de referencia relativos a los datos contenidos en tales ficheros, índices, que contendrán, exclusivamente, perfiles de ADN, obtenidos a través de su parte no codificante y una referencia, sin incorporación de datos que permitan una identificación directa de la persona concernida; aunque cuando se trate de "huellas abiertas" o índices de referencia que no pueden atribuirse a persona determinada, deben constar esta circunstancia (se ha estandarizado el término *stain*; mientras que para las muestras identificadas se acude a *person*); b) Se establece un sistema de consulta automatizada; c) Se establece un sistema de comparación automatizada, que implica una comparación de los perfiles de ADN, de sus huellas abiertas con todos los perfiles de ADN contenidos en los índices de referencia de los demás ficheros nacionales de análisis del ADN, para los fines de la persecución de delitos; donde la transmisión y la comparación se efectúan de forma automatizada; d) También regula las condiciones de obtención de material genético molecular y transmisión de perfiles de ADN, en los casos en que no se disponga de perfil de ADN de una persona determinada que se encuentre en el territorio del Estado requerido.

La identificación a través de un perfil de ADN; resultante de la obtención de una muestra biológica relacionada con la comisión criminal, que otorga un perfil no identificado, pero resulta coincidente con un perfil indubitado existente en una base de datos, no precisa necesariamente para tener por acreditada dicha identificación, que se aporte el informe de obtención del perfil indubitado. Ello, no afecta obviamente a la validez de la prueba de identificación, ni tampoco, salvo alegación mínimamente justificada sobre error o vicio legal o procedimental en su obtención y/o almacenamiento -ninguna media en autos-, a su eficacia probatoria.

Acuerdo no jurisdiccional del pleno de la Sala 2ª del TS de 31 de enero de 2006: La Policía Judicial puede recoger restos genéticos o muestras biológicas abandonadas por el sospechoso sin necesidad de autorización judicial.

Acuerdo no jurisdiccional del pleno de la Sala 2ª del TS de 5 de febrero de 1999: Cuando una persona, normalmente un viajero, se somete voluntariamente a una exploración radiológica con el fin de comprobar si es portador de cuerpos extraños dentro de su organismo, no está realizando una declaración de culpabilidad ni constituye una actuación encaminada a obtener del sujeto el reconocimiento de determinados hechos. De ahí que no se precisa la asistencia de letrado ni la consiguiente previa detención con instrucción de sus derechos.

STC 7/1994: Para la inspección corporal anal o vaginal, se precisa autorización judicial.

STC 171/2013: El cacheo exige una imputación o fundada sospecha de la comisión de un delito. No se justifica un cacheo con desnudo del detenido o preso, salvo que exista consentimiento.

STS 161/2015: Se precisa la asistencia letrada del detenido para la toma de fotografías, sometiéndolo a un estudio minucioso de pabellones auriculares, fosas nasales, ojos y cejas, así como otras partes anatómicas.

STC 206/2007: Para analizar alcoholométricamente la sangre de un accidentado depositada en un hospital y sin su consentimiento, se precisa de autorización judicial por afectación de su derecho a la intimidad.

STS 971/2022: Esta dual realidad regulatoria, esto es, la que contempla el tratamiento de los datos de salud (que incluye la cesión) recogidos y conservados por los centros hospitalarios, por un lado, y la que contempla el tratamiento de datos personales (incluyendo su recogida) por parte de las autoridades competentes para la investigación y enjuiciamiento de infracciones penales, se plasma también en nuestro ordenamiento jurídico interno. La primera de ellas se reflejó en la LO 15/1999, de 13 de diciembre, de Protección de Datos de Carácter Personal. Una norma que quedó derogada y fue sustituida por la vigente LO 3/2018, de 5 de diciembre, de Protección de Datos Personales y garantía de los derechos digitales, en vigor cuando acaecieron los hechos que analizamos en esta sentencia. En esta última, el artículo 8 dispone que el tratamiento de los datos personales (la cesión de los datos realizada por los centros sanitarios , en lo que a este supuesto interesa) sólo podrá considerarse fundada: a) cuando se cumpla con una obligación legal exigible al responsable, en los términos previstos en el artículo 6.1.c) del Reglamento (UE) 2016/679; b) cuando así lo prevea una norma de Derecho de la Unión Europea o c) cuando lo haga una norma con rango de ley de carácter interno, la cual podrá determinar los tipos de datos objeto de tratamiento, sus condiciones generales de ejercicio y cuándo son procedentes las cesiones de los mismos en cumplimiento de la obligación legal, pudiéndose también imponer medidas adicionales de seguridad para el tratamiento. Una regulación de la cesión que, en nuestro ordenamiento jurídico interno, se recoge en la Ley 41/2002, de 14 de noviembre, la cual, no sólo regula la autonomía del paciente, sino que hace expresa referencia, incluso en su título, a los derechos y obligaciones en materia de información y documentación clínica. Y dicha ley, en su artículo 16.3, recoge que el acceso a la historia clínica con fines judiciales, epidemiológicos, de salud pública, de investigación o de docencia, se rige por lo dispuesto en la legislación vigente en materia de protección de datos personales y en la Ley 14/1986, de 25 de abril, General de Sanidad y demás normas de aplicación en cada caso. Pero detalla que el acceso a la historia clínica con estos fines (incluido el judicial), "obliga a preservar los datos de identificación personal del paciente, separados de los de carácter clinicoasistencial, de manera que, como regla general, quede asegurado el anonimato, salvo que el propio paciente haya dado su consentimiento para no separarlos". En el mismo precepto se recogen, sin embargo, una serie de excepciones a la anonimicidad de los datos. Son los casos en que la ocultación de identidad resulta inconveniente para una investigación en salud o para la prevención de un riesgo grave para la salud de la población, a los que se añade "los supuestos de investigación de la autoridad judicial en los que se considere imprescindible la unificación de los datos identificativos con los clinicoasistenciales". Para estos supuestos, el artículo 16 dispone que "se estará a lo que dispongan los jueces y tribunales en el proceso correspondiente", aun añadiendo que el acceso a los datos y documentos de la historia clínica quedará limitado estrictamente a los fines específicos de cada caso. Así pues, ninguna objeción se establece, desde un plano de legalidad ordinaria, a que los datos personales, incluso los médicos cuando estén anonimizados, puedan ser cedidos por los centros sanitarios para una investigación policial, incluso más allá de una investigación concreta y específica. Pero la ley interna española, de conformidad con las posibilidades otorgadas por el ordenamiento comunitario, impone que exista una autorización judicial y que esté específicamente dirigida a un procedimiento de investigación concreto, cuando se pretendan los datos clinicoasistenciales correspondientes a un determinado e identificado individuo. La segunda realidad regulatoria deriva de la trasposición a nuestro Derecho interno de la Directiva (UE) 2016/680, recientemente abordada por la LO 7/2021, de 26 de mayo, de protección de datos personales tratados para fines de prevención, detección, investigación y enjuiciamiento de infracciones penales y de ejecución de sanciones penales. En ella se regula el régimen de protección de los datos de carácter personal tratados por las autoridades competentes en materia de prevención, detección, investigación y enjuiciamiento de infracciones penales o de ejecución de sanciones penales, lo que incluye la adquisición y utilización de esos datos [art. 1 y 5.b)] por este sector de la Administración. La ley, a los efectos de su regulación, no sólo considera autoridad competente a las Autoridades judiciales del orden jurisdiccional penal y al Ministerio Fiscal, sino que expresamente menciona como Autoridad competente para el tratamiento de datos a las Fuerzas y

Cuerpos de Seguridad; a las Administraciones Penitenciarias; a la Dirección Adjunta de Vigilancia Aduanera de la Agencia Estatal de Administración Tributaria; al Servicio Ejecutivo de la Comisión de Prevención del Blanqueo de Capitales e Infracciones Monetarias; y a la Comisión de Vigilancia de Actividades de Financiación del Terrorismo (art. 4). Y conforme con ello, en su artículo 7.1, contempla que las Administraciones públicas, así como cualquier persona física o jurídica, tienen el deber de proporcionar a las autoridades judiciales, al Ministerio Fiscal o a la Policía Judicial, los datos, informes, antecedentes y justificantes que les soliciten y que sean necesarios para la investigación y el enjuiciamiento de infracciones penales o para la ejecución de las penas. De ese modo, recoge como posible la petición de datos personales por los Cuerpos y Fuerzas de Seguridad, si bien exige que se ajuste al ejercicio de las funciones de policía judicial que le encomienda el artículo 549.1 de la Ley Orgánica 6/1985, de 1 de julio, exigiendo, además, que la reclamación se efectúe de forma motivada, concreta y específica e informando en todo caso a la autoridad judicial y fiscal. Sin embargo, la reciente regulación define que la adquisición de datos por los agentes policiales no es ilimitada, disponiendo el mismo precepto (art. 7.3) que la autorización a los funcionarios policiales no resulta de aplicación "cuando legalmente sea exigible la autorización judicial para recabar los datos necesarios para el cumplimiento de los fines del artículo 1". Una remisión legal que impone la autorización judicial expresa en los supuestos contemplados en el artículo 16 de la Ley 41/2002, esto es, cuando se trata de recoger y tratar datos no anonimizados que pertenezcan a la Administración sanitaria o a los prestadores de servicios de salud, esto es, cuando se reclamen datos identificativos y clinicoasistenciales unificados.

2. Diligencias sumariales

STS 35/2021: La ley no obliga al Instructor a practicar todas y cada una de las diligencias de instrucción propuestas por las partes, sino, como establece el art. 777 LECrim., aquellas "diligencias necesarias encaminadas a determinar la naturaleza y circunstancias del hecho, las personas que en él hayan participado y el órgano competente para el enjuiciamiento", estableciéndose en los artículos siguientes una serie de previsiones encaminadas a que la instrucción se demore el menor tiempo posible. En parecidos términos se pronuncia el art. 299 de la Ley de Enjuiciamiento Criminal. El art. 311 LECrim. dispone a su vez que "el Juez que instruya el sumario practicará las diligencias que le propusieran el Ministerio Fiscal o cualquiera de las partes personadas, si no las considera inútiles o perjudiciales". Es decir, que el derecho a la prueba no es absoluto ni incondicionado, ni desapodera a los jueces de sus facultades para enjuiciar la pertinencia de las peticionadas, de modo que no tienen que admitirse necesariamente todas las solicitadas por las partes. También en esta fase las diligencias han de ser pertinentes, por su relación con el objeto del proceso y además han de ser aptas para dar resultados útiles, lo que implica que han de ser adecuadas. En este sentido, tiene declarado el Tribunal Constitucional que, "el derecho fundamental a valerse de los medios de prueba pertinentes no implica, en modo alguno, que el querellante o el querellado puedan exigir del Juzgado de Instrucción la práctica de todas las pruebas que propongan ya que como establecen los arts. 777.1 y 779.1 LECrim, la actividad instructora ha de limitarse a las diligencias pertinentes y necesarias, incluso en esta fase a las indispensables para formular, en su caso, la acusación, sin perjuicio de las que se puedan proponer en el acto del juicio pues el procedimiento abreviado se funda en el principio de celeridad".

STS 893/2021: La fase de las diligencias previas en el proceso penal tiene como fin llevar a cabo las necesarias por el instructor, a fin de determinar la naturaleza de los hechos y si existe, o no, responsabilidad en la persona del investigado, así como para practicar las diligencias que fueren estimadas "suficientes" para poder dictar, en su caso, el auto de transformación en procedimiento abreviado. Pero esta fase de las diligencias previas no consiste, como a veces se ha entendido, en una "suerte" de "agotamiento" de "todas las diligencias que interesen" las partes, confundiendo esta fase en ocasiones con la de enjuiciamiento. No se trata, pues, de una fase en donde se debe "volcar" toda diligencia que las partes consideren oportunas aportar. En modo alguno. Y ello, porque no se trata de probar la acusación, o la defensa la exculpación, sino que se basa en abrir la investigación a diligencias a practicar, de las que si resultan la "suficiencia" de datos para abrir y pasar a la siguiente fase el auto de procedimiento abreviado se dictará, sin que sea posible exigir su revocación si la parte de la defensa considera que se deben practicar más para demostrar la inexistencia de responsabilidad, confundiendo la finalidad y objetivo de esta fase, ya que si existen diligencias practicadas que evidencien indicios de esa responsabilidad el auto de transformación se dictará. Solo no se haría si no existen argumentos ni datos que evidencien responsabilidad en el investigado. Con ello, el dictado del auto de transformación en procedimiento abreviado, que más tarde, en su momento, permitirá a las partes presentar sus respectivos escritos de acusación y defensa no exige que se hayan agotado todas las diligencias que las partes propongan, no pudiendo hablarse, así, de un "cierre precipitado" de la fase previa al auto de transformación cuando esa fase no exige un agotamiento de la investigación, sino más bien una "suficiencia" en la práctica de las diligencias que permitan el dictado del auto de transformación en la fase de procedimiento abreviado.

STS 310/2022: No sería correcto afirmar -como insinuaba el Instructor y como argumenta el recurrente- que no es propio de esta fase valorar los elementos subjetivos o la concurrencia o no de un ánimo de ofender. Es esa tesis que gozó de predicamento en nuestra doctrina y en alguna jurisprudencia. Se interpretaban "los indicios racionales de criminalidad" del art. 384 LECrim en clave objetiva (referencia exclusiva a la tipicidad objetiva); lo que se trasladaría al actual auto de prosecución, sustitutivo en gran medida del clásico procesamiento (juicio de acusación) en el procedimiento abreviado. El Instructor, según ese entendimiento, no debería entrar a valorar los elementos del tipo subjetivo o las causas de exclusión de la antijuricidad (como la legítima defensa o el ejercicio legítimo de un derecho de denuncia o protesta). Debiera ser suficiente, a fin de decidir sobre la necesidad de continuar el procedimiento, constatar la concurrencia de los presupuestos objetivos de la tipicidad, lo que determinaría la necesidad del procesamiento, si es un procedimiento ordinario; la conversión en procedimiento abreviado en otro caso (art. 779 LECrim). La presencia o no, por ello, del añejo y hoy legítimamente cuestionado animus iniuriandi, sería algo -se ha sostenido- que sólo el Tribunal podrá apreciar en la sentencia; algo a dilucidar tras el juicio oral, sin que pueda erigirse en razón para abortar prematuramente el proceso. De este entendimiento se hizo eco una vieja práctica, sin sólido respaldo legal, que ha venido sosteniendo que sería suficiente con la constatación de la concurrencia, al menos indiciaria, de los elementos objetivos de la infracción, sin que en tal fase procesal previa sea dable indagar sobre cuestiones anímicas. Ha de rechazarse rotundamente esa praxis. De aceptarla, la coherencia abocaría a procesar a quien haya realizado una acción típica, aunque esté amparada por una causa de justificación (elementos subjetivos de justificación). A esta observación básica se unen palmarias razones de economía procesal que en el régimen constitucional constituyen algo más que un tributo a pagar al pragmatismo. Es una exigencia engarzable en el derecho fundamental a un proceso sin dilaciones indebidas (art. 24.2 CE). Alargar un proceso de forma innecesaria es dilación no debida. Debe por ello permitirse al Instructor valorar esas causas de exención para no postergar innecesariamente la decisión del proceso y, sobre todo, la injusticia que supondría someter a una persona a un juicio oral, cuando se evidencia ya que es penalmente irresponsable. "Criminalidad" a los efectos de los arts. 384 o 783 LECrim es algo más que "tipicidad objetiva". Por "criminalidad" hay que entender la existencia de un delito con todos sus elementos. Por tanto, el Instructor, en el momento de dictar o denegar el auto de procesamiento, se encuentra a estos efectos en idéntica posición que la Audiencia a la hora de dictar sentencia. La única variante es que al Instructor le basta la existencia de una probabilidad para decretar el procesamiento (o abrir el juicio oral, o decretar la conversión en abreviado -art. 779.1.4ª-), en tanto que la Audiencia para llegar a un pronunciamiento condenatorio necesitará certeza. En lo demás, la capacidad de valoración es idéntica. Si el Instructor aprecia la existencia de una causa de justificación (v.gr. ejercicio legítimo de la libertad de información), razones que pueden llevar a la inculpabilidad (error sobre la falsedad de la imputación o un error de tipo) o una excusa absolutoria, deberá denegar el procesamiento o la apertura del juicio oral por no existir indicios de "criminalidad". La única salvedad que en un plano teórico hay que efectuar a este planteamiento es la relativa a las causas de inimputabilidad que llevan aparejadas medidas de seguridad. En tales casos es preceptivo entrar en el juicio oral, no ya porque no pueda constatar esas circunstancias el Instructor (en muchas ocasiones contará con elementos sobrados para ello), sino porque se hace imprescindible el plenario para decidir sobre la imposición o no de medidas de seguridad, a veces más gravosas que la propia pena, dando oportunidad para una defensa plena. Y, es que, en esos casos, aunque la sentencia sea formalmente absolutoria, encierra una condena al sometimiento a una medida de seguridad. Es todo esto predicable de los procesos por injuria y calumnia. Otra interpretación, aparte de no contar con base legal suficiente, supondría someter injustificadamente a la parte querellada a las cargas que se derivan del juicio oral y, además, se traduciría en una vulneración indirecta del derecho a un proceso sin dilaciones indebidas. No sólo el derecho de la querellada, que tendría que esperar al juicio oral, con todas las demoras, cargas y coste personal y social que ello puede comportar, para obtener una definitiva resolución exculpatoria cuya procedencia era constatable desde antes; sino también del propio querellante, que no verá expedita la vía civil hasta que esté definitivamente resuelta la causa penal.

STS 340/2018: La denuncia a que se refiere en ocasiones el CP como requisito de procedibilidad es algo diferente al simple dato de que la *notitia criminis* haya llegado al Tribunal por la información facilitada por la víctima o sus representantes legales o el Ministerio Fiscal. La denuncia sirve de envoltorio en estos casos a una manifestación de voluntad. No puede ser concebida burocráticamente como un tipo de "formulario" concreto. En efecto, la denuncia cuando es configurada por el legislador como requisito de procedibilidad para la persecución de determinados delitos (semipúblicos en la terminología clásica), ve transmutada en cierta medida su naturaleza. Ya no constituye en exclusiva la forma de vehicular la *notitia criminis*. Encierra algo más: una manifestación de voluntad. Externamente la denuncia en esos delitos sigue siendo una declaración de conocimiento. Pero solo mediante la activación por parte del ofendido o perjudicado quedan abiertas las puertas del proceso penal. Si la *notitia criminis* llegó por otra vía, no se cancela la posibilidad de persecución cuando el perjudicado toma conocimiento de la apertura del proceso penal y comparece en el mismo aflorando su conformidad con la sanción de esos hechos; conformidad que adquiere el rango de deseo y solicitud cuando quien estaba legitimado para denunciar ejercita la acusación. La vertiente de puesta en conocimiento del órgano judicial de la *notitia criminis* se desvanece: es innecesaria esa información pues ya se cuenta con ella. Pero se subsana el otro componente de la denuncia en estos delitos semipúblicos o semiprivados: la constancia de que el perjudicado muestra su consentimiento con el seguimiento del proceso penal, exteriorizando su voluntad de que se tenga por cumplimentado tal requisito que depende de él. En esos casos no es necesaria una denuncia formal. Una sola de las acusaciones -pública o particular- era suficiente para entender subsanada la ausencia de denuncia.

STS 773/2021: Los pronunciamientos más recientes de este Tribunal han modulado el alcance del principio de no indagación fundado en el de confianza, mantenido en una reiterada jurisprudencia, cuando se trata de actuaciones producidas en países miembros de la Unión Europea. El giro modulador lo encontramos en la STS 116/2017, de 23 de marzo, en la que se delimita, por un lado, el objetivo de control que le incumbe a los tribunales españoles a la hora de recepcionar datos o fuentes de prueba obtenidos en un tercer país y, por otro, se identifican las razones que lo justifican. Así, se afirma, (...) "Es lógico que la validez en el proceso penal español de actos procesales practicados en el extranjero no se condicione al grado de similitud entre las reglas formales que, en uno y otro Estado, singularizan la práctica de esa prueba. Al juez español no le incumbe verificar un previo proceso de validación de la prueba practicada conforme a normas procesales extranjeras. Pero la histórica vigencia del principio locus regit actum, de dimensión conceptual renovada a raíz de la consolidación de un patrimonio jurídico europeo, no puede convertirse en un trasnochado adagio al servicio de la indiferencia de los órganos judiciales españoles frente a flagrantes vulneraciones de derechos fundamentales. Incluso en el plano semántico la expresión principio de no indagación, si se interpreta desbordando el ámbito exclusivamente formal que le es propio, resulta incompatible con algunos de los valores constitucionales comprometidos en el ejercicio de la función jurisdiccional". Y concluye después afirmando que "(..) En definitiva, el principio de no indagación no puede interpretarse más allá de sus justos términos. Su invocación debería operar en el marco exclusivamente formal que afecta a la práctica de los actos de investigación en uno u otro espacio jurisdiccional. De tal forma que la flexibilidad admisible en los principios del procedimiento -adecuados por su propia naturaleza a cada sistema procesal- no se extienda a la obligada indagación de la vigencia de los principios estructurales del proceso, sin cuya realidad y constatación la tarea jurisdiccional se aparta de sus principios legitimadores" -vid. también, STS 219/2021, de 11 de marzo-. De tal modo, el principio de no indagación, como proyección del principio de confianza mutua, tiene su límite en la necesaria evaluación de la compatibilidad del método de obtención de la fuente de prueba o del objeto de esta con los fundamentos esenciales del orden público constitucional y de la propia Unión Europea. Lo que, por otro lado, aparece incorporado en el artículo 11 de la Directiva 2014/14 sobre la Orden Europea de Investigación , donde se previenen las causas de denegación de la ejecución de una orden emitida por un Estado miembro, y en el artículo 207 de la Ley 23/2014, de reconocimiento mutuo de resoluciones penales de la Unión Europea, en la que se traspone aquella.

STS 1/2016: Presupuestos para que una diligencia sumarial pueda introducirse en el plenario: a) Imposibilidad de su práctica en el juicio oral (causa legítima); b) Necesaria intervención del Juez de Instrucción; c) Que se garantice el principio de contradicción (contradicción efectiva o posibilidad de contradicción no imputable el déficits al órgano judicial; se garantiza con la presencia del Letrado, núcleo esencial del principio de contradicción); y d) Que se introduzca en el plenario a través de los medios previstos (art. 730 LECrim o mediante interrogatorios o el visionado de la grabación).

STS 392/2018: Esta posibilidad probatoria excepcional (lectura de las diligencias practicadas en el sumario ex art. 730 LECrim), no puede extenderse más allá de lo que autoriza su misma excepcionalidad. Por tanto: a) es imprescindible que sobrevenga una verdadera imposibilidad que conduzca a la irreproducibilidad en juicio de la prueba. Así sucede en los casos de testigo fallecido o con enfermedad grave y en los casos de testigos en ignorado paradero o ilocalizables. En el caso de testigos en el extranjero su falta de obligación de comparecer (art. 410 LECrim) no equivale a la imposibilidad de la misma, porque ni impide su citación a través de las normas sobre asistencia recíproca internacional en el ámbito penal, ni impide su declaración en el extranjero a través del auxilio judicial. Sólo si no se conoce el paradero del testigo residente en el extranjero o si, citado, no comparece, o si su citación se demora excesivamente, pudiendo producir dilaciones indebidas, cabe utilizar el excepcional mecanismo del art. 730 de la LECrim. La doctrina mayoritaria de esta Sala no justifica la aplicación directa del art. 730 de la LECrim, a partir del mero dato de la residencia del testigo en el extranjero, exigiendo el previo fracaso de su citación intentada o de su declaración en el país de residencia; y b) cuando proceda la aplicación del art. 730 es inexcusable la lectura en juicio oral de la diligencia sumarial. Este es un requisito ineludible que no se satisface con dar por reproducida la declaración sumarial, en ningún caso. Esta técnica de dar su lectura por reproducida, aplicable a la prueba documental propiamente dicha no es extensible al testimonio sumarial porque el sumario no es propiamente prueba documental sino la forense documentación de las diligencias actuadas en averiguación del delito. Sólo con la lectura se satisface el principio de inmediación de esa prueba y el principio de oralidad y el de publicidad, de modo que actúa como presupuesto condicionante de su validez como prueba de cargo. Por lo tanto, la lectura debe hacerse a petición de la parte que propone la prueba, sin que proceda hacerlo de oficio, y hacerse de modo efectivo leyendo realmente ante el Tribunal, ante las partes, y en público el contenido de esa declaración, sin la cual carece de valor como prueba de cargo.

STS 206/2020: El problema estriba en dilucidar si, practicada una prueba en forma preconstituida, la defensa puede exigir que se reitere en el plenario si resulta viable y no existen obstáculos serios para ello; o si, por el contrario, estando preconstituida la regla será su exclusión en el juicio oral. Descendiendo a ejemplos concretos: si se procedió, v.gr., a la preconstitución probatoria porque se temía por la vida del testigo; o por su marcha al extranjero; o para eludir la victimización; y llegado el momento del juicio el pronóstico no se confirma y se constata que esas previsibles razones no subsisten (el testigo sigue vivo pese a su edad o a la grave enfermedad que le aquejaba; está localizable en territorio español; ha alcanzado una edad o una madurez en la que la revictimización deja de ser un riesgo serio...), ¿ será obligada la práctica de la prueba o bastará con reproducir la diligencia preconstituida en un escenario asimilable al que rige en el plenario? La respuesta no puede ser unívoca ni simplista. Por vía de principio hay que contestar afirmativamente: la preconstitución ya realizada no puede ser la única razón para no reproducir la prueba en el plenario. Eso no significa que de no hacerse así estamos abocados a declarar la nulidad del juicio o la inutilizabilidad de la prueba preconstituida. Que la inmediación en su sentido más pleno no es un valor absoluto e inmune a excepciones lo confirman ciertas previsiones legales (vid. arts. 730, 718 y 719 LECrim). Si ninguna de las partes solicita la citación para el juicio del testigo cuya declaración fue objeto de preconstitución, pese a que puedan no pervivir las razones que la justificaron, no habrá cuestión: será valorable una vez introducida en el acto del juicio oral la testifical preconstituida. Cuando una de la partes reclama la prueba, el Tribunal debe verificar si subsisten las causas que aconsejaron su preconstitución (o, hipotéticamente, han aparecido otras). Una denegación, según ha considerado la más reciente jurisprudencia, no puede traer como razón exclusiva que la prueba ya está preconstituida. En el ordenamiento vigente la regla general es la práctica de la prueba en el acto del juicio oral. La preconstitución ha de estar justificada en razones serias de conveniencia o de imposibilidad. Aún estando ya preconstituida, si alguien la reclama, debe constatarse que las circunstancias que determinaron la anticipación persisten en el momento del plenario.

STS 840/2016: En los supuestos de víctimas de un delito menores de edad (la regla general es su declaración en el plenario), puede estimarse excepcionalmente concurrente una causa legítima que impida su declaración en el juicio oral y en consecuencia que se otorgue validez, como prueba de cargo anticipada, a las declaraciones prestadas en fase sumarial con las debidas garantías. Los supuestos que permiten prescindir de dicha declaración en el juicio, concurren cuando existen razones fundadas y explícitas para apreciar un posible riesgo para la integridad psíquica de los menores en caso de comparecer (acreditadas a través de un informe psicológico, ordinariamente), valorando el Tribunal sentenciador las circunstancias concurrentes, singularmente la edad de los menores. Pero en estos casos debe salvaguardarse el derecho de defensa del acusado, sustituyendo la declaración en el juicio por la reproducción videográfica de la grabación de la exploración realizada durante la instrucción, en cuyo desarrollo se haya preservado el derecho de la defensa a formular a los menores, directa o indirectamente, cuantas preguntas y aclaraciones estimen pertinentes.

STS 369/2021: La síntesis de los pronunciamientos del TEDH indica que la protección del interés del menor de edad que afirma haber sido objeto de un delito justifica y legitima que, en su favor, se adopten medidas de protección que pueden limitar o modular la forma ordinaria de practicar su interrogatorio. El mismo puede llevarse a efecto a través de un experto (ajeno o no a los órganos del Estado encargados de la investigación) que deberá encauzar su exploración conforme a las pautas que se le hayan indicado; puede llevarse a cabo evitando la confrontación visual con el acusado (mediante dispositivos físicos de separación o la utilización de videoconferencia o cualquier otro medio técnico de comunicación a distancia); si la presencia en juicio del menor quiere ser evitada, la exploración previa habrá de ser grabada, a fin de que el Tribunal del juicio pueda observar su desarrollo, y en todo caso, habrá de darse a la defensa la posibilidad de presenciar dicha exploración y dirigir directa o indirectamente, a través del experto, las preguntas o aclaraciones que entienda precisas para su defensa, bien en el momento de realizarse la exploración, bien en un momento posterior. De esta manera, es posible evitar reiteraciones y confrontaciones innecesarias y, al mismo tiempo, es posible someter las manifestaciones del menor que incriminan al acusado a una contradicción suficiente, que equilibra su posición en el proceso. No basta, desde luego, constatar la existencia de un marco formal que proporciona cobertura para la decisión del Tribunal de que los menores no comparezcan en el plenario. La legitimidad de una medida de esta naturaleza sólo puede validarse a partir de un riguroso examen de su excepcionalidad. El proceso penal se distancia de sus fuentes legitimadoras cuando el Tribunal, sin justificar de forma reforzada las razones que obligan a modular su alcance, debilita el significado del principio de contradicción y del derecho de defensa. Incluso, cuando lo hace imponiendo el incondicional sacrificio de esos principios estructurales para preservar otros derechos de, cuando menos, similar rango axiológico. Las garantías que disciplinan el ejercicio del "ius puniendi" del Estado no pueden arrinconarse cuando la víctima del delito es un menor de edad. La convicción probatoria que lleva al Tribunal a declarar la autoría del hecho imputado tiene que formarse con las mismas exigencias que definen el contenido material de los derechos a la presunción de inocencia y a un proceso con todas las garantías. Se impone, por tanto, la búsqueda de un equilibrado punto de encuentro entre los intereses en juego, que no siempre convergen en la misma dirección. La aplicación de penas de la gravedad de las que han sido impuestas en la presente causa no puede abandonar su justificación a una amplia cobertura formal que, si se atiende sólo a su literalidad, conduciría a una relajación de los derechos que asisten a la parte pasiva del proceso. En delitos contra la indemnidad sexual de los menores de edad, resulta de especial importancia no validar una práctica que, con la recurrente invocación del interés del menor, determina que, desde el momento de la denuncia inicial, la víctima tenga que rememorar su lacerante vivencia ante psicólogos, educadores, asistentes sociales, agentes de policía y Juez de instrucción, pero no ante el órgano sentenciador que ha de imponer graves penas privativas de libertad. Y que ha de hacerlo, además, con el fundamento que proporciona una declaración que ha sido oída directamente por todos, menos por los propios Magistrados que integran el Tribunal que firma la sentencia condenatoria. Por consiguiente, la importancia de subrayar la excepcionalidad de esta medida de exclusión se justifica por sí sola.

STS 78/2016: El objeto del proceso penal no responde a una imagen fija, sino que obedece a un proceso de cristalización progresiva, con una delimitación objetiva y subjetiva que se verifica de forma paulatina en función del resultado de las diligencias, no siendo hasta las conclusiones definitivas, una vez practicadas las pruebas, cuando se dibuja el objeto procesal de modo definitivo, delimitando el ámbito decisorio del órgano jurisdiccional. Vinculación objetiva que no identidad objetiva; identidad objetiva en lo atinente a los presupuestos fácticos nucleares que definen el tipo objetivo por el que se decretó el procesamiento. La correlación entre ese enunciado fáctico proclamado por el Juez de Instrucción y el que luego asume el escrito de calificación del Fiscal ha de ser interpretada con la flexibilidad que permite el progreso de las investigaciones y en su momento el desarrollo de la actividad probatoria en el juicio oral. En cuanto a las diligencias de prueba, no puede predicarse ninguna consecuencia de sobrevenidas alteraciones de lo que se aprecia como previsible objeto del proceso.

STS 690/2020: Identificar el equivalente al procesamiento en el procedimiento abreviado no es fácil. Tiene que ser algo más que la simple y casi obligada y automática toma de declaración como investigado, pero sin llegar a exigir la adopción de alguna medida cautelar. La presencia de la resolución prevista en el art. 779.1.4ª LECrim puede erigirse en el acto asimilable al procesamiento en cuanto supone que el Instructor está descartando la adopción de los otros acuerdos previstos en el citado artículo. Esa pauta fue asumida por la jurisprudencia más generalizada, asimilando al procesamiento esa resolución judicial que "describe el hecho, consigna el derecho aplicable e indica las personas responsables".

STS 980/2016: Los actos de prueba susceptibles de integrar la apreciación probatoria a que se refiere el art. 741 LECrim, solo pueden emanar de un órgano jurisdiccional. El acto procesal es por definición un acto jurisdiccional. Sean cuales fueren las dificultades para la correcta catalogación de esas diligencias del Fiscal (preliminares, preparatorias, preprocesales), lo cierto es que esa etiqueta nunca puede concebirse como una excusa para despojar al ciudadano de las garantías y límites que nuestro sistema constitucional impone a la actividad investigadora de los poderes públicos, tanto si trata de un sospechoso llamado por el Fiscal u otro ciudadano que, sin haber sido llamado, llega a tener conocimiento de que está siendo investigado por el Ministerio Fiscal. La ausencia de Letrado durante el desarrollo de todas y cada una de esas diligencias, singularmente las de carácter personal, y sobre todo su naturaleza ajena al genuino concepto de acto procesal, impiden ver en ese dictamen de los expertos una fuente de prueba susceptible de integrarse en el material valorable por el órgano decisorio.

STC 127/2011: Bajo la declaración de secreto no se pueden generar actos de prueba preconstituida.

STC 206/2007: Cualquier medida limitativa de derechos fundamentales debe respetar las siguientes exigencias devenidas del principio de proporcionalidad (que a su vez se enmarca dentro del principio de legalidad): 1) Que la medida persiga un fin constitucionalmente legítimo; 2) Que esté expresamente prevista en la ley; 3) Que sea acordada por resolución judicial motivada (a salvo supuestos de injerencias leves); y 4) Que sea idónea para alcanzar el fin, necesaria, y no exista una medida menos gravosa para el derecho fundamental afectado (juicio de ponderación).

a) Plazo máximo de instrucción

STS 738/2022: La reforma operada por la Ley 41/2015 introdujo un elemento de temporalidad en el desarrollo de la fase previa -mantenido en la reforma operada por la Ley 2/2020, de 27 de julio- partiendo de un plazo general prorrogable mediante resoluciones motivadas que justifiquen la necesidad o no de prolongar la instrucción para la obtención de los fines propios de dicha fase. Dicha temporalización incorporó -e incorpora en la regulación vigente- consecuencias relevantes, algunas de nítido alcance preclusivo, en los propios términos contemplados en el artículo 324.6°, texto de 2015, o en el vigente artículo 324.4, ambos, LECrim. La principal, la finalización de la fase previa y, con ella, la oportunidad de práctica de nuevas diligencias indagatorias. La preclusión no puede modularse a salvo que restaran por practicarse o por recepcionarse diligencias ordenadas antes del transcurso de los plazos de duración establecidos, en cuyo caso la fase de instrucción permanecerá, a tales exclusivos efectos, abierta... Es cierto, no obstante, que el simple transcurso del plazo no produce el archivo de las actuaciones, en los términos utilizados por la norma originaria -vid. artículo 324.8 LECrim -, como una suerte de caducidad automática de la acción penal. Pero, precisamente por ello, y como prevenían los numerales 6 y 8 del artículo 324 LECrim, texto de 2015, y el hoy vigente artículo 324.4 LECrim, la terminación de la fase previa por expiración del plazo lo que impone al juez es la obligación de dictar la resolución que proceda al amparo del artículo 779 LECrim, a partir de la valoración del material instructor incorporado hasta ese momento a las actuaciones. Por lo que, de estimarse insuficiente para dotar de suficiente sostén indiciario a la imputación, procederá el sobreseimiento que ex artículo 641 LECrim corresponda "por no quedar debidamente justificada la perpetración del delito que haya dado motivo a la formación de la causa" o "(...) para a acusar a determinada o a determinadas personas como autores, cómplices o encubridores". El tiempo de producción se convierte en condición normativa de adquisición. En consecuencia, el transcurso del término o su prórroga extemporánea priva de título competencial al juez de instrucción para ordenar diligencias de investigación novedosas. Finalizada la fase de instrucción, el juez no puede seguir investigando el hecho punible practicando diligencias. Esta vinculación del término de instrucción con el propio presupuesto subjetivo de ordenación de actuaciones investigadoras convierte al primero, sin duda, en un término propio esencial y, por ello, en condición de validez. De ahí que su traspaso deba considerarse, ya desde la regulación de 2015, causa de anulación y pérdida de eficacia de la diligencia instructora intempestiva, de conformidad a lo previsto en el artículo 242 LOPJ. Sanción procesal, la anulación, que se ha incorporado expresamente a la regulación de la temporalidad de la fase previa en el hoy vigente artículo 324.3 LECrim. Como apuntábamos, la temporalidad constituye, por un lado, una condición de validez de la actuación indagatoria y, por otro, una regla de prohibición de adquisición de información sumarial. Regla de cuyo incumplimiento se deriva, como lógica consecuencia, la prohibición de utilización para los fines pretendidos con su irregular adquisición. De tal modo, la inutilizabilidad se proyecta, en términos de medio a fin, y en principio, en la toma de alguna de las decisiones de clausura de la fase previa previstas en los artículos 779 y 622 -este segundo relacionado con el artículo 384-, todos ellos, LECrim. Muy en particular, el Juez de Instrucción no podrá tomar en cuenta los datos irregularmente incorporados al proceso para fundar la decisión inculpatoria. De hacerlo, la parte agraviada podrá formular el correspondiente recurso pretendiendo, por un lado, la anulación ex artículo 242 LOPJ y consiguiente exclusión de las diligencias intempestivas y, por otro, una nueva valoración de los datos procesalmente utilizables para sostener el efecto inculpatorio ordenado. Ahora bien, en el caso de que se decida la prosecución del proceso por disponerse de otros datos indiciarios utilizables, resulta imprescindible destacar que la infracción del principio de adquisición por transcurso del término esencial no es un supuesto de ilicitud constitucional por vulneración de derechos fundamentales sustantivos. Por lo que no procede anudarle el efecto de inutilizabilidad absoluta tanto objetiva -con relación a cualquier decisión a adoptar en el proceso- como subjetiva -respecto a cualquier persona concernida por la violación de derechos- de la información así obtenida, previsto en el artículo 11 LOPJ. Lejos de este escenario de nulidad absoluta por ilicitud constitucional, la intempestividad convierte a la diligencia, como genuina fuente de prueba, en irregular, debiéndose entender como tal la obtenida, propuesta o practicada con infracción de la normativa procesal que regula el procedimiento probatorio, pero sin afectación nuclear de derechos fundamentales. La consecuencia más destacada es que la prohibición de utilización se convierte en relativa, circunscrita, por tanto, al momento y a los efectos fijados por la norma y sin efectos reflejos. La intempestividad de las diligencias no contamina de ilicitud constitucional a las informaciones sumariales reportadas irregularmente al proceso. Reiteramos: el vicio tempo-procesal de producción no reclama en este caso que dicha información quede definitivamente excluida de todo aprovechamiento posible, como acontece con la prueba constitucionalmente ilícita cuya exclusión resulta una exigencia para la protección de la integridad del proceso. El incumplimiento de la regla de prohibición de adquisición de información sumarial más allá del término establecido en la ley, además de neutralizar su aprovechamiento para fundar la inculpación, afectará al potencial valor probatorio anticipado o preconstituido de la diligencia intempestiva. Pero no impide, insistimos, que su contenido informativo, en el caso de que se considere que hay razones indiciarias suficientes, obtenidas de diligencias regularmente practicadas, para proseguir el proceso inculpatorio, pueda ser introducido en el acto del juicio como dato probatorio de la mano de otros medios de prueba propuestos por las partes. El contenido informativo aportado intempestivamente a la fase previa de la mano, por ejemplo, de un documento no podrá ser valorado por el juez a los efectos del artículo 779 LECrim, pero ello no lo convierte en un material prohibido o ilícito. Si se decide la prosecución no hay razón constitucional alguna que impida a la parte, que considera que dicha información presta apoyo probatorio a sus pretensiones, instar su introducción como dato de prueba en el juicio mediante el correspondiente medio probatorio. Las informaciones que preexisten al proceso y en cuya obtención, además, no se ha lesionado ningún derecho fundamental no quedan afectadas, por su intempestiva aportación mediante diligencias sumariales en la fase previa, por la regla de exclusión del artículo 11 LOPJ si no por la regla de inutilizabilidad ad hoc prevista en el propio artículo 324 LECrim en relación con lo dispuesto en el artículo 242 LOPJ. La falta de validez por incumplimiento del plazo de producción afecta a la diligencia de investigación, al vehículo informativo que quedará, valga el símil mecánico, inservible, pero no compromete la licitud constitucional de la información contenida y su potencial utilización probatoria por otros medios en el juicio oral. Tras constatar que las diligencias que habían sobrepasado el plazo instructorio fueron introducidas regularmente en el juicio oral y, por tanto, eran valorables, la sentencia trata de definir el alcance de la irregularidad. Hay que verificar en ese caso si el auto de prosecución hubiese resultado infundado sin esa diligencia extemporánea.

STS 48/2022: La clave, a los efectos de precisar el dies a quo, es determinar qué fecha es la que ha de considerarse como de incoación de la causa. Podemos comenzar recordando que la formación de pieza separada, con cobertura en lo dispuesto en el art. 762.6ª LECrim, no deja de ser una causa penal propia, susceptible de un tratamiento procesal autónomo, que tiene opción de abrir el juez de instrucción para la práctica de diligencias respecto de distintos encausados, cuando existan elementos para enjuiciarlos con independencia de otros, a los efectos de simplificar y activar el procedimiento principal, proporcionando un mejor control de las actuaciones y no entorpeciendo el curso de la principal, lo que no obsta para que, en función del curso y resultado de las mismas, se puedan luego reincorporar a la causa principal. La Circular de la FGE 5/2015 sobre los plazos máximos de instrucción, hecha pública tras la reforma del art. 324 LECrim por Ley 4/2015, aborda la problemática que plantea la determinación del dies a quo, en los casos de inhibiciones y acumulaciones, y, en particular, por lo que a éstas se refiere, en que pudieran concurrir varios autos de incoación de fechas distintas, pone el acento en la circunstancia de la autonomía de cada una de las causas en que se despliegue una investigación propia; por ello, como hemos visto, es problemática que se planteó ante el TC, y en la que el MF, en línea con la Circular, entendía que el momento inicial del cómputo no debía ser el de incoación de las iniciales Diligencias Previas, sino el de incoación de las que se desglosaron de ellas, pues, como se argumenta en la Circular "si existen varios autos de incoación de diligencias, el que marcará el inicio del cómputo de los plazos del art. 324 será precisamente el auto de incoación de las últimas diligencias iniciadas, y ello por razones de estricta lógica: por un lado, si tales diligencias no se hubieran acumulado, estarían sometidas a los plazos generales del art. 324 LECrim en toda su amplitud; por el otro, de quedar vinculadas a un plazo marcado por unas diligencias más antiguas podría llegarse al absurdo de que una vez acumuladas, no se disponga de plazo alguno para la instrucción, por haber quedado éste ya agotado". Argumento sobre el que vuelve la Circular 1/2021, también sobre los plazos de investigación del art. 324, reformado por Ley 2/2020, que se reitera, expresamente, en el mismo criterio, tratándose de acumulaciones "ya que las mismas versarán sobre hechos o sujetos distintos, que en principio podrían haberse instruido en causas separadas". Si el inicio del tiempo de duración de la investigación judicial se ha de contar, porque así lo dispone el art. 324 LECrim, desde "la incoación de la causa penal", habrá que referirlo a la causa penal que a ese investigado concierne, porque es en ella, y no en otra, donde ha defender los derechos que se le reconocen, debido a su carga aflictiva que pesa desde esa incoación, como, de hecho, si acudimos al Preámbulo de la Ley 2/2020, vemos que así lo explica, cuando dice: "Como es sabido, el proceso penal es en sí mismo una pena que comporta aflicción y costes para el imputado".

STS 687/2021: Ha de considerarse, sobre la base de una interpretación sistemática y teleológica del artículo 324, que la enumeración de las posibles resoluciones a adoptar al finalizar la instrucción en sede de diligencias previas, no es exhaustiva, y no impide la incoación de sumario o de procedimiento ante el Tribunal del Jurado, como tampoco impediría la remisión al Tribunal competente, en caso de acreditarse la existencia de algún aforamiento.

b) Reconocimiento fotográfico y en rueda

STS 8/2022: Con respecto al reconocimiento fotográfico ha de señalarse en primer lugar que se trata de una diligencia de investigación policial, cursada en los primeros momentos con objeto de encauzar las pesquisas para el esclarecimiento de los hechos, y que se utilizan álbumes de fotografías de delincuentes habituales en el ramo de la actividad criminal en donde se encasille el suceso en cuestión. Por consiguiente, por sí misma no tiene virtualidad probatoria, ya que va dirigida a obtener una identificación inicial de un sospechoso, el cual tendrá que ser sometido a una rueda de reconocimiento judicial, con las garantías y formalidades establecidas en los arts. 369 y siguientes de la Ley de Enjuiciamiento Criminal, identificación que deberá ser ratificada en el plenario, a presencia del órgano de enjuiciamiento.

No es que se trate de una identificación en el juicio oral, puesto que este medio probatorio forma parte propiamente de la fase de instrucción sumarial, a modo de prueba preconstituida, sino que sus resultados se validan en el plenario. Quiere con ello decirse que si la exhibición de fotografías es una técnica de investigación policial, la mayoría de las veces, preprocesal, huelga tacharla de nula en la identificación del acusado sencillamente porque no tiene tal finalidad, sino la de encauzar las pesquisas policiales. En ese contexto es claro que no podría mantenerse a la vez que, con carácter general, la existencia de un previo reconocimiento fotográfico en sede policial, constituyera elemento hábil para invalidar el resultado de las posteriores ruedas de reconocimiento, practicadas a presencia judicial, con las garantías legalmente establecidas, --que constituye, en puridad, el único medio probatorio con este objeto--, al socaire de que, habiendo identificado previamente y a través de fotografías a la persona del acusado, cuando así sucediera, la posterior rueda de reconocimiento ya estaría fuertemente condicionada, inhabilitada, por aquélla. Basta para comprenderlo reparar en las diferencias, también materiales, que presentan ambos métodos, siendo así que en la rueda de reconocimiento, el testigo habrá de señalar a la persona que identifique, entre otras de parecidas características y presentes físicamente integrando la "rueda"; todo bajo la autoridad del instructor, bajo la fe del Letrado/a de la Administración de Justicia, y con la efectiva intervención del Letrado/a de la defensa, tal como aquí sucedió, sin que en ese momento se formulara por éste protesta u objeción alguna. Lo subraya, con cita de muchas otras, la citada sentencia número 631/2019, de 18 de diciembre, cuando observa: "En suma, el recurrente fue indubitadamente reconocido en diligencia de rueda, su valor identificativo no sufre merma alguna por el solo hecho de que el reconociente en ella hubiese también identificado antes, en fotografías exhibidas por funcionarios policiales en el ámbito de la investigación; práctica que no contamina ni erosiona la confianza que pueden suscitar las posteriores manifestaciones del testigo, tanto en las ruedas de reconocimiento como en las sesiones del juicio oral. En definitiva, la verdadera prueba de identificación la constituye el reconocimiento en rueda, que podemos denominar con presencia física, no esa especie de sucedáneo virtual con rueda de fotografías que sirve y cumple sus fines para el avance de las investigaciones policiales, apuntando líneas de actuación policial (eventualmente, judicial), pero que no dispensa practicar la rueda de sospechosos ante la presencia judicial, con asistencia de letrado defensor y documentación de fedatario público, que preconstituye la prueba y la dota de fuerza convictiva".

STS 35/2016: Los reconocimientos efectuados en sede policial o en sede judicial, en fase sumarial, bien a través del examen de fotografías o bien mediante ruedas de reconocimiento, son en realidad medios de investigación, que solo alcanzan la consideración de medio de prueba cuando el reconocimiento se ha realizado en sede judicial con todas las garantías, entre ellas la presencia del Juez, y quien ha realizado el reconocimiento comparece en el juicio oral y ratifica lo antes manifestado o reconoce en el plenario al autor de los hechos, pudiendo ser sometido a interrogatorio cruzado de las partes sobre los hechos que dice haber presenciado y sobre el reconocimiento realizado.

STS 629/2018: El reconocimiento fotográfico no constituye prueba de cargo. Las condiciones en las que fue efectuado pueden ser valorables a los efectos de establecer si los reconocimientos posteriores, efectuados ya en sede judicial, y ratificados en el plenario, pudieran estar condicionados por aquél, de forma que se debilite su valor probatorio. Las posibilidades de errores en la identificación que, según el caso, pudieran existir, implica la conveniencia de contar con otras pruebas de significado coincidente, o, al menos, con elementos de corroboración de la versión inculpatoria.

c) Diligencia de entrada y registro domiciliario

STS 309/2015: El único requisito necesario y suficiente para dotar de licitud constitucional a la entrada y registro en domicilio, fuera de los casos de consentimiento expreso y flagrancia delictiva, es la existencia de una resolución judicial que con antelación la autorice, de suerte que el resto de incidencias o defectos que se puedan posteriormente producir, no afectan al derecho fundamental a la inviolabilidad del domicilio, tratándose de cuestiones que operan en el plano de la legalidad ordinaria. A este plano corresponde la ausencia de Secretario Judicial a la diligencia. Cuestión distinta es su afectación a la eficacia de la prueba preconstituida. La ausencia del Secretario a la diligencia, provoca la nulidad del registro efectuado, lo que no empece a que a través de otros medios de prueba, como la declaración de los agentes intervinientes, se evidencia la existencia real de los efectos que se dicen intervenidos y hallados en el domicilio registrado.

STS 311/2020: El artículo 558 de la LECrim dispone que "el auto de entrada y registro en el domicilio de un particular será siempre fundado, y el Juez expresará en él concretamente el edificio o lugar cerrado en que haya de verificarse, si tendrá lugar tan sólo de día y la Autoridad o funcionario que los haya de practicar". No indica como requisito ineludible la identificación del autor, entre otras razones, porque no siempre se conoce cuando se acuerda la diligencia. La identificación del lugar que va a ser registrado parece hacerse en función de la titularidad dominical o arrendataria o bien mediante la localización de las señas o características de la habilitación o vivienda, pero no es necesario que se consigne en dicho auto el nombre del titular del domicilio, pues no lo exige la Ley. Es suficiente con que no haya duda sobre la localización material de la vivienda de tal manera que la descripción de su ubicación en el callejero, la numeración que le corresponde y la planta y letra que lo identifica, son elementos que no deben faltar en el mandamiento judicial.

STS 313/2021: La doctrina científica ha destacado que la presencia del secretario judicial tiene una triple finalidad: como garantía de legalidad, asegure el cumplimento de los requisitos legales; como garantía de autenticidad, se robustece de certeza lo ocurrido en el registro y se garantiza la realidad de los hallazgos descubiertos; y como garantía judicial, en la medida que el secretario forma parte integrante del órgano jurisdiccional autorizante de la diligencia, se garantiza que las intromisión al derecho fundamental se realizó dentro de los límites dispuestos en la resolución judicial. La doctrina jurisprudencial estima que la ausencia del secretario judicial, cuando su presencia viene exigida por la normativa procesal, determina la nulidad del acto como actuación procesal, privándole de su carácter de prueba anticipada o preconstituida y al del acta en que se recoge su resultado, pues la ausencia de la fe pública legalmente exigida le priva de autenticidad y valor probatorio pero no constituye una violación del derecho constitucional a la inviolabilidad del domicilio -al estar amparada la intervención domiciliaria por una autorización judicial válida, que es lo que se exige constitucionalmente- y en consecuencia no determina el efecto prevenido en el art. 11.1. LOPJ para cualquier contenido probatorio que se derive directa o indirectamente de la violación de un derecho fundamental, por lo que nada impide que mediante otros medios de prueba complementarios se evidencie la ocupación de los efectos intervenidos en el domicilio registrado con autorización judicial, pudiendo suplirse tal defecto con la declaración de los intervinientes en el registro en dicho acto, por ejemplo, funcionarios de policía.

STS 214/2021: Como explica el Fiscal de forma tan clara como compartible, el hecho de que la policía ya hubiese entrado en la vivienda (entre otras cosas porque hubo de hacerlo por la fuerza ante la resistencia y actitud obstructiva del ocupante), no significa que hubiese comenzado el registro. No otra cosa se infiere del acta. Era inevitable esa actuación para salvaguardar el resultado del registro (art. 567 LECrim) que se verificó seguidamente con asistencia de la LAJ y cumpliendo todas las formalidades legales. En el presente caso, lo primero que hay que advertir, es que no cabe la menor duda que la comisión judicial, contaba con el correspondiente auto del Juez de instrucción. Ello no se discute. Pero, de cualquier modo, el examen de las actuaciones que cita la parte recurrente, acta de la entrada y registro, tampoco evidencia la ausencia de la Sra. Letrada de la Administración de Justicia en la diligencia. Se declara probado que los funcionarios policiales actuantes tuvieron que "usar la fuerza para acceder al local". De todo ello se deduce que entró primero la policía y, una vez que hubo la suficiente seguridad, entra la Sra. Letrada de la A.J., no olvidemos que ésta ni tiene la suficiente preparación, ni equipamiento, ni es su trabajo la entrada en un inmueble, que es trabajo de la policía por el consiguiente riesgo que hay. Una vez que hubo seguridad entró la Sra. Letrada de la A.J., inmediatamente, luego la entrada y registro es perfectamente válida y se ha llevado observando exquisitamente las prescripciones legales. Y es que la actuación policial dirigida -empleando la violencia mínima e imprescindible- para conseguir abrir la puerta de la vivienda afectada por el mandamiento de entrada y registro, y para asegurar en lo necesario la entrada de la comisión judicial, en un momento en que se ofrece resistencia, no puede reputarse de ilegal o contraventora de ninguna norma constitucional ni legal, pudiendo concluirse que como consecuencia de la inexistencia de vulneración de un derecho fundamental, la valoración del resultado de la entrada y registro no le estaba vedada al Tribunal de instancia por la prohibición contenida en el art. 11.1 LOPJ.

STS 272/2021: Podrán adoptarse medidas de vigilancia con carácter previo a la entrada y registro en el domicilio, así como durante su práctica, con el fin de evitar la fuga de la persona investigada o la desaparición, manipulación u ocultación de las fuentes de prueba. Tales medidas de vigilancia, pues, no pueden consistir en la previa entrada sin mandamiento judicial, sino medidas periféricas (medidas de vigilancia).

STS 113/2018: La entrada y registro policial en un domicilio sin previa autorización judicial y sin que medie el consentimiento expreso de su titular únicamente es admisible desde el punto de vista constitucional (art. 18.2 CE) cuando dicha injerencia se produzca ante el conocimiento o percepción evidente de que en dicho domicilio se está cometiendo un delito, y siempre que la intervención policial resulte urgente para impedir su consumación, detener a la persona supuestamente responsable del mismo, proteger a la víctima o, por último, para evitar la desaparición de los efectos o instrumentos del delito.

STS 440/2018: Conforme ha venido estableciendo esta Sala, los requisitos que deben tenerse en cuenta para dar validez a la prestación del consentimiento autorizante del registro domiciliario son los siguientes: a) Que esté otorgado por persona capaz; esto es mayor de edad, y sin restricción alguna en su capacidad de obrar; b) Que esté otorgado consciente y libremente. Lo cual requiere: que no esté invalidado por error, violencia o intimidación de cualquier clase; que no se condicione a circunstancia alguna periférica, como promesas de cualquier actuación policial, del signo que sean; que si el que va a conceder el consentimiento se encuentra detenido, no puede válidamente prestar tal consentimiento si no es con asistencia de Letrado, lo que así se hará constar por diligencia policial; c) Que se refleje por escrito para su constancia indeleble, ya se preste el consentimiento oralmente o por escrito; d) Debe otorgarse expresamente. Aunque el artículo 551 de la Ley de Enjuiciamiento Criminal autoriza el consentimiento presunto, este artículo ha de interpretarse restrictivamente pues el consentimiento tácito ha de constar de modo inequívoco mediante actos propios, tanto de no oposición, cuanto y sobre todo, de colaboración, pues la duda sobre el consentimiento presunto hay que resolverla en favor de la no autorización, en virtud del principio in dubio libertas y el criterio declarado por el Tribunal Constitucional de interpretar siempre las normas en el sentido más favorable a los derechos fundamentales de la persona, en este caso del titular de la morada; e) Que se otorgue en las condiciones de serenidad y libertad ambiental necesarias. De lo contrario carece de valor; f) Debe ser otorgado por el titular del domicilio, titularidad que puede provenir de cualquier título legítimo civilmente, sin que sea necesaria la titularidad dominical; g) Debe ser otorgado para un asunto concreto del que tenga conocimiento quien lo presta, sin que se pueda aprovechar para otros fines distintos; h) No requiere en ese caso las formalidades recogidas en el artículo 569 de la Ley de Enjuiciamiento Criminal respecto de la presencia del Secretario Judicial. La autorización puede ser expresa cuando se explicita verbalmente y puede ser tácita cuando se manifiesta al exterior por comportamientos o actitudes que inequívocamente denoten un consentimiento prestado, de modo claro e indudable.

STS 234/2016: Es doctrina reiterada que cuando un sujeto se halle detenido, resulta obligatoria la asistencia de un Letrado para que sea válido el consentimiento prestado para que la

Policía practique un registro en su domicilio, y ello porque no puede considerarse plenamente libre el consentimiento prestado en atención a lo que se ha venido considerando la "intimidación ambiental". Se produce una vulneración del derecho a la inviolabilidad del domicilio y de defensa, y la consecuencia es la nulidad ex art. 11.1 LOPJ (no es necesario que exista una entrevista previa entre ambos).

STS 284/2016: Si el morador de la vivienda no se encuentra detenido, debe asistir a la diligencia si se encuentra presente en el domicilio cuando se vaya a practicar el registro, lo que constituye la alternativa preferente. Si no es habido en ese momento, puede ser sustituido por cualquier familiar u otro morador de la vivienda, mayor de edad.

STS 492/2016: Ahora bien, si el imputado se encuentra detenido o a disposición judicial o policial, sí que resulta exigible su presencia en el registro, pues en este caso no existe justificación alguna para perjudicar su derecho a la contradicción, siendo su ausencia en estos casos, causa de nulidad. Esta regla no es aplicable en supuestos de fuerza mayor en los que la ausencia del imputado, pese a encontrarse a disposición policial, está justificada, por ejemplo en casos de hospitalización, de detención en lugar muy alejado del domicilio, o bien en casos de registros practicados simultáneamente en varios domicilios.

STS 204/2014: Por razones de urgencia y mediando autorización judicial, la Policía puede proceder a la entrada, debiendo esperar a la comisión judicial para practicar el registro.

STS 329/2016: Ningún derecho fundamental vulnera el agente que percibe con sus ojos lo que está al alcance de cualquiera. Sin embargo, la fijación del alcance de la protección jurisdiccional que dispensa el art. 18.2 CE (inviolabilidad domiciliaria) solo puede obtenerse adecuadamente a partir de la idea de que el acto de injerencia domiciliaria puede ser de naturaleza física o virtual. El art. 18.2 CE protege tanto a la irrupción inconsentida del intruso en el escenario doméstico, como respecto de la observación clandestina de lo que acontece en su interior si para ello es preciso valerse de un artilugio técnico de grabación o aproximación de las imágenes. La protección constitucional de la inviolabilidad del domicilio, cuando los agentes utilizan instrumentos ópticos que convierten la lejanía en proximidad, no puede ser neutralizada con el argumento de que el propio morador no ha colocado obstáculos que impiden la visión exterior. El domicilio como recinto constitucionalmente protegido no deja de ser domicilio cuando las cortinas no se hallan debidamente cerradas. Interpretar que unas persianas no bajadas o unas cortinas no corridas por el morador, transmiten una autorización implícita para la observación del interior del inmueble, encierra el riesgo de debilitar de forma irreparable el contenido material del derecho a la inviolabilidad del domicilio. Por el contrario, no existe violación de tal derecho cuando no se emplean instrumentos que sitúan al observador en una posición de ventaja respecto al observado. La simple toma de fotografías sin valerse de objetivos de amplia distancia focal, no tiñe de ilicitud el acto de injerencia.

STS 540/2017: El tenor literal del precepto (art. 32.2° del Estatuto General de la Abogacía) no contempla, según se aprecia de su lectura, la obligación de la Autoridad Judicial de notificar o comunicar al Decano del Colegio de Abogados correspondiente, la entrada y registro de todo despacho o bufete que acuerde, sino la obligación de este último de estar presente, si la Autoridad Judicial se lo requiere. No ocurre así en el presente caso. La Autoridad Judicial no estimó oportuno contar con la presencia del Decano y no le notificó a efectos de que estuviese presente.

STS 796/2021: Respecto a los despachos profesionales de abogados la línea jurisprudencial más común es la de considerar que como para los domicilios donde se desarrolla el principal espacio de intimidad de un individuo, se precisa de autorización judicial para su registro, dada la naturaleza de la actividad que en ellos se desarrolla y la eventualidad de que se busquen datos o efectos reservados que puedan afectar a la intimidad y ámbito privado de la persona, de los que el abogado se convierte en custodio en la medida en que el artículo 5.1 del Código Deontológico de la Abogacía Española dispone que: "la confianza y confidencialidad en las relaciones entre cliente y abogado, ínsita en el derecho de aquél a su intimidad y a no declarar en su contra, así como en derechos fundamentales de terceros, impone al abogado el deber y le confiere el derecho de guardar secreto respecto de todos los hechos o noticias que conozca por razón de cualquiera de las modalidades de su actuación profesional, sin que pueda ser obligado a declarar sobre los mismos". La protección de esa intimidad, como derecho fundamental del individuo, no es ilimitada y es susceptible de restricción si concurren cuatro requisitos: en primer lugar, que exista un fin constitucionalmente legítimo; en segundo lugar, que la intromisión en el derecho esté prevista en la ley; en tercer lugar que, como regla general, la injerencia se acuerde mediante una resolución judicial motivada establecida en ocasiones de forma expresa y en otras de forma implícita, según ha establecido el Tribunal Constitucional, aunque su forma y características admita algunas matizaciones en función de la entidad de la restricción; y, finalmente, que se observe el principio de proporcionalidad, esto es, que la medida adoptada sea idónea para alcanzar el fin legítimo perseguido con ella, con una justificación suficiente en el supuesto concreto, que tenga en cuenta los indicios disponibles en el caso, la necesidad de la medida y el respeto al principio de proporcionalidad. El secreto profesional que protege a las relaciones de los abogados con sus clientes, puede, en circunstancias excepcionales, ser interferido por decisiones judiciales que acuerden -entre otras- la intervención telefónica de los aparatos instalados en sus despachos profesionales. Es evidente que la medida reviste una incuestionable gravedad y tiene que ser ponderada cuidadosamente por el órgano judicial que la acuerda, debiendo limitarse a aquellos supuestos en los que existe una constancia, suficientemente contrastada, de que el abogado ha podido desbordar sus obligaciones y responsabilidades profesionales integrándose en la actividad delictiva, como uno de sus elementos componentes. Las razones que se han expuesto como justificativas de la intervención de las comunicaciones, sustentaron la decisión judicial de acordar los registros que aquí se combaten. Más aún en este supuesto, puesto que precisamente la observación de las comunicaciones electrónicas completó la investigación respecto a algunas de las sospechas que se cernían sobre el equipo de letrados y añadió la posibilidad de que la cooperación de la firma en eventuales delitos contra la Hacienda Pública supuestamente perpetrados por sus clientes, pudiera estar acompañada de una defraudación en la que los profesionales actuaban como autores directos. De otro lado, la necesidad de investigar el conjunto de hechos en los que el equipo de letrados podía haber intervenido, justificaba el ensanchamiento del registro a la actividad general del despacho, sin perjuicio de que únicamente accedieran a la causa aquellos documentos que tenían relevancia para el objeto de la investigación (art. 574 LECrim).

STS 360/2022: La jurisprudencia reiteradamente viene diciendo que para el registro de locales de recreo, tales como bares, cafeterías, pubs u otros locales de esparcimiento, no sea preciso una previa resolución que lo autorice "salvo que exista, además de la parte destinada al público, otra reservada a morada de los titulares del negocio, en cuyo caso esta última y no la primera, tendrá la consideración de domicilio. Y en concreto en relación a los reservados de un club de alterne, una cosa es que determinados actos se lleven a cabo en la intimidad de un espacio cerrado anejo al lugar donde se conciertan y otra distinta es que aquel constituya domicilio. Por ello los reservados de un establecimiento público destinados a la práctica de relaciones o actos sexuales deben estar excluidos del concepto de domicilio.

STS 375/2021: Una nave o hangar ubicada en un polígono industrial no goza de la protección dispensada por el art. 18.2 CE. Reiterada jurisprudencia de esta Sala excluye de la consideración de domicilio esta clase de construcciones. Tal es el caso de las cocheras, garajes y almacenes; los garajes privados sin comunicación interna a la vivienda; las naves industriales; o, incluso, las viviendas que no constituyan morada de ninguna persona

STS 187/2015: Según reiterada jurisprudencia, no es equiparable el registro de un domicilio, protegido por la Constitución, art. 18.2, con el registro de un vehículo, salvo en el caso de que constituya de hecho un domicilio, pues la protección constitucional solo se refiere al primero, como lugar donde se desarrollan esferas de privacidad del individuo. En el caso actual, el vehículo utilizado era un mero medio de transporte, sin que presentara ninguna de las características que lo pudieran identificar con un domicilio. Por ello, la eventual autorización del interesado para proceder al registro del vehículo, además de no ser necesaria para su práctica en las circunstancias de los hechos del presente proceso, no precisaría de la asistencia de letrado, pues no se trata de la disposición de un derecho fundamental por parte de quien se encuentra en situación de detención.

d) Diligencia de interceptación de las comunicaciones telefónicas y telemáticas

STS 467/2021: En lo que se refiere al derecho al secreto de las comunicaciones, la jurisprudencia ha distinguido entre "las comunicaciones en marcha, de aquellos otros procesos de correspondencia o de relación que ya están cerrados. Solo las primeras se encuentran afectadas por el derecho al secreto de las comunicaciones, mientras que aquellas que terminaron y cuya existencia presente deriva de un proceso técnico o electrónico de conservación o documentación, a lo que conciernen es al derecho a la intimidad y/o, en su caso, a la autodeterminación informativa mediante el control de datos personales. Así lo recoge reiterada jurisprudencia de esta Sala, y lo plasma una estable doctrina constitucional.

STS 393/2012 - STC 96/2012 - STEDH de 2 de agosto de 1984, as. MALONE c. REINO UNIDO: Principios constitucionales que justifican la injerencia en el secreto de las comunicaciones: a) Principio de especialidad: relación de la intervención con un delito concreto (prohibición de las intervenciones prospectivas); b) Principio de idoneidad; c) Principios de excepcionalidad y necesidad; y d) Principio de proporcionalidad en sentido estricto: cuando el sacrificio de los derechos e intereses afectados no sea superior al beneficio que de su adopción resulte para el interés público y de terceros (juicio de ponderación).

STS 153/2015: Cuando se solicita una medida de intervención de las comunicaciones por la Policía, se deben aportar datos objetivos, que no sospechas, intuiciones o meras impresiones subjetivas; datos objetivos que no tienen ni deben tener tal consistencia objetiva próxima a la certeza que hagan innecesaria la intervención.

STEDH de 6 de septiembre de 1978, as. KLASS c. ALEMANIA: Se deben facilitar por la Policía al Juez para la adopción de la intervención telefónica (y en palabras del TEDH) buenas razones o fuertes presunciones.

STS 2/2018: La resolución judicial debe contener, bien en su propio texto o en al solicitud policial a la que se remita: a) Con carácter genérico los elementos indispensables para realizar el juicio de proporcionalidad; b) Los datos objetivos que puedan considerarse indicios de la posible comisión de un hecho delictivo grave, que deben ser accesibles a terceros; c) Los datos objetivos que puedan considerarse indicios de la posible conexión de las personas afectadas por la intervención con los hechos investigados, que no pueden consistir exclusivamente en valoraciones acerca de la persona; d) Los datos concretos de la actuación delictiva que permitan descartar que se trata de una investigación meramente prospectiva; e) La fuente de conocimiento del presunto delito, siendo insuficiente la mera afirmación de que la propia policía solicitante ha realizado una investigación previa, sin especificar mínimamente cual ha sido su contenido, ni cuál ha sido su resultado; f) El número o números de teléfono que deben ser intervenidos, el tiempo de duración de la intervención, quién ha de llevarla a cabo y los períodos en los que deba darse cuenta al Juez de sus resultados a los efectos de que éste controle su ejecución.

STS 769/2022: En cuanto a la objeción genérica que realiza, esto es, la ausencia de la firma del Juez instructor en algunos de los autos de intervención telefónica o de su prórroga, nuestra jurisprudencia ha proclamado su singular relevancia en la medida en que la Constitución Española reserva al Poder Judicial el monopolio de la potestad de autorizar el quebranto al secreto de las comunicaciones, sin más excepción que: a) la que hoy se recoge en el artículo 588 ter d) de la LECrim para supuestos de urgencia en investigaciones relacionadas con delitos atribuidos a bandas armadas o elementos terroristas, sin perjuicio de su revocación o confirmación judicial en un plazo máximo de 72 horas; b) la intervención motivada de las comunicaciones de los reclusos por parte del Director del establecimiento penitenciario, con supervisión del Juez de vigilancia penitenciaria, que recoge la legislación sobre esta materia y c) el supuesto de interceptación de las comunicaciones para la investigación de hechos presuntamente delictivos y para el mantenimiento del orden público, en los estados de excepción y sitio y con igual supervisión judicial posterior. Fuera de estos excepcionales supuestos, la legitimidad de la intervención de las comunicaciones queda sujeta al principio de judicialidad, exigiendo por ello verificar que la decisión se adoptó por un órgano judicial, en el curso de un proceso a él sometido. De esta judicialidad deriva que los autos autorizantes de la medida injerente de interceptación de comunicaciones telefónicas contengan la firma del Juez, pues este es el instrumento que materialmente refleja el escrupuloso respeto y observancia de la garantía dispuesta en la Constitución. Y aun cuando la falta de firma evidencia un no disculpable descontrol en la función judicial, al menos en el tiempo en el que la decisión se adoptó, ya hemos proclamado que esta circunstancia no puede equipararse de manera automática a la quiebra del principio de reserva judicial por suplantación del juez en la decisión o por modificación parcial del contenido del fallo. Pese a ello, el rigor que debe presidir la supervisión del pleno respeto a los derechos fundamentales de los ciudadanos y el amparo judicial de esos derechos en todas las instancias, obliga a examinar con rigor y firmeza las razones que se esconden detrás de la ausencia de la constatación formal de la intervención del Juez. Y son múltiples los elementos que aquí concurren que aportan una certeza sobre la judicialidad de cada una de las decisiones: a) En primer lugar, y desde la ponderación general de las decisiones judiciales dada la falta de concreción del motivo, que, en general, los autos no reflejan una decisión estándar sino particularizada; b) En segundo término, que las resoluciones conforman un rosario de intervenciones telefónicas y de sus prórrogas, dando los funcionarios policiales oportuna cuenta de su resultado al Juez instructor, sin que éste nunca plasmara objeción ninguna respecto al alcance de la introspección; c) En tercer lugar, puesto que la parte cuestiona la fecha recogida en las distintas resoluciones, debe evaluarse que las entidades prestadoras del servicio telefónico (que se saben sujetas a los plazos de injerencia autorizados por el Juez) nunca dieron cuenta o interrumpieron su actuación por el supuesto vencimiento de una intervención y la ausencia de su correspondiente prórroga, d) En cuarto lugar, que el Magistrado instructor asumió como suyas las resoluciones en las que se había omitido la firma; e) En quinto lugar, que la Letrada de la Administración de Justicia identificó una concordancia entre el contenido de las resoluciones obrantes en el ordenador del Juzgado y su formato papel en las actuaciones, sin más divergencia que ciertas fechas; f) Que las discordancias de fechas no resultan procesalmente relevantes, en cuanto que las fechas de documentación en autos es siempre igual o posterior a la recogida en los metadatos del documento informático; todo ello sin que resulte relevante que los documentos informáticos se hayan elaborado con tres ordenadores distintos pues, como indica la sentencia de instancia, el que los documentos recogidos en el disco duro del ordenador analizado no sean originales de ese terminal, no significa que no sean auténticos.

El motivo sostiene la existencia de un vicio de legitimidad constitucional que, a su juicio, compromete la validez de la prueba. En concreto, que la autoridad judicial que autorizó la prórroga, siendo titular del Juzgado de Instrucción que conocía del procedimiento de investigación, no podía ejercer su jurisdicción al estar de licencia de vacaciones. El planteamiento contraría la inamovilidad en el ejercicio de la función jurisdiccional que nuestra Constitución establece al indicar que la Justicia se administra por Jueces y Magistrados inamovibles y que no pueden ser separados, suspendidos, trasladados, ni jubilados, sino por alguna de las causas y con las garantías previstas en la ley, añadiendo que el ejercicio de la potestad jurisdiccional en todo tipo de procesos, corresponde exclusivamente a los Juzgados y Tribunales determinados por las leyes, según las normas de competencia y de procedimiento que las mismas establezcan. El instructor actuante ejercía su jurisdicción sobre esta causa precisamente por designación legal en los términos expresados en el artículo 326 y concordantes de la LOPJ, sin que su legitimidad constitucional -que es lo que el recurrente cuestiona- venga alterada por una licencia de vacaciones que, como derecho y con una repercusión temporal meramente administrativa, regula el artículo 371 de la LOPJ. Por más que en atención a la correcta operatividad del poder público, la LOPJ prevea un mecanismo para que las decisiones jurisdiccionales no queden imposibilitadas en supuestos de licencia del titular y contemple la incorporación de suplentes que de otro modo no hubieran podido intervenir en un determinado asunto, habilitándoles para que puedan asumir las actuaciones jurisdiccionales precisas (arts. 207 y 214 de la LOPJ), eso no comporta un apartamiento de la legitimidad constitucional para el titular del órgano, menos aun cuando no se denuncia un conflicto decisorio con quien suple temporalmente su ausencia y cuando la función judicial que se cuestiona consistía en realizar un control de la legitimidad constitucional para restringir un derecho fundamental a partir del material recogido durante una larga y compleja investigación. La actuación no contrarió la atribución constitucional de jurisdicción ni las exigencias más básicas de tutela judicial respecto de la limitación de derechos fundamentales, por lo que el motivo no puede sino ser desestimado.

STS 73/2019: La identidad del usuario del teléfono puede ser relevante a los efectos de justificar la intervención telefónica cuando los elementos que se valoran como indicios de la existencia de un delito y de la participación del sospechoso se vinculan a ese dato de su identidad. No es así cuando las razones de la intervención dependen fundamentalmente de la identificación de un nuevo número de teléfono, bien por la aparición de otra línea telefónica en las escuchas ya acordadas o bien por otras razones.

STS 203/2015: Las referencias anónimas o las noticias o informaciones confidenciales no pueden ser fundamento, por sí solas, para justificar la injerencia, aunque sí pueden suponer un medio de iniciar la investigación.

STS 364/2018: En autos, la conversación con el Letrado se recoge por el denominado efecto de "arrastre" de todas las conversaciones mantenidas a través del teléfono intervenido del sospechoso autor del delito; siempre que se intervengan las conversaciones de una persona investigada por un delito, se van a intervenir al propio tiempo las conversaciones del tercero que habla con él; y entre otras personas también habla con su Abogado. El hecho de que también resulte afectado por la injerencia quien fuere en cada momento el interlocutor con el titular o usuario del teléfono intervenido, no resulta relevante. No precisa de complementaria exigencia sobre las exigidas constitucional y legalmente para su judicial adopción original, cuya observancia, aquí no es discutida. En definitiva, en casos como el de autos, donde la injerencia en el derecho al secreto de las comunicaciones, no se dirige de manera específica a las mantenidas con el letrado, pero se grabe en el curso de la intervención, como una más consecuencia del general "arrastre", de las conversaciones mantenidas con cualquier tercero, tales grabaciones deben ser eliminadas; tal como prescribe el art. 118.4, que incorpora a nuestro ordenamiento, el art. 4 de la Directiva 2013/48/UE , de 23 de octubre.

STS 244/2021: La Ley de Enjuiciamiento Criminal, dentro de las reglas que rigen la interceptación de las comunicaciones telefónicas, dispone (art. 588 bis c. 1) que: "El juez de instrucción autorizará o denegará la medida solicitada mediante auto motivado, oído el Ministerio Fiscal. No obstante, debe resaltarse que el informe previo es un requisito que fue introducido en el artículo 588 bis c) LECRIM por Ley Orgánica 13/2015, de 5 de octubre, que entró en vigor a los dos meses de su publicación en el BOE y, por ello, el 6 de diciembre de 2015. Y a esta observación debe añadirse que el requisito se configura como un instrumento de control para la adopción de la medida de investigación injerente, pero no está prevista para sus subsiguientes prórrogas. El art. 588 bis f) no refleja esta exigencia para la extensión temporal de la decisión inicialmente acordada, recogiendo que la prórroga de la intervención telefónica puede solicitarse por el Ministerio Fiscal o la Policía Judicial, sin más secuencia que la decisión del juez, siempre que no se precisen aclaraciones a la petición (punto 2 del art. 588 bis f) de la LECrim). Una regulación que resulta acorde con la posibilidad de que, a partir de la decisión originaria, el control de legalidad que corresponde al Ministerio Fiscal encuentra su cauce de normal ejercicio a partir de la notificación del contenido de las actuaciones y con la eventual interposición de los correspondientes recursos frente a cualquier decisión judicial de la que pueda discrepar. Por último, aun cuando la exigencia hubiera estado en vigor a la fecha en la que se adoptaron las resoluciones cuya nulidad se pide, la irregularidad no podría generar el efecto invalidante que se le atribuye. La intervención telefónica no es un instrumento de investigación que esté sometido al principio de justicia rogada, al modo que podría predicarse de una medida cautelar de naturaleza personal. La petición de la medida de investigación no se reserva a las partes acusadoras, sino que se faculta cursar la petición a la policía judicial o que el juez pueda proceder de oficio a su adopción (art. 588 bis b LECrim). Por otro lado, tampoco se impone otra obligación respecto del Ministerio Público que su audiencia, lo que únicamente comporta que se garantice que pueda ejercer el control de legalidad que le corresponde. Con esta audiencia inicial el legislador garantiza un control reforzado de una medida de investigación particularmente injerente en los derechos fundamentales. Posibilita que el Ministerio Fiscal, en la función de garantía de la legalidad que comparte con la autoridad judicial y en muchas ocasiones en procedimientos que se inician precisamente a partir de una petición policial de esta actuación, pueda ofrecer consideraciones distintas de las que ofrecen los servicios policiales de investigación o de las que impulsan la actuación de oficio del Instructor, asegurándose la eventual posibilidad de impugnar la decisión ante autoridades judiciales superiores en supuestos de discrepancia. De este modo se garantiza un control efectivo de la medida, aun cuando debe resaltarse que la ausencia de ese específico control, siendo una irregularidad procesal que puede cuestionar el resultado probatorio, no constituye un defecto constitucionalmente relevante respecto al control de la medida y, por ello, determinante de una invalidez constitucional. La desatención de la previsión que analizamos resulta procesalmente inconveniente, pues supone una degradación de los instrumentos que el legislador ha dispuesto para preservar que la decisión invasiva se adopte en supuestos de clara viabilidad y justificación, evitando en lo posible que la discrepancia con el instructor se visualice siempre en vía de recurso y estando ya operativa la decisión. Sin embargo, la omisión del trámite de audiencia al Ministerio Fiscal queda fuera del límite constitucional fijado a la injerencia en el artículo 18.3 de la CE, que proclama que "se garantiza el secreto de las comunicaciones y, en especial, de las postales, telegráficas y telefónicas, salvo resolución judicial", sin que comporte un defecto constitucionalmente relevante en el control de la intervención cuando, como aquí acontece, la medida de investigación se realice en un verdadero proceso, del que tenga constancia el Ministerio Fiscal desde el primer momento y pueda por ello intervenir en las actuaciones en defensa de la legalidad y como garante de los derechos del ciudadano, garantizándose así la posibilidad real y efectiva de controlar la medida hasta su cese. Si bien es cierto que nuestra doctrina constitucional ha expresado que la garantía jurisdiccional del secreto de las comunicaciones no se colma con la concurrencia formal de una autorización del juez de instrucción, sino que la observación de las conversaciones debe ser además dictada en un proceso, único cauce que permite que sea controlable la actuación judicial y, con ello, jurídicamente eficaz, también expresa que lo que se ha considerado contrario con exigencias del artículo 18.3 CE no es el mero incumplimiento de los actos formales de intervención del Ministerio Fiscal, sino el hecho de que las decisiones, al no ser puestas en conocimiento del Fiscal, pudieran adoptarse y mantenerse en un secreto constitucionalmente inaceptable, pues equivaldría a no recaer en un auténtico proceso que permita el control de su desarrollo y cese.

Acuerdo no jurisdiccional del pleno de la Sala 2ª del TS de 26 de mayo de 2009: En los procesos incoados a raíz de la deducción de testimonios de una causa principal, la simple alegación de que el acto jurisdiccional limitativo del derecho al secreto de las comunicaciones es nulo, porque no hay constancia legítima de las resoluciones antecedentes, no debe implicar sin más la nulidad. En tales casos, cuando la validez de un medio probatorio dependa de la legitimidad de la obtención de fuentes de prueba en otro procedimiento, si el interesado impugna en la instancia la legitimidad de aquel medio de prueba, la parte que lo propuso deberá justificar de forma contradictoria la legitimidad cuestionada. Pero si, conocido el origen de un medio de prueba propuesto en un procedimiento, no se promueve dicho debate, no podrá suscitarse en ulteriores instancias la cuestión de la falta de constancia en ese procedimiento de las circunstancias concurrentes en otro relativas al modo de obtención de las fuentes de aquella prueba.

STS 373/2016: En ningún caso, mediando autorización judicial, una extralimitación genera la nulidad de toda la intervención telefónica. Las grabaciones, sobrepasado el plazo de intervención acordado, conllevan la nulidad de las realizadas fuera de plazo, pero en nada afectan a las tempestivamente obtenidas.

STS 533/2016: El incumplimiento de los plazos por la Policía de dación de cuenta periódica que haya podido fijar el correspondiente auto de intervención de las comunicaciones, siempre que se respete el límite temporal de vigencia de la medida y que exista un efectivo control judicial, no supondrá la nulidad de la intervención. En cuanto al control judicial de la medida de intervención de las comunicaciones ya acordada, solo requiere que efectúe un seguimiento de las conversaciones y conozca los resultados de la investigación, que no precisa que realice directamente la audición de lo grabado, sino meramente la autoridad judicial debe tener en cuenta para autorizar las prórrogas, conocimiento que puede obtenerse a través de las transcripciones remitidas y los informes efectuados por quienes las llevan a cabo.

STS 84/2021: En efecto, ningún precepto legal impone al Juez de Instrucción la obligación de oír las grabaciones de las conversaciones intervenidas para acordar la prorroga de las intervenciones ya autorizadas, siendo patente que el Juez puede formar criterio de tales efectos por medio de la información escrita o verbal de los funcionarios policiales que hayan interesado y practiquen la intervención.

STS 400/2016: Es doctrina constitucional reiterada que no constituye una vulneración del derecho al secreto de las comunicaciones, las irregularidades cometidas en el control judicial a posteriori del resultado de la intervención telefónica, pues no tienen lugar esos defectos durante la ejecución del acto limitativo de derechos, sino en la incorporación de su resultado a las actuaciones sumariales. En definitiva, lo relativo a la entrega y selección de las cintas grabadas, a la custodia de los originales y a la transcripción de su contenido, no forma parte de las garantías del art. 18.3 CE, sin perjuicio de su relevancia a efectos probatorios, pues es posible que la defectuosa incorporación del resultado de una intervención telefónica legítimamente autorizada no reúna las garantías de control judicial y contradicción suficientes como para convertir la grabación de las escuchas en una prueba válida para desvirtuar la presunción de inocencia. **STS 161/2020:** La cuestión planteada por la recurrente no es una cuestión de legalidad constitucional, sino de estricta legalidad ordinaria que exige la concurrencia de determinados requisitos para que las intervenciones telefónicas puedan ser valoradas por sí mismas, y en consecuencia puedan ser estimadas como medio de prueba. Por ello la falta de alguno de estos requisitos no trae como consecuencia inmediata la nulidad de determinadas actuaciones, sino la imposibilidad de valorar el contenido de las conversaciones como medio prueba, y si y únicamente como medio de investigación que puede ser completado con otros medios probatorios. Tales requisitos consisten en la aportación de las cintas íntegras al proceso y la efectiva disponibilidad de este material para las partes junto con la audición o lectura de las mismas en el juicio oral lo que le dota de los principios de oralidad o contradicción, salvo que, dado lo complejo o extenso que pueda ser su audición, se renuncie a la misma, bien entendido que dicha renuncia no puede ser instrumentalizada por las defensas para tras interesarla, alegar posteriormente vulneración por no estar correctamente introducidas en el Plenario. Tal estrategia, es evidente que podría constituir un supuesto de fraude contemplado en el artículo 11.2º de la Ley Orgánica del Poder Judicial, de vigencia también, como el párrafo primero, a todas las partes del proceso, incluidas la defensa, y expresamente hay que recordar que en lo referente a las transcripciones de las cintas, estas solo constituyen un medio contingente -y por tanto prescindible- que facilita la consulta y constatación de las cintas, por lo que sólo están son las imprescindibles. No existe ningún precepto que exija la transcripción ni completa ni de los pasajes más relevantes, ahora bien, si se utilizan las transcripciones, su autenticidad, solo vendrá si están debidamente cotejadas bajo la fe del Secretario Judicial. De lo expuesto, se deriva, que el quebrantamiento de estos requisitos de legalidad ordinaria, solo tiene como alcance el efecto impeditivo de alcanzar las cintas la condición de prueba de cargo, pero por ello mismo, nada obsta que sigan manteniendo el valor de medio de investigación y por tanto de fuente de prueba, que puede completarse con otros medios como la obtención de efectos y útiles relacionados con el delito investigado, pruebas testificales o de otra índole.

STS 307/2016: El quebrantamiento de los requisitos de legalidad ordinaria relativos a la incorporación de las intervenciones telefónicas como medio de prueba, solo tiene relevancia en el ámbito de la legalidad ordinaria, sin que determine por tanto una vulneración de derechos fundamentales del art. 11.1 LOPJ. Esta Sala considera que el quebrantamiento de los requisitos de legalidad ordinaria solo tiene como alcance el efecto impeditivo de la adjudicación de la condición de prueba de cargo a las cintas grabadas. La transcripción de las conversaciones y la verificación de su contenido con el original o cotejo, no dejan de ser funciones instrumentales; solo si se prescinde de la audición de las cintas originales en la vista oral y se sustituye por el contenido escrito de las transcripciones, debe preconstituirse la prueba con absoluta regularidad procesal, con intervención del Secretario y de las partes. La no audición de las cintas en el juicio, así como que el Secretario no leyera la transcripción de las mismas, no supone sin más que las grabaciones no puedan ser valoradas por el Tribunal sentenciador, en los supuestos en los que haya sido incorporada como prueba documental y haya sido dada por reproducida sin que nadie pidiera la audición de las cintas o la lectura de su transcripción en el juicio oral.

STS 685/2018: No obstante en el caso que aquí juzgamos no puede negarse que el agente de la guardia civil que descolgó el terminal que acababa de intervenir fuera un tercero en la conversación que quien llamaba trataba de instaurar con el usuario del policialmente intervenido. Por lo que al hacer posible la comunicación el agente policial se interpuso como tercero en su desarrollo. Aún más, en el caso, tampoco cabe prescindir de la condición policial del que abrió el camino a la realización de esa comunicación entre dos usuarios de terminales telefónicas. Y ello porque, tal condición genera el escenario en el que otro derecho es de esencial toma en consideración. Nos referimos al derecho de todo investigado penalmente a no declarar contra sí mismo.

STS 375/2018: No es posible entender que estas resoluciones establezcan una presunción iuris tantum de falsedad de estas modalidades de mensajería (mensajes de whatsapp), que debe ser destruida mediante prueba pericial que ratifique su autenticidad y que se debe practicar en todo caso; sino que, en el caso de una impugnación (no meramente retórica y en términos generales) de su autenticidad -por la existencia de sospechas o indicios de manipulación- se debe realizar tal pericia acerca del verdadero emisor de los mensajes y su contenido. Ahora bien, tal pericia no será precisa cuando no exista duda al respecto mediante la valoración de otros elementos de la causa o la práctica de otros medios de prueba.

STS 342/2013: Los mensajes de correo electrónico, una vez descargados desde el servidor y leídos por su destinatario y almacenados en una de las bandejas del programa de gestión, dejan de integrarse en el ámbito del secreto de las comunicaciones. La presencia del Secretario Judicial no ha sido considerada por el Tribunal Supremo como presupuesto de legitimidad de las operaciones de volcado de un ordenador.

STS 481/2016: Tras la reforma de la LECrim sigue sin exigirse autorización judicial para la obtención del IMSI o el IMEI; sin embargo, se exige para que la operadora ceda los datos asociados a los mismos, incluso el número de abonado.

Acuerdo no jurisdiccional del pleno de la Sala 2ª del TS de 23 de febrero de 2010: Es necesaria la autorización judicial para que los operadores que prestan servicios de comunicaciones electrónicas o de redes públicas de comunicación cedan los datos generados o tratados con tal motivo. Por lo cual, el Ministerio Fiscal precisará de tal autorización para obtener de los operadores los datos conservados que se especifican en el art. 3 de la Ley 25/2007, de 18 de octubre.

e) Captación y grabación de comunicaciones orales mediante la utilización de dispositivos electrónicos

STS 718/2020: La fijación por el Juez de instrucción de un plazo de vigencia de la medida no puede apartarse del espíritu y de la propia literalidad del art. 588 quater b). En este precepto, es cierto, no existe una referencia expresa a un plazo -como sucede en relación con el resto de las medidas de investigación que afectan a los derechos del art. 18 de la CE-, pero sí se fija una pauta inderogable para definir los límites temporales a la autorización. En efecto, la utilización de estos dispositivos "... ha de estar vinculada a comunicaciones que puedan tener lugar en uno o varios encuentros concretos del investigado con otras personas y sobre cuya previsibilidad haya indicios puestos de manifiesto por la investigación". La falta de fijación de un plazo acotado de duración de la medida no puede ser interpretada como una invitación a decisiones jurisdiccionales con términos temporales abiertos y susceptibles de sucesivas prórrogas. En la determinación de su plazo de vigencia no cabe una integración analógica con lo dispuesto para otras diligencias invasivas del derecho de intimidad, respecto de las cuales el legislador sí ha considerado conveniente la fijación de un límite temporal expreso. Para la legitimidad de una diligencia de investigación de tanta incidencia en el espacio ciudadano de exclusión de terceros, es indispensable que la resolución habilitante no pierda de vista el significado constitucional de la medida que autoriza el art. 588 quater a) de la LECrim , que no es otro que permitir la grabación de conversaciones -excepcionalmente, con inclusión de imágenes- que sea previsible van a producirse en un encuentro concreto entre los investigados. La utilización de dispositivos de grabación y escucha en el domicilio del investigado ha de ser concebida como un acto procesal de máxima injerencia -y, por tanto, de mínima duración- en la inviolabilidad del domicilio y, con carácter general, de la privacidad. El art. 588 quater a) de la LECrim no autoriza a los Jueces de instrucción a alzar la protección constitucional de esos derechos durante un plazo, más o menos abierto, con la esperanza de que algo podrá oírse durante el tiempo de vigencia de la medida. La solicitud de los agentes de policía sólo puede ser aceptada cuando contiene y describe, con el grado de precisión que permita el estado de la investigación, uno o varios encuentros de los investigados entre sí o con terceras personas que puedan resultar determinantes para el esclarecimiento del hecho. Sólo así podrá razonarse la proporcionalidad, la necesidad y la excepcionalidad de la medida. La instalación de dispositivos de grabación de sonido e imágenes -en el caso presente, sólo de sonido- no puede autorizarse por "...un término de treinta días naturales, pasados los cuales cesará la misma, de no comprobarse o descubrirse los hechos que se investigan, salvo que sea necesaria su prórroga, previa solicitud motivada a tal efecto". Ya hemos apuntado supra cómo esa referencia cronológica no puede tomarse prestada de la previsión legislativa para otro tipo de diligencias. De hecho, si se actúa conforme a ese criterio de integración, la vulneración constitucional se hace mucho más evidente. Como es lógico no son descartables situaciones en las que la previsibilidad de ese encuentro no pueda fijarse con la exactitud deseada. En esos casos -sólo en esos- será posible la fijación de un breve período de tiempo en el que el encuentro pueda llegar a tener lugar.

STS 655/2020: Más allá de la discusión acerca de si esas conversaciones orales directas son o no identificables con el derecho a la inviolabilidad de las comunicaciones, lo cierto es que la decisión judicial a que se refiere el art. 588 quáter c) conlleva una restricción del derecho a la inviolabilidad domiciliaria. El contenido del art. 18.2 CE no se agota con la proscripción de toda presencia no autorizada de un tercero en el propio domicilio. Su contenido ha de hacerse extensivo al conocimiento por los poderes públicos de lo que en el recinto domiciliario acontece, aun cuando ese conocimiento se obtenga mediante la interposición de un artilugio técnico que desnuda al morador investigado. También restringe los derechos a la intimidad y a la propia imagen. Piénsese, por ejemplo, en los contextos imaginables en los que estos diálogos pueden llegar a producirse. Y, por supuesto, repárese en la grabación de imágenes en situaciones y momentos en los que la exclusión de terceros forma parte de la más elemental reivindicación de la privacidad. Por si fuera poco, mientras la medida de interceptación de las comunicaciones telefónicas y telemáticas tiene, por regla general, un alcance bilateral, no sucede lo mismo con la instalación de este tipo de dispositivos. La afectación de los derechos no solo alcanza al investigado sino a toda la unidad familiar, o en otro caso, a quienes por una y otra razón, comparten inmueble. Precisamente por ello, ahora más que nunca cobra verdadero sentido el esfuerzo de motivación del órgano judicial que ha de dictar la resolución habilitante. En el mismo art. 588 quáter a) tienen cabida diligencias de investigación de distinto nivel de injerencia. No es lo mismo, desde luego, captar unas conversaciones orales en un aspecto público, que obtener ese diálogo en el propio domicilio del investigado. No puede tampoco equipararse el alcance de la injerencia cuando se graban solo las conversaciones del sospechoso, frente a aquellos otros supuestos en los que también se autoriza la grabación de imágenes de cualquiera de las dependencias de su domicilio. De ahí que el juicio de ponderación que ha de llevar a cabo el juez instructor ha de ser extremadamente minucioso en la explicación de las razones que llevan al sacrificio de los derechos del investigado frente al interés constitucionalmente legítimo del esclarecimiento de los hechos delictivos. Se hace, pues, necesario desterrar la admisión de modelos formularios en los que la garantía constitucional se interprete como una decisión burocrática en la que el juez se limita a una fórmula de control tan difusa como materialmente inexistente. La necesidad de una motivación ad hoc, apoyada en un juicio anticipado de necesidad se acentúa en el primero de los apartados del art. 588 quáter b) ("la utilización de los dispositivos a que se refiere el artículo anterior, ha de estar vinculada a comunicaciones que puedan tener lugar en uno o varios encuentros concretos del investigado con otras personas y sobre cuya previsibilidad haya indicios puestos de manifiesto por la investigación"). El legislador quiere destacar el mandato de renovación de la autorización judicial, siempre que resulte necesaria una nueva grabación del sonido o la imagen. Se trata, por tanto, de subrayar que, al amparo del art. 588 quáter a) no tienen cabida resoluciones abiertas, sin otra referencia limitadora que el paso del tiempo. No obstante, resulta evidente que el juez de instrucción, que ha sido informado acerca de la previsible realidad de unos encuentros de los que se va a desprender información de interés para los investigadores, puede fijar un plazo máximo de vigencia de la medida. Pero este plazo solo se extiende y justifica como garantía añadida al anticipado conocimiento de un contacto preciso, previsible y de cuya existencia próxima pueden aportarse relevantes indicios. Además se omite la exigencia del art. 588 quáter c) sobre el contenido de la resolución judicial que autorice la medida, al no hacer mención concreta al lugar o dependencias de colocación de los dispositivos, y resulta evidente que no puede equipararse autorizar las escuchas en el salón o cocina de la vivienda a una hora prudencial del día, motivada por su incipiente encuentro o visita de otros terceros sospechosos, que su colocación en otros lugares que, por estar afectados de mayor privacidad (por ejemplo: dormitorios, cuartos de baño) deslegitimarían la medida. Omisión del auto, que no solo no concreta los lugares afectados por la intervención, sino que se limita a autorizar, sin más, la instalación de dispositivos de grabación durante un tiempo -un mes- , sin referencia a un encuentro concreto, previsible y determinado, de forma totalmente aleatoria y prospectiva.

STS 875/2021: Hemos señalado en otros precedentes la necesidad de abordar con distinto enfoque aquellos supuestos en los que un particular se vale de una grabación obtenida al margen de cualquier actividad jurisdiccional, sin perseguir la preordenación probatoria, y aquellos otros casos en los que el particular se convierte en un instrumento al servicio de los agentes de la autoridad cuando topan con las limitaciones y garantías que nuestro sistema constitucional impone para restringir derechos fundamentales. La validez o nulidad probatoria de esa grabación no depende en exclusiva de quién asume la iniciativa de valerse de un dispositivo que hace posible ese registro. Habrá casos, cierto es, en los que la determinación del momento en el que se decide grabar la conversación resulte decisiva. Pero lo verdaderamente definitivo será siempre la idea, tantas veces repetida en la jurisprudencia de esta Sala, de que la ilicitud probatoria se asocia a la ventaja que obtienen los investigadores cuando eluden los límites impuestos por nuestro sistema constitucional al ejercicio del "ius puniendi" y se valen de un instrumento que les permite eludir la judicialización de las diligencias y, por si fuera poco, obtener un testimonio de tan alto poder incriminatorio, grabado aprovechando la espontaneidad de quien conversa con su interlocutor sin saber que sus palabras van a servir para fundamentar su propia condena.

STS 652/2016: Es unánime la doctrina jurisprudencial que considera que la utilización en el proceso penal de las grabaciones de conversaciones privadas realizadas por uno de los interlocutores, no vulnera en ningún caso el derecho al secreto de las comunicaciones. Tampoco vulnera el derecho a la intimidad salvo casos excepcionales en los que el contenido de la conversación afecta al núcleo íntimo de la intimidad personal o familiar de uno de los interlocutores. Existe mayor polémica en cuanto a la posible afectación del derecho a no declarar contra sí mismo y a no confesarse culpable; la doctrina mayoritaria considera que sí se vulnera tal derecho y en consecuencia incurre en nulidad probatoria cuando las grabaciones se han realizado desde una posición de superioridad institucional (agentes de la autoridad o superiores jerárquicos) para obtener una confesión extraprocesal arrancada mediante engaño, salvo los supuestos de grabaciones autorizadas judicialmente. No vulneran tal derecho cuando se han realizado en el ámbito particular. Pueden vulnerar el derecho a un proceso con todas las garantías cuando la persona grabada ha sido conducida al encuentro utilizando argucias con la premeditada intención de hacerle manifestar hechos que pudieran ser utilizados en su contra, en cuyo caso habrá de ponderarse el conjunto de circunstancias concurrentes. La doctrina jurisprudencial prescinde de calificar las manifestaciones realizadas por el inculpado en estas grabaciones como confesión, utilizando las mismas como ratificación de las declaraciones de los demás intervinientes en la conversación, que tienen el valor de testimonios de referencia sobre las declaraciones del inculpado.

f) Utilización de dispositivos técnicos de captación de la imagen, de seguimiento y de localización

STS 909/2021: La doctrina jurisprudencial entiende, con carácter general, que las grabaciones videográficas de imágenes captadas en espacios públicos, a condición de que sean auténticas y de que no estén manipuladas, constituyen un medio de prueba legítimo y válido en el proceso penal -previsto ahora expresamente en el art. 382 LEC y aplicable de forma supletoria conforme a lo dispuesto en el art. 4 LEC, sin que se requiera para su captación la previa autorización judicial. En efecto, nos encontramos con la posibilidad del uso de la prueba documental tecnológica del proceso civil aplicable al proceso penal, como en estos casos se realiza cuando las Fuerzas y Cuerpos de Seguridad del Estado recaban del comercio la observación de las imágenes en uso de las facultades investigadoras que se les confiere.

STS 135/2019: Esta Sala tiene declarado de forma reiterada, con el respaldo de la jurisprudencia constitucional, que la filmación de escenas presuntamente delictivas que suceden en espacios públicos no vulnera derechos fundamentales si los aparatos de captación no invaden el espacio reservado para la intimidad de las personas. El material fotográfico y videográfico obtenido en el ámbito público y sin intromisión indebida en la intimidad personal o familiar tiene un valor probatorio innegable. La eficacia probatoria de la filmación videográfica está subordinada a la visualización en el acto del juicio oral, para que tengan realidad los principios procesales de contradicción, igualdad, inmediación y publicidad. Ahora bien, aun partiendo de la legitimidad de la grabación, es necesario activar los controles pertinentes para enervar cualquier riesgo de alteración o trucaje del material videográfico obtenido, o lo que es lo mismo, garantizar su autenticidad. A estos fines, más allá de los posibles exámenes técnicos, es imprescindible, cuando ello es posible, la confrontación de la grabación con el testimonio en el acto del juicio oral del operador que la obtuvo y fue testigo directo de la misma escena que filmó. Sin embargo, este último requisito no será exigible, naturalmente, en el caso de que la cinta videográfica no haya sido filmada por una persona, sino por las cámaras de seguridad de las entidades que, por prescripción legal, o por iniciativa propia, disponen de esos medios técnicos que graban de manera automática las incidencias que suceden en su campo de acción. En tales supuestos, es necesario extremar el rigor de las medidas de control de la filmación así obtenida, en tanto que en este supuesto, la prueba vendrá constituida exclusivamente por las imágenes que contenga la película, sin posibilidad de ser complementadas y confirmadas por la declaración personal del inexistente operador. Ahora bien, ello no supone que sea necesaria la declaración de las personas encargadas del control de esas cámaras, que son simplemente testigos de lo que ellas reproducen, y no directos del suceso grabado. En tales casos, la eficacia probatoria de la filmación videográfica está subordinada a la visualización en el acto del juicio oral, para que tengan realidad los principios procesales de contradicción, igualdad, inmediación y publicidad.

STS 99/2020: No estarían autorizados, sin el oportuno plácet judicial, aquellos medios de captación de la imagen o del sonido que filmaran escenas en el interior del domicilio prevaliéndose de los adelantos y posibilidades técnicas de estos aparatos grabadores, aun cuando la captación tuviera lugar desde emplazamientos alejados del recinto domiciliario, ni tampoco puede autorizarse la instalación de cámaras en lugares destinados a actividades donde se requiere la intimidad como las zonas de aseo.

STS 222/2015: El hecho de grabar las imágenes relativas a la actuación profesional de los agentes en el lugar en que las mismas se llevaban a cabo, cuando había fundadas sospechas de su irregular proceder, en modo alguno puede suponer ilícita la intromisión en su intimidad, y menos aún al honor o a la propia imagen.

STS 793/2013: La cámara oculta ha sido rechazada por el Tribunal Constitucional (STC 12/2012); no obstante, cuando hay otro derecho fundamental en juego, no procede descartarla automáticamente, debiendo el Tribunal realizar el juicio de ponderación atendiendo a los principios de proporcionalidad, necesidad y racionalidad.

STS 198/2022: La ubicación espacio temporal de una determinada persona o incluso de un objeto, resulta de indudable interés en la investigación diaria de múltiples delitos, de modo que la reforma de nuestra Ley de Enjuiciamiento consecuencia de la LO 13/2015, otorga carta de naturaleza a concretos medios de investigación tecnológicos que posibilitan esta averiguación en el curso del proceso penal, contando con previsión legal varias modalidades de su logro, que en cada caso conllevarán diversa intensidad en la injerencia que suponen en la vida privada del investigado y consiguientemente diversa regulación. En el caso de autos, la acordada e impugnada es la adoptada conforme a las previsiones del art. 588 quinquis b) Utilización de dispositivos o medios técnicos de seguimiento y localización, que en su primer apartado indica: Cuando concurran acreditadas razones de necesidad y la medida resulte proporcionada, el juez competente podrá autorizar la utilización de dispositivos o medios técnicos de seguimiento y localización. Ya la Exposición de Motivos de la Ley 13/2015, que incorpora esta normativa en la LECrim, anticipa que la incidencia que en la intimidad de cualquier persona puede tener el conocimiento por los poderes públicos de su ubicación espacial, hace que la autorización para su práctica se atribuya al juez de instrucción; exigencia expresa que determina la caducidad de la mayor parte de la jurisprudencia que no contemplara ya la reforma, condicionada por la ausencia de una cobertura normativa precisa. Además, en el apartado 2 del art. 588 quinquis b), se impone el deber de especificar el medio técnico que va a ser utilizado; en el apartado 3 un deber específico de asistencia y colaboración al juez, al Ministerio Fiscal y a los agentes de la Policía Judicial designados para la práctica de la medida; en el apartado 4, previsiones especiales para cuando concurran razones de urgencia; y en el art. 588 quinquis c), se indica un plazo máximo de la medida de tres meses, prórrogas excepcionales, entrega la juez de las copias originales o copias electrónicas auténticas que contengan la información recogida y la debida custodia de la información obtenida para evitar su utilización indebida. Si bien el TEDH, en matiz diferenciado de la jurisprudencia norteamericana, al examinar las condiciones de compatibilidad de la previsión legal de esta injerencia con el estado de derecho, aunque entiende igualmente aplicables los principios generales sobre la protección adecuada contra la injerencia arbitraria en los derechos del artículo 8 CEDH, consideró que los criterios relativamente estrictos, establecidos y seguidos en el contexto específico de la vigilancia de las telecomunicaciones, no son directamente aplicables a la vigilancia por GPS de los movimientos en público y, por lo tanto, a una medida que, en comparación con la interceptación de conversaciones telefónicas, debe considerarse que constituye una interferencia menos significativa en la intimidad del interesado (SSTEDH de 2 de diciembre de 2010 Uzun c. Alemania, § 66 ; ó de 27 de octubre de 2015 R.E. c. Reino Unido § 129). De ahí que el TEDH, al ponderar las salvaguardias adecuadas y suficientes contra los abusos en la adopción de estas injerencias, la necesidad de un control judicial sobre la legalidad y necesidad de la medida, posibilite que en caso de no haber sido ex ante, tal omisión puede ser contrarrestada con un control judicial ex post; posibilidad que en nuestro ordenamiento se ha limitado a los supuestos de urgencia. Y en cuanto a la proporcionalidad en atención a gravedad de los delitos investigados, es cierto que ninguna relación contiene al respecto la LECrim, a diferencia de la regulación establecida para otras medias de investigación tecnológicas [interceptación de las comunicaciones telefónicas y telemáticas: arts. 579.1 por remisión del 588 ter a); utilización de dispositivos para grabación de las comunicaciones orales directas: 588 quater b); registros remotos sobre equipos informáticos: 588 septies b)], pero dado que el TEDH, afirma con frecuencia, que la injerencia en la intimidad originada por dispositivos de localización es de menor entidad que la ocasionada por la interceptación de comunicaciones donde se permite para delitos dolosos cuya pena máxima sea al menos de tres años, pareciera que el legislador voluntariamente en relación con las medidas de localización, no limita su aplicación en relación con delito alguno, claro está, siempre que concurran los principios de especialidad, idoneidad, excepcionalidad, necesidad y proporcionalidad de la medida y posibiliten la preceptiva autorización judicial.

STS 530/2020: En el apartado 4 del mismo artículo se contemplan los casos en los que concurran "razones de urgencia que hagan razonablemente temer que de no colocarse inmediatamente el dispositivo o medio técnico de seguimiento y localización se frustrará la investigación" permitiendo entonces a la Policía Judicial la colocación del dispositivo, e imponiéndole la obligación de comunicarlo a la autoridad judicial a la mayor brevedad y, en todo caso, dentro de las siguientes 24 horas. La autoridad judicial podrá ratificar la medida adoptada o acordar su inmediato cese en el mismo plazo. Y precisándose que, en este último caso, la información obtenida a partir del dispositivo colocado carecerá de efectos en el proceso. De esta regulación se desprende la absoluta imprescindibilidad de la autorización judicial para que los datos obtenidos, como elementos de investigación o de prueba, puedan ser utilizados en la causa. Es claro, pues, que, si no existe autorización judicial, lo obtenido mediante este medio de investigación no podrá ser utilizado. Tampoco ofrece duda que estas exigencias legales son plenamente aplicables a las investigaciones policiales que se desarrollen en territorio español, sea por agentes policiales españoles o sea por agentes extranjeros en los casos en que las normas sobre cooperación policial internacional lo permitan. Cuando los dispositivos se hayan instalado en otro país y se continúe la intervención en territorio español, debe ponerse en conocimiento de la autoridad judicial, en la forma y a los efectos previstos en las normas de cooperación internacional.

STS 141/2020: Es cierto que el conocimiento por los poderes públicos, en el marco de una investigación penal, de la ubicación espacio-temporal del sospechoso, encierra una injerencia de menor intensidad que otros actos de investigación perfectamente imaginables. La intimidad como valor constitucional adquiere importantes matices axiológicos en función del alcance y la intensidad de la intromisión que cada uno de esos instrumentos tecnológicos permita. Sin embargo, tal forma de razonar no puede llevarnos a banalizar el acto de intromisión estatal que la utilización de un GPS representa en el círculo de derechos fundamentales de cualquier ciudadano. No faltarán los casos en que el conocimiento del lugar exacto en que se halla una persona se limite a otorgar una ventaja operativa a los investigadores. Pero son también imaginables espacios de ubicación que pierden su aparente neutralidad para precipitar una radiografía ideológica o religiosa del investigado. La asistencia a actos públicos de una determinada formación política, el seguimiento de actos de culto de una u otra confesión religiosa, la presencia en centros de ocio expresivos de la opción sexual del investigado o, en fin, la permanencia en un centro sanitario para cualquier intervención quirúrgica, son datos personales que pueden afectar al núcleo duro de la intimidad y quedar al descubierto si no se protege adecuadamente al ciudadano frente a la tentación de los poderes públicos de extremar injustificadamente los mecanismos de injerencia. La Sala, por tanto, no puede avalar un entendimiento de la utilización de dispositivos de geolocalización que relativice su potencial eficacia invasora en la intimidad del investigado. Es preciso reconocer que, a diferencia de lo que acontece con otras medidas de injerencia -cfr. arts. 588 ter a) o 588 quater b)-, la nueva regulación no menciona la exigencia de que el acto jurisdiccional habilitante sea el desenlace de un juicio de proporcionalidad. El legislador no consideró procedente definir los parámetros cuantitativos o cualitativos de gravedad del delito que haría viable el empleo de estos dispositivos en la investigación. Este silencio, sin embargo, no puede interpretarse como una relajación de las exigencias constitucionales proclamadas por el art. 588 bis a). Los principios de proporcionalidad, necesidad y excepcionalidad siguen actuando como presupuestos de legitimidad, cuya concurrencia ha de quedar expresamente reflejada en la resolución judicial habilitante. De ahí que el discurso justificativo basado en una pretendida voluntad legislativa de debilitar el deber judicial de motivación de las resoluciones restrictivas de derechos, no puede ser admitido.

g) Registro de dispositivos de almacenamiento masivo de información

STS 587/2014: Los datos almacenados masivamente en un dispositivo, dada su multifuncionalidad, podrían encuadrarse en un derecho al entorno virtual, como un derecho de nueva generación.

STS 786/2015: Más allá del tratamiento constitucional fragmentado de todos y cada uno de los derechos que convergen (art. 18 CE) en el momento del sacrificio, existe un derecho al propio entorno virtual, en el que se integrarían, sin perder su genuina sustantividad como manifestación de derechos de *nomen iuris* propio, toda la información en formato electrónico que, a través del uso de las nuevas tecnologías, ya sea de forma consciente o inconsciente, va generando el usuario hasta el punto de dejar un rastro susceptible de seguimiento por los poderes públicos; surge entonces la necesidad de dispensar una protección jurisdiccional a ese entorno virtual. El consentimiento del investigado, que puede ser verbal e incluso tácito pero derivado de actos concluyentes, legitima la injerencia en el derecho a la intimidad, porque corresponde a cada persona acotar el ámbito de intimidad personal y familiar que reserva al conocimiento ajeno.

STS 311/2020: El acceso a la información contenida en un ordenador precisa de una justificación singularizada y distinta de la que se exige para una entrada y registro en domicilio, bien en el mismo auto, bien en resoluciones independientes. Un ordenador no es una simple pieza de convicción ocupada en un registro. Hay una serie de exigencias que derivan de la propia naturaleza del acto y de su funcionalidad dentro del proceso, que han sido expresadas por esta Sala para el registro domiciliario y que. también son exigibles para la comunicación voluntaria de las claves a la policía y que son: a) El acto de comunicación debe ser consciente y libre, lo que exige que no esté invalidado por error, violencia o intimidación de cualquier clase y que no se condicione a circunstancia alguna periférica, como promesas de cualquier actuación policial. Deber ser prestado en condiciones de serenidad y libertad ambiental. b) Puede ser verbal o por escrito, pero debe quedar reflejo en el atestado mediante la correspondiente diligencia. c) Puede ser expreso o tácito, mediante actos propios, de colaboración o de no oposición que revelen de modo inequívoco la voluntad del sujeto, ya que las dudas sobre el consentimiento presunto habrán de resolverse en favor de la no autorización, en virtud del principio in dubio libertas y el criterio declarado por el Tribunal Constitucional de interpretar siempre las normas en el sentido más favorable a los derechos fundamentales de la persona. d) Debe ser realizado por el titular o usuario del equipo informático afectado y en relación a un asunto concreto del que tenga conocimiento quien lo presta, sin que se pueda aprovechar para otros fines distintos. e) En el caso de que la cesión voluntaria de las claves de produzca en el contexto de una diligencia de entrada y registro y para cumplimiento de las previsiones establecidas en el auto judicial habilitante, será necesaria la presencia del Letrado de la Administración de Justicia. f) Por último, no es requisito imprescindible que, en caso de detención, la cesión voluntaria de las claves se haga a presencia de Letrado y no lo es porque la ley no lo exige y porque la manifestación del detenido tiene un alcance muy limitado y no supone per se una injerencia en el derecho a la intimidad, ya que para acceder al contenido de la información alojada en el ordenador no basta con el consentimiento del interesado sino que se precisa autorización judicial. Sin embargo, la asistencia de Letrado es muy recomendable y es expresión de una buena práctica porque aleja toda sombra de sospecha sobre las condiciones en que se produjo esa comunicación. Ya hemos dicho que la colaboración del detenido debe ser, en todo caso, libre, voluntaria y ajena a presiones ambientales, por lo que la presencia de Letrado y la ausencia de protesta en la práctica de la diligencia será un indicador de suma relevancia para evitar toda controversia posterior.

STS 287/2017: Frente a lo que sucede respecto del contenido material de otros derechos, el derecho a la intimidad, o si se quiere, el espacio de exclusión que frente a otros protege el derecho al entorno virtual, es susceptible de ampliación o reducción por el propio titular. Quien incorpora fotografías o documentos digitales a un dispositivo de almacenamiento masivo compartido por varios, es consciente de que la frontera que define los límites entre lo íntimo y lo susceptible de conocimiento por terceros, se difumina de forma inevitable. Desde luego son imaginables usos compartidos de dispositivos de esa naturaleza en los que se impongan reglas de autolimitación que salvaguarden el espacio de intimidad de cada uno de los usuarios.

STS 723/2018: Lo cierto es que tanto desde la perspectiva del derecho de exclusión del propio entorno virtual, como de las garantías constitucionales exigidas para el sacrificio de los derechos a la inviolabilidad de las comunicaciones y a la intimidad, la intervención de un ordenador para acceder a su contenido exige un acto jurisdiccional habilitante. Y esa autorización no está incluida en la resolución judicial previa para acceder al domicilio en el que aquellos dispositivos se encuentran instalados. De ahí que, ya sea en la misma resolución, ya en otra formalmente diferenciada, el órgano jurisdiccional ha de exteriorizar en su razonamiento que ha tomado en consideración la necesidad de sacrificar, además del domicilio como sede física en el que se ejercen los derechos individuales más elementales, aquellos otros derechos que convergen en el momento de la utilización de las nuevas tecnologías.

STS 489/2018: ¿Se puede acceder a un dispositivo de almacenamiento masivo usado por un empleado con la firme y decidida finalidad de acceder en exclusiva a los archivos relacionados con la empresa? En principio no. Tan solo cuando haya precedido un consentimiento expreso o derivado implícita e inequívocamente del compromiso asumido previamente por el trabajador, será legítima esa actuación. El empleo de una herramienta de filtrado del tipo búsqueda "ciega" no legitima por sí sola la injerencia. Limitar los perjuicios de la intromisión a lo estrictamente necesario consiguiendo no afectar a elementos ajenos a la empresa o relacionados con la intimidad del usuario no sirve para revertir en legítima la intromisión ab initio ilegítima. Ha de ser una valoración apriorística y no a expensas de los concretos contenidos obtenidos. La ilegitimidad no deriva del contenido obtenido, ni de la forma de acceso más o menos intrusiva, sino del mismo acceso inconsentido y no advertido previamente. Como hemos visto, la jurisprudencia ha situado la clave de la legitimidad de la injerencia empresarial en la ausencia de toda expectativa de confidencialidad por parte del trabajador que sufre la intromisión que puede basarse en una cláusula contractual o en una advertencia del empresario o en la legítima instrucción expresa de limitar el uso del dispositivo a fines laborales. La existencia de un precepto incorporado al convenio del sector donde se prohíbe el uso personal de los instrumentos informáticos, la suscripción de una cláusula que reserva al empresario esa facultad o, en fin, la comunicación, por uno u otro medio, del uso de mecanismos tecnológicos de fiscalización, difuminan el espacio de exclusión del trabajador.

STS 56/2022: En el caso, el exhaustivo acceso a los contenidos de correo electrónico no vino precedido de ninguna advertencia, no estuvieron presentes las personas afectadas, no se identificó previamente una finalidad precisa, vinculada a la propia actividad empresarial desarrollada, no se adoptó ninguna fórmula de atemperación de la extensión subjetiva del acceso y los contenidos documentados fueron, finalmente, utilizados para fundar la acción penal, no solo contra el otro socio sino también contra los propios empleados usuarios de las cuentas de correo. A diferencia del supuesto analizado en la STC 170/2013 -cuya doctrina fricciona en algunos puntos con la mantenida por el Tribunal Europeo de Derechos Humanos en el caso BÁRBULESCU-, no cabe, en modo alguno, identificar que el acceso a los canales de comunicación empleados respondiera "al ejercicio del poder de inspección reconocido al empresario y sometidos, en consecuencia, a su posible fiscalización". El acceso fue desproporcionado y lesionó los derechos a la privacidad y a la intimidad de las personas afectadas. Notas que aproximan intensamente el supuesto al contemplado en la STS 489/2018, cuya invocación por el tribunal de instancia cuestiona el recurrente en su recurso.

STS 580/2020: En todo caso, conforme venimos señalando en consonancia con la doctrina constitucional, el volcado de la información contenida en un dispositivo de almacenamiento masivo es meramente funcional, y no se lleva a cabo una selección, sino que se realiza una copia íntegra a fin de realizar una pericia sobre ese contenido, como aconteció en el supuesto examinado.

Por ello, ni siquiera es necesaria la presencia del Letrado de la Administración de Justicia.

3. Hallazgos casuales

STS 423/2016: Esta Sala, no sin ciertas oscilaciones, ha admitido la validez de la diligencia, cuando aunque el registro se dirigiera a la investigación de un delito específico, se encontraran efectos o instrumentos de otro que pudiera entenderse como delito flagrante. La teoría de la flagrancia ha sido pues una de las manejadas para dar cobertura a los hallazgos casuales, y también la de la regla de la conexidad de los artículos 17.5 y 300 LECrim, teniendo en cuenta que no hay novación del objeto de la investigación, sino simplemente adición. La Constitución no exige en modo alguno que el funcionario que se encuentre investigando unos hechos de apariencia delictiva, cierre los ojos ante los indicios de delito que se presentasen a su vista, aunque los hallados casualmente sean distintos a los hechos comprendidos en su investigación oficial, siempre que ésta no sea utilizada fraudulentamente para burlar las garantías de los derechos fundamentales. Del mismo modo, el que se estén investigando unos hechos delictivos, no impide la persecución de cualquiera otros distintos que sean descubiertos por casualidad al investigar aquellos, pues los funcionarios de policía tienen el deber de poner en conocimiento de la autoridad competente los delitos de que tuvieran conocimiento, practicando incluso las diligencias de prevención que fueren necesarias por razón de urgencia, tal y como disponen los artículos 259 y 284 LECrim. Pero esa doctrina de validez del hallazgo casual presupone que el descubrimiento de los efectos que permiten afirmar la existencia de un segundo delito sumado al inicialmente perseguido, ha de producirse durante el desarrollo de una diligencia de registro no afectada de nulidad. Es preciso que el registro esté debidamente autorizado, aun cuando lo fuera con la finalidad de descubrir un delito distinto, y que el hallazgo se produzca de buena fe. Sin embargo, la buena voluntad de los agentes y el deseo de excluir cualquier riesgo, no pueden invocarse como argumentos de justificación ex post, convirtiendo en acto probatorio válido un registro domiciliario que está estructuralmente viciado por la falta de habilitación.

4. Cadena de custodia

STS 277/2016: La cadena de custodia sirve para acreditar la mismidad del objeto analizado. No es presupuesto de validez sino de fiabilidad. Cuando se rompe la cadena de custodia no nos adentramos en el campo de la ilicitud o inutilidad probatoria, sino en el de la menor fiabilidad, por no haberse respetado algunas garantías. La simple inobservancia de las normas que regulan la cadena de custodia, no es por sí suficiente para desvirtuar la mismidad del efecto, que puede resultar acreditada por otros medios probatorios.

STS 587/2014: Irregularidad en los protocolos establecidos como garantía de la cadena de custodia, no equivale a nulidad.

STS 147/2015: Lo relevante a efectos de la cadena de custodia es que puedan excluirse dudas razonables sobre la identidad e integridad de las muestras. La jurisprudencia ha admitido que las testificales pueden ser hábiles para acreditar el mantenimiento de la cadena de custodia, excluyendo tales dudas razonables.

5. La prueba penal ilícita y su efecto sobre la refleja

STC 114/1984: Sostiene la inadmisibilidad o impertinencia de la prueba obtenida con vulneración de los derechos fundamentales (doctrina que es posteriormente refrendada por el art. 11.1 LOPJ).

STC 81/1998: (Construye la doctrina de la conexión de antijuricidad[498], y fija la competencia para su examen en los Jueces y Tribunales ordinarios) La cuestión de si se ha roto o no el nexo entre una prueba y otra, no es un hecho sino un juicio de experiencia acerca del grado de conexión, que determina la pertinencia o impertinencia de la prueba cuestionada. Las pruebas que son válidas en sí mismas, aunque conectadas causalmente con las anuladas por ilícitas, por haberse obtenido con vulneración de derechos fundamentales, no pueden ser rechazadas de un modo automático, sino que se hace preciso examinar si entre unas y otras existe lo que se llama "conexión de antijuricidad", es decir, una binaria relación entre ambas, tanto fáctica o causal-natural, como jurídica, es decir, si existe algún hecho o elemento en el que pueda sustentarse de forma independiente o independizable el resultado probatorio en cuestión, y además si cabe descartar que de la valoración de esa prueba no se va a producir un vaciamiento del derecho fundamental primigeniamente violado.

---

[498]   Doctrina de la conexión de antijuricidad, que se ha venido sirviendo de teorías o doctrinas accesorias en orden a determinar, en el caso concreto, la desconexión de antijuricidad de las pruebas derivadas y su consiguiente eficacia, y entre las que señalamos las siguientes: 1) Doctrina de la buena fe: desconexión de la testifical de los agentes que participaron en la diligencia ilícita, cuando los mismos actuaron de buena fe, con la convicción de la licitud de la diligencia y desconociendo la consiguiente lesión de derecho fundamental alguno; 2) Doctrina de la fuente independiente: excluye la aplicación del efecto reflejo cuando no se constata la vinculación directa entre la ilícita y las restantes diligencias; desvinculación que se entiende real y no meramente potencial; 3) Doctrina del descubrimiento inevitable: La indicada vinculación es potencial, otorgando así validez a la refleja cuando la evidencia obtenida hubiera sido alcanzada o descubierta de modo inevitable por una conducta policial respetuosa con los derechos fundamentales e independiente de la lesión; 4) Doctrina del nexo causal atenuado o el vicio saneado: Se legitima la validez probatoria de las evidencias obtenidas ilícitamente, mediante la declaración autoincriminatoria del investigado o acusado, prestada de forma libre y voluntaria.

6. Medios de prueba

STS 57/2015: El derecho a la prueba, incardinado en el derecho a un procedimiento justo con todas las garantías, no es un derecho absoluto ni incondicionado, debiendo el Tribunal valorar la pertinencia, necesidad y posibilidad de su práctica.

STS 710/2020: La sentencia de Gran Sala del Tribunal Europeo de Derechos Humanos, de 18 de diciembre de 2018, caso Murtazalayeva c. Rusia, ofrece un método muy funcional para evaluar la compatibilidad de las decisiones de inadmisión probatoria, en particular cuando afectan a la defensa, con las exigencias del artículo 6.3 d) CEDH, que puede servir de interesante guía a los tribunales nacionales para el desarrollo de su función de control. La doctrina Murtazalayeva, con una no disimulada vocación de gran precedente - key case o affaire phare, en la terminología clasificatoria que utiliza el Tribunal en su propia base de datos-, reelabora, añadiendo nuevos elementos de evaluación, el estándar fijado en la STEDH, caso Perna c. Italia, de 6 de marzo de 2003, sobre juicios de inadmisión probatoria. Estándar que había sido tachado de excesivamente indeferente con las posiciones defensivas. El estándar Perna sobre decisiones de inadmisión probatorias giraba sobre dos cuestiones esenciales: primera, ¿La parte agraviada ha fundamentado su solicitud de práctica de prueba especificando su importancia para la "manifestación de la verdad"?; segunda, ¿La negativa de los tribunales nacionales a su práctica menoscabó la equidad del juicio? La sentencia Murtazalayeva aclara algunos contenidos e incorpora un nuevo, e importante, ítem: ¿Los tribunales nacionales a la hora de rechazar la práctica del medio de prueba propuesto dieron razones suficientes para fundar su decisión? Como se afirma en la propia sentencia Murtazalayeva, "la evaluación judicial de la pertinencia del medio de prueba propuesto y el razonamiento de los tribunales nacionales contenido en su respuesta a la solicitud de la defensa de que se escuche a un testigo, constituyen el vínculo lógico entre los dos elementos de evaluación que integran el estándar Perna, actuando como elemento material implícito. (...) Si bien en aras de la claridad y la coherencia de su práctica, el Tribunal considera conveniente hacer de ello un elemento [de evaluación] explícito. Evolución que, como destaca, y reconoce, el propio Tribunal, "está en consonancia con la jurisprudencia reciente en el ámbito del artículo 6 de la Convención, que subraya la importancia primordial de la obligación de los tribunales de examinar detenidamente las cuestiones pertinentes introducidas por la defensa si lo solicita con suficiente justificación. Con relación a cada uno de los niveles de control antes apuntados, la sentencia Murtazalayeva utiliza valiosos criterios de evaluación. Así, con relación a la carga de alegación y argumentación razonada que incumbe a las defensas sobre la necesidad del medio probatorio propuesto, el Tribunal de Estrasburgo si bien reitera que el potencial informativo del medio propuesto debe ir destinado a "determinar la verdad" o "influir en el resultado del juicio", como se sostuvo en el caso Perna, considera necesario "aclarar" este criterio incluyendo en su ámbito de aplicación también aquellas solicitudes de medios de prueba "de los que se pueda esperar razonablemente que refuercen la posición de la defensa". Evaluación que requiere atender, de forma necesaria, a las circunstancias del caso, a la etapa de las actuaciones, a los argumentos y estrategias adoptadas por las partes y a su conducta durante el desarrollo del proceso. Respecto al segundo nivel de control, el grado de razonabilidad de la respuesta ofrecida por el tribunal, la garantía del artículo 6.3 d) CEDH exige que los tribunales nacionales examinen la pertinencia de la pretensión solicitada por la defensa y justifiquen suficientemente sus decisiones sobre este punto. De tal modo, se concluye en la sentencia de 18 de diciembre de 2018, cuanto más sólidos y fundamentados sean los argumentos presentados por la defensa, más tendrá que realizar el juez nacional un examen exhaustivo y presentar un razonamiento convincente para rechazar la solicitud de la defensa de práctica de un medio de prueba. Y en cuanto al tercer nivel de control, el relativo a si la decisión del rechazo del medio de prueba propuesto afectó negativamente a la equidad del juicio, el Tribunal Europeo de Derechos Humanos, desde su particular posición de garante de la protección de las garantías convencionales -no de las reglas procesales internas- exige una valoración del desarrollo del proceso en su conjunto pues ello permite evitar que la aplicación del estándar de control se convierta en excesivamente rígida y mecánica. No obstante, al hilo de la cuestión, sugiere que una base razonable en la solicitud de práctica probatoria y una denegación injustificada o arbitraria por parte del tribunal son dos indicadores de inequidad en el desarrollo del proceso. Como supuestos concretos, el TEDH ha precisado que la audiencia de un testigo de descargo cuando su testimonio va dirigido a confirmar la coartada del acusado debe ser considerada a priori pertinente -vid. STEDH, caso Polyakov c. Rusia, 29 de enero de 2009-.Por el contrario, en un caso en el que se pretendían aportar datos defensivos que nada tenían que ver con los hechos de la acusación se descartó toda relevancia para demostrar la inocencia del acusado -vid. STEDH, caso Tymchenko c. Ucrania, de 13 de octubre de 2016-. También se ha pronunciado sobre que el tribunal nacional no está obligado a admitir solicitudes de práctica probatoria manifiestamente abusivas -vid. STEDH, caso Dorokhov c. Rusia, 14 de febrero de 2008-.Pues bien, partiendo del estándar Murtazalayeva, a la luz aplicativa derivada de nuestra propia jurisprudencia -vid. por todas, SSTS 679/2018 de 20 de diciembre de 2018; 663/2020, de 24 de noviembre que sintetizan el cuadro de condiciones para el análisis del motivo "1º) Que la prueba haya sido pedida en tiempo y forma 2º) Que esté relacionada con el objeto del proceso y sea útil, es decir con virtualidad probatoria relevante respecto a extremos fácticos objeto del mismo, 3º) Que sea posible su realización por no haber perdido aún capacidad probatoria y 4º) Que ante la denegación de su práctica se formula protesta por su proponente".

STS 872/2008: La proposición de los medios de prueba al inicio de las sesiones del juicio oral en el procedimiento abreviado, está sujeta a: a) Que esté justificada de forma razonada; b) Que no suponga un fraude procesal; c) Que no constituya un obstáculo a los principios de contradicción e igualdad de armas.

STS 32/2019: El artículo 746.6 de la LECrim reconoce a las partes, concretando el artículo 24.2 de la Constitución Española, el derecho a producir nueva prueba cuando revelaciones inesperadas produzcan alteraciones sustanciales en los juicios. Sin embargo, la prueba debe ser pertinente en el sentido establecido por la jurisprudencia. Desde este punto de vista solo serán las pruebas que guarden relación con el objeto de decisión del proceso. La solicitud de suspensión para la práctica de la información es, en definitiva una manifestación del derecho a producir pruebas, establecida con el rango de fundamental por el artículo 24 de la Constitución Española y consecuentemente, el régimen de admisión o inadmisión, al no tratarse de un derecho ilimitado viene determinado por la nota de pertinencia a qué se refiere el propio artículo 24 citado, pertinencia que, para este supuesto excepcional viene configurado en la propia norma que lo establece (artículo 746.6) que tales revelaciones inesperadas produzcan alteraciones sustanciales en los juicios, lo cual determina la precisión de existencia de un íntimo enlace entre el fin de la información suplementaria y el objeto de la pretensión punitiva.

STS 539/2018: De acuerdo a reiterada jurisprudencia de esta Sala, el quebrantamiento de forme por denegación de prueba exige unos requisitos necesarios para la estimación y, consecuente, nulidad del enjuiciamiento tendentes a clarificar la observancias de los requisitos procesales en orden a la regularidad de la pretensión de prueba, y para constatar la existencia de una efectiva indefensión. Así hemos declarado que el quebrantamiento de forma requiere: a) Un requisito formal: la oportuna propuesta en tiempo y en la forma legalmente impuesta. El proceso penal aparece conformado por requisitos que obedecen al proceso debido y que deben ser observados por las partes, entre otras razones para evitar una efectiva lesión; b) El requisito de pertinencia: Conforme al mismo el medio propuesto ha de poseer una relación con el objeto del proceso, o más exactamente con el tema de prueba. Si aquello que se propone demostrar es ajeno a lo que la decisión del proceso exige que sea demostrado, el medio es no pertinente; c) Su práctica debe ser necesaria: Con ello se exige que entre el medio y lo que se trata de demostrar exista una relación instrumental. Para tal objetivo el empleo del medio debe resultar ineludible. Ahí se afecta al derecho a no sufrir indefensión, pues de no concurrir el objetivo probatorio de la parte devendría frustrado. Es de subrayar que la presencia de este requisito puede variar según el momento del procedimiento. Lo inicialmente necesario -por ejemplo al tiempo de decidir la admisión del medio puede devenir innecesario -por ejemplo al tiempo en que su práctica estaba prevista- lo que ocurrirá si la práctica de otros medios, conforme a una ponderada valoración, hacen prescindible el excluido, cualquiera que sea su eventual resultado. Por ello se hace referencia a la necesidad de ponderar la prueba de cargo ya practicada en el momento de denegar la práctica de un determinado medio. Sea de manera directa sea indirectamente al denegar la suspensión del juicio para disponer de dicho medio en una sesión ulterior; d) La práctica del medio, incluso después de su admisión, ha de resultar posible. Lo que exige ponderar las circunstancias del caso concreto. A tal situación cabe equiparar aquéllas en que la dificultad resulte, por extrema, no proporciona; e) Además se requiere que el resultado eventual del medio resulte de indudable relevancia. Atañe esta exigencia a la consideración del sentido de la resolución que ha de fundarse en dicho resultado probatorio. Sea la de condena o absolución, sea cualquier otra consecuencia de transcendente contenido penal. Para ser relevante ha de considerarse que tenga potencialidad para modificar de alguna forma importante el sentido del fallo, a cuyo efecto el Tribunal puede tener en cuenta el resto de las pruebas de que dispone; f) Como carga de orden procesal, se viene exigiendo la exteriorización, al tiempo de la exclusión del medio, de la oportuna protesta. Y además, como se reitera por la Jurisprudencia, han de hacerse constar las preguntas que quien la propone pretendía dirigir al testigo, con la finalidad de que, primero el Tribunal de enjuiciamiento, y después esta Sala, en su caso, puedan valorar la trascendencia de la prueba propuesta. En cualquier caso, la parte que la propone, debe preocuparse de que conste la eventual trascendencia de la prueba respecto del fallo de la sentencia. La omisión de este requisito no impedirá, sin embargo, la estimación del motivo cuando la pertinencia y necesidad de la prueba se desprenda fácilmente de su propia naturaleza y características. El fundamento de la exigencia no es otro que el de dar oportunidad a la sala de enjuiciar de replantearse su inicial decisión poniendo de manifiesto la entidad de la denegación y la indefensión que se produce.

Siquiera esta exigencia deba ser objeto de cierta relativización cuando se estima vulnerado el derecho en su contenido constitucional; g) En la sentencia de este mismo Tribunal de 10 de Junio del 2011, también requeríamos para estimar este motivo que los órganos judiciales hayan rechazado inmotivadamente su práctica, con una explicación incongruente, arbitraria o irrazonable, de una manera tardía; h) Y, añadíamos en esa misma sentencia como requisito, que, habiendo admitido la prueba, finalmente no hubiera podido practicarse ésta por causas imputables al propio órgano judicial, habiendo de tenerse en cuenta a este respecto que no resulta aceptable que de la admisión se derive un bloqueo absoluto del trámite o, en el mejor de los casos, se incurra en la violación del derecho, también constitucional, a un juicio sin dilaciones indebidas, en tanto que al juez tampoco le puede ser exigible una diligencia que vaya más allá del razonable agotamiento de las posibilidades para la realización de la prueba que, en ocasiones, desde un principio o sobrevenidamente se revela ya como en modo alguno factible.

STS 483/2021: La posibilidad de que lo que ha sido declarado inicialmente pertinente devenga innecesario en el juicio oral constituye una realidad integrada en la normalidad del proceso penal. Lo pertinente puede convertirse en innecesario sin que ello represente la vulneración del derecho a la prueba. Así lo hemos declarado en numerosos precedentes. En principio, la previa declaración de pertinencia y consiguiente admisión de las pruebas interesadas en el escrito de conclusiones provisionales de cualquiera de las partes, no obliga al Tribunal, de forma ineludible, a su práctica en el plenario. La pertinencia inicial de una determinada prueba no es obstáculo para que, a la vista del desarrollo de las sesiones del plenario, su práctica deje de ser útil. A diferencia de la pertinencia, que se mueve en el ámbito de la admisibilidad como facultad del Tribunal, la necesidad de su ejecución se desenvuelve en el terreno de la práctica, de manera que medios probatorios inicialmente admitidos como pertinentes pueden lícitamente no realizarse, por muy diversas circunstancias que eliminen de manera sobrevenida su condición de indispensable y forzosa, como cualidades distintas de la oportunidad y adecuación propias de la idea de pertinencia.

STS 10/2017: La doctrina jurisprudencial ha admitido reiteradamente la eficacia y validez de la prueba de carácter indiciario para desvirtuar la presunción de inocencia, y ha elaborado un consistente cuerpo de doctrina en relación con esta materia; hemos señalado que los requisitos formales y materiales de esta modalidad probatoria son: 1°) Desde el punto de vista formal: a) Que la sentencia exprese cuales son los hechos base o indicios que se consideran acreditados y que sirven de fundamento a la deducción o inferencia; b) Que la sentencia de cuenta del razonamiento a través del cual, partiendo de los indicios, se ha llegado a la convicción sobre el acaecimiento del hecho punible y la participación en el mismo del acusado, explicación que -aun cuando pueda ser sucinta o escueta- es necesaria en el caso de la prueba indiciaria, para posibilitar el control casacional de la racionalidad de la inferencia. 2°) Desde el punto de vista material los requisitos se refieren en primer lugar a los indicios, en sí mismos, y en segundo a la deducción o inferencia: A) En cuanto a los indicios es necesario: a) Que estén plenamente acreditados; b) Que sean plurales, o excepcionalmente único, pero de una singular potencia acreditativa; c) Que sean concomitantes al hecho que se trata de probar; d) Que estén interrelacionados, cuando sean varios, de modo que se refuercen entre sí. B) Y en cuanto a la inducción o inferencia es necesario que sea razonable, es decir que no solamente no sea arbitraria, absurda o infundada, sino que responda plenamente a las reglas de la lógica y de la experiencia, de manera que de los hechos base acreditados fluya, como conclusión natural, el dato precisado de acreditar, existiendo entre ambos un "enlace preciso y directo según las reglas del criterio humano". Responder plenamente a las reglas de la lógica y de la experiencia implica que la inferencia no resulte excesivamente abierta, en el sentido de que el análisis racional de los indicios permita alcanzar alguna conclusión alternativa perfectamente razonable que explique los hechos sin determinar la participación del acusado, en cuyo caso la calificación acusatoria no puede darse por probada.

STC 175/2012: La prueba indiciaria puede sustentar un pronunciamiento condenatorio, sin menoscabo del derecho a la presunción de inocencia, siempre que: 1) El hecho o los hechos bases (o indicios) han de estar plenamente probados; 2) Los hechos constitutivos del delito deben deducirse precisamente de estos hechos bases completamente probados; 3) Se puede controlar la razonabilidad de la inferencia, para lo que es preciso, en primer lugar, que el órgano judicial exteriorice los hechos que están acreditados, o indicios, y, sobre todo que explique el razonamiento o engarce lógico entre los hechos base y los hechos consecuencia y, finalmente, que este razonamiento esté asentado en las reglas del criterio humano o en las reglas de la experiencia común o en una comprensión razonable de la realidad normalmente vivida y apreciada conforme a los criterios colectivos vigentes.

a) Declaración del acusado - coacusado

STS 651/2014: La confesión del acusado sirve para acreditar su participación en los hechos, pero no los hechos mismos.

STS 265/2018: Esta Sala tiene establecido que las declaraciones del acusado tenidas por el Tribunal como carentes de crédito, y como excusas de escasa consistencia, es verdad que no tienen ciertamente valor como prueba de cargo, porque no es al acusado a quien compete probar su inocencia sino a la acusación desvirtuar la presunción de ella. Por lo tanto, el escaso crédito de las explicaciones del acusado no incrementa el valor de la prueba de cargo, cuya capacidad como tal depende exclusivamente de su propio valor y eficacia. No hay más prueba de cargo porque sea menor el crédito de la de descargo. Pero ésta última cuando no es creíble mantiene íntegra la eficacia demostrativa de aquélla en cuanto que su valor probatorio como prueba de cargo no se ve contradicha eficazmente, en tal caso, por otra prueba de signo y resultado opuesto.

STS 228/2018: Entra dentro de la lógica que si se concibe la declaración del acusado como un medio de defensa y no como una prueba de la acusación, aunque pudiera tener efectos incriminatorios, su interrogatorio se intente una vez practicadas las pruebas propuestas por ésta última, de forma que pueda reaccionar, en ejercicio adecuado de su derecho de defensa, frente a los elementos incriminatorios que hubieran resultado de aquellas. Sin embargo, no ha sido este el uso habitual en nuestra práctica judicial, y no puede por ello deducirse vulneración del derecho de defensa.

STS 871/2015: Las declaraciones de los coinvestigados (coacusados) carecen de consistencia plena como prueba de cargo cuando, siendo únicas, no resultan mínimamente corroboradas por otros datos externos. La exigencia de corroboración se concreta, por una parte, en que no ha de ser plena sino mínima y, por otra, en que no cabe establecer qué ha de entenderse por corroboración en términos generales, más allá de que la veracidad objetiva de la declaración del coinvestigado ha de estar avalada por algún hecho, dato o circunstancia externa, debiendo dejarse al análisis caso por caso la determinación de si dicha mínima corroboración se ha producido o no. En cualquier caso, la declaración de un coinvestigado no puede entenderse corroborada por a estos efectos, por la declaración de otro coinvestigado.

Acuerdo no jurisdiccional del pleno de la Sala 2ª del TS de 16 de diciembre de 2008: La persona que ha sido juzgada por unos hechos y con posterioridad acude al juicio de otro imputado para declarar sobre esos mismos hechos, declara en el plenario como testigo y, por tanto, su testimonio debe ser valorado en términos racionales para determinar su credibilidad.

b) Prueba testifical

STS 298/2019: Para verificar la estructura racional del proceso valorativo de la declaración testifical de la víctima, esta Sala viene estableciendo ciertas pautas o patrones que, sin constituir cada una de ellos una exigencia necesaria para la validez del testimonio, coadyuvan a su valoración, pues la lógica, la ciencia y la experiencia nos indican que la ausencia de estos requisitos determina la insuficiencia probatoria del testimonio, privándole de la aptitud necesaria para generar certidumbre.

Estos parámetros consisten en el análisis del testimonio desde la perspectiva de su credibilidad subjetiva, de su credibilidad objetiva y de la persistencia en la incriminación. Es claro que estos módulos de valoración constituyen una garantía del derecho constitucional a la presunción de inocencia, en el sentido de que frente a una prueba única, que procede además de la parte denunciante, dicha presunción esencial sólo puede quedar desvirtuada cuando la referida declaración supera los criterios racionales de valoración que le otorguen la consistencia necesaria para proporcionar, desde el punto de vista objetivo, una convicción ausente de dudas razonables sobre la responsabilidad del acusado. La deficiencia en uno de los criterios no invalida la declaración, y puede compensarse con un reforzamiento de otro, pero cuando la declaración constituye la única prueba de cargo, un insuficiente cumplimiento de los tres módulos de contraste impide que la declaración inculpatoria pueda ser apta por sí misma para desvirtuar la presunción de inocencia, como sucede con la declaración de un coimputado sin elementos de corroboración, pues carece de la aptitud necesaria para generar certidumbre. No obstante, también tiene advertido este Tribunal que los criterios de "credibilidad subjetiva", "verosimilitud" y "persistencia en la incriminación" no constituyen requisitos de validez, sino estándares orientados a facilitar la objetivación y la expresión de la valoración del cuadro probatorio, pero que tienen un valor sólo relativo, de manera que el contenido de una testifical que supere ese triple filtro no debe ser tenido como determinante para fundamentar una condena. Lo único que cabe sostener es que un testimonio que no lo superara tendría que ser desestimado *a limine* como medio de prueba; mientras que, en el caso contrario, resultará en principio atendible, y, por tanto, habrá que pasar, en un segundo momento, a analizar sus aportaciones y a confrontarlas, si cabe, con las de otra procedencia, para confirmar la calidad de los datos. En lo que respecta a la credibilidad subjetiva de las víctimas, se acostumbra a constatar, además de por algunas características físicas o psíquicas singulares del testigo que debilitan su testimonio (minusvalías sensoriales o psíquicas, ceguera, sordera, trastorno o debilidad mental, edad infantil, etcétera), por la concurrencia de móviles espurios, en función de las relaciones anteriores con el sujeto activo (odio, resentimiento, venganza o enemistad), o de otras razones (ánimo de proteger a un tercero o interés de cualquier índole que limite la aptitud de la declaración para generar certidumbre). En lo concerniente al parámetro de la credibilidad objetiva, o verosimilitud del testimonio, lo centra la jurisprudencia en la lógica de la declaración (coherencia interna) y en el suplementario apoyo de datos objetivos de corroboración de carácter periférico (coherencia externa). Y en lo que atañe a la persistencia en la incriminación, se plasma en la ausencia de modificaciones y de contradicciones sustanciales en las sucesivas declaraciones prestadas por la víctima en el curso del procedimiento, tanto en su versión general de los hechos como en sus particularidades y circunstancias más relevantes y significativas.

STS 569/2022: Este Tribunal ha venido proporcionando unas pautas de valoración del testimonio único, con el propósito de contribuir a señalar aquellos aspectos que ordinariamente deberán ser ponderados por los Tribunales al efecto de valorar la fiabilidad de dicho medio de prueba; criterios de valoración compendiados en el ya conocido como "triple test". Sin embargo, no se trata de enumerar requisitos de indispensable concurrencia, que existiendo determinarían indefectiblemente el dictado de una sentencia de sentido condenatorio y obligarían a absolver cuando alguno faltara. Cumple traer aquí a colación, nuestra doctrina expresada, por todas, en la reciente sentencia número 692/2021, de 15 de septiembre. En ella, veníamos a recordar: "Resulta sobradamente conocida la doctrina de este Tribunal, expresada últimamente también en nuestra sentencia número 570/2021, de 30 de junio, relativa a que: "conforme al sistema de valoración libre de la prueba que preside nuestro enjuiciamiento criminal, --frente al sistema de valoración legal o tasada--, resulta plenamente posible que el derecho fundamental a la presunción de inocencia del acusado pueda reputarse enervado sobre la base de un testimonio único, también cuando proceda de quien se presenta como víctima de los hechos enjuiciados, y con independencia de que el procedimiento haya sido iniciado incluso, como no será infrecuente, a su instancia. Ello no empece a que, si siempre la valoración probatoria ha de venir presidida por la cautela, la unicidad de la prueba de cargo imponga o refuerce la necesidad de ponderar con detalle los aspectos que conforman esta fuente única de información probatoria. A estos efectos, ya desde antiguo este Tribunal Supremo ha venido destacando que en el trance de valoración del testimonio único, deberá ponderarse su credibilidad subjetiva, --cuidando de reparar en la posible existencia de móviles o propósitos espurios que pudieran estar animando el testimonio; y ponderando también las cualidades personales del testigo vinculadas a su capacidad de percepción--; su credibilidad objetiva, --que tomará en cuenta la solidez y persistencia de su relato--; y analizando, por último, el posible concurso de elementos objetivos, en tanto ajenos a la sola voluntad del testigo de cargo, que pudieran corroborar, al menos, ciertos aspectos colaterales o periféricos del relato (ya que no los nucleares pues, en tal caso, no estaríamos, en realidad, ante un testimonio único). Estos tres elementos o parámetros valorativos han venido a conformar lo que la práctica forense conoce ya, por economía en el lenguaje, como "triple test". Sin embargo, aunque creemos que se trata de un expediente útil en el marco de la valoración probatoria, no deben ser maximizados sus efectos, ni mucho menos aún debe incurrirse en una especie de "valoración taxonómica" de la prueba, compartimentándola en tres (o más) "requisitos", ni analizarse cada uno de aquellos parámetros como condiciones de posibilidad al efecto de que el testimonio único pueda (o no pueda) enervar el derecho fundamental a la presunción de inocencia, de tal manera que "si y solo si" cuando concurran aquellos se producirá este efecto; y cuando alguno falta no será, en cambio, posible reputar enervado el derecho fundamental a la presunción de inocencia. El clásico axioma testis unus testis nullus fue felizmente erradicado del moderno proceso penal. Ese abandono no acarrea ni una relajación del rigor con que debe examinarse la prueba, ni una debilitación del in dubio. Es secuela y consecuencia de la inconveniencia de encorsetar la valoración probatoria en rígidos moldes legales distintos de las máximas de experiencia y reglas de la lógica. Esa evolución no es una concesión al defensismo o a unas ansias de seguridad que repelerían la impunidad de algunos delitos. Las razones de la derogación de esa regla hay que buscarlas en el sistema de valoración racional de la prueba y no en un pragmatismo defensista que obligase a excepcionar principios esenciales. La palabra de un solo testigo, sin ninguna otra prueba adicional, puede ser suficiente en abstracto para alcanzar la convicción subjetiva. Ahora bien, la exigencia de una fundamentación objetivamente racional de la sentencia hace imposible fundar una condena sobre la base de la mera "creencia" en la palabra del testigo, a modo de un acto ciego de fe. En los casos de "declaración contra declaración" (normalmente no aparecen esos supuestos de esa forma pura y desnuda, despojada de otros elementos), se exige una valoración de la prueba especialmente profunda y convincente respecto de la credibilidad de quien acusa frente a quien proclama su inocencia. Cuando una condena se basa en lo esencial en una única declaración testimonial ha de redoblarse el esfuerzo de motivación fáctica. Así lo sostiene nuestra jurisprudencia a semejanza de la de otros Tribunales de nuestro entorno. No es de recibo un argumento que basase la necesidad de aceptar esa prueba única en un riesgo de impunidad como se insinúa en ocasiones, al menos aparentemente, al abordar delitos de la naturaleza del aquí enjuiciado en que habitualmente el único testigo directo es la víctima. Esto recordaría los llamados delicta excepta, y la inasumible máxima "In atrocissimis leviores conjecturae sufficiunt, et licet iudice iura transgredi" (en los casos en que un hecho, si es que hubiera sido cometido, no habría dejado "ninguna prueba", la menor conjetura basta para penar al acusado). La aceptación de esa premisa aniquilaría la presunción de inocencia como tal. La añeja Sentencia del TS americano que a finales del siglo XIX habló, por primera vez en aquella jurisdicción, de la presunción de inocencia -caso Coffin v. United States-, evocaba un suceso de la civilización de Roma que es pertinente también ahora rememorar. Cuando el acusador espetó al Emperador diciendo "... si es suficiente con negar, ¿qué ocurriría con los culpables?"; recibió esta réplica "Y si fuese suficiente con acusar, qué le sobrevendría a los inocentes?". La testifical de la víctima, así pues, puede ser prueba suficiente para condenar. Pero es exigible una motivación fáctica reforzada que muestre la ausencia de fisuras de fuste en la credibilidad del testimonio. En ese marco de referencia encaja bien el triple test que se establece por la jurisprudencia para valorar la fiabilidad del testigo víctima -persistencia en sus manifestaciones, elementos corroboradores, ausencia de motivos de incredibilidad diferentes a la propia acción delictiva-. No se está definiendo con esa tríada de características un presupuesto de validez o de utilizabilidad. Son orientaciones que ayudan a acertar en el juicio. Son puntos de contraste que no se pueden soslayar. Pero eso no significa que cuando se cubran las tres condiciones haya que otorgar "por imperativo legal" crédito al testimonio. Ni, tampoco, en sentido inverso, que cuando falte una o varias, la prueba ya no pueda ser valorada y, ex lege, por ministerio de la ley -o de la doctrina legal en este caso-, se considere insuficiente para fundar una condena. Ni lo uno ni lo otro. Es posible que no se confiera capacidad convictiva de forma razonada a la declaración de una víctima (porque se duda del acierto de su reconocimiento, v.gr), pese a que ha sido persistente, cuenta con elementos periféricos que parecerían apuntalarla y no se ha identificado ningún motivo espurio que ponga en entredicho su fiabilidad; y, según los casos, también es perfectamente imaginable que una sentencia condenatoria tome como prueba esencial la única declaración de la víctima ayuna de elementos corroboradores de cierta calidad, que ha sido fluctuante por ocultar inicialmente datos o por cambios o alteraciones en las diferentes declaraciones; y pese a detectarse una animadversión dilatada en el tiempo entre víctima y acusado, siempre que el Tribunal analice cada uno de esos datos y justifique por qué, pese a ellos, no pueden albergarse dudas sobre la realidad de los hechos y su autoría (aunque no es lo más frecuente, tampoco es insólito encontrar en los repertorios supuestos de este tenor)". También en la muy reciente sentencia número 545/2021, de fecha 23 de junio, veníamos a señalar: "Ciertamente, la valoración de una prueba de naturaleza personal, mucho se beneficia cuando ha sido presenciada, sin intermediación alguna, por los miembros del Tribunal. En el proceso comunicativo es claro que no solo el contenido mismo del mensaje opera como trasmisor de información.

También el modo en el que el emisor se expresa comunica. Aludimos, claro está, al mensaje que resulta de la conocida como comunicación no verbal que permite valorar también el grado de asertividad, la espontaneidad, la aptitud misma de quien proporciona la información. Y para valorar estos aspectos es obvio que se halla en mejor situación quien lo recibe de un modo personal o directo que quien tiene acceso a los mismos a través de su grabación audiovisual, --siempre seguramente, pero en especial cuando los sistemas de grabación están muy lejos, como aquí, de resultar técnicamente inmejorables--. En cualquier caso, este Tribunal ha tenido repetidamente oportunidad de advertir que la valoración de la prueba testifical no consiste solo en la recepción misma del mensaje comunicativo sino también, muy especialmente, en el razonamiento que conduce a considerar, en último término, que lo expresado por el testigo se corresponde realmente con lo sucedido (aspecto que no depende ya, como es obvio, de la existencia de inmediación). Por eso, frente a lo que pudiera resulta de ciertos eslongans o ripios que han hecho fortuna, la cuestión no es tan sencilla como creer o no creer el relato del testigo. Repelen a la estructura del enjuiciamiento penal los simples actos de fe. Lo relevante, cuando se quiere respetar el derecho a la presunción de inocencia y el derecho mismo de defensa, no es solo la conclusión alcanzada, desde su particular y naturalmente subjetivo punto de vista por los integrantes del órgano jurisdiccional, sino las razones, objetivas y susceptibles de ser sometidas a contraste (únicas frente a las que puede articularse el debate y la defensa) que sustentan la decisión".

STS 292/2019: Sobre la valoración de la declaración de la víctima en el proceso penal por el Tribunal, esta Sala ha señalado que es posible que el Tribunal avale su convicción en la versión de la víctima, ya que la credibilidad y verosimilitud de su declaración se enmarca en la apreciación de una serie de factores a tener en cuenta en el proceso valorativo del Tribunal. Y así podemos citar los siguientes: 1.- Seguridad en la declaración ante el Tribunal por el interrogatorio del Ministerio Fiscal, letrado/a de la acusación particular y de la defensa. 2.- Concreción en el relato de los hechos ocurridos objeto de la causa. 3.- Claridad expositiva ante el Tribunal. 4.- "Lenguaje gestual" de convicción. Este elemento es de gran importancia y se caracteriza por la forma en que la víctima se expresa desde el punto de vista de los "gestos" con los que se acompaña en su declaración ante el Tribunal. 5.- Seriedad expositiva que aleja la creencia del Tribunal de un relato figurado, con fabulaciones, o poco creíble. 6.- Expresividad descriptiva en el relato de los hechos ocurridos. 7.- Ausencia de contradicciones y concordancia del iter relatado de los hechos. 8.- Ausencia de lagunas en el relato de exposición que pueda llevar a dudas de su credibilidad. 9.- La declaración no debe ser fragmentada. 10.- Debe desprenderse un relato íntegro de los hechos y no fraccionado acerca de lo que le interese declarar y ocultar lo que le beneficie acerca de lo ocurrido. 11.- Debe contar tanto lo que a ella y su posición beneficia como lo que le perjudica. Por otro lado, ante las líneas generales anteriores a tener en cuenta sí que es cierto, también, que la víctima puede padecer una situación de temor o "revictimización" por volver a revivir lo sucedido al contarlo de nuevo al Tribunal, y tras haberlo hecho en dependencias policiales y en sede sumarial, lo que junto con los factores que citamos a continuación pueden ser tenidos en cuenta a la hora de llevar a cabo el proceso de valoración de esta declaración, como son los siguientes: 1.- Dificultades que puede expresar la víctima ante el Tribunal por estar en un escenario que le recuerda los hechos de que ha sido víctima y que puede llevarle a signos o expresiones de temor ante lo sucedido que trasluce en su declaración. 2.- Temor evidente al acusado por la comisión del hecho dependiendo de la gravedad de lo ocurrido. 3.- Temor a la familia del acusado ante posibles represalias, aunque estas no se hayan producido u objetivado, pero que quedan en el obvio y asumible temor de las víctimas. 4.- Deseo de terminar cuanto antes la declaración. 5.- Deseo al olvido de los hechos. 6.- Posibles presiones de su entorno o externas sobre su declaración".

STS 278/2020: Como hemos dicho en la STS 31/2019, de 29 de enero, para el supuesto de varias víctimas, las declaraciones de unas víctimas pueden ser utilizadas como elemento de corroboración de las declaraciones de las demás víctimas, siempre que sean sustancialmente coincidentes.

STS 366/2016: Si el testimonio directo ha sido invalidado, no es posible recurrir al de referencia como prueba indiciaria, ya que entrañaría un atajo inadmisible al no tratarse de un supuesto de imposibilidad del testimonio directo, sino de nulidad del mismo por vulneración de las garantías procesales.

STS 229/2016: Aun reconociéndose efectos probatorios al testimonio de referencia, vienen señalándose unos límites, entre los cuales se encuentra la imposibilidad de suplir un testimonio directo por el de mera referencia cuando ambos comparecen en el juicio y declaran de forma discrepante ante el Tribunal. Solo faltando el testimonio presencial o directo por causas debidamente acreditadas, podrá someterse su declaración sumarial a contradicción, al menos parcial, mediante el testimonio de referencia. El valor del testimonio de referencia es el de prueba complementaria que refuerza lo acreditado por otros elementos probatorios, o el de prueba subsidiaria, a considerar solamente cuando es imposible acudir al testigo directo, por desconocerse su identidad, haber fallecido o cualquier otra causa o circunstancia análoga que haga imposible su declaración testifical.

STS 363/2016: Lo que resulta determinante para la apreciación de la legitimidad de una declaración practicada en el sumario y contradictoria con la practicada en el juicio oral, es que se dé la oportunidad a quien ha efectuado esas declaraciones contradictorias (art. 714 LECrim extensible al acusado), para que explique esa diferencia y que el Juez pueda valorar con inmediación la rectificación producida. Es criterio jurisprudencial consolidado, la posibilidad de que, en caso de contradicción entre los resultados de ambas declaraciones, el órgano judicial pueda fundar su convicción en las pruebas sumariales en detrimento de lo manifestado en el juicio oral.

STS 580/2021: De acuerdo con la jurisprudencia del Tribunal Europeo de Derechos Humanos, para poder erigirse en prueba de cargo, la declaración del testigo anónimo debe reunir tres concretos requisitos. El primero de ellos que el anonimato haya sido acordado por el órgano judicial en una decisión motivada en la que se hayan ponderado razonablemente los intereses en conflicto; el segundo, que los déficits de defensa que genera el anonimato hayan sido compensados con medidas alternativas que permitan al acusado evaluar y, en su caso, combatir la fiabilidad y credibilidad del testigo y de su testimonio; y el tercero, que la declaración del testigo anónimo concurra acompañado de otros elementos probatorios, de manera que no podrá, por sí sola o con un peso probatorio decisivo, enervar la presunción de inocencia. Del examen conjunto de los precedentes jurisprudenciales que se han venido exponiendo, tanto de TEDH como del Tribunal Constitucional y de esta Sala, se colige que la vulneración de las garantías y sus consecuencias son notablemente diferentes cuando se trata de un supuesto de testigos anónimos que cuando se contempla un caso de testigos ocultos. En los supuestos de anonimato es claro que no resulta factible para la defensa ponderar la imparcialidad del testigo y su grado de credibilidad y fiabilidad, por lo que las garantías en la práctica de la prueba del testigo de cargo quedan sustancialmente disminuidas, al ser imposible someter a contradicción la credibilidad y fiabilidad del testimonio. En cambio, cuando se trate de declaraciones de testigos que depongan ocultos o semiocultos, pero cuya identidad se conoce, resulta claro que el déficit de garantías procesales ya no atañe a la fiabilidad o la credibilidad del testimonio sino a su eficacia probatoria en el caso concreto en relación con los principios de inmediación. En estos casos el cuestionamiento del testimonio ha de afectar sólo al grado de convicción alcanzado y por lo tanto a la eficacia probatoria en el caso concreto, dependiendo de la intensidad del ocultamiento del testigo y de las posibilidades que tuvieron las partes de visualizar y percibir las declaraciones del testigo. No resultando, pues, razonable que las limitaciones en la forma de practicar la prueba puedan determinar en principio una nulidad o total ineficacia del elemento probatorio.

STS 83/2021: En este tipo de decisiones la motivación debe tener en cuenta que el anonimato del testigo en la fase de enjuiciamiento es excepcional y que debe adoptarse con carácter restrictivo. El juicio de ponderación debe poner en la balanza el análisis de los riesgos que corre el testigo por su colaboración con la justicia y la situación en que queda la defensa si el testigo no es identificado. A tal fin se deben ponderar, entre otros factores, el riesgo real y concreto que puede producirse, en tanto la protección que se otorgue al testigo debe estar en consonancia con el riesgo que se pretende prevenir; el tipo de protección que se otorga, ya que puede ser de mayor o menor intensidad; la gravedad de las penas solicitadas por las acusaciones, ya que cuanto mayor sea la pena menos justificadas estarán las restricciones al derecho de defensa; la consistencia de los medios de prueba disponibles, porque las restricciones que se impongan al derecho de defensa serán más tolerables cuanto menor sea la relevancia del testimonio; la posible adopción de medidas compensatorias a la limitación del derecho de defensa y, por último, la posibilidad de adopción de otras medidas de protección del testigo distintas del simple anonimato. Aun reconociendo la dificultad que entraña realizar una motivación individualizada que, a la vez no revele datos que lleven a conocer la identidad del testigo, hay margen para exteriorizar las razones de la decisión judicial y para explicitar el juicio de ponderación realizado.

STS 389/2020 (Pleno): En el segundo apartado del Acuerdo Plenario de 23 de enero de 2018, se expresaba que no queda excluido de esta posibilidad quien habiendo estado constituido como acusación particular ha cesado en esa condición, vamos a justificar nuestra evolución jurisprudencial en esta materia, de la mano del caso de autos. En efecto, nada impide que esta Sala Casacional pueda modificar un Acuerdo Plenario anterior, y así lo ha hecho en varias ocasiones con anterioridad. Es más choca con la naturaleza de la jurisprudencia que ésta sea pétrea, inmutable o invariable, sino todo lo contrario, la jurisprudencia ha de adaptarse a la interpretación más conforme con la realidad social, porque significa marcar el sentido vivo de la ley. Buena prueba de ello fue que en 2018 se moduló el acuerdo plenario de 2013, y ahora nosotros hacemos lo mismo. En nuestro Acuerdo Plenario de 24 de abril de 2013, se acordó que se encontraban excluidos de la dispensa a declarar los supuestos en que el testigo esté personado como acusación en el proceso. Sobre la interpretación de tal aspecto es donde gira la corrección de nuestra anterior doctrina, puesto que entendemos que el denunciante, víctima de los hechos, que está personado en el proceso como acusación particular, al dejar de ostentar tal posición, no recobra un derecho del que carecía con anterioridad, por haber renunciado al mismo al constituirse como acusación particular, como resulta de nuestro acuerdo plenario de 2013. De manera que la víctima, que ha ostentado la condición de acusación particular, ha resuelto su conflicto, a favor de denunciar primero y ostentar la posición de parte acusadora después. El derecho de dispensa es esencialmente renunciable, y la víctima ha renunciado a él. Renunciado el derecho por parte del testigo, como dice nuestra jurisprudencia, no se recobra su contenido, ni hay razón alguna para ello. Esto es común con todos los derechos, salvo el derecho a no declarar del acusado por afectar esencialmente a su derecho de defensa. En definitiva, una adecuada protección de la víctima justifica nuestra decisión, en tanto que la dispensa tiene su fundamento en la resolución del conflicto por parte del testigo pariente. Una vez que este testigo ha resuelto tal conflicto, primero denunciando y después constituyéndose en acusación particular, ha mostrado sobradamente su renuncia a la dispensa que le ofrece la ley. Si después deja de ostentar tal posición procesal no debe recobrar un derecho al que ha renunciado, porque tal mecanismo carece de cualquier fundamento, y lo único que alimenta es su coacción, como desgraciadamente sucede en la realidad, siendo este un hecho de general conocimiento. Tampoco es posible convertir delitos de naturaleza pública en delitos estrictamente privados, no siendo este ni el fundamento ni la finalidad de la dispensa que se regula en el art. 416 de la Ley de Enjuiciamiento Criminal, que de aquel modo los desnaturaliza. (Tol 8030719) **Acuerdo no jurisdiccional del pleno de la Sala 2ª del TS de 23 de enero de 2018: 1.-** El acogimiento, en el momento del juicio oral, a la dispensa del deber de declarar establecida en el artículo 416 de la LECRIM, impide rescatar o valorar anteriores declaraciones del familiar-testigo aunque se hubieran efectuado con contradicción o se hubiesen efectuado con el carácter de prueba preconstituida. **2.-** No queda excluido de la posibilidad de acogerse a tal dispensa (416 LECrim) quien, habiendo estado constituido como acusación particular, ha cesado en esa condición.

Acuerdo no jurisdiccional del pleno de la Sala 2ª del TS de 24 de abril de 2013: La exención de la obligación de declarar prevista en el art. 416.1 LECrim alcanza a las personas que están o han estado unidas por alguno de los vínculos a que se refiere el precepto. Se exceptúan: a) La declaración por hechos acaecidos con posterioridad a la disolución del matrimonio o cese definitivo de la situación análoga de afecto; b) Supuestos en que el testigo esté personado como acusación en el proceso.

STS 434/2022: La ley no prevé la necesidad de informar al denunciante-pariente de las posibilidades de acogerse a su facultad de no denunciar. Está legalmente excusado, en verdad, de la obligación general de denunciar delitos públicos. Pero la situación de quien es convocado para declarar como testigo, está obligado a comparecer, y es informado de las posibilidades de incurrir en delito de falso testimonio de no decir la verdad, es radicalmente distinta a la de quien, de manera espontánea, acude a denunciar sin conocer probablemente con claridad que la ley sienta esa obligación (art. 259 LECrim). No parece que en este segundo caso el pariente obre impulsado por esa, desprestigiada de facto, obligación legal, ni atemorizado o compelido por la sanción anudada al incumplimiento, por desconocer que determinados parientes (que no coinciden totalmente con los que contempla el art. 416) están exonerados por ley de ese deber. No se aprecia en ese segundo caso necesidad de poner en conocimiento de quien comparece espontáneamente esa excepción para salvaguardar la voluntariedad de su denuncia. Siendo cierto que la jurisprudencia ha oscilado demasiado en relación a este concreto punto, también lo es que ni la ley procesal impone en su art. 261 ese trámite vestibular, ni parece que tenga mucho sentido preverlo dada la diferencia de contexto y escenario en comparación con el contemplado en el art. 416. Se nos antoja que no son demasiados (si es que se produce algún caso) los ciudadanos que denuncian a sus parientes -¡o a terceros!- impulsados exclusivamente por una obligación legal cuyo cumplimiento dista mucho de ser generalizado, y como consecuencia -en el caso de parientes- de no haber sido alertados de la exención que les ampara. Pero es que, además, no estaríamos de ninguna forma ante la vulneración de un derecho fundamental (que, por cierto, sería titularidad de la denunciante y no del recurrente: STC 94/2010, de 15 de noviembre). Por tanto, no cabría proyectar a esta situación la doctrina de los frutos del árbol podrido. Las diligencias practicadas con posterioridad quedarían a salvo en todo caso.

STC 31/2009: No se puede valorar la declaración incriminatoria del testigo-víctima prestada en instrucción, cuando se acoge en el plenario a su derecho a no declarar por la dispensa del art. 416 LECrim.

STS 329/2021: La necesidad de que los menores, una vez alcancen un cierto nivel de madurez, sean directamente advertidos de la posibilidad de guardar silencio derivada de su relación de parentesco ex artículo 416 LECrim, ha sido afirmada por esta Sala. Podrá discutirse cual sea ese límite de edad en los casos en que no esté expresamente previsto. Si cabe fijar un esquema más o menos rígido, o analizar en cada supuesto la edad recomendable en atención a la envergadura de la decisión. En cualquier caso, siempre será necesario un ejercicio de ponderación sobre el nivel de madurez del concernido. A partir de la pauta que tal previsión ofrece, podría entenderse como razonable residenciar la presunción madurez en la horquilla de edad que oscila entre los 12 y los 14 años, a salvo de que concurran especiales circunstancias que revelen esa edad biológica como prematura. Cuando se trata de quienes cabe predicar suficiente madurez para alcanzar a comprender el alcance de la dispensa, la decisión materna "no se les arrebata esa facultad por el hecho de que su madre se personase en nombre de ellos siendo menores". Incluso si la madre hubiese permanecido como acusación particular, los hijos, ya maduros o mayores, conservan la facultad para decidir por sí y con autonomía sobre la posibilidad de declarar o no. No se les arrebata esa facultad por el hecho de que su madre se personase en nombre de ellos siendo menores.

STS 225/2020: Cuando, como en este caso, no se cuestiona que el menor carece de la madurez necesaria para ejercitar por sí mismo el derecho de dispensa que analizamos, la jurisprudencia de esta Sala ha proclamado que el derecho debe ser ejercicio a través de representante, lo que se ha concretado en el ejercicio del derecho por aquellos que velan por los intereses del menor, esto es, los padres como sus representantes legales ex art. 162 CC, concretándose que corresponderá a uno solo de los progenitores cuando se aprecie un conflicto de intereses entre el otro progenitor y el menor (art. 163 CC). En coherencia con la trascendencia constitucional del derecho y con su naturaleza personal, el artículo 163 del CC refleja que si en algún asunto el padre y la madre tuvieren un interés opuesto al de sus hijos no emancipados, se nombrará a estos un defensor que los represente en juicio y fuera de él. El artículo 26 de la Ley 4/2015, sobre el Estatuto de la Víctima por el Delito, al hacer precisamente referencia a las medidas de protección para menores y personas con discapacidad necesitadas de especial protección, prescribe que el Fiscal recabará del Juez o Tribunal la designación de un defensor judicial que represente a la víctima en el proceso penal cuando, entre otros supuestos, sus representantes legales tengan con ella " un conflicto de intereses, derivado o no del hecho investigado, que no permite confiar en una gestión adecuada de sus intereses en la investigación o en el proceso penal". El cumplimiento de esta reciente y específica previsión legal, aun cuando va a comportar un singular esfuerzo en actuaciones procesales concretas, es lo que garantiza que el menor pueda disponer del derecho de previsión constitucional en todos aquellos supuestos en los que, para un observador imparcial, sus representantes legales o el Ministerio Fiscal (art. 3.7 EOMF) puedan verse constreñidos en su función tutelar. Una defensa jurídica que, ponderando las circunstancias concretas que ya hemos descrito al hacer referencia a los criterios que sirven para evaluar la madurez del menor, y supervisando siempre que el menor no presente rasgos o actitudes que hagan sospechar que pueda sentirse atemorizado o presionado, permitirá que el menor ejerza el derecho de manera fundada y, ahí sí, considerando la especial protección que, en un sentido o en otro, merece el testigo desvalido.

STS 342/2021: Esta Sala ha admitido que el derecho a la dispensa pueda ser ejercido a través de su representante legal (padres o defensor judicial) pero sólo en caso de que el menor carezca de madurez. No debe confundirse el derecho a ser parte procesal con el derecho a la dispensa. El progenitor que ejercita la acusación particular interviene procesalmente como representante legal del menor en su interés, pero sin que se precise su consentimiento, de ahí que pueda llevar a cabo esa intervención aún en contra de la voluntad del representado. Por otro lado, el ejercicio de acciones se limita a la realización de los actos procesales de parte encaminados al ejercicio de la acción ejercitada y no comprende el derecho a la dispensa, que es un derecho constitucional autónomo, por más que se ejerza dentro del proceso. A partir de estas precisiones bien puede comprenderse que el ejercicio de la acusación particular por los padres no conlleva una renuncia expresa o tácita del menor a su derecho constitucional, de ahí que el menor pueda ejercer la dispensa siempre que sus condiciones de madurez lo permitan.

STS 539/2021: Si la declaración de la denunciante no puede ser tomada en consideración al haberse acogido a la dispensa de su deber de declarar, conforme a lo autorizado en el art. 416 de la Ley de Enjuiciamiento Criminal, tampoco pueden ser utilizados en su contra los peritos que informaron sobre la credibilidad del testimonio de la menor en su denuncia. Sin embargo, el testimonio de lo reproducido por la menor en sus conversaciones ante los testigos de referencia, no queda neutralizado por tal mecanismo procesal. Se podrá borrar del cuadro probatorio lo anteriormente expresado por quien se acoge su derecho a la dispensa, pero no se puede eliminar lo escuchado de ella por los testigos que depusieron en el juicio oral. Este fenómeno solamente ocurre cuando estamos tratando sobre prueba ilícita, de manera que tal ilegalidad contamina en cascada a las demás fuentes de prueba. Pero aquí no hay prueba ilícita, sino la utilización de un derecho por parte de la denunciante, que el ordenamiento jurídico le concede, derecho a no declarar contra un pariente.

STS 451/2018: El artículo 416 de la Ley de Enjuiciamiento Criminal, releva de la obligación de declarar al abogado que lo es del procesado (la STS 797/2015, de 24 de noviembre, recuerda que la de 5 de noviembre de 1994 extiende esa prohibición al abogado de la acusación particular).

c) Prueba pericial

STS 700/2016: La prueba pericial resulta procedente (art. 456 LECrim) cuando para conocer o apreciar algún hecho o circunstancia importante en el proceso, fueran necesarios o convenientes conocimientos científicos o artísticos, no para resolver cuestiones estrictamente jurídicas.

STS 838/2021: Sobre los informes de credibilidad del testimonio en general, hemos dicho que no se puede sustentar la credibilidad de un testimonio en informes, que tanto sean en un sentido o en otro, ni refuerzan ni descalifican el testimonio específico y concreto de una persona. El análisis crítico del testimonio es una tarea consustancial a la responsabilidad de valorar y resolver de los jueces, cuyo criterio no puede ser sustituido por especialistas que solo pueden diagnosticar sobre la personalidad en abstracto pero no sobre su comportamiento en el caso concreto. Para bien o para mal los jueces, según el imperio de la ley, son los que, en último punto, deben valorar, con su personal criterio, la verosimilitud de las versiones que escuchan de los testigos o acusados, sin delegar esta misión en manos de terceros. La STS 28/2008 las descarta tanto en testigos como en acusados y señala que es doctrina jurisprudencial la que considera innecesaria la prueba pericial sobre cuestiones sobre las que el Juez o Tribunal posee una experiencia general o específica, como es el caso de la valoración de las declaraciones personales, sean confesiones o testimonios. Y añade que por ello su práctica es de aceptación excepcional en relación con los testigos que vienen obligados a decir verdad, o innecesaria respecto del acusado que no está obligado a decir verdad y respecto al que incluso son improcedentes las exhortaciones a hacerlo. La resolución matiza que no es infrecuente la realización de estas pericias psicológicas en relación con testigos de corta edad, y aunque tampoco pueden nunca vincular al Juez o Tribunal ni sustituirlo en su exclusiva función valorativa, sí pueden aportarle criterios de conocimiento psicológico especializado y, por tanto, científico, sobre menores de edad y las pautas de su posible comportamiento fabulador, que le auxilien en su labor jurisdiccional. Señala la STS 238/2011 que "por lo que se refiere a la pericial psicológica sobre la "veracidad" de las declaraciones prestadas hemos de recordar que no corresponde a los psicólogos establecer tal cosa, que es competencia del Tribunal en su exclusiva función de juzgar y valorar las pruebas practicadas. Cuestión distinta es la relevancia que en la valoración de la credibilidad del testigo, -sea víctima o sea un tercero- pueden tener sus condiciones psico-físicas, desde su edad, madurez y desarrollo, hasta sus posibles anomalías mentales, pasando por ciertos caracteres psicológicos de su personalidad, tales como la posible tendencia a la fabulación, o a contar historias falsas por afán de notoriedad etc. Y es esto y no la veracidad misma del testimonio, lo que puede ser objeto de una pericia".

STS 714/2020: Aunque es cierto que la apreciación probatoria de los medios de acreditación que se ofrecen y practican ante el Tribunal sentenciador, corresponde de forma exclusiva al mismo, sin que dicho órgano jurisdiccional pueda declinar la responsabilidad que en esta materia le encomienda el art. 741 de la Ley de Enjuiciamiento Criminal, desarrollo penal del art. 117 de la Constitución española, no es menos cierto que cuando se trata de declaraciones o testimonios de menores de edad, con desarrollo aún inmaduro de su personalidad, con resortes mentales todavía en formación, que pueden incidir en su manera de narrar aquello que han presenciado, de forma que puedan incurrir en fabulaciones o inexactitudes, la prueba pericial psicológica se revela como una fuente probatoria de indiscutible valor para apreciar el testimonio de un menor, víctima de un delito de naturaleza sexual, siempre que se encuentre practicada con todas las garantías (entre ellas, la imparcialidad y la fiabilidad derivada de sus conocimientos), y se rinda el informe ante el Tribunal enjuiciador, en contradicción procesal, aplicando dichos conocimientos científicos a fin de verificar el grado de verosimilitud del menor, conforme a métodos profesionales de reconocido prestigio en su círculo del saber.

STS 492/2016: Es doctrina reiterada de esta Sala y del Tribunal Constitucional, la validez como elemento probatorio de los informes periciales practicados en la fase previa al juicio, basados en conocimientos especializados y que aparezcan documentados en las actuaciones, que permitan su valoración y contradicción, sin que sea necesaria la presencia de sus emisores. Si nadie propusiera su ratificación para el acto del juicio por estimarse que hubo una aceptación tácita, ha de reconocerse aptitud a esas diligencias periciales para ser valoradas como verdaderas pruebas, máxime si han sido realizadas por un órgano de carácter público u oficial; sin que por otra parte la impugnación de la pericial practicada, que conllevaría la necesidad de su práctica en la vista, baste su mera formalidad, debiendo concretarse los motivos de impugnación, pues la indefensión que tiene trascendencia es la que responde aun contenido material.

STS 113/2019: Reiterada doctrina de esta Sala señala, con carácter general, que la práctica de la pericia en el sumario por un solo perito, cuando el artículo 459 de la Ley de Enjuiciamiento Criminal exige dos, no es causa de nulidad, y ello porque la exigencia de dos peritos solo constituye un refuerzo garantista que no impide valorar con las cautelas precisas el informe hecho por uno solo.

Acuerdo no jurisdiccional del pleno de la Sala 2ª del TS de 25 de mayo de 2005: La manifestación de la defensa consistente en la mera impugnación de los análisis sobre drogas elaborados por centros oficiales, no impide la valoración del resultado de aquellos como prueba de cargo, cuando haya sido introducido en el juicio oral como prueba documental, siempre que se cumplan las condiciones previstas en el art. 788.2 LECrim. La proposición de pruebas periciales se sujetará a las reglas generales sobre pertinencia y necesidad. Las previsiones del art. 788.2 de la LECrim son aplicables exclusivamente a los casos expresamente contemplados en el mismo. La aplicación de este artículo no es extensible a otros procesos o pruebas, por lo que sus previsiones son aplicables exclusivamente a los casos expresamente contemplados en el mismo.

STS 212/2021: Hemos señalado respecto al valor que tienen los dictámenes periciales emitidos por los Inspectores de la Agencia Tributaria, que dichos informes, en causas en las que la referida Agencia inicia mediante denuncia el procedimiento penal, que la vinculación laboral de estos Inspectores, que tienen la condición de funcionarios públicos, con el Estado, titular del ius puniendi, no genera ni interés personal que les inhabilite, por lo que ni constituye causa de recusación ni determina pérdidas de imparcialidad. "....La admisión como Perito de un Inspector de Finanzas del Estado en un delito fiscal, no vulnera los derechos fundamentales del acusado, atendiendo, precisamente a que el funcionario público debe servir con objetividad a los intereses generales, sin perjuicio, obviamente, del derecho a la parte a proponer una prueba pericial alternativa a la ofrecida por el Ministerio Fiscal....". "Lo relevante, pues, es que exista un verdadero análisis de la prueba pericial, como cualquier otra y sin preeminencia o mayor valor probatorio por provenir de la agencia tributaria minusvalorando de salida y en condiciones teóricas el informe presentado por la defensa, o que el tribunal deba adoptar una postura de "copiar y pegar" el informe de la agencia, sino que el ser una prueba pericial está sujeta a su análisis y examen. La clave está en la verdadera motivación y explicación dada por el tribunal al resultado de su práctica en el plenario".

d) Reconocimiento de voz

STS 400/2016: Es doctrina reiterada la prescindible necesidad de una prueba fonométrica para atribuir una determinada grabación al imputado. Es cierto que el órgano de enjuiciamiento no puede albergar duda alguna respecto de la autenticidad y la atribuibilidad de las voces, pero su convicción no tiene por qué obtenerse necesariamente mediante el formato de una pericial o una comparecencia previa de audición, pudiendo el Tribunal llegar a tal certeza bien mediante la percepción directa de la misma en el juicio oral y su cotejo con lo grabado, o cuando concurren circunstancias específicas y concretas en el curso de las conversaciones que revelan la identidad de la persona que está siendo investigada.

e) Prueba lofoscópica

STS 490/2020: La asociación de unas huellas dactilares a la identidad de una persona, si se garantiza que la toma de muestras y la aplicación de reactivos se ha verificado conforme a un protocolo científico que excluya cualquier duda sobre su autenticidad, encierra un poderoso elemento de prueba para afirmar, más allá de toda duda razonable, que esa persona ha estado en el lugar en el que aquéllas fueron reveladas. Como es lógico, no basta esa conclusión acerca de la ubicación espacial de un sospechoso para, sin más, fundamentar el juicio de autoría. Lo que demuestra la prueba dactiloscópica es que la persona cuyas huellas han sido obtenidas en el escenario del delito estuvo allí. Pero la inferencia acerca del momento de esa presencia y, por tanto, de su participación en el hecho delictivo puede quedar neutralizada a partir de una explicación plausible sobre las razones que justifican lo que la prueba dactiloscópica está evidenciando.

f) Diligencia de careo

STS 263/2022: La diligencia de careo, de acuerdo a una reiterada jurisprudencia, no es propiamente un medio de prueba, sino una facultad excepcional otorgada al Tribunal sentenciador que dada su posición en el proceso debe usar de ella con extremada moderación. Es difícil realizarlo respecto de acusados y testigos, dada la distinta posición en el proceso. Se trata de un medio para constatar, matizar y precisar los interrogatorios ya producidos. Es una oportunidad conferida al tribunal para formar su convicción y complementar el testimonio oído relacionándolo con otros testimonios. Las llamadas a las cautelas cobran especial relevancia en supuestos en los que el delito objeto de la acusación es de la gravedad como el objeto de este enjuiciamiento, y la víctima es una menor y el acusado de su entorno familiar. Por lo que respecta a la diligencia de careo, también hay que recordar la reiteradísima doctrina de esta Sala a propósito del carácter facultativo de la admisión de una diligencia probatoria como la mencionada y la intocabilidad en sede casacional de la decisión adoptada al respecto en orden a sostener la existencia de una vulneración del derecho a la prueba, pues el careo, más que una diligencia de prueba propiamente dicha, es un instrumento de verificación y contraste de la fiabilidad de otras pruebas, visto que el artículo 455 LECrim dispone que sólo se practicará el careo cuando no fuere conocido otro modo de comprobar la existencia del delito o la culpabilidad de alguno de los procesados.